AUTEURS ET DIRECTEURS DES COLLECTIONS
Dominique AUZIAS & Jean-Paul LABOURDETTE

DIRECTEUR DES ÉDITIONS VOYAGE
Stéphan SZEREMETA

RESPONSABLES ÉDITORIAUX VOYAGE
Patrick MARINGE et Morgane VESLIN

ÉDITION ✆ 01 53 69 70 18
Emmanuelle BLUMAN, Audrey BOURSET, Soph
CUCHEVAL, Caroline MICHELOT, Marguerite
PILVEN, Nolwenn ROUSSIER, Pierre-Yves SOUCH
Hélène DEBART et Pauline WALCKENAER

ENQUÊTE ET RÉDACTION
Marie-Isabelle CORRADI, Federica VISANI, Maxen
GORRÉGUÈS, Thomas SAINTOURENS, Sophie
FRÉCHON, Lucia RENZULLI, Baptiste THARREAU,
Anne-Marie ENESCU, Marie LIQUARD, Xavier
CARPENTIER-TANGUY, Christelle PINEAU-FARGE,
Giulia VIANELLO et Nicolas BOISSENOT

MAQUETTE & MONTAGE
Sophie LECHERTIER, Delphine PAGANO,
Julie BORDES, Élodie CLAVIER et Élodie CARY

CARTOGRAPHIE
Philippe PARAIRE, Thomas TISSIER

PHOTOTHÈQUE ✆ 01 53 69 65 26
Élodie SCHUCK

RÉGIE INTERNATIONALE ✆ 01 53 69 65 34
Karine VIROT, Camille ESMIEU
et Virginie BOSCREDON

PUBLICITÉ ✆ 01 53 69 70 61
Olivier AZPIROZ, Caroline GENTELET,
Perrine de CARNE-MARCEIN
et Aurélien MILTENBERGER

INTERNET
Hélène GENIN assistée de Mélanie ARGOUAC'H
et Mathilde BALITOUT

RELATIONS PRESSE ✆ 01 53 69 70 19
Jean-Mary MARCHAL

DIFFUSION ✆ 01 53 69 70 06
Eric MARTIN, Bénédicte MOULET,
Jean-Pierre GHEZ, Antoine REYDELLET
et Nathalie GONCALVES

DIRECTEUR ADMINISTRATIF ET FINANCIER
Gérard BRODIN

RESPONSABLE COMPTABILITÉ
Isabelle BAFOURD assistée de Bérénice BAUMONT
et Angélique HELMLINGER

DIRECTRICE DES RESSOURCES HUMAINES
Dina BOURDEAU assistée de Sandrine DELEE
et Sandra MORAIS

© ALFREDO VENTURI - ICONOTEC

LE PETIT FUTÉ ITALIE DU NORD
2010-2011
4e édition

NOUVELLES ÉDITIONS DE L'UNIVERSITÉ©
Dominique AUZIAS & Associés©
18, rue des Volontaires – 75015 Paris
Tél. : 33 1 53 69 70 00 - Fax : 33 1 53 69 70 62
Petit Futé, Petit Malin, Globe Trotter, Country Guides
et City Guides sont des marques déposées ™®©
© Photo de couverture : Iconotec
ISBN - 9782746927179
Imprimé en France par
IMPRIMERIE CHIRAT - 42540 Saint-Just-la-Pendue

Pour nous contacter par email, indiquez le nom de
famille en minuscule suivi de @petitfute.com
Pour le courrier des lecteurs : country@petitfute.com

Bienvenue en Italie du Nord !

...nnaître...
...dévoile de
...offre des
...on peine à
...singulier, tant est grande la
...des paysages et des cultures, l'Italie du Nord
elle-même se présente comme une vaste mosaïque.
Ainsi, des sommets enneigés des Alpes jusqu'aux
verts vallons toscans, le voyageur verra défiler une
multitude de petits carrés de vie, aussi riches et
singuliers les uns que les autres. Il sera tantôt grisé
par l'éclat et le bouillonnement de métropoles telles
que Gênes, Turin, Milan et Bologne, au génial mariage
entre tradition et modernité, tantôt émerveillé par la
douceur du décor naturel des Apennins ou de la plaine
du Pô. Sans oublier Venise et Florence, deux cités
enchanteresses, inoubliables. Partout, l'accueil est
chaleureux, mâtiné d'accent vénète ou piémontais,
voire allemand au Sud-Tyrol. Car l'Italie du Nord,
dans son histoire mouvementée, a subi bien des
conquêtes et s'est enrichie de bien des influences.
Les témoignages artistiques sont là pour rappeler
que les plus grands ont fait de la région leur atelier
fétiche. Léonard de Vinci, Michel-Ange, Raphaël,
Titien, Mantegna... La patte des artistes s'est posée
sur Sienne, Urbino, Padoue, Mantoue... et jusqu'aux
châteaux ou abbayes encore à l'écart des sentiers
battus, où l'on découvre bien souvent des merveilles.
Il faut pousser les portes ! C'est aussi à l'occasion
de rencontres dans un café, une trattoria ou
bien lors d'un aperitivo qui s'éternise que vous
goûterez à la douceur de vivre, élevée, elle-aussi,
en un véritable art. Alors, n'hésitez plus, franchissez
les Alpes et partez à la découverte d'une contrée si
proche, mais pourtant si lointaine...

L'équipe de rédaction

MISE EN GARDE. *Le monde du tourisme est en
perpétuelle évolution. Malgré notre vigilance, des
établissements, des coordonnées et des prix peuvent
faire l'objet de changements qui ne relèvent pas
de notre responsabilité. Nous faisons appel à la
compréhension des lecteurs et nous excusons auprès
d'eux pour les erreurs qu'ils pourraient constater
dans les rubriques pratiques de ce guide.*

Ce guide a été fabriqué chez un imprimeur bénéficiant
du label IMPRIM'VERT.
Cette démarche implique le respect de nombreux
critères contribuant à préserver l'environnement.

Sommaire

◼ VENISE ET LA VÉNÉTIE ◼

◼ FRIOUL-VÉNÉTIE JULIENNE ◼

◼ TRENTIN ET SUD-TYROL◼

Sommaire

AUTRICHE

TRENTIN-
HAUT-
ADIGE

Alpes
de l'Ortler

Bolzano

Cortina
d'Ampezzo

Alpes
Juliennes

FRIOUL-
VENETIE
JULIENNE

SLOVENIE

Dolomites

Belluno

Udine

Ljubljana

Trente

Gorizia

Vittorio
Veneto

Bassano
del Grappa

A22

Trévise

A4

Trieste

Zagreb

Lac de
Garde

Vicence

Brenta

Mestre

VENETIE

Vérone

A4

Padoue

Venise

CROATIE

Golfe
de
Venise

Legnago

Adige

Mincio

Mantoue

Po

Rovigo

A13

MER

Reggio
d'Emilie

Ferrare

EMILIE-ROMAGNE

Modène

Reno

Lagune
de Comacchio

ADRIATIQUE

Bologne

Ravenne

A14

Apennins Etrusques

Forli

Rimini

A1

Pistoia

Prato

St-Marin

Pesaro

ucques

Urbino

Fano

Florence

Metauro

ise

Arno

Ancône

urne

TOSCANE

Arezzo

A14

Esino

Civitanova
Marche

Sienne

Macerata

Tibre

A1

Pérouse

MARCHES

Lac
Trasimène

Assise

Ascoli
Piceno

Piombino

OMBRIE

Grosseto

Onbrone

N

Terni

L.de
Bolsena

0 km   25   50   75   100 km

Pile de canotiers

Pâtes fraîches

Statue de David au Palazzo Vecchio de Florence

Turin de nuit

Les plus de l'Italie du Nord

Le pays de la culture et du génie artistique

D'après l'Unesco, plus de la moitié du patrimoine historique et artistique mondial se trouve en Italie ! Un nombre inestimable de trésors est réparti sur une centaine de sites archéologiques et dans les 3 000 musées présents sur l'ensemble du territoire. Des Etrusques à la Rome antique en passant par le génie de la Renaissance, le visiteur ne peut que s'émerveiller de ce passé qui a longtemps rayonné sur le monde. Villas sur les bords des grands lacs, vestiges romains, châteaux forts, forteresses, abbayes, villes mythiques (Venise, Milan et Turin), l'Italie du Nord regorge de trésors architecturaux. L'Italie, c'est aussi la patrie des peintres, sculpteurs et architectes comme Léonard de Vinci, Botticelli, Donatello, Giorgione, qui ont influencé leur époque et laissé des œuvres d'une splendeur rarement égalée. D'un point de vue littéraire, Dante ou Machiavel ont produit des ouvrages universels, étudiés partout à travers le monde. Sans oublier le septième art, qui est chez lui en Italie grâce à des noms comme Fellini, Rossellini, De Sica, Visconti, Antonioni, Pasolini ou, plus proches de nous, Moretti, Bertolucci et quelques autres.

Une nature généreuse

L'Italien est proche de sa terre et lui voue un amour sans bornes. 10 % du territoire est placé sous la protection des lois sur l'environnement. Les 18 parcs nationaux, 89 parcs régionaux, 142 réserves nationales et 7 réserves maritimes traduisent bien cet engouement pour la nature et les efforts entrepris par l'Etat. Le tourisme vert peut également être une façon originale et sympathique de découvrir le Nord de la péninsule. D'autant plus que les paysages sont très diversifiés, montagnes, plaines, bords de mer… Skier dans les Alpes ou faire de la plongée à l'île d'Elbe, tout est permis.

La diversité humaine

Si l'on oppose traditionnellement un Nord riche et industriel à un Mezzogiorno pauvre et sous-développé, les contrastes demeurent forts au sein même de la partie septentrionale de la péninsule. Les régionalismes occupent une place importante et dessinent le paysage humain. De l'histoire à la langue, encore aujourd'hui, les particularismes sont cultivés. Vous verrez, au fil de votre périple, toute la richesse culturelle de l'Italie du Nord. Jean Cocteau disait : « *Le Français est un Italien de mauvaise humeur.* »

Village de Cogne dans le parc national du Gran Paradiso

Gondoliers sur la place Saint-Marc à Venise

Cette citation traduit à merveille le lien de parenté que nous avons avec nos cousins transalpins.

L'art de la table

La gastronomie est un élément incontournable de la culture italienne, dont elle demeure l'une des plus efficaces ambassadrices. Osso bucco, risotto, polenta sont autant de noms délicieusement évocateurs. Aussi, un séjour dans la péninsule peut s'apparenter à un fantastique marathon culinaire auquel les plus fins gourmets ne sauront résister. Vins et autres merveilleux breuvages se chargeront d'égayer ces copieux repas.

Des infrastructures et un accueil impeccable

Accessible en avion low cost (le plus pratique pour le nord-est), en TGV (recommandé pour Turin et Milan depuis Paris et Lyon) mais aussi riche d'un réseau routier très dense et bien entretenu, l'Italie du Nord est un territoire propice aux pérégrinations. Ajoutant à cela une offre hôtelière variée et des services au top, l'Italie du Nord est, à n'en pas douter, une destination des plus confortables…

Le sport en toute saison

Les nombreuses possibilités offertes par les Alpes italiennes rendent accessible la pratique de presque tous les sports. De grandes stations accueillent les passionnés de sports d'hiver, qui y font du ski alpin ou du ski de fond dans un superbe environnement naturel. La montagne est aussi le but des randonneurs, qui y viennent du monde entier pendant l'été.

Une ascension en haute montagne, en faisant étape dans l'un des nombreux refuges ou dans les bivouacs d'altitude, représente l'occasion rêvée pour se familiariser avec les Alpes italiennes dont le patrimoine naturel s'accompagne de précieux témoignages appartenant au passé. Les amateurs des sports aquatiques peuvent satisfaire leur passion sur les lacs (le lac Majeur, le lac de Côme ou le lac de Garde, véritable mer intérieure), avec le canoë, le rafting, la planche à voile et la voile. Pour ceux qui aiment le golf, plus d'une centaine de terrains sont disséminés sur la totalité du territoire régional, de Sestrières aux Dolomites. Enfin, de nombreuses stations thermales permettent de se ressourcer toute l'année.

Mont-Blanc dans le Val d'Aoste

Fiche technique

Argent

▸ **Monnaie :** l'euro.

Idées de budget

En Italie du Nord, les prix varient beaucoup selon les régions et selon les saisons. En moyenne les tarifs sont assez proches de ceux pratiqués en France (incluant la nourriture, le logement et les visites par jour et par personne).

▸ **Petit budget :** 50 €.

▸ **Budget moyen :** 90 €.

▸ **Gros budget :** 200 € et plus.

L'Italie en bref

Le pays

▸ **Nom du pays :** Italie.

▸ **Capitale :** Rome.

▸ **Superficie du pays :** 301 340 km².

▸ **Langue officielle :** italien.

▸ **Chef de l'Etat :** Giorgio Napolitano (depuis 2006).

▸ **Chef du gouvernement (Président du Conseil) :** Silvio Berlusconi (depuis 2008).

▸ **Nature de l'Etat :** république.

▸ **Nature du régime :** démocratie parlementaire.

La population

▸ **Population :** 58 126 212 hab. (estimations 2009).

▸ **Densité de population :** 195 hab. km².

▸ **Taux d'urbanisation :** 68 % (2008).

▸ **Espérance de vie :** 77 ans pour les hommes, 83 ans pour les femmes (estimations 2009).

▸ **Religion :** 90 % de catholiques romains.

L'économie

▸ **PNB par habitant :** 30 581 $.

▸ **Répartition de la population active :** 5 % agriculture, 32 % industrie, 63 % services.

▸ **Chômage :** 7,4 %.

Téléphone

▸ **Pour appeler l'Italie de la France :** 00 + 39 + indicatif de la ville et le 0 initial.

▸ **Pour appeler la France de l'Italie :** 00 + 33 + indicatif de la ville sans le 0 initial.

▸ **Pour appeler d'une province à l'autre :** indicatif complet de la province + numéro.

Indicatifs téléphoniques

Certains pourront s'étonner des longueurs variables des numéros de téléphone et de fax en Italie, allant de quatre jusqu'à dix chiffres. Cela tient à leur ancienneté et au fait que, depuis, ils n'ont pas été tous homologués.

▸ **Indicatifs des plus grandes villes d'Italie du Nord.** Ancône : 071 • Bergame : 035 • Bologne : 051 • Brescia : 030 • Côme : 031

Le drapeau italien

Pour créer leur emblème national, les Italiens se seraient inspirés du drapeau français et ce, suite à la campagne napoléonienne menée dans la péninsule. Le blanc et le rouge figureraient les couleurs de la République de Milan et le vert celle des uniformes de la Garde civique milanaise ralliée à Napoléon. Cependant, nous pouvons également lui trouver une origine littéraire et religieuse. En effet, dans le *18e chant du Purgatorio*, Dante décrit Béatrice en utilisant les trois couleurs, symboles des vertus théologales : le blanc pour la foi, le vert pour l'espoir et le rouge pour la charité. Toutefois, la bannière tricolore est adoptée officiellement par la République cispadane en 1797, suivront la République cisalpine ainsi que les autres républiques jacobines de l'époque. Abandonné à la mort de Napoléon en 1815, il est repris en 1861 et devient le drapeau du royaume d'Italie. Il est alors enrichi des armes de la maison de Savoie qui disparaîtront avec la chute de la monarchie. L'étendard tel qu'on le connaît sous sa forme actuelle naît lorsque l'Italie devient une république, le 1er janvier 1948.

• Florence : 055 • Gênes : 010 • Milan : 02
• Monza : 039 • Padoue : 049 • Pise : 050 •
Rimini : 0541 • Trieste : 040 • Turin : 011 •
Venise : 041 • Vérone : 045 • Vicence : 0444.

Lac de Côme

Coût du téléphone

▶ **Vers les fixes** : 0,23 €/min et une réduction de 40 % de 19h à 8h du matin.

▶ **Vers les cellulaires** : 0,40 €/min.

▶ **Vers la France** : 0,50 €/min.

▶ **Cabines téléphoniques** : Telecom Italia et Tiscali, les deux principaux opérateurs téléphoniques, commercialisent des cartes. Les plus fréquentes de 5 €, 10 €, 15 € (en vente dans les tabacs, bureaux de poste, kiosques à journaux).

Décalage horaire

Aucun. Même changement d'heure en hiver et en été qu'en France. GMT + 1 heure.

Climat

Dans le Nord, les étés sont chauds et secs et les hivers froids et doux.

Saisonnalité

▶ **Printemps**. Le printemps est une excellente période pour découvrir l'Italie du Nord. Tout est en fleurs, les paysage sont vraiment envoûtants. Les températures varient entre 15 °C et 25 °C en moyenne. Les régions montagneuses sont évidemment plus fraîches et, si la neige résiste, il n'est pas rare de profiter des sports d'hiver jusqu'au début du mois d'avril. Quand en revanche les températures sont particulièrement douces, sur la côte on se baigne déjà à partir de mai.

▶ **Été**. Mis à part les régions côtières et celles montagneuses qui au moins bénéficient de la fraîcheur de la mer et des hauteurs, les étés sont très très chauds en Italie du Nord. Les températures peuvent atteindre 36 °C, avec un taux d'humidité également très élevé. De violents orages se déclenchent régulièrement en juillet et en août, ce qui peut rendre souvent pénible la visite des grandes villes. En revanche en bord de mer la température de l'eau est très agréable, autour de 24-26 °C.

▶ **Automne**. C'est peut-être la meilleure saison pour se rendre dans le Nord de l'Italie. Les régions de vignobles étant nombreuses, vous traverserez un peu partout des côteaux de vignes dorés, prêts pour les vendanges. Avec de la chance, en bord de mer on se baigne jusqu'à la mi-octobre. La pluie malheureusement risque d'être au rendez-vous et, dans la plaine du Pô, le brouillard également. Pourtant les paysages ne perdent pas de leur beauté.

▶ **Hiver**. Contrairement à ce que l'on pourrait croire, les hivers sont très froids en Italie du Nord, avec des températures entre 0° et 12°C dans les grandes villes de la plaine, et jusqu'à - 8 °C dans les régions montagneuses. Même si à cause du réchauffement climatique les températures se sont un peu adoucies, il pourrait vous arriver de découvrir Milan, Turin ou Florence sous la neige !

Florence

Janvier	Février	Mars	Avril	Mai	Juin	Juillet	Août	Sept.	Octobre	Nov.	Déc.
2°/9°	3°/11°	5°/14°	8°/19°	12°/23°	15°/27°	18°/30°	17°/30°	15°/26°	11°/20°	7°/14°	4°/11°

Milan

Janvier	Février	Mars	Avril	Mai	Juin	Juillet	Août	Sept.	Octobre	Nov.	Déc.
0°/5°	2°/8°	6°/13°	10°/18°	14°/23°	17°/27°	20°/29°	19°/28°	16°/24°	11°/17°	6°/10°	2°/6°

Idées de séjour

Partir à la découverte de l'Italie du Nord, c'est vite comprendre que le temps à disposition sera toujours trop court pour tout voir, quelle que soit la durée du séjour. Le grand avantage de cette région est sa relative proximité avec la France. En avion, en train ou en voiture, la frontière italienne est rapidement atteinte. A chaque saison, le Nord de l'Italie vous saisira par son charme. Nous déconseillons cependant de se rendre dans les régions à fort rappel touristique (Venise, la côte ligure) pendant l'été, pour éviter les bains de foule, les embouteillages et des prix majorés.

Itinéraire court (10 jours)

▶ **Jour 1 : Turin et ses délices.** La majestueuse capitale de la maison de Savoie fait office de point de départ élégant à la découverte de l'Italie du Nord. Loin des clichés de ville industrielle triste, Turin révélera ses beautés, au détour de ses 18 km d'arcades. Au menu : balade le long de la via Pô, pause (s) café, ou plutôt *ciocolatta* ou *bicerin*, la spécialité locale, dans l'un des *caffé* historiques de la capitale de l'unité italienne. L'après-midi, un tour à l'excellent musée du Cinéma, abrité dans la Mole Antonelliana, édifice symbole de la cité. On accède au sommet par un ascenseur avec avec, si le temps est clair, une vue royale sur les sommets alpins. Le soir, un opéra au théâtre Regio, ou une nuit agitée dans les clubs des Murazzi, le long du fleuve Pô.

▶ **Jour 2 : à la découverte des Langhe.** Peut-être mis en éveil par un verre de Barolo goûté la veille à Turin, il est temps de remonter à sa source. A quelques kilomètres au sud, un paysage vert et vallonné accueille dans ses replis quelques-uns des meilleurs nectars d'Italie. Autour d'Alba, fief de la Ferrero, les *cascine* – grosses fermes piémontaises – offrent repos et bonne chère dans un cadre encore préservé du tourisme de masse. L'occasion d'une marche revigorante avant les merveilles piémontaises à déguster, peut-être la fameuse truffe blanche, l'or local.

▶ **Jour 3 : escale à Gênes.** Depuis une dizaine d'années, Gênes a pris un coup de jeune décoiffant. Quand on fait abstraction de la *sopraelevata*, l'autoroute qui coupe la ville de la mer en une vilaine balafre, la capitale ligure offre le plus grand centre historique chargé de ruelles pittoresques où il fait bon flâner. Dans le port, restauré par le maître Renzo Piano, une visite à l'Aquarium, plus grand parc marin d'Europe, comblera les admirateurs de la Grande Bleue et de la nature. On pourra ensuite déguster une *focaccia* ou une *farinata* dans l'une des nombreuses échoppes autour du port. En remontant vers le centre, on découvre le spectacle de la via San Lorenzo qui mène à la cathédrale du même nom. Puis, finir en beauté la journée par la via Garibaldi et ses douze palais Renaissance.

▶ **Jour 4 : balade aux Cinque Terre.** Après la journée animée de la veille, rien ne vaut un moment de flânerie. Entre terre et mer, le parc national des Cinque Terre, inscrit au patrimoine mondial de l'humanité, promet des marches revigorantes avec les eaux turquoise de la Méditerranée en point de mire. Après une journée de balades sur ses promontoires faits de vignes et d'oliviers, le repos chez l'habitant, dans l'un des cinq villages de la zone, est le bienvenu.

▶ **Jour 5 : Bologne gourmande.** Symbole de la tradition de bonne chère de la région de l'Emilie-Romagne, Bologne constitue une destination de choix.

Mole Antonelliana, symbole de la ville de Turin

Les murs ocre de son magnifique centre historique vibrent de la jeunesse cosmopolite qui peuple son université, la plus ancienne d'Europe. Il est agréable de se promener dans le centre historique et découvrir les denrées alimentaires qui font la renommée de la ville dite rouge (dû à la couleur de ses monuments… et à ses penchants politiques) au détour d'un marché, et pourquoi pas garnir son panier pique-nique à celui delle Erbe, ouvert tous les jours de la semaine.

▶ **Jour 6 : à Ferrare, en vélo.** A une demi-heure de Bologne, bien protégée par ses hautes murailles héritées des guerres entre paladins, Ferrare mérite le détour. Le meilleur moyen d'arpenter ses rues calmes est la bicyclette, à louer sur place. Le château de la famille d'Este et les palais de la Renaissance font de la visite de Ferrare une plongée dans un autre monde. Si l'envie vous prend, dégustez *il pasticcio de maccheroni*, spécialité locale, dans une trattoria au cœur de la ville.

▶ **Jour 7 : la beauté des villas paladiennes.** Au cœur de la Vénétie, l'architecte Andrea Palladio (1508-1580) a laissé un élégant héritage. Nichées dans des écrins de verdure délicieux, les villas du maître constituent des visites immanquables, en particulier la fameuse Rotonda. De quoi se prendre pour un seigneur de la Renaissance.

▶ **Jour 8 : Padoue sous les arcades.** Déposée entre Vérone et Venise, ses deux encombrantes voisines, Padoue est souvent délaissée des circuits touristiques traditionnels. Une bonne raison pour humer le parfum particulier de cette ville étudiante bordée d'arcades. Elle cultive un art de vivre bien à elle, protégée par saint Antoine. En fin d'après-midi, oser la pause au caffé Pedrocchi, l'institution locale… Ou bien se joindre à la horde d'étudiants qui se retrouve pour un *spritz* à l'heure de l'apéritif. Revigorant.

▶ **Jour 9 : plongée à Venise.** Difficile d'échapper à la cohue des touristes entre le pont du Rialto et la place Saint-Marc. Venise, qui dévoile son décor de carte postale le long du canal Grande, lors d'un trajet en *vaporetto*, a bien des charmes plus mystérieux à découvrir, du côté de la Giudecca ou du quartier du Ghetto. Une pause musée est à prendre en compte : Guggenheim ou Accademia, selon l'envie. A la nuit tombée, la ville prend des reflets nouveaux. Une autre atmosphère nimbée de mystère où il fait bon se perdre.

▶ **Jour 10 : Venise côté lagune.** S'éloigner de l'euphorie vénitienne pour un recul nécessaire. Les petites îles de la lagune, reliables par bateau, sont autant de confettis marins à découvrir, propices à la rêverie mélancolique. Burano et ses maisons colorées, Torcello et ses ruines mystérieuses. Un bon moyen de se ressourcer avant le retour à la maison.

Régate sur le Grand Canal de Venise

© PEPERA, TOM - ICONOTEC

Itinéraire long (4 semaines)

▶ **Jours 1-2 : Milan.** Une journée, c'est très court pour voir les incontournables de la capitale lombarde alors pas de temps à perdre, direction le Duomo, symbole de la ville, la cathédrale est la troisième plus vaste du monde. On peut rester dans le centre historique et se balader dans les rues animées environnantes regorgeant de boutiques de mode pour finir devant l'opéra de la Scala, haut lieu de la vie culturelle milanaise. S'il reste un peu de temps et d'énergie, une visite à la pinacothèque de Brera finira la journée en apothéose.

▶ **Jours 3-4 : les Grands Lacs.** Après la tourmente de la capitale économique d'Italie, rien ne vaut un peu de repos dans la région des Lacs, majestueusement encadrée par les hauts sommets alpins ; l'un des plus beaux paysages italiens. En arrivant sur les rives du lac Majeur, ne pas manquer un saut sur les îles Borromées. Consacrer la deuxième journée au lac de Côme et au village de Bellagio où l'on pourra apprécier de magnifiques panoramas.

Le Duomo de Milan vu depuis une statue de la piazza

▶ **Jours 5-6 : Turin.** Voir itinéraire court. On profitera de la deuxième journée pour visiter le Musée égyptien et faire un tour à la basilique de Superga, en funiculaire. De la colline, le panorama sur Turin est à couper le souffle.

▶ **Jour 7 : les Langhe.** Voir itinéraire court.

▶ **Jour 8 : Gênes.** Voir itinéraire court.

▶ **Jour 9 : les Cinque Terre.** Voir itinéraire court.

▶ **Jours 10-11 : Florence.** Saut dans le passé et la Renaissance en arrivant à Florence, ville emblème de cette époque et capitale mondiale de l'art. La première journée pourra être dédiée à la célèbre galerie des Offices et à une promenade dans le quartier San Giovanni avec au programme les merveilles du centre historique : la piazza della Signoria, le Palazzo Vecchio, mais aussi la piazza San Giovanni et le Ponte Vecchio. Le deuxième jour, direction les hauteurs de Florence : piazzale Michelangelo, avant de finir la journée par un aperitivo du côté de l'Oltrarno.

▶ **Jour 12 : Sienne.** En prenant quelques chemins de traverse dans les collines toscanes, le trajet entre Florence et Sienne est à lui seul un moment rare. Les villages de San Miniato et de San Giminiano y dressent leurs clochers presque millénaires. Arrivé à Sienne, la piazza del Campo, au cœur de la ville, est un point de départ époustouflant avant de se perdre dans les dédales des contrade (quartiers) de la ville, qui s'affrontent à cheval lors du célèbre Palio.

▶ **Jour 13 : Urbino.** Nichée au cœur des Apennins, la petite cité d'Urbino, tout entourée de remparts, est une destination magique. La ville se parcourt à pied, et le palais Ducal, chef-d'œuvre de la Renaissance, vaut le détour. À midi, un conseil, goûtez les *panini a la porchetta* des vendeurs ambulants…

▶ **Jour 14 : Ravenne.** Collection exceptionnelle de basiliques, baptistères et autres mausolées dont les mosaïques et les fresques restent remarquablement bien conservées, Ravenne demeure une étape incontournable pour ses trésors byzantins.

▶ **Jour 15 : Ferrare.** Voir itinéraire court.

▶ **Jours 16-17 : Bologne.** Voir itinéraire court.

▶ **Jour 18 : Parme.** L'étape gastronomique paraît évidente dans la ville du jambon et du parmesan… Mais Parme est avant tout une ville d'art à l'atmosphère paisible, où il fait bon flâner dans le centre historique entre la piazza Garibaldi et celle du Duomo.

▶ **Jour 19 : Vérone.** Les amoureux en quête de romantisme seront comblés dans cette cité au charme irrésistible.

INVITATION AU VOYAGE

Allez admirer l'impressionnant amphithéâtre romain et vous promener dans le centre avant de prendre de la hauteur pour apprécier le panorama sur la ville et ses alentours qu'offre le castel San Pietro.

▶ **Jours 20-21 : les Dolomites.** Massif montagneux se partageant entre Vénétie, Trentin et Haut-Adige, les « Monts pâles » se teintent de rose au soleil couchant. Cette région frontalière offre de belles surprises. Capitale germanophone de la province du Sud-Tyrol, Bolzano se parcourt agréablement à vélo. Sa magnifique vieille ville aux arcades généreuses et aux magasins distingués ne laissent pas indifférents.

Vous pourrez ensuite emprunter la route des vins jusqu'à Termeno (à effectuer de préférence pendant les vendanges en septembre). Visite des caves puis montée en funiculaire au col de la Mandola, lac de Caldaro. Le lendemain : balade dans le parc du grand paradis et ascension sportive du glacier de la Marmolada pour les plus courageux… sinon, un téléphérique partant de Malga Ciapela vous conduira au sommet où un panorama époustouflant des Dolomites vous attendra.

▶ **Jour 22 : Vicence et les villas paladiennes.** Ville natale du célèbre architecte Palladio, Vicence en porte partout la trace. Découvrez le style élégant du Palladio en visitant le théâtre olympique puis les luxueuses villas aux alentours.

▶ **Jour 23 : Padoue.** Voir itinéraire court.

▶ **Jours 24-25-26 : Venise et sa lagune.** Voir itinéraire court.

Les grands lacs italiens (de 3 à 4 jours)

▶ **Jour 1 : le lac Majeur.** Découvrez la rive occidentale du lac. Stresa, la station la plus connue, puis Baverno où vous visiterez le parc de la villa Taranto et son superbe jardin botanique qui regroupe une importante collection de plantes exotiques. Puis, les îles Borromées : Isola dei Pescatori et Isola Bella pour ses jardins à l'italienne.

▶ **Jour 2 : le lac d'Orta.** Partez du lac Majeur pour Cannero Riviera qui est une station climatique dont les maisons sont plantées au beau milieu des vignes, orangers, citronniers et oliviers. Mitoyennes à la station, les ruines des châteaux della Malpaga. Ensuite, vous pouvez joindre le plus petit et le plus gracieux des lacs lombards : Orta. Depuis Orta, possibilité de rejoindre l'île de San Giulio par le bateau.

▶ **Jour 3 : les lacs de Côme et Lugano.** Traversée du lac de Côme pour Bellagio, la plus belle station du lac. Visitez la ville et surtout les jardins de la villa Serbelloni. Puis partez pour Menagio et le lac de Lugano qui se situe sur les territoires suisses et italiens. Visite de Lugano et de son joli parc municipal puis prendre le funiculaire pour atteindre le Monte San Salvatore, d'où vous aurez une vue époustouflante sur le lac, la ville et les Alpes.

© APT DEL COMASCO (ENIT)

Lac de Côme

Coucher de soleil sur l'église Santa Maria della Salute, Venise

L'Italie du Nord en 20 mots-clés

Acqua Alta

Que doit faire un touriste lorsqu'il se trouve à Venise, sur la place Saint-Marc, et que l'eau commence à monter ? Venise est bien connue pour son problème de marée haute ou *acqua alta*. L'eau rentre par les bouches des ports du Lido, de Malamocco et de Chioggia. Ce phénomène est dû à plusieurs causes : l'attraction de la lune, le sirocco, l'effet des courants cycliques de la mer Adriatique, l'effet de basse et l'affaissement progressif de la ville (30 cm pour le XXᵉ siècle). L'eau monte alors par les rives et les bouches d'égouts.

Phénomène presque naturel et cyclique, l'*acqua alta* n'arrive qu'à la fin de l'automne, sauf exception, et la place Saint-Marc, le point le plus bas de la ville, est la première à être touchée. La marée atteint son maximum deux fois par jour, parfois trois. Pour la signaler, le Centro Marea utilise un système de sirènes situées dans 16 lieux du centre historique et sur les îles.

Donc, lorsque vous entendrez des sirènes, pas de panique ! Si vous êtes dans la rue, un conseil : empruntez les passerelles en bois que les employés de la ville mettent en place pour permettre aux piétons de continuer à sillonner Venise de part en part. Et essayez de vous procurer des bottes en caoutchouc. Tous les habitants de Venise en ont. Et c'est tout de même plus pratique que les sacs en plastique !

Agriturismo

L'un des mots à connaître. En effet, l'Italie possède un parc hôtelier très développé et a consacré énormément d'efforts ces dernières années à aider les agriculteurs dans une nouvelle activité : l'hôtellerie de ferme qui permet de mettre en valeur et de préserver le patrimoine bâti et naturel tout en diversifiant les activités et en favorisant des rencontres chaleureuses. L'Italie du Nord, et en particulier la Toscane et l'Ombrie, recèle des fermes-auberges très agréables, calmes et offrant des vues sur des sites somptueux.

Antipasti

Les *antipasti* (*antipasto* au singulier) sont servis en Italie en tant que hors-d'œuvre ou entrées. Ce sont des charcuteries (jambon, coppa, pancetta, salame), des fromages (mozzarella, parmesan, fromages régionaux assaisonnés à l'huile d'olive avec des herbes aromatiques), des légumes séchés ou marinés (poivrons, aubergines grillées, cœurs d'artichaut marinés, olives, câpres). On peut y ajouter aussi des anchois, des crevettes ou des calmars. Les ingrédients dépendent souvent des spécialités gastronomiques de chaque région.

Aperitivo

Tradition née au XVIIᵉ siècle, le fameux *aperitivo* milanais, sorte de cocktail-buffet dînatoire (happy hour à l'italienne) demeure un passe-temps apprécié par beaucoup d'Italiens. Servi en fin d'après-midi et ce jusqu'au dîner, l'*aperitivo* consiste à boire différents apéritifs – un verre de prosecco (vin blanc légèrement pétillant) ou de Campari – accompagnés d'une large palette de hors-d'œuvre typiques. C'est un rendez-vous convivial à prolonger jusque tard le soir !

© TURISMO TORINO - PHOTO BY LIVIO BERSANO (ENIT)

Vin de Turin

Barbiere

Ah, Mesdames ! Vous ne connaîtrez pas l'extase de se faire faire la barbe par un authentique *barbiere* d'un vieux quartier d'une petite ville. Les instruments, l'ambiance, la méticolosité de l'artiste au travail, du barbouillage au blaireau jusqu'au rinçage rafraîchissant, avec le léger et délicieusement angoissant crissement de la lame sur la peau, tout cela est tellement plus jouissif que le zinzin d'un rasoir électrique ou que le banal rasage devant la glace.

Caffé

Véritable institution, le café est, en Italie, un art de vivre. Vous en trouverez de toutes les sortes : *ristretto* (très serré), *lungho* (long, donc moins fort), *freddo* (froid) pour l'été, ou *coretto* (corrigé, c'est-à-dire parfumé de grappa !). Pour obtenir un café qui ressemblerait à ce que l'on trouve chez nous, il faudra demander un *caffè all'americana* ! Il faut savoir aussi que les Italiens le dégustent debout, au bar et rarement assis. Mais puisque vous êtes en Italie, il serait dommage de ne pas vous ouvrir à d'autres saveurs... Essayez donc un *granità di caffé con panna*, c'est de la glace pilée ajoutée au café, surmontée de chantilly... un bonheur.

Calcio

Le football (*calcio*, littéralement "coup de pied") est le sport national et un élément essentiel de la culture italienne. Le *gioco di calcio* (jeu du coup de pied) est l'ancêtre du football qui apparaît pour la première fois en 1569 en Italie, alors qu'un jeu de balle similaire existe déjà sous le nom de « soule » en France ou « foteh ball » en Angleterre depuis le XIIe siècle. Loin d'être une prérogative masculine, les femmes en Italie sont de ferventes supportrices !

Campanile

Ces grands beffrois prennent leur nom des cloches (*campana* en italien) qu'ils recèlent. Le plus souvent situés à proximité d'églises, ils dessinent la campagne toscane en soulignant les courbes douces des collines. Florence avec l'œuvre de Giotto sur la piazza del Duomo mais aussi Pise avec sa célèbre tour penchée possèdent les campaniles les plus célèbres du monde. Le village de San Gimignano et ses douze tours encore debout caractérise sans aucun doute la passion architecturale, mais aussi le lien entre le militaire et la religion, de ces hautes tours élancées.

Centres sociaux

A côté des nombreux bars, pubs, boîtes de nuit et autres lieux branchés, on peut passer des moments très agréables dans les *centri sociali*. Il s'agit très souvent de squats autogérés par des associations plus ou moins politisées, notamment dans les grandes villes comme Turin et Milan. Cependant, même si la tendance est politique, ces lieux sont fréquentés par les milieux sociaux les plus divers : jeunes bobos, écolos soixante-huitards, jeunes punks, graphistes et étudiants en design. Le programme offert par ces laboratoires de la culture est très varié : théâtre interactif, expositions d'art moderne, brocantes, concerts, jam-sessions, danse... et les prix sont plus que démocratiques. Ne vous privez pas de faire un saut à la cantine de certains centres. Vous pourrez goûter des plats de la cuisine traditionnelle italienne à des prix imbattables.

Dialecte

Certains linguistes regroupent les dialectes du nord de l'Italie dans une subdivision dite *settentrionale*. Pour se saluer, au « *bondì* » piémontais, le Gênois répondra « *bungiurnu* ». Outre des différences de vocabulaire, la cadence et les tonalités varient fortement d'une région à l'autre, voire entre provinces ou entre villes. Le toscan, langue de Dante, reste considéré comme le dialecte de base de l'Italie le plus pur. N'en demeure que les « c » aspirés rendent parfois certaines phrases étranges.

Gelati

Une composante capitale des chaudes journées d'été. Chaque ville, et presque chaque quartier dans les grandes agglomérations, possède une *gelateria* favorite, celle où les gens passent et se retrouvent pour déguster en bavardant un *cornetto* (le cornet) ou une *coppetta* (le petit pot). Vous choisissez votre taille et vous adaptez le nombre de parfums à la dimension. Dans la plupart des *gelaterie*, il faut d'abord passer à la caisse et payer avant d'aller chercher le fruit de son désir en présentant le ticket.

Locali

L'Italie du Nord offre aux voyageurs noctambules toute une panoplie de bars, boîtes de nuit, pubs, etc., ce qui est résumé en italien par un seul mot : *locali* (*locale* au singulier).
Du bar trendy à la déco design en passant par les boîtes et les salles de concert underground, vous ne serez pas déçu.

Mercato

Les marchés sont les lieux populaires les plus authentiques d'Italie, et leurs couleurs et leurs odeurs ne vous laisseront pas indifférents. C'est l'un des lieux de rencontre de toutes les générations, lieu de vie pour être au plus près des gens. C'est aussi un endroit idéal pour un petit en-cas et découvrir les mets typiquement locaux, les petites spécialités familiales ou l'artisanat du coin.

Mode

Depuis les années 1980, l'Italie est l'un des pôles d'attraction mondiaux pour la mode, au même titre que la France ou l'Angleterre. De la création haute couture au prêt-à-porter, Milan figure sans aucun doute comme capitale italienne de l'art vestimentaire, et les marques les plus prestigieuses de la haute couture nationale et internationale y sont représentées.

La mode engendre aussi une activité industrielle colossale qui pour la cité lombarde pèse 20 milliards d'euros par an.

En Italie, la « tenue » est importante, la priorité étant l'élégance. Ainsi, la plupart des habitants soignent leur look. Dans les milieux professionnels le costume sombre, la chemise bleue claire et la cravate assortie sont obligatoires. La chemise à manches courtes est interdite. Pour une tenue décontractée mieux vaut une chemise blanche portée avec un jean de marque et des mocassins dernière mode. En soirée, un « total black » sexy est préféré. Dernière chose : n'oubliez pas vos lunettes de soleil, de préférence de marque Gucci !

Palio

Aussi populaires que les fêtes des saints patrons dans les villes espagnoles, les *palii* sont de grands concours organisés entre quartiers d'une cité ou entre entités territoriales voisines.

Prenant souvent pour cadre le lieu le plus emblématique du village comme la place de l'église ou de la cathédrale, ils rassemblent sur une ou deux journées la grande majorité des habitants.

Le palio tire sa popularité de son passé, le plus souvent médiéval, à l'époque des communes libres italiennes. A cheval, à pied ou en bateau, les participants ne reculent jamais devant rien pour honorer la tradition. Le plus connu des *palii* italiens se trouve à Sienne. Il a lieu deux fois par an et propose une course de dix-sept couples de cavaliers, représentant chacun un quartier de la ville.

Padanie

Entité géographique et culturelle correspondant grosso modo aux régions septentrionales de la botte, la Padanie est un concept ressuscité par Umberto Bossi, leader charismatique du parti de la Ligue du Nord, dans les années 1980. Exaltant les particularismes culturels du Nord, en opposition à un Sud « paresseux » et une Rome « voleuse », la « Lega » a fait son nid et représente désormais la première force politique au nord du Pô.

Ses arguments électoraux vont du fédéralisme fiscal au contrôle maximal de l'immigration. Connue pour des positions souvent extrêmes et xénophobes, la Lega est très implantée localement, avec organes de presse et folklore. Elle est une alliée de poids du gouvernement Berlusconi.

Passeggiata

A partir de 16h, ou plus tard selon la saison, dans toutes les rues d'Italie, c'est l'heure de *la passeggiata*, c'est-à-dire « la promenade », généralement sur le corso, sur la piazza ou le campo, l'endroit le plus central, le plus animé. On le fait dans un sens, puis dans un autre. On s'arrête pour bavarder lorsqu'on rencontre une personne de connaissance, ce qui normalement doit arriver plusieurs fois dans une traversée.

Parfois lorsqu'on a retrouvé son groupe d'amis préférés, on s'assoit sur les bancs, sur le scooter ou l'on reste debout, et la conversation peut durer une heure et plus. La *passeggiata*, c'est très important pour la convivialité.

Régionalisme

Conséquence d'un morcellement territorial séculaire et d'une unité nationale tardive, le sentiment d'appartenance à une nation est quasi inexistant en Italie. C'est donc par rapport aux villes ou aux régions que les Italiens se définissent le plus souvent (d'où par exemple les passions que déchaîne le calcio). Le régionalisme désigne également la tendance politique à octroyer davantage d'autonomie législative et administrative aux régions. Cette décentralisation relative, appliquée à partir des années 1970, est supposée offrir une structure étatique plus articulée et plus démocratique.

Retraités

Le cliché de la mamma italienne entourée de cinq ou six bambini a fait long feu. L'Italie vieillit. Et en particulier dans le Nord. Les chiffres le prouvent : avec un taux de fécondité de 1,41, l'Italie est au dernier rang européen, tandis que les plus de 65 ans représentent plus de 20 % de la population de l'Italie du Nord. La question du financement des retraites est donc devenue la réforme politique la plus tendue, alors que les finances du pays sont faibles. Les *vecchietti* aux silhouettes voûtées sont donc légion dans les rues et les places du Nord de la péninsule, à l'heure de la promenade de fin d'après-midi.

Rizières

Les rizières caractérisent le paysage des alentours de Milan. Vous pourrez les apercevoir pendant votre voyage, que ce soit en train ou en voiture. Dans les campagnes entre Milan et Varèse et au sud vers la région de la Lomellina, les rizières couvrent les prés du Milanais et nous évoquent les images du film de De Santis, *Riso Amaro* (1949), dans lequel une ravissante Silvana Mangano endurait la vie rude des *mondine*, les éplucheuses de riz.

La Lombardie et le riz entretiennent une longue et durable relation commencée au XVe siècle, lorsque Gian Galeazzo Visconti et Ludovio il Moro achetèrent les premiers grains provenant d'Orient.

Ludovico demandera même à Léonard de Vinci de créer une ferme modèle pour la culture du riz, la Sforzesca. Vous pouvez la visiter près de Vigevano.

DÉCOUVERTE

Faire / Ne pas faire

Faire

▸ **Les Italiens sont des gens très ouverts.** Même si parfois ils risquent de se montrer quelque peu méfiants ou moqueurs envers les Français (possible qu'ils vous rappellent leur dernière victoire à la Coupe du monde par orgueil national !), vous n'aurez aucune difficulté à obtenir des informations et des indications routières (en Italie du Nord souvent en français), et même parfois à vous faire accompagner jusqu'à votre destination.

▸ **Prendre l'aperitivo en début de soirée.** C'est une vraie institution : cadres, ouvriers et étudiants confondus, tout le monde se retrouve à partir de 19h pour un apéro-happy hour, avec une boisson et des copieux buffets apéritif. Presque tous les bars en proposent. C'est la meilleure façon de s'immerger à 100 % dans l'ambiance italienne.

▸ **De manière générale, il est préférable de visiter les villes italiennes à pied** plutôt qu'en voiture, car la circulation et le stationnement y sont souvent difficiles. Reste la solution pour ceux qui n'aiment pas marcher, de louer un scooter pour déambuler dans les étroites ruelles italiennes. A vous de faire suivre le style...

▸ **En parlant de style,** les Italiens sont très pointilleux sur l'apparence et le look et sortent souvent très apprêtés. Portez au moins une chemise pour faire couleur locale et si vous voulez fréquenter la jeunesse citadine (style touriste à bannir !).

Ne pas faire

▸ **Critiquer les jeunes adultes de 30 ans qui vivent encore chez leurs parents.** Malgré les stéréotypes autour de ce sujet, ce genre de situation n'est pas due uniquement à un phénomène social, mais surtout à un problème économique de fond. S'il est vrai que les jeunes Italiens sont très attachés à leur niveau de vie élevé, les salaires moyens sont souvent trop bas pour leur permettre d'être indépendants rapidement.

▸ **Plaisanter sur leur amour du football,** car c'est vraiment une affaire de cœur pour les Italiens.

▸ **Croire que la dolce vita à l'italienne est synonyme de farniente.** C'est avant tout un art de vivre allant de l'amour de la nature, de la bonne chère, du football au respect de la famille, de la religion et de l'honneur. Bref, une certaine qualité de vie empreinte de douceur, mais qui n'a rien à voir avec le repos continu...

Survol de l'Italie du Nord

Géographie

On distingue en Italie du Nord deux grands milieux physiques auxquels correspondent des climats, des végétations et des situations économiques différentes : les Alpes et la plaine du Pô.

▶ **Les Alpes.** Elles chevillent la péninsule italienne au continent. De forme arquée, les Alpes s'allongent d'ouest en est, couronnant la plaine du Pô, des côtes ligures du golfe de Gênes au Frioul. Etroites et élevées du côté du Piémont, avec plusieurs sommets à plus de 4 000 m d'altitude (le mont Blanc à 4 807 m, le mont Rose à 4 638 m, le Cervin à 4 478 m et le Grand Paradis à 4 061 m), elles se dilatent vers l'est, jusqu'à dépasser les 150 km dans le Trentin et le Haut-Adige, au-dessus de Vérone et de Brescia, et là où elles sont devancées par des massifs dits préalpins comme les Dolomites (plus haut sommet : 3 332 m). Les Alpes sont traversées par de grandes vallées d'origine glaciaire, comme le val d'Aoste ou la vallée de l'Adige. Loin de constituer un obstacle infranchissable, elles sont pourvues de vallées et de cols qui constituent des grands axes de communication et de pénétration. Le climat des Alpes italiennes se caractérise par de grands froids et d'abondantes chutes de neige en hiver, et des températures relativement douces en été, accompagnées de pluies parfois diluviennes (fin septembre-début octobre). Par endroits, elles jouissent d'un régime climatique franchement favorable, comme dans la région des Grands Lacs d'origine glaciaire : les lacs Majeur, de Garde et de Côme. Le dense réseau hydrographique, auquel viennent s'ajouter de nombreux glaciers, fait des Alpes le premier réservoir d'eau de la péninsule et notamment de la plaine du Pô. Elles sont peuplées par quelque 3 millions d'Italiens.

▶ **La plaine du Pô.** Coincée entre l'arc alpin au nord et les premiers contreforts des Apennins (Toscane) au sud, elle s'étend sur près de 50 000 km². Sa quasi parfaite planéité, çà et là parsemée de quelques accidents du relief (Vénétie, Montferrat), en a fait la principale région agricole et économique du pays. Principal élément du décor, le Pô. Long de 652 km, ses principaux affluents sont le Tessin et l'Adda avec lesquels il draine ce vaste réseau de vallées, de basses terres auxquelles il a donné son nom. Il finit par se jeter dans l'Adriatique en un large delta resté longtemps marécageux. Cette vaste étendue de plaines est le domaine de la culture intensive. On y trouve un paysage de champs cultivés bordés de haies de peupliers et de saules, et de canaux d'irrigation ou de drainage. La plaine

Plaine du Pô

Paysage du Val d'Orcia

du Pô a un climat de type plutôt continental, donc parfois très froid en hiver. Plaisance (ou Piacenza) près du Pô connaît au cœur de cette saison les mêmes températures que Berlin ! et très chaud en été, même canicule qu'à Naples ! Mais une originalité climatique marque la plaine du Pô : l'absence de saison sèche estivale, apanage pourtant des climats continentaux. Il y tombe à cette période le quart des précipitations annuelles, alors que Naples et la Campanie ne reçoivent en été que 10 % des précipitations totales. La végétation y est particulièrement verdoyante, grâce aux eaux du Pô et au climat humide.

Environnement et écologie

À ce jour, l'Italie compte 22 parcs nationaux, 110 parcs régionaux, 270 réserves régionales et 142 nationales, 47 zones humides et 7 zones maritimes. En tout, 10 % du territoire italien est recouvert par des espaces protégés, tous les milieux naturels étant concernés : Alpes, région des Lacs, zones côtières, volcaniques et même périurbaines ! Les premiers parcs datent des années 1920, avec la création du parc national du Gran Paradiso et du parc national des Abruzzes. Le ministère de l'Agriculture gère aussi près de 100 000 ha de forêts. Au souci de l'État de préserver le patrimoine naturel italien s'ajoute un militantisme écologiste fort actif représenté notamment par Legambiente et le WWF. Ce dernier crée et gère d'ailleurs des réserves naturelles appelées *oasi*, qui sont destinées à l'éducation du public et surtout des enfants. L'attitude de l'Italie vis-à-vis de la protection

de l'environnement est donc plus active qu'on ne le pense. Le développement toujours plus croissant de l'*agriturismo* (tourisme vert), soit l'ouverture du tourisme dans les fermes et zones agricoles en est une des expressions les plus marquantes.

▶ **Pour en savoir plus sur les parcs naturels italiens** : www.parks.it

Faune et flore

Le morcellement du relief et l'empreinte constante de l'homme expliquent la diversité de la faune et de la flore italiennes. Aujourd'hui, un peu plus d'un cinquième du territoire est recouvert de forêt. Mais les montagnes ont connu une déforestation intense jusqu'au début du XIXe siècle et celles qui n'ont pas été reboisées risquent une très forte érosion (sans compter que les Italiens sont les champions dans le domaine de la construction illégale sur des terrains impropres à la construction, avec le risque d'entraîner de vraies tragédies). Si le relief s'est chargé de morceler la péninsule, l'homme en a modelé le paysage, introduisant des espèces végétales au fil de ses cultures et, si l'on en croit Virgile, la liste des espèces présentes en Italie entre l'empire romain et aujourd'hui s'est fort allongée. Dans le Nord de l'Italie, notamment le long du Tessin, vivent plusieurs espèces animales sauvages. Sangliers, chevreuils, blaireaux, lapins sauvages et lièvres pour le gibier tandis que, parmi les oiseaux, il faut signaler la présence du faucon pêcheur et diverses espèces de hérons. Depuis le Moyen Âge, le lieu où les hérons s'établissent en groupe pour construire leur nid et se reproduire s'appelle en italien *garzaia*. Ce mot dériverait de *sgarzia*, nom du dialecte milanais désignant les hérons. Non loin du cours d'eau et des rizières, proches des saules et des peupliers, les hérons sont l'attraction principale du parc du Tessin. Vous les découvrirez sur les bords de la rivière pour leur parade nuptiale. Voici une liste des plus belles réserves de hérons de la Lomellina : garzaia del lago di Sartirana, garzaia di Celpenchio, garzaia della Verminesca, garzaia di Cascina Isola, garzaia di Sant'Alessandro, garzaia della Rinalda, garzaia di Acqualunga, garzaia di Cascina Notizia, garzaia di Villa Biscossi, garzaia del Bosco Basso. Au bord de l'eau, les saules sont l'abri préféré d'une riche avifaune aquatique, coucous et rossignols de fleuve. Dans les cours d'eau lombards, vous trouverez des truites, anguilles, tanches, esturgeons, brochets.

© ÉRIC MARTIN - ICONOTEC

DÉCOUVERTE

Histoire

L'Italie étrusque

La très ancienne présence de groupes humains en Italie est attestée par des découvertes, dont celle d'Özti, dans le Sud-Tyrol, datant du Ve millénaire avant notre ère. Les choses sérieuses commencent vraiment vers 1 000 av. J.-C, lorsque des hordes d'envahisseurs traversent les cols alpins. L'invasion la plus marquante fut celle des Étrusques, vers 800 av. J.-C. S'étant livrés à une destruction quasi totale et ayant absorbé progressivement les cultures autochtones, ils donnèrent naissance à une culture originale, qui s'étendit depuis le Latium jusqu'en Toscane, en Ombrie et à Venise. Au VIIe siècle av. J.-C., les Etrusques connurent une grande prospérité économique. On leur doit de nombreux travaux de drainage, ainsi que l'exploitation des minerais de cuivre et de fer de Toscane et de l'île d'Elbe. Ils exportèrent des objets de bronze et des céramiques dans le pourtour méditerranéen et se heurtèrent souvent à la concurrence des Grecs et des Carthaginois. Ils semblent avoir eu une grande influence sur la culture romaine, notamment dans les domaines des arts et de la divination. Cependant le déclin de la civilisation étrusque commença en 396 av. J.-C., quand Rome prit la ville de Veio, première étape de sa politique de conquête qui dura presque un siècle. Tandis qu'au Sud les cités étrusques perdaient l'une après l'autre leur indépendance face à Rome, au Nord les continuelles incursions des Celtes détruisirent les centres de la plaine du Pô. En 89 av. J.-C., la Lex Julia mettait définitivement fin à l'indépendance administrative de leurs villes.

La Rome royale (753-509 av. J.-C.)

Succédant à l'acte fondateur de Rome, la légende relayée par l'Histoire distingue une longue période de près de 250 ans, communément appelée la royauté ou Rome royale et marquée par sept règnes, des plus hypothétiques aux plus probables.

Une fois sa ville fondée sur les hauteurs du mont Palatin, Romulus en devient le roi. Il fonde ensuite, sur le Capitole, un asile pour qui souhaite rejoindre la population qui déjà l'accompagne, mélange d'Albains et de Latins issus des plaines du Latium. Sa ville-Etat accusant un retard démographique par rapport à ses concurrents, les Sabins, les Etrusques et autres Albains, Romulus se « sert » chez ses voisins (vers 720 av. J.-C.) installés sur les proches collines du Quirinal et du Viminal. C'est de cette période que date le mythique enlèvement des Sabines, qui entraîna une guerre finalement sanctionnée par la réconciliation et le légendaire accord entre Romains et Sabins de Tatius, accord qui permettait la fonte des deux peuples en un seul. Un gouvernement bicéphale est instauré, mais, après l'élimination de Tatius, Romulus gouverne seul jusqu'en 715 av. J.-C., date présumée de sa disparition mystérieuse au cours d'un orage.

La civilisation de Rome connut une première phase d'expansion sous le gouvernement des rois de Rome, qui sont également les fondateurs symboliques de nombreuses institutions romaines. La chute de la royauté serait due selon la tradition à un abus, un de plus, d'un des membres du clan royal, le propre fils de Tarquin le Superbe. Epris de la belle Lucrèce, femme de Tarquin Collatin, il tente de la séduire, mais il est repoussé. Furieux, il viole Lucrèce, que cet acte pousse au suicide. Cet épisode révolte la population romaine qui, à l'initiative de Junius Brutus, se soulève et chasse Tarquin et sa famille. Les centuries réunies nomment alors les deux premiers consuls de l'histoire de Rome, en charge pour un an des affaires de la cité.

La République (509-29 av. J.-C.)

Elle commence avec le renversement de la tyrannie de Tarquin le Superbe et s'achève lorsque Octave, au prix d'une longue et âpre lutte, réussit à accaparer tous les pouvoirs. Cette période d'environ 500 ans verra la constitution de la puissance romaine forgée au cours de guerres de conquêtes.

L'unification de la péninsule est conduite à l'époque de la république. Cette entreprise est surtout marquée par la grande bataille de Sentinum (290 av. J.-C.), en Ombrie, où les Romains anéantissent les ultimes velléités des Gaulois, Etrusques et Samnites réunis. Après la victoire de Rome contre Carthage lors de la première guerre punique (264-241 av. J.-C.), Rome s'inquiète toujours de la percée impérialiste et coloniale de Carthage dans le bassin occidental de la Méditerranée, notamment la péninsule Ibérique. C'est la deuxième guerre punique (219-202 av. J.-C.). Après un avantage certain pour Hannibal, Rome reprend l'offensive. C'est l'époque où Rome assiste à l'émergence d'une grande figure de son histoire, Scipion l'Africain, à qui reviendra la victoire finale. Jeune militaire, il convainc le Sénat de lui donner une armée et débarque en Afrique. Rappelé à Carthage (203 av. J.-C.), Hannibal doit l'affronter en 202 av. J.-C., au cours de la bataille de Zama qui scelle la victoire de Rome et met fin à dix-sept années de guerre. Après la troisième guerre punique, qui transforme Carthage en province romaine, Rome règne sur la Méditerranée, mais, à la suite de conflits internes, la république se transformera en empire.

A Rome toutefois, comme au lendemain de la deuxième guerre punique, les succès militaires et économiques de la république ne parviennent pas à faire oublier le profond malaise social et le fossé qui s'élargit entre les classes les plus pauvres et les plus riches de la société. A partir de 130 av. J.-C. va s'ouvrir un siècle de troubles sociaux qui, exploités par des intrigants, des carriéristes et autres chefs militaires, dégénéreront en guerres civiles.

La marche vers l'Empire : un siècle de troubles

La possession de la terre est au centre des problèmes que rencontre la république au cours du IIe siècle av. J.-C. Le Ier siècle av. J. C. débute par la révolte des peuples italiques. Lassés de revendiquer la citoyenneté romaine, ils sont écrasés en plus par de lourdes charges financières. Les terres dont ils avaient l'entière possession avant la conquête romaine ne leur appartiennent plus. Elles sont concentrées dans les mains de la noblesse romaine.

En 91 av. J.-C. donc, les peuples du Centre et du Sud de la péninsule se soulèvent et vont jusqu'à déclarer leur indépendance. C'est la guerre dite sociale. Totalement réprimée en 88 av. J. C., cette guerre ouvre une ère de troubles qui sera fatale à la république, une ère marquée par l'ascension, l'ambition et la confrontation de grands hommes, opportunistes et carriéristes, à la recherche du pouvoir absolu, à l'exemple de Crassus, mais surtout de Pompée et de César. Tout d'abord alliés, ils vont ensuite se battre (vers 49 av. J.-C.) pour la direction de la république, entraînant l'Italie et les provinces dans une guerre civile générale. Une guerre dont César sortira vainqueur, roi sans couronne, car l'idée de la royauté reste difficilement acceptable aux yeux des Romains.

César gouverne alors en maître absolu, bafouant toutes les valeurs républicaines. Il se lance dans une politique de grands travaux (Forum, temple de Vénus Genitrix…) et entreprend de faire admettre par le peuple son couronnement. Mais, en mars 44 av. J.-C., il est assassiné au cours d'une séance du Sénat.

Des troubles éclatent entre fervents républicains et le parti de César guidé par le propre lieutenant de ce dernier, Marc Antoine, par Lépide et enfin par Octave, le petit-neveu de César, que celui-ci a eu le temps d'adopter et de désigner comme son unique héritier. Marc Antoine est battu et se suicide avec Cléopâtre devenue sa maîtresse. Octave est désormais l'unique maître de Rome, où il triomphe en 29 av. J.-C.

Le Haut-Empire (de 31 av. J.-C. à 194 apr. J.-C.)

Resté seul, Octave, qui recevra le titre d'Auguste, va installer les bases d'un nouveau régime : le principat. Il s'octroie un pouvoir quasi absolu, fondé sur le cumul de plusieurs magistratures civiles héritées du passé républicain, sur le soutien de l'armée (grâce à l'imperium, pouvoir extraordinaire) et sur la direction de la religion d'Etat par le grand pontificat. Attaché à la sécurité de l'empire, il cherche à consolider ses frontières. Sous le règne d'Auguste s'illustrent de grands artistes, comme Virgile, Horace ou encore Tite-Live, qui se mettent au service de l'empereur en glorifiant ses travaux et ses actions. D'autres artistes, tels qu'Ovide, dont les écrits sont considérés comme dangereux, ont moins de chance et connaissent un exil forcé loin de Rome.

© UNION EUROPÉENNE 2009

Silvio Berlusconi, Premier ministre et Romano Prodi, son prédécesseur

Les Julio-Claudiens, héritiers d'Octave, prennent le pouvoir de 37 à 54 apr. J.-C. Ainsi se succèdent Tibère, Caligula, Claude et Néron. Ils sont suivis par la dynastie des Flaviens, avec Vespasien, Titus et Domitien. C'est ensuite l'avènement des Antonins et de la Pax Romana. Sous le règne de Trajan (de 53 à 117 apr. J.-C.), le royaume des Nabatéens est facilement conquis et transformé en une nouvelle province, celle d'Arabie. L'autre grande campagne militaire est celle menée contre les Parthes (113-117). Elle conduit les troupes romaines d'Arménie jusqu'à Babylone (116) en passant par la Nabatène (Arabie). Trajan trouvera la mort au cours de la retraite. Hadrien (76-138), cousin de Trajan, partage sa conception d'un empire universel et non seulement réduit à la seule ville de Rome. Le règne d'Antonin (adopté par Hadrien en 138) marque l'apogée de la Pax Romana. Comme son père adoptif, Antonin va s'attacher à la consolidation des frontières de l'empire. Le règne de Marc Aurèle marque le retour des troubles et des guerres aux frontières de l'empire. Commode, son fils naturel, lui succède en 180.

Le Bas-Empire

La fin de la dynastie antonine plonge l'empire dans une période de troubles d'où émergera une dynastie, celle des Sévères, les nouveaux maîtres de Rome jusqu'en 235. Le bilan de cette période est catastrophique : près d'un siècle d'une guerre perpétuelle depuis la fin du règne de Marc Aurèle, une instabilité politique chronique, une économie sinistrée. Avec

l'avènement de Dioclétien, en 284, l'empire va enfin recouvrer une certaine stabilité. Dioclétien gouverne l'Orient et s'adjoint un corégnant pour l'Occident en la personne de Maximien. Le système de la tétrarchie ne survivra pas à la démission de Dioclétien et de Maximien. En 306, Constantin, le fils de Constance, successeur de Maximien, est proclamé empereur. Son règne, particulièrement long pour l'époque, est marqué par le fameux édit de Milan (313), édit de tolérance pour la pratique du christianisme, première reconnaissance officielle en quelque sorte de l'Eglise de saint Pierre. Baptisé, Constantin est considéré à juste titre comme le premier empereur chrétien.

A partir de 364, l'empire est dirigé par une nouvelle dynastie, celle de Valentin. Elle régnera jusqu'en 395, date à laquelle monte sur le trône le fameux Théodose, dernier empereur unique de l'empire, empereur d'Orient de 379 à 392, puis empereur unique de 392 à 395. Théodose laisse deux fils ; ils se partageront définitivement l'empire. Honorius, à la tête de l'Occident jusqu'en 423, ne pourra rien face aux invasions barbares, et plus particulièrement face aux Ostrogoths d'Alaric qui, en 410, entrent dans Rome et la pillent. Avec la mort d'Honorius (423), c'en est fini de l'autorité impériale. Empereurs fantoches, usurpateurs et autres généraux se succéderont désormais aux commandes de l'Etat, jusqu'à la date fatidique de 476, où le dernier empereur d'Occident, Romulus Augustule, est destitué.

Chronologie

▸ **Xᵉ-IXᵉ siècle av. J.-C. >** Les premiers Italiques (ou Italiotes) s'installent sur le Palatin et le Celio, collines de la future Rome.

▸ **800 av. J.-C. >** Débuts de la civilisation étrusque en Toscane.

▸ **665 av. J.-C. >** Destruction par les Romains de Alba la Longue, la ville rivale de Rome.

▸ **509 av. J.-C. >** Brutus chasse les rois étrusques et fonde la république.

▸ **264-241 av. J.-C. >** Première guerre punique.

▸ **219-202 av. J.-C. >** Deuxième guerre punique.

▸ **146 av. J.-C. >** Destruction de Carthage, fin de la troisième guerre punique.

▸ **49 av. J.-C. >** César s'empare du pouvoir.

▸ **44 av. J.-C. >** Devenu dictateur à vie, César est assassiné par Cassius et Brutus.

▸ **61-180 >** Marc Aurèle repousse les Marcomanes et les Parthes.

▸ **282 >** Division en empires d'Orient et d'Occident.

▸ **476 >** Odoacre renverse l'empereur romain d'Occident à Rome.

▸ **751 >** Reprise de l'expansion lombarde.

▸ **778 >** Charlemagne, roi des Francs, s'empare de l'Italie.

▸ **800 >** Charlemagne est sacré empereur d'Occident à Rome.

▸ **1084 >** Les Normands attaquent Rome.

▸ **1266 >** Charles d'Anjou instaure un règne angevin en Italie du Sud.

▸ **1309 >** La papauté s'installe à Avignon.

▸ **1377 >** Le pape Grégoire XI ramène la papauté à Rome.

▸ **1494 >** Charles VIII, roi de France, se lance à la conquête du royaume de Naples ; début des guerres d'Italie.

▸ **1559 >** Traité du Cateau-Cambrésis, la France (Henri II) renonce à l'Italie (possessions du Piémont).

▸ **1796-1797 >** Campagne d'Italie, menée par le jeune Napoléon Bonaparte.

▸ **1799 >** Les Autrichiens occupent la péninsule.

▸ **1809 >** Napoléon Ier annexe les Etats pontificaux ; Rome est la seconde capitale de l'Empire napoléonien.

▸ **1814 >** Chute de l'Empire napoléonien.

▸ **1849 >** Garibaldi et Mazzini proclament la république à Rome. 23 mars : défaite de Charles-Albert, roi de Piémont, face aux Autrichiens à Novare.

▸ **1861 >** Proclamation du royaume d'Italie : Victor Emmanuel, roi de Sardaigne, devient roi d'Italie.

▸ **1915 >** L'Italie entre en guerre dans le camp des Alliés.

▸ **1924-1945 >** Régime fasciste de Mussolini.

▸ **1945 (28 avril) >** Mussolini est exécuté.

▸ **1946 (2 juin) >** Par référendum, les Italiens choisissent la république.

▸ **1957 >** Traité de Rome : création du Marché commun.

▸ **1975 >** Enlèvement et assassinat d'Aldo Moro par les Brigades rouges.

▸ **1978 >** Karol Wojtyla devient le pape Jean Paul II.

▸ **1986 >** Création de la Ligue du Nord par Umberto Bossi.

© STÉPHANE SAVIGNARD

Détails des statues du Duomo de Milan

▸ **1987 >** Retour de la démocratie chrétienne au pouvoir.

▸ **1994 >** Première élection de Silvio Berlusconi.

▸ **1996 (21 avril) >** Elections législatives auxquelles ne participent pas moins de 130 partis politiques. Romano Prodi devient Premier ministre (coalition du centre gauche).

▸ **1997 >** Chute du gouvernement Prodi.

▸ **2001 (13 mai) >** Deuxième élection de Silvio Berlusconi.

▸ **2002 (1er janvier) >** Adoption de l'euro.

▸ **8 février 2002 >** Annulation du Salon de l'auto de Turin qui annonce la crise de l'industrie automobile italienne.

▸ **Mars 2003 >** La famille royale Savoia a la permission de rentrer en Italie après une soixantaine d'années d'exil dans la principauté de Monaco.

▸ **2005 (3 et 4 avril) >** Elections régionales partielles et locales dans 13 des 20 régions que compte l'Italie. Silvio Berlusconi essuie une cuisante défaite. L'opposition remporte 11 des 13 régions.

▸ **2006 >** Elections très serrées entre Silvio Berlusconi et Romano Prodi. C'est finalement Prodi qui l'emporte avec la coalition de centre gauche et qui devient président du Conseil italien.

▸ **2007 >** Le gouvernement de Romano Prodi connaît plusieurs crises successives car la coalition de forces éloignées les unes des autres affaiblit le gouvernement. Silvio Berlusconi multiplie les attaques contre le gouvernement Prodi.

▸ **Octobre 2007 >** Fondation du nouveau Parti démocrate, fusion de divers partis de gauche et du centre. Le 28 octobre 2007, Walter Veltroni est officiellement élu premier secrétaire du Parti démocrate lors de la fondation constituante à Milan.

▸ **Novembre 2007 >** Silvio Berlusconi lance un nouveau parti : le Popolo della Libertà (PDL). Il espère ainsi demeurer le seul leader de la droite en vue d'éventuelles élections anticipées.

▸ **24 janvier 2008 >** Après le départ de l'UDEUR (parti catholique) de la coalition de centre-gauche, le Sénat italien refuse sa confiance à Romano Prodi.
Ce dernier présente sa démission au président après 20 mois comme Premier ministre.

▸ **14 avril 2008 >** Silvio Berlusconi et la coalition de centre-droit le Peuple de la liberté (PDL) remportent les élections législatives anticipées face au démocrate Walter Veltroni.

▸ **27 mars 2009 >** Lors de la date anniversaire de la première victoire de Berlusconi en 1994 s'ouvre le congrès qui établit la création officielle du Popolo della Libertà.

Signature du traité de Rome en mars 1957 par Antonio Segni et Gaetano Martino

LE TEMPS DES PAPES

A partir du VIIe siècle, les papes qui se succèdent à la tête du Saint-Siège vont apparaître comme les seuls défenseurs des intérêts des Italiens, abandonnés à leur sort par l'empereur byzantin. A la fin du VIe siècle, les Lombards envahissent le Nord de l'Italie et, très vite, occupent toute la vallée du Pô. Ravenne leur tient tête un temps, mais finit par céder en 765. Cela marqua la fin de l'unité dans la péninsule. Face à la menace lombarde, Rome fit appel aux Francs.

Leurs interventions dans la péninsule, en 756 et en 774 (Charlemagne), seront à l'origine des Etats pontificaux. Ceux-ci furent d'ailleurs conquis et donnés par Charlemagne sur la base d'un texte faux (« la donation de Constantin ») utilisé par la papauté et seule base de ces Etats, dont l'empereur devint le protecteur attitré.

Ces Etats du pape seront regroupés beaucoup plus tard, au XXe siècle, sous le nom de Vatican, qui n'était jusqu'alors que le palais papal. Couronné en 800, Charlemagne devenait en fait le véritable maître de la péninsule, annexant le Nord de l'Italie à son empire, Venise exceptée. Cependant, le duché lombard de Bénévent restait indépendant et l'Empire byzantin continuait de régner en maître sur l'ensemble de l'Italie du Sud, en Calabre et en Sicile plus particulièrement.

La division de la péninsule italienne en deux aires d'influence politique Nord et Sud, résultat de l'invasion lombarde, était consommée. Elle durera jusqu'à la seconde moitié du XIXe siècle.

Avec le déclin de l'Empire carolingien allait commencer pour l'Italie une longue période de troubles, marquée par les luttes entre potentats pour le titre de roi d'Italie et les ravages causés par les incursions sarrasines. La papauté elle-même n'est pas épargnée et tombe aux mains de familles aristocratiques.

L'ère des empereurs germaniques contre les Lombards (IXe-XIIIe siècles)

C'est au milieu du Xe siècle qu'une relative stabilité renaît en Italie. En effet, en 951, le roi de Germanie Othon Ier envahit le Nord de la péninsule et s'approprie le titre de roi d'Italie puis, dans la foulée, se fait couronner empereur (962). Désormais la domination des empereurs germaniques était installée pour trois siècles. Mais elle ne s'imposa pas sans difficulté, se heurtant sans cesse aux volontés d'indépendance des grandes familles romaines et des grands féodaux, tel le duc lombard Pandolfe Tête de Fer. Pour contrer leurs appétits d'émancipation, les empereurs durent soutenir l'essor des villes ; celles-ci, devenues florissantes au cours du XIe siècle grâce au grand commerce, développpaient un désir d'indépendance face aux féodaux auxquels elles appartenaient (évêques, archevêques, capitani…). Ce fut le cas, parmi tant d'autres, de Venise, affranchie de toute vassalité et qui continuait de commercer avec l'Orient byzantin, ou de Gênes et de Pavie. La lutte qui opposait empereurs germaniques et papauté au sujet des investitures connut une nouvelle phase avec la prise de pouvoir dans l'empire de la dynastie des Hohenstaufen. Le premier des Hohenstaufen, Frédéric Ier Barberousse, s'attacha à rétablir l'autorité impériale dans la péninsule. Il s'opposa à l'Eglise ainsi qu'aux villes lombardes désormais affranchies de tout pouvoir, qui s'allièrent dans ce qu'on appela la Ligue lombarde (1167) et qui infligèrent à l'empereur une cuisante défaite lors de la bataille de Legnano, en 1176. Malgré cela, les villes lombardes durent se résoudre de nouveau à subir le joug impérial.

Le dernier Hohenstaufen, Conradin, fut lui aussi vaincu en 1268, date à laquelle s'acheva la domination germanique sur l'Italie.

LA FIN DU MOYEN ÂGE ITALIEN

Envahisseurs par la volonté de la papauté, les Angevins devront très vite affronter l'opposition du peuple sicilien qui, lors des fameuses Vêpres siciliennes, en 1282, organise le massacre des Français. Affaibli, le Saint-Siège doit, dès la fin du XIIIe siècle, s'opposer au roi de France. Vaincue, la papauté se résout

à s'exiler de 1308 à 1378, en Avignon, sous la surveillance des rois de France.

Les grandes cités

Entre-temps, les luttes intestines se poursuivaient dans le cadre des principales villes de Lombardie.

Ces luttes, extrêmement ruineuses pour les vieilles familles marchandes au pouvoir, auront pour résultat l'avènement de nouveaux potentats locaux. Ainsi Milan tombera entre les mains des Visconti, Vérone entre celles des Scaligeri…

Instaurant des régimes tyranniques, ces derniers rétablirent l'ordre et donc la prospérité. La plupart d'entre eux furent également de grands mécènes. A Florence, ce fut une famille de banquiers, les Médicis, qui parvint au pouvoir et qui allait connaître un destin des plus grandioses.

Dans le Nord de l'Italie, trois grandes cités dominent le paysage politique et économique. Milan, tout d'abord, s'étendit territorialement dans la plaine du Pô. En 1450, les Visconti, jusque-là aux commandes des affaires de la cité, sont chassés par les Sforza. Autre grande cité, Venise, république oligarchique et puissance maritime, voit son hégémonie remise en cause en 1453 par la prise de Constantinople par les Turcs. Elle va alors se tourner vers l'intérieur des terres, annexant de vastes territoires de la plaine lombarde.

Politiquement divisée, l'Italie n'en est pas moins, avec Florence, la première puissance financière de l'Europe ; avec Venise, Milan et Gênes, la première puissance économique et commerciale. Sur le plan des lettres et des arts, aucune cour ne peut rivaliser avec les foyers culturels et spirituels du Nord de

■ LES FRANÇAIS

Ce cycle invasion-domination commence dès la fin du siècle, en 1494, quand le Nord de la péninsule voit surgir les armées du roi de France Charles VIII, conséquence de ses prétentions sur le royaume de Naples en tant qu'héritier de René d'Anjou.

Accueilli favorablement à Milan, où il aide à renverser les Sforza, puis à Florence où les Médicis connaissent le même sort, Charles VIII entre dans Naples en 1495, mais doit renoncer à l'occuper durablement devant la menace des forces italiennes coalisées du pape Alexandre VI, de Venise et de Ludovic Sforza redevenu duc de Milan. Dans le cadre de la politique papale de reconquête du pouvoir du Saint-Siège, le Milanais sera, au début de la deuxième décennie du XVIe siècle, le théâtre de sanglantes batailles où les Français auront de nouveau à affronter des forces coalisées de Venise et d'Aragon, plus les Suisses et l'Angleterre. A un Valois succède un autre Valois en la personne de François Ier, qui reprend les guerres italiennes sitôt son avènement.

Ces guerres furent marquées par les célèbres batailles de Marignan (1515) et de Pavie (1525), où les Français eurent à combattre non seulement les Aragonais mais aussi les troupes impériales de Charles Quint, et où François Ier fut fait prisonnier. Libéré, reprenant dans la foulée les armes, François Ier se résolut à traiter avec Charles Quint, en abandonnant par le traité de Cambrai (1529) l'Italie à l'Empire.

■ LES ESPAGNOLS

Dès 1530, la domination habsbourgeoise dans le Nord de la péninsule était totale, écrasant les dernières velléités d'opposition des cités lombardes et toscanes, et rétablissant les Médicis à la tête de Florence avec le titre de duc. En 1559, par le traité de Cateau-Cambrésis, le royaume de France abandonnait définitivement la péninsule italienne à la domination espagnole qui allait durer jusqu'en 1792.

Turin et Venise

Deux entités politiques et économiques réussissent malgré tout à garder une certaine indépendance : la Savoie qui, dès 1562, installa sa capitale à Turin, et Venise, dont les possessions et la puissance économique et commerciale étaient mises à mal, malgré la victoire de Lépante (1571), par l'avance inexorable des Turcs.

Les XVIIe et XVIIIe siècles apportèrent à l'Italie de nouvelles destructions lors des grandes guerres européennes qui opposèrent la France des Bourbons à l'Espagne des Habsbourg. A la mort de Charles II d'Espagne, dernier représentant de la dynastie espagnole des Habsbourg, le Nord de la péninsule fut le théâtre de nouvelles dévastations dans le cadre de la guerre de Succession d'Espagne. La paix signée lors du traité d'Utrecht de 1713 donnait le trône d'Espagne à Philippe V, petit-fils de Louis XIV ; elle substituait l'hégémonie autrichienne à celle des Espagnols, mais surtout renforçait le pouvoir de la Savoie qui obtenait, en 1720, la Sardaigne. Entre 1734 et 1738, puis entre 1741 et 1748, deux guerres de succession embrasent une nouvelle fois le Nord de la péninsule italienne. En 1748, le traité d'Aix-la-Chapelle met fin aux hostilités et fixe, jusqu'à l'intervention des armées révolutionnaires françaises en 1792, les divisions politiques de l'Italie, où les Etats pontificaux coupaient toujours la péninsule en deux. Mais également et surtout, où la Savoie renforçait ses positions dans le Piémont et en Sardaigne, une Savoie qui, au cours du XVIIIe siècle, avait connu un certain despotisme éclairé de ses princes (Victor Amédée II, suivi de Charles Emmanuel III), imités en cela par les autres régnants des principautés italiennes. Cependant, malgré ces réformes, un écart croissait entre un Nord de la péninsule, sensible aux idées philosophiques européennes, et un Sud de grands propriétaires terriens, chantres de l'immobilisme. Telle était la situation dans la péninsule italienne à l'arrivée des troupes commandées par Napoléon Bonaparte.

■ NAPOLÉON BONAPARTE

Conquérant tout d'abord la Savoie dès 1792, les troupes révolutionnaires françaises ne pénétrèrent en Italie du Nord qu'au printemps 1796. Ce qu'on appela la campagne d'Italie ne devait durer que deux ans. Le 18 octobre 1797 était signée la paix de Campo Formio (qui marqua la fin de Venise comme Etat) : l'Italie du Nord était organisée en républiques libres, auxquelles vinrent se joindre après leur conquête les républiques correspondantes aux anciens Etats pontificaux et à l'ancien royaume de Naples. Malgré certaines exactions commandées par les temps de guerre, les Italiens découvraient pour la première fois de leur histoire la liberté sous presque tous ses aspects. Une « âme italienne » semblait être née. Après la proclamation de l'Empire

français en 1804, les républiques italiennes furent une à une intégrées dans un royaume d'Italie à la tête duquel s'installa, en 1805, Napoléon lui-même. A ce royaume vinrent s'ajouter, entre 1805 et 1809, la Vénétie et le Trentin. Si Napoléon n'eut jamais l'idée ou la volonté de réaliser l'unité de l'Italie, elle se réalisa de fait : un même corps de lois (Code Napoléon), une même administration régirent la vie de l'ensemble des Italiens. Ceux-ci en gardèrent un profond souvenir qui allait être à l'origine du futur Risorgimento. L'expérience « unitaire » prit fin avec le réveil des ennemis européens de Napoléon. En 1813, le Nord de la péninsule était de nouveau envahi mais par les troupes autrichiennes. En octobre 1815, toute la péninsule était conquise.

■ L'UNITÉ ITALIENNE ET LA MONARCHIE

L'Italie de 1815 à 1848

Le congrès de Vienne, en 1815, marqua la fin des guerres napoléoniennes et sanctionna pour l'Europe, et l'Italie plus particulièrement, un retour à la réaction, aux régimes despotiques d'avant la Révolution française. Les princes italiens ou étrangers retrouvèrent leurs principautés (duchés de Modène, de Parme, de Toscane...), l'Autriche recouvrait la Lombardie, les Etats pontificaux étaient restaurés ainsi que le Piémont. Que ce soit dans le Sud ou dans le Nord, la répression s'abattit partout sur les Italiens, aucunement consultés lors de ce redécoupage de leur péninsule. A partir de 1815 va se développer une idée, ou plutôt une conscience nationale, très vite relayée par des mouvements qui s'exprimeront à travers l'action de sociétés secrètes, les fameuses carbonari, peuplées d'intellectuels, d'officiers, de magistrats, de tous les représentants de la vie sociale italienne, les masses rurales exceptées. Ces actions furent du reste très vite réprimées, comme les soulèvements de 1820 et 1821 dans le Piémont.

L'idée d'une unité nationale faisait son chemin, mais la forme qu'elle devait prendre était l'objet de discordes au sein de la mouvance nationale.

Trois courants s'affrontaient : le premier, représenté par l'abbé Gioberti, prônait une confédération des principautés italiennes à la tête de laquelle prendrait place le pape ; le deuxième, celui de Giuseppe Mazzini, militait pour la mise en place d'une république unitaire ; le troisième et dernier, enfin, dont les chefs de file étaient d'Azeglio et Balbo, rêvait également d'une fédération mais chapeautée par le royaume de Piémont. C'est cette dernière tendance qui, en 1860, l'emportera.

Un nouvel État italien

En 1848, à la suite de mouvements populaires, plusieurs princes de la péninsule furent obligés d'accorder des constitutions. Le roi de Piémont Charles-Albert dut, sous la pression, instaurer dans son royaume un régime constitutionnel. Parallèlement, la Lombardie se soulevait contre l'occupant autrichien, rejointe, dans ce qui devenait une guerre ouverte, par le roi de Piémont qui déclara à cette occasion que : « *l'Italia farà da se* » (l'Italie se fera elle-même).
Aux insurgés lombards et aux troupes piémontaises s'ajoutèrent des renforts envoyés par d'autres princes italiens et même par la papauté. Mais, très vite, les dissensions puis la défection du pape (elle privait la cause nationale de sa caution éminemment prestigieuse) laissaient seule la maison de Savoie aux prises avec les Autrichiens, qui, dès août 1848, obligeaient Charles-Albert de Savoie à signer un armistice. Ayant sauvé l'essentiel, Charles-Albert reprit le combat en 1849 mais, une nouvelle fois battu, il abdiqua en faveur de son fils Victor Emmanuel II. Laissé seul face aux régimes absolutistes italiens soutenus par l'Autriche, le royaume de Piémont vit arriver, en 1852, à la tête de ses affaires, un dénommé Cavour dont l'habileté politique et diplomatique allait conduire à l'unité de la péninsule italienne. S'alliant la gauche, élevant le Piémont au rang de grande puissance (guerre de Crimée sanctionnée par le traité de Paris), Cavour s'unit par le traité de Turin à la France de Napoléon III, favorable aux nationalités et au droit des peuples à disposer d'eux-mêmes. La France accordait son aide militaire de fait au Piémont contre l'Autriche, en échange de Nice et de la Savoie. La guerre, marquée par les batailles de Magenta (4 juin 1859) et de Solferino (24 juin), fut victorieuse pour les Franco-Piémontais. Le Piémont récupérait la Lombardie, mais non la Vénétie, toujours aux mains des Autrichiens.

La maison de Savoie

Les troupes piémontaises envahirent les Etats pontificaux puis vinrent imposer l'autorité du roi piémontais à Naples. Victor Emmanuel II fut proclamé roi et, ce qui était nouveau, « par la volonté de la nation », autant dire par le peuple italien tout entier. Florence devint la capitale du jeune Etat italien, Rome étant toujours occupée par le pape et les forces françaises chargées de le protéger. Ce n'est qu'en 1870, à la suite du retrait des troupes françaises de la ville – guerre franco-prussienne oblige – que Rome fut enfin réunie au reste de la nation et devint capitale.

La monarchie parlementaire 1870-1915

La marche vers l'unité nationale avait pendant des décennies mobilisé les idées et les énergies de chacun. L'unité enfin réalisée, l'Italie prenait conscience de son retard économique à l'échelle de l'Europe, de ses différences, de l'important écart de développement qui séparait le Nord industriel du Mezzogiorno, du Sud presque exclusivement rural. Sur le plan politique, la monarchie parlementaire était des plus fragiles, du fait, semble-t-il, du régime censitaire en vigueur. Ce n'est qu'en 1912 que le suffrage universel finira par s'imposer. Ce sera l'époque du développement économique italien, dans le Nord tout au moins ; le Sud restera à l'écart de ce phénomène et sa population se trouvera poussée à l'émigration, principalement vers le Nouveau Monde. Ce sera aussi l'époque de l'expansion du colonialisme italien.

Palais Madame, le château médiéval

© FOTOTECA ENIT - PHOTO BY VITO ARCOMANO

■ L'ITALIE DU XXᵉ SIÈCLE

L'engagement italien et l'avènement de Mussolini

L'Italie déclare tout d'abord la guerre à l'Autriche-Hongrie (mai 1915), puis à l'Allemagne (août 1916). Par le traité de Saint-Germain, elle acquiert, entre autres, le Trentin et Trieste. En mars 1919, Mussolini fonde à Milan les Faisceaux italiens de combat. Le fascisme se nourrit également des problèmes socio-économiques. Les troubles sociaux, la violence, les carences évidentes du régime parlementaire, l'instabilité gouvernementale profitent à Mussolini qui, le 28 octobre 1922, organise, avec ses Chemises noires, la fameuse marche sur Rome. Le 30 octobre, le roi Victor Emmanuel III appelle Mussolini au pouvoir.

L'Italie fasciste

Respectant tout d'abord le régime parlementaire, Mussolini organise, en 1924, des élections qui renforcent sa suprématie. La dictature fasciste commence. La politique mussolinienne concernant les affaires extérieures se radicalise brutalement après la conquête de l'Ethiopie, entreprise par le Duce fin 1935-début 1936.

Une conquête suivie de vives protestations de la part des puissances coloniales déjà présentes sur le sol africain, autrement dit la France et l'Angleterre.

Associées à la S.D.N. (Société des Nations, ancêtre de l'ONU), les deux puissances décrètent, dès la fin de l'année 1935, des sanctions économiques à l'encontre de l'Italie, qui ainsi attaquée radicalise sa position et se rapproche de façon sensible de l'Allemagne nazie. L'avènement en France du Front populaire puis la guerre civile espagnole favorisent encore le rapprochement de Mussolini avec l'Allemagne.

La guerre

Toutefois quand Hitler, en 1939, se trouve isolé face à l'Angleterre et la France, le Duce ne le suit pas. Ce ne sera qu'en juin 1940, quand les forces françaises et anglaises seront acculées à la défaite par les troupes allemandes, que l'Italie entrera en guerre et envahira la France. Cependant, très vite, on peut constater un certain manque d'adhésion populaire, tout d'abord au niveau de l'opinion publique du pays. Quant à l'armée,

mal préparée, elle va de défaite en défaite. La contestation populaire gagne même les rangs du parti fasciste (le Grand Conseil) qui en juillet 1943 destitue Mussolini, lequel sera arrêté et placé en résidence surveillée au Gran Sasso, dans les Abruzzes, à proximité de l'Aquila. Un nouveau gouvernement, dirigé par le général Badoglio, avec l'assentiment du roi Victor Emmanuel III, négocie un armistice avec les Alliés. Avertie, l'Allemagne envoie ses troupes occuper Rome et l'Italie méridionale. Une fois libéré, Mussolini, avec l'aide des nazis, reconstitue dans le nord du pays un Etat fasciste : la république de Salo.

De nouveau arrêté, Mussolini est, avec son amante, sommairement exécuté. Tous deux furent pendus par les pieds sur une place de Milan, et leurs dépouilles offertes en pâture à l'ire populaire.

L'après-guerre

Malgré le soutien, à partir de 1943, d'une partie de la population à la cause alliée, l'Italie sera à juste titre considérée comme l'un des vaincus de cette guerre. En conséquence, elle perdra ses possessions coloniales acquises durant le fascisme, ainsi que ses acquis territoriaux de la Première Guerre mondiale, c'est-à-dire Fiume, l'Istrie, la petite ville de Zara et une partie de la Vénétie Julienne, qui passeront alors aux mains des Yougoslaves.

La paix revenue, le Comité de libération nationale placé à la tête du gouvernement se charge d'organiser des élections et surtout un référendum relatif aux institutions du pays et dont le résultat va condamner la monarchie. Humbert II, qui était monté sur le trône après l'abdication de son père Victor Emmanuel III, choisit de s'exiler.

Après l'adoption d'une nouvelle constitution, entérinée en 1948 et qui faisait une grande place au président du Conseil, chef du gouvernement et véritable détenteur du pouvoir exécutif, la vie politique italienne sera principalement marquée par la lutte pour le pouvoir entre quelques grands partis issus de la Résistance, comme le Parti communiste (PCI), le Parti socialiste (PSI), le Parti républicain (PRI), les sociaux-démocrates et enfin la Démocratie chrétienne (DC), cette dernière bénéficiant d'un large écho auprès des Italiens. Ce qui explique sa présence continuelle, en presque trente ans de vie politique, dans les trente-deux gouvernements qui vont se succéder à la tête de l'Italie entre 1946 et 1974. Une vie politique caractérisée par des crises incessantes, comme on peut le remarquer.

L'Italie depuis les années 1970

Les années 1970 sont particulièrement agitées et difficiles en Italie. Les « années de plomb », ainsi que les surnommèrent les médias, commencent avec l'Autunno Caldo (l'automne chaud) de 1969, durant lequel grèves, manifestations et émeutes se succèdent. Les choses vont empirer peu à peu, et l'Italie devra faire face à un activisme violent et incontrôlable, auquel prennent part les Brigades rouges et des groupuscules de droite. Le pays est au bord de la désintégration. Cette confusion sociale et politique trouve son point culminant avec l'assassinat du Premier ministre Aldo Moro, en 1978. Celui-ci est enlevé par les Brigades rouges, puis tué, à la suite du refus du gouvernement de négocier. Vers 1985, vitalité de l'économie italienne aidant, le terrorisme est quasi vaincu. Mais l'Italie, qui prospère, se trouve confrontée à une série de scandales et de bouleversements politiques qui révèlent l'ampleur de la mainmise de la mafia sur la vie économique et politique du pays. L'opération Mani Pulite (mains propres) aura pour but d'assainir la vie politique et publique. Au plan européen, l'Italie se montre de plus en plus présente. Ainsi, en février 1992, elle a signé le traité de Maastricht qui institue l'Union européenne. Elle a également assuré la présidence tournante de l'Union européenne durant le premier semestre de 1996.

■ L'ITALIE DU XXIe SIÈCLE

De nouveau président du Conseil en 2001, Silvio Berlusconi assure une deuxième fois la présidence de l'Union européenne. En politique intérieure, il doit pourtant faire face à une hostilité grandissante qui atteint son apogée en avril 2005, quand 12 régions sur 16 sont gagnées par le parti du centre-gauche. En 2006, c'est le centre-gauche qui gagne les élections, et Romano Prodi devient le chef du Conseil italien. La droite italienne, et notamment Silvio Berlusconi qui n'accepte pas sa défaite, multiplie les attaques contre le gouvernement Prodi. En difficulté à droite, Silvio Berlusconi décide de créer un nouveau parti, le Peuple de la Liberté (*Popolo della Libertà*, PDL), destiné à prendre le leadership de la droite. La nouvelle formation vient contrer le nouveau Parti démocrate créé le 14 octobre 2007 et qui fusionne les principaux partis de centre-gauche. Le vote de la loi de finances, approuvée par 161 voix contre 157, marque une victoire très étroite pour le gouvernement Prodi. Pourtant, une nouvelle crise politique se profile au tout début 2008. Après le départ de l'UDEUR (parti catholique populaire surtout en Italie du Sud) de la coalition de centre-gauche, le Sénat italien refuse sa confiance à Romano Prodi. Le retour du « professore » ne sera qu'une parenthèse dans les années Berlusconi : le milliardaire remporte haut la main les élections législatives anticipées d'avril 2008. Un retour au pouvoir, soutenu par la Ligue du Nord, qui obtient des ministères clefs tels que celui de l'Intérieur. Dans un premier temps, le troisième gouvernement de Berlusconi opère de manière résolue, fort de l'importante majorité obtenue lors des élections.

Toutefois la vive contestation de la part de l'opposition ainsi qu'un fort mécontentement populaire nourri par les conséquences économiques de la crise internationale (face à laquelle on reproche à Berlusconi de ne pas avoir adopté les mesures nécessaires) ont contribué à déstabiliser le gouvernement du Cavaliere jusqu'à ce jour. Par ailleurs, les projets de loi visant à empêcher toute poursuite judiciaire contre les plus hautes charges du gouvernement sont très mal reçus par l'opinion publique et vivement contestés par la magistrature. Enfin la présumée complicité de Berlusconi avec la Mafia (ce qui par ailleurs ne serait qu'un prétexte avancé à des fins politiques) a dernièrement contribué à remettre en cause sa légitimité.

Politique et économie

▬ POLITIQUE ▬

Structure étatique

La Constitution italienne entrée en vigueur le 27 décembre 1947 définit l'Italie comme « une République démocratique, fondée sur le travail » (voir : art. 1-Principes fondamentaux). L'Italie est donc une République démocratique parlementaire dont la principale institution politique est le Parlement (Assemblée nationale) se composant de la Chambre des députés (630 membres dont 12 élus parmi les Italiens résidant à l'étranger) et du Sénat de la République (315 sénateurs). Ces deux chambres exercent collectivement la fonction législative. Le Parlement est élu au suffrage universel par les Italiens ayant atteint l'âge de 18 ans pour l'élection des députés et celui de 21 ans pour les sénateurs.

▶ **Le pouvoir exécutif** est confié au président du Conseil et à des ministres qui constituent ensemble le Conseil des ministres. Le président du Conseil (actuellement Silvio Berlusconi) dirige la politique générale du gouvernement et en est responsable. Les élections législatives ont lieu tous les 5 ans mais, compte tenu de la situation politique instable dans laquelle l'Italie s'est trouvée depuis l'après-guerre, la majorité parlementaire est très volontiers et souvent rompue, ce qui donne lieu à de nouvelles élections environ tous les 2 ou 3 ans.

▶ **Le président de la République** (depuis 2006, Giorgio Napolitano) est élu tous les 7 ans par le Parlement réuni en séance plénière. Son pouvoir consiste à représenter la Nation. Il n'a que peu d'influence sur la vie politique de l'Etat, même s'il peut, après consultation de leurs présidents, dissoudre les deux chambres ou une seule d'entre elles. Cependant aucun acte du président de la République n'est valable s'il n'est contresigné par les ministres qui l'ont proposé et qui en assument la responsabilité, ce qui a été fait dans le but d'éviter que l'Etat sombre sous le joug d'une dictature personnelle.

▶ **Au niveau local, l'Italie est divisée en régions, provinces et communes,** des collectivités territoriales autonomes depuis les années 1970 et ayant des pouvoirs et des fonctions qui leur sont propres dans les domaines administratifs, législatifs et fiscaux fixés par la Constitution. Un représentant de l'Etat, résidant au chef-lieu de la région, exerce les fonctions administratives appartenant à l'Etat et les coordonne avec celles exercées par la région. Les régions sont au nombre de 21 (Piémont, Val d'Aoste, Lombardie, Trentin-Haut-Adige, Vénétie, Frioul-Vénétie Julienne, Ligurie, Emilie-Romagne, Toscane, Ombrie, Marches, Latium, Abruzzes, Molise, Campanie, Pouilles, Basilicate, Calabre, Sicile, Sardaigne). Un statut spécial d'autonomie a été attribué à la Sicile, à la Sardaigne, au Trentin-Haut-Adige, au Frioul-Vénétie Julienne et au Val d'Aoste. La région exerce normalement ses fonctions administratives en les déléguant aux provinces, aux communes ou à d'autres institutions locales ou en utilisant leurs services. Régions, provinces et communes sont chacune gouvernées par un Conseil, une sorte de Parlement territorial à une seule chambre, par la Giunta, l'organe exécutif et enfin le président du Conseil. La représentation politique de ces institutions administratives est étroitement liée à la représentation nationale en ce qui concerne la typologie des partis. Toutefois le poids politique des partis n'est pas forcément lié à la composition du Parlement italien. C'est pourquoi certaines régions (Toscane, Emilie-Romagne) sont nommées « régions rouges » et d'autres (Vénétie, Lombardie) ont vu récemment la naissance de mouvements autonomistes et en partie xénophobes comme la Lega Nord.

L'évolution des partis politiques

Avec la fin de la Seconde Guerre mondiale, la vie politique italienne va être surtout marquée par la prééminence de deux partis politiques (bipolarisme) aux idées opposées : la Démocratie chrétienne d'un côté, le Parti communiste italien de l'autre, tous deux issus de la Résistance et donc tout auréolés de leurs années de lutte contre le fascisme et l'occupation nazie.

Le PCI va être rapidement enfermé dans l'opposition, diabolisé dans le contexte de guerre froide, et la conduite des affaires de l'Etat va être l'apanage de la DC pendant plus de 50 ans, d'abord seule, puis associée à une multitude de petits partis, inaugurant ainsi l'ère du multipartisme qui caractérise aujourd'hui la vie politique de la péninsule. En 1992, Mani Pulite (mains propres), opération de grande envergure lancée par un groupe de juges milanais, entend combattre la corruption qui touche dans le milieu politique les plus hautes instances de l'Etat. Dès lors, un des juges du programme Antonio di Pietro met en cause plus de 150 politiciens. L'impact a été tel qu'on a parlé d'une « république des juges », et Di Pietro s'est lancé depuis avec plus ou moins de bonheur dans la politique (aujourd'hui, il est lui-même accusé d'avoir été corrompu lors de l'opération « mains propres »). Ce gigantesque coup de filet au cœur même de l'Etat italien a bouleversé les esprits en mettant en évidence la corruption des milieux politiques et financiers, et la mainmise de la Mafia sur ceux-ci. Cinquante ans de politique et de nombreux partis, en premier lieu la Démocratie chrétienne (DC) et le Parti socialiste (PSI) de Bettino Craxi, sont balayés du panorama politique italien. La population italienne suit attentivement ces événements et, aux élections de 1992, fait savoir aux partis politiques habituels (DC, PCI, PSI, etc.) que l'heure du changement est venue. Tous les partis historiques périclitent donc après une série de scandales, corruptions, *tangentopoli* (de *tangente*, "pot-de-vin", qui désigne le financement illicite des partis par des entrepreneurs voulant obtenir des marchés publics) en une myriade de nouveaux petits partis changeant de noms (comme le Parti communiste italien devenu le PDS, parti démocratique de gauche), d'esprit et d'alliance (le Parti démocrate chrétien s'est scindé en deux).

La nouvelle donne

Aujourd'hui, les différentes forces politiques actuellement en présence en Italie sont les suivantes :

▶ **À gauche,** le Parti démocrate (centre-gauche), créé en octobre 2007, et dont le secrétaire général est Walter Veltroni. Il regroupe notamment les démocrates de gauche DS (ancien parti communiste) et une partie de l'ex-Démocratie chrétienne (la Marguerite, centre). Sa création a entraîné plusieurs scissions au sein de la gauche, avec la mise en place d'une autre coalition, plus à gauche : l'Arc-en-ciel qui regroupe, entre autres, la Refondation communiste et le Parti des communistes italiens.

▶ **À droite,** le Pôle de la Liberté (PDL) regroupe notamment Forza Italia (menée par Silvio Berlusconi) et Alliance nationale.

▶ **La Ligue du Nord,** de tendance fédéraliste, joue elle aussi un rôle important et est menée par Umberto Bossi.

■ ÉCONOMIE

Les ressources principales

Aujourd'hui, l'Italie est la 7e puissance économique mondiale. D'une économie fortement dominée, après-guerre, par l'agriculture et le secteur industriel, l'Italie est cependant passée à une économie soutenue par le secteur tertiaire qui emploie 61 % des actifs (l'agriculture seulement 7 % des actifs).

La vie rurale est caractérisée par le maintien fréquent de la grande propriété dans le Sud (*latifondo*), et ce, en dépit des nombreuses réformes agraires. Les cultures dominantes sont céréalières (blé, maïs, riz) et arbustives (vignes, oliviers, agrumes), notamment dans la plaine du Pô, en Toscane, ou dans les Marches. Le blé est la première production du pays et représente 19 % des surfaces cultivées, ce qui permet à l'Italie d'occuper le 16e rang mondial d'exportation de blé. Le pays occupe le 10e rang pour le maïs, ce qui est plus qu'honorable, et reste le premier producteur d'huile d'olive au monde. Quant à la production vinicole, il est deuxième après la France. Le point noir reste l'élevage, dont la production insuffisante ne permet pas de répondre aux besoins nationaux et oblige à faire appel là encore à l'importation. Quant à la géographie économique, elle a elle-même beaucoup changé. Entre le Nord industrialisé et le Mezzogiorno, une troisième entité économique a vu le jour depuis la dernière guerre, entité qui comprend approximativement les régions situées sur l'axe Rome, Florence, Bologne et Venise. Les secteurs les plus dynamiques sont la pétrochimie, l'équipement, la sidérurgie, la mécanique, l'électronique, les chantiers navals et électroménagers. Bien évidemment, les secteurs économiques dominants en Italie sont ceux de l'automobile, du textile et de l'habillement.

Sur le plan monétaire, rien de très réjouissant, mais l'Italie, grâce à une politique drastique, fait partie du premier train de l'euro. La lire n'avait pas intégré le serpent monétaire européen depuis 1992, et il fallut attendre le 24 novembre 1996 pour la voir réintégrer le mécanisme de taux de change du système monétaire européen. Même si la croissance resta faible durant ces dernières années, l'Italie réussit néanmoins à maîtriser son déficit budgétaire (qui est passé, en 1997, de 6,9 % à 3 %). Cependant, la reprise annoncée pour cette fin de siècle a été freinée par les crises financières asiatique et russe. Le pays affichait, en 1998, 1,4 % de croissance, soit la plus mauvaise performance de toute l'Union. Mais l'Italie fait partie des 11 pays autorisés par le sommet de Bruxelles à adopter l'euro et ce fut chose faite en 2002. Depuis les perspectives sont bonnes, meilleures en tout cas, notamment sur le marché du travail. De plus, bien qu'en 2007, l'endettement public reste supérieur à 100 % du PIB, le gouvernement s'efforce à la fois de rectifier le tir tout en prenant des mesures visant à alléger la pression fiscale et à stimuler la concurrence. Cette même année, le taux de croissance du PIB atteignait 1,9 %. Mais la crise économique mondiale du deuxième semestre 2008 n'a pas épargné l'Italie, qui est officiellement entrée en récession au troisième trimestre de l'année.

Le Nord industriel, moteur de l'économie italienne

L'économie italienne a ses champions industriels, les grands groupes (Fiat, 50 % du marché de l'automobile), mais surtout les nombreuses PME, très compétitives, qui fournissent des produits d'exportation à haute valeur ajoutée : électronique, bureautique (Olivetti), électroménager (Candy, Zanussi), chaussures, confections (Max Mara, Benetton, Ellesse, Sergio Tacchini), industrie du luxe (40 % des exportations italiennes : Valentino, Gianfranco Ferre, Giorgio Armani, Gucci, Gianni Versace). Les PME de moins de 100 salariés représentent jusqu'à 80 % du tissu d'entreprises exportatrices italien. Les entreprises de moins de 20 salariés réalisent près de 9 % du commerce international de l'Italie. Ces sociétés ont trouvé un terrain fertile de développement surtout dans deux régions : le Nord-Est et la Lombardie où un nombre croissant de nouveaux entrepreneurs ont su imposer leurs produits et leur efficacité. Le secret de ce système de production industrielle, très apprécié par les économistes, repose sur les « districts industriels ». Un concept qui est tout à fait adapté à l'économie italienne. Il s'agit d'espaces géographiques de petite taille dans lesquels un grand nombre de sociétés relevant d'un même secteur de production (divans, chaussures, textiles, etc.) s'associent pour partager les services nécessaires à leur existence. Un exemple de cette situation ? Les chaises fabriquées en Italie constituent aujourd'hui 50 % de la production européenne correspondant à 40 millions d'unités. Etonnamment cette production est le fruit d'une zone industrielle limitée à seulement 100 km² autour d'Udine. L'Italie exporte également avec succès ses produits agroalimentaires, sous des marques aussi connues que Motta, Barilla, Buitoni ou Martini. Forte de son héritage artistique, l'Italie recycle ce talent avec brio dans le domaine industriel et constitue une des grandes nations du design. Le pays est ainsi le premier exportateur mondial de meubles, et les designers automobiles travaillent pour de nombreux constructeurs mondiaux.

La place du tourisme

Le tourisme est un facteur non négligeable dans l'économie du pays, puisqu'il s'agit d'un des plus importants du monde. L'Italie a accueilli 331 043 000 visiteurs depuis son ouverture au tourisme. Ce secteur représente environ 7 % du PIB. Elle a enregistré plus de 43,6 millions de touristes en 2007 contre un peu plus de 41 millions l'année précédente, ce qui classe le pays au 5e rang mondial. Notons aussi que 2008 a été une année plutôt morose pour l'industrie touristique italienne, avec des réservations et une dépense sur place en baisse, notamment dans les villes d'art et dans le Sud. Des régions du Nord traitées dans ce guide, telles que le Piémont, le Trentin, l'Emilie-Romagne et les Marches, tirent leur épingle du jeu et s'affirment comme les nouvelles destinations en vogue. Gênes, avec une fréquentation en hausse de 11%, connaît un attrait grandissant. Les grands flux touristiques sont très diversifiés. Les Allemands représentent presque la moitié des visiteurs, viennent ensuite les Etats-Unis, puis le Royaume-Uni, la France et enfin l'Autriche. Des séjours brefs mais répartis sur toute l'année assurent au pays une activité constante.

En revanche, les séjours balnéaires sont plus longs. Les stations thermales attirent également bon nombre de visiteurs.

DÉCOUVERTE

Population et langues

La population aujourd'hui

Jusqu'au milieu des années 1970, l'Italie « exportait » ses travailleurs, conséquence du sous-emploi bien sûr mais également du fort taux de natalité que connaissait le pays. Depuis, les mentalités ont changé : la tendance de la population italienne est actuellement à la stagnation. L'Italie du Nord reste une zone à forte densité de population, mais là aussi il existe de nets contrastes entre les régions montagneuses et celles à forte concentration urbaine. Par exemple : le Val d'Aoste a une densité de 38,8 hab./km², tandis que celle de la Lombardie, avec une population de 9 028 913 habitants, est de 379 hab./km². Enfin, précisons que 70 % de la population italienne est urbaine (75 % pour la France) et que le réseau urbain italien se compose d'un très grand nombre de petites villes.

© STÉPHANE SAVIGNARD

Le style à l'italienne !

En Italie du Nord, seulement deux villes dépassent le million d'habitants : Milan et Turin. Quant à des villes comme Bologne, Florence ou Venise, elles ont entre 200 000 et 500 000 habitants.

Les flux migratoires

Pendant les années 1960, l'Italie vit son miracle économique. Le taux de croissance annuel était de 6 % et le chômage au nord quasi inexistant. Cependant, au sud, la situation reste grave encore aujourd'hui et l'écart entre les deux parties du pays se creuse de plus en plus. Les habitants du Sud de l'Italie qui s'étaient tournés jusque-là vers le Nouveau Monde (700 000 New-Yorkais descendent encore de cette diaspora et l'on estime à l'heure actuelle qu'il y a près de 5 millions d'Italiens dans le monde, et pas loin de 58 millions de personnes d'origine italienne installées un peu partout !), le Nord de l'Europe, dont la France et l'Australie, décident de s'embarquer sur le *treno del sole* et de s'installer au Nord dans le « triangle industriel » formé par Turin, Gênes et Milan. Calabrais, Siciliens, Napolitains débarquent donc à Rome, Bologne, Florence et surtout dans les deux grandes villes industrialisées du Nord, Turin et Milan.

Entre 1951 et 1961, le nombre d'immigrants italiens tentant leur chance dans le Nord est évalué à 2 millions, dont presque 600 000 s'installent à Milan. L'intégration n'est évidemment pas facile surtout à cause d'une sorte de racisme. Dénommés avec mépris *terroni* (bouseux du Sud), ils ont longtemps eu la réputation d'être ignorants, paresseux, irrespectueux de certaines normes hygiéniques et surtout civiques. Ces stéréotypes très accentués finissent par disparaître dans les années 1970, au moment où l'immigration interne se stabilise et avec elle les problèmes d'intégration, si bien qu'aujourd'hui 50 % de la population milanaise a des origines méridionales.

■ LANGUES

La langue italienne est la preuve incontestable du métissage constant auquel le peuple italien a été exposé pendant des siècles. Ainsi, *ragazzo* et *magazzino* sont des mots d'origine arabe (les Arabes furent longtemps présents en Sicile), tandis que *albergo*, *banca*, *guardia* ou *sapone* sont d'origine germanique.

Charles Quint avait l'habitude de plaisanter en disant qu'on parle à Dieu en espagnol, aux hommes en français et aux femmes en... italien ! L'italien est en effet l'une des langues latines les plus mélodieuses. Elle ne s'est formée que très tardivement car elle n'apparaît en tant qu'idiome littéraire qu'au XIIe siècle. L'aristocratie et les écrivains italiens ont en effet préféré parler le latin ou le provençal et le français pendant des siècles. Cette évolution fut progressive, puisque, à la fin du XIIIe siècle, Marco Polo écrivait son très célèbre *Il Milione* en franco-vénitien. Peu à peu une langue s'est constituée et formalisée, grâce à l'œuvre d'auteurs tels que Dante, Boccace, ou Pétrarque. Ceux-ci utilisaient le dialecte toscan, qui est à l'origine de l'italien tel que nous le connaissons aujourd'hui. A partir du XVIe siècle, la Renaissance italienne fascine l'Europe et les emprunts aux langues italiennes se multiplient notamment dans les œuvres des grands écrivains français de l'époque.

Mots français d'origine italienne

A partir du XVIe siècle se développe en Europe, et particulièrement en France, l'influence des grands Etats italiens. Outre leur rôle moteur dans la Renaissance (de nombreux artistes italiens viennent travailler en France), ces Etats s'immiscent dans la politique française : on pense notamment aux Médicis, qui fournissent deux reines à la France (Marie et Catherine), et à des hommes comme Concini et Mazarin, quasiment arrivés dans leurs valises. L'Italie fascine, notamment les grands écrivains français de l'époque, et les emprunts aux langues italiennes se multiplient. Voici quelques exemples passés dans le langage courant :

▎ **Alarme :** *alle arme*, « aux armes », le signal pour se précipiter à l'armurerie.

▎ **Alerte :** *all'erta*, « sur la hauteur », où l'on se mettait pour guetter et donner l'alerte.

Vendeur de marrons chauds à Milan

▎ **Appartement :** *appartamento*.

▎ **Aquarelle :** *acquarello*.

▎ **Arpège :** *arpeggio*.

▎ **Balcon :** *balcone*.

▎ **Bandit :** *bandito*, c'est-à-dire « banni ».

▎ **Banque :** *banca*, "le banc", c'est-à-dire la planche sur laquelle s'installaient les marchands.

▎ **Banqueroute :** *banca rotta*, « rompu » ; emprunté à l'usage qui voulait qu'on détruise le comptoir d'un marchand pour signifier sa faillite.

▎ **Banquet :** *banchetto*.

▎ **Biscotte :** *biscotto*, littéralement « cuit deux fois ».

▎ **Brigand :** *brigante*, à l'origine les membres d'une brigade (*brigata*), à une époque où les soldats ne se distinguaient pas vraiment par leur respect des populations locales.

▎ **Caleçon :** *calzone*.

▎ **Cardan :** de Jérôme Cardan (Cardano), son inventeur.

▎ **Carène :** *carena*.

▎ **Cavalcade :** *cavalcata*, initialement un défilé de cavaliers.

Carnaval de Milan - Fête sur la place du Duomo

▶ **Corsaire** : *corsaro*.

▶ **Dessin** : *disegno*.

▶ **Ecurie** : *scuderia*.

▶ **Escalope** : *scaloppe*.

▶ **Escarpin** : *scarpino*, littéralement « petite chaussure ».

▶ **Festin** : *festino*.

▶ **Frégate** : *fregata*, qui désignait un bateau à rames.

▶ **Pantalon** : *pantalone*.

▶ **Pantoufle** : *pantofola*.

▶ **Solfège** : *solfeggio*.

▶ **Sérénade** : *serenata*.

▶ **Virtuose** : *virtuoso*.

Toutefois les différents dialectes régionaux restent très vivaces en Italie (le dialecte génois, romain ou napolitain, le sarde ou le dialecte sicilien). L'unité italienne ne s'étant faite qu'au XIXe siècle, il existe en effet une grande variété de dialectes, plus de 1 500 d'après certaines études.

Certaines régions, en raison de leur position géographique, sont même bilingues. Par exemple, la population du Val d'Aoste parle couramment français et, dans le Trentin-Haut-Adige, l'allemand est la deuxième langue locale. Cependant, avec l'uniformisation de l'enseignement, la télévision, la radio, les dialectes perdent peu à peu de leur importance, mais restent une référence culturelle et historique essentielle pour comprendre l'Italie.

Les autres langues minoritaires sont l'occitan (Piémont, Ligurie), le français (Val d'Aoste), le slovène (Frioul-Vénétie Julienne)... De même, le provençal est parlé par 90 000 personnes établies depuis les XIIIe et XIVe siècles (Val d'Aoste, nord du Piémont).

L'italien dans ce guide

▶ **Orthographe.** Nous avons dans l'ensemble suivi l'usage courant, quitte à commettre quelques entorses à l'orthographe italienne. C'est ainsi que nous avons parfois francisé les pluriels, rajouté des « s » là où ils sont inutiles (des spaghettis) et, très souvent, utilisé la graphie et le mot italien lorsqu'il devient familier. C'est ainsi que, comme le voyageur le retiendra vite, le *duomo*, c'est la cathédrale (comme on dit le « Munster » à Strasbourg) ; la *piazza*, c'est la place ; la *via*, la rue ; la *chiesa*, l'église, etc.

▶ **Noms des villes.** Nous avons, dans la majeure partie des cas, opté pour le nom italien des villes, qui nous a semblé plus commode et plus immédiat, sauf pour le cas des très grandes villes : Bologne, Milan, Turin, Sienne, Parme. En revanche, pour les villes moyennes, nous avons tranché dans le sens de l'usage commun pour les Français : c'est ainsi que Perugia est bien francisée en Pérouse, mais que Piacenza est restée telle quelle, la dénomination Plaisance ne nous paraissant pas suffisamment familière.

Mode de vie

Naissance et âge

Le pays connaît un taux de natalité de 8,18 ‰ pour un taux de mortalité de 10,72 ‰. Le taux de fécondité, en constante baisse, est de 1,31 enfant par femme, insuffisant pour le renouvellement des générations, d'où le risque à terme d'un dangereux vieillissement de la population.

Cependant, ces données alarmistes ne reflètent pas les fortes disparités existantes entre régions, et principalement entre un « grand Nord », déficitaire quant à sa natalité, et un Mezzogiorno dont le solde naturel est resté excédentaire.

Ces chiffres sont la traduction d'un véritable phénomène de société, un changement de mentalité, dû à l'urbanisation, à l'enrichissement ou encore à la baisse d'influence de l'Eglise, notamment chez les jeunes.

La distribution sexuelle est assez homogène : 49 % d'hommes, pour 51 % de femmes. L'espérance de vie est de 77 ans pour les hommes et de 83 ans pour les femmes.

Éducation

En Italie, le taux d'alphabétisation est de 98 %. L'école publique est gratuite et obligatoire jusqu'à 16 ans. Les divisions scolaires se déroulent de la maternelle (de 3 à 5 ans) au primaire (à 10 ans), jusqu'à l'équivalent du collège français, appelé « intermédiaire » en Italie et sanctionné par un examen important de fin d'études (équivalent du BEPC en France). Ensuite, au lycée, les élèves peuvent choisir entre les études d'enseignement classique, scientifique, littéraire ou artistique. L'examen, la *maturità*, correspond au baccalauréat français.

Le système universitaire est partagé en deux cycles, de 5 ans au total. Après les trois premières années est délivrée une *laurea breve* (qui correspond à une licence française), puis il faut faire encore 2 ans pour obtenir une *laurea specialistica* (un master).

Mœurs

▶ **Famille.** L'influence de l'Eglise catholique romaine reste sensible sur la structure familiale. D'une manière générale, les liens familiaux sont plus forts en Italie, surtout dans le Sud, que dans n'importe quel autre pays d'Europe occidentale. Les caricatures ou autocritiques du cinéma d'après-guerre à propos de la fameuse mamma italienne sont toujours actuelles. Ainsi, le film français *Tanguy*, où un enfant, jeune homme de 28 ans, vit encore chez ses parents alors que ceux-ci l'encouragent à quitter le foyer familial, a été très mal reçu en Italie, fortement critiqué, voire censuré. Plus les enfants quittent tard la maison parentale, plus les parents sont heureux. Le point de vue des enfants, encore aujourd'hui, n'est pas très clair, car le luxe de ne rien faire n'est pas à négliger !

▶ **Le mammisme.** C'est un véritable phénomène de société… on parle de « mammisme » en Italie pour désigner la proximité de la mamma italienne, la mère de famille et de ces enfants. La mamma pour un Italien, c'est *tutto*, « tout », sa vie, son passé, son présent et son avenir. Les Italiens n'arrivent pas à couper le cordon ombilical. On retrouve alors des « grands garçons » rester jusqu'à 30 ans chez leur mamma, ou se marier mais habiter à… quelques minutes de leur mamma.

Le cinéaste italien Pier Paolo Passolini en a fait même un film *La mamma roma*. Sans sa « mamma italienne », un Italien semble déboussolé !

Le mariage reste le plus important accomplissement dans la vie des Italiens. La religion, en tant que valeur morale, a toujours beaucoup de poids dans la structure familiale mais n'est plus un obstacle quant aux décisions de séparation.

Religion

La religion actuelle

Le christianisme est apparu à Rome une dizaine d'années après la crucifixion du Christ. Les premiers chrétiens furent persécutés par les Romains, mais le christianisme finit par devenir la religion officielle de l'Empire romain. Au Moyen Age, le pape, chef spirituel de tous les catholiques, régnait sur un Etat influent et Rome devint le centre du monde chrétien.

De nos jours, le catholicisme n'est plus une religion d'Etat et la Constitution italienne garantit la liberté de religion.

L'influence politique de l'Eglise est allée en s'amenuisant depuis les années 1960.

© FOTOTECA ENIT - PHOTO BY VITO ARCOMANO

Duomo de Bolzano

Le catholicisme fut longtemps religion d'Etat et ce n'est qu'en 1984 qu'un concordat a mis fin définitivement à sa position prééminente. Cependant la religion regroupe sur son territoire nombre d'églises, de saints et de sanctuaires du monde chrétien. A cela s'ajoute le fait que le Vatican se trouve en Italie. Mais le pape qui y réside et est à la tête du Vatican se charge de plus de 850 millions de catholiques dans le monde.

L'Eglise italienne est dirigée par un cardinal et par le conseil épiscopal italien, et est une ramification de l'ensemble du monde catholique.

L'Eglise italienne et le Vatican n'ont pas d'autres rapports, et ce depuis 1870, date à laquelle les papes ont abandonné le pouvoir politique dont ils disposaient. En 1929, les accords de Latran reconnaissaient la cité du Vatican comme Etat indépendant et souverain au sein de Rome.

Comme en France, les trois grandes fêtes religieuses sont Pâques, le 15 août (Ferragosto) et Noël. Si les Italiens sont de plus en plus nombreux à adopter les us et coutumes de l'Europe du Nord en matière de célébration de Noël – sapin et échanges de cadeaux –, il reste deux traditions bien ancrées en Italie : la construction de crèches (*presepi*) très élaborées et la Befana. Le 6 janvier, jour de l'Epiphanie, la Befana (sorcière) parcourt le ciel sur un manche de balai à la recherche de l'Enfant Jésus. Elle s'arrête à chaque maison et laisse cadeaux, jouets et friandises, aux gentils enfants et un morceau de charbon aux autres.

Pratique religieuse

Si 97 % de la population italienne est baptisée, seulement 10 % va à la messe régulièrement, et encore moins nombreux sont ceux qui suivent le Vatican dans le domaine de la morale.

De même, l'instruction religieuse est facultative dans les écoles publiques. Dans les années 1950, la part des catholiques pratiquants était de 60 %, alors qu'aujourd'hui elle ne représente plus que 30 % de la population italienne. Il y a aujourd'hui 43 000 prêtres en Italie, contre 91 000 en 1901.

Cependant, depuis les années 1990, selon les chercheurs, la tendance n'est plus à la baisse et les Italiens seraient de plus en plus nombreux à assister à la messe, témoignage d'une revalorisation de la religion dans la vie des Italiens.

Autres religions

En Italie, les non-catholiques ne représentent que 3 % de la population. Ce pourcentage est très faible en comparaison à l'ensemble des pays européens.

La communauté musulmane, dont les représentants sont originaires d'Europe centrale et du Maghreb, est très récente en Italie, une nation qui au même titre que l'Espagne, resta exportatrice de main-d'œuvre vers le Nord de l'Europe et les Etats-Unis jusque dans les années 1970. Les chrétiens protestants et orthodoxes, originaires d'Europe centrale (Roumanie, Russie, ex-Yougoslavie ou Bulgarie) arrivent ensuite, devant les membres de la communauté juive, traditionnellement présents en Italie du Nord essentiellement.

Retraite

Le problème des retraites, d'actualité en France, l'est aussi en Italie. Les Italiens partiront à la retraite encore plus tard ! La réforme des retraites, présentée par Romano Prodi, a été signée et porte le nombre d'années des cotisations à 35 ans. L'âge légal de départ qui était fixé à 57 ans est désormais porté à 58 ans, il sera ensuite de 60 ans en 2011, puis 61 en 2013.

▶ **Note :** le montant des retraites représente de 10 % à 11 % du PIB tant en France qu'en Italie.

Arts et culture

ARCHITECTURE

L'art de la Rome impériale

L'âge d'or de Rome nous a laissé ouvrages manufacturés, œuvres d'art, mosaïques, fresques, colonnes, bâtiments entiers, rues, aqueducs, thermes, théâtres et villes qui témoignent brillamment de la vie quotidienne d'antan. Les vestiges romains abondent en Italie du Nord, de l'arc d'Auguste à Aoste à l'imposante arène de Vérone.

L'art byzantin

Après la chute de l'Empire romain, la persistance de la religion chrétienne a permis de sauver plusieurs monuments de la fin de l'empire et de l'époque byzantine. Un exemple grandiose d'architecture byzantine finissante nous est donné par la magnifique basilique Saint-Marc à Venise.

L'art roman

Dans les Alpes italiennes, l'apport de l'art lombard est un élément important. En effet, en 493, l'Ostrogoth Théodoric élimine Odoacre en prenant sa capitale, Ravenne. Les Byzantins lui succèdent en 540, puis ce sont les Lombards qui s'emparent de Ravenne (568-571) et qui s'installent durablement dans le Nord de la péninsule. L'art lombard n'est que décoratif, mais l'architecture romane en héritera d'un élément universel : la « bande lombarde », technique des constructeurs lombards. Ensuite, le roman puis le gothique feront leur apparition en Italie du Nord. Caractérisé notamment par des constructions religieuses comme les basiliques à croix latine à 3 ou 5 nefs, il trouve son interprétation la plus exemplaire à Milan, dans la basilique de Saint-Ambroise, construite entre le XIe et le XIIe siècle.

L'art gothique

Ce courant se développe à partir de la moitié du XIVe siècle, et c'est en France (Ile de France, abbaye de Saint-Denis) qu'on en trouve l'un des plus beaux exemples. Caractérisé par une verticalité accentuée et par l'utilisation d'arcs, voûtes et fins vitraux, ce courant n'a pas eu une grande influence sur l'architecture italienne. Cependant, il existe un gothique italien, dit « gothique flamboyant », s'adaptant aux critères architecturaux latins et dont les caractéristiques principales sont les angles arrondis et une moindre élévation des édifices par rapport aux constructions françaises. Le Duomo de Milan, la cathédrale, en représente le prototype et constitue une exception dans le

Duomo de Milan

panorama architectural italien du XIVe siècle. La construction de cet ouvrage a duré plus de 400 ans et a exigé le concours de nombreux architectes allemands et français réunis en une institution, la Fabbrica del Duomo, créée expressément par la ville et les seigneurs de Milan.

La Renaissance

Elle coïncide avec la redécouverte de l'art antique romain considéré comme la perfection. On s'inspire du Panthéon et de sa coupole, des arcs de triomphe et de l'institution immuable des trois ordres : dorique, ionique, corinthien. Le plan des églises tend au plan central en croix grecque. Bramante, Raphaël, Michel-Ange sont les grands noms de cette époque. En Italie du Nord, les monuments les plus typiques sont Sant'Andrea à Mantoue, Santa Maria delle Grazie à Milan et bien sûr la majorité des palais et des églises de Florence et de Toscane, région où l'élan humaniste dans les arts fut particulièrement vivace.

La Contre-Réforme et le maniérisme

Le style de l'époque du concile de Trente, apparu dès 1550, se prolonge aux XVIIe et XVIIIe siècles dans toute l'Europe catholique.

Ce n'est pas une rupture avec la Renaissance, mais plutôt une accentuation qui fige les règles ; il est appelé en France «style jésuite». Les églises sont construites selon un plan en croix latine. Les nefs latérales tendent à disparaître alors que les coupoles se généralisent. Avec le développement de la musique d'église, les orgues prennent de plus en plus de place.

Sur les façades, les colonnes et les pilastres, encastrés à l'époque de la Renaissance, se détachent, créant un effet de contraste lumineux. Soucieuse d'impressionner, la religion et son expression architecturale se dramatisent, prenant des attitudes théâtrales pour impressionner et séduire. Les grands hommes de l'époque sont Sixte IV et les architectes Vignola, Giacomo Della Porta et Maderno. Typiques de ce style : le Gesù et Sant'Andrea della Valle, la façade de Saint-Pierre...

Le baroque

Le baroque est au maniérisme ce que le style de l'école de Nancy est à l'art officiel du Second Empire. C'est une explosion de liberté qui se produit au début du XVIIe siècle. Les ordres classiques sont toujours là, mais vus dans des miroirs déformants.

Le baroque romain est un art très rigoureux et parfois austère, comme chez Borromini. Il est aussi malicieux et fantaisiste, comme chez Bernin. En peinture, on l'associe parfois au Caravage, qui fut aussi un révolutionnaire.

Architecture contemporaine et design

Si l'Italie est tellement fascinante et si ses villes sont tant visitées, c'est qu'à toutes les époques de grands artistes les ont façonnées avec beaucoup de génie. Ce sont avant tout les vestiges antiques et les constructions du Moyen Age ou de la Renaissance qui attirent la plupart des voyageurs.

Cependant, à l'instar de leurs prestigieux aînés, les architectes contemporains ont également su imposer au pays un style purement italien. Au début du XXe siècle, à l'avènement de l'architecture moderne, Pier Luigi Nervi, un jeune ingénieur, construisit des édifices prometteurs en y intégrant de nouveaux procédés techniques et en utilisant de manière esthétique le béton armé. Au début des années 1930, ce structuraliste bâtit le majestueux stade de Florence et, entre 1956 et 1960, l'immeuble Pirelli de Milan (réalisé avec un confrère aussi talentueux, Gio Ponti) que tous les étudiants en architecture connaissent. A la même époque, Guiseppe Terragni jetait les bases du rationalisme italien en mêlant astucieusement le régionalisme et le modernisme. Cet architecte audacieux fut aussi un chantre du fascisme ; il dessina notamment pour Mussolini la Casa del Fascio (la Maison du fascisme) à Côme, un ouvrage de référence très contestable. Avec Nervi et Terragni (dont les travaux trouvaient un écho en France avec Le Corbusier, en Allemagne avec Gropius et aux Etats-Unis avec Franck Lloyd Wright), le modernisme était né. Dans les années d'après-guerre, Carlo Scarpa, un Vénitien très influencé par sa ville, trouva un souffle nouveau avec des constructions rappelant celles de Franck Lloyd Wright, empreintes d'Art nouveau, et qui voulaient perpétuer les traditions gothique et byzantine de Venise.

Ses réalisations, comme le cimetière de Brion à Trévise ou la Banque populaire de Vérone, se caractérisent par l'importance accordée aux détails comme les liaisons entre les matériaux. Plus tard, l'incontournable Milanais Aldo Rossi, fondateur du mouvement « Architecture relationnelle et théoricien » (Architectura della Città), fit appel à la tradition classique pour dessiner des bâtiments qu'on pourrait qualifier de néoclassiques.

Très caractéristique de son style, le cimetière San Cataldo, à Modène, présente une ligne assez épurée et s'habille de couleurs typiquement italiennes où l'ocre domine. Les amateurs seront également bien inspirés de visiter ses logements de Milan. Retenons enfin deux noms d'architectes contemporains très en vogue, à la griffe pourtant totalement différente : Massimiliano Fuksas, à la facture dépouillée et riche de symboles, et Renzo Piano, figure emblématique du high-tech, concepteur du centre Georges-Pompidou à Paris (avec Richard Rogers) et du bâtiment de l'Ircam situé juste à côté.

Parallèlement à l'architecture, le design italien jouit d'une notoriété qui ne se dément pas. Ce sont d'ailleurs certainement les Latins qui ont inventé les arts décoratifs contemporains. Ce sont également des sociétés italiennes (souvent basées à Milan, centre mondial du design avec son inévitable foire internationale annuelle) qui éditent les objets les plus populaires : Alessi, Artemide ou Baleri gardent un quasi-monopole sur ce marché de plus en plus convoité. Trois noms se détachent : d'abord celui d'Ettore Sottsass auquel le centre Georges-Pompidou a rendu hommage en 1993. Sottsass a fait ses débuts dans les années 1950 pour s'affirmer dans les années 1970 avec un travail comparable à celui de Starck en France.

Cet avant-gardiste touche-à-tout (écrivain, architecte, designer...) a travaillé pour les plus grandes firmes et a su imposer sa touche. A la même époque, Achille Castiglioni revisita tous les objets de la vie courante en leur donnant des formes ergonomiques et épurées, dans des matériaux bruts et des couleurs primaires. Enfin, plus récemment, Alessandro Mendini a assis sa notoriété sur des couleurs affirmées et de grands classiques revus et corrigés (le fauteuil Louis XV « Proust », avec un tissu taché). Egalement très polyvalent, Mendini a créé le groupe Alchemia, dirige la rédaction de prestigieuses revues telles que *Modo*, *Casabelle* ou *Domus* et conseille en tant que directeur artistique chez Alessi et Swatch. Enfin, faisant partie de la nouvelle vague de créateurs, Massimo Iosa Ghini fait beaucoup parler de lui à propos de ses formes arrondies qui rappellent les années 1950 et ses couleurs pures et intenses.

Il semblerait donc que la créativité italienne n'ait jamais faibli et qu'elle demeure une référence échappant aux modes et aux tendances éphémères.

■ CINÉMA

Pourvu qu'il s'agisse d'art, le génie italien trouve toujours à s'exprimer, et le plus souvent avec une grande finesse et une créativité sans bornes. Le cinéma fait figure d'exemple en la matière. Même s'il est né en France, la première pellicule italienne *Umberto et Marguerite de Savoie se promènent dans le parc*, de Vittorio Calcina, date de 1896. Ce film court documente la réalité, tout comme les travaux des frères Lumière à l'époque. Mais progressivement les premiers scénarios apparaissent, doublés de l'envie de raconter une histoire.

Tout d'abord, l'Histoire elle-même, avec l'apparition des péplums, un genre né à Rome qui reconstitue des événements historiques de manière spectaculaire. Les studios Cines de la capitale créés en 1905 sont les premiers à produire des péplums au succès international (*La Prise de Rome*). Puis le cinéma italien s'inspire de la littérature, et le premier film avec bande sonore *La Chanson de l'amour* est tiré d'une nouvelle de Pirandello. Impossible de ne pas citer le premier *kolossal* italien *Cabiria* de Giovanni Pastrone (1914), succès international, avec la mise en scène de Gabriele D'Annunzio, qui fut présenté en avant-première au président des Etats-Unis.

Il faudra attendre la fin du fascisme de Mussolini, qui édifia les studios Cinecittà dans le but d'utiliser le cinéma comme un instrument de propagande, pour que le cinéma italien tel qu'on le connaît déploie ses ailes. Après la Seconde Guerre mondiale, le néoréalisme apparaît, créé et nourri par une génération de jeunes réalisateurs qui font la renommée du cinéma italien, référence absolue du septième art à l'échelle mondiale. Luchino Visconti, Roberto Rossellini et Vittorio de Sica, pionniers du genre, ont réussi à créer un style moderne tout en restant dans une structure narrative classique. Leur regard critique ainsi que la nouveauté du langage employé leur permettent en effet de s'adresser à un public élargi, sans sacrifier la beauté de leur art. Les tournages se font de nouveau en extérieur et le plus souvent sans acteurs professionnels, comme au début du siècle. *Ossessione* de Luchino Visconti, *Ladri di biciclette* et *Miracolo a Milano* de Vittorio de Sica sont seulement certains des titres qui recueillirent un succès international.

En parallèle, dès les années 1950, un cinéma expérimental trouve aussi à s'exprimer. Les chefs de file en sont les célébrissimes Michelangelo Antonioni et Federico Fellini. Réfutant les structures classiques de la fiction cinématographique, ils proposent chacun leur propre vision du cinéma. Un cinéma onirique ou poétique pour Fellini ou Pasolini, d'avant-garde pour Mario Bava et Sergio Leone, ou politiquement polémique pour Bellocchio et Ferreri. Avec des titres comme *La Dolce Vita* et *La Strada*, Fellini s'impose comme un point de référence incontournable du cinéma italien dans le monde. Dans les années 1970, le cinéma italien traverse une période de crise, notamment à cause du manque de moyens, de la concurrence économique de l'industrie hollywoodienne, et de la Nouvelle Vague française.

Les grands réalisateurs italiens d'après guerre et qui continuent à officier souffrent du manque de relève. Bertolucci reste cependant sur le devant de la scène et tourne aussi à Hollywood, tout comme Sergio Leone. Incarnant le renouveau, les frères Taviani s'illustrent dans les années 1980, mais ne suffisent pas à la relève du cinéma italien. Aujourd'hui, la nouvelle génération de cinéastes italiens compte des personnalités aussi originales que diverses. Depuis la fin des années 1980, Nanni Moretti jongle

entre un regard acide sur la société, des œuvres autobiographiques, une réflexion sur le processus de création, ou la tragédie réaliste (*La Chambre du fils*). Roberto Benigni, l'artiste caméléon, reprend le flambeau du traditionnel style comique italien avec son jeu d'acteur à l'humour irrévérencieux, signant au passage des scénarios pour des réalisateurs prestigieux comme Bertolucci. Giuseppe Tornatore le Sicilien a pour sa part ému le public du monde entier avec son *Cinema Paradiso* à la fin des années 1980. Ces dernières années ont vu fleurir des talents hétéroclites dans le cinéma italien. Plusieurs films, après un gros succès dans la péninsule, ont été distribués en France. C'est le cas de *Juste un baiser* (2001) et *Souviens-toi de moi* (2003), qui ont ouvert les portes d'Hollywood à leur réalisateur, Gabriele Muccino.

Respiro (2002) d'Emanuele Crialese ou encore *L'Ami de la famille* (2006), réalisé par Paolo Sorrentino, puis *Il Divo* (2008), film retraçant le parcours de Giulio Andreotti, ont eux-aussi séduits tant la critique que le public. *Chaos Calme*, adaptation du roman à succès de Sandro Veronesi, marque en décembre 2008 le retour comme acteur de Nanni Moretti. Enfin, comment ne pas mentionner deux films coups de poing : *Romanzo criminale* (2006), de Michele Placido, qui traite du terrorisme rouge des années de plomb, et l'adaptation du livre-événement de Roberto Saviano, *Gomorra*, réalisé par Matteo Garrone, sorti durant l'été 2008.

Le cinéma italien, c'est aussi ses figures mythiques (Sophia Loren, Marcello Mastroianni, Anna Magnani...), actrices et acteurs qui ont marqué le paysage cinématographique par leur grâce et leur talent.

■ FESTIVITÉS

Jours fériés

▶ **Le 1er janvier et le 6 janvier :** le 6, jour de l'Epiphanie en France, en Italie c'est le jour de la Befana, une sorcière qui apporte aux enfants, dans une chaussette, du chocolat ou du charbon selon leur comportement durant l'année.

▶ **Lundi de Pâques :** le gâteau traditionnel de ce jour est la *pastiera* (dans la région de Naples) et la Colombe (brioche sucrée avec des morceau de fruits confits à l'intérieur).

▶ **25 avril :** anniversaire de la Libération du fascisme.

▶ **1er mai :** fête du Travail.

▶ **2 juin :** fête nationale de la République.

▶ **15 août :** Assomption. Commerces fermés.

▶ **1er novembre :** jours des Morts, c'est la Toussaint, comme en France.

▶ **8 décembre :** Immaculée Conception.

▶ **25 décembre :** Noël.

▶ **26 décembre :** Saint Stéphane.

Fêtes traditionnelles

Les traditions italiennes sont particulièrement intéressantes. Dans le calendrier des fêtes religieuses s'insèrent d'étonnantes inventions populaires, qui ne sont pas sans rappeler les goûts de la Rome ancienne pour les fêtes païennes. Rappelons que le christianisme a ainsi absorbé un certain nombre de superstitions de l'Antiquité.

Ces fêtes folkloriques sont avant tout une espèce de ciment social permettant à toutes les couches de la population de se retrouver sur la place du village ou de la ville, et de célébrer ensemble une même appartenance à un groupe. Et effectivement, les fêtes sont aussi nombreuses que les villes, villages ou régions !

Chacune a sa particularité, qu'elle soit religieuse, culinaire, historique ou politique, et c'est un moyen pour chaque province de s'affirmer. Nous vous renvoyons au charmant livre d'Italo Calvino *Fiabe Italiane* (Contes italiens), ou à celui de Stendhal *Rome, Naples et Florence*.

Les festivités sont aussi bien évidemment gastronomiques, chacune ayant sa spécialité. Par exemple, à Noël, vous aurez le plaisir de manger du panettone, et à Pâques de la colomba. A Camogli, près de Gênes, se célèbre la Sagra del Pesce. Dans de gigantesques poêles, d'immenses quantités de poissons sont frits. A Vérone, des gnocchis sont distribués toute la journée. En bref, les réjouissances ne manquent pas en terre italienne !

Janvier

▶ **À Aoste (Val d'Aoste),** la foire de San Orso est l'une des plus importantes du genre. Elle a pour spécialité les produits artisanaux, surtout en bois.

Février

▶ **À Viareggio (Toscane),** on assiste au grand défilé masqué du carnaval avec chars allégoriques et humoristiques.

▶ **À Vérone (Vénétie)** a lieu la Bacanal del Gnoco, en l'honneur de cette pâte à base de farine de pomme de terre dont on distribue des quantités (g) astronomiques sur la place du Duomo.

▶ **À Venise (Vénétie)** a lieu le célèbre carnaval qui n'est plus à présenter. Le monde entier s'y rend vêtu de déguisements tout simplement somptueux.

Mars

▶ **À Castell'Arquato (Emilie-Romagne),** près de Piacenza, la fête de Saint-Joseph donne lieu à la fabrication d'une délicate pâtisserie, les tortelli.

▶ **À Sienne (Toscane),** la fête de Saint-Joseph est revue et corrigée par les habitants du quartier Onda où se déroulent les festivités.

Avril

▶ **La ville de Lucca (Toscane)** est le cadre de la Festa della Libertà, commémorant l'époque où la ville était une république indépendante.

▶ **À Florence (Toscane),** le midi de Pâques, se tient sur la place du Duomo le Scoppio del Carro, littéralement « l'explosion d'un char » provoquée par une colombe en guise de détonateur.

▶ **À Terni (Ombrie),** le 30, se tient la fête du chant populaire ou Cantamaggio, qui célèbre, avec un mois de retard, le retour du printemps.

Mai

▶ **À Gubbio (Ombrie),** le 15, se déroule l'une des grandes fêtes traditionnelles italiennes, la Corsa dei Ceri, littéralement « la course des cierges ». Toujours à Gubbio a lieu, le dernier dimanche du mois, le Palio della Balestra, très ancienne compétition d'arbalète, sur la place de la cité.

Juin

▶ **À Pise (Toscane),** le 1er du mois, la ville accueille le Gioco del Ponte, une fête costumée remontant au XVIe siècle. A Massa Maritima, près de Grosseto, la ville est le cadre de la rustique course de Girifalco. Elle oppose à dos de vaches trois quartiers de la ville, dont les habitants encouragent bruyamment leurs champions et leurs étonnantes montures. Toujours à Pise, le 17 juin, se déroule la traditionnelle fête de San Ranieri, remarquable pour sa confrontation navale sur l'Arno des huit anciens quartiers de la cité toscane.

▶ **À Florence (Toscane),** pendant cinq jours de festivités (du 24 au 28), se déroule *il calcio storico*, ce match de football en costumes d'époque tant attendu des Florentins. Cette partie de « balle au pied » traditionnelle a lieu chaque année depuis le XVe siècle.

▶ **À Ferrare (Emilie-Romagne)**, le 14 du mois, le Palio de San Giorgio n'est pas aussi célèbre que son pendant de Sienne mais revêt un intérêt égal.

Juillet

▶ **À Sienne (Toscane)**, le 2 du mois, la ville accueille le spectaculaire Palio. Cette course de chevaux dont les origines remontent à l'aube du XIIIᵉ siècle oppose, autour de la place du Campo, les dix quartiers qui, au Moyen Age, formaient la superbe cité toscane.

▶ **À Venise (Vénétie)**, le troisième samedi du mois, se déroule la fête nocturne du Rédempteur dans le quartier de la Giudecca. Ces festivités commémorent la fin de la peste de 1576. Elles ont pour cadre la lagune de la cité maritime envahie pour l'occasion par un grand nombre de gondoles décorées.

Août

▶ **À Città della Pieve (Ombrie)**, après le 15 août, a lieu le Palio dei Terzieri : les trois quartiers forment un cortège de 700 personnes costumées, accompagnées de saltimbanques ; le cortège est précédé de spectacles théâtraux et de reconstitutions historiques et suivi d'une épreuve de tir à l'arc.

▶ **À Sienne (Toscane)**, le 16 du mois, la ville est envahie par les compétiteurs du Palio et leurs partis venus concourir dans la deuxième manche de la fameuse course.

Septembre

▶ **À Arezzo (Toscane)**, la ville fête chaque année, le premier dimanche du mois, la traditionnelle Giostra del Saracino. Durant cette fête d'origine médiévale, on assiste à de superbes défilés d'habitants en costumes d'époque et surtout à la joute (*giostra*) opposant symboliquement un mannequin (le sarrasin) à huit cavaliers lourdement armés.

▶ **À Venise (Vénétie)**, le 5 du mois, a lieu la grande régate historique (Regata Storica) sur le Grand Canal où des dizaines de gondoles s'affrontent en un ballet étourdissant.

▶ **À Lucca (Toscane)**, le 13, la Luminara di Santa Croce prend possession des rues de la ville. C'est une procession nocturne illuminée, en l'honneur d'un crucifix auquel la population prête des dons divins, *il famoso Volto Santo* (le fameux Visage Saint).

▶ **Marostica (Vicence)**. Vous pourrez assister, durant les mois de septembre des années paires, au célébrissime jeu d'échec vivant.

▶ **À Asti (Piémont)**, la ville est en proie aux débordements festifs du Palio.
Au programme, on trouve un défilé pour le moins impressionnant des habitants costumés de la cité, rendus euphoriques par le vin qui coule à flots.

Décembre

▶ **À Vérone (Vénétie)**, au cours de la deuxième semaine, se tient une foire du jouets en bois, idéalement fixée à quelques semaines des fêtes de fin d'année.

▶ **À Sienne (Toscane)**, le 13, a lieu la fête de Santa Lucia, cadre d'un important marché de poteries sorties tout droit des ateliers artisanaux toscans.

■ LITTÉRATURE

L'Antiquité

Durant la République et l'Empire romain, la littérature naissante influencée par les auteurs et historiens de l'Antiquité grecque voit naître de grands talents. Déjà, divers styles de sujets et d'écriture s'imposent. Le célèbre Plaute (254-184 av. J.-C.) s'illustre dans la comédie dont les sujets sont empruntés aux auteurs grecs, sa plus célèbre pièce étant l'*Amphitrion*. Aux racines de la Commedia Dell'Arte italienne, Plaute inspirera plus tard les farces de Molière. Outre la littérature comique, Rome connaît les premiers historiens du monde occidental. Ainsi, Tite Live (59 av. J.-C.-17 apr. J.-C.) réalise l'œuvre titanesque de l'histoire de Rome depuis ses origines, quelque peu romancée au vu du peu de sources et du style historique de l'époque. Pline le Jeune (61-114), neveu du naturaliste Pline l'Ancien, en tant que consul parcourt l'Empire et livre des *Lettres* qui témoignent de la vie en son temps ainsi qu'un panégyrique de l'empereur Trajan dont il est contemporain. Ces écrits, comme ceux de Suétone (vers 75 av. J.-C.-160 apr. J.-C., *Les douze Césars*) ou Tacite (55-120, *La vie d'Agricola*), restent des informations précieuses pour les chercheurs en histoire romaine.

Le troisième type d'écrits, et le plus important, concerne les grands poètes et écrivains latins qui ont traversé les siècles. Ovide (43-18 apr. J.-C.) reste le plus grand poète latin. Ses vers rapportent tantôt des récits mythologiques, tantôt des histoires légères de mœurs. Il y a aussi Virgile (70-19 av. J.-C.) pour ses épopées romaines.

De même, Cicéron (106-43 av. J.-C.) pour ses discours brillants et Marc Aurèle (121-180 apr. J.-C.) pour ses écrits philosophiques constituent les fondements de la culture écrite occidentale.

Moyen Âge et époque moderne

La littérature italienne (et non plus latine) n'apparaît qu'au XIIIe siècle, avec *Le Cantique des Créatures* de saint François d'Assise, datant de 1225 et écrit en dialecte d'Ombrie. Le XIVe siècle est bien entendu celui de Dante (1265-1321), l'initiateur de la littérature en langue vulgaire et de la poésie italienne avec sa *Divine Comédie*. Pétrarque (1304-1374) écrit comme Dante en toscan (qui sera bientôt le parler de toute l'Italie). Le lyrisme de ses poèmes donnera son nom au « pétrarquisme », style qui franchira les frontières italiennes. Ces deux auteurs peuvent être considérés comme les premiers grands humanistes de la Renaissance.

Boccaccio, leur contemporain, est quant à lui l'inventeur de la nouvelle, avec *Décaméron* écrit en prose, qui en 100 récits courts, dépeint la société de marchands. Les écrits politiques sous forme de traité se développent aux XVe et XVIe siècles (*Le Prince* de Machiavel), succédant aux poèmes chevaleresques du Moyen Age (avec Boiardo par exemple).

Ces réflexions d'ordre purement politique et pratique reflètent l'entrée dans l'âge moderne. De même, la montée du protestantisme et la fragilité temporaire de l'Eglise génèrent les considérations spirituelles de Tasso (Le Tasse) avec sa *Jérusalem libérée*. A cette époque les genres littéraires tendent donc à se définir. Dans ce sillon, Galilée entend sortir l'étude des sciences du giron de l'Eglise. Reconsidérant le savoir antique légué par Aristote et Archimède, ses écrits « hérétiques » n'échapperont pas à l'Inquisition qui n'accepte d'autre explication que la volonté divine pour la création du monde.

Dans un autre registre, le XVIIIe siècle est aussi celui de la littérature théâtrale, des comédies de mœurs du Vénitien Goldoni aux tragédies d'Alfieri mettant en scène des tyrans.

L'époque contemporaine : du XIXe siècle à nos jours

Au XIXe siècle, le courant romantique va naître en Italie, plus tardivement qu'ailleurs. Manzoni (1785-1873) ouvre la voie avec le premier roman, *Les Fiancés*. Le mouvement du vérisme (proche du naturalisme français), prenant ses sources dans le positivisme, en découle dès la fin du XIXe siècle. Il s'attache à donner au roman tout le relief de la réalité quotidienne et du temps présent. Le plus grand « vériste » reste sans aucun doute le romancier Giovanni Verga.

Aux balbutiements du XXe siècle, le décadentisme se répand en Italie (avec D'Annunzio et Pascoli). Quant à l'avènement de la psychanalyse, Italo Svevo se penche sur les mécanismes du cerveau dans ses œuvres (*La Conscience de Zeno*), et une recherche introspective similaire anime Pirandello pour ses pièces de théâtre.

Après la guerre et la période fasciste, l'engagement politique devient indispensable pour les auteurs italiens. Malaparte est un des leurs. Les grandes questions du siècle sont posée et le néoréalisme qui s'exprime déjà au cinéma caractérise la littérature d'après-guerre.

Alberto Moravia, Cesare Pavese, et Italo Calvino, Rigoni ou Vittorini sont les grands noms de l'époque contemporaine. Primo Levi, martyr juif des camps de concentration, trouve comme thérapie l'écriture pour échapper à l'horreur de sa destinée, un soulagement temporaire puisque l'auteur de *Si c'est un homme* mettra finalement fin à ses jours en 1987.

Depuis les années 1960 se sont illustrés Dino Buzzati dans des œuvres frôlant le fantastique, Umberto Eco avec ses romans historiques aux accents spirituels (*Le Nom de la rose*, *Le Pendule de Foucault*) et surtout Dario Fo, Prix Nobel de littérature en 1997 pour son œuvre iconoclaste.

DÉCOUVERTE

▬ MÉDIAS ▬

Presse écrite

L'Italie a une longue tradition de libre expression de la presse écrite. Certains journaux sont d'ailleurs parmi les plus anciens d'Europe, comme *La Gazzetta di Mantova* (1735), *Il Giornale di Bergamo* (1812), *La Nazione* (1859), *La Stampa* (1867), ou encore *Il Corriere della sera* (1876).

C'est pourquoi l'Italie a aujourd'hui encore un nombre important de publications de presse écrite, qu'elle soit quotidienne, hebdomadaire ou périodique. Toutes les tendances, politiques, économiques, sociologiques et culturelles sont ainsi représentées et diffusées.

Qu'elle soit d'ampleur nationale (comme *La Repubblica*), ou locale (comme *Il Piccolo*, journal de Trieste), la presse foisonne en Italie, chaque province éditant son propre quotidien. Les journaux les plus importants ne sont pas forcément ceux qui paraissent dans la capitale, comme c'est le cas en France. De nombreux quotidiens, de Turin, Milan ou Florence, ont une diffusion nationale, voire internationale, ceci s'expliquant par l'organisation particulière de l'Italie, et par son passé.

▶ **Ainsi, parmi les quotidiens les plus appréciés dans toute l'Italie,** nous trouvons : *La Repubblica* (Rome), *Il Corriere della Sera* (Milan), *La Stampa* (Turin), *Il Messaggero* (Rome), et *L'Unità*. *Il Sole 24 ore* (Milan), *Milano Finanza* et *Il Corriere mercantile* (Gênes) sont les plus représentatifs de la presse économique et financière.

▶ **Parmi les quotidiens sportifs,** citons la *Gazzetta dello sport* (Milan), qui est incontournable en la matière.

▶ **Les magazines hebdomadaires et mensuels** tiennent eux aussi une place importante dans la vie des Italiens. *L'Espresso* et *Panorama* développent les sujets les plus divers, et sont très utiles pour qui veut comprendre la société italienne contemporaine.

▶ **Les journaux étrangers** (*Le Monde*, *L'International*, *Herald Tribune*…) sont parfaitement bien distribués sur tout le territoire.

Radio

Les premières émissions radiophoniques datent du 1er janvier 1925. Très tôt, la RAI (Radio Audizione Italia) est inaugurée. Monopole d'Etat, elle est toute-puissante et incontournable. Il y a aujourd'hui 3 stations nationales et plusieurs centaines de stations locales… A découvrir en se baladant sur les ondes !

Télévision

Les premiers programmes télévisuels commencèrent le 1er janvier 1954. Jusqu'en 1975, comme dans de nombreux pays européens, la radio et la télévision restèrent sous contrôle de l'Etat. Suite à la libération de cet espace, de nombreuses chaînes privées et commerciales s'installèrent, comme Canale 5, Rete 4, Italia 1 (appartenant à Silvio Berlusconi). RAI est, bien sûr, la première chaîne italienne.

Plusieurs chaînes étrangères émettent en Italie, comme France 2, TV5, Capodistria (Yougoslavie), la télévision suisse (en langue italienne) ou Télé Monte-Carlo.

▬ MODE ▬

Depuis quelques années, les couturiers et créateurs italiens sont revenus sur le devant de la scène. Parmi eux, cinq grands noms se distinguent : Gucci, Prada, Armani, Versace et Dolce & Gabbana.

▶ **Gucci,** après l'assassinat de son héritier, a été repris par l'américain Tom Ford. Le couturier texan, après avoir remis la marque sous le feu des projecteurs, quitte Gucci en 2004. Désormais propriété du groupe français PPR, la griffe italienne a engagé la jeune styliste romaine Frida Giannini pour le

remplacer. Cette marque, autrefois connue pour sa maroquinerie et ses fameux mocassins à mors en nubuck, est aujourd'hui célèbre pour sa sobriété dépouillée. C'est la marque chouchou des rédactrices de mode et des top models maigrissimes. Vous croyez voir une simple jupe noire comme tant d'autres, mais remarquez la minuscule ceinture en reptile qui souligne les hanches et qui est frappée du célèbre G.

▶ **Côté griffe, Giorgio Armani** n'est pas en reste puisque nombre de ses articles (maillots de bain, ceintures, jeans) sont frappés du sigle E.A., Emporio Armani, qui ne signifie pas « empire » mais « bazar » Armani. Armani, lui, se situe plutôt dans le chic discret ; il habille par exemple Claudia Cardinale ou Isabella Rossellini.

Il a lancé des lignes bis un peu moins chères, comme Armani Jeans. L'ouverture de l'Emporio Armani boulevard Saint-Germain, à la place du drugstore, avait provoqué des remous dans le quartier qui se voulait littéraire et intellectuel et qui est devenu le nouveau repaire des créateurs.

▸ **Pour Prada,** c'est encore une histoire de famille et cela a aussi commencé par la maroquinerie. Miuccia Prada, la créatrice, après avoir donné ses lettres de noblesse à l'imprimé Deschiens, est aussi devenue la papesse de la sobriété luxe : votre chino est en toile beige comme celui de Steve MacQueen, mais les coutures intérieures sont gansées de soie.

▸ **L'empire Versace,** même si c'est une histoire de famille comme pour Prada et Gucci, se démarque radicalement par son style ; à l'opposé du chic de bon ton, du beige, du noir, Gianni Versace est l'emblème du « too much », du style show-biz à outrance. Il est à la mode ce que le néoclassique et le néo-Empire sont à la décoration. Gianni Versace, en juillet 1997, a tristement fait la Une de l'actualité : son assassinat à Miami a endeuillé toute l'Italie.

A la place des traditionnels « *chiuso per ferie* », les boutiques Versace ont fermé leurs portes l'espace d'un « *chiuso per lutto* », « fermé pour deuil », et c'est désormais Donatella, la sœur de Gianni, qui est à la direction artistique de la marque. A Rome, vous pourrez voir les fameux escaliers Trinità dei Monti où devait avoir lieu le défilé annuel Show Alta Moda avec Gianni Versace, mais qui, après son assassinat, furent recouverts de roses et de mots d'adieu comme « *La moda sei tu* » (la mode, c'est toi).

▸ **Et, enfin, on ne peut pas oublier Dolce & Gabbana,** les rois de la mode sexy mais fraîche ; ils parent Madonna, Demi Moore, Chiara Mastroianni ou encore Monica Bellucci de leurs robes et manteaux en mousseline à imprimés fleuris, léopard ou vigne vierge ornés d'immenses cols en fourrure. Domenico Dolce et Stefano Gabbana se sont séparés en 2005, mais restent collaborateurs dans la sphère professionnelle, assurant ainsi la sortie de nombreuses collections prêt-à-porter et accessoires (sacs, lunettes...).

▸ **Dans un style plus classique, plus couture, citons Valentino,** lui aussi ami des stars – il habille Claudia Schiffer et Sharon Stone – et qui se caractérise par son style hollywoodien, sophistiqué (robes brodées de paillettes, incrustées de dentelle...). Mais le couturier prend sa retraite en 2007. C'est la styliste Alessandra Facchinetti qui prend alors les rênes des prestigieuses collections pour femmes.

▸ **On peut aussi parler de Krizia,** une marque officiant depuis longtemps mais qui connaît un regain d'intérêt parmi nos amies les stars, de Missoni, pour ses imprimés célèbres portés par les tops, de Cerruti, un classique décalé avec une touche top tendance (robes transparentes brodées...), et de Trussardi, dans le même esprit que Cerruti avec en plus de beaux articles en cuir (pantalons, jupes).

■ MUSIQUE

Musique classique

La musique commence naturellement par la religion. On chante en latin les chants grégoriens et ces mélodies constituent les premiers tubes de la musique mondiale. Guy D'Arezzo invente les notes et la lecture musicale, les troubadours se produisent hors des frontières pour promouvoir madrigaux et chansons épiques.

La Toscane est le berceau d'une profonde évolution musicale. A la cour florentine de Laurent le Magnifique, les musiciens rivalisent pour mettre en accords les plus belles poésies. A Sienne est fondée la première académie. Mais le XVIe siècle voit l'avènement d'un pape très mélomane, Léon X, et c'est Rome qui donnera à la Renaissance italienne son plus grand musicien, Palestrina.

A la fin du siècle, c'est encore à Florence que naît un genre qui va révolutionner la composition : l'opéra. Un compositeur natif de Crémone, Monteverdi, lui donnera ses lettres de noblesse avec *Orfeo*, joué pour la première fois en 1607. Monteverdi est le premier d'une liste prestigieuse.

PEINTURE ET SCULPTURE

L'art italien prend ses racines dans la Grèce antique, avant même l'Empire romain. Du temps des Etrusques, des échanges s'opèrent déjà avec les cités grecques. L'art romain, celui de la Rome antique est aussi celui du *principe* (prince) et s'attache tout d'abord à servir la politique et la religion de l'Empire romain. Mais, les fresques murales, les représentations de scènes mythologiques ou de la vie quotidienne en mosaïques (comme dans les églises de Ravenne) restent un héritage direct de l'art byzantin.

La chute de l'Empire romain marque ensuite le progressif abandon des techniques byzantines, pour permettre l'avènement d'un art plus chrétien. En effet, Rome qui avait d'abord condamné le christianisme naissant finit par en faire sa « religion d'Etat » dès la fin du IVe siècle, sous le règne de Théodose. Les églises, lieu crucial du culte, se construisent, et pour les orner la peinture chrétienne se développe.

L'art pictural médiéval met en scène les valeurs religieuses et les croyances à l'aide du symbolisme, sans se soucier de réalisme dans la figuration.

La pré-Renaissance ou le naturalisme

A partir du XIIIe siècle commence le mouvement de « conquête de la réalité » qui va bouleverser l'histoire de la peinture occidentale. Désormais les artistes s'appliquent à restituer les apparences de la réalité sensible et, pour franchir cette étape, des avancées techniques picturales sont nécessaires. Cimabue et son élève Giotto, l'artiste phare du XIVe siècle qui a réalisé le campanile de Florence et les fresques de la basilique supérieure de Saint-François à Assise, sont les premiers à vouloir sortir de la représentation d'icônes à la byzantine. Insérant de la vie, des émotions, des paysages dans la peinture, cet artiste de la pré-Renaissance lance le courant du « nouveau naturalisme », représentant pour la première fois des personnages divins avec humanité. Pendant ce temps, les artistes de l'Ecole de Sienne, qui restera à l'écart de la Renaissance, ont troqué les traditions byzantines pour un art gothique animé par Simone Martini et les frères Lorenzetti, remarquables pour leur travail sur la précision et le détail.

La première Renaissance

Puis vient le XVe siècle, et ses grandes familles princières des cités italiennes. Le mécénat bat son plein : les Médicis à Florence, les Sforza à Milan... C'est d'ailleurs dans la ville toscane avec l'Ecole florentine que les premiers peintres de la Renaissance s'exprimeront. L'âge de la première Renaissance italienne appelée « Quattrocento » est arrivé. Parmi ses acteurs, Masaccio, l'inventeur du point de fuite unique, axe son travail sur la perspective, les volumes et les proportions, ou encore Brunelleschi, architecte hors pair qui conçoit la première coupole, et peintre de génie cherchant les proportions parfaites que Donatello le sculpteur a trouvées dans ses statues. A cette époque décisive d'ouverture sur le monde et à la connaissance, l'art religieux se trouve bousculer. Reflétant la sécularisation de la société, les arts plastiques s'étendent de plus en plus à des sujets profanes. Dans ce contexte, la représentation vise aussi à une compréhension profonde de la nature.

La haute Renaissance

Jusqu'à présent, la révolution des arts en Italie avait été portée essentiellement par la bourgeoisie, et Florence en était la capitale incontestée. Cependant à partir de 1500, le mouvement se translate vers Rome et Venise. La cité romaine souhaite retrouver sa place de foyer culturel occidental, au travers de la Papauté qui commande aux plus grands artistes la construction des établissements de la chrétienté.

Peinture, sculpture, architecture, mathématiques, les génies de la Renaissance qu'on ne présente plus (Léonard de Vinci, Raphaël, Michel-Ange...) possèdent tous les savoirs et savoir-faire qu'il s'agisse de sciences, de techniques ou de leur incroyable talent artistique. Léonard de Vinci était même musicien ! L'âge d'or de la Renaissance s'incarne dans l'œuvre de Raphaël, dont l'aboutissement, au seuil de la perfection, regroupe tous les idéaux d'harmonie de l'époque.

A Venise, Bellini développe une peinture lumineuse et inspirée à partir du naturalisme, avec une touche plus intime qu'à Rome. Ses successeurs seront Titien avec ses portraits célèbres, Véronèse et Le Tintoret.

Le maniérisme

Après l'apogée de la Renaissance, l'Italie connaît une crise brutale qui se répercute dans les arts. Alors que les Espagnols (sac de Rome en 1527) prennent le pas sur le pays, la Réforme qui progresse prodigieusement menace l'intégrité de l'Eglise romaine. Dans ce climat tendu qui contraste avec la sérénité du début du siècle, le maniérisme apparaît. L'âge d'or passé, les héritiers des grands maîtres élaborent une peinture plus abstraite. Leurs œuvres prennent des accents irréels, les proportions se déforment. Dans l'ombre de leurs grands frères, les peintres du maniérisme tels Jules Romain de Mantoue et le Parmesan à Parme cherchent à exprimer leur originalité à travers des œuvres qui suscitent le malaise. Instrument de la contre-Réforme catholique, le maniérisme est imprégné de plus de sévérité et moins d'hédonisme que durant la Renaissance.

La période baroque

Une fois la crise politique enrayée et la menace protestante réglée par le concile de Trente dans la deuxième moitié du XVIe siècle, un style très particulier commence à s'implanter à Rome, capitale de la chrétienté : l'art baroque. Les trois grandes figures de ce mouvement inspiré par l'étrange et le non-respect des arts sont l'architecte Borromini, le sculpteur Bernin et le peintre le Caravage. Figurant souvent des scènes dramatiques et inspirant la terreur, les peintures baroques jouent sur des contrastes puissants entre ombre et lumière. Outre exprimer l'originalité de ses artistes, le but de l'art baroque est aussi de réinspirer la foi aux catholiques, au besoin par la peur, et de réaffirmer la puissance de l'Eglise à travers une architecture monumentale. En Italie du Nord, Venise, Turin et Gênes seront très touchées par le style baroque jusqu'au XVIIIe siècle.

Le néoclassicisme

Le rococo, qui concerne les arts décoratifs prendra le relais du baroque, tandis que, par réaction à ce courant peu orthodoxe, le néoclassicisme sous l'influence des Lumières et de la redécouverte de l'Antiquité entame une nouvelle recherche de beauté absolue, d'équilibre et de clarté. C'est l'époque de l'Italie napoléonienne. Le peintre Andrea Appiani (Milan, 1754-1717) et le sculpteur Antonio Canova (Possagno 1757-Venise 1822) sont les artistes officiels de l'Empereur, roi d'Italie. En témoigne par exemple la toile d'Appiani, *Napoléon, roi d'Italie*, portrait de l'Empereur devant un décor à l'Antique. Le néoclassicisme prône le retour aux valeurs de la grande Rome, dans des scènes historiques de l'Antiquité. Aux XVIIIe et XIXe siècles, l'art italien vit cependant une récession, et son influence lumineuse des siècles passés se tarit significativement.

XXe et XXIe siècles

Au XXe siècle, l'art italien reprend une envergure internationale. En 1909, le courant futuriste (1910-1930) prend naissance à Milan, par la publication du *Manifeste du futurisme*. Pensé par le poète italien Filippo Marinetti (1876-1944), il paraît d'abord dans un quotidien français, *Le Figaro*. Dès 1910, le courant fait des adeptes, avec le *Manifeste des peintres futuristes* rédigé par des artistes tels Boccioni ou Severini.

Le futurisme prend ses racines dans le néo-impressionnisme et dans le cubisme français. Ce mouvement artistique, qui ne se limite pas aux seuls arts graphiques, souhaite faire table rase des traditions passées, prônant une esthétique nouvelle fondée sur le progrès, la machine, la vitesse. C'est un art avant tout urbain. Evoqué par la modernisation des villes ou l'invention de nouveaux moyens de transport (avion, voiture...), le futurisme figure des cités imaginaires ou le mouvement stylisé des machines dans des couleurs vives. Dans ses rangs, on compte Sant'Elia, Balla, Cara ou Russolo. Le courant connut ensuite un grand essor en Russie.

En 1915, en réaction contre le futurisme, Giorgio De Chirico, ami de Picasso et d'Apollinaire, fonde la peinture métaphysique (*pittura metafisica*), avant-garde du surréalisme. Suivant les techniques classiques, ses peintures sont cependant empreintes de mystère et d'illogisme dont l'atmosphère onirique inspirera André Breton et le mouvement surréaliste. Un parcours à contre-courant pour l'initiateur de cette peinture métaphysique puisqu'il préféra revenir dans les années 1930 vers une peinture académique. Jusqu'à l'époque fasciste, le retour aux critères classiques alliés à ceux de la peinture métaphysique forme en Italie le courant du Novecento. La Seconde Guerre marque une rupture brutale dans l'art. Désormais, les supports vont se diversifier. L'art contemporain s'ouvre sur l'expérimental, la conceptualisation devenant parfois le centre de l'œuvre.

Resté dans un style figuratif, Modigliani est sans conteste l'artiste phare du XXe siècle avec son œuvre largement consacrée au visage humain.

Les grands noms de l'art italien

Fra Angelico (vers 1400-1455)

Le grand maître du XVe siècle est né près de Florence à la fin du siècle précédent. Il passa une partie de sa vie au couvent de Fiesole, dont il deviendra prieur en fin de carrière. Dès ses premières œuvres, il se distingue par son interprétation novatrice des courants de l'époque, gothique notamment, par un trait précis, une utilisation rigoureuse de l'espace qui libère davantage qu'il ne contraint, et une grande richesse dans le détail. Ses travaux se trouvent dispersés dans toute l'Italie, aux Offices à Florence, au musée Saint-Marc, dans le nouveau couvent Saint-Marc de Florence ou dans la cathédrale d'Orvieto.

Sandro Filipepi Botticelli (1445-1510)

Le maître de la peinture religieuse du XVe siècle est né à Florence. Il incarne, avec la précision du dessin, la douceur de tons et le velouté des formes (anges rondouillards, madones pleines de grâce, jeunes filles voluptueusement voilées), un courant majeur de son siècle. Quelques-unes de ses œuvres sont mondialement connues : l'*Adoration des Mages*, la *Naissance de Vénus*, le *Printemps*. On le trouve, de façon incontournable, à la galerie des Offices à Florence. Botticelli a travaillé sur les fresques de la chapelle Sixtine et a également illustré *La Divine Comédie* de Dante.

Bramante (1444-1514)

Aussi à l'aise dans l'architecture religieuse que dans la peinture, cet artiste délicat, de son vrai nom Donato di Pascuccio, est né à Pesaro et mort à Rome. Il s'illustre dans sa jeunesse en Lombardie, avant d'être reconnu pour la prouesse de ses projets. Presque aussi visionnaire qu'un Léonard de Vinci, il réinvente les espaces et les formes, et peut être considéré comme un des premiers « urbanistes » modernes (Sforza, puis le pape Jules II font appel à lui pour la cour du belvédère du Vatican, notamment). Il réalisa le premier plan de Saint-Pierre de Rome au début du XVIe siècle.

Filippo Brunelleschi (1377-1446)

Un des plus fameux architectes de son temps, florentin de naissance : il dessina la célèbre coupole du dôme de sa ville et fut un des précurseurs de la Renaissance. Ami des humanistes, mais aussi des scientifiques, il a su inscrire son art dans un courant artistique et philosophique majeur. C'est aussi un sculpteur très estimable.

Canaletto (1697-1768)

C'est tout l'esprit vénitien, de plaisir et de mélancolie, qui flotte dans ses toiles limpides, ses ocres et ses bleus lumineux, ses palazzi resplendissants, ses dessins d'une incroyable précision. Giovanni Canal (c'est son vrai nom) naît et meurt dans la ville des Doges. Comme les œuvres de tous les grands peintres d'une cité aussi touristique qui se sont spécialisés dans la *veduta* (vue de ville, perspective), celles de Canaletto sont un peu galvaudées et parfois même sous-estimées. A connaître, les toiles de sa période londonienne, avec de très jolies vues sur la Tamise.

Antonio Canova (1757-1822)

Sculpteur né à Trévise. Après des études classiques où il s'imprègne des influences diverses des grands maîtres, il se spécialise d'abord dans les œuvres mythologiques (*Thésée et le Minotaure*). Elles lui valent une rapide notoriété. Il travaille à Venise, puis à Rome, et les commandes affluent : monuments publics, tombeaux, portraits, notamment de la famille Bonaparte. La plupart de ses œuvres montrent sa finesse et sa capacité à traduire mouvements et émotions. On notera également, à la fin de sa vie, quelques sujets religieux intéressants. On verra, parmi ses œuvres majeures, Pauline Bonaparte en Vénus victorieuse à la villa Borghèse.

Le Caravage (1573-1610)

Un sacré numéro et un tempérament bouillant. Michelangelo Merisi, dans sa vie comme dans son art, fut souvent à la lisière du droit chemin, et parfois nettement au-delà. Son talent néanmoins est incontesté. Il sut d'ailleurs, malgré son caractère ombrageux, trouver des mentors et protecteurs pour le placer sur le devant de la scène artistique. Au tournant du siècle, sa notoriété est considérable, et les belles familles romaines apprécient son style et sa fougue dans des œuvres qui empruntent aux peintres flamands comme aux maîtres de la peinture religieuse italienne tout en faisant preuve d'une grande personnalité.

Ses frasques deviennent malheureusement trop nombreuses pour être étouffées et, après avoir tué un joueur dans un tripot, il doit fuir à Naples, puis à Malte (uniquement parce que le premier bateau qui accepta de le transporter était celui des chevaliers), où son passage, mémorable, sème le désordre sur l'île de l'Ordre.

Pourchassé par de nombreux ennemis, il continue pourtant à produire : on le voit en Sicile, puis à nouveau à Naples, puis à Porto Ercole où il vient mourir d'une crise de délire. Ses œuvres se trouvent dans les plus grands musées du monde, aux Offices à Florence comme au musée du Vatican ou à la galerie Borghèse à Rome, au Louvre, à l'Ermitage ou à la National Gallery.

Benvenuto Cellini (1500-1571)

Ce délicat sculpteur florentin a marqué son temps par la qualité de ses travaux mais aussi par le récit de sa vie (*La Vita*), fidèlement transcrite par son assistant. Il est célèbre fort jeune puisque, à 20 ans à peine, il reçoit commande du pape Clément VIII et s'installe à Rome. On lui doit quelques bronzes fameux (en particulier de François Ier) et des portraits remarquables.

Le Corrège (1489-1534)

Originaire de Correggio, comme son nom l'indique, ce maître de la peinture religieuse le dispute dans son domaine aux plus grands, comme Raphaël ou Giotto : technique impeccable, inspiration mystique, richesse et douceur des expressions. On verra, à Parme, ses superbes fresques de la coupole de Saint-Jean-l'Évangéliste et de nombreuses œuvres au musée de la même ville, où il a travaillé la majeure partie de sa vie. Il compose, sur le tard, de très belles toiles sur des thèmes mythologiques.

Donatello (1386-1466)

Une œuvre immense et un accès direct au top ten de la sculpture mondiale. Donatello est un précurseur et un génie, qui a su interpréter le style gothique pour ouvrir la voie des siècles suivants. De son vrai nom Donato di Betto Bardi, il naît et vit à Florence, où ses premiers travaux voient le jour vers 1408. Il intègre, dans des scènes vivantes et stupéfiantes de précision, la mythologie antique ou l'hagiographie, et se montre aussi éblouissant dans l'illustration religieuse que dans le portrait. Nombre de ses œuvres sont des classiques absolus, comme son David en bronze au musée Bargello de Florence, ou Marc Aurèle devant le Capitole. On peut voir également quelques-unes de ses œuvres (autels, crucifix) à la basilique de Padoue, ainsi que sa statue équestre de Gattamelata, installée en plein air.

Giotto di Bondone (vers 1266-1337)

Un siècle avant Andreï Roublev, 150 ans avant Fra Angelico, Giotto a mis la couleur et l'émotion dans la peinture religieuse. Né vers 1265, il est mort à Florence en 1337 et, loin de se laisser enfermer dans une époque (le Moyen Age, le gothique), il se montre unique, précurseur et intemporel. On admire autant les fresques de l'abbatiale Saint-François à Assise que ses œuvres de jeunesse, habitées de la plénitude qui transparaît déjà dans celles de l'église Santa Croce (chapelles Peruzzi et Bardi) à Florence ou à Padoue (chapelle Scrovegni). On peut voir ses œuvres dans les plus grands musées italiens et mondiaux.

Leonardo da Vinci (1452-1519)

Son apport à l'art pictural aurait probablement suffi à le faire entrer dans l'Histoire, malgré un nombre relativement réduit de tableaux. Comme ce n'est que la moitié de son talent, le reste lui garantit un accès direct à la légende, avec une place acquise au firmament des génies de l'humanité. Avec lui, les grands de son époque s'offraient un artiste génial, un ingénieur (notamment militaire) de premier ordre et même un extraordinaire organisateur de fêtes. Pas étonnant qu'ils se le soient arraché. Léonard apprend les bases de son art (ou de ses arts : peinture, sculpture, etc.), mais aussi ses premières notions de science, à l'atelier de Verrocchio, à Florence, à partir de 1469. De cette première période toscane, on retiendra de sa production l'*Adoration des Mages* et la *Vierge aux Rochers*, tableaux dans lesquels il impose une organisation pyramidale des personnages et l'effacement du contour par le procédé du sfumato. Il part ensuite pour Milan (1482) où il se met au service de Ludovic le More (il y restera 20 ans).

Là, il se remet sans cesse en question, sous la pression des défis qu'on lui lance, multiplie les recherches et, génie oblige, les découvertes. Il noircit d'innombrables cahiers sur les sujets les plus divers, de la mécanique à l'anatomie. Il se passionne d'ailleurs pour cette dernière au point d'opérer, en toute illégalité (la pratique est interdite par l'Eglise), des dissections sur des cadavres volés dans les cimetières.

Au début du XVIe siècle, il est de retour à Florence et, au milieu d'études scientifiques auxquelles il consacre l'essentiel de son énergie, il prend quand même le temps de peindre la *Joconde*, un des plus célèbres tableaux de l'histoire de la peinture et une étape essentielle dans l'art du portrait. Après un bref passage à Rome, il accepte l'invitation de François Ier et s'installe en France en 1517. Il meurt au Clos-Lucé deux ans plus tard. L'héritage qu'il laisse est composé pour l'essentiel de dessins : considérant l'art pictural comme complémentaire de la science, il l'a mis au service de ses recherches. Inversement, ses connaissances scientifiques lui permettaient de renouveler de façon spectaculaire les notions de perspective et d'organisation de ses tableaux. Parmi ses dessins, on a trouvé les plans d'engins aussi révolutionnaires que le sous-marin, l'écluse à sas, l'ancêtre du cardan, du parachute et d'autres machines volantes qui prouvent que Léonard a été un très grand ingénieur en mécanique.

Masaccio (1401-1428)
Une carrière météorique mais qui aura pourtant marqué son temps. Masaccio est un génie précoce qui s'installe à Florence à l'âge de 15 ans et impose très rapidement son style. Il est notamment l'un des tout premiers à utiliser la perspective, comme dans sa célèbre *Vierge à l'Enfant*. Sa personnalité et ses trouvailles de mise en scène ont inspiré nombre de grands artistes des siècles suivants, parmi lesquels Léonard de Vinci ou Michel-Ange.

Michel-Ange (1475-1564)
La Toscane, qui a déjà vu naître Léonard de Vinci, s'enorgueillit quelques années plus tard d'un génie d'une dimension équivalente avec Michel-Ange. On connaît le sculpteur et le peintre, mais l'homme est aussi poète et architecte. Il fait apprentissage dans l'atelier de Ghirlandaio, puis avec Bertoldo di Giovanni, dans les jardins du palais des Médicis. Il découvre ainsi la statuaire antique, dont la famille possède une abondante collection, et s'assure la protection de Laurent le Magnifique. Il fréquente les plus grands esprits de l'époque et est notamment séduit par les idées de Platon, alors fort commentées. Peut-être trop jeune pour être déjà génial, Michel-Ange est bouleversé par la mort de son protecteur et les prédications de Savonarole, et s'enfuit à Bologne, puis à Rome. C'est là que l'artiste mûrit et frappe un premier grand coup avec la *Pietà* de la basilique Saint-Pierre. On lui reconnaît (à juste titre) toutes les qualités : la perfection technique et l'inspiration heureuse, l'énergie et la précision anatomique. Il navigue entre Rome et Florence, travaillant pour les plus grands (les Médicis à Florence et les papes à Rome) et semant les chefs-d'œuvre comme d'autres les petits cailloux : le *David* ou la chapelle funéraire des Médicis à Florence, la chapelle Sixtine à Rome. A partir de 1534, il choisit définitivement Rome, et son art devient de plus en plus tourmenté, que ce soit en peinture, en sculpture ou en poésie. Cette évolution est particulièrement frappante dans son *Jugement dernier* qui orne la chapelle Sixtine. Il se rapproche du mouvement réformateur des spirituels, et ses interrogations métaphysiques transparaissent dans les rares travaux de la fin de sa vie, période qu'il consacre essentiellement à l'architecture. Il devient d'ailleurs architecte officiel du Vatican et travaille à la coupole de Saint-Pierre ou encore à la place du Capitole. A sa mort, son génie est largement reconnu, ce qui lui a valu maintes biographies.

Le Pérugin (vers 1445-1523)
Comme beaucoup d'artistes de cette époque, Pietro Vanucci doit son nom à sa ville natale, Pérouse, où il apparut au milieu du XVe siècle et mourut en 1523. Le style classique du Pérugin ne surprend guère, mais il utilise les ressources de l'époque avec bonheur et améliore la perspective. On trouve des œuvres dans les plus grands musées européens et à la pinacothèque de Pérouse. Le Pérugin a illustré de nombreuses églises toscanes ainsi qu'une partie de la chapelle Sixtine.

Raphaël (1483-1520)
Chaque musée d'importance met Raphaël en vitrine. L'effet est assuré, car Raphaëlo Sanzio est une référence mondiale. L'étoile d'Urbino naquit fils de peintre : cela aide l'inspiration, et surtout la technique. Sa carrière est pourtant de courte durée : une vingtaine d'années pour former ce génie de la lumière et de l'expression. Il travaille d'abord dans sa ville natale, puis dans de nombreuses églises et cathédrales de son pays. Des œuvres connues de tous, parmi lesquelles le fameux *Songe du chevalier* ou la *Transfiguration*, ainsi qu'une série de madones. Parmi ses nombreuses qualités, on peut distinguer la puissance expressive de ses portraits. Si vous passez par Rome, ne manquez pas ses *Stanze* du palais du Vatican.

Giambattista Tiepolo (1696-1770)

Il est l'une des (seules) grandes figures de la peinture italienne du XVIIIe siècle. Né un an avant Canaletto, il gagne rapidement sa réputation dans le cercle vénitien et reçoit d'importantes commandes à l'aube de ses 30 ans (Palazzo Santi notamment). Il travaille ensuite dans toute l'Italie (Udine, Bergame, Milan), s'inspirant progressivement du style de Véronèse, dont il a beaucoup étudié les variations de couleurs. Dans toute l'Europe, on réclame son génie, d'Allemagne en Espagne, où il terminera sa vie pour le compte du roi Charles III. Il eut le bonheur d'être assisté presque toute sa carrière par ses deux fils qui l'accompagnaient dans chacun de ses ateliers.

Le Tintoret (1518-1594)

Maître incontesté du XVIe siècle, Jacopo Robusti étonne par la variété de ses compositions, de l'allégorie d'influence gothique au maniérisme post-Renaissance. Il est vrai que sa longue carrière lui a permis de traverser tout le XVIe siècle en s'enrichissant de divers courants, mais c'est bien son génie propre qui a permis à cet artiste vénitien d'exprimer sa diversité et la puissance de ses compositions, dans des mises en scène véritablement théâtrales. Tableaux religieux, portraits, illustrations quasi cinématiques d'épisodes historiques : le Tintoret est bien davantage qu'un illustrateur, et ses *Noces de Cana* ou son *Christ devant Pilate* occupent une place de choix dans le patrimoine artistique mondial.

Nombre de ses travaux sont visibles dans divers bâtiments vénitiens (dont San Rocco et San Marco), à la galerie de l'Académie et autres grands musées.

Titien (vers 1490-1576)

Un dessin précis et dynamique, une remarquable utilisation de l'espace, des jeux de lumières et de sublimes portraits, dont ceux du *Jeune Anglais*, de *François Ier*, de *Charles Quint à cheval*, ou de l'*Homme au Gant*. Élève de Bellini puis de Giorgione, Tiziano Vecellio, né près de Venise vers la fin du XVe siècle, prend de l'ampleur au fil du temps et devient l'un des peintres vénitiens les plus demandés : des réalisations grandioses, au souffle presque palpable, et des succès grandissants, partout en Europe, qui inspireront nombre de peintres des générations futures.

On trouvera ses œuvres à la galerie de l'Académie, au palais Pitti à Venise, aux Offices et dans tous les grands musées du monde.

Véronèse (1528-1588)

Du grand classique au siècle de la Renaissance : Paolo Caliari est bien né à Vérone, et mort à Venise 60 ans plus tard. Entre-temps, il aura déployé son talent pour divers princes et cardinaux, à Bologne, à Mantoue, avant de s'installer à Venise les vingt dernières années de sa vie. Ses grandes œuvres religieuses ou mythologiques sont, malgré leur académisme, très facilement identifiables par leurs teintes douces, leur velouté et leur richesse. On peut les voir à la galerie de l'Académie et dans les grands musées européens.

DÉCOUVERTE

© STÉPHANE SAVIGNARD

Mosaïque de la galerie Victor Emmanuel II à Milan

Cuisine italienne

Parmi les préoccupations du touriste en Italie, la gastronomie tient à coup sûr une large place et, que l'on soit un esthète ou un routard, on ne peut rester indifférent à ces parfums, à cette générosité de la cuisine italienne, pas plus qu'au coucher du soleil depuis la terrasse de la villa Cimbroni ou au plafond de la Sixtine.

Parce que la pasta, l'huile d'olive, la sauge et le romarin, la rughetta et l'osso buco, c'est autant l'Italie que le palais des Doges, les collines de Montepulciano (tiens, si l'on parlait du vin !) ou le Colisée.

Les Romains étaient déjà de bons mangeurs, et l'Italie peaufine sa cuisine depuis près de 2000 ans, bien en avance sur nos ancêtres les Gaulois. Dans le monde entier, on mange italien, plus facilement que français, et cette gastronomie, à la fois légère et abondante, est peut-être celle qui a le langage le plus simple et le plus évident. Le monde entier peut savourer des spaghettis bolognaise parce que leur goût est universel (ceux qui n'aiment pas la tomate sont sensiblement moins nombreux que ceux qui n'aiment pas le foie gras).

Confectionnée à partir d'ingrédients simples, la cuisine italienne est plus élaborée qu'il n'y paraît et l'application avec laquelle chaque mamma ou chaque chef construit des sauces à la fois savantes et savoureuses est une qualité toute transalpine. Il paraît naturel qu'un pays aussi riche culturellement ait développé, dans le domaine culinaire comme dans d'autres, des spécificités régionales qui colorent un peu plus la carte de la Botte. Glissant du Piémont à la Calabre, traversant des champs d'oliviers ou de rudes montagnes, le plaisir est de trouver, au hasard du relief et des frontières provinciales, de nouvelles saveurs, de nouveaux plats.

Si les pâtes restent incontournables (il est presque inconvenant de faire un repas sans elles), la célèbre pizza est loin d'être le plat national. Il vous faudra goûter à l'essentiel : les viandes typiques (saltimbocca de veau, ou la fiorentina, une côte de bœuf si tendre qu'on la coupe à la fourchette !), les plats de poissons grillés ou délicieusement marinés, surtout en bord de mer, un maximum de variétés de pâtes, sans oublier l'entrée, les merveilleux antipasti (hors-d'œuvre) et les non moins extraordinaires gelati (glaces).

On ne pourra clore cette introduction sans évoquer le vin italien, souvent d'excellente qualité dans les petits prix. Le vin au pichet, ou la bouteille dans un restaurant, n'est jamais une affreuse piquette, car la production de masse est qualitativement supérieure à celle de bien d'autres pays.

Et si les vins français gardent toutes leurs prérogatives, grâce à une plus grande variété de terroirs, d'ensoleillement et même de cépages, on passe d'excellents moments en visitant l'Italie viticole.

■ LES REPAS ■

▶ **Prima colazione.** Le petit déjeuner du matin. Les Italiens n'ont pas l'habitude de prendre d'abondantes collations. Le plus souvent, ils se limitent à *capuccino e brioche* au comptoir d'un bar avant de se rendre au travail.

▶ **Colazione.** Le déjeuner de midi : abondant en famille, souvent sur le pouce au bureau.

▶ **Cena.** Le dîner du soir. C'est le repas le plus copieux, souvent précédé par l'incontournable *aperitivo*, dans l'un des nombreux bars.

Le repas type

▶ **Antipasti :** ces hors-d'œuvre, toujours servis à profusion, se composent de légumes accompagnés ou non de diverses sauces, de marinades (poivrons grillés, anchois, cœurs d'artichaut...), suivis par les inégalables charcuteries (jambons d'Aoste, de Parme, San Daniele, pancetta, coppa, salami, bresaola, mortadella et saucissons typiques de chaque région).

Le carpaccio, que les Français aiment tant, consiste en de très fines tranches de viande de bœuf crues, servies généralement avec de la roquette, des copeaux de parmesan, de l'huile d'olive et du vinaigre balsamique. On le sert en entrée ou en premier plat.

▶ **Il primo piatto :** les pâtes, le ravioli ou le risotto, mais parfois aussi des entrées chaudes, des potages (*minestre, minestroni*).

© STÉPHANE SAVIGNARD

Bruschetta aux saveurs italiennes !

▶ **Il secondo piatto :** la viande ou le poisson. En général, les viandes commandées au restaurant ne sont pas « accompagnées », et il faut lire le paragraphe *contorni* pour choisir ce qui vous convient.

Les poissons sont généralement présentés entiers devant le client au restaurant, pour qu'il juge de leur fraîcheur.

▶ **I contorni :** ces garnitures de légumes sont à base de pomme de terre ou de légumes verts crus ou cuits.

▶ **I dolci :** les desserts sont souvent aux œufs, comme les sabayons (*zabaglione*) et la *zupppa inglese* (biscuit au rhum fourré crème vanille). Dans tout le pays, on peut déguster le *tiramisù*, délicieux dessert au mascarpone (fromage frais) et au café. On trouve également des tartes au citron, des *crostate* (pâte sablée) à la confiture ou aux fruits, le *semifreddo*, un parfait à la crème glacée, sans oublier les innombrables spécialités locales qui varient de région en région. Et bien sûr les glaces, que nous vous conseillons de prendre, en cornet ou en pot, dans les *gelaterie*.

Le pain

Une composante importante qui est rarement négligée au niveau qualitatif. Le pain peut être parfois facturé avec le couvert, ou parfois inclus dans le prix du repas. Souvent on vous sert dans le panier, en plus du pain blanc, des *crostini* (pain grillé aux olives, aux herbes...), des *grissini* (gressins), en forme de bâton, originaires du Piémont, et de la *focaccia*, pain salé très onctueux à l'huile d'olive typiquement ligure. Goûtez aussi à la *bruschetta* toscane, souvent pain grillé frotté à l'ail et nappé d'huile d'olive sur lequel on pose de la tomate concassée et écrasée.

Les pizzas

On l'a dit, la pizza n'est pas le plat quotidien des Italiens. Pourtant, les pizzerie ne sont pas seulement là pour les touristes, les Italiens eux-mêmes cèdent souvent à ce petit plaisir, en la dégustant en petit carrés en apéritif. On rappellera donc les classiques, que chacun connaît généralement en France.

▶ **Napolitaine :** c'est la basique, recouverte de tomates et d'anchois, avec des olives noires, sans mozzarella et aromatisée à l'origan.

▶ **Margherita :** aux couleurs de l'Italie, tomate, mozzarella (ne pensez même pas à y trouver du gruyère, ce serait un sacrilège !) et basilic.

▶ **Calzone (chausson) :** la pâte se referme sur la garniture.

L'idée est tellement bonne que certains cuisiniers l'ont reprise pour certains plats de viande (une escalope et des champignons) qui cuit ainsi à l'étouffée, libérant tout son arôme à l'ouverture.

▎ **Quatre saisons :** divisée en quatre quarts, la pizza est garnie avec quatre ingrédients principaux, généralement champignons, jambon, cœurs d'artichauts, olives.

▎ **Bianca :** la pizza blanche, vous l'aurez peut-être deviné, c'est une pizza qui brille... par son absence de tomate. De même pour le *riso in bianco*, ou la *pasta in bianco*. On dit même parfois (car c'est surout réservé aux malades qui doivent manger léger) "*mangiare in bianco*".

▎ **La pizza se décline selon les régions :** en Calabre, des câpres (et l'on remplace parfois l'huile d'olive par du saindoux), dans les Pouilles, des oignons.

Les sauces et accompagnements de base pour les pâtes

▎ **Ragù (sauce bolognaise) :** à base de viande hachée, de préférence avec les spaghetti ou les fettucine. C'est aussi la sauce utilisée pour les lasagnes.

▎ **Al pesto :** au basilic, pignons, ail, huile d'olive et fromage pecorino.

▎ **Olio e aglio :** la façon la plus simplement savoureuse d'accompagner les spaghettis. De l'ail pressé et une bonne huile d'olive. Préparez votre sauce à l'avance pour que l'ail et l'huile d'olive soient parfaitement mélangés.

▎ **Alla panna :** à la crème.

▎ **All'amatriciana :** à la tomate et au lard ou pancetta, généralement avec des oignons.

▎ **Burro e salvia :** beurre et sauge. Excellent avec les raviolis par exemple.

▎ **Carbonara :** aux œufs (à inclure frais), avec du lard et du fromage fondu dans une crème.

▎ **Napolitaine :** tout simplement à la tomate.

La polenta

Cette bouillie de semoule fut de tout temps un aliment de base dans de nombreuses régions. On la fabriquait avec des céréales diverses, avant que Christophe Colomb ne rapporte le maïs dans ses bagages. L'usage du maïs allait se généraliser dans la fabrication de la polenta, particulièrement au nord, en Lombardie et en Vénétie. La polenta est très facile à faire, mais il y a une règle d'or à laquelle il ne faut pas déroger : toujours remuer jusqu'à la fin de la cuisson. C'est un accompagnement idéal qui met en valeur les viandes en sauce et les ragoûts, même si la polenta est aussi servie avec le poisson, comme à Venise.

Les fromages

Difficile d'éviter le chapitre : avec les rois gorgonzola et parmesan (*parmigiano*), la production italienne est riche de nombreuses variétés (peut-être pas autant qu'en France) en toutes régions. Parmi les plus connus :

▎ **Gorgonzola :** fabriqué à l'origine à Gorgonzola, près de Milan, c'est un fromage de vache dans lequel on cultive une moisissure ;

▎ **Mozzarella :** la véritable mozza est fabriquée avec du lait de bufflonne. On la produit essentiellement autour de Rome et de Naples ;

▎ **Parmesan :** cuit, à pâte dure, il est fabriqué autour de Parme, Reggio Emilia, Mantoue, Bologne et Modène. Il se présente entier sous la forme d'un tonnelet qui pèse en moyenne 35 kg. On le consomme *fresco* (moins de 18 mois) ou *vecchio* (jusqu'à 2 ans). Au-delà, il est *stravecchio* (très vieux) ;

▎ **Ricotta :** très bon frais en accompagnement ou farce de pâtes, d'omelettes ou de dessert. C'est un peu l'équivalent du brocciu corse ;

▎ **Pecorino :** à base de lait de brebis. D'origine sarde, il est également produit dans le Latium, en Toscane et en Sicile (il est alors un peu plus piquant) ;

▎ **Grana :** principalement consommé râpé (notre parmesan courant), il est aussi agréable entier ; il est produit dans 26 provinces autour du Pô et en Vénétie ;

▎ **Asiago :** un fromage de montagne que l'on peut utiliser râpé à maturité ;

▎ **Fontina :** à base de lait entier, originaire de la région d'Aoste ;

▎ **Mascarpone :** fromage frais élaboré à partir de crème de lait. On l'utilise dans le tiramisù notamment ;

▎ **Provolone :** fromage à pâte dure, lisse et un peu élastique ;

▎ **Taleggio :** un goût assez neutre, agréable. Il est originaire de Lombardie.

LES BOISSONS

La bière (birra)

Les Italiens se sont peut-être mis un peu tard à la bière, mais ils sont en train de regagner le terrain perdu. Il n'est pas rare de voir les repas de famille se dérouler à grand renfort de houblon, et les fêtes de la bière se multiplient à travers le pays. Cela pourrait passer pour sacrilège, mais l'accompagnement vaut aussi pour la pizza, constituant alors un apéritif-repas très prisé.Même si les heureuses spécialités – café, thé froid – sont encore en forme, la bière locale (Nastro Azzurro principalement) connaît un succès grandissant. Les étrangères (hormis Heineken) sont timidement représentées, mais le goût des Transalpins en la matière semble s'affiner et la qualité devrait se développer avec la quantité. On la consomme *alla bottiglia* ou *alla spina* (à la pression).

Le vin

Les Français sont si fiers – et à juste titre – de leurs vins qu'ils oublient souvent que l'Italie est un concurrent sérieux, y compris au niveau qualitatif. Certes, la variété des climats et des sols avantage notre pays, mais un effort qualitatif est fait depuis longtemps de l'autre côté des Alpes, et les vinifications sont parfaitement menées, sur les cépages locaux comme ceux d'importation. Point capital, la diffusion : le vin au restaurant reste un produit de consommation courante et non un produit de luxe, et une bonne bouteille coûte sur table de 5 à 10 €, c'est-à-dire trois fois moins qu'en France. Qui plus est, aux prix de base, vous trouverez un choix considérable. En outre, le vin au pichet, de la maison, ou du village, est presque systématique. Le litre est souvent facturé 4 € environ.

▸ **La plupart des régions sont productrices** et les cépages les plus répandus sont blancs : le chardonnay, le malvoisie, le muscat (*moscato*), le pinot gris, le trebbiano (Toscane, Emilie) et le cataratto (Sicile).

▸ **Les rouges :** le barbera (Piémont), le cabernet, le lambrusco (Emilie-Romagne), le merlot, le cabernet, le montepulciano (pas seulement en Toscane, mais aussi dans les Abruzzes, le Molise, etc.), le nebbiolo (à la base du barolo), le sangiovese, un des plus prestigieux, que l'on retrouve dans le chianti et les grands vins toscans.

Si les vins italiens n'atteignent pas, en tarifs, les sommets français, certains, comme le tignanello, le brunello di Montalcino et quelques vieux barolo sont activement recherchés par les connaisseurs et fort coûteux sur table (les grands restaurants italiens en France vendent certaines de ces bouteilles 150 € et plus).

▸ **Le vin santo,** spécialité toscane, est un délicieux vin de dessert, dans lequel on trempe des gâteaux secs aux amandes (*cantucci*).

Acqua minerale

Bien sûr, il s'agit d'eau minérale, à commander *frizzante* (gazeuse) ou *liscia* (plate). A la différence des Français, les Italiens boivent rarement de l'eau du robinet, lui préférant de loin l'eau en bouteille. Celle-ci est de toute façon vendue à un prix très inférieur au prix français : la grande bouteille coûte 1,50 € à 2,50 €.

C'est un vrai délice que d'aller à la découverte du monde diversifié des eaux minérales italiennes. La variété en eaux plates, légèrement pétillantes et très gazéifiées, rivalise quasiment avec celle des vins.

Cappuccino

DÉCOUVERTE

Boissons aux fruits

Parmi les boissons non alcoolisées que l'on consomme volontiers l'été pour se rafraîchir :

▸ **Granita :** de la glace pilée avec du sirop à tous les parfums de fruit ;

▸ **Frullato :** il s'agit de lait battu avec des fruits frais (un genre de milk-shake non glacé).

Limoncello

Une liqueur de citron très envoûtante, lorsque la nuit s'avance et qu'il est temps de passer aux choses sérieuses. Toutes les générations apprécient ce mélange d'amer et de sucré, cette douceur piquante au fond de la gorge. Le limoncello (on entend parfois *lemoncino*) est présent dans toute l'Italie et vous n'aurez aucun mal à vous approvisionner pour ramener un joli souvenir, d'autant que les designers multiplient les efforts pour faire de jolies bouteilles. En dégustation, essayez avec de la bière ; quand l'amertume de la bière entre en collision avec la suavité, c'est imparable.

Il caffè

Un moment presque sacré de la fin de repas. On se demande parfois comment il se fait que dans le moindre boui-boui en Italie, le café soit supérieur à celui des meilleurs restaurants français. L'explication en est difficile : les origines ne sont pas meilleures puisqu'on sait chez nous, aussi bien que chez les Italiens, importer les meilleurs arabicas du monde. Les machines, certes d'origine italienne, sont les mêmes puisqu'elles équipent aussi les établissements français. Il doit donc tout simplement s'agir de ce fameux savoir-faire, dans la préparation de la mouture, dans le soin de la fabrication et, surtout, dans le goût. Alors ne boudons pas notre plaisir en pariant à coup sûr : le café servi en Italie est huit fois sur dix parfait, deux fois moyen et jamais mauvais. Soit à peu près l'inverse de la France. Le café, c'est aussi une culture, parfaitement implantée de l'autre côté des Alpes.

Dans les bars italiens, on trouve souvent, à côté des machines, d'étranges petits récipients, comme de minuscules pots de crème à couvercle : ils sont là pour emporter le café, pour qu'il ne se renverse pas et qu'il garde sa chaleur. Ce café serré est une des nombreuses et légitimes fiertés de l'Italie. Le café peut être consommé de différentes façons :

▸ **Espresso ou ristretto :** quelques centilitres très concentrés au fond d'une tasse ;

▸ **Macchiato :** "taché", c'est-à-dire servi avec une goutte de lait ;

▸ **Lungo :** légèrement allongé d'eau ;

▸ **Americano** : café noir long à l'américaine ;

▸ **Corretto :** "corrigé" à la grappa ;

▸ **Cappuccino :** le "petit capucin", du nom des moines à la capuche (*cappuccio*) marron. C'est un grand café recouvert de lait mousseux et saupoudré de cacao ;

▸ **Con panna :** recouvert de crème fouettée.

Certaines villes ajoutent aussi à la carte un type de café local. On retiendra particulièrement le *marocchino* à Turin : il s'agit d'un mini-cappuccino auquel on ajoute du cacao en poudre.

Vins de Novare

LA CUISINE PAR RÉGION EN ITALIE DU NORD

Émilie-Romagne

La région est souvent considérée comme le cœur gastronomique de l'Italie. Les célèbres spaghettis à la bolognaise viennent de là, c'est tout dire ; c'est de là également que vient le célèbre jambon de Parme ou le parmesan.

Cette cuisine est plutôt riche (Bologne est surnommée « la ville grasse ») et met à l'honneur viandes et charcuterie. Outre le jambon de Parme, on peut citer dans ce domaine la pancetta, la mortadelle de Bologne ou le zampone de Modène (pieds de porc). Tous ces produits servent, entre autres, à confectionner de multiples recettes de pâtes, aux formes les plus variées (agnolini, ravioli, tortelli, etc.). Pour compléter cette profusion, les vins ne sont pas en reste avec des crus comme le guttunio, le lambrusco, le sangiovese (rouge), l'albana, le malvasia, le trebbiano (blanc), mais aussi des brandys renommés et une excellente liqueur de noix, le nocino. Pour en finir avec les liquides, signalons une longue tradition régionale, le vinaigre balsamique. Sa préparation longue (de 5 à 12 ans) et soignée (passage par des tonneaux de bois différents) lui donne un goût puissant et très recherché.

Frioul – Vénétie Julienne

Comme son nom l'indique, la région est proche de la Vénétie et cette proximité influence la cuisine, avec de nombreuses recettes à base de poissons et de fruits de mer. Vers le nord-est, cette influence méditerranéenne se mêle à des recettes venues d'Europe de l'Est (Grèce, Hongrie par exemple) pour créer une cuisine résolument originale, avec des assortiments de goûts originaux (pâtes sucrées par exemple). On y sert des plats de viande (goulasch notamment) et de gibiers, accompagnés de légumes comme les topinambours ou la chicorée. Cette influence slave se retrouve en dessert sous forme des pâtisseries à base de fruits confits, qui évoquent fortement l'Europe de l'Est.

Les boissons alcoolisées sont variées et de qualité. Outre des cépages de rouges ou de blancs assez classiques (cabernet, pinot, sylvaner, sauvignon), on trouve des vins de dessert savoureux (comme le verduzzo), ainsi que des prunes et grappas de qualité.

Ligurie

La richesse naturelle de la région permet une multitude de recettes, avec des produits variés et de qualité, issus de la mer, des cultures maraîchères, mais aussi des bois (champignons, châtaignes, etc.). Seule la viande est un peu absente, au profit des poissons et fruits de mer. A une base classique de pâtes, gnocchis et risottis s'ajoute une longue tradition de fougasses (*focaccia*), la classique à l'huile d'olive ou celle délicieusement onctueuse au fromage, originaire de Recco. Toutes ces recettes se caractérisent par un emploi abondant et parfumé de nombreuses herbes, du basilic à la menthe, en passant par l'origan ou le fenouil.

On trouve essentiellement des fromages de brebis, par exemple le pecorino, une des bases de la sauce typique de Ligurie, le pesto.

Les Ligures, très friands de sucreries, sont d'excellents pâtissiers. Le *pandolce* est un gâteau à base de fruits secs et de pignons, la *crostata* (pâte sablée) aux fruits frais ou à la confiture d'abricots et les glaces à tous les parfums sont parmi les spécialités.

A signaler quelques crus de vins blancs remarquables (barbarossa, dolcetto, sciacchetrà), idéal pour accompagner le poisson.

Lombardie

La cuisine lombarde est riche de sa grande diversité, même si elle ne présente pas le raffinement de certaines voisines. Mais cela ne l'empêche pas d'avoir offert au monde reconnaissant quelques recettes fameuses, comme l'osso buco (épaule de veau cuisinée), le risotto alla milanese ou le panettone.

Sa riche production céréalière lui a permis de développer de multiples recettes à base de riz, de pâtes ou de polenta. En matière de viande, on est assez loin de la richesse du Piémont et la plupart des recettes utilisent du veau. Quand elles ne nourrissent pas leurs veaux, les vaches produisent un lait de qualité qui permet à la région de revendiquer la paternité de fromages aussi fameux que le gorgonzola ou le mascarpone. Au dessert, la région propose plutôt des biscuits ou viennoiseries, avec les brioches (panettone ou colomba) et les amaretti de Saronne (sorte de macarons).

© ATL NOVARA (EMIT)

Cave à vin dans la région de Novare

Plus déroutant, la *mostarda*, servie en accompagnement des viandes, est une spécialité de Crémone à base de fruits macérés au vinaigre. Enfin, la région produit plusieurs vins classés en DOC, de toutes sortes (des rouges à la grappa). A signaler parmi ces productions l'amaretto, une liqueur d'amande de Saronno.

Marches

Les plaines sont fertiles, la mer généreuse... Il n'en fallait pas plus pour que la région puisse pratiquer une cuisine variée, où des produits de qualité sont cuisinés plutôt simplement afin de souligner toutes leurs saveurs.

On y trouve donc aussi bien des pâtes, des poissons, toutes sortes de viandes et de charcuterie, avec juste ce qu'il faut d'herbes aromatiques. Citons ainsi les *vincisgrassi*, variante des lasagnes, ou le *brodetto marchigiano*, à base de poisson. Dans les vins, on trouve avant tout du blanc : verdicchio, falerio, bianchello.

Ombrie

Paysage vert de collines, l'Ombrie propose champignons, gibier, mais aussi viande d'élevage et légumes, pour des recettes simples et savoureuses. Les truffes parfument de nombreux plats, dont les célèbres spaghettis al tartufo ou le gibier. Norcia est également réputée pour la qualité de sa charcuterie, Pérouse pour son chocolat. De quoi satisfaire tout le monde, y compris les amateurs de poisson puisque l'Ombrie compense son absence de débouché maritime par la présence du lac Trasimène, riche en poissons.

Pour la boisson, la variété assez réduite est équilibrée par une qualité des plus appréciables, tant pour les rouges (amelia, rubesco) et les blancs (orvieto, trebbiano) que pour les liqueurs (sacrantino, vinsanti).

Piémont et Val d'Aoste

Les deux régions, autonomes depuis 50 ans seulement, proposent des cuisines relativement proches. Dans les deux cas, la nature s'est faite généreuse et a permis de développer des recettes riches et variées. Ainsi, l'abondance de pâturages de qualité a permis l'élevage et donc de multiples plats à base de viande. Le gibier est également à l'honneur. Pour accompagner ces viandes, les sauces se parfument souvent de champignons, et notamment les truffes blanches d'Alba, adorées des gastronomes. Parmi les *primi*, les risotti sont rois, grâce à la production de riz de la plaine du Pô. Dans le Val d'Aoste, les alpages permettent de disposer en abondance de produits laitiers de qualité, et notamment des fromages. Ce n'est pas un hasard si une des spécialités de la région est la fontina, un fromage très savoureux, roi des tartiflettes. Parmi les spécialités piémontaises, on ne manquera pas de goûter aux *agnolotti* (raviolis farcis au fromage, à la viande ou aux légumes), à la *bagna caoda* (sorte de soupe à l'huile d'olive, aux anchois marinés et au beurre) et au *vitel tonné* (tranches de veau froides recouvertes d'une sauce au thon). En dessert, les célèbres biscuits de Novare et bien sûr les nombreuses spécialités à base de chocolat.

Ces deux régions sont également un trésor pour les amateurs de vins, de tous les vins. Le Piémont propose aussi bien des vins rouges (barbaresco, barbera, barolo, gattinara), blancs (cortese, greco, pinot bianco, riesling) que des vins doux (muscat, vin mousseux d'Asti et vermouth). A un degré d'alcool nettement plus élevé, le Piémont est également la région de production de la célèbre grappa de Barolo et de Moscato. Le val d'Aoste n'est pas en reste, tout au moins en ce qui concerne les vins rouges (gamay, müller-thurgan, petit rouge, pinot noir) et blancs (chardonnay, moncenise, morgex, pinot gris).

Toscane

La richesse de la Toscane ne se limite pas à l'architecture. Sa cuisine, qui abonde en saveurs variées, comporte pâtes, légumes, poissons, charcuterie, et la région est réputée pour sa viande de bœuf. La *bistecca alla fiorentina*, marinée à l'huile d'olive, est un régal. Toujours dans le domaine des viandes, la Toscane propose de nombreuses recettes à base de gibier, les plus fameuses ayant pour base sangliers et faisans.

En dessert, on peut compter sur un grand choix de gâteaux secs, comme le *cantuccini* ou le *panforte* de Sienne. Il serait, bien sûr, terriblement frustrant de ne pas avoir de vins à la hauteur de toutes ces bonnes choses. Heureusement, le chianti, le brunello de Montalcino (rouge), l'etrusco, le San Gimignano blanc ou encore le moscato d'Alba (muscat) vous mettent à l'abri d'une telle déception.

Trentin – Haut-Adige

Comme ses voisins, le Trentin profite d'une production agricole de qualité pour proposer de nombreuses recettes à base de légumes ou de céréales : on retrouve ainsi la polenta, les gnocchis. L'élevage fournit beurre et fromage, abondamment utilisés en cuisine : citons notamment le fromage pestolato, parfumé au poivre et à la grappa. Dans le Haut-Adige, l'influence de l'Autriche toute proche est très nette, ce qui donne une cuisine typiquement montagnarde, simple et robuste : beaucoup de charcuterie (würstel, speck), des légumes comme les pommes de terre ou la choucroute (*crauto*). Les fromages évoquent également leurs voisins germaniques, jusque dans leurs noms : sterzinger, almkaese.

En dessert, l'influence autrichienne se retrouve dans le *strüdel*, mais les amateurs se régaleront des fruits de culture d'excellente qualité comme les pommes et les chataignes, mais aussi sauvages (baies).

En matière de vins, les deux régions proposent leur lot de rouges (marzemino, merlot, guncina, caldaro) ou de blancs (nosiola, vernaccia, sylvaner, terlano, traminer), tout à fait honorables.

Vénétie

Tirée par Venise, la région propose une gastronomie largement issue de la mer, mais profite aussi de nombreux apports étrangers, permis par le dynamisme commercial des Vénitiens.

La cuisine vénitienne propose donc toutes sortes de plats à base de poisson ou de fruits de mer, relevés d'épices variées : des pâtes, des soupes, des risotti, etc. On goûtera, par exemple, les *cichetti* (typiques amuse-bouche à base de poisson ou viande à manger avec les mains), le *risotto nero* ou *con le seppie* (risotto aux seiches) ou les raviolis de poisson. Si vous n'aimez pas le poisson, il vous reste encore un large choix, par exemple la *fegato alla veneziana* (recette de foie de veau) ou la *polenta e osei* (petits oiseaux accompagnés par de la polenta).

A Noël, le dessert typique est le *pandoro* de Vérone, une sorte de panettone plus sucré et sans fruits confits, servi avec une crème à la vanille ou au chocolat à base de mascarpone.

En boisson, la carte des vins vénitiens est impressionnante, quelle que soit votre couleur préférée : bardolino, merlot, valpolicella (rouge), gambellara, pinot, soave (blanc).

© ATL NOVARA (ENIT)

DÉCOUVERTE

Vin et fromage du Piémont

Jeux, sports et loisirs

DISCIPLINES NATIONALES

La famille, la religion, le sport. Dans quel ordre apparaît le tiercé ? Cela varie selon les individus. Une chose est certaine : le sport appartient au sentiment national et le maillot azzurro de l'équipe nationale inspire à chacun respect et passion. On est supporter de son village, de la ville la plus proche, de la province et du pays. Tout naturellement, parce que les liens sont toujours forts avec le voisinage, le sport est un élément majeur, un ciment supplémentaire de l'esprit de famille. Quant à la réussite indéniable du sport italien, dans la pratique de loisirs comme dans la compétition, elle est un résultat de plus du formidable professionnalisme qui sait prendre au bon moment les choses au sérieux. Les clichés circulent sur la décontraction et la nonchalance italienne, mais pendant ce temps la caravane passe : les clubs italiens, dans quelque sport que ce soit, sont parmi les mieux structurés du monde ; le sport est un véhicule, mais aussi un métier, une source de revenus et de pouvoir, une industrie, une donnée économique. Les clubs de football brassent des milliards de lires et sont gérés au millimètre par des capitaines d'industrie qui n'attendent pas moins des capitaines sur le terrain. Les sportifs eux-mêmes savent s'entraîner et préparer leurs compétitions sans rien laisser au hasard : le sport en Italie n'est pas un jeu.

Les champions italiens sont souvent brillants, parfois fantasques et toujours craints. Il n'est guère de discipline sportive importante dans laquelle le sport italien ne soit pas représenté, hormis, curieusement, le golf et le tennis de table, et à un moindre degré le tennis. En revanche, en sport collectif, la réussite est quasi totale : on ne joue pas au hand-ball, mais les clubs de football sont parmi les meilleurs du monde, ceux de basket et de volley tutoient les sommets de l'Europe, et même le water-polo est une spécialité.

Les trois sports les plus suivis par les Italiens et dans lesquels les Transalpins excellent au niveau professionnel sont le football, loin devant le cyclisme et l'automobile… où Ferrari jouit d'un véritable culte.

Basketball

L'équipe italienne est une des meilleures d'Europe (championne en 1983 et 1999), et les clubs, qui changent de nom selon leur sponsor, attirent de nombreux grands joueurs étrangers. Bologne compte deux clubs au passé glorieux et vibre particulièrement autour du basket. Les autres principaux clubs de la péninsule sont actuellement le Benetton Trevise et Montepaschi de Sienne.

Des nombreuses vedettes du basket italien, on distinguera particulièrement Dino Meneghin, le grand stratège des années 1980, et Pier Luigi Marzorati. Aujourd'hui, la Squadra se cherche des leaders et mise beaucoup sur le jeune Andrea Bargagni, qui a été drafté en NBA…

Course automobile

Les Italiens construisent des voitures fabuleuses et, en plus, ils savent les conduire. A leurs marques mythiques, ils associent des coureurs de légende, des destins tragiques et de panache.

Les journaux sportifs

La *Gazzetta dello Sport*, *Tuttosport* et le *Corriere dello Sport* (dérivé sportif du *Corriere della Sera*) sont quotidiens et bien représentatifs du sport italien : plus de trois-quarts de l'espace est consacré au football, seules les grandes vedettes italiennes parviennent à marquer leur empreinte pour d'autres disciplines. C'est le foot, le foot, le foot puis, selon l'événement, l'athlétisme, le cyclisme, la voile (trois domaines où les Italiens ne sont pas du tout mauvais), le volley ou le tennis (deux autres où ils ne sont pas maladroits), le ski l'hiver, et bien sûr les sports mécaniques.

Si Maserati remporta deux titres avec Fangio, c'est bien Ferrari, la marque au cheval cabré, surnommée tout simplement aujourd'hui la Scuderia, qui représente pour tout le monde le sport automobile italien. Ferrari est la marque qui a disputé le plus de grands prix en formule 1 et, avec une petite avance sur MacLaren, celle également qui détient le plus grand nombre de victoires. La Scuderia totalise 10 titres de champion du monde des pilotes, et 10 également de champion du monde des constructeurs, avec 16 doublés pilotes/constructeurs. L'écurie a également remporté 9 fois les 24 heures du Mans.

Les grandes marques d'automobiles

Parmi les choses qui viennent immédiatement à l'esprit lorsqu'on évoque l'Italie, l'automobile vient en bonne place. Il est vrai que peu de pays comptent autant de constructeurs prestigieux... Ferrari, Maserati, Lamborghini, Alfa Romeo, Lancia, etc. Autant de noms qui font rêver tous les passionnés. Seules l'Angleterre et l'Allemagne peuvent prétendre rivaliser, et encore.

Cyclisme

Avec les Français et les Belges, les Italiens sont la troisième grande nation du cyclisme, dont ils ont écrit l'histoire et la légende. Certains coureurs, comme Fausto Coppi, sont devenus des héros pour toute l'Italie. Le Giro (Tour d'Italie) fut créé en 1909, soit six ans seulement après le premier Tour de France. Il resta durant plus de quarante ans une exclusivité italienne puisque le premier coureur non-transalpin à l'emporter fut un Suisse, Hugo Koblet, en 1950, alors que le premier coureur italien à remporter le Tour de France fut Ottavio Bottechia, dès 1924. Le cyclisme italien, hormis ses grandes stars (Coppi, Bartali Gimondi, Moser, Bugno) a souvent connu de très forts sprinters (Basso dans les années 1970, puis Argentin et Cipollini) et quelques grimpeurs d'exception, comme Battaglin ou Marco Pantani qui a remporté le Giro et le Tour de France en 1998.

Football

On se demande parfois si le football n'a pas été inventé en Italie tant il semble naturellement fait pour le génie sportif transalpin. Les Anglais ont créé les règles, mais ce sont les Italiens qui ont adopté et modernisé le jeu. La Coupe du monde fut créée en 1930 et, si le premier titre alla à l'Uruguay, l'Italie remporta les deux suivants, en 1934 et 1938. Il fallut ensuite attendre 1982 et la fantastique Coupe du monde en Espagne pour voir les Azzurri glaner un troisième succès ; entre-temps, l'équipe nationale, ainsi que les grands clubs, aujourd'hui les meilleurs et les plus riches du monde, ont eu le temps de se tailler une réputation et de faire de l'Italie la plus grande nation de football avec le Brésil.

Les journaux sportifs consacrent l'essentiel de leurs colonnes au sport roi et chaque joueur de première division du Calcio, qu'il soit italien et étranger, voit sa prestation dominicale analysée sous toutes les coutures.

Le football italien a ses stars, auxquelles il offre les plus gros salaires de la planète, mais le public qui les nourrit se montre très exigeant en contrepartie. Mis à part son côté ludique, le sport en Italie est aussi un métier, une source de revenus et de pouvoir, une industrie, une donnée économique : un sport business dont la capitale est sans aucun doute Milan.

Après une décennie en demi-teinte, la Squadra Azzura a manqué de peu le titre de champion d'Europe à l'occasion de l'Euro 2000. Après avoir battu les Hollandais, favoris de la compétition, l'équipe italienne se retrouve en finale face à la France. Les Italiens sont décidés à prendre leur revanche contre ceux qui les avaient éliminés en quart de finale du Mondial 1998. Mais alors que le score leur est favorable jusqu'à la toute dernière minute, leur rêve sera finalement brisé par les Bleus, comme chacun sait... Malgré cette défaite, les Italiens ont prouvé qu'ils étaient enfin revenus au premier plan sur la scène internationale. Ainsi, lors de la Coupe du monde en Allemagne de 2006, les Azzurri, coachés par Marcello Lippi, remportent le tournoi en éliminant la France en finale.

Les grands clubs d'Italie du Nord

En tête de liste, le Milan AC, l'Inter et la Juventus qui brassent des millions d'euros et sont gérés au millimètre par des capitaines d'industrie (Berlusconi pour le Milan AC, Moratti pour l'Inter, Agnelli pour la Juve) qui n'attendent pas moins des capitaines sur le terrain.

▶ **Le Milan AC** fut le premier vainqueur italien de la Coupe des clubs champions, aujourd'hui Ligue des champions (victoire en 1963, puis en 1969, 1989, 1990, 1994, 2003 et 2007) et il a remporté deux fois la Coupe des coupes.

Fondé en 1899, c'est le club des « rossoneri », du maillot rouge et noir qu'ont porté les grandes stars du football international et les meilleurs joueurs italiens (Maldini, Van Basten, Gullit, Weah, Shevchenko et Kaka).

▶ **L'Inter de Milan** est le grand rival du précédent, ayant également remporté la Coupe des clubs champions en 1964 et 1965. L'Inter a aussi gagné trois fois la coupe UEFA. Depuis 2006 et le tremblement de terre dit du « calciopoli », qui a notamment entraîné la relégation de la Juventus en serie B, l'Inter est l'équipe à battre dans un championnat qu'elle a remporté trois années de suite. Le stade de Milan, San Siro, porte le nom de Giuseppe Meazza, figure de la première heure du calcio italien, gagnant de deux Coupes du monde en 1934 et 1938. L'Inter a même son musée, à Milan évidemment, c'est le curieux musée Inter & Milan.

▶ **La Juventus de Turin,** surnommée affectueusement « la vieille dame » par ses supporters, puisqu'elle a été créée en 1897. La Juve a traditionnellement accueilli dans son équipe de grands joueurs français. Après avoir connu le sacre européen en 1985 avec Michel Platini (au stade du Heysel à Bruxelles), dans le match contre Liverpool au cours duquel les hooligans bousculèrent et écrasèrent les supporters italiens contre les grilles du stade, faisant 39 victimes, la prestigieuse équipe de Turin a retrouvé dans les années 1990 sa jeunesse avec une équipe très forte d'individualités marquantes (Zidane,

Deschamps, Del Piero), remportant à nouveau la Coupe des champions en 1996. Aujourd'hui, la vieille dame compte dans ses rangs le buteur David Trézéguet.

Motocyclisme

Les moteurs ont un si joli bruit sur une Guzzi, une Ducati ou une Aprilia. Alors, forcément, il y a aussi des pilotes qui savent se débrouiller. En dehors des circuits professionnels, les Italiens sont très férus de motocyclisme, et c'est souvent en deux-roues qu'ils partent visiter une autre région ou un pays étranger.

Valentino Rossi

Véritable personnage de cartoon, Valentino Rossi, alias « The Doctor » est l'un des sportifs les plus adulés d'Italie. Les casquettes et t-shirt à la gloire de l'excentrique pilote fleurissent sur les routes italiennes, tout comme son fameux n° 46, en particulier du côté du circuit de Misano, près de San Marin, qui accueille un Grand Prix et se situe à quelques kilomètres du lieu de naissance du prodige. Ses titres de champion du monde de 125 cm^3 (en 1996 et 1997) ont été obtenus avec un brio inégalé et une avance considérable sur ses adversaires. En 1999, il est le plus jeune coureur à obtenir le titre de champion du monde 250 cm^3 et, en 2001, le jeune prodige décroche le titre mondial en 500 cm^3. Six fois champion du monde GP (dont un dernier titre en 2008 décroché avec panache), Rossi et sa conduite féline est une star mondiale de la course motocycliste.

© MONTAGNE DOC (EMT)

Descente en ski dans le Val Susa

Ski de fond

Toujours de bons résultats pour les Italiens, des champions qui durent et des équipes qui gagnent les relais, comme à Lillehammer où ils avaient réussi à battre les invincibles Norvégiens. Le ski de fond se développa notablement après l'avènement, à Grenoble en 1968, de Franco Nones, qui fut l'un des premiers à vaincre la suprématie nordique en épreuve olympique (médaille d'or sur 30 km). Les stars actuelles s'appellent Silvio Fauner, champion du monde du 50 km, médaille d'or du relais 4, Stefania Belmondo, qui a encore gagné une médaille d'argent à Nagano, six ans après son titre olympique sur 30 km à Albertville (elle cumule six médailles olympiques et plusieurs titres de championne du monde) et Manuela Di Centa, double championne olympique à Lillehammer.

Aviron

Pas de problème : les rameurs italiens ne sont pas nombreux au plus haut niveau, mais lorsqu'ils apparaissent dans les classements, ce n'est pas pour faire de la simple figuration ! En vedette, les trois frères Abbagnale. Giuseppe et Carmine tout d'abord, champions olympiques en 1984 et 1988, médaillés d'argent à Barcelone en 1992 et sept fois champions du monde. Le benjamin de la famille, Agostino, n'a pas voulu être en reste et a brillamment suivi ses aînés : deux fois champion du monde, il a remporté trois titres olympiques à Séoul, Atlanta et Sidney.

Escrime

Comme la France, l'Italie est une grande nation de maîtres d'armes, plus de dix fois championne du monde au fleuret par équipe. Les individualités sont nombreuses, dont Valentina Vezzali, spécialiste du fleuret aux six médailles olympiques (l'or par équipe en 1996 et en 2000, le bronze en 2008, l'argent en individuel en 1996, puis l'or en individuel en 2000 et 2008, à Pékin).

Plongée

On ne peut pas oublier de mentionner les exploits « Grand Bleu » des plongeurs en apnée. Dans le sillage du fameux Enzo Maiorca, l'incontestable vedette est Umberto Pelizzari, qui a battu record sur record jusqu'à sa retraite en 2001. Son équivalent féminin est Angela Bandini, également recordwoman du monde et qui descend plus loin (105 m) que ne le fit jamais Jacques Mayol, le héros du *Grand Bleu*.

Hors-bord vénitien

Rugby

Forte des bons résultats de son équipe nationale et de la compétitivité de ses clubs à l'échelon européen, l'Italie a rejoint en 2000 le Tournoi des 5 nations, rebaptisé logiquement « Tournoi des 6 nations ». Après des débuts difficiles, la *squadra* a obtenu la quatrième place du tournoi en 2007 et a aujourd'hui sa place parmi les équipes qui comptent au niveau mondial, notamment grâce à des joueurs de talent tels que les frères Bergamasco.

Volley-ball

Les clubs sont au plus haut niveau européen avec de nombreux titres glanés par Parme, Modène, Ravenne ou Trévise. L'équipe nationale a été vice-championne olympique à Atlanta et championne du monde à onze reprises.

Water-polo

En Italie, le water-polo n'est pas vraiment un barbotage dans la piscine, mais une affaire d'Etat et un sujet de thèse : voyez donc *Palombella Rossa* de Nanni Moretti pour vous en convaincre. L'équipe d'Italie est toujours bien placée dans les compétitions internationales, championne olympique en 1992, championne du monde en 1994 et en 2001.

▪ À FAIRE SUR PLACE

Outre la découverte des trésors culturels de l'Italie, qui occupe souvent la place centrale d'un voyage dans la péninsule transalpine, les possibilités de loisirs touristiques sont multiples. Sports d'hiver ou sports d'eau, équitation ou écotourisme, chaque voyageur trouvera là à exercer sa passion.

Pour les amoureux de la nature, sachez que 10 % du territoire italien est protégé, dans le cadre de parcs naturels, nationaux ou régionaux. La liste des parcs naturels italiens, des Dolomites au parc national du Vésuve, figure sur le site www.parks.it, avec les hébergements possibles au sein de ces espaces protégés. Les offices de tourisme locaux vous renseigneront quant à eux sur les établissements qui proposent des activités sportives. Le site de l'Office national de tourisme italien donne les coordonnées des offices de tourisme par ville, sur tout le territoire italien.

Cyclotourisme

Une autre manière de découvrir une région italienne est le cyclotourisme. Les routes s'y prêtent généralement bien et vous pourrez louer des vélos dans toutes les villes moyennes. Pour être inspiré par une balade, le site www.peveradasnc.it/mtb/index.html regroupe des propositions d'itinéraires pour chaque province italienne, grâce à des liens vers d'autres sites.

Équitation

La pratique équestre est très répandue en Italie. Le site de la Fédération de tourisme équestre propose des parcours de randonnée équestre, sur plusieurs jours tout au long de l'année. Les lieux d'agriturismo (*voir encadré*) peuvent être aussi une bonne solution pour pratiquer l'équitation tout en séjournant dans un cadre agréable.

▪ **FEDERAZIONE ITALIANA TURISMO EQUESTRE E TREC**
Lardo Lauro de Bosis, 15 – 00194 Roma
✆ 06 32 65 02 30/31– www.fitetrec-ante.it

Golf

Le golf est un loisir très pratiqué en Italie où il existe un grand nombre de greens. Le site de la Fédération italienne de golf les répertorie par régions, mais la grande majorité des terrains se situent en Italie du Nord (Lombardie et Piémont) et dans la région de Rome (Lazio). Chaque green fait l'objet d'un bref descriptif.

▶ **www.federgolf.it/circoli.asp**

Agriturismo : l'Italie se met au vert !

Depuis une dizaine d'années, l'écotourisme ou tourisme vert est en pleine expansion en Italie. Ces gîtes ruraux se déclinent en plusieurs gammes, de la ferme au château, et ont pour caractéristique d'être situés à l'écart des sentiers battus et autres complexes touristiques. Pour les plus petits budgets, il est même parfois possible de camper sur un terrain appartenant à l'établissement agricole.

La majorité des lieux d'agriturismo se trouvent en Toscane, en Haut-Adige, en Vénétie et en Lombardie. Ces séjours au vert et au calme permettent souvent, en plus de la découverte de la gastronomie locale, des traditions agricoles (olive, vigne, élevage, etc.) et de la nature, de pratiquer l'équitation, puisque selon l'Association nationale d'agrotourisme plus de 250 fermes sont équipées pour vous offrir des balades à cheval ! En outre, les domaines sont parfois dotés de courts de tennis ou proposent une location de bicyclettes.

Pour information, ces gîtes doivent impérativement continuer à exercer des activités agricoles pour obtenir la certification « agriturismo », en plus de l'hébergement qu'ils proposent. Le but affiché de ce tourisme vert n'est pas le tourisme de masse ni la productivité, mais plutôt la redécouverte d'un mode de vie traditionnel de qualité, adapté à la modernité. La majorité des sites d'écotourisme pratiquent d'ailleurs l'agriculture biologique ou raisonnée.

▶ **Les sites Internet** www.agriturist.it et www.agriturismo.it vous donneront la liste par régions des établissements d'agriturismo, avec les services proposés, en fonction des préférences et des budgets.

Pêche

L'Italie possède une quantité et une diversité de plans d'eau qui font le bonheur des pêcheurs : les lacs et rivières de montagne, sans compter la côte littorale pour la pêche maritime et la pêche sous-marine. Pour la pêche en eau douce, un permis est nécessaire. La fédération italienne de pêche dispose aussi d'antennes locales dans chaque région auxquelles vous pouvez vous adresser directement.

■ FÉDÉRATION ITALIENNE DE PÊCHE
Viale Tiziano, 70 – 00196 Roma
℡ 06 36858238 – www.fipsas.it

Sports de montagne

En hiver, les skieurs sont rois dans les Alpes italiennes et, en été, les passionnés de montagne peuvent s'adonner à l'escalade, l'alpinisme, la randonnée ou encore le ski d'été sur les glaciers italiens. La Federazione italiana di Escursionismo regroupe des informations concernant tout type d'activités relatives à la montagne (trekking, VTT, etc.). Chaque région est dotée d'un comité local de la fédération dont le siège est situé à Gênes.

■ LE CLUB D'ALPINISME ITALIEN (SECTION DE MILAN)
Via Silvio Pellico, 6
20122 Milan ℡ 02 86 46 35 16
www.caimilano.it

■ FEDERAZIONE ITALIANA DI ESCURSIONISMO
Via La Spezia 58r
16149 Genova
℡ 010 463261
www.fieitalia.it
fienazit@tin.it

▶ **Pour ceux qui souhaitent découvrir l'Italie à pied,** consultez le site : www.cheminsdusud.com – Cette association propose des voyages de plusieurs jours à pied en Italie, avec plusieurs itinéraires thématiques (culturels, naturels, etc.).

■ FEDERAZIONE SPORT INVERNIALI (FÉDÉRATION DES SPORTS D'HIVER)
Via Piranesi, 44/B
20137 Milano ℡ 02 75 731
Fax :02 75 73 368 –www.fisimilano.org

Sports nautiques

Les possibilités sont multiples pour exercer des sports d'eau en Italie. Ski nautique, plongée,

Saturnia, ville connue pour ses eaux thermales

voile, autant de disciplines que le littoral méditerranéen et adriatique propose. Une belle croisière en voilier sur le golfe de Naples en passant par les îles Eoliennes est par exemple une excellente manière de découvrir les charmes de l'Italie du Sud.
Le large de la Calabre et de la Toscane constitue aussi des zones de navigation privilégiées. Ecrire à la Fédération de voile pour plus d'informations :

■ FEDERAZIONE ITALIANA VELA
Corte Lambruschini
Piazza Borgo Pila 40Torre A, 16 piano
16129 Genova
℡ 010 54 45 41
Fax :010 59 28 64
www.federvela.it
federvela@federvela.it

Thermalisme

L'Italie dispose d'une grande diversité de sources thermales dont les spécificités peuvent guérir nombre de désordres médicaux. Avant de se rendre dans un centre thermal pour une cure, il est néanmoins nécessaire de consulter un médecin pour un diagnostic. Avis aux curistes, le site de l'Office national de tourisme italien (www.enit.it) recense tous les sites de thermalisme dans le pays, avec possibilité de recherche de thermes en fonction des pathologies à guérir.

Enfants du pays

Giorgio Armani

Né à Plaisance en 1934, il s'installe à Milan en 1957 où il travaille comme acheteur pour les Galeries Lafayette italiennes, la Rinascente. En 1975, il crée sa propre griffe. Depuis, il est devenu le roi du chic discret, gourou de Claudia Cardinale ou Isabella Rossellini. En France, où il a ouvert un immense espace boulevard Saint-Germain, à Paris, Giorgio Armani a reçu les insignes d'officier de la Légion d'honneur le 3 juillet 2008. Sa fortune est estimée à 5 milliards de dollars.

Gae Aulenti

Née en 1927 près d'Udine, cette architecte, diplômée de l'Ecole polytechnique de Milan en 1954, est avec Renzo Piano une des figures les plus emblématiques de l'architecture italienne contemporaine. Elle a signé non seulement des projets d'architecture industrielle et des décors de théâtre mais elle a aussi réalisé la restauration du musée d'Orsay à Paris en 1987, pour laquelle elle obtiendra la décoration de chevalier de la Légion d'honneur en 2007. A Milan, elle a réaménagé le Piazzale Cadorna, entre 1998 et 2000.

Roberto Benigni

Le plus populaire des trublions du cinéma toscan actuel... Il disait de Fellini son maître : « travailler avec lui c'est comme pour un charpentier travailler avec saint Joseph » et sur le tournage de la *Voce della Luna*, le cinéaste l'appelait Pinocchio... Né à Prato près de Florence en 1952, et après avoir fait les beaux jours de nombreux cabarets, il aborde le cinéma par le bon bout et a la chance de rencontrer Jarmusch, qui lui offre un sketch sur mesure, dans la prison de *Down by Law*. Le monde entier est sous le charme et il récidive en taxi avec le même Jarmusch, six ans plus tard (*Une nuit sur terre*). Entre-temps, Benigni est passé à la mise en scène avec un charmant et drôle *Petit Diable*, et il enchaîne les succès avec *Johnny Stecchino*, *Le Monstre* (1994), le succès mondial de *La Vie est belle* (1998, Grand Prix du jury à Cannes), *Pinocchio*, dédié à Fellini qui ne put jamais le réaliser, *Le Tigre et la Neige* (en 2005). A l'occasion de la cérémonie des Césars en 2008, Benigni a reçu le César d'honneur.

Luciano Benetton

Tout le monde connaît les affiches multicolores et controversées de cette marque italienne de pulls. Luciano Benetton commence sa carrière très tôt, en 1945. Dans une Italie d'après-guerre, le petit Trévisan, qui a perdu son père à l'âge de 10 ans, doit vendre des journaux pour aider sa famille. Dans les années 1960, Giuliana, sa sœur, tricote si bien qu'ils décident de monter une petite production artisanale de pull-overs. L'une crée les modèles de laine et sous-traite la fabrication, pendant que l'autre assure la fonction de représentant de commerce. Afin de pouvoir suivre la mode sans cesse changeante, Luciano se rend en Angleterre où il se forme à une technique consistant à tricoter en écru et à teindre au dernier moment.

A partir de 1963, les Benetton vont ouvrir leurs propres boutiques, l'une après l'autre, au fur et à mesure de leurs bénéfices. La styliste française Lison Bonfils vient les conseiller et collabore avec eux pendant dix ans. La réussite est telle que Luciano Benetton acquiert et restaure la villa Minelli (près de Trévise) pour en faire le siège social de la société et, en 1980, se lance dans le sponsoring en achetant les équipes de basket et de volley de Trévise et l'écurie de formule 1 Toleman.

En 1987, le photographe Oliviero Toscani lance une campagne d'affichage pour Benetton très contestée (tout le monde se souvient de la fameuse photo représentant un malade du sida) et crée l'agence Inedito, financée entièrement par Benetton, dont le but est de vendre à des magazines français et étrangers des reportages de mode présentant au minimum 10 à 30 % de vêtements Benetton.

Pendant les années 1990, la marque se diversifie avec la création de Sisley et d'une école de design et de couture, La Fabrica. L'équipe de F 1 de Benetton, aux moteurs Renault, remporte le second titre de Champion du monde des pilotes, avec Michael Schumacher, et le premier titre de Champion du monde des constructeurs.

Aujourd'hui, Luciano Benetton est l'un des entrepreneurs italiens les plus connus dans le monde, dont les intérêts embrassent des secteurs aussi divers que l'agroalimentaire, la diététique, les douches et baignoires à hydromassages, les services télévisuels, la communication multimédia…. Cependant, M. Benetton est resté fidèle à sa région et notamment à sa ville d'origine, Trévise.

Silvio Berlusconi

Silvio Berlusconi devient le premier promoteur immobilier italien en 1962. En 1980, il investit dans les médias et dirige la Fininvest, l'une des holdings financières les plus importantes d'Italie. En 1994, il crée un nouveau parti, Forza Italia. Il gagne les élections et devient Premier ministre. Les juges entament des investigations sur les origines de sa fortune. Accusé dans neuf procès, il ne s'en sort que grâce à son immunité parlementaire de député au Parlement européen. En 2001, il est élu Premier ministre pour la seconde fois. Vivement critiqué par la presse européenne pour son implication dans des affaires judiciaires et sa mainmise sur les médias italiens, Berlusconi perd les élections parlementaires d'avril 2006 qui l'opposent à Romano Prodi, chef de la coalition de l'Unione. Mais il en faut plus pour décourager le magnat au visage lifté. Il regroupe ses troupes au sein du Parti du peuple italien et revient au pouvoir à l'issue des élections anticipées d'avril 2008. Fort de confortables majorités à la Chambre des députés et au Sénat, Berlusconi a néanmoins vu ses promesses fragilisées par la crise économique qui touche l'Italie de plein fouet. Une situation morose qui ne l'aura pas empêché de déployer son énergie dans son combat contre la justice et d'amuser, ou d'horrifier, le public avec des gaffes ou bons mots dont il a le secret.

Adriano Celentano

Le Johnny Hallyday italien est né à Milan en 1938. Auteur, interprète, acteur, metteur en scène producteur et animateur de télévision, Celentano fait ses débuts de chanteur à Milan sous le nom d'Adriano il Molleggiato (Adriano le Bondissant). Il appartient alors à un groupe dont font également partie deux jeunes chanteurs milanais à l'époque inconnus, Giorgio Gaber et Enzo Jannacci. A ce groupe d'amis, il consacre une chanson, *I Ragazzi della via Gluck*, une rue à quelques pas de la gare centrale de Milan où ils avaient l'habitude de répéter. Des grands succès comme *Il tuo bacio è come un rock* ou *Ventiquattromila Baci* marquent les années 1960. Celentano devient un phénomène de société, à tel point que Federico Fellini lui consacre une séquence dans *La Dolce Vita* (1959). Celentano est le premier à introduire le rock en Italie, s'inspirant d'Elvis Presley et de Billy Haley, tant musicalement que pour son attitude sur scène, tout en y ajoutant une composante comique qui sera une constante de ses chansons.

Alessandro Del Piero

Alessandro Del Piero est né à Conegliano Veneto, Padoue, en 1974. Le bel Italien de 1,73 m est redouté autant pour ses dribbles et ses tirs que pour ses passes en or. Tout petit déjà, Alex rêvait de jouer dans le grand club de la Juventus de Turin et de marcher sur les traces de son idole Michel Platini. Très vite, en 1988, il signe au club régional de Padoue. Séduit par le talent d'Alessandro, Franco Causio, émissaire de la Juve, l'engage à la Vecchia Signora, la Juventus de Turin. Et c'est là que commence son formidable palmarès. Sa sensibilité et sa créativité dans le jeu lui valent le surnom de Pinturicchio (du nom d'un peintre de la Renaissance, célèbre pour ses fresques délicates) délivré par Gianni Agneli himself. Il vit une année 2006 paradoxale avec une victoire en Coupe du monde, un titre de Champion d'Italie retiré et une relégation en deuxième division avec la Juventus Turin suite au scandale de corruption qui touche le club. Resté fidèle malgré la relégation, il tient une place particulière dans le cœur de ses supporters et finira sans nul doute sa carrière dans le club de son cœur, dont il est le meilleur buteur.

DÉCOUVERTE

Silvio Berlusconi, Premier ministre

Paolo Conte

Il est né le 6 janvier 1937 à Asti, dans le Piémont. Cet ancien avocat, qui a mené de front sa carrière et sa passion pour la musique pendant près de 25 ans, a finalement réussi à percer. Son style, inspiré par le jazz et le blues, est inimitable. En 1974, il sort un premier album intitulé simplement *Paolo Conte* : le public italien est emballé par son grain de voix si particulier. Après la sortie de divers albums live et de compilations, le père des tubes *Come di* ou *Via con me* revient à la création, en septembre 2008, avec l'album *Psiche*.

Dario Fo

Ce Prix Nobel de littérature est un artiste complet, bien dans son siècle, qui considère que toute forme d'art est un spectacle ou que l'art n'existe pas sans spectateur. Adepte de la grande tradition de la Commedia dell'Arte, il s'est rendu célèbre autant par ses bouffonneries que par ses positions iconoclastes, construisant dans ses ouvrages un monde baroque dans un style inimitable, distancié et populaire à la fois. Né à Varèse en 1926, il s'est formé au Piccolo Teatro de Giorgio Strehler et a écrit avec sa femme Franca Rame plusieurs pièces qui ont donné un nouveau départ au théâtre italien. Parmi ses écrits : *Le Doigt dans l'œil* (1953), *Mistero Buffo* (1969), *Mort accidentelle d'un anarchiste* (1971), *Histoire du tigre* (1980), *Johann Padan à la découverte des Amériques* (1991). Férocement anti-Berlusconi, Dario Fo est depuis 2006 conseiller municipal à Milan.

Paolo Maldini

Un vrai gentleman du calcio. Beau garçon, avec ses yeux bleus étincelants, Paolo Maldini est l'homme d'un seul club : le Milan AC. Son Milan, avec lequel il a remporté 26 trophées parmi les compétitions les plus prestigieuses (dont cinq Ligues des champions, sept Scudetti, une Coppa Italia, cinq Supercoupes européennes, deux Coupes internationales, une Coupe du monde).
L'un des plus jeunes à débuter en série A, en 1984, il est cité parmi les plus importants défenseurs de tous les temps avec Baresi et Beckenbauer.
Issu d'une famille où le foot est élevé au rang de religion (son père Cesare était également joueur et sélectionneur de l'équipe d'Italie), Paolo a porté le maillot azzurro de l'équipe nationale à 126 reprises. Mais il n'obtiendra aucun titre majeur avec la Nazionale, barré en finale de la Coupe du monde 1994 par le Brésil, puis, à l'Euro 2000, par l'équipe de France. A la fin de l'année 2008-2009, il a terminé avec classe une carrière exemplaire. Il détient le palmarès pour le nombre de compétitions en qualité de capitaine (74).

Renzo Piano

Né à Gênes en 1937, il est architecte de renommée internationale, passionné par le problème de la réhabilitation des périphéries urbaines et des banlieues.
Parmi ses créations, on peut citer des centres prestigieux comme le centre Georges-Pompidou à Paris et des musées ainsi que la réhabilitation des centres historiques, comme le Potsdamer Platz à Berlin, d'églises, d'usines, la construction de métros, de stades de foot, l'aéroport international Kansai à Osaka et le pont de Ushibuka, ou bien encore le centre culturel Jean-Marie-Tjibaou à Nouméa, entre autres.

Antonio Tabucchi

Né à Pise en 1943, ce professeur de littérature portugaise est un écrivain intéressant, influencé par les univers de Pessoa et de Borges.
Il possède un art de la description très personnel et subtil, comme le rythme du récit, ce qui n'exclut pas un certain maniérisme. Il a écrit *Place d'Italie* (1975). *Nocturne Indien* (1984, adapté au cinéma par Alain Corneau), *Petites Equivoques sans importance* (1985), *Les Oiseaux de Beato Angelico* (1987), *L'Ange noir* (1992), *Pereira prétend* (1994), *La Tête perdue de Damascino Monteiro*.

Susanna Tamaro

Née à Trieste en 1957. Petite nièce d'Italo Svevo, son roman *Va dove ti porta il cuore* (*Va où ton cœur te porte*, 1994) a connu un grand succès international.
Il fut vendu à plus d'un million d'exemplaires en Italie et adapté au cinéma par la fille de Comencini (avant de mourir une grand-mère écrit son journal pour sa petite-fille qu'elle a élevée et qui a quitté l'Italie pour les Etats-Unis). Susanna Tamaro a sorti en 2006 un livre qui fait suite à celui-ci, *Ascolta la mia voce*. En 2008, elle publie *Luisito, una storia d'amore*, une fable délicate sur l'amour et l'affection.

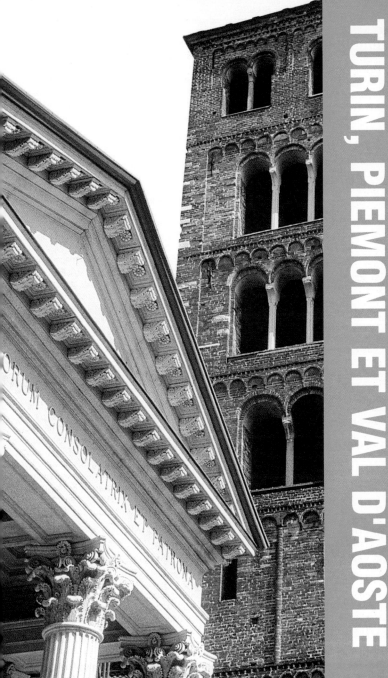

TURIN, PIÉMONT ET VAL D'AOSTE

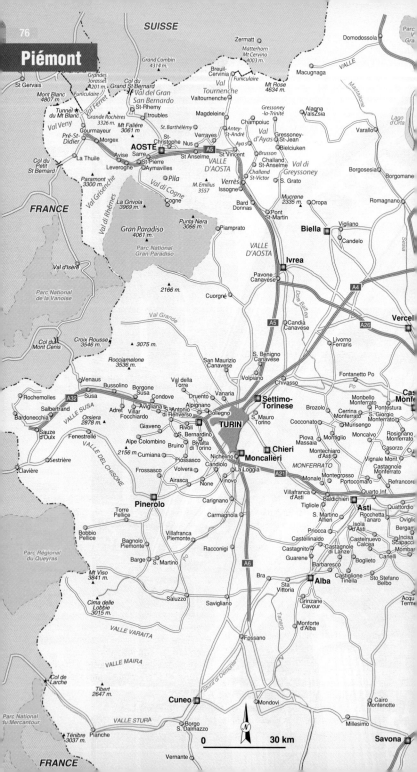

Turin

▬ TRANSPORTS ▬

Turin est facilement accessible par la route et par le train. Sa proximité avec la France en fait un endroit idéal même pour des séjours de courte durée.

L'arrivée à Turin

Avion

Turin est desservi par un seul aéroport, situé à Caselle, 16 km au nord-est du centre-ville.

■ AEROPORT SANDRO PERTINI
✆ 011 5676361/362
www.aeroportoditorino.it

Liaisons aéroport / centre-ville

▶ **Navette.** Service de navettes *Dora Fly* départ toutes les 30 minutes, jusqu'à 21h45, durée 40 minutes, ticket GTT transport urbain. A/R de l'aéroport de Caselle au gares Dora et Porta Susa (via San Tomaso au coin avec la via Bertola) - www.comune.torino.it/gtt/aeroporto/

▶ **Train.** Liaison GTT Turin-aéroport de Caselle-Ceres. Départ toute les 30 minutes, de 5h à 23h. Durée du trajet gare Dora-aéroport : 20 minutes. Tarif 3,40 € trajet simple, billet 1 jour « Trenibus » 6,20 €, train + transports GTT. Gratuit pour les détenteurs de la Torino + Piemonte Card.

▶ **Taxi.** Trajet aéroport-centre-ville, tarif fixe : 30 €.

▶ **Personnes handicapées.** Un service de transport pour personnes handicapés est disponible au niveau des arrivées de l'aéroport. Informations et réservations ✆ 800/890119 (appel gratuit) du lundi au vendredi de 9h à 12h30 et 13h30 à 15h.

Car

Moyen de transport excellent pour les trajets nationaux : Milan (2 heures 30, 9 €), Aoste (2 heures 20, 7 €), Courmayeur (4 heures pour 8 €), Chamonix (4 heures 20 de trajet pour 15 €) et toutes les villes piémontaises dans les environs de Turin. Pour plus d'informations sur les liaisons entre les villes italiennes consulter les sites www.italybus.it ou bien www.ibus.it.

■ EUROLINES
✆ 0 892 899091 depuis la France,
0033 (0) 1 49725154 depuis l'étranger
www.eurolines.fr
Call Center : du lundi au samedi 8h-21h, dimanche 10h-17h.
Trajets internationaux. Liaison Paris-Turin, durée du trajet : 12 heures environ.

■ GARE ROUTIÈRE
Corso Vittorio Emanuele II, 131 H
✆ 011 4338100, 800 99097
(num. vert régional)
www.autostazionetorino.it
Horaires 7j/7, 6h30 (6h45 jours fériés) -13h, 14h-19h. Billeterie nationale et internationale.

■ SADEM
✆ 800 801600, 011 3000611
www.sadem.it
Call Center : num. vert du lundi au vendredi 8h-20h, samedi 8h-13h. Ligne directe tous les jours 24h/24.
Liaisons nationales quotidiennes entre Piémont - Lombardie - Valle d'Aoste.

Train

De France

▶ **TGV :** A/R entre 60 € et 120 € (réservation à l'avance conseillée), 35 € offre spéciale. Quatre départs par jour, durée 5 heures 30. Arrivée Gare de Porta Nuova.

Gares

■ GARE DE PORTA NUOVA
Corso Vittorio Emmanuele II, 53
✆ 011 6653098 – www.trenitalia.com
Tous les jours 7h-23h. 4 € pour les 5 premières heures, 0,40 € pour chaque heure successive entre 6h et minuit, 0,20 € entre minuit et 6h. Située dans un point stratégique de la ville, dans l'axe de la via Roma, c'est la gare principale de Turin et la troisième gare d'Italie. Elle relie Turin à toutes les principales villes italiennes.

■ GARE DE PORTA SUSA
Piazza XVIII Dicembre, 8
✆ 011 538513

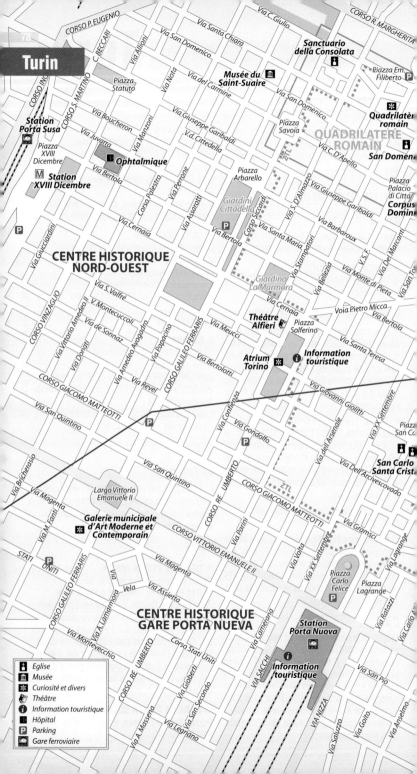

Piazza
D. Alberta

zza della
publica

Via Bazzi

Via Fochetto

Lungo Dora Siena

Dona Riparaia

Lungo Dora Firenze

Via Foggia

Via Parma

CORSO REGGIO PARCO

Via Modena

Via Parma

Via Messina

VIA CATANIA

Via Cagliari

CORSO VERONA

Largo Regio
Parco

Ponte
Reggio Parco

■ **Hôpital
M. Adelaide**

**Porta Palatina
Parc Arquéologique**

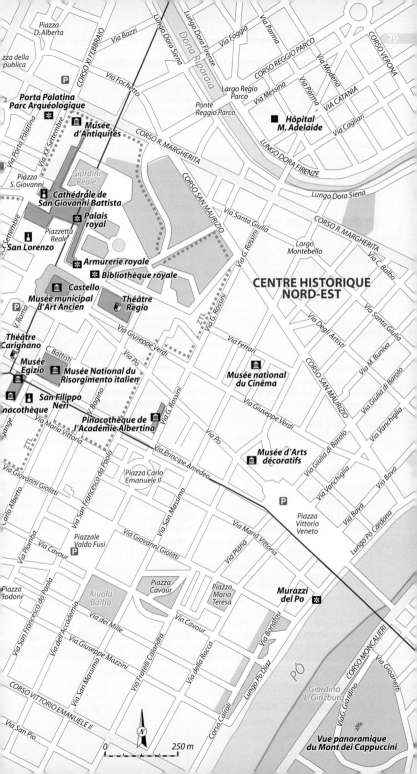

▥ **Musée
d'Antiquités**

CORSO R. MARGHERITA

LUNGO DORA FIRENZE

Lungo Dora Siena

CORSO SAN MAURIZIO

Via Santa Giulia

Via G. Rossini

CORSO R. MARGHERITA

Via C. Balbo

*Giardini
Reale*

Piazza
S. Giovanni

Pìazza
S. Giovanni

**Cathédrale de
San Giovanni Battista**

**Palais
royal**

Piazzetta
Reale

San Lorenzo

Armurerie royale

Bibliothèque royale

Castello

**Musée municipal
d'Art Ancien**

**Théâtre
Regio**

Largo
Montebello

**CENTRE HISTORIQUE
NORD-EST**

Via Degli Artisti

Via Santa Giulia

Via G. Rossini

**Théâtre
Carignano**

**Musée
Egizio**

C. Battisti

Via Po

**Musée National du
Risorgimento italien**

Via Giuseppe Verdi

Via Ferrari

**Musée national
du Cinéma**

CORSO SAN MAURIZIO

Via M. Buniva

Via Giùlia di Barolo

Via Vanchiglia

nacothèque

**San Filippo
Neri**

**Pinacothèque de
l'Académie Albertina**

Via Bogino

Via G. Rossini

Via Maria Vittoria

Via Po

Via Giuseppe Verdi

**Musée d'Arts
décoratifs**

Via Giùlia di Barolo

Via Vanchiglia

Via Bava

Via Giovanni Giolitti

Via San Francesco da Paola

Via Principe Amedeo

Piazza Carlo
Emanuele II

Via San Massimo

Via Maria Vittoria

Piazza
Vittorio
Veneto

Via Vanchiglia

Via Bava

Lungo Po Cardona

Carlo Alberto

Via Plomba

Via Cavour

Piazzale
Valdo Fusi

Via Giovanni Giolitti

Via Piana

Via Maria Vittoria

Piazza
Bodoni

Via San Francesco da Paola

Via dell'Accademia

**Aiuola
Balbo**

Via dei Mille

Via Giuseppe Mazzini

Piazza
Cavour

Via Cavour

Piazza
Maria
Teresa

Via della Rocca

Via San Massimo

Via Fratelli Calandra

Via Bonafou

**Murazzi
del Po**

PÓ

Lungo Po Diaz

CORSO MONCALIERI

Via G. Giardino

Via G. Giardino

CORSO VITTORIO EMANUELE II

Via San Pio

Via San Massimo

Corso Cairoli

Giardino
L. Ginzburg

N

0   250 m

*Vue panoramique
du Mont dei Cappuccini*

Située au nord-ouest de la gare de Porta Nuova, cette gare dessert certaines destinations européennes (France comprise en ce qui concerne les TGV en provenance de Paris) et une partie des destinations locales comme les liaisons avec Milan.

Voiture

Excellente solution pour les habitants du sud-est de la France, car Turin se trouve à un peu plus de 3 heures de Lyon et à 2 heures de Chambéry.

Se déplacer en ville

À pied

C'est la meilleure façon de visiter Turin. Les distances sont relativement courtes, sauf pour certaines visites (Lingotto, Superga...). De plus, en été comme en hiver, les élégantes arcades qui sillonnent toute la ville, permettent de se promener à l'abri du soleil ou des intempéries.

Taxi

Des stations de taxis se trouvent dans tous les principaux carrefours de la ville. Les sociétés d'appels à domicile sont rapide et efficaces.

■ CENTRALE RADIO

✆ 011 5737 *Réservations possibles.*

■ RADIO TAXI

✆ 011 5730 – www.radiotaxi.torino.it

Transports en commun

Les transports en commun sont gérés par la société GTT (Gruppo Torinese Trasporti). Les liaisons sont régulières et fréquentes. En 2006, une première ligne de métro automatique a été inaugurée, une seconde est en projet.

■ CITY SIGHTSEEING TORINO

✆ 011 535181
www.torino.city-sightseeing.it
Départ toutes les heures de la Piazza Castello. Premier départ 10h, dernier départ 18h. Tarif 15 €, enfants 6-15 ans 7,50 €, en vente directement sur le bus ou à l'office du tourisme. Réduction 10 % pour les détenteurs de la Torino + Piemonte Card. Un bus touristique avec commentaires en 6 langues qui vous fera découvrir toutes les facettes de Turin en 1 heure. Possibilité de descendre et de s'arrêter pour visiter, en remontant par la suite.

Voiture

Le trafic est intense dans Turin et la voiture n'est certainement pas le meilleur moyen de circulation. Une partie du centre historique est fermée à la circulation et une autre devient zone de circulation limitée accessible seulement aux résidents (zone ZTL). Il est néanmoins possible de se garer dans un des parking publics pour poursuivre ensuite à pied ou en transports en commun.

▶ **Parkings**. Les parkings payants sont indiqués par une ligne bleue. Vous pouvez payer en insérant des pièces dans les horodateurs ou en achetant la carte de parking « Gratta e Sosta » (1,30 € - 2 € selon la zone), en vente dans les kiosques à journaux, les tabacs et les cafés. Plusieurs parkings payants sont à disposition, renseignements - www.comune. torino.it/gtt/parcheggi

▶ **Location de voitures.** Nous vous rappelons que pour circuler en Italie vous devez disposer des documents suivants, obligatoirement fournis par les loueurs quand vous louez une voiture sur place : assurance auto, carte grise de la voiture (documents concernant l'état de la voiture et son immatriculation), permis de conduire, Modulo E111 (*libretto sanitario*).

Torino + Piemonte Card

La Torino + Piemonte Card est un excellent moyen pour visiter librement Turin et sa région. Valable pour une période de 2 à 7 jours pour un adulte et un enfant de moins de 12 ans, elle donne accès à plus de 160 sites culturels sur le territoire et offre de nombreux avantages. Des tarifs réduits sont garantis sur les visites guidées, sur les bus découverte City Sightseeing, pour l'achat de Choco Pass, sur les sports d'hiver et d'été et pour la location de voitures. En vente auprès de l'office du tourisme.

▶ **Card 2 jours :** 19 €, valable 48 heures. Junior (12/18 ans) 10 €.

▶ **Card 3 jours :** 22 €, valable 72 heures.

▶ **Card 5 jours :** 31 €, valable 120 heures.

▶ **Card 7 jours :** 35 €, 168 heures.

■ PRATIQUE

Représentations diplomatiques

■ CONSULAT GÉNÉRAL DE FRANCE
Via Roma, 366
✆ 011 5732311
www.consulfrance-turin.org
Du lundi au jeudi 8h30-12h30, 13h30-17h sur rendez-vous.
Le consulat de France à Turin est aussi en charge du Val d'Aoste et de la Ligurie. Ce dernier ne délivre plus de visas, il convient donc de s'adresser à la section consulaire de l'ambassade de France à Milan ✆ 02 6559141– www.consulfrance-milan.org

Tourisme

■ OFFICE DU TOURISME
Piazza Castello (angle Via Garbaldi)
✆ 011 535181
www.turismotorino.org,, www.torinoplus.it
Tous les jours 9h-12h.
L'office du tourisme à Turin et les points d'information vous réservent un accueil charmant et extrêmement professionnel. Renseignements sur hôtellerie, restaurants, sites et évènements en cours. Plusieurs visites guidées ainsi que des itinéraires thématiques sont proposées régulièrement. Pour les plus curieux, assistez avec le programme « Made in Torino » à la visite d'une des usines qui ont fait l'histoire de l'industrie turinoise : Lavazza, Fiat, Thales, Caffarel, Iveco et d'autres encore (10 €). Pour plus de renseignements consultez le site Internet à la rubrique « Visites guidées », ou renseignez-vous auprès de l'un des nombreux bureaux dans la ville.

▶ **Gare de Porta Nuova :** tout les jours 9h30-19h.

▶ **Aéroport de Caselle :** tout les jours 8h-23h.

■ SOMEWHERE
Via Botero, 15
✆ 011 6680580
www.somewhere.it
info@somewhere.it
Tarifs 20 €-35 €. Réservation obligatoire. Les visites ont lieu généralement le soir. Traduction française.
Cette agence privée propose depuis 1997 des visites thématiques insolites et très intéressantes qui sortent des itinéraires touristiques traditionnels et qui réservent d'excellentes surprises. Si vous voulez en savoir plus sur le Turin ésotérique, le Turin des délits et des crimes mystérieux ou encore si vous voulez visiter les souterrains labyrintes de la ville, vous ne serez pas déçu.

Poste et télécommunications

■ CYBERCAFE MONDADORI
Via Monte di Pietà, 2
✆ 011 5778811
Tous les jours 9h30 (dimanche 10h) - 20h.

■ POSTE CENTRALE
Via Alfieri, 10
✆ 011 535894
Fax : 011 5622800
Les bureaux de poste sont ouverts du lundi au vendredi de 8h30 à 19h et le samedi de 8h30 à 13h.

Banques

Les banques sont ouvertes de 8h30 à 13h30 et de 14h40 à 17h.

Urgences

■ URGENCES
✆ 118

TURIN, PIÉMONT ET VAL D'AOSTE

■ HÉBERGEMENT

Le centre historique

Bien et pas cher

■ BOLOGNA
Corso Vittorio Emanuele II, 60
✆ 011 5620191
www.hotelbolognasrl.it
info@hotelbolognasrl.it
Chambre simple 75 €. Chambre double 95 €.
Sa position, en face de la gare de Porta Nuova, en fait un excellent choix pour rejoindre tous les lieux du centre-ville. Chambres agréables offrant tout le confort nécessaire.

Confort ou charme

■ DES ARTISTES

Via Principe Amedeo, 21
© 011 8124416
Fax : 011 8124466
www.desartisteshotel.it
info@desartisteshotel.it
Chambre simple entre 67 et 130 €. Chambre double entre 95 et 170 €.
Ouvert récemment, cet hôtel agréable et tranquille offre des chambres spacieuses et lumineuses. Bien desservi par les transports en commun, c'est un lieu idéal aussi bien pour les séjours en famille que pour ceux d'affaires.

■ HOTEL URBANI

Via Saluzzo, 7
© 011 6699047
Fax : 011 6693226
www.hotelurbani.it – info@hotelurbani.it
M. Porta Nuova, Bus 1, 65, 35, Tram 9.
Simple 60-80 €, double 90-100 €. Offres spéciales en réservant par Internet.
L'hôtel, non loin de la gare de Porta Nuova, est situé dans le quartier de San Salvario, un quartier coloré habité par une population très mélangée qui commence à devenir un des lieux de sortie branchée de la ville. Les chambres sont meublées avec goût et pourvues de tous les conforts.

■ RESIDENCE SAN DOMENICO

Via San Domenico, 5/d
© 011 4367000, 388 4367000
Fax : 011 4394201
www.reoasi.com – info@reoasi.com
Mini studio 1077 € par mois, 410 € par semaine, 73 € par jour. Studio (une personne) 1310-1400 € par mois, 470-527 € par semaine, 82 € par jour. Deux pièces 1500-1682 € par mois, 610-655 € par semaine, 118 € par jour.
Cette résidence de charme allie l'intimité d'un « chez soi » avec d'excellents services hôteliers. Tous les appartements comportent salle de bains avec baignoire ou douche, cuisine et accès indépendant avec interphone. Le nettoyage (lu-ve) est inclus ainsi qu'une ligne téléphonique directe. Demandez les appartements aux plafonds peints du XVIIIe siècle.

■ ROMA E ROCCA CAVOUR

Piazza Carlo Felice, 60
© 011 5612772
Fax : 011 5628137
www.romarocca.it – info@romarocca.it
M.Porta Nuova, Bus 34,35, 64
Chambre simple 57-90 €, double 77-112 €, triple 127 €.
Hotel historique de Turin, géré par la même famille depuis 1854. Situé à proximité de Porta Nuova et des galeries commerçantes, l'hôtel propose des chambres meublées et décorées dans l'esprit du Turin du XIXe siècle. Celles donnant sur la cour sont particulièrement agréables.

Luxe

■ GRAND HOTEL SITEA

Via Carlo Alberto, 35
Stazione Porta Nuova
© 011 5170171
Fax : 011 548090
www.sitea.thi.it
sitea@thi.it
Bus 61
Simple 135-230 €, double/suite 170-315 €.
Un très beau palace situé en plein centre-ville, à deux pas de Piazza San Carlo, très calme et chic. 114 chambres élégamment décorées rappellent le décor début XXe qui a vu naître l'hôtel. Profitez du restaurant étoilé de l'hôtel, le Carignano, à l'ambiance chaleureuse et reservée, qui propose une cuisine internationale raffinée.

■ MERCURE TORINO CRYSTAL PALACE

Via Nizza, 11
© 011 6680273
Fax : 011 6599572
www.hotelcrystalpalace.it
info@hotelcrystalpalace.it
M.Porta Nuova, Bus 1, 65, 35.
Simple à partir de 75 €, double à partir de 95 €, suite à partir de 210 €. Petit déjeuner 10 €.
Demeure XIXe située juste à côté de la gare Porta Nuova. La décoration intérieure coupe le style de la façade extérieure avec modernité car le hall d'entrée et le bar sont très design. Tous les services indispensables pour passer un agréable séjour sont présents (wifi, TV LCD, satellite SKY, téléphone, minibar…). L'hôtel dispose d'un bar américain ouvert de 17h à 23h30.

■ VICTORIA

Via Nino Costa, 4
© 011 5611909
Fax : 011 5611806
www.hotelvictoria-torino.com
reservation@hotelvictoria-torino.com

Simple 135 €, double à partir de 155 €, suite 200 €.

Dans une rue calme, cet hôtel au charme unique est entièrement décoré en style victorien. Meubles anciens, fleurs fraîches et centre de bien-être, tout participe à rendre le séjour agréable. Demandez les chambres sous les combles qui disposent d'une jolie terrasse.

Le long du Pô et la colline de Superga

■ CAMPING VILLA REY

Strada Val San Martino Superiore, 27
✆ 011 8190117
Fax : 011 81901128
www.campingvillarey.it
info@campingvillarey.it
Autoroute Turin-Milan, sortie Corso Giulio Cesare et poursuivre tout droit pendant 4 km jusqu'au Corso Novara. Tourner à gauche et rejoindre le pont Regina Margherita. Passer le pont et poursuivre le Corso Gabetti jusqu'à la place Hermada. Camping à 300 m. Emplacement 15 €, tente 7,50 €, auto/moto 2 €, par personne 7,50 €, réduit 6 €.

Situé dans un parc sur la colline de Turin et sur la rive droite du Pô, ce camping jouit d'une position exceptionnelle. Il dispose d'un service de navette avec l'arrêt de bus 56 pour le centre-ville, d'une laverie et d'un restaurant.

■ OSTELLO TORINO

Via Alby, 1
✆ 011 6602939
Fax : 011 6604445
www.ostellotorino.it
A 2 km de la ville. Bus 64.
Ouvert tous les jours de 7h à 12h30 et de 15h à 23h. Chambre 3 à 8 lits 15 €. Chambre 3 à 4 lits avec salle de bains privée 18 €. Chambre double avec salle de bains privé 21 €. Chambre individuelle 22 €. Dîner 10 €. Carte internationale des auberges de jeunesse en vente à la réception 6 €.

Une auberge de jeunesse calme et propre qui fait face à la ville du haut d'une colline. Parking, terrain de volley, ping-pong à disposition. Piscine et location de vélo à proximité. Salle TV et buanderie. L'auberge est équipée du wifi.

■ RESTAURANTS

Bien et pas cher

■ ALLA BAITA DEI SETTE NANI

Via Andrea Doria, 5 ✆ 011 535812
Repas à partir de 6 €. Fermé le lundi.
L'une des meilleures pizzerie de Turin !

■ LE VITEL ETONNE'

Via San Francesco da Paola, 4
✆ 011 8124621
www.leviteletonne.com
Ouvert jusqu'à 1h du matin. Fermé dimanche soir et lundi. Repas à partir de 20 €.
Petit bistrot de quartier sympathique avec un air parisien, le Vitel Etonné excelle dans les spécialités piémontaises. La carte propose une sélection d'*antipasti, primi e secondi* chaque jour différents. Essayez justement le « Vitel-tonné » (tranches fines de veau avec une sauce au thon) : délicieux !

Bonnes tables

■ LA BADESSA

Piazza Carlo-Emanuele II ✆ 011 835940
www.labadessa.net

Fermé le lundi midi et le dimanche. Repas entre 25 et 35 €.
Situé dans un palais du XVIIIe siècle, ce restaurant propose des plats de cuisine traditionnelle piémontaise inspirés par des recettes cuisinées jadis dans les monastères. Une terrasse très agréable vous accueille à la belle saison.

■ LA CANTINELLA

Corso Moncalieri, 3/a
✆ 011 8193311
Ouvert tous les soirs jusqu'à 2h. Menu autour 25-30 €.
Restaurant typiquement turinois. Tables éclairées à la bougie, musique douce, c'est le restaurant idéal pour une soirée entre amoureux. Nombreuses spécialités piémontaises et viande à la pierrade. Goûtez à leur fameuse tarte Tatin, un délice !

■ DEL CAMBIO

Piazza Carignano, 2
✆ 011 546690
www.cambio.thi.it
Repas entre 50 et 80 €.

Fermé le dimanche, mi-août et première semaine de janvier.
Ce restaurant historique fondé en 1757 est considéré comme l'un des plus beaux et des plus prestigieux d'Italie. Le décor est délicieusement nostalgique : velours rouge, sièges lyres, dorures en stuc. Tout est resté comme il y a 150 ans, lorsque le comte Cavour y avait sa table. La cave est gigantesque et surtout bien fournie. Spécialités : *agnolotti, finaziera*. Le jeudi, de février à mars, on y sert un pot-au-feu typique de la région. L'hiver, on y propose un menu-dégustation à base de truffes et de janvier à mai, le vendredi soir, « le souper du roi ». Royal !

■ PORTO DI SAVONA
Piazza Vittorio Veneto, 2 ✆ 011 8173500
www.portodisavona.com
Repas 25-35 €.

Position exceptionnelle pour ce restaurant qui domine la place Vittorio Veneto, juste où débouche la Via Po. Il tire son nom du fait que c'est d'ici que partaient les courriers qui relaient Turin à Savona, port à l'époque très important pour la ville. Cuisine simple et savoureuse à base de produits régionaux.

■ LE TRE GALLINE
Via Bellezia, 37
✆ 011 4366553
Repas à partir de 35 €. Fermé le dimanche et le lundi à midi. Fermeture annuelle mi-août, première semaine de janvier, Pâques. Réservation recommandée.
Une des trattorie les plus anciennes et réputées de Turin. Ambiance chaleureuse et cuisine typiquement piémontaise. Tous les jours, on peut goûter un nouveau plat du jour reprenant de vieilles recettes. Excellente cave.

▬ SORTIR

Cafés historiques

■ AL BICERIN
Piazza della Consolata, 5
✆ 011 4369325
www.bicerin.it
Fermé le mercredi et en août.
Inauguré en 1763, ce café respire l'atmosphère du Turin d'antan, quand il accueillait des personnages célèbres comme Cavour, Dumas et Nietzsche. Sa spécialité, le bicerin, est un café mélangé avec du chocolat et de la crème de lait. Goûtez aussi au gâteau au bicerin. Délicieux !

■ CAFFE PLATTI
Corso Vittorio Emanuele II, 72
✆ 011 5069056
www.platti.it
Fermé le vendredi. Restaurant ouvert le soir sur réservation.
Ouvert depuis 1875, ce café au décor Art déco et à l'ambiance très chic. Cesare Pavese et Giulio Einaudi aimaient s'y retrouver pour discuter de littérature et goûter ses délicieux *tramezzini*. Restaurant très élégant à l'étage. Brunch le dimanche matin. Leur spécialité : les pralines.

■ CAFFÈ SAN CARLO
Piazza San Carlo, 156
✆ 011 532586
Ouvert tous les jours de 8h à minuit.

Premier café italien à adopter l'illumination à gaz à hydrogène en 1822, il fut un des lieux de rencontre des réformistes qui s'opposaient à la Maison de Savoie. Richement décoré, il impressionna plusieurs grands voyageurs du XIXe siècle. Ses mélanges de café méritent d'être goûtés.

■ CAFFÈ TORINO
Piazza San Carlo, 204 ✆ 011 545118
www.caffe-torino.it
Ouvert 7 jours sur 7.
Ouvert en 1903, ce café était un des préférés de la famille royale. L'ambiance très élégante et raffinée, ainsi que l'imposant décor Liberty, font de ce café un lieu incontournable pour les Turinois et les visiteurs. Essayez les pâtisseries ou les *gianduiotti* accompagnées de thé ou de chocolat chaud.

Apéritifs et happy hours

■ AL SORIJ
Via M.Pescatore, 10/c
✆ 011 835667
Ouvert de 18h à 2h. Fermé lundi et dimanche.
Ambiance très cool dans ce bar à vins entre la Mole et le Pô. La carte propose de bonnes bouteilles piémontaises et italiennes, ainsi que de nombreuses marques étrangères. Goûtez-les avec les excellentes tartes salées et les plateaux de fromages et charcuteries.

■ **BRASSERIE SOCIETE' LUTECE**
Piazza Carlo Emanuele II, 21
✆ 011 887644
Fermé le dimanche.
Un petit coin de France où aime se retouver la jeunesse dorée turinoise. L'été, profitez de la terrasse qui donne sur la ravissante Piazza Carlina pour grignoter des petits plats ou simplement pour boire un verre.

■ **LA DROGHERIA**
Piazza Vittorio Veneto, 18
✆ 011 8122414
www.la-drogheria.it
Cette ancienne droguerie est aujourd'hui un bar tendance qui attire, jusqu'à tard dans la nuit, une foule d'étudiants et d'étrangers. Son point fort est le buffet apéro (19h-22h) dressé sur une longue table, comme s'il s'agissait d'un salle à manger.

■ **PASTIS**
Piazza Emanuele Filiberto 9/b
✆ 011 5211085
Ouvert tous les jours de 9h à 2h.
On se presse à l'heure de l'apéro dans ce sympathique bistrot au cœur du Quadrilatero Romano. Décoré en style années 1960, le Pastis propose un buffet bien garni de quiches, *focacce*, charcuteries et fromages ainsi que de bons vins et cocktails.

Bars et discothèques

■ **GIANCARLO**
Murazzi del Po, 45 ✆ 011 817472
Ouvert de 18h à 6h. Fermé le dimanche.

Une adresse légendaire pour les Turinois. Le bar-boîte qui tire son nom de son propriétaire, est synonyme de fête jusqu'à l'aube, le long des Murazzi, les quais qui longent le Pô. C'est ici qu'ont débuté plusieurs stars de la pop italienne, comme les Subsonica ou les Mau Mau.

■ **HIROSHIMA MON AMOUR**
Via Bossoli, 83
✆ 011 3176636
www.hiroshimamonamour.org
Bus (14,41, 74, 18) ou vélo : réduction sous présentation du ticket ou du vélo.
Ouvert de 21h à 4h. Fermé le dimanche.
Dans le quartier du Lingotto, un bar devenu une institution pour les jeunes Turinois. Musique de tous les styles et pour tous les goûts.

■ **MAGAZZINI REDDOCKS**
Via Valprato, 68
Ouvert du mercredi au samedi jusqu'à 5h.
Un disco-pub tendance animé par des DJ de renom international, installé dans un des hangars de l'ancien ensemble industriel des Docks Dora.

■ **PIER**
Murazzi del Po, 7-9-11
✆ 011835356
Fermé le dimanche.
Si vous voulez danser sur des rythmes effrénés dans une ambiance chic, le Pier est le lieu idéal. Le jeudi, il est fréquenté par la fine fleur de la jeune bourgeoisie turinoise. En été l'*open space* sur les quais rend cette boîte toujours bondée.

Vie nocturne turinoise

◾ POINTS D'INTÉRÊT

Le centre historique

◾ DUOMO SAINT JEAN-BAPTISTE ET LE SAINT SUAIRE

Via XX Settembre, 87
✆ 011 4361540
Ouvert de 7h à 12h et de 15h à 19h.

Au cœur de la ville antique, à quelques pas des vestiges romains, le Duomo (cathédrale) est le seul exemple architectural Renaissance de Turin.

Construit en l'honneur de saint Jean-Baptiste, patron de la ville, entre 1491 et 1498 à la demande de l'évêque Domenico della Rovere, il s'élève à l'emplacement de trois églises médiévales. Au XVIIe siècle, Guarino Guarini participa à la restructuration de l'édifice et à l'adjonction de la chapelle du Saint-Suaire. Revêtue de marbre blanc, la façade du Duomo se distingue au milieu du paysage urbain turinois.

Trois élégants portails donnent accès à une structure en croix latine, avec trois nefs et des éléments décoratifs gothiques. Le pavement est en marbre noir, alors que les parois s'éclaircissent en hauteur. D'important travaux de restructuration sont encore en cours suite à un incendie qui ravagea la chapelle du Saint-Suaire en 1997. Remarquez l'intrigante méridiane astrologique à l'extérieure sur la paroi droite de la cathédrale.

◾ GALLERIA SABAUDA

Palazzo dell'Accademia delle Scienze
Via Accademia delle Scienze, 6
2e étage ✆ 011 547440
Mardi, vendredi, samedi et dimanche 8h30-14h, mercredi 14h-19h30, jeudi 10h-19h30. Fermé le lundi. Entrée 4 €, tarif réduit 2 €.

Cette célèbre pinacothèque abrite des riches collections de peinture flamande, hollandaise et italienne du XIVe au XVIIe siècle, ayant appartenu à la Maison de Savoie. Sur deux étages, on visite sept différentes sections. Les plus intéressantes sont celles consacrées à la peinture italienne du XIVe au XVIIIe siècle, avec des toiles de Beato Angelico, Pollaiolo, Tintoret, Véronèse, Gentileschi et Bellotto. Quant à la section d'art flamand et hollandais, elle présente des chefs-d'œuvre de Van Eyck, Memling, Rembrandt, Rubens et Van Dick.

◾ MOLE ANTONELLIANA

Via Montebello, 20
✆ 011 812 5658
Bus 13, 15, 16, 55, 61 et 68.

Cette imposante construction est le symbole de la ville. Elle fut commandée en 1862 à l'architecte Alessandro Antonelli par la communauté judaïque qui voulait se doter d'un temple grandiose pour célébrer l'émancipation octroyée par le roi Charles-Albert. Le projet initial prévoyait une hauteur de

Le saint suaire

Long de 4,37 m sur 1,11 m, le saint suaire est une toile de lin tissée en chevrons. Selon la tradition, il s'agirait du linceul mortuaire dans lequel Jésus fut enveloppé après avoir été déposé de la Croix. Son histoire n'est chronologiquement documentée qu'à partir du XIVe, quant il apparaît en possession d'abord de la famille française des Charny et ensuite des Savoie, qui l'ammenèrent de Chambéry à Turin en 1578. En 1983, le roi Umbert II légua le linceul au Saint-Siège, à condition qu'il ne quitte pas Turin. Il est aujourd'hui conservé au Duomo dans un coffre climatisé.

Vénéré par des milions de fidèles, le saint suaire n'est exposé que pendant les ostensions officielles (les prochaines se dérouleront du 10 avril au 23 mai 2010 - www. sindone.org). Lors de celle de 1898, le photographe Secondo Pia constata avec stupeur l'apparition de l'image, d'un homme en relief, frontale et dorsale sur les négatifs des photos. Le corps est entouré de lignes longitudinales, reste des brûlures provoquées par un incendie en 1532, quand le linceul était conservé dans la chapelle de Chambéry. L'origine de cette relique est vivement contestée, surtout depuis que les datations au carbone 14 ont révélé que la pièce de lin datait du Moyen Age, du pollen trouvé dans ses fibres indique cependant un passage en Palestine et au Moyen-Orient. Pourtant, certaines questions subsistent : il ne s'agit pas d'une peinture et les blessures sur les poignets indiquent que l'homme a subi une vraie crucifixion.

Mole Antonelliana, symbole de la ville

47 m, mais l'audacieux architecte fut pris d'un accès de mégalomanie et proposa une hauteur de 167 m. Devenu trop coûteux, le projet fut délaissé par la communauté judaïque pour manque d'argent et proposé à la mairie de Turin qui se chargea de le terminer en le consacrant à Victor-Emmanuel II. Après 26 années de travail, la construction fut enfin terminée en 1889, la même année que la tour Eiffel. La Mole atteint donc les 167 m et sa pointe porte une statue, dite *Le Génie ailé* ou plus simplement l'ange, haute de 4 m. On atteint son sommet par un ascenseur en cristal d'où l'on a un panorama impressionnant sur l'ensemble du musée national du Cinéma. De la terrasse du sommet, s'étend une vue unique sur la ville.

■ MUSEE DU SAINT-SUAIRE

Via San Domenico, 28
☎ 011 4365832
www.sindone.it
Tous les jours de 9h à 12h et de 15h à 19h. Entrée 6 €, tarif réduit 5 €. Parcours non-voyants.
Dans les sous-sols de l'église du Saint-Suaire sont exposés entre autres les documents concernant les résultats des recherches expérimentales effectuées sur la relique. Au même endroit se trouve le Centre international d'étude sur le saint suaire, auquel collaborent des spécialistes en différents domaines.

■ MUSEE NATIONAL DU CINEMA

Via Montebello, 20
Mole Antonelliana
☎ 011 8138511
www.museocinema.it
Mardi à dimanche 9h-20h, samedi 9h-23h. Fermé le lundi. Entrée musée + ascenseur panoramique 8 €, tarif réduit 6,50 €, musée seul 6,50 €, tarif réduit 5 €. Réservation obligatoire pour les groupes.
Le musée du Cinéma existe depuis 1953. Son nouveau siège a été inauguré en juillet 2000. Un ensemble spectaculaire et vertical de plusieurs étages reliés entre eux par un escalier-balcon panoramique. La visite du musée débute par les premières études sur l'optique, de 1600 jusqu'à nos jours. Suivent ensuite d'intéressantes expositions à thème, comme le théâtre des ombres, les boîtes optiques, les lanternes chinoises et la photographie. L'industrie cinématographique était très importante à Turin en 1900, mais la construction de Cinecittà déplaça le Centre de la cinématographie italienne à Rome. Turin était le siège d'importantes maisons de production, comme l'Italia Film de Pastrone, réalisateur du premier long-métrage italien, *Cabiria* (1914), le premier film muet italien, auquel collabora Gabriele D'Annunzio (dialogues).

■ PIAZZA CASTELLO

Bien qu'elle ne soit pas au centre de la ville, cette place de 40 000 m² est le véritable cœur de Turin. Aménagée en 1587 par l'architecte baroque Ascanio Vitozzi sur l'ordre de Charles Emmanuel Ier, elle est considérée comme le berceau de l'Unité italienne. Elle est enrichie de superbes monuments baroques, comme le Palazzo Madama et le Palais Royal. La caractéristique principale de cette place est sa parfaite homogénéité, rompue seulement en partie par le Palais Royal dont la hauteur dépasse légèrement celle des autres bâtiments. Les spécialistes d'ésotérisme considèrent la piazza Castello comme l'épicentre magique du triangle Turin-Lyon-Prague. Le point de la magie blanche se trouverait devant la grille en fer qui délimite le Palais Royal, dans l'espace compris entre les statues de Castor et Pollux. Mystère mis à part, la piazza Castello est un excellent point de repère pour visiter Turin.

TURIN, PIÉMONT ET VAL D'AOSTE

© TURISMO TORINO (ENIT)

© FOTOTECA ENIT - PHOTO BY VITO ARCOMANO

Église San Lorenzo en arrière-plan

De nombreuses artères conduisent en effet vers les points importants de la ville, et ici se trouvent rassemblés les sites et les musées du dénommé Polo Reale (Pôle royal). Il comprend en plus des résidences royales, l'Armurerie royale, la Bibliothèque royale, le Teatro Regio et l'église de San Lorenzo. Les arcades de la place sont le royaume des cafés historiques de la ville, comme le Caffé Mulassano, fréquenté par la Maison de Savoie, et le Caffé Baratti & Milano, un joyau de style Liberty.

■ PIAZZA SAN CARLO

Réalisée en 1640 par l'architecte Carlo di Castellamonte, elle fut utilisée initialement comme marché aux grains et place d'armes. Cependant, en raison de sa grâce incontestable, elle est devenue très rapidement la place préférée des familles nobles de Turin. La Piazza San Carlo est considérée comme le « salon » de Turin. Entourée par des superbes arcades sous lesquelles s'abritent les cafés historiques parmi les plus chic de la ville (Caffé San Carlo, Caffé Torino), elle accueille en son centre la statue équestre d'Emmanuel-Philibert de Savoie, le « caval d'bronz » comme on l'appelle en dialecte turinois, célébrant la bataille de Saint-Quentin. Admirez les deux belles églises jumelles d'époque baroque, l'église de Santa Cristina (façade de Juvarra) et celle de San Carlo. Enfin, cherchez les petites fresques consacrées au saint suaire situées aux quatre coins de la place.

■ QUADRILATÈRE ROMAIN

Juste derrière la Porta Palatina, délimité par le corso Regina Margherita, la via XX Settembre, le corso Valdocco et la via Garibaldi, s'étend ce quartier qui était encore malfamé y il a seulement dix ans. Réhabilité et rénové, il est devenu l'un des plus branchés de Turin. Ses palais médiévaux et baroques comme le palazzo Barolo, siège de grandes expositions temporaires et le palazzo Paesana di Salluzzo, cohabitent à présent avec des bars où il est bon de prendre l'apéro, des restaurants parmi les plus renommés de la ville et des boutiques tendance.

■ SAN LORENZO

Via Palazzo di Città, 4
Fax : 011 4361527
Ouvert de 7h30 à 12h et de 16h30 à 19h. Jours fériés de 9h à 13h, de 15h à 19h30 et de 20h30 à 21h45. Appelée également Real Chiesa di San Lorenzo, en raison de sa proximité avec le palais royal et de sa fonction de chapelle royale, cette église s'intègre si bien dans l'ensemble de la Piazza Castello, qu'elle passerait presque inaperçue. Sa façade austère donnant sur la place (ce qui indiquait à l'époque la soumission de l'Eglise à l'Etat) est cependant repérable grâce à la coupole, chef-d'œuvre baroque. Réalisée par le grand architecte Guarino Guarini, à la suite d'un vœu d'Emmanuel Philibert après la bataille de Saint-Quintin (10 août 1557), San Lorenzo présente un plan octogonal, autour duquel se greffent sept

chapelles votives et le maître-autel. Les jeux de lignes concaves et convexes donnent à l'édifice un dynamisme et une élasticité particuliers. La décoration interne est une explosion de couleurs, avec ses marbres polychromes, ses jeux de volumes et d'arcs audacieux créant des effets d'optique parfois impressionnants. On croirait presque reconnaître des yeux et des bouches de dragons dans la coupole !

■ VIA ROMA

La via Roma est à Turin l'équivalent des Champs-Elysées à Paris. Axe central de la ville, elle est un des lieux privilégiés par les Turinois pour la promenade et le shopping. Aménagée au XVIIe siècle, elle s'appelait autrefois Contrada Nuova, car elle reliait la Piazza Castello à une nouvelle enceinte de la ville, la Porta Nuova, qui fut remplacée en 1861 par la gare qui porte actuellement son nom. Aujourd'hui, avec ses beaux magasins, la via Roma est une rue commerçante très active. Sous ses arcades, on trouve les plus beaux magasins italiens et internationaux. Une partie de ces arcades, de style baroque, relie la piazza Carlo Felice à la piazza San Carlo. L'autre, qui va vers la piazza Castello, date des années 1930. Un immeuble de la même époque, de taille imposante et d'allure un peu triste, est visible à l'angle de la via Viotti. Il s'agit de la Torre Littoria, construite pour héberger le siège du Partit national fasciste, mais qui ne le devint jamais.

Le sud et le Lingotto

■ LINGOTTO

Via Nizza, 280 *Tram 1, 18. Bus 35.*
Réalisée par l'architecte Giacomo Matté Trucco entre 1917 et 1923, la première usine Fiat a été transformée par Renzo Piano en centre commercial et en centre d'exposition. Celui-ci abrite la collection d'objets d'art des Agnelli, léguée à la Ville de Turin. Montez ensuite au dernier étage pour jeter un œil sur l'ancienne piste d'essai des voitures Fiat. Sur la droite, on remarque une étrange construction en fer et acier en forme de bulle rappelant un vaisseau spatial : c'est la salle de conférences du Lingotto pourvue d'une piste d'atterrissage pour les hélicoptères.

Le Pô et la colline Superga

■ GAM (GALERIE MUNICIPALE D'ART MODERNE ET CONTEMPORAIN)

Via Magenta, 31 ℡ 011 4429518
www.gamtorino.it
Du mardi au dimanche 10h-18h. Fermé le lundi. Entrée 7,50 €, tarif réduit 6 €. Gratuit le premier mardi du mois. Visite guidée le dimanche. Une collection de 15 000 œuvres (seule une partie est exposée) d'artistes internationaux, italiens et piémontais du XIXe siècle à nos jours. Le 1er étage accueille des pièces, notamment des sculptures de Canova (Buste de Saffo, 1819), représentant la période allant de l'Ancien Régime au début du XXe siècle. Le 2e étage est consacré à plusieurs artistes turinois, comme Pellizza da Volpedo et le Groupe des Six (Chessa, Galante, Levi, Menzio, Paolucci, Boswell). On y trouve aussi un nombre impressionnant d'artistes contemporains italiens, comme le sculpteur Medardo Rosso, Modigliani, Sironi, De Chirico, Morandi, De Pisis, Felice Casorati, Lucio Fontana, Guttuso et des représentants du mouvement dit de « l'Arte Povera » dont Michelangelo Pistoletto est le principal acteur. Enfin, en ce qui concerne les artistes étrangers, Klee, Picasso, Léger et Chagall.

■ SHOPPING

Marchés

■ BALÔN ET GRAN BALÔN

Derrière Porta Palazzo
www.balon.it
Balôn tous les samedis. Gran Balôn tous les deuxièmes dimanches du mois.
Dans le quartier derrière les vestiges romains de la Porta Palazzo, une brocante et un marché aux puces existant depuis le XVIIIe siècle. Son nom s'explique par le fait que le quartier était autrefois l'endroit où l'on jouait au ballon.

Chaque deuxième dimanche du mois plus de 250 brocanteurs et antiquaires attirent encore plus de foule au Gran Balôn.

■ PORTA PALAZZO

Piazza della Repubblica
Du lundi au vendredi 8h30-13h30, samedi de 8h30-18h30.
Le plus grand marché alimentaire d'Europe. On y trouve d'excellentes spécialités italiennes et du monde entier. Bonnes occasions également pour l'habillement et les jouets.

Panier gourmand

Pâtisseries

■ GOBINO

Via Lagrange, 1 Via Cagliari, 15/b
✆ 011 5660707, 011 2476245
www.guidogobino.it
Du mardi au dimanche 10h-20h, lundi 15h-20h. Gobino est sans aucun doute, « le » chocolatier de Turin. Dans sa boutique ou dans son atelier, c'est un véritable éloge au goût qui vous attend. Ses espaces ont en effet été conçus en tant que points de vente et salons de dégustation. Essayez les *turinots* (mini *giandujotti* de 5 g), les pralines ou le chocolat à la coupe...

■ STRATTA

Piazza San Carlo, 191
✆ 011 547920
www.stratta1836.it
Ouvert de 9h30 à 13h et de 15h à 19h30. Fermé le dimanche et le lundi matin.
Réputé pour ses fondants au chocolat et pour ses marrons glacés (les meilleurs de la ville), c'est ici que Cavour passait commande pour ses réceptions en tant que ministre.

Glaciers

■ FIORIO

Via Po, 8 ✆ 011 8173225
www.fioriocaffegelateria.com
Ce café historique s'est fait une réputation non seulement parce que c'est ici que Cavour créa le club du Whist, mais aussi parce qu'on fait la queue sur le trottoir pour goûter ses glaces exquises. Le gianduya est divin !

Eataly

Eataly est le premier grand supermarché des aliments de qualité où l'on peut acheter, manger et apprendre. Inauguré en janvier 2007, ce mégastore, installé dans l'ex-usine de la firme Carpano, ancienne distillerie de vermouth, est une mine d'or de l'art culinaire. On peut acheter des produits introuvables dans les magasins habituels, labellisés Slow Food. On y trouve des zones dédiées à la viande et au poisson, à la charcuterie et aux fromages, aux légumes, aux vins et à la bière, au café et aux glaces, avec des étals pour les achats et des restaurants pour tous les goûts. Ces derniers ne servent que des produits sélectionnés. Offrez-vous une soirée culinaire au restaurant Le Terre di Savoia, ou mangez au GuidoperEataly – Casa Vicina, restaurant étoilé au Michelin qui se trouve près du rayon oenologie. Terminez enfin votre repas par une douceur chez Luca Montersino, maître pâtissier d'Alba qui tient la pasticceria du mégastore. Via Nizza 230, ✆ 011 19506801 - www.eatalytorino.it - ouvert tous les jours de 10h à 22h30.

Shopping sous les arcades de la Piazza San Carlo

■ PEPINO

Piazza Carignano, 8

✆ 011 542009

Du mardi au dimanche de 7h30 à minuit, le
dimanche de 7h30 à 20h.

Fondée en 1884, ce pâtissier-glacier est une
véritable institution à Turin, car c'est ici que
l'on inventa une des glaces les plus connues
des Italiens, le *pinguino*... Goûtez aussi au
mandarino, une mandarine de glace.

Outlets et grands magasins

■ 8 GALLERY LINGOTTO

Via Nizza, 230 ✆ 011 6630768

Magasins : le lundi de 14h à 22h, du mardi
au dimanche de 10h à 22h.

Centre commercial ouvert dans l'ancienne
usine FIAT dans le Lingotto. 90 magasins,
12 restaurants et bars, 11 salles de cinéma,
un supermarché.

■ SPORTS ET LOISIRS

Très lié au sport en raison de la présence
de deux équipes parmi les plus importantes
du football italien, la Juventus et le Torino,
Turin a aussi été ville olympique pour les jeux
Olympiques d'hiver de 2006.

Promenades en bateau

Pour profiter d'un parcours le long du Pô à
travers certains des lieux les plus caractéristiques de Turin, montez à bord de *Valentino*
et *Valentina*. Les deux bateaux (14 m,
100 passagers chacun) confortables et
équipés, parcourent le fleuve des Murazzi
au parc Valentino.

▶ **Parcours et horaires**. Le service de
ligne est géré toute l'année par la société
de transports turinoise GTT. Les détails des
jours et des horaires sont variables en fonction
de la saison. Renseignements au numéro
vert 800 019152, aux Services touristiques
011 5764733 / 750 ou bien sur le site www.
comune.torino.it/gtt/turismo/ sous la rubrique
« navigazione ». Montée et descente peuvent
s'effectuer aux embarquements de Murazzi,
Borgo Medievale et Italia '61.

Vélo

Turin est une ville facile et agréable à parcourir
à vélo, étant donné son étendue essentiellement en plaine. Plus de 120 km de pistes
cyclables traversent la ville et ses environs,
dont 40 km dans les parcs.

▶ **Location de vélo**. D'avril à octobre, la
municipalité de Turin offre un service de
location de vélos dans les parcs de Valentino,
Carrarra, Colletta, Ruffini, Millefonti, Suor
Michelotti, Colonnetti. Horaires : du mardi
au vendredi de 15h30 à 19h30, le samedi et
le dimanche de 10h à 20h. Tarifs : 1 heure
- 1 €, 3 heures - 2,10 €, 12 heures - 5 €,
week-end - 10,50 €, réduction de 50 %

pour les détenteurs de la Torino + Piemonte
Card. Renseignements www.comune.torino.
it/ambiente/bici/bici_parchi/

■ AMICI DELLA BICICLETTA

Via San Domenico, 28

✆ 011 5613059, 347 4054810

Réservation obligatoire. 10 € par jour, forfait
week-end 15 €.

Football

■ JUVENTUS F.C.

Corso Galileo Ferraris, 32

✆ 011 65631 – www.juventus.com

Le siège de la Juve vend également les billets
pour ses matchs.

■ STADIO OLIMPICO

Via Filadelfia, 88

✆ 011 44211

Bus 4, 10

Places en vente auprès des distributeurs
autorisés, 1h30 avant le match au stade même
et dans les tabacs.

Ce stade historique de Turin, construit en
1933 par décision de Mussolini, a été entièrement restauré à l'occasion des J.O. de
2006. Aujourd'hui, les deux clubs de la ville,
la Juventus et le Toro se partagent sa pelouse,
sous les cris encourageants des supporters
des deux équipes. Mieux vaut s'y prendre à
l'avance pour obtenir des places pour le derby,
toujours enfiévré.

■ TORINO F.C.

Via Arcivescovado, 1

✆ 011 19700348

www.torinofc.it

Siège du Torino Football Club et vente de
billets.

LES ENVIRONS DE TURIN

■ BASILIQUE DE SUPERGA
Strada Basilica di Superga, 73
℡ 011 8997456
www.basilicadisuperga.com
*De 9h30 à 19h (18h nov-fév). Tombes 4 €,
tarif réduit 3 €, idem pour les appartements
royaux. Coupole 3 €, tarif réduit 2 €. A 8 km
de la ville, on y accède par le tram 15, de la
Piazza Castello jusqu'à Sassi, puis avec un
funiculaire datant des années 1930 (départ
toutes les 30 minutes), ou par le bus 79. En
voiture prendre le Corso Casale jusqu'au bout
et suivre les panneaux.*
Œuvre de Juvarra (1731), la basilique est
située sur une colline de 670 m de haut, d'où
la vue est imprenable sur la ville et sur les
Alpes (les jours de beau temps, on aperçoit
même le Cervin, le mont Rose et le Grand-
Paradis). La basilique a été fondée à la suite
d'un vœu fait par Victor-Amédée II pendant
le siège français de Turin de 1706. Rousseau,
qui la visita, fut frappé par sa beauté. Ce qui
était pleinement justifié, car son pronaos à
8 colonnes surmontées d'une coupole de
65 m et ses deux clochers latéraux sont une
véritable prouesse architecturale.
A l'intérieur de l'ensemble, une crypte abrite
les tombes de la Maison de Savoie, depuis
celle de son fondateur jusqu'à Charles-Albert.
Les appartements qui se déploient autour d'un
cloître harmonieux, étaient employés lors
de brefs séjours des membres de la maison
royale. L'édifice abrite depuis sa fondation la
congrégation des Serviteurs de Marie, qui en
assurent l'entretien et les visites.

■ SACRA DI SAN MICHELE
Via alla Sacra, 14 Sant'Ambrogio di Torino
℡ 011 939130
www.sacradisanmichele.com
En voiture A32 Turin-Bardonecchia
direction Frejus, sortie Avigliana Est.
*De 9h30 à 12h et de 14h30 à 18h. D'octobre à
mars fermé le lundi et fermeture à 17h. Entrée
4 €, tarif réduit 3 €.*
Monument symbole de la région du Piémont,
cette incroyable abbaye perchée sur une
hauteur de 962 m d'altitude, vaut le chemin
en montée qui y conduit. Fondée à la fin du
Xe siècle, elle est devenue un important centre
de spiritualité et un carrefour d'échanges
culturels jusqu'au XIVe siècle. La basilique
actuelle reflète la progressive transformation
de l'art roman en art gothique. A admirer le
chœur du XIe siècle, de belles fresques, les
oratoires, l'hôtellerie qui accueillait les pèlerins
et la terrasse avec une très belle vue. L'abbaye
dispose de dix chambres pour qui désire faire
une retraite spirituelle.

■ VENARIA REALE
Piazza della Repubblica 4
Venaria Reale ℡ 011 4992333
www.lavenaria.it
En voiture A55 périphérique de Turin,
sortie Venaria. Bus 11, 72.
*Du mardi au jeudi de 9h à 16h30, le vendredi de
9h à 20h, le samedi de 9h à 22h, le dimanche
de 9h à 19h. Tarif château + jardins 12 €,
réduit et groupes 8 €.*
La Venaria Reale est l'une des plus vastes et
spectaculaires résidences royales d'Europe.
Etendue sur 80 000 m², l'ensemble se compose
du palais, des jardins, des écuries royales et
d'un bourg. Réalisé selon les plans d'Amedeo
di Castellamonte de 1658 à 1679, par volonté
de Charles Emmanuel II, le palais accueillit les
ajouts de grands architectes comme Alfieri,
Garove et Juvarra. Né en tant que demeure
de chasse (d'où son nom Vénerie), Venaria
devint un haut lieu de divertissement pour
la cour et un symbole de l'absolutisme de la
Maison des Savoie. L'ensemble rouvert depuis
peu, après huit ans de restauration, présente
régulièrement des expositions intéressantes
et des spectacles de son et lumière.

© CITTA DI TORINO (ENIT)

La galerie de Diane dans la Venaria Reale

Le Piémont

Il existe plusieurs bonnes raisons pour choisir de visiter le Piémont. Ne serait-ce qu'en raison de l'amour pour la montagne et pour le sport, mais aussi pour le tourisme culturel et gastronomique. En effet cette région n'est pas seulement le lieu où se trouvent les plus hautes cimes d'Europe, mais aussi l'endroit d'où proviennent parmi les meilleurs vins du monde, comme le barolo. C'est aussi la patrie du Slow Food, une tendance alimentaire qui recherche les meilleurs produits directement chez les producteurs et la meilleure façon de les assembler. Été comme hiver le Piémont est une région dynamique et hospitalière. En visitant le Piémont on a la sensation d'entreprendre un voyage dans le temps. En effet chaque localité recèle une extraordinaire concentra-tion de témoignages du passé, de l'époque romaine au Moyen Age, de la Renaissance à la Contre-Réforme et jusqu'à nos jours. Dans les vallées et autour de la chaîne alpine, on maintient encore des traditions très anciennes, comme la culture walser ou valdese. Mais le Piémont n'est pas uniquement une terre de montagnes. La région des lacs (Majeur et Orta, voir « Les Grands Lacs ») est célèbre pour son climat doux et pour sa richesse culturelle. Quant à la région des collines, elle est réputée dans le monde entier pour la qualité de ses vins et pour la beauté de ses paysages. Vous l'aurez compris : le Piémont est un paradis pour les sportifs, une mine d'or pour ceux qui ont soif de culture et un régal pour les gourmets et les amateurs de bons vins !

DU VAL SUSA AU VAL PELLICE

Turin peut se vanter d'être entouré d'un massif montagneux extraordinaire : environ 400 km, des Alpes maritimes au mont Rose.

Val di Susa, Val Chisone et Val Pellice sont riches de témoignages du passé, allant de la Préhistoire, en passant par les châteaux du Moyen Age et par les églises et monastères de toutes les époques. Été comme hiver, ces vallées sont des régions dynamiques et hospitalières aussi bien pour les passionés de culture que pour les amateurs de sports. En hiver, la chaîne alpine se transforme en l'un des plus grands domaines skiables d'Europe.

En été, elle devient un paradis pour les randonnées, le canyoning et l'alpinisme.

SUSA

« Capitale » des vallées olympiques, Susa est une ville d'origine romaine, appelée « la clé d'Italie », à cause de sa position stratégique. De superbes montagnes entourent la vallée, au centre de laquelle se découpe le Rocciamelone. La zone archéologique montre de nombreux témoignages d'un passé glorieux qui remonte à la Rome antique, à l'époque celtique, aux fastes du Moyen Age, à l'architecture romane, pour arriver à nos jours avec les forts militaires du siècle dernier. Se promener dans Susa, c'est comme feuilleter un livre d'histoire : amphithéâtre romain, arc d'Auguste, Porta Savoia, château de la comtesse Adélaïde, cathédrale de San Giusto…

Transports – Pratique

▸ **Voiture**. 53 km de Turin, A32.

▸ **Train**. Torino Porta Nuova - Susa, trains toutes les heures.

■ **OFFICE DU TOURISME**
Corso Inghilterra, 39
✆ 012 622447
www.montagnedoc.it

Les immanquables du Piémont

▸ **Skier** sur les pistes infinies du domaine de la Via Lattea.

▸ **Se laisser impressionner** par les forts monumentaux d'Exilles, de Chaberton et de Fenestrelle.

▸ **Déguster** les spécialités culinaires des Langhe : truffes blanches, escargots, noisettes, fromages…

▸ **Se perdre** entre les vignobles des Langhe et du Roero, et s'arrêter pour une dégustation dans une des meilleures caves.

Hébergement

■ B&B RICHI

Via Conte San Sebastiano, 18
✆ 0122 31515, 338 2201983
www.richi.to –richi@richi.to
Simple 30-35 €, double 50-60 €.
B&B propre et tranquille près du fleuve.
Décoration simple mais sympathique.

■ NAPOLEON

Via Mazzini, 44
✆ 0122 622855
Fax : 0122 31900
www.hotelnapoleon.it
hotelnapoleon@hotelnapoleon.it
Simple 68-78 €, double 88-100 €.
Hôtel 3-étoiles en centre-ville, géré par
la famille Vanara depuis 1970. Ambiance
accueillante et chaleureuse et très bon rapport
qualité/prix.

Restaurant

■ MEANA

Piazza IV Novembre, 2
✆ 122 32359
Repas 25-35 €. Fermé le mercredi.
Cuisine piémontaise de qualité, pour ce
restaurant qui se vante de posséder une
intéressante collection de très rares bouteilles
de liqueurs. Des dégustations sont possibles
dans la cave.

ABBAYE DE NOVALESA

Sur la route du Mont-Cenis, Novalesa est un
charmant bourg médiéval connu pour être
entouré de cascades, mais surtout pour son
abbaye fondée en 726, l'un des plus importants témoignages historiques et artistiques
des Alpes occidentales. Confiée au bénédictins, elle fut occupée par les Sarrasins en 906.
L'église reconstruite en 1712 possède des
belles fresques du XVe siècle. La chapelle de
S. Elrado et S. Nicola est décorée de très belles
fresques du XIe siècle. C'est encore aujourd'hui
un monastère bénédictin en activité, qui vend
ses propres produits (✆ 0122 653210, www.
abbazianovalesa.org).

FORT D'EXILLES

Dans la petite ville médiévale d'Exilles, l'imposante forteresse construite en position
stratégique au centre de la vallée, entre le
XVe et le XVIIIe siècles s'impose au visiteur. La
construction actuelle, édifiée après la démolition ordonnée par Napoléon, en reconstitue
les nombreux agrandissements, qui couvrent
près d'un millénaire d'une histoire faite de
batailles pour la possession de ce roc disputé
entre la Savoie et le Dauphiné. Le musée
consacré à l'architecture militaire retrace
les différentes étapes de la construction du
fort, tandis que la vie de ceux qui ont vécu à
l'intérieur de ces murs imposants est évoquée
de façon vivante par une exposition consacrée
aux troupes alpines (✆ 0122 58270 - www.
fortediexilles.it).

BARDONECCHIA

Surnommé en Italie « la Perle des Alpes »,
Bardonecchia est à 1312 m d'altitude. Sa
fière devise, « Seigneur de soi-même », peut
s'expliquer par sa situation isolée. La plus
ancienne mention de Bardonèche date de
1001. Au XVe siècle, Bardonnèche appartenait
avec Oulx aux territoires italiens de la république des Escartons de Briançon, reliée à la
ville par le col de l'Echelle (ouvert seulement
en été). L'ouverture du tunnel du Fréjus en
1871 a transformé Bardonnèche en une des
premières stations de ski italiennes, avec
les pistes de Melezet, Jafferau et Colomion-
Campo Smith. A l'occasion des J.O. 2006, un
village olympique et une piste de snow-board
ont été aménagées. En vous promenant dans
la ville haute vous rencontrerez de typiques
maisons alpestres, ainsi que des cadrans
solaires au charme particulier. Arrêtez-vous
également admirer l'église de Saint-Hyppolite
et la caractéristique tour d'Amoun. Après avoir
desserré vos chaussures de montagne, vous
pourrez prendre l'apéritif traditionnel dans la
rue Medail et faire du lèche-vitrine dans les
rues commerçantes.

Transports – Pratique

▶ **Voiture.** De Turin A32 (115 km), depuis la
France par le tunnel du Fréjus et l'autoroute
Modane-Lyon-Paris.

▶ **Train.** TGV Paris-Milan, depuis Turin
plusieurs trains par jour.

■ OFFICE DU TOURISME

Piazza De Gasperi 1/A
✆ 0122 99032
www.turismotorino.org

Hébergement

■ EUROPA

Via La Rho, 80/82

✆ 0122 901444
Fax : 0122 901446
www.heuropa.com
europa@heuropa.com
Simple 53-55 €, double 63-73 €.
Agréable 2-étoiles à 350 m du vieux bourg
où se trouvent les premières boutiques.
42 chambres confortables. L'hôtel possède un
agréable jardin, un restaurant et un bar.

■ I LARICI
Via Montenero, 28
✆ 0122 902490
Fax : 0122 907840
www.hotelilarici.com
info@hotelilarici.com
Simple 43-67 €, double 72-122 €.
Hôtel 3-étoiles à 200 m de la gare et tout près
de l'arrêt du ski-bus. Belle terrasse entourée
par un vaste jardin, petite salle de sport,
sauna, Jacuzzi et parking privé.

Restaurant

■ LOCANDA BIOVEY
Via General Cantore, 2
Repas 35-50 €. Fermé le mardi soir.
Dans le centre historique, cette auberge-
restaurant vous propose des plats régionaux
savoureux. Une cuisine du marché au fil des
saisons. Goûtez la polenta.

SAUZE D'OULX

Le lieu tient son nom des nombreux saules
qui poussent dans la région. Appartenant à
la France, il fut cédé au Dauphiné en 1343, et
par la suite passa sous le pouvoir des Savoie
en 1713. En 1747, il fut la base de la retraite
française après la bataille de l'Assiette. En
vous promenant dans la ville vous remarquerez
plusieurs fontaines anciennes au charme
évocateur. Ne manquez pas de visiter la très
belle église de Saint-Jean-Baptiste (1532)
avec ses flèches de clocher qui s'élancent
dans le ciel.
Berceau du ski italien, introduit en Italie par
l'ingénieur suisse Adolfo Kind en 1896, à
l'occasion des J.O. des 2006, c'est ici que se
sont déroulées les compétitions de freestyle.
Les pistes de Sauze sont aussi renommées
pour l'excentricité des skieurs qui y défient
les froides températures d'hiver, flambeaux à
la main, vêtus de façon amusante et originale.
Une suite de fêtes, d'animations et de musique
anime cette station de ski, la plus internationale de ces vallées. Après le ski, vous
pourrez profiter de l'ambiance festive au bar

Miravallino, avant de passer des pistes de ski
au pistes de danse à l'Osteria dei Vagabondi
ou chez Clarabella.

CLAVIÈRE

Clavière forme avec les communes de Cesana
Torinese, San Sicario, Montgenèvre et Sauze
d'Oulx l'un des plus beaux domaines skiables
des Alpes, la Via Lattea (✆ 0122 799411 -
www.vialattea.it). Très fréquenté hiver comme
été, l'altitude et l'exposition garantissent des
conditions optimales d'enneigement pour les
pistes de ski.

■ FORT CHABERTON
www.fortechaberton.com
Bâti en 1898 pour assurer la défense de
la frontière occidentale italienne, contrairement aux autres forteresses d'altitude,
sa batterie fut constamment chargée, sauf
entre 1915 et 1918. En hiver, la forteresse
était surveillée par une patrouille de trente
chasseurs alpins, tandis que, pendant la belle
saison, la surveillance était assurée par des
artilleurs. Les sévères clauses du traité de paix
de 1947 attribuèrent les ruines de la forteresse
et une bonne partie du mont Chaberton à la
France. Les maisonnettes et les restes des
fûts rouillés des canons ont été entièrement
démolis en 1957. Aujourd'hui, seules les ruines
de ses huit tours témoignent encore de ce
qu'avait été, au tout début de 1900, la plus
haute forteresse d'Europe. En été, la montée
jusqu'à la forteresse est possible, mais la
visite de l'intérieur est déconseillée à cause
du mauvais état des ruines.

SESTRIÈRE

Cette petite ville piémontaise est l'une
des capitales internationales du ski et des
vacances d'hiver au cœur du domaine de la
Via Lattea. Construite de toute pièce par la
famille Agnelli en 1934, elle a été transformée
en station de ski VIP avec des hôtels et des
restaurants luxueux. Elle dispose de 400 km
de pistes de ski alpin et de 92 téléphériques.
Ceux qui préfèrent d'autres sports trouveront
un terrain de golf, une piscine découverte, un
lac artificiel où pratiquer la pêche sportive
ainsi que de nombreux autres loisirs. Pour
un agréable séjours nous vous conseillons
de loger à l'hôtel Banchetta (✆ 0122 70307),
l'un des premiers hôtels de la station. Pour
dîner ensuite, allez au restaurant La Tana
della Volpe (✆ 335 362054), on y jouit d'une
splendide vue sur les montagnes.

Le marquis de Louvois et la légende du Masque de Fer

Le marquis de Louvois, ministre de la guerre de Louis XIV, se rend à Pignerol pour suivre l'affaire liée à un mystérieux personnage jamais identifié, le Masque de Fer, un prisonnier d'Etat dont le visage était couvert d'un masque en velours noir fermé par des bandes d'acier. Ici, le ministre aurait informé le prisonnier sur les dernières volontés de la reine Anne d'Autriche, volontés dont il ne reste aucun compte rendu de nos jours. Tous les premiers week-ends d'octobre se déroule à Pinerolo une évocation historique consacrée au Masque de Fer. Au programme : danses, joutes, duels et défilés.

Et pour finir, partez danser au Tabata, la plus célèbre boîte de nuit de la vallée.

■ RENT & GO
Via Pinerolo, 2
✆ 0122 755366

■ SANT' EDOARDO
Cette curieuse église moderne fut commandée par Giovanni Agnelli, fondateur de Fiat, qui la consacra à la mémoire de son fils Edoardo, mort dans un accident d'avion en 1935. Elle est restée la propriété privée de la famille Agnelli jusqu'en 1991. L'autel est soutenu par une colonne en albâtre datant du Ier siècle et provenant du Vatican. Sur le portail, on peut remarquer des agneaux, claire référence au nom de la famille turinoise. On y voit aussi représentés les sept enfants d'Edoardo Agnelli. L'église abrite aussi quelques œuvres d'artistes contemporains, telle cette magnifique Via Crucis, en bronze, de Francesco Messina.

PINEROLO

Pinerolo (ou Pignerol, en français) est un bourg ancien, situé entre les vallées de Chisone et de Pellice, sur la route vers la France. Fondé en 1044 par Adélaïde de Savoie, il devient au XIIe siècle la capitale des possessions savoyardes au-delà des Alpes. Mais en 1400 la ville perd de son importance au profit de Turin, qui devient capitale du duché de Savoie en 1431.

Intéressé par sa position stratégique, François Ier l'occupe en 1536 et, en 1630, le cardinal de Richelieu la fait fortifier par l'architecte Vauban, qui construit une célèbre forteresse sur les hauteurs de la ville. Prison française qui accueillera, entre autres, Fouquet et des personnages de légende comme le Masque de Fer, cette forteresse sera ensuite détruite. Napoléon l'occupera de 1798 à 1814. A partir de cette date, l'histoire de la ville se confond avec celle de l'Italie unifiée. Pignerol est actuellement le chef-lieu administratif et commercial du Val Chisone.

Transports – Pratique

▶ **Voiture**. De Turin A55 (50 km).

▶ **Train.** Torino Porta Nuova - Pinerolo, départs touts les heures (47 minutes).

■ OFFICE DE TOURIME
Viale Giolitti, 7/9
✆ 0121 795589

Hébergement

■ AGRITURISMO TORRIONE
Via Galoppatoio, 20
✆ 0121 322616
Fax : 0121 32335
www.iltorrione.com
info@iltorrione.com
Simple 50-70 €, double 90-120 €.
Ancienne résidence de campagne des marquis Doria Lamba où vous aurez la possibilité de passer un agréable séjour dans des chambres qui mélangent le confort moderne au charme d'une atmosphère d'antan. Magnifique parc aménagé par Xavier Kurten, jardinier à la cour de Savoie au XIXe siècle.

■ CASA CARLA
Via Costagrande, 51
✆ 0121 322195
www.bbcasacarla.it
Simple 39 €, double 64 €.
Ancienne villa du début du siècle dernier. Sur deux étages et entourée par un grand jardin.

Restaurants

■ LOCANDA DELLA CAPRERIA OCCITANA
Via Nazionale, 370/
Abbadia Alpina
✆ 0121 201139
Un grand buffet de fromages et de plats à base de viande de chèvre, de bonnes soupes de céréales et de légumes forme l'essentiel de la cuisine de ce restaurant, qui l'élabore à partir de ses propres produits.

■ **PERBACCO**
Piazza San Donato, 8
℗ 0121 397487
Repas 20-30 €. Fermé le lundi.
Pour déguster les produits typiques de la région élaborés selon des recettes originales et savoureuses.

Points d'intérêt

■ **DUOMO**
Datant du XIe siècle, cette église est principalement de style baroque. Le clocher, construit en 1425, est inachevé. Les habitants de Pinerolo l'appellent affectueusement *ciochè moc*, clocher aputé en patois, en raison de l'absence de sa flèche, jamais terminée.

■ **FORTERESSE DE FENESTRELLE**
Via del Forte
Fenestrelle
℗ 012 183600
www.fortedifenestrelle.com
Il s'agit de la plus grande forteresse d'Europe, une œuvre colossale qui grimpe sur la crête du mont Orsiera sur 3 km et qui domine la vallée de Chiosone. C'est Victor-Amédée II de Savoie qui fit construire la forteresse en 1727, mais elle n'a jamais eu à faire la preuve de ses qualités défensives. Napoléon l'occupa en 1798 et l'utilisa comme prison. La « Promenade royale », visite guidée d'une journée, vous en dévoilera les coins les plus secrets. Le fort sert également de cadre à des représentations théâtrales spectaculaires.

■ **MUSEE NATIONAL DE LA CAVALERIE**
Via Giolitti, 5
℗ 012 1376344
Du mardi au jeudi de 9h à 11h30 et de 14h-16h, le dimanche de 10h à 12h et de 15h à 18h.
Ce musée est rattaché à la prestigieuse école militaire de cavalerie qui y transféra son siège depuis Turin à la moitié du XIXe siècle. C'est l'une des plus riches collections d'armement d'Europe, allant du XVIe siècle à la Deuxième Guerre mondiale.

TORRE PELLICE

Edmondo de Amicis l'a appelée la « Genève italienne ». Cette petite ville riante du val Pellice est considérée par tous les Vaudois du monde comme leur capitale. Dans le quartier vaudois on trouve un temple, un centre culturel, une bibliothèque, un collège, un musée et d'autres témoignages originaux et raffinés de la culture vaudoise (www.fondazionevaldese.org). Les expositions, les réunions du synode vaudois et autres manifestations font de Torre Pellice une ville d'un intérêt tout particulier. Il faut rappeler qu'elle est le point de départ de charmantes excursions le long de torrents et de forêts de hêtres, qui vous conduisent parfois sur des sommets élevés comme le mont Vandaline (2 121 m). Val Pellice tire beaucoup de son charme de son caractère singulier. L'empreinte de la région vaudoise, rare exemple de confession protestante en Italie, a caractérisé la culture de cette vallée, sa façon de bâtir les maisons et les plats typiques de sa tradition basés toujours sur la simplicité des ingrédients et des préparations. Une culture très forte, donc, et étroitement liée à son territoire, une vallée verte et accueillante, offrant d'innombrables coins uniques.

TURIN, PIÉMONT ET VAL D'AOSTE

▬ LANGHE ET ROERO ▬

En dialecte piémontais *langa* désigne le profil des douces collines qui caractérisent ce paysage entre Cuneo et Alba, à une cinquantaine de kilomètres de Turin. L'appellation « Roero » fait référence à la noble famille qui régnait sur ces terres, pour la plupart au nord-ouest d'Alba. Cette région possède, dans le cadre enchanteur de vallons généreux, certains parmi les meilleurs vignobles d'Italie et d'autres trésors culinaires comme la truffe blanche et la noisette ronde.

Paradis perdu de l'écrivain Cesare Pavese, le paysage des Langhe est l'un des plus beaux et des plus évocateurs du Piémont. C'est une région aux riches témoignages de culture paysanne, ainsi qu'au charme aristocrate, dont témoignent les puissantes forteresses et les belles demeures seigneuriales dans les bourgs et au milieu des vignobles. En effet, avant de faire partie des possessions des Savoie en 1738, les différents fiefs étaient constamment confrontés l'un à l'autre.

Les vins piémontais

La production vinicole piémontaise est parmi les meilleures du monde. Barolo, nebbiolo et barbaresco sont des rouges au goût puissant, idéals pour accompagner les viandes rouges et les fromages à pâte dure que l'on fabrique dans la région. Le dolcetto, dont le plus connu vient d'Alba, et le barbera, plus léger et vivace, sont des vins rouges adaptés à tous les plats. Un vin qui accompagnera parfaitement la *bagna cauda* est le rosé grignolino, tandis que favorita, gavi et arneis, sont des blancs parfaits pour les plats de poisson. Pour l'apéritif choisissez le spumante d'Asti, célèbre mousseux italien et pour le dessert le muscat de Monferrato.

Pour profiter pleinement de ces lieux, nous vous conseillons d'y passer quelques jours avant ou après une visite à Turin. Cette campagne conjugue la douceur des paysages et la beauté de l'architecture accompagnées par le sens de l'hospitalité de ses habitants et par l'ambiance festive qui règne dans les caves et dans les restaurants, surtout pendant les vendanges et les festivals culinaires.

ALBA

D'origine celtique et ligure, ville romaine de première importance, Alba a maintenu un tissu urbain moyenâgeux en forme d'escargot qui garde de nombreux vestiges d'art et d'architecture. En apercevant Alba de loin, le visiteur restera frappé par l'ensemble de hautes tours qui se dessinent à l'horizon. Construites entre le XIIIᵉ et le XIVᵉ siècle, elles étaient autrefois plus nombreuses et valurent à Alba l'appellation de « ville aux cent tours ». Dans les années 1960, la ville a été le témoin d'un intense développement industriel dans les secteurs du textile, de la pâtisserie (le célèbre chocolatier Ferrero est d'ici) et de l'imprimerie. Aujourd'hui Alba est surtout célèbre pour être la capitale de la truffe blanche, dont les amateurs de champignons viennent chaque année fêter la récolte en automne.

Transports – Pratique

▶ **Voiture**. De Turin A6 en direction de Savona, poursuivre sur la A33 vers Asti, à la rotonde prendre la 2ᵉ sortie vers Regione Piana SP7 et poursuivre jusqu'à Alba (62 km).

▶ **Train**. Torino Porta Nuova - Alba (1 heure 40), changement à Asti ou à Cavallermaggiore.

■ **OFFICE DU TOURISME**
Piazza Risorgimento
℃ 0173 35833 – www.langheroero.it

Hébergement

■ **CORTILETTO D'ALBA**
Corso Coppino, 27 ℃ 0173 366005
www.cortilettodalba.com
info@cortilettodalba.com
Simple 60-75 €, double 85-100 €, petit déjeuner 5 €. A deux pas du centre-ville, cet hôtel 3-étoiles allie tradition et modernité. Les chambres récemment rénovées sont douées de tout confort, et un très bon restaurant vous attend dans les anciennes caves.

■ **LOCANDA DEL BARBARESCO**
Fraz. San Rocco Seno d'Elvio, 2
℃ 0173 366734
www.locandadelbarbaresco.it
info@locandadelbarbaresco.it
Simple 40 €, double 55-65 €.
Ce B&B charmant est le lieu idéal pour qui désire allier tourisme culturel, sport et détente. A 4 km d'Alba, une ancienne école dans une villa en style Liberty offre des chambres simples mais confortables.

■ **PALAZZO FINATI**
Via Vernazza, 8
℃ 0173 366324
Fax : 0173 33836 – www.palazzofinati.it
albergo@palazzofinati.it
Simple 120-200 €, double 150-200 €.
Ancienne demeure du XIXᵉ siècle dans le centre historique d'Alba, Palazzo Finati allie élégance et bon goût avec un service impeccable.

Restaurants

■ AL BUON TEMPO

Via Cuneo, 3 ✆ 0173 442980
Repas 20-25 €. Fermé le jeudi.
Une osteria traditionnelle dans le centre historique. Vous y dégusterez une cuisine piémontaise simple et savoureuse en terrasse ou dans la belle salle voûtée du sous-sol. Spécialité : la *pasta e fagioli*.

■ ENOCLUB

Piaza Savona, 4 ✆ 0173 33994
Repas 40 €. Fermé dimanche soir et lundi.
Dans les caves du palais du Caffé Umberto I, ce restaurant est aujourd'hui le siège de l'Enoclub, l'ambiance fraîche et soignée rappelle les cathédrales du vin. Impossible ne pas se laisser tenter par les délices locaux : tajarin à la truffe blanche et joue de veau au barolo.

■ OSTERIA DEI SOGNATORI

Via Macrino, 8 ✆ 0173 34043
Repas 20-30 €.
En rentrant dans ce petit bistrot vous aurez l'impression de remonter le temps et d'être un personnage d'un roman de Cesare Pavese dans le Piémont d'avant-guerre. Produits saisonniers pour une cuisine typique des Langhe.

Points d'intérêt

■ DUOMO

Dédiée à saint Laurent, la cathédrale d'Alba est une reconstruction de 1486 d'un précédent édifice roman. La nouvelle structure en style gothique lombard conserve cependant les trois portails romans et le clocher de XIe siècle. A l'intérieur, superbe travail de marqueterie sur les stalles en bois du début du XVIe siècle.

■ GRINZANE CAVOUR

Le château de Grinzane Cavour, à quelques kilomètres d'Alba, s'impose par son allure de forteresse au milieu des vignobles. Depuis le XIIe siècle, il a appartenu aux plus grandes familles de la région, jusqu'à son dernier propriétaire, le conte Camillo Cavour, célèbre homme d'Etat italien mais également innovateur en matière agricole : c'est à lui qu'on doit l'introduction de nouvelles techniques de vinification. Chacun de ses occupants se chargea de rendre le château davantage édifice de plaisance que bâtiment militaire. Le plus beau témoignage en est le salon des masques, salle où a lieu aujourd'hui la cérémonie du Prix Grinzane Cavour, un des plus importants prix littéraires italiens. Le château est le siège de l'œnothèque régionale piémontaise et abrite d'intéressantes collections ethnographiques.

■ SAN DOMENICO

Important témoignage d'art roman, l'église San Domenico a été construite par les dominicains entre le XIIIe et le XIVe siècle, et remaniée à plusieurs reprises par la suite. Au dessus du portail, délicate représentation d'une Vierge à l'Enfant entre san Domenico et santa Caterina.

■ VIA VITTORIO EMANUELE

Principale artère de la ville, qui réunit boutiques et magasins de mode et plusieurs témoignages de belles demeures anciennes. Vous remarquerez au n°16-18 le palazzo Belli et au n°11 la frise de Casa Fontana.

Manifestations

▶ **Foire nationale de la truffe**. Octobre. Un évènement très attendu, qui met à l'honneur le produit par excellence de cette région. Expositions, dégustations, conférences autour du précieux champignon www.fieradeltartufo.org.

▶ **Palio degli asini**. Cette spirituelle compétition d'ânes, qui remonte à 1275, inaugure désormais la foire de la truffe. Elle est précédée par un cortège en costume du Moyen Age trés évocateur appelé la Giostra delle Cento Torri.

BARBARESCO

Perle du monde œnologique, Barbaresco frappe les visiteurs par le charme de ses ruelles et par le paysage enchanteur que l'on aperçoit depuis sa hauteur. De loin, une tour du XIIe siècle désormais isolée est le seul vestige d'une plus grande structure défensive. Parmi les meilleurs producteurs du célèbre vin, arrêtez-vous chez les Produttori del Barbaresco le temps d'une dégustation (✆ 0173 635139).

CHERASCO

Cherasco est une petite ville médiévale couchée sur un éperon qui regarde les Langhe. Elle a été fondée en 1243 par Alba, dans le but de contraster l'expansion politique et économique d'Asti. Occupée par les Anjou et par les Visconti, elle passe aux Savoie avec le traité de Cateau-Cambrésis. A Cherasco, la cour vint se réfugier en 1706, alors que Turin était assiégé par les armées franco-espagnoles, en apportant avec elle le saint suaire.

En 1796, c'est ici que fut signée l'armistice entre le troupes des Vittorio Amedeo III et les Français, en marquant la victoire de Napoléon. De très beaux monuments civils et religieux ornent la ville, en particulier le sanctuaire de la Madonna del Popolo (1709), le palais communal du XIVe siècle et l'arc du Belvedère (1667). Aujourd'hui Cherasco est la capitale de l'escargot, délicieux mollusque décliné en toutes les sauces dans les trattorie locales. Les premiers dimanches d'avril, de septembre et de décembre, une importante foire aux antiquaires rassemble les amateurs de meubles anciens.

LA MORRA

La Morra est une des capitales reconnues du barolo. Du haut d'une petite hauteur, la ville domine un paysage enchanteur fait de vignobles et de châteaux. C'est un point de départ pour suivre un parcours œnologique le long des sentiers du barolo. La ville d'originie moyenâgeuse, présente un plan en éventail. En vous promenant dans ses ruelles vous découvrirez maisons et palais anciens qui ont conservé le charme d'antan (Casa Boffa) et plusieurs églises en style baroque piémontais (San Martino, Confraternita di San Sebastiano, Confraternita di San Rocco). Depuis la piazza Castello, vous jouirez d'un des plus beaux panorama d'Italie : la vue s'étend sur toutes les Langhe jusqu'aux Alpes maritimes. En été, il est même possible d'admirer ce spectacle à 360° depuis la tour du campanile (1710).

Hébergement

■ BRICCO DEI COGNI
Loc. 39 Fraz. Rivalta

✆ 0173 509832, 335 6497532
www.briccodeicogni.it
info@briccodeicogni.it
Simple 67-97 €, double 77-107 €, petit déjeuner 7,50 €.
Ambiance chaleureuse et accueillante pour cette maison de campagne où l'on vous reçoit avec un verre de barolo comme signe de bienvenue. Six chambres meublées avec beaucoup de bon goût avec du mobilier d'époque. Une belle piscine vous attend, au retour de vos balades viticoles.

■ CORTE GONDINA
Via Roma, 100 ✆ 0173 509781
Fax : 0173 509782 – www.cortegondina.it
info@cortegondina.it
Simple 90-115 €, 115-140 €. Parking.
Le charme d'une vielle demeure, la fraîcheur d'une piscine illuminée, le délicieux petit déjeuner en terrasse, la courtoisie des gérants... Tous les ingrédients sont là pour faire de Corte Gondina un lieu calme et agréable afin de profiter au mieux d'un séjour dans les Langhe.

Restaurants

■ BOVIO
Via Alba, 17 bis ✆ 0173 590303
Repas 35-45 €. Fermé mercredi soir et jeudi.
Ambiance élégante et informelle, pour ce restaurant géré par la famille Bovio, une des plus vielles familles de restaurateurs du Piémont. La carte des vins compte plus de 500 références.

■ VINERIA SAN GIORGIO
Via Umberto I, 1 ✆ 0173 509594
Repas 10-20 €. Fermé le lundi.

Les châteaux du Roero

Entre Bra et Asti (E74), de splendides demeures patriciennes s'élèvent au milieu des vignobles. Symboles d'une vie de plaisance au cœur du Roero, elles sont aujourd'hui ouvertes à la visite, mais selon des horaires variables. Nous vous conseillons de vous renseigner par avance.

▶ **Guarene**. Grandiose édifice baroque, réalisé sur les plans du comte Carlo Giacinto Roero (1726-1778). Conserve d'intéressantes salles XVIIIe siècle, comme la chambre à coucher chinoise (✆ 0173 611103).

▶ **Magliane Alfieri**. Construit en 1647 par le comte Catalano Alfieri, en dépit des dégradations subies au cours du temps, il conserve certains éléments baroques remarquables (✆ 0173 66117).

▶ **Govone**. Edifié selon les plans de G. Guarini (1678), ce palais baroque devint par la suite résidence royale. Rousseau y séjourna, alors qu'il était au service du seigneur de Govone (✆ 0173 59103).

© AUTHOR'S IMAGE

Campagne piémontaise

D'anciennes caves servent de cadre à cette œnothèque caractéristique qui réserve de vraies surprises culinaires. Un vaste choix de vins (goûtez au dolcetto d'alba, un vin « à manger ») accompagne de délicieuses assiettes de charcuterie et de fromages, tajarin et raviolis, rôtis et *bagna cauda*.

Shopping

■ CANTINA COMUNALE
Via C. Alberto, 2 ✆ 0173 509204
Tous les jours de 10h à 12h30 et de 14h30 à 18h30. Fermé le mardi.
Depuis 1973, cette cave située dans un palais du XVIIIe siècle offre un vaste panorama de la production vinicole des Langhe à des prix extrêmement compétitifs. Dégustations.

BAROLO
Ce bourg a donné son nom à l'un des vins les plus prisés au monde. A ne pas manquer : une visite aux Cantine dei Marchesi di Barolo (✆ 0173 564444) et au très original musée du Tire-bouchon, qui présente une collection de plus de 500 exemplaires du XVIIIe siècle à nos jours (www.museodeicavatappi.it).

BRA
Bra est un petite et paisible ville du Piémont, qui semble s'être entièrement dédiée au plaisir du bon vivre. Développée au XIe sicècle, longtemps soumise, c'est en 1559 qu'elle devient possession des Savoie. Bra possède d'importants témoignages d'art baroque dont l'église Sant'Andrea, construite probablement par Guarini en 1632. Plusieurs édifices Renaissance et baroques ornent la ville, spécialement le long de l'artère principale Via Vittorio Emanuele. Mais si Bra peut se vanter d'un glorieux passé, sa célébrité se poursuit de nos jours. C'est ici qu'est née en 1989 Slow Food (www.slowfood.com), une association à but non lucratif dont l'objectif est de contrer le fast-food pour enrayer la disparition des traditions gastronomiques locales et le manque d'intérêt des gens pour la nourriture. Une tendance qui gagne de plus en plus de succès dans le monde entier. Dans le même cours du siège de Slow Food, se trouve l'Osteria Boccondivino (Via Mendicità, ✆ 0172 425674), premier restaurant slow food, qui propose une excellente cuisine simple et savoureuse à des prix très modiques, dont vous n'oublierez pas rapidement le *vitel tonné* et le *stracotto in umido*. Pour compléter votre visite, vous pourrez dormir juste en face, au sympathique B&B L'Ombra della Collina (✆ 0172 44884 ou 328 9644436), une vieille maison populaire réaménagée avec charme, où le petit déjeuner se prend dans les vielles écuries.

POLLENZO
A 5 km de Bra (SS231/SP7), Pollenzo, ancienne ville romaine, fut pendant longtemps le lieu favori pour les rendez-vous galants du roi Charles-Albert. Aujourd'hui, la ville est le siège de l'université des Sciences gastronomiques, nouveau pôle du système agroalimentaire italien et international. A ne pas manquer : le prestigieux restaurant étoilé Guido (✆ 0172 458422) et la Banque du vin (réservation conseillée ✆ 0172 458418).

Val d'Aoste

Au nord du Piémont, le Val d'Aoste est une région autonome d'Italie, à laquelle le tourisme a apporté d'énormes richesses. Cela a commencé il y a plus de deux siècles, le 8 août 1886, quand un médecin de Chamonix, le docteur Paccard, s'écria : « Nous sommes immortels ! », en agitant son piolet. Il était 18h : avec son ami Balmat, il venait de poser le pied, premier mortel, sur le sommet du mont Blanc. Dans le val d'Aoste, tout le monde parle le français qui est enseigné de pair avec l'italien. Par-delà les sommets alpins, les plus hauts d'Europe, qui dominent la vallée, la distance n'est pas grande entre la France (par le tunnel du Mont-Blanc), la Suisse (par le tunnel du Grand-Saint-Bernard), et l'Italie. L'histoire a laissé des signes tangibles à Aoste, fondée par les Romains, ainsi que dans les châteaux de la vallée dont l'origine remonte au Moyen Age, quand beaucoup de familles nobles, vassales des ducs de Savoie, régnaient sur de multiples petits fiefs.

En 1416, la vallée devint duché, avec un gouvernement politique autonome et ses propres lois émanant de l'Assemblée des Etats généraux. Le problème de l'autonomie vis-à-vis de L'Italie fut soulevé à maintes reprises. Cette très ancienne aspiration a trouvé satisfaction dans le Statut spécial du 26 février 1948, qui reconnaît à la vallée d'Aoste une autonomie législative et administrative particulière, ainsi que certains avantages économiques et fiscaux. Le val d'Aoste est aujourd'hui régi par un Parlement au large pouvoir législatif et par un exécutif formé d'un président et de sept assesseurs.

Les immanquables du Val d'Aoste

▸ **Se rendre à Gressoney** et tenter de descendre LA piste noire de Weismatten.

▸ **Savourer l'excellente gastronomie locale.** Charcuterie, fromages, pâtisseries, vin... un régal !

▸ **Suivre la route des châteaux** qui parsèment la vallée d'Aoste.

▸ **Se mettre au vert** dans le parc national du Gran Paradiso.

Le val s'ouvre en un éventail de treize vallées latérales creusées par d'anciens glaciers. Le parc national du Gran Paradiso et le téléphérique du Mont-Blanc en sont les deux attractions principales. Dans la région prédomine l'artisanat, surtout celui du bois, auquel est dédiée à Aoste, fin janvier, la fête du Sant'Orso (www.fieradisantorso.it).

Aoste est un plaisir pour les yeux et son maître-mot est son rythme saisonnier : l'hiver, pour ceux qui aiment le ski ; le printemps, où tout est plus vrai en l'absence de touristes ; l'été, pour la beauté des randonnées et la possibilité de faire du ski de haute montagne ; l'automne, pour admirer les couleurs changeantes des forêts.

AOSTE

A 582 m d'altitude, Aoste est le chef-lieu de la Région autonome de la vallée d'Aoste. Appelée la « Rome des Alpes » pour ses importants témoignages historiques qui font remonter sa naissance à l'an 25 apr. J.-C., Aoste possède un riche patrimoine architectural, dont son amphithéâtre romain ou ses quartiers médiévaux. Aéré et agréable, Aoste, avec ses couleurs ocre, a le charme des cités italiennes.

Transports

Aoste est facilement accessible depuis Milan et Turin aussi bien en train qu'en voiture. Par le tain depuis la France il vous faudra saisir une correspondance dans une de ces deux villes. C'est ensuite par Aoste que la plupart des voyageurs passeront pour atteindre le reste du val.

Train

TGV Paris-Turin, puis de la gare de Torino Porta Susa, train régional (départ toutes les heures).

■ **GARE**
Piazza Manzetti
✆ 0165 239541
www.trenitalia.it
Cette gare relie les centres principaux du Val d'Aoste au reste du pays. Milan : 1 départ toutes les heures, durée 3 heures 20, prix 11,80 €. Turin : 1 départ toutes les heures, durée 2 heures, prix 7,55 €.

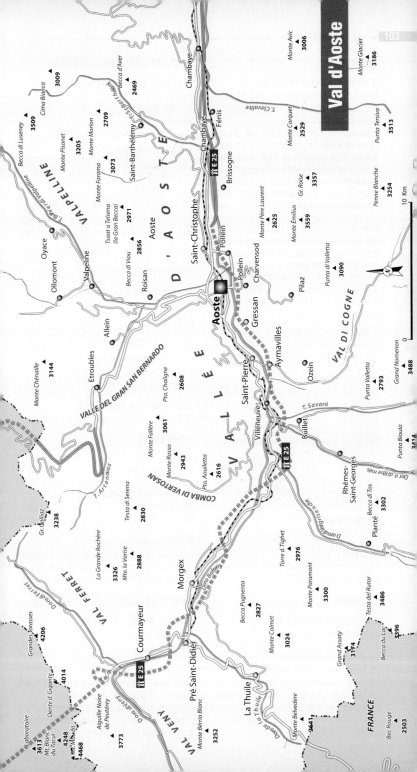

Val d'Aoste

VALPELLINE

Cima Bianca ▲ 3009
Becca di Luseney ▲ 3509
Becca d'Aver ▲ 2469
Monte Pisonet ▲ 2709
Monte Morion ▲ 3205
Monte Faroma ▲ 3073
Saint-Barthélémy

Monte Avic ▲ 3006
Monte Glacier ▲ 3186
Chambave
Fénis
Chambaye
T. Clavalité

Punta Tersiva ▲ 3513
Monte Corquet ▲ 2529

Brissogne
Pollein

Monte Pisonet
Oyace
Ollomont
Valpeline
T. Buthier d'Valpelline

Tsaat a Telsena (la Gran Becca) ▲ 2971
Becca di Viou ▲ 2856
Aoste
Roisan
Saint-Christophe
Pollein
Charvensod

Gr. Roise ▲ 3357
Monte Père Laurent ▲ 2625
Monte Émilius ▲ 3559
Pilaz

Penne Blanche ▲ 3254
Punta Valletta ▲ 3090

10 Km

Allein
Aoste
Gressan
Aymavilles

Etroubles
Monte Chénaille ▲ 3144

VALLE DEL GRAN SAN BERNARDO

Pta. Chaligne ▲ 2608
Saint-Pierre

Ozein

VAL DI COGNE

Punta Valletta ▲ 2793
Grand Nomenon ▲ 3488

Monte Fallère ▲ 3061
Monte Rosso ▲ 2943
Pta. Aouilletta ▲ 2616

Villeneuve
T. Savara
Büllet

COMBA DI VERTOSAN

Testa di Serena ▲ 2830

VAL FERRET
Dora di Ferret

Gr. Golliaz ▲ 3238
La Grande Rochère ▲ 3326
Mte. la Varise ▲ 2888

Morgex
Dora Baltea

Punta Bioula ▲ 3414

Dora di Rhêmes

Rhêmes-Saint-Georges
Planté
Becca di Tos ▲ 3302
Dor a d'Rhêm mts

Grandes Jorasses ▲ 4206
Dente d. Gigante ▲ 4014
Mt. Blanc du Tacul ▲ 4248
Mt. Maudit ▲ 4468
Laboratoire ▲ 3613

VAL VENY

Courmayeur
Pré-Saint-Didier
Aiguille Noire de Peuterey ▲ 3773
Monte Bérrio Blanc ▲ 3252

La Thuile
Dora de la Thuile

Torre d. Tighet ▲ 2976
Monte Paramont ▲ 3300

Becca Pugnenta ▲ 2827
Monte Colmet ▲ 3024

Testa del Rutor ▲ 3486
Grand Assaly ▲ 3174
Becca du Lac ▲ 3396

Monte Belvedere ▲ 2641

FRANCE
Bec Rouge ▲ 2503

Avion

■ AEROPORT CORRADO GEX
11020 Saint-Christophe ✆ 0165 303350
www.avda-aosta.it
info@avda-aosta.it
2 km d'Aoste. Par l'autoroute sortie Aoste Est.
La compagnie Air Vallée assure un service
charter dans un rayon de 1 000 miles (avions
de 32 places). On peut effectuer des vols
directement jusqu'à l'aéroport Corrado Gex de
Aoste. Infos et réservations ✆ 0165 303303
– www.airvallee.com

Car

Des liaisons quotidiennes sont assurées entre
Aoste, Milan, Turin et Gènes, et en été même
avec Rome et la Toscane. Liaisons internationales avec la Suisse (Martigny, Bourg-
Saint-Maurice, Chambery). Liaisons internes
entre Aoste et les principales communes de
la région.

■ SAVDA. Société d'autocar, Strada Pont
Suaz, 6 ✆ 0165 26027
www.savda.it.

Voiture – Taxi

La vallée d'Aoste, qui s'étend au pied du
versant méridional du mont Blanc, se trouve
à 8 heures 30 de voiture de Paris, à 4 heures
de Lyon et à 3 heures de Genève. Le nouveau
tunnel du Mont-Blanc et le tunnel et le col
du Grand-Saint-Bernard assurent la liaison
avec le nord de la France et de la Suisse et
le nord de l'Europe. A partir de Turin, on ne
met pas plus d'1 heure 30 pour atteindre le
val (autoroute A5 Torino-Aosta).

■ EUROPCAR
Piazza Manzetti, 3 ✆ 0165 41432

■ TAXIS
Piazza Manzetti, 1 (à la sortie de la gare)
✆ 0165 262010/31831

Pratique

■ OFFICE DU TOURISME
Piazza Chanoux, 2
✆ 0165 236627
www.regione.it/turismo
*Du lundi au samedi de 9h30 à 13h et de 15h
à 18h30. Le dimanche de 9h30 à 13h.*
Guides, brochures, liste des hébergements et
plans de la ville et de la région. Renseignements
pour des informations concernant le Val et ses
stations. Français parlé.

Poste et télécommunications

■ CYBERCAFE – BAR SNOOKER
Via Lucat, 3
✆ 0165 40093
www.snooker.it
Tous les jours 8h-3h (samedi 8h-4h).

■ POSTE CENTRALE
Via C. Battisti, 10
✆ 0165 44531
Fax : 0165 42620
*Du lundi au vendredi de 8h à 13h30 et le
samedi de 8h à 12h30.*

Banques

Nombreuses autour de la Piazza Chanoux.

Urgences

■ HOPITAL PARINI
Via Ginevra, 3
✆ 0165 5433826,
Urgence
✆ 0165 304256

■ QUESTURA DI AOSTA
Corso Battaglione Aosta, 169
✆ 0165 279437

■ SECOURS EN MONTAGNE
✆ n° vert 800 319 319, 0165 230253

■ URGENCES
✆ 118

Pharmacie de garde

■ FARMACIA CHENAL
Via Croix-de-Ville, 1
✆ 0165 262133

Hébergement

Les prix sont élevés, mais les touristes
motorisés auront la chance de pouvoir se
tourner vers un camping ou un agritourisme.

Bien et pas cher

■ AGRITURISMO PLANTEY
Fraz. Ville Dessus, 6
Introd
✆ 0165 95531, 339 7387934
www.plantey.it
*Chambres 20-30 €. A 15 km au sud-ouest
d'Aoste, dans la vallée de Rhêmes.*
Chalet alpin typique en bois, au centre d'une
exploitation fruitière et viticole. Nombreuses
balades dans les alentours.

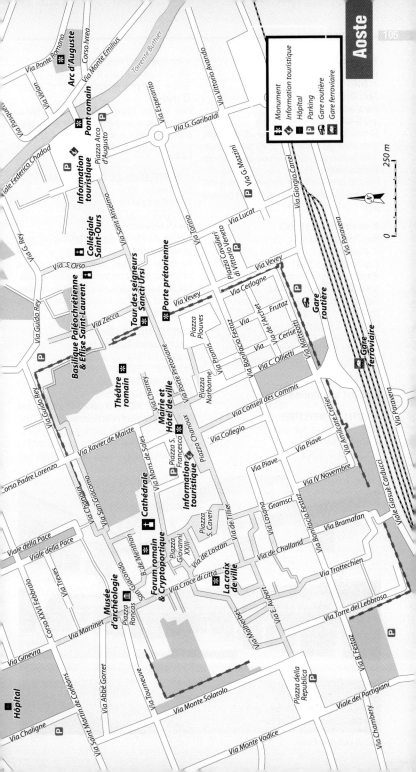

Monument
Information touristique
Hôpital
Parking
Gare routière
Gare ferroviaire

0   250 m

Via Ponte Romano
Corso Ivrea
Via Monte Emilius
Arc d'Auguste
Via Vielan
Via Podstaz
Torrente Buthier
Pont romain
Viale Federico Chabod
Piazza Arco d'Augusto
Via Esperanto
Via G. Garibaldi
Via Vittorio Avando
Information touristique
Collegiale Saint-Ours
Via G. Rey
Via S. Orso
Via Sant'Anselmo
Via Tatino
Via G. Mazzini
Via Lucat
Piazza Cavalieri di Vittorio Veneto
Basilique Paléochrétienne & Église Saint-Laurent
Tour des seigneurs Sancti Ursi
Porte prétorienne
Via Guido Rey
Via Zecca
Via Vevey
Via Vevey
Via Cerlogne
Via de l'Archet
Frutaz
Via
Piazza Plouves
Via Charrey
Via Promis
Via Bonifacio Festaz
Cerise
Via C. Ollietti
Gare routière
Théâtre romain
Mairie et Hôtel de ville
Via porte Prétoriane
Piazza Narbonne
Via Conseil des Commis
Via Matteotti
Gare ferroviaire
Via Xavier de Maiste
Via Chanoux
Via San Giacomo
Piazza S. Francesco
Piazza Chanoux
Via Collegio
Via Piave
Via Amilcare Cretier
Corso Padre Lorenzo
Via Mons. de Sales
Information touristique
Piazza Giovanni XXIII
Via de Tillier
Via Losana
Via Piave
Via IV Novembre
Cathédrale
Piazza S. Caveri
Via de Lostan
Gramsci
Via Bramafan
Viale della Pace
Viale della Pace
B. de Menthon
San Giacondo
Forum romain & Cryptoportique
Piazza Croce di città
Via de Challand
Via Bonifacio Festaz
Via Trottechien
Via Treves
Musée d'archéologie
Piazza Roncas
La croix de ville
Via Malherbes
Via E. Aubert
Via Giosuè Carducci
Corso XXVI Febbraio
Via Martinet
Via Torre del Lebbroso
Hôpital
Via Ginevra
Via Abbé Garret
Via Tourneuve
Via Monte Solarolo
Piazza della Republica
Viale dei Partigiani
Via B. Festaz
Via Chaligne
Via Saint Martin de Corléans
Via Monte Vodice
Via Chambery
Via Giorgio Carrel
Via Paravera

■ LA BELLE EPOQUE
Via D'avise, 18
✆ 0165 262276
Fax : 0165 261196
www.hotelbellepoque.it
info@hotelbelleepoqueaosta.it
Simple sans salle de bains 20-26 €, simple avec salle de bains 26-32 €, double sans salle de bains 46-52 €, double avec salle de bains 50-66 €.
Dans le centre d'Aoste, à quelques pas des vestiges romains. Excellent rapport qualité/prix.

■ CAMPING MILLELUCI
Loc. Porossan-Roppoz, 15
✆ 0165 44274
Fax : 0165 23 52 84
www.campingmilleluci.com
hotelmilleluci@hotelmilleluci.com
Tarif 8-10 €, enfant jusqu'à 10 ans 5-7 €, emplacement tente/camping-car 15 €.
Camping 2-étoiles très bien aménagé : bar, aire de jeux pour les enfants, point Internet, laverie. Il est agréablement ombragé et dispose d'une piscine découverte. Hôtel du même nom juste à côté.

Confort ou charme

■ HOTEL MONTFLEURY
Viale Piccolo San Bernardo, 26
✆ 0165 216647
Fax : 0165 216648
www.hotelmontfleury.it
info@hotelmontfelury.it
Simple avec petit déjeuner 47-70 €, double 70-100 €.
Parc, parking, sauna. Un 3-étoiles moderne et confortable. Une navette relie l'hôtel au téléphérique reliant le domaine skiable de Pila.

Luxe

■ HOSTELLERIE DU CHEVAL BLANC
Via Clavalite, 20
✆ (0165) 239140
Fax : (0165) 239150
www.chevalblanc.it
Simple 40-110 €, double 60-200 €, petit déjeuner inclus.
Un hôtel 4-étoiles avec des chambres spacieuses et des baignoires à hydromassage. Piscine couverte et sauna. Bar et restaurant. Téléviseur, minibar, air conditionné dans les chambres.

■ HOTEL MILLELUCI
Loc. Porossan Roppoz, 15
✆ 0165 235278
Fax : 0165 235284
www.hotelmilleluci.com
info@hotelmilleluci.com
Simple 120-140 €, double 140-240 €. Les tarifs comprennent petit déjeuner, centre bien-être, piscine, salle de sport, parking privé.
Un superbe hôtel 4-étoiles aux chambres spacieuses et charmantes avec TV et minibar.

© FOTOTECA ENIT - PHOTO BY VITO ARCOMANO

Cour du cloître Sant'Orso

Les itinéraires de grande randonné Alte Vie

Alta Via n°1

Appelé aussi la « haute voie des Géants », c'est un itinéraire de randonnée d'une incomparable beauté. Il se déroule en effet au pied des plus hautes montagnes d'Europe : le mont Rose, le Cervin et le mont Blanc. Cet itinéraire des Alpes offre des points de vue exceptionnels sur l'élégante pyramide du Cervin. Il passe par les alpages walser et permet de découvrir l'architecture traditionnelle des villages. Le sentier est bien balisé et à la portée de tous. L'itinéraire part de Gressoney-Saint-Jean et va jusqu'à Courmayeur. Il prévoit 13 étapes d'une journée, de refuge en refuge, et qui durent chacune entre 3 et 5 heures de marche. A presque toutes les étapes, il est possible de redescendre dans les vallées.

Alta Via n°2

Appelé aussi la « haute voie naturaliste », c'est un itinéraire de randonnée qui se déroule dans le parc national du Grand-Paradis et le parc régional du Mont-Avic. Cet itinéraire traverse de merveilleux paysages sauvages avec une flore et une faune rares. L'itinéraire va de Champorcher à Courmayeur et compte 12 étapes d'une journée, de refuge en refuge, et d'une durée de 4 à 5 heures de marche. Comme pour la Via Alta n° 1, on peut redescendre dans les vallées pratiquement à chaque étape.

Pour tout savoir sur les hautes voies n° 1 et n° 2 : www.regione.vda.it/altevie

L'établissement est équipé d'une piscine découverte, d'un sauna et d'un hammam : tout est parfait pour la détente. Joli jardin.

Restaurants

■ AD FORUM
Via de Sales, 11
✆ 0165 548510
Repas 15-25 €.
Œnothèque, restaurant, bar à vins, Ad Forum a plus d'un tour dans son sac pour séduire les amateurs de la bonne cuisine. Ambiance chaleureuse dans la salle qui valorise des vestiges romains et dans l'agréable jardin estival.

■ PIEMONTE
Via Porta Pretoria, 13 ✆ 0165 40111
Repas 20-40 €.
Vieux de 80 ans, un lieu gastronomique bien connu en ville.

■ TRATTORIA DEGLI ARTISTI
Via Maillet, 5/7
✆ 0165 40960
Repas 20-35 €.
La petite ruelle ravissante n'existe que grâce à ce très bon restaurant. Les plats sont délicieux et les prix abordables. Spécialité : le brasato.

■ VECCHIA AOSTA
Piazza Porta Pretoriane, 4
✆ 0165 361186

Repas 30-50 €.
Elégant, au centre de la ville. Cuisine française et du Val d'Aoste. Terrasse en été.

Sortir

■ BAR ARCO D'AUGUSTO
Piazza Arco d'Augusto, 3 ✆ 0165 41139
Un bar très fréquenté de jour comme le soir à partir de 21h. Deux salles où prendre un bon petit déjeuner le matin avec d'excellents croissants salés et sucrés. Bon resto à midi et le soir. En été, grande terrasse couverte.

■ CAFE DU MOULIN
Via Vevey, 5 ✆ 0165 40518
Dans le centre-ville non loin de la Porta Pretoriana. Très fréquenté le week-end. Excellents concerts live et cocktails préparés par le très professionnel Claudio qui se partage entre les deux bars avec son équipe de serveurs.

■ CAFFE NAZIONALE
Piazza Emile Chanoux, 9
✆ 0165 262158
Sur la place centrale d'Aoste, sous les arcades. Un des cafés historiques de la ville. Concerts jazz le soir.

Points d'intérêt

Presque tout le patrimoine artistique d'Aoste peut être admiré entre la via Sant'Anselmo et la piazza Chanoux.

Exemple unique d'un castrum romain, Aoste conserve de cette époque des remparts intacts, un magnifique arc d'Auguste, le théâtre, une partie du forum (le Criptoportico Forense) et la porte prétorienne. Dans ce cadre de vestiges romains, le haut Moyen Age a laissé une trace superbe avec l'église de Sant'Orso (XIᵉ siècle), son magnifique cloître et son clocher, lequel tient compagnie à un tilleul plusieurs fois centenaire.

Avec l'ouverture des grands tunnels et le développement des stations de ski, Aoste est devenue une des villes les plus riches d'Italie. Quelques pas dans les rues piétonnes (via Aubert, via de Tillier et piazza Chanoux) permettent de s'imprégner de l'atmosphère de cette ville pleine de grâce et de lumière. Sa proximité des pistes skiables du domaine de Pila et du parc national du Grand-Paradis augmente, été comme hiver, son attractivité.

Sports et loisirs

Aoste est un bon camp de base pour les golfeurs et les randonneurs (sites accessibles en voiture). Des possibilités de sports plus extrêmes existent aussi comme le mountain bike, le deltaplane, le parapente, le vol à voile ou le parachutisme : pour apprécier les montagnes à pleine vitesse ou depuis les cieux.

■ DOMAINE DE PILA

Pila domine la ville d'Aoste à laquelle elle est reliée par une route panoramique de 18 km. Une télécabine permet de laisser sa voiture et de rejoindre les pistes en seulement 20 minutes. Station de ski très bien équipée, Pila offre la possibilité de pratiquer des activités sportives d'hiver et d'été pour tous les goûts.

▶ **École de Ski de Pila** : propose de cours de ski, télémark et snow-board, pour adultes et pour enfants. Fraz. Grand Gorraz, ✆ 0165 521144 – www.scuoladiscipila.com

▶ **Espace Tourisme de Pila** : renseignements sur tous les sports et les activités (sentiers et Via Ferrata du mont Emilius, pêche, golf). Fraz. Pila, 40, Gressan, ✆ 0165 521055 – www.pilaturismo.it

CERVINIA

Du ski en toute saison sur les glaciers du plateau Rosà et un réseau de pistes qui relie Cervinia à Valtorurnanche et à Zermatt font de cette station de ski l'une des plus connues

de la vallée. L'été, Cervinia offre joli petit golf et la possibilité de faire du ski extrême sur les glaciers. Mais son principal centre d'intérêt est le mont Cervin. Offrant un important réseau hôtelier, nous vous conseillons l'hôtel Edelweiss (3-étoiles, ✆ 0166 949746) ou le Sertorelli Sporthotel (4-étoiles, ✆ 0166 949797).

Pratique

■ **ECOLE DE SKI CERVINIA**
✆ 0166 949034
www.scuolacervino.com

■ **GOLF CLUB DU CERVIN**
✆ 0166 949131

■ **OFFICE DU TOURISME**
Via Guido Rey, 17
✆ 0166 949136
www.montecervino.it

■ **SOCIETE DES GUIDES DU CERVIN**
Via Carrel, 10
✆ 0166 948169
www.guidecervino.com

Dans les environs

A l'écart du monde, loin de tout, se trouve un petit village que l'on atteint seulement à pied ou en téléphérique à partir de Buisson. C'est Chamois (altitude 1 815 m, la localité habitée la plus haute d'Europe), village de moins de 200 âmes. On peut loger à l'hôtel Bellevue (1-étoile, ✆ 0166 47133) ou à la maison Cly (3-étoiles, tél 0166 54 72 13) pour être bercé par les nuages. Si vous voulez profiter d'une vraie ambiance montagnarde, séjournez au rustique mais authentique refuge alpin L'Ermitage (✆ 0166 47140).

GRESSONEY

Les skieurs les plus téméraires s'y donnent rendez-vous pour descendre la piste la plus « noire » d'Europe, celle de Weismatten. Le village n'a pas subi la honte du bétonnage sauvage. Tout y est net, rigoureux, un peu allemand. Et, en effet, le titsch, langue germanique, est la langue de cette vallée. Ce sont les Walser, une ancienne population d'origine germanique, qui l'apportèrent avec eux quand ils traversèrent ces montagnes hautes de 1 000 à 1 200 m. Au pied du mont Rose, Gressoney-La Trinité est la station la plus hôtelière et la plus proche du départ pour les ascensions ; Gressoney-Saint-Jean, la station la plus résidentielle ; tandis que Gaby et Issime, les deux villages que l'on rencontre en remontant la vallée du Lys à partir du pont Saint-Martin, sont des villages nettement plus petits. Partout, l'architecture des maisons porte encore les signes de la culture des Walser, ce peuple amoureux des hauts sommets et gardien de vieilles traditions. Les installations de remontée forment, avec le val d'Ayas voisin, un seul domaine skiable : le Monterosa Ski, soit 200 km de pistes et 35 remontées mécaniques. La découverte de la montagne pourra se faire en toutes saisons, pour s'amuser ou pour frissonner, toujours avec plaisir.

COURMAYEUR

Nommé par les Romains, Auri Fondinae (mine d'or), à cause des gisements de métal précieux du val Ferret, Courmayeur l'est encore aujourd'hui mais avant tout pour ceux qui y possèdent une maison et du terrain. Courmayeur est la station la plus mondaine de la vallée. Les ducs de Savoie en avaient déjà fait leur villégiature privilégiée. Le mont Blanc impose sa présence massive. L'amélioration de la capacité des téléphériques a fait disparaître les longues files d'attente. Les étendues skiables se trouvent à l'arrivée des téléphériques de la Chécrouit et du val Veny. Une des trois pistes de ski de fond qui arrive jusqu'à Arnouve passe par le val Ferret. L'été,

les mêmes moyens de transports permettent de rejoindre le départ de longues randonnées. Il y a encore un centre nautique pour les amateurs de canoë, de rafting et d'hydrospeed, et un 18-trous pour les amateurs de golf. En toutes saisons, Courmayeur est un haut lieu de l'alpinisme.

Transports

Courmayeur est situé près de la frontière française, juste derrière le tunnel du Mont-Blanc. La station est donc facilement accessible en voiture depuis la France par le réseau autoroutier.

▶ **Voiture**. De Milan/Turin autoroute A5/E25, suivre direction Aosta-Gran San Bernardo-Ivrea-Monte Bianco, sortir à Courmayeur.

▶ **Train**. Gare de Pré-Saint-Didier (via gare d'Aosta). Nombreuses liaisons quotidiennes avec le réseau des chemins de fer italien et français. Service de navettes depuis la gare vers Courmayeur.

▶ **Bus**. Nombreuses liaisons quotidiennes entre Courmayeur et les principales villes de l'Italie du Nord. Société Savda, Piazzale Monte Bianco, 3 (✆ 0165841397).

▶ **Taxi**. Gare routière, ✆ 0165 842960.

▶ **Parking**. Piazzale Monte Bianco (payant, première heure gratuite), Piazzale Volpi (à la sortie de l'autoroute et face aux remontées, gratuit).

Paysage de Courmayeur

Pratique

■ CONSORZIO OPERATORI TURISTICI VALLE DEL MONTE BIANCO
Via dello Stadio, 2 - Loc. Dolonne
✆ 0165 067101
www.vallemontebianco.it

■ OFFICE DU TOURISME
Piazzale Monte Bianco, 13
✆ 0165 842060
www.aiat-monte-bianco.com
www.courmayeur.it

Hébergement

Courmayeur propose de nombreuses possibilités d'hébergement. La station cependant étant très prisée, il est conseillé, en haute saison, de réserver à l'avance.

■ DEI CAMOSCI
Fraz. La Saxe, 7
✆ 0165 842338
Fax : 0165 842124
www.hoteldeicamosci.com
1/2 pension 49-82 €, pension complète 61-92 €.
Ce petit hôtel caractéristique, proche du centre de Courmayeur, offre une vue superbe sur le mont Blanc. Un service de navettes vous emmènera au départ des remontés l'hiver. Le restaurant propose une cuisine régionale savoureuse, dans le cadre évocateur d'une salle décorée avec des trophées de chasse.

■ GRAND HOTEL ROYAL E GOLF
Via Roma, 87
✆ 0165 831611
Fax : 0165 842093
www.hotelroyalegolf. com
ricevimento@hotelroyalegolf.com
Simple 75-110 €, double 140-285 €. 6 suites.
Prestigieux hôtel, établi depuis presque deux siècles et fréquenté jadis par des hôtes illustres comme la reine Marguerite de Savoie. Tout est élégance, luxe discret, détente et bien-être. Les chambres spacieuses offrent une superbe vue sur la vallée et sur la chaîne du Mont-Blanc. Une référence pour le tourisme de luxe.

■ MAISON LO COMPAGNAR
Rue des Granges, 14 Fraz. Dolonne
✆ 0165 846840
Fax : 0165 846534
Par personne et par jour été 65-115 €, hiver 85-110 €. Forfaits week-ends et hebdomadaires.

Hôtel de charme, ouvert depuis peu, la Maison Lo Compagnar est née de la rénovation d'un ancien chalet début XXᵉ siècle en pierre et en bois. Alliant tradition et modernité, les chambres et le restaurant sont meublés avec goût et fournis de tout confort. Un centre bien-être propose des soins à la carte, idéal pour se détendre après une journée sportive.

■ OSTELLO VALDIGNE MONT BLANC
Localité Arpy, Morgex
✆ 0165 841684
Fax : 0165 841079
info@ostellodiarpy.it
Tarif 1/2 pension : double 35-38 €, 3/4 lits 31 € ; 5/8 lits 29 €. Carte des auberges de jeunesse obligatoire.
Auberge de jeunesse confortable, style refuge de montagne, située à 1 700 m d'altitude, à 7 km de Morgex et 15 km de Courmayeur. Service de navettes pour la station de ski de La Thuile.

Restaurants

■ LA CLOTZE
Loc. Planpincieux, 21
✆ 0165 5869720
Repas 40-50 €.
Son nom désigne la cloche que les vaches portent autour du cou. Tout est donc tradition dans ce restaurant recherché mais sans trop de prétention et avec un joli extérieur. Plus de 1100 étiquettes de vin pour accompagner ravioles farcies, gibier mariné et d'autres délices locaux.

■ LE CADRAN SOLAIRE
Via Roma, 122
✆ 0165 844609
Repas 20-30 €.
Fermé le mardi.
Authentique bistrot des montagnes où vous pourrez savourer des spécialités régionales exquises aussi bien sur le pouce que dans la salle restaurant. Intérieur en pierre et en bois pour une ambiance chaleureuse et romantique. Goutez le *risotto alla valdostana* : un régal !

■ PIERRE ALEXIS 1877
Via Marconi, 50
✆ 0165 843517
Repas 30-40 €. Fermé le lundi (sauf en août) et le mardi midi
Ce restaurant historique de Courmayeur allie rustique et moderne avec beaucoup de savoir-faire. Leurs spécialités ? Les pâtes fraîches et

le gibier. Agréable jardin extérieur où déguster une cuisine régionale tendance et créative.

■ LE VIEUX POMMIER

Piazzale Monte Bianco, 25
✆ 0165 842281
Repas 20-30 €.
Restaurant, café et même hôtel, cette institution est au cœur du village. On y vient pour sa terrasse et son pommier, mais aussi pour ses grandes salades ou ses assiettes de fromages.

Points d'intérêt

L'attraction de Courmayeur est évidemment le téléphérique du Mont-Blanc qui survole la Mer de Glace et monte jusqu'à l'Aiguille du Midi. Grâce au téléphérique, vous pouvez faire l'aller-retour dans la journée entre Chamonix et Courmayeur.

■ MUSEO ALPINO DUCA DEGLI ABRUZZI DI COURMAYEUR

Strada Villair, 2 ✆ 0165 842064
Le musée qui traite de la vie, de la faune et de la flore des Alpes.

■ TELEPHERIQUE DU MONT-BLANC

Fraz. La Palud, 22
✆ 0165 89 925
www.montebianco.com
A/R 35-38 € (La Palud/Pointe Helbronner + exposition des cristaux), durée 4 heures ; 20 € supplémentaires jusqu'à l'Aiguille du Midi ; pointe Helbronner/Chamonix 50 €.
Lors du trajet en téléphérique, on touche presque la montagne du doigt. Départ de La Palud, arrivée en haut de l'Helbronner, puis on poursuit du côté français. On peut choisir l'aller seul avec retour en autocar depuis Chamonix.
Exposition permanente de Cristaux, 150 minéraux du Mont-Blanc exposés.

Shopping

Fréquenté par un clientèle aisée, Courmayeur n'est pas forcément l'endroit le plus économique du Val d'Aoste. Vous y trouverez des enseignes de luxe, tout comme des boutiques artisanales. Marché très sympathique le mercredi à Dolonne.

■ FRATELLI PANIZZI

Via Circonvallazione, 41
✆ 0165 843041
Un fromager qui propose de délicieux fromages et yaourts. Très connue à Courmayeur, la maison existe depuis 1968.

■ MARIO IL PASTICCERE

Via Roma, 88
✆ 0165 843348
La spécialité : le Mont-Blanc, mais aussi meringues, mille-feuilles, marrons glacés... à tomber !

Sports et loisirs

Toutes les activités possibles et imaginables qu'on peut faire en montagne, été comme hiver, sont accessibles à Courmayeur. Les skieurs et les snowborders pourront apprendre l'enfance de l'art pour néophytes jusqu'à aller se faire amener en hélicoptère sur les pentes non accessibles autrement. Les randonnées sont nombreuses, qu'elles se fassent en raquettes, skis de fond, jet skis, godillots, VTT ou à cheval. La liste est longue, et le mieux à faire est d'aller se renseigner auprès de l'office de tourisme ou des syndicats d'initiative de Courmayeur.

COGNE ET LE PARC NATIONAL DU GRAND PARADIS

Cogne est l'un des endroits les plus caractéristiques de la vallée : une grande et verte prairie, les anciennes mines, les bouquetins du Gran Paradiso, la dentelle des pics. La reconversion de ce village, de centre minier (une fontaine dans le village évoque ce passé), en un cadre pour le tourisme vert, est une réussite. Cogne est le principal point d'entrée du parc du Gran Paradiso. Comme les autres villages du val d'Aoste, Cogne permet aux amateurs de tâter du ski ou de l'alpinisme. Pour accéder à Cogne, on emprunte, après Aymavilles, une très belle route qui serpente dans la verdure pendant 18 km avant d'atteindre le village, étalé dans la célèbre prairie du Sant'Orso.

Pratique

■ AIAT GRAN PARADISO

Fraz. Trépont, 90
11018 Villeneuve
✆ 0165 95055
www.granparadiso.net

■ OFFICE DU TOURISME

Via Bourgeois, 34
✆ 016574040
www.cogne.org

■ SECOURS DE MONTAGNE

✆ 0165 74 92 86/74 204/74 026

Les châteaux

© AUTHOR'S IMAGE

Le Château de Saint-Pierre

Le long des deux berges de la Dora et dans les alentours, une centaine de châteaux furent édifiés à partir du XIIe siècle par les familles nobles de la région. Fortifications en temps de guerre, demeures seigneuriales en temps de paix, les châteaux communiquaient entre eux par des signaux de fumée et le son des corps de chasse. Ils évoquent un monde lointain, celui de seigneurs sombres et guerriers, de chevaliers et de leurs amours courtoises. Les horaires et le prix d'entrée changent selon la saison. Renseignements par téléphone, auprès de l'office du tourisme ou encore sur le site www.regione.vda.it

■ CHATEAU D'AYMAVILLES
Aujourd'hui propriété privée, le château qui remonte à 1207 est entouré par un beau parc qui s'intègre à la scénographie du lieu.

■ CHATEAU DE FENIS
✆ 0165 764263
Parmi les plus pittoresques, ce château remonte au XIIIe siècle. Tours en forme de prisme, pont-levis et meurtrières, tout contribue à rendre l'atmosphère enchanteresse. Intérieur raffiné et peintures qui racontent les gestes des chevaliers en Terre sainte.

■ CHATEAU DE SAINT-PIERRE
✆ 0165 306323 –www.museoscienze.it
Fermé pour travaux jusqu'en 2011.
Très suggestif pour sa position sur le sommet d'une hauteur, le château de Saint-Pierre abrite aujourd'hui le musée des Sciences naturelles.

■ CHATEAU DE SARRE
✆ 0165 257539
Le château médiéval est devenu au XVIIIe siècle le pavillon de chasse de la famille de Savoie. D'impresssionants trophées de chasse ornent l'intérieur (salle des cornes).

■ CHATEAU DE VERRES
✆ 0125929067
Château monobloc avec les murs de 3 m d'épaisseur, Verres est un parfait exemple d'architecture défensive. La majesté de l'escalier de la cour intérieure, la décoration des fenêtres, de la porte et des consoles de cheminées dénoncent la finesse et l'habileté de ceux qui participèrent à sa construction.

■ CHATEAU D'ISSOGNE
✆ 0125929373
Georges de Challant le fit construire en 1480, puis l'a fait embellir de 1487 à 1509 en belle demeure seigneuriale de la Renaissance dans les espaces de la cour intérieure. Dans les lunettes du portique, des fresques exceptionnelles décrivent des scènes de la vie de cour.

■ FORT DE BARD
✆ 0125 833811 – www.fortedibard.it
C'était le rempart de toute la vallée. Profitant d'une remarquable position sur son rocher solitaire, il fut détruit par Napoléon pour avoir résisté deux semaines à ses 40 000 soldats. Il fut reconstruit de 1830 à 1838. Musée des Alpes à l'intérieur.

Hébergement

Cogne est le paradis du tourisme vert. De nombreuses fermes y proposent l'hébergement et de la restauration à base de produits du terroir.

Quant au parc du Grand Paradiso, il comprend 11 refuges, mais la plupart des localités qui l'entourent permettent de trouver un logement assez facilement, avec de nombreux hôtels ainsi que des fermes, des auberges et des *agriturismi*. De nombreux campings existent aussi (www.parks.it).

■ AGRITURISMO LES ECUREUILS

Fraz. Homené Dessus, 8
✆ 0165 903831
www.lesecureils.it
lesecureuils@libero.it
1/2 pension 37-45 €.
Un édifice rural du XVIIIe siècle, perdu la tête dans les nuages à 1500 m d'altitude. 5 chambres confortables et une excellente cuisine avec les produits de la ferme voisine. Hors du temps !

■ BELLEVUE

Via Gran Paradiso, 22
✆ 0165 74825
Fax : 0165 749192
www.hotelbellevue.it
bellevue@relaischateaux.com
Simple 150-220 €. Double 170-320 €. Suite 290-390 €.
Cette ancienne demeure ouverte depuis 1925, garde un charme inouï. 27 chambres, 7 suites et 3 chalets chic et chaleureux. Tout est meublé avec du mobilier d'époque. Immergé dans un cadre typiquement valdostain, vous pourrez profiter d'un centre bien-être, d'un très beau parc et d'un restaurant gourmet.

■ PETIT DAHU

Frazione Valnontey, 27
✆ 0165 74146
Fax : 0165 749564
www.hotelpetitdahu.com
Double 1/2 pension 55 € - 70 €. B&B 36 € 50 €.
8 chambres et un chalet. Le charme d'un petit hôtel dans Cogne avec un accueil sympathique. L'hôtel fait aussi restaurant.

Restaurants

■ BAR DES FROMAGES

Rue du Grand Paradis, 21
✆ 0165 749696
Fermé le mardi. Repas 30-40 €.
Besoin d'évasion gourmande ? c'est au Bar des Fromages que vous trouverez de quoi satisfaire votre palais. Plats chauds et froids, apéros, sandwichs et amuse-gueules, tout à base de fromage ! Spécialité : panier croquant de fromages avec fruits et chocolat. A découvrir...

■ LOU ROSSIGNON

Via des Mines, 22
✆ 0165 74034
Fermé lundi soir et mardi. Repas 25 € - 35 €.
Bistrot familial depuis 1966, il propose une cuisine simple et savoureuse préparée avec des produits du terroir. Le week-end la salle s'anime en musique.

Points d'intérêt

■ JARDIN ALPIN PARADISIA

Valnontey (3 km de Cogne)
✆ 0165 74147
Ouvert de juin à septembre.
Pour voir les plantes rares des Alpes et du monde entier.

■ MUSEE DE LA DENTELLE

Via Grappein, 50
✆ 0165 7492982

■ PARC DU GRAN PARADISO

Via della Rocca, 47
10123 Turin
✆ 011 8606233
www.pngp.it
Ce parc de 70 000 ha, partagé entre Val d'Aoste et Piémont à une hauteur qui va de 800 à 4000 m, est le plus ancien d'Italie. Le parc fut fondé en 1922, à partir des réserves de chasse des rois d'Italie qui avaient imaginé ce moyen, en 1856, afin de sauvegarder les bouquetins menacés d'extinction. Aujourd'hui, les bouquetins se portent mieux et gambadent dans le parc en toute liberté en compagnie d'une foule d'autres animaux sauvages. Le parc du Gran-Paradiso est un lieu de rêves pour les promenades pédestres. Vous serez entouré par des châteaux du Moyen Age et des fortifications qui témoignent que la route des Gaules passait par là. Pistes de ski de fond et de descente, parois d'escalade, sentiers de promenade... Tout est prêt pour des vacances inoubliables.

Sports d'hiver

Cogne est la reine du ski de fond, avec un réseau de plus de 70 km de pistes entre les bois et la prairie de Sant'Orso.

TURIN, PIEMONT ET VAL D'AOSTE

MILAN ET LA LOMBARDIE

*Galerie Vittorio
Emanuele II à Milan*

© STEPHANE SAVIGNARD

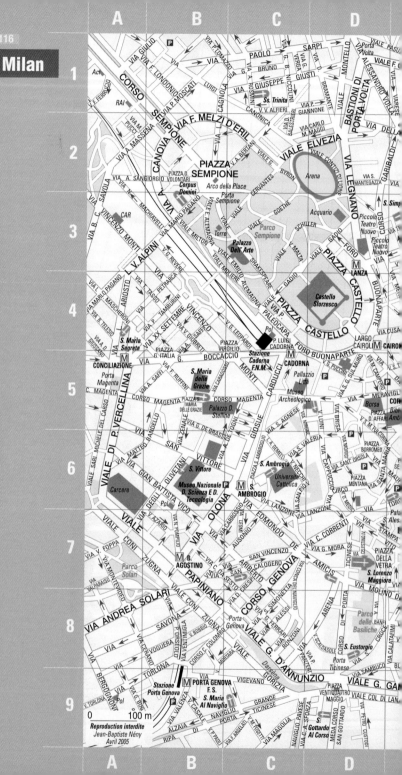

0   100 m

Reproduction interdite
Jean-Baptiste Nény
Avril 2005

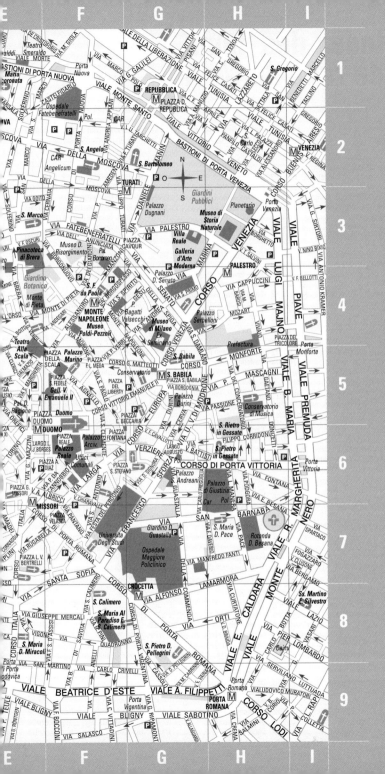

Index des noms de rues de Milan

Milan

Milan fut à l'origine une cité celte avant de devenir par la loi des armes, romaine, lombarde, française, espagnole et autrichienne. Détruite, reconstruite, la capitale de la Lombardie, au cœur de la plaine du Pô, ne cultive pas une identité italienne stéréotypée. Fer de lance de l'économie nationale (la bourse y a son siège), première agglomération du pays avec ses 4 millions d'habitants, reine de la mode avec Paris et New York, Milan a choisi de lier son destin avec l'avenir sans oublier son passé illustre. Si au premier abord Milan peut décourager par ses banlieues grises et industrielles, la découverte de la ville est une succession de bonnes surprises et un plongeon dans un raffinement et un savoir-vivre « à la milanaise ». Alliant avec talent son patrimoine et son modernisme, Milan déploie ses charmes aux amateurs d'art, de culture et d'urbanisme, aux accros du shopping et du design. Les églises, du Duomo flamboyant au roman lombard de Sant'Ambrogio, côtoient quelques beaux gratte-ciel, tandis que les airs d'opéra de la Scala précèdent les accompagnements musicaux des défilés de mode. Bonne visite en ce paradis des contrastes.

■ TRANSPORTS

L'arrivée à Milan

Avion

Milan est desservi par deux aéroports internationaux : Linate, à 7 km du centre-ville, et Malpensa (direction Varese), à environ 45 km. La majorité du trafic international a été transférée sur Malpensa où Alitalia a installé son quartier général.

■ **AEROPORT LINATE**
✆ 02 748522
www.sea-aeroportimilano.it

Les immanquables de Milan

▶ **Déambuler au cœur du quadrilatère de la mode**, LE quartier de la haute couture.

▶ **Assister à une représentation** au Teatro alla Scala.

▶ **Méditer devant la plus fameuse fresque** du monde, *La Cène* de Léonard de Vinci.

▶ **Admirer la splendeur** gothique du Duomo et celle romane de Sant'Ambrogio.

▶ **Déguster un** *aperitivo* à la milanaise dans le quartier de Brera ou des Navigli.

Objets trouvés : 02 701 244 51.
Deuxième aéroport de Milan, il dessert uniquement le trafic national et celui européen de courte distance. D'ici partent plusieurs compagnies low cost (Easy Jet, Meridiana).

▶ **Bus 73** : relie Linate au centre de Milan. Piazza San Babila-Linate toutes les 10 minutes (5h35-00h35). Linate-Milan toutes les 10 minutes (6h05-00h55).

▶ **Taxi** : environ 25 €.

■ **AEROPORT MALPENSA**
✆ 02 74852200
www.sea-aeroportimilano.it
Bagages perdus ✆ 02 58581285. Objets perdus ✆ 02 74862900. Bagagerie, rez-de-chaussée arrivée B, ✆ 02 58580298.
Deuxième aéroport d'Italie après Rome Fiumicino, avec 25 milions de voyageurs par an. Il dessert toutes les principales destinations internationales. Le duty-free accueille les plus grands noms de la mode et du luxe : excellent passe-temps en attendant son vol !

▶ **Malpensa Express** : relie l'aéroport au centre de Milan. Trajet 40 minutes – www.malpensaexpress.it – ✆ 199 151152 – tous les jours (5h-minuit). Service Client Stazione Milano Cadorna lundi-vendredi : 7h-20h, samedi : 8h-20h, dimanche : 8h30-16h. Départ Malpensa-Cadorna aux minutes 23 et 53 (6h23-21h53), Cadorna-Malpensa aux minutes 27 et 57 (5h57-20h57).

▶ **Malpensa Shuttle** : relie l'aéroport à la gare centrale et à l'aéroport de Linate.

Trajet 60 minutes – www.malpensashuttle.it – Départ Terminal 1/sortie 1 - Stazione Centrale toutes les 20 minutes (6h20-22h). Stazione Centrale - Terminal 1 toutes les 20 minutes (5h20-21h).

▶ **Taxi** : 90 € (tarif fixe).

■ AEROPORT ORIO AL SERIO
✆ 035 326323
www.sacbo.it
Cet aéroport situé à 45 km de Milan a été choisi comme lieu d'arrivée et de départ par certaines compagnies low cost, dont Ryanair.

Car

Le voyage en car (par Eurolines, ✆ 0836 69 52 52 – www.eurolines.fr) est à notre avis peu intéressant en raison de sa durée et du prix du billet. En effet, pour le même prix vous pouvez voyager en couchette de seconde classe et… allonger vos jambes ! C'est en revanche, un bon moyen pour rejoindre certaines destinations nationales, par exemple en Piémont ou en Val d'Aoste (Piazza Castello 1, ✆ 0555 128419 – www.eurolines.it).

Train

Le train reste la meilleure solution car il cumule confort et rapidité. En 7 heures minimum, on se retrouve au cœur de la ville. Plusieurs choix s'offrent au voyageur, du plus rapide TGV au plus lent train de nuit, qui permet de gagner une journée durant votre séjour.

▶ **Trains de jour :** 2 départs quotidiens en TGV Paris-Milan (via Lyon-Chambéry-Turin). Des liaisons quotidiennes Nice-Lyon existent aussi. De Paris les A/R vont de 60 € à 180 €.

▶ **Train de nuit** : (*Le Stendhal* va jusqu'à Venise). De Paris (via Dijon et Dôle), les A/R en 1ʳᵉ classe peuvent se trouver entre 80 € et 120 €. 2 départs par jour, durée environ 10 heures. Des liaisons quotidiennes Nice-Milan existent aussi. Un conseil : préférez la 1ʳᵉ classe car, pour seulement quelques euros de plus, vous ferez le voyage confortablement installé dans une cabine à 4 lits.

■ STAZIONE CADORNA (FERROVIE NORD)
Piazzale Cadorna
✆ 02 85111
www.ferrovienord.it
M° 1 et 2 Cadorna – Trams 1, 27
Bus 50, 58, 94.
Guichets ouverts de 7h à 22h30.

Compagnie privée reliant Milan à Varèse, Novare, Côme et sa région. Départs du train-navette pour l'aéroport de Malpensa.

■ STAZIONE CENTRALE
Piazza Duca d'Aosta
✆ 02 892021
www.trenitalia.com
M° 2 et 3 Centrale - Tram 2, 5, 9, 20,29, 30, 33 - Bus 42, 60, 81, 82, 83, 87 - Trolley bus 90/91, 92. Tous les jours 7h - 23h.
C'est le principal nœud ferroviaire de la Lombardie. La gare est située à quelques arrêts de métro du centre historique.

■ STAZIONE GARIBALDI
Piazza Freud, 1
M° Garibaldi
Passante ferroviario
Trams 11, 33, 29, 30.
Bureaux ouverts de 6h30 à 20h30.
Située dans la zone nord-est de Milan, cette gare dessert certaines destinations en Suisse italienne et une partie des destinations locales, en particulier vers le nord de la Lombardie.

Voiture

Nœud routier de première importance, Milan est facilement accessible de toute l'Europe par autoroute. La ville est entièrement ceinturée d'un système de rocades qui relie les différentes autoroutes. Toutes sont à péage, et une longue file d'attente est à craindre à l'entrée comme à la sortie. Les périphériques sont d'ailleurs souvent encombrés. Les routes nationales sont quant à elles embouteillées aux heures de pointe. Conclusion : le voyage en voiture est assez fatigant, long et cher. De Paris, il faut compter, entre carburant et différents péages, environ 300 € pour un aller-retour. De plus, comme dans la plupart des grandes villes européennes, la circulation à Milan est assez difficile et pénible à cause des nombreux bouchons. Le stationnement peut aussi poser aussi des problèmes.
Une fois dépassée la station de péage d'entrée à Milan, suivez les indications « Centro ».

Se déplacer à Milan

À pied

Marcher reste le meilleur moyen pour découvrir les beautés cachées de Milan (jetez un œil aux cours intérieures des hôtels particuliers du centre), ou pour flâner le long des innombrables boutiques. Entre autres, plusieurs rues sont désormais piétonnes.

▶ **Walking Tour** : La société Autostradale propose des visites du quartier central de Milan par audioguide (italien et anglais), extrêmement exhaustives pour qui désire découvrir le Duomo, la Galerie Victor-Emmanuel, la Scala et toutes les anecdotes liées à leur histoire. Départ face à l'office du tourisme Piazza Duomo 19/A. Lundi-samedi : 10h30, 12h30, 14h30 ; dimanche : 13h, 15h. Tarif : 20 €.

Scooter

Le *motorino* (scooter en langage familier) est encore le meilleur et le plus utlisés des moyens de locomotion à Milan. Idéal pour visiter la ville, il vous permet de parcourir des distances importantes, sans le problème du parking. Attention ! La circulation est intense et les automobilistes parfois peu attentionnés aux deux-roues.

■ **BIANCO BLU**
Via Gallarate, 33
✆ 02 3082430
www.biancoblu.com
info@biancoblu.com
1 jour 31 €, 5 jours 125 €, 7 jours 155 €.

Taxi

Les taxis milanais, reconnaissables à leur couleur blanche, sont très coûteux et, comme les bus, soumis à la circulation. Leur prise en charge habituelle est de 2 € mais un supplément peut faire augmenter le prix, à cause des courses de nuit, des bagages et des jours fériés.

■ **RADIO TAXI**
✆ 02 8585, 02 8383, 02 6767

Transports en commun

■ **ATM**
www.atm-mi.it
La société ATM (Azienda Transporti Milanesi) assure un réseau dense de lignes de bus, tramways et trolleybus auxquelles se rajoutent les lignes de métro : www.atm-mi.it

▶ **Tickets**. Vous pouvez acheter les tickets, uniques pour tout le réseau de transport, dans les kiosques à journaux ou, si vous avez de la monnaie, dans les distributeurs automatiques prévus à cet effet et situés généralement dans les stations de métro. Vous ne pourrez pas les acheter directement dans les bus.
Avec votre ticket, vous pouvez voyager librement pendant 75 minutes sur tout le

© PEPEIRA, TOM - ICONOTEC

Duomo de Milan

réseau de transports en commun de la ville (métro inclus). Cependant, dans le métro vous ne pourrez utiliser votre billet qu'une seule fois. Le prix d'un ticket urbain est de 1 € mais il existe des tickets touristiques vous permettant de voyager librement pendant 24 heures (3 €) et 48 heures (5,50 €).
Si vous restez à Milan pendant une longue période, nous vous conseillons d'acheter les carnets. Le carnet de 10 billets à 9,20 €. Ce carnet peut être utilisé par plusieurs personnes à la fois, à condition que le billet où figure le mot « matrice » soit conservé.
Le carnet 2 x 6 à 6,70 €. C'est un carnet hebdomadaire permettant 2 voyages par jour pour 6 jours (l'aller doit être utilisé avant 13h30 et le retour après 12h).
Des cartes d'abonnement (mensuelles, annuelles) sont en vente dans les bureaux de l'Agence de transports municipale (ATM) des stations de métro Cadorna, Centrale, F.S., Garibaldi, Duomo, Loreto, Romolo et San Donato.
Pour les autres liens extra-urbains, vous pouvez vous renseigner auprès de l'ATM (n° vert depuis l'Italie Tél 800 016857) ou dans les bureaux d'information dits Info Points de la station de métro Duomo et Stazione Centrale

(Tél 02 48032403 du lundi au samedi de 7h45 à 20h15) ou encore sur le site de l'ATMb – www. atm-mi.it – sur lequel vous trouvez le plan du métro, des bus, un moteur de recherche et les horaires.

Métro

Milan possède trois lignes de métro (rouge, jaune, verte), qui dans l'ensemble desservent les principaux points névralgiques de la ville et de sa banlieue.
La fréquence du métro milanais est une des plus élevées d'Europe, environ un train toutes les 2 minutes, entre 6h et minuit. Le Passante Ferroviario (ligne bleue) qui se rajoute au métro, relie les gares les plus importantes de Milan avec les gares secondaires.

Tramway

Le ticket de métro est également valable pour le tramway. Même si plusieurs voitures ont été remplacées par des voitures modernes, très design, les anciens tramways milanais ont gardé un charme suranné, avec leurs dragonnes de vieux cuir et les banquettes en bois.

Bus

Bien que les couloirs prioritaires se soient multipliés au long des dernières années, les bus sont soumis comme tous les véhicules aux bouchons urbains. Néanmoins leur fréquence est assez régulière et le réseau couvre tous les quartiers de la ville.

■ **CITY SIGHTSEEING MILANO**
Foro Bonaparte, 69
✆ 02 867131
www.milano.city-sightseeing.it
infomilano@city-sightseeing.it
Départ toutes les heures de Piazza Castello (les horaires changent l'hiver et l'été, pour vérifier les mises à jour consultez le site Web). Durée 90 minutes. Tarif : 20 €, enfant 5-15 ans : 10 €.
Les célèbres cars rouges vous proposent deux circuits découverte à travers Milan. Le premier plutôt vers le quartier des basiliques romanes, alors que le second se dirige vers la Stazione Centrale et le Quadrilatero della Moda. Le ticket est valable 24 heures, la descente et la remontée sont possibles à chaque arrêt pour permettre la visite, et les commentaires sont disponibles en 8 langues. Excellent moyen pour avoir un aperçu détaillé de Milan.

Vélo

Le vélo est également un moyen de locomotion très utilisé par les Milanais, particulièrement par les hommes d'affaires. Il n'est pas rare en fait de voir filer sur les pavés de la ville des jeunes cadres dynamiques, tirés à quatre épingles et enfourchant leur vélo pour se rendre à un rendez-vous d'affaires à l'autre bout de la ville. Le vélo peut être une solution de circulation facile (l'avantage de Milan, c'est que son centre historique est concentré) pour découvrir les magnifiques parcs et palais de la ville. Parfait également pour des balades printanières dans les environs de Milan en suivant le cours du Naviglio.

■ **AWS**
Via Ponte Seveso, 33
✆ 02 67072145
www.awsbici.com
1 jour 11 €, 2,60 € à partir du 4e jour de location.

■ **BIKEMI**
Bornes dans tous les quartiers de Milan
✆ 800 808181

Entrée de métro devant le Duomo

© ALFREDO/IRIS – ICONOTEC

Balades à vélo

Des parcours à vélo dans les abords de la ville ou pour en sortir à la découverte des alentours de Milan sont également possibles. Le Naviglio Grande semble être un bon point de départ pour quitter Milan vers le sud, en direction de l'abbaye de Morimondo ou vers la chartreuse de Pavie.

Au nord, derrière la Stazione Centrale, à l'angle de la via Melchiorre Gioia et de la via Tirano, le Naviglio de la Martesana vous permettra une échappée vers le nord-est en suivant ses berges. Pour obtenir plus de renseignements, les cartes des pistes cyclables et les itinéraires découverte, renseignez-vous à l'office du tourisme ou bien consultez le site – www.provincia.milano.it/pianificazione_territoriale/MiBici.

www.bikemi.com
info@bikemi.it
Gratuit les premières 30 minutes, 0,50 € toutes les 30 minutes successives. Location autorisée pour une durée de 2 heures maximum.
BikeMi est le tout nouveau service de *bike sharing* de la Mairie de Milan. Ce Vélib milanais, géré par la compagnie de transports en commun ATM, jouit d'un succès grandissant depuis sa création, aussi bien parmi les habitants de la ville que parmi les touristes. Le bornes sont nombreuses et le service est vraiment bon marché. Seul inconvénient, il est indispensable d'être enregistré pour obtenir son code d'accès. L'opération est possible sur le site Web, par téléphone ou bien auprès d'un bureau ATM.

Voiture

Milan présente un plan circulaire, avec un réseau de rues centripètes et de deux avenues concentriques, la Circonvallazione interna et la Circonvallazione esterna, sur lesquelles le trafic est important. Dans Milan intra-muros, la circulation, difficile pour les néophytes mais malgré tout assez fluide, reste une gageure pour celui qui ne connaîtrait pas la ville et qui chercherait à s'y diriger : la signalisation est en effet peu lisible. Il est difficile de circuler en voiture, plus encore de se garer.

Si l'on décide de se rendre à Milan en voiture, il est donc, *a priori*, plus futé de choisir un hôtel dans l'une des petites villes périphériques reliées par le train, d'y laisser la voiture au parking de l'hôtel et de faire le banlieusard du tourisme, en économisant stress et argent contre quelques demi-heures de sommeil en moins. Si vous optez pour un hôtel en ville, nous vous conseillons vivement de laisser la voiture au parking de votre hôtel, s'il y en a un disponible, ou de la garer dans un parking payant (voir informations ci-après). Attention aux couloirs réservés aux bus et aux taxis !

Location de voitures

La plupart des agences se retrouvent près des aéroports de Milan et de la Stazione Centrale. Pour la location d'une Fiat Tipo, comptez environ 160-180 € pour 3 jours.

Parking

Les rensenseignements et les localisations des parkings peuvent être trouvés au ☎ 02 88467232 / 3 ou sur – www.comune.milano. it –, sous la rubrique « Sosta e Parcheggi ». Dans l'ensemble, les parkings privés couverts sont assez chers.

Il est assez difficile de se garer en ville, sauf dans certains quartiers (Gobba, Pagano, Gorla) et pendant les périodes de vacances scolaires. Attention, des amandes salées et des mises à la fourrière sanctionnent les stationnements en zone interdite.

Dans le centre-ville et dans le quartier de la foire, nous vous conseillons d'utiliser les espaces de parking payant mis à disposition par la mairie de Milan. Ils sont délimités par une ligne bleue (la ligne jaune désigne les espaces réservés aux résidents) et vous pourrez les utiliser de 8h à 20h pendant maximum 2 heures.

▶ **Pour se garer,** il faudra se procurer le ticket SostaMilano, en vente dans les tabacs, les kiosques à journaux ou directement auprès des gardiens de parking autorisés par l'ATM (ils portent un badge ATM). Il existe deux types de cartes SostaMilano : pour un temps de parking d'1 heure : 1,50 €. Pour un temps de parking de 2 heures : 2,60 €. Vous devez gratter le jour, le mois, l'année et l'heure d'arrivée et bien l'exposer sur le devant ou l'arrière de votre voiture.

▶ **Pour plus d'informations** sur la circulation des voitures à Milan, contactez la Police municipale ☎ 02 77271.

▶ **Au cas où** votre voiture serait victime de la fourrière (rimozione forzata), contactez l'Ufficio Rimozioni, Via Beccaria 19, ☎ 02 77270280.

PRATIQUE

Représentations diplomatiques

■ CONSULTAT GÉNÉRAL DE FRANCE

Via della Moscova, 12
℡ 02 6559141
Fax :02 65591344
www.consulfrance-milan.org

Offices du tourisme

■ IAT OFFICE DU TOURISME

Spazio ex Cobianchi
Piazza Duomo 19/A
℡ 02 77404343
Fax :02 77404333
www.visitamilano.it,
www.provincia.milano.it/turismo
iat.info@provincia.milano.it
M° 1/3 Duomo
Lundi-samedi : 8h45-13h et 14h-18h, dimanche et fêtes : 9h-13h et 14h-17h.
Auprès des offices du tourisme de Milan, vous pourrez vous procurer tous les documents et les informations nécessaires à votre séjour à Milan et en Lombardie.
La Provincia (département) et la Chambre de commerce éditent régulièrement des publications très complètes qui vous aideront à connaître la ville et à vous renseigner sur les évènements saisonniers.

▶ *Milano mese* (gratuit) : pour vous intégrer à la vie locale, il faut vous procurer cette petite édition mensuelle de l'office du tourisme (à demander sur place). Ce précieux guide bilingue italien/anglais qui répertorie les différentes manifestations vous aidera à être là où il faut, quand il le faut.

■ IAT OFFICE DU TOURISME

Stazione Centrale
Galerie des départs
face aux quais 13/14
℡ 02 7740 4318 / 4319
www.provincia.milano.it/turismo/
M° 1/3 Centrale
Lundi-samedi : 9h-18h, dimanche et jours fériés : 9h-13h et 14h-17h.

■ INFORMATIONS HANDICAPÉS

℡ 02 67644740
www.milanopertutti.it.

Lundi-jeudi : 9h-17h30 et vendredi : 9h-13h30.

Poste et télécommunications

Malheureusement Milan est encore très peu couvert par le réseau municipal wifi. Vous trouverez néanmoins plusieurs bars et cafés où pouvoir vous connecter avec votre ordinateur et divers cybercafés.
Les bureaux de poste sont ouverts du lundi au vendredi de 8h à 13h50 et le samedi de 8h à 12h. Attention, le dernier jour de chaque mois, la Poste ferme à 11h40.

■ AWBA COMMUNICATIONS

Via Valpetrosa, 5
℡ 02 45478874
Du lundi au dimanche : 8h30-20h.
Un bon plan pour se connecter dans le centre de Milan, avec 20 postes d'accès à Internet PC et Mac, installés dans une antique demeure remontant au XIVe siècle, construite par Bramant et décorée de tableaux d'artistes contemporains. Tarifs dégressifs sur la base de 10 minutes à 1 €, 30 minutes à 2 €, 1 heure à 3 €, 2 heures à 5,50 €, etc. Connexion wifi.

■ BUREAU DE POSTE CORDUSIO

Via Cordusio, 4
℡ 02 72482126
www.poste.it
M° Cordusio
Du lundi au vendredi de 8h à 19h, le samedi de 8h30 à 12h.
Principal bureau de poste à Milan. Tous les services.

■ MONDADORI MULTICENTER

Via Marghera, 28
℡ 02 48047311
Tous les jours de 10h à minuit, le lundi de 13h à minuit.
16 ordinateurs avec accès à Internet. Service gratuit et illimité (dans la limite du temps d'attente). Un bar est à la disposition des cybernautes.

Banques

Les banques milanaises sont généralement ouvertes de 8h30 à 13h30 et de 15h à 17h. Vous trouverez des distributeurs de billets partout dans la ville.

Santé

■ GUARDIA MEDICA
✆ 02 34567

Du lundi au dimanche de 20h à 8h, jours précédents les jours fériés de 10h à 20h.

La Guardia Medica garantie l'assistance d'un médecin en situation d'urgence pendant la nuit ou pendant les jours fériés. La prestation est gratuite et peut être faite également par téléphone.

■ PHARMACIES DE GARDE
Stazione Centrale
Gallerie delle Partenze (2e étage)
✆ 02 6690935 *Ouverte 24h/24.*

La pharmacie de la Gare centrale est de garde 24h/24. En cas de besoin urgent, sachez que toutes les pharmacies affichent sur leurs vitrines les horaires des pharmacies de garde dans le quartier.

■ URGENCES
✆ 118

▬ QUARTIERS

En regardant le plan de Milan, on peut diviser la ville en 5 parties : le centre historique, le sud, l'ouest, le nord et l'est. Suivant cet ordre, nous vous présentons les principaux quartiers de Milan.

Le centre historique (Duomo, château Sforza, Brera, etc.)

Qui arrive à Milan pour la première fois ne peut manquer de se rendre sur la célèbre Piazza del Duomo. Avec ses pinacles et ses volumes élancés, le Duomo est le plus important exemple de gothique tardif italien, dit gothique flamboyant. Symbole de la ville, il s'agit de la troisième église européenne par sa taille après la basilique Saint-Pierre à Rome et la cathédrale de Séville en Espagne. Du haut de ses terrasses vous est offerte la meilleure vue panoramique de Milan, qui s'étend sur toute la ville et, par beau temps, jusqu'aux Alpes.

Devant la cathédrale se déploie la vaste piazza del Duomo au centre de laquelle veille la statue équestre de Vittorio Emanuele II, le roi de l'Unité italienne, à qui est également dédiée la galerie Vittorio Emanuele (sur la droite, dos à la cathédrale), dite le « salotto di Milano » (le salon de Milan) pour son élégance. La piazza del Duomo est le cœur de la ville.

C'est un lieu de rencontre non seulement pour les Milanais mais aussi pour les communautés d'étrangers qui ont choisi de vivre et de travailler à Milan. Sur la gauche de la cathédrale se trouvent le Palazzo Reale (palais royal) et le musée du Duomo. L'office du tourisme se trouve sous les arcades nord.

Avançant sous la galerie, sur le même axe que son entrée principale, vous déboucherez sur la piazza della Scala où s'élève le théâtre alla Scala, le temple de la musique lyrique et classique, royaume de Giuseppe Verdi et de Maria Callas, de Pavarotti pour ne citer qu'eux. Situé juste en face du théâtre, s'élève le Palazzo Marino, le plus imposant des hôtels particuliers de la ville, aujourd'hui siège de la mairie.

Si, en revanche, vous vous dirigez vers la via Dante, (vers l'ouest depuis la Piazza del Duomo), vous rejoindrez le majestueux château Sforzesco, résidence des seigneurs de Milan à la Renaissance. Dans le même quartier se trouvent aussi Sant'Ambrogio, première basilique romane de la ville, et Santa Maria delle Grazie, chef d'œuvre du XVe siècle abritant dans l'ancien réfectoire, la célèbre

Maison traditionnelle du quartier de Brera

© STÉPHANE SAVIGNARD

fresque de *La Cène* de Léonard de Vinci. Dans le centre de Milan se trouvent également les plus importants musées de la ville, comme la Pinacothèque de Brera et la Pinacothèque Ambrosienne.

Cependant, c'est aussi le quartier des boutiques et grands magasins (via Torino, Galerie et corso Vittorio Emanuele II, quadrilatère de la mode) et de la vie nocturne branchée, notamment à Brera, quartier situé à l'ouest du Duomo et l'un des plus anciens de la ville. Le centre historique est aussi le quartier où vous croiserez le plus grand nombre de touristes et où les Milanais viennent pour voir et pour être vus.

Le sud (quartier de Porta Ticinese et des Navigli)

Le sud de Milan est une de ses rares parties à avoir gardé intact son charme populaire. En vous en approchant, vous apercevrez le charmant ensemble de la piazza delle Colonne, une grande place délimitée sur le côté nord par 16 colonnes, anciens vestiges d'un temple romain.

L'église de San Lorenzo est un exemple unique d'édifice à plante centrale, originaire du XIIe siècle et remanié à plusieurs reprises. La place est protégée par la porte Ticinese, donnant son nom au quartier et la plus ancienne des enceintes de Milan (XIe siècle).

Derrière la basilique, le parc de piazza Vetra propose aux promeneurs ses bancs et une vue superbe. La piazza alle Colonne est devenue un lieu de sortie très prisé en été, saison où elle se remplit de jeunes plus ou moins branchés discutant et sirotant des boissons fraîches.

Le quartier de Porta Ticinese est également le quartier « portuaire » de Milan car c'est ici que se trouve la Darsena, l'ancien port fluvial, confluence des canaux aujourd'hui en partie couverts, tout comme le port lui-même. Il est conseillé de visiter ce quartier le samedi, jour du marché aux puces de Senigallia qui se tient précisément sur la Darsena.

De la Darsena, vous êtes à deux pas des Navigli, quartier caractéristique de Milan. Les Navigli sont les vestiges d'un dense réseau de canaux qui jadis sillonnaix Milan. Conçus par Léonard de Vinci, ils ont malheureusement été recouverts par Mussolini pendant les années 1930. Très animés le soir on y trouve une grande quantité de bars, cafés et restaurants typiques.

L'ouest (quartier de la Fiera et du stade de San Siro)

Cette partie de la ville s'étend au-delà de l'arc de la Paix et de l'église de Santa Maria delle Grazie.

C'est un quartier résidentiel où se sont installés également les sièges de plusieurs sociétés qui ont choisi leur emplacement à deux pas de la Fiera (foire) de Milan, l'un des centres d'exposition parmi les plus importants d'Europe et le premier en Italie. Depuis quelques années, ce quartier, jadis assez triste et peu vivant le soir, est en passe de devenir le nouveau pôle d'attraction des noctambules milanais.

Tout le long du corso Sempione et dans les alentours, de plus en plus de bars et de lieux à la mode ont ouvert leurs portes. Au nord-est de la foire, vous entrez dans le quartier de San Siro, lui aussi résidentiel et qui ne présenterait aucun intérêt si on n'y trouvait pas le stade Giovanni Meazza, dit « San Siro », temple des deux équipes de la ville, l'Inter et le Milan AC. Ce quartier est également le lieu de résidence de la plupart des Français habitant Milan. Le Monte Stella, une colline construite avec les débris des immeubles bombardés pendant la Deuxième Guerre mondiale, est le parc où se donnent rendez-vous les joggeurs les plus effrénés.

Le nord (Porta Venezia et Porta Volta, gare Garibaldi, Stazione Centrale et Isola)

Au bout du corso Vittorio Emanuele, au nord du Duomo, commence le quartier de Porta Venezia et de la Porta Volta, parcourus par des grands boulevards comme le corso Venezia, avec ses palais en style Liberty et les *giardini pubblici* (les jardins publics), le corso Buenos Aires, aire marchande où vous pourrez faire du shopping intéressant, et le corso Como, un des quartiers les plus branchés de Milan, fréquenté par les mannequins et les professionnels de la mode. Sur un espace de quelques mètres s'alignent des restaurants trendy, irish pubs, centres d'exposition et boîtes de nuit.

En suivant la ceinture externe (Circonvallazione esterna), on arrive à la Stazione Centrale, la gare principale de Milan. Construite par Mussolini, cette gare avec son gigantisme, ses inscriptions néoclassiques et ses mosaïques d'inspiration Art déco, est un bon exemple d'architecture mussolinienne ou rationaliste.

© STÉPHANE SAVIGNARD

Gare centrale à l'architecture mussolinienne

Juste en face de la gare s'élève le gratte-ciel Pirelli, dit Pirellone (le grand Pirelli), considéré avec le Duomo comme l'un des symboles de Milan et l'un des plus élégants gratte-ciel existants, en raison de sa forme svelte et de ses flancs biseautés.

Une alternative aux divers quartiers à la mode est le quartier d'Isola, situé entre les gares Centrale et Garibaldi. Beaucoup moins fréquenté que les quartiers plus trendy, il propose pourtant un bon choix de « locali » à l'ambiance encore authentique. Toujours dans cette portion de la ville, nous trouvons le Cimetière Monumental, l'un des plus exotiques d'Europe avec ses tombeaux sculptés. Ne manquez pas sa visite : les riches Milanais qui y sont enterrés ont donné libre cours à leurs plus fous fantasmes. Certains ont même reproduit *La Cène* de Léonard, grandeur nature ! Au nord du quartier d'Isola, dans la banlieue nord-est de Milan, dans le quartier de Bicocca, se trouve le théâtre Arcimboldi, qui est devenu désormais une extension du théâtre de la Scala.

L'est (Porta Romana et Città Studi)

Nous sommes ici dans la partie de la ville habitée par les étudiants. En suivant le corso di Porta Romana, non loin de la cathédrale

Le Milan du futur

Du point de vue paysager, Milan présente un horizon plat seulement entrecoupé par le massif château Sforza, le Duomo et les deux gratte-ciel Pirelli (127 m) et Torre Velasca (106 m). Des projets vont néanmoins modifier le *skyline* (vue d'ensemble) de la métropole milanaise. La ville va connaître un profond revirement architectural, avec des opérations de requalification urbaine, de vastes quartiers et de grands chantiers cherchant à exprimer la vitalité économique de Milan. La victoire de la ville pour l'Exposition universelle 2015 a, par ailleurs, fourni un élan supplémentaire à la liste des projets urbains déjà en vue. C'est le cas pour la nouvelle Fiera di Milano, la rénovation du théâtre de la Scala, le projet Citylife qui comprendra trois gratte-ciel de hauteurs comprises entre 180 et 216 m, la bibliothèque européenne, le quartier S. Giulia, la « città della moda » qui culminera au plus haut à 190 m de haut, le gratte-ciel du futur siège de la région Lombardie (160 m), les deux gratte-ciel Varesine qui atteindront 120 et 130 m, les immeubles « ex-Falck » de Sesto S. Giovanni (110 m), un projet de gratte-ciel à plus de 215 m, un autre d'hôtel de ville de 150 m de haut et un dernier projet nommé Famagosta (150 m). Ces nouvelles constructions d'immeubles de grande hauteur doivent permettre à la capitale lombarde de rejoindre au niveau européen les rangs de Paris et de Londres qui, avec la Défense et la City, se sont déjà dotées de quartiers modernes.

et de la via Torino, vous arriverez à l'université d'Etat. Le bâtiment abritant l'université est appelé Ca' Granda. Il s'agit de l'ancien Hôpital Majeur de Milan, construit en 1456 par Filarete, l'architecte qui construisit le château Sforza commandé par Francesco Sforza. Très remarquable, l'aile droite de sa longue façade est recouverte de très beaux décors en terre cuite, tout comme sa superbe cour centrale. Outre l'université, ce quartier comprend l'une des institutions privées les plus connues d'Italie, l'université Bocconi, foyer des meilleurs économistes italiens. Au nord de l'université est situé un autre quartier digne d'être mentionné, le quartier de Città Studi où est installée l'Ecole polytechnique avec les facultés d'ingénierie et d'architecture. Là aussi, le nombre de restaurants et de lieux de sortie pas très chers est considérable. Des bâtiments de style Art déco (style Liberty) agrémentent les avenues de la zone (on peut aussi en trouver à l'ouest).

■ HÉBERGEMENT

Camping

Pour les amateurs de camping, la ville de Milan n'est vraiment pas adaptée pour ce mode d'hébergement. Il est préférable de privilégier une autre forme de séjour dans cette cité.

■ CAMPING AUTODROMO DI MONZA

Voir au chapitre « La Brianza / Monza ».

Le centre historique

Bien et pas cher

■ ALISEO

Corso Italia, 6
℗ 02 86450156
Fax :02 804535
www.hotelaliseo.it – info@hotelaliseo.it
M° Missori.
Simple avec salle de bains privée 60-80 €, double 75-110 € (20 € de moins pour la salle de bains à l'extérieur).
Au dernier étage d'un élégant immeuble XXe, cet hôtel extrêmement bien situé offre 12 chambres un peu sombres mais à un très bon rapport qualité/prix pour la moyenne de la ville.

■ LA CORDATA

Via Burigozzo, 11
℗ 02 58314675
Fax :02 58303598
www.lacordata.it
ostello@lacordata.it
M° Missori, tram 15.
Couchage 21-25 €. Possibilité pour les groupes de réserver un dortoir entier : 4/5 pers. 108-120 €, 13/15 pers. 300-330 €.
Une excellente adresse pour les petits budgets. Située à dix minutes à pied du Dôme, cette auberge de jeunesse, gérée par une coopé- rative scoute, propose des chambres propres et lumineuses, ainsi qu'une cuisine commune équipée, Internet gratuit et une bagagerie.

■ NUOVO

Piazza Beccaria, 6
℗ 02 86464444
Fax :02 72001752
www.hotelnuovomilano.com
info@hotelnuovomilano.com
Simple à partir de 60 €, double à partir de 80 €, sans petit déjeuner.
Petit et confortable hôtel 1-étoile, situé juste derrière le Dôme, point de départ idéal pour découvrir la ville. Chambres propres et spacieuses, avec TV et salle de bains. Bons tarifs pour une adresse en plein centre.

Confort ou charme

■ ANTICA LOCANDA DEI MERCANTI

Via San Tomaso, 8
℗ 02 8054080
Fax :02 8054090
www.locanda.it
locanda@locanda.it
M° Cordusio.
Double 235 €, chambre avec terrasse 375 €, suite 525 €.
Adresse de charme, située dans une paisible rue du centre, loin du trafic frénétique milanais. Cet immeuble du XVIIIe siècle a été réaménagé avec goût pour rendre agréable un séjour de qualité, dans une ambiance intime. Certaines chambres jouissent d'une belle terrasse.

■ ANTICA LOCANDA SOLFERINO

Via Castelfidardo, 2
℗ 02 6570129
Fax :02 6571361
www.anticalocandasolferino.it
M° Moscova.

Simple 140-270 €, double 180-400 €.

Séjourner à l'Antica Locanda Solferino est un peu comme revivre l'ambiance de Milan du début du XXe siècle. Située à la lisière du quartier artiste, bobo, de Brera, cet ancienne auberge de 11 chambres douées de tous les services modernes, possède un charme hors du temps. Le petit déjeuner vous est servi dans la chambre, accompagné du journal de votre choix. On vous propose également de réserver une voiture avec ou sans chauffeur, des visites guidées et des scéances de réflexologie.

■ KING

Corso Magenta, 19
✆ 02 874432
Fax :02 89010798
www.hotelkingmilano.com
info@hotelkingmilano.com
M° Cadorna.
Simple 70-231 €, double 80-395 €.

Adresse historique milanaise, à proximité de *La Cène* de Léonard. Les chambres ont été restaurées récemment. Le décor un peu baroque au premier abord n'empêche pas les espaces d'être spacieux et doués de tout confort. Excellent service et copieux buffet du petit déjeuner.

Luxe

■ FOUR SEASONS

Via Gesù, 8
✆ 02 77 088
Fax :02 77085000
www.fourseasons.com/milan
M° Montenapoleone.
Simple à partir de 550 €, double à patir de 620 €, suite à partir de 900 €.

Alliance entre tradition et modernité, le Four Season milanais est sans doute le plus bel hôtel de la ville. La structure actuelle a été intégrée aux vestiges d'un couvent du XVe siècle et à son cloître. Une qualité irréprochable, plusieurs salles de conférence, une salle de fitness, un garage et de nombreux autres services ne cessent de séduire une clientèle italienne et internationale. Un restaurant et un piano-bar en font en effet un des lieux favoris des Milanais pour l'apéritif.

Le sud

■ MINERVA

Corso Cristoforo Colombo, 15
✆ 02 8375745
Fax :02 8358229
www.hotelminervamilano.it

hotelminerva@tiscali.it
M° Porta Genova
Simple 60 €, double 80 €, triple 100 €.

Près de la Porta Genova, un hôtel un peu triste mais bien situé, à 5 minutes des Navigli. Les chambres sont très austères mais propres et calmes, surtout celles donnant sur le jardin.

L'ouest

■ PICCOLO HOTEL

Via Piero della Francesca, 60
✆ 02 33601775
Fax :02 3360 1756
www.piccolohotelmilano.it
piccoplohotel@libero.it
Simple 55-80 €, double 85-130 €. Garage 16 €.

Situé dans le nouveau quartier branché de la ville, face à un bar installé dans une église déconsacrée, cet hôtel est proche de la Fiera. Les prix sont particulièrement intéressants, compte tenu de la possibilité d'utiliser un parking privé, vraie aubaine dans ce quartier.

Le nord

■ EXCELSIOR HOTEL GALLIA

Piazza Duca d'Aosta, 9
✆ 02 67851
Fax :02 66713239
M° Centrale.
Simple à partir de 480 €, double à partir de 590 €.

On repère la façade Liberty de cet hôtel à la sortie de la Stazione Centrale. Une très solide réputation pour l'un des meilleurs hôtels d'Italie. Architecture début XXe, chambres modernes meublées d'époque. Le restaurant est réputé. Salle de gym, sauna, restaurant, piano-bar.

■ FENICE

Corso Buenos Aires, 2
✆ 02 29525541
Fax :02 29523942
www.hotelfenice.it
fenice@hotelfenice.it
M° Porta Venezia.
Simple 75-150 €, double 85-250 €.

Excellent rapport qualité/prix pour cet hôtel 3-étoiles, installé dans un bel immeuble XIXe à Porta Venezia. Les chambres sont accueillantes et dotées de tout confort. Idéal pour se reposer après une journée de visite et de shopping.

■ KENNEDY

Viale Tunisia, 6
6e étage
✆ 02 29400934
www.kennedyhotel.it
info@kennedyhotel.it
M° Lima.
Simple sans salle de bains 36-80 €, double sans salle de bains 55-100 €, double avec salle de bains 65-150 €. Offres de dernière minute.
Chambres popres et lumineuses pour cet hôtel 1-étoile, situé au 6e étage d'un immeuble moderne, fréquenté par une clientèle jeune et sympathique. A proximité de la rue commerçante, corso Buenos Aires, et de la Gare Centrale, c'est définitivement un bonne adresse.

L'est

■ CANADA

Via S. Sofia, 16
✆ 02 58304844
Fax :02 58300282
www.canadahotel.it
canada@tin.it
M° Crocetta.
Simple 94-230 €, double à partir de 130-400 €.
Confort moderne pour cet hôtel central qui convient aussi bien à une clientèle d'affaires qu'à quiconque désire découvrir la ville. Les chambres sont élégantes et meublées sobrement. La salle du petit déjeuner est soignée.

■ LA PACE

Via Catalani, 69
✆ 02 2846361
Fax :02 2824930
www.hotellapace.com
info@hotellapace.com
M° Loreto.
Simple à partir de 39 €, double 60 €, triple 80 €.
Situé dans un quartier très paisible et un peu excentré, c'est hôtel 2-étoiles porte bien son nom (la paix). Un jardin très agréable accentue la tranquillité de l'endroit.

■ RESTAURANTS

Vous découvrirez avec plaisir qu'à Milan, vous pourrez trouver toutes les sortes de cuisine, régionale, européenne et internationale. Milan possède également de nombreux restaurants qui perpétuent la tradition culinaire milanaise, source de plats savoureux comme le risotto au safran, le minestrone, la polenta, la côtelette à la milanaise, la *cassoeula*, l'*osso buco*, la *busecca*, *i mondeghili* (rouleaux de chou farci), le *vitello tonnato*, *il rostitt negà* (entrecôte de veau cuit dans du vin)… et, parmi les desserts, le très célèbre panettone et la crème au *zabaione*. Vous trouverez parmi les meilleurs restaurants dans le centre historique, mais les quartiers de Garibaldi et Porta Romana recèlent aussi d'excellentes adresses.

Le centre historique

Sur le pouce

■ DE SANTIS

Corso Magenta, 9
✆ 02 875968
Ouvert 12h-15h, 20h-1h. Fermé le dimanche. Panini entre 4 et 9 €.
Des poutres apparentes et quelques petites tables de bistrot rendent la déco de ce bar un peu rustique, mais les panini y sont délicieux et le choix presque infini : 160 variétés de panini. Il y a même des panini aux fruits !

Bien et pas cher

■ LA LATTERIA

Via S. Marco, 24 ✆ 02 6597653
Repas 15-30 €. Fermé le week-end.
Une ancienne crémerie reconvertie en bistrot. Un lieu très fréquenté surtout par les journalistes du siège voisin du Corriere della Sera. Gestion familiale qui propose chaque jour des plats différents, selon l'arrivage du marché.

■ LA SIBILLA

Via Mercato, 14 ✆ 02 86464567
Repas 10-18 €. Fermé le lundi.
Malgré l'exiguïté de la petite salle où vous serez parfois obligé de manger coude à coude avec votre voisin sur les longues tables en bois, c'est ici qu'on mange une des meilleures pizzas de Milan. Goûtez les *calzoni* (pâte à pizza farcie), sensationnels !

■ TAVERNA MORIGGI

Via Moriggi, 8 ✆ 02 80582007
www.tavernamoriggi.it

MILAN ET LA LOMBARDIE

Repas à partir de 15 €. Fermé samedi midi et dimanche.

A quelques pas des vestiges romains de la via Morigi, une ancienne osteria du début du XXᵉ siècle, avec sa déco d'origine. On se dirait dans une cave, ce qui est vrai car cet endroit est surtout une œnothèque offrant cependant de très bons plats de charcuterie et quelques plats chauds comme les traditionnels *maccheroni al sugo.*

Bonnes tables

■ ANTICA OSTERIA STENDHAL
Via Ancona, 1
✆ 02 6572059
www.osteriastendhal.it
Repas 25-35 €. Brunch le dimanche.
Osteria qui se vante d'avoir été fréquentée par l'écrivain dont elle porte le nom, ce restaurant réserve plusieurs bonnes surprises culinaires. Le *tagliolini au ragù* blanc et la côtelette milanaise y sont exquis. Décor intérieur intrigant et belle terrasse d'été.

■ PAPER MOON
Via Bagutta, 1
✆ 02 796083
Fermé le dimanche. Repas 25-35 €.
Le nom de ce restaurant fait référence au film de 1973 *Paper Moon* avec Ryan O'Neil. En effet, dans un cadre sobre et élégant vous dégusterez une cuisine simple et savoureuse, entouré par les portraits des plus grandes stars d'Hollywood. Leur spécialité : les grillades.

■ RISTORANTE SANTA MARTA
Via Santa Marta, 6
✆ 02 8052090, 02 86452570
Repas 30-60 €.
Dans une petite rue résidentielle, cette enseigne, appréciée de la clientèle locale, est un des meilleurs restaurants de poisson de la ville. Dans un décor charmant, le chef Orlando vous sert une cuisine ensoleillée selon les arrivages de la saison. Goûtez les savoureux *polipetti in umido.*

Luxe

■ BOEUCC
Piazza Belgioioso, 2
✆ 02 76020224
www.boeucc.it
Repas 60-150 €. Fermé samedi et dimanche midi.
Le plus ancien restaurant de Milan, ouvert depuis 1696 ! Situé sur l'élégante Piazza Belgioso, face à la demeure de l'écrivain Manzoni, il est fréquenté surtout par les hommes d'affaires du voisin quartier des banques. L'ambiance y est très raffinée, et la cuisine milanaise et toscane très recherchée. La carte des vins propose plus de 160 étiquettes.

Le sud

■ GNOCCHERIA
Piazza XXIV Maggio, 6
✆ 02 58100212
Gnocchi 3-6 €. Fermé le dimanche.
Seulement cinq tabourets, mais quel pied pour les fêtards affamés des Navigli ! Essayez le *gnocco fritto*, sorte de beignet salé, ou bien la *tigella* sucrée au nutella ou salée avec des lardons, de l'ail, du romarin et du parmesan râpé. Délicieux !

■ OSTERIA DEI BINARI
Via Tortona, 1
✆ 02 89406753
Repas 35-50 €.
Dans le quartier branché du design, voici une adresse qui allie à la fois tradition et modernité. L'entrée juste sous la passerelle en fer de la Gare Porta Genova vous mène à la salle où banquettes en cuir et boiseries donnent le ton. L'été, la terrasse sous la pergola vous fait presque oublier d'être en centre-ville. Cuisine milanaise avec de très bonnes viandes. A midi l'Osteria devient Bistrot, avec des prix plus modiques.

■ PIZZERIA DEL TICINESE
Corso di Porta Ticinese, 65
✆ 02 89402970
Pizza 6-10 €.
De très bonnes pizzas à la pâte bio et au feu de bois. Réservation conseillée.

■ TANO PASSAMI L'OLIO
Via Villoresi, 16
✆ 02 8394139
Repas 60-140 €.
Ouvert seulement le soir. Fermé le dimanche.
Minuscule restaurant dans le quartier des Navigli, né de la passion de Tano Simonato. Plus de 40 étiquettes d'huiles disponibles afin que chaque plat soit accompagné par le condiment approprié. Parmi les spécialités : pigeon au foie gras, ravioles au ragoût de légumes, carré d'agneau en croûte de jambon cru.

L'ouest

■ INNOCENTI EVASIONI

Via Priv. della Bindellina
✆ 02 33001882
Repas 35-80 €. Fermé dimanche et lundi.
A la tête de ce restaurant du quartier de la
Fiera, deux associés qui ont fait leurs armes
dans les meilleurs restaurants, avant d'ouvrir
leur propre cuisine en 1998. Ambiance intime
et raffinée. L'été, un jardin zen offre une
ambiance très romantique. Cuisine essentiellement milanaise, dont la carte change
chaque mois.

Le nord

■ ANTICA TRATTORIA DELLA PESA

Viale Pasubio, 10
✆ 02 6555741
Repas 40-60 €. Fermé le dimanche.
Cette glorieuse brasserie tire son nom de « la
pesa », ancien système de mesure pour les
marchandises, placée face à l'entrée. Trois
salles boisées où l'on respire un parfum du
Milan d'antan, vous accueillent au même
endroit où il paraît que Hô Chi Minh aimait
venir se restaurer. Cuisine milanaise où le
risotto sauté et la salade de *nervetti* (petits
nerfs de veau) vous laisseront un excellent
souvenir.

■ BEBEL

Via San Marco, 38 ✆ 02 6571658
Repas 20-40 €. Fermé le lundi.

Lieu simple, sans prétention, mais qui en
l'espace de quelques années, est devenu très
à la mode parmi la bonne société milanaise.
Fréquenté par des célébrités comme Miuccia
Prada et Adriano Celentano, on y savoure une
cuisine saine et savoureuse avec un petit
penchant pour les spécialités toscanes. Très
bonnes pizzas également.

L'est

■ BAR DELLA CROCETTA

Corso di Porta Romana, 67 ✆ 02 5450228
Panini 5-8 €, plats 10-12 €. Fermé le
dimanche.
Le temple du panino, il n'y a pas d'autres
façons pour définir ce petit bar, qui dessert
les bureaux du quartier, les spectateurs du
théâtre Carcano et désormais de plus en
plus d'amateurs. Parmi la liste infinie de
plus de 150 variétés de sandwichs, essayez
Augusto, un panino qui se mange à la cuillère.
A découvrir...

■ GIULIO PANE E OJO

Via Muratori, 10
✆ 02 5456189
Repas 25-35 €. Fermé le dimanche.
Ce restaurant a déjà conquis le cœur de
nombreux fidèles, qui ne se lassent pas de
son ambiance informelle et si *dolce vita*. Deux
services le soir, sous le contrôle du patron
arrivé à Milan avec l'ambition de promouvoir
la cuisine romaine. Pâtes à l'*amatriciana*,
artichauts à la juive... Pari gagné !

■ SORTIR

Bars – Cafés

Le centre historique

■ ATM BAR

Bastioni di Porta Volta, 15 ✆ 02 89454988
Tous les jours jusqu'à 1h. Cocktail 5-7 €.
L' ancienne amicale de l'entreprise des transports urbains milanais qui date des années
1950, vient d'être rénovée selon les critères
écolos les plus modernes et dans un style
ultra design. Belle terrasse à l'étage où il est
bon de prendre l'apéro ou de venir écouter
de la bonne musique après dîner.

■ BAR MAGENTA

Via Carducci, 13 ✆ 02 8053808
Tous les jours 8h-2h. Verre 6 €.

Café historique depuis 1907 dont il conserve la
décoration Liberty. Fréquenté par la jeunesse
milanaise, toujours bondé à l'heure de l'apéro et
à l'heure du déjeuner. Large choix de bières et
de cocktails, ainsi qu'une excellente restauration. Goutez les *piadine* fourrées : un délice !

■ LA BELLE AURORE

Via Abamonti, 1
✆ 02 29406212
Du lundi au samedi de 8h à 2h, fermé le
dimanche. Boissons 6 €.
Fréquentation années 1970 pour ce bistrot
classique, avec quelque chose de parisien.
Coktails, toasts et quiches vous seront servis
sur des petits tables en marbre blanc, accompagnés par un bon choix de vin. Pour une
soirée relax, mais bonne ambiance.

L'aperitivo façon milanaise

Si l'on raconte que la coutume est née à Turin, c'est bien à Milan qu'elle est devenue presque une institution. Alternative au véritable dîner, la tradition de l'*happy hour*, ou *aperitivo*, correspond à des boissons vendues à un prix unique (5-12 €) avec un service de buffet à volonté les accompagnant. Les buffets peuvent être vraiment copieux et variés selon les endroits, avec mini *pizze* et *focacce*, pâtes, légumes grillés, charcuterie, etc. Un bon plan pour les petits budgets, mais aussi pour participer à un *must* de la vie milanaise. Nous avons sélectionné pour vous cinq établissements particuliers par leur ambiance, leurs cocktails ou leur buffet apéro, mais sachez que désormais presque tous les bars proposent ce genre de formule.

■ **LE BICICLETTE**
Via Torti, 1 ✆ 02 8394177

■ **N'OMBRA DE VIN**
Via San Marco, 2 ✆ 02 6599650

■ **PALO ALTO**
Corso di Porta Romana, 106
✆ 02 58314122

■ **PESCHERIA DA CLAUDIO**
Via Cusani, 1 ✆ 02 8056857

■ **ROYALTO**
Via Piero della Francesca, 55
✆ 02 3493 6616

■ **N'OMBRA DE VIN**
Via San Marco, 2 ✆ 02 6599650
Lu-Sa 9h-24h. Verre 8 €.
Cadre exceptionnel pour cette œnothèque inaugurée en 1973. En effet, si de l'extérieur les espaces peuvent paraître exigus, il faut descendre au sous-sol pour accéder à la vaste salle de l'ancien réfectoire des frères augustiniens de la paroisse voisine de San Marco. Sous réservation vous pouvez dîner à la chandelle dans une ambiance très XVIIe siècle. Très vaste choix d'étiquettes, cours de dégustation.

■ **PESCHERIA DA CLAUDIO**
Via Cusani, 1 ✆ 02 8056857
Lu 11-21h30, Ma-Sa 9h-21h30.

Simple poissonnerie de quartier en apparence, Da Claudio se transforme en véritable rendez-vous mondain aux alentours de 19h. Accompagné d'une flûte de *prosecco* on vous servira, accoudé à de petites tables hautes, carpaccio de pieuvre, saumon mariné, fruits de mer, tartare de thon et mille autres fraîcheurs aquatiques.

Le sud

■ **LE BICICLETTE**
Via Torti, 1 ✆ 02 8394177
Tous les jours 18h-2h, dimanche 18h-24h. Cocktails 7 €.
Installé dans un ancien magasin de pièces de rechange pour les vélos, ce bar très design est une référence pour qui recherche un endroit soigné et relaxant et en même temps amusant et tendance. Des œuvres d'art contemporain vous entourent dans la salle à manger, et un vélo pend au-dessus de vos têtes quand vous sirotez un cocktail au comptoir. Brunch le dimanche.

■ **ENTROPIA**
Via De Amicis, 34
✆ 02 867639
Du mardi au dimanche de 20h à 2h. Conso 5-8 €.
Parmi la jeunesse milanaise on hésite pas : jeudi soir à l'Entropia ! C'est dans cette taverne du quartier de Ticinese, qu'à partir de 22h l'ambiance s'emballe au rythme du piano où Nicolo Cavalchini chante les meilleurs tubes de la chanson italienne. On chante et on danse en sirotant son verre... « So milanais » !

L'ouest

■ **IL GATTOPARDO**
Via Piero della Francesca, 47
✆ 02 34537699
Mardi-mercredi de 18h à 1h, jeudi et samedi de 18h à 4h. Fermé le lundi. Cocktails 10 €.
Cadre impressionant pour ce disco-bar aménagé dans une église déconsacrée. L'autel de marbre a été transformé en comptoir et un étincelant lustre en cristal brille dans la nef. En fin de semaine, on commence par l'apéro et on termine sur la piste de danse. Très glamour !

■ **ROYALTO**
Via Piero della Francesca, 55
✆ 02 3493 6616
Du mardi au samedi de 19h à 2h, dimanche de 19h à 21h30. Cocktails 4-5 €.

Situé dans un ancien hangar, ce bar s'inspire de l'Inde coloniale, avec ses fauteuils club disséminés un peu partout et ses décors très spectaculaires. Une clientèle très branchée déambule entre la grande salle du bas et la terrasse. Les différents buffets apéro servent pâtes chaudes, quiches et *focacce*, poisson cru, fromages et même des crêpes flambées !

L'est

■ PALO ALTO
Corso di Porta Romana, 106
☎ 02 58314122
De 8h à 2h, fermé le lundi.
Bar historique du quartier de Porta Romana, jeune et dynamique qui accueille beaucoup d'étudiants de l'université voisine. Refait à neuf, il présente un habillage plus minimaliste mais toujours aussi glamour dans les tons de blanc, noir et argent. Belle terrasse où déguster un excellent buffet *happy hour.*

Boîtes de nuit

Centre historique

■ ARMANI PRIVE
Via Pisoni, 1
☎ 02 62312655
Du mercredi au samedi de 23h à 3h. Entrée 20 €.
Armani a vraiment pensé à tout. Au sous-sol du mytique Armani Store de la Via Manzoni, en plein cœur du quadrilatère de la mode, cette boîte de nuit exclusive reflète bien l'esprit du célèbre couturier. 360 m² d'espaces au décor minimaliste et oriental. Deux consoles où même les DJ ne passent que les musiques les plus select.

■ LOOLAPALOOSA
Corso Como, 15
☎ 02 6555693, 348 2532960
De 18h à 3h30, fermé le dimanche. Entrée 7 €.
Barmans déchaînés, clients déchaînés et une musique elle aussi déchaînée. Il faut essayer une fois pour apprécier (ou non) l'ambiance un peu off-limit de ce bar où les tables ne servent pas à poser les verres mais les pieds. Si vous ne voulez pas perdre votre calme, nous vous conseillons de réserver une table même si – si vous êtes des garçons – il faudra la laisser à quelque charmante aux yeux de braise, car la danse sur les tables est interdite aux *guys*.

Le nord

■ HOLLYWOOD
Corso Como, 15
☎ 02 6555318
Du mardi au dimanche de 23h à 4h. Entrée + conso 20 €.
Une des boîtes de nuit les plus jet-set de Milan. Si vous souhaitez voir de près mannequins (hommes et femmes), footballeurs et personnalités de la télé, c'est ici qu'il faut venir. Musique R'n'B, house, rock, pop.

■ TUNNEL SOUND STATION
Via Sammartini, 30
☎ 02 66711370
Entrée 10 €.
Après restauration, le temple de la musique d'avant-garde rouvre ses portes. Situé sous un tunnel de la Gare Centrale, cet hangar aux formes postmodernes propose de très bons mix.

L'est

■ MAGAZZINI GENERALI
Viale Pietrasanta, 14
☎ 02 5393948
Mercredi, vendredi et samedi de 23h à 4h. Entrée 18 €, gratuit le mercredi.
Un hangar des années 1930 sur deux étages. Le temple de la musique électro, mais aussi du hip hop, de la house, du rock alternatif. Des grands y sont passés : Morceeba, Laurent Garnier, Dorfmeister… Une réalité unique en son genre qui allie musique et culture.

■ PLASTIC
Viale Umbria, 120
☎ 02 733996
www.thisisplastic.com
Tram 12, 27.
Entrée+conso 8-20 €. Fermé le lundi.
Depuis 1980, le Plastic est la boîte transgressive de Milan per excellence. Dans les trois petites salles décorées en style très kitch mais tendance, on se déhanche au rythme des meilleurs tubes années 1980 et des musiques underground, house et jungle selon la soirée. Vous y croiserez les personnages les plus extravagants que vous n'ayez jamais vu !

Spectacles

■ TEATRO ALLA SCALA
Piazza della Scala
☎ 02 860775, Service information
02 72003744 (9h-18h)

© FOTOTECA ENIT - PHOTO BY VITO ARCOMANO

Théâtre de la Scala

www.teatroallascala.org
Réservation Internet/téléphone (+ 20 %).
Réservation guichet : billetterie centrale-
Duomo (entre-sol du métro, + 10 %). Billetterie
du soir : deux heures avant le début de la
représentation, distribution selon priorité.
Last minute : 1 heure avant la représentation
(- 25 %).
Son histoire, son acoustique et le haut niveau
de ses représentations font du Teatro alla
Scala le temple de la musique classique et
de l'opéra. Ce théâtre n'a pas seulement été
le berceau de grands interprètes comme

Maria Callas, Luciano Pavarotti, José Carrara
ou Placido Domingo, mais aussi le royaume
de chefs d'orchestre, compositeurs et réalisateurs comme Giorgio Strehler, Giuseppe
Verdi et Riccardo Muti. Mozart y a composé
trois opéras *Mitridate re del Ponto* (1770),
Ascanio in Alba (1771) et *Lucio Silla* (1772).
La Scala est également un lieu renommé pour
le ballet. Roland Petit et Maurice Béjart y ont
travaillé. L'ouverture de la saison musicale le
7 décembre, est l'événement le plus attendu
et à la fois le plus mondain de Milan.

■ POINTS D'INTÉRÊT

L'hyper centre historique

L'axe monumental relie le Castello Sforzeco
au Duomo le long des via Mercanti et via
Dante. C'est le cœur historique et touristique
de la ville.

■ ARCO DELLA PACE
Piazza Sempione
L'arc de triomphe de Milan fait face au dos du
château Sforza. Symbole des aléas de l'histoire, il fut entamé par Napoléon en 1807, en
même temps que le Foro Bonaparte, et situé
sur l'axe Milan-Paris. L'empereur d'Autriche, le
Habsbourg François Ier, termina l'œuvre en la
dédiant à la paix après 1815. Impressionnant
vestige en bronze sur le sommet.

■ CASTELLO SFORZESCO
Piazza Castello, 1
✆ 02 88463700
www.milanocastello.it
M° Cairoli, tram 1-4-12-14-20-27, bus 43-57-
61-70-94.
Du mardi au dimanche de 9h à 17h30. Entrée
libre pour le château.
Construit par Galeazzo II Visconti en 1358, le
château Sforza a été pendant des siècles le lieu
de résidence des seigneurs qui gouvernaient
Milan. Sous Ludovico il Moro, sa cour devint
l'une des plus fameuses d'Italie, point d'attraction des artistes les plus importants de la
Renaissance. Nombre de calamités frappèrent
le château au cours des siècles. En 1521, sous

l'occupation française de François Ier, la foudre y a fait exploser 250 t de poudre à canon, détruisant ainsi la tour principale, la Torre del Filarete. Plus tard, le château ayant servi d'écurie aux Espagnols et aux Autrichiens, Napoléon Ier en ordonna la destruction en raison de son délabrement. Heureusement, ce projet fut remplacé par une vaste entreprise de réaménagement qui a donné naissance à l'actuel boulevard circulaire autour du château, le Foro Bonaparte.

Après l'unification de l'Italie, le château fut restauré à l'identique. Aujourd'hui, avec le parc Sempione qui l'entoure, le château constitue un but de promenade fort apprécié par les Milanais et les touristes. Le soir, il est illuminé par des jeux de lumières aux effets très spectaculaires. Depuis 1950, le château abrite plusieurs musées :

▶ **Rocchetta :** bibliothèque Trivulziana (rez-de-chaussée), musée d'Art décoratif, musée des Instruments de musique (1er et 2e étages), musée de la Préhistoire et Musée égyptien.

▶ **Corte ducale :** Pinacothèque degli Arazzi (tapisseries), musée d'Art civique où sont conservées des œuvres inestimables, comme la *Pietà Rondanini* de Michel-Ange.

■ DUOMO
Piazza Duomo
✆ 02 86463456
www.duomomilano.it
M° Duomo.
Du lundi au dimanche de 8h30 à 18h45.
Terrasse de 9h à 21h (dernière montée 20h20).
Montée 7 € par ascenseur, 5 € à pied.
Avec ses 12 000 m² de surface, ses 108,5 m de hauteur et ses 3 400 statues, le Duomo de Milan figure parmi les plus grandes églises d'Europe, juste après la basilique Saint-Pierre à Rome et la cathédrale de Séville en Espagne.

Sa construction a été une véritable aventure qui s'est déroulée pendant six siècles. Commencé en 1386 à la demande de Gian Galeazzo Visconti, seigneur de Milan, qui voulait le consacrer à la Vierge Marie, le Duomo ne fut définitivement terminé qu'après la Deuxième Guerre mondiale. Son style fait donc la synthèse entre le gothique tardif, le classique et le néogothique. Sa façade et sa toiture multiplient les pinacles et les statues qui lui ont donné son surnom de « hérisson de marbre ». La visite des terrasses vaut vraiment le coup d'œil tant pour elle-même (on y trouvera d'ailleurs une statue de Napoléon

qui a participé à l'achèvement de la façade) que pour le paysage.

■ GALERIE VITTORIO EMANUELE II
M° Duomo.
La galerie fut construite en 1867, soit six ans après l'unification italienne réalisée justement par Vittorio Emanuele II de Savoie. Sa coupole fut l'une des premières constructions en verre et en fer d'Europe. Une réalisation qui ne fut pas simple à achever car elle coûta la vie à son architecte Giuseppe Mengoni. La galerie était considérée par les Milanais comme le « salotto di Milano » (le salon de Milan) parce qu'elle était le lieu traditionnel de rencontre et de promenade jusque dans les années 1960. Aujourd'hui, sans rien avoir perdu de son charme, elle est surtout lieu de passage entre la place du Duomo et celle de la Scala. Vous remarquerez en son centre la mosaïque du taureau, dont il paraît qu'il porte bonheur de la piétiner...

■ MUSEO D'ARTE & SCIENZA
Via Quintino Sella, 4
✆ 02 72022488
www.museoartescienza.com
M° Cairoli, Lanza. Du lundi au vendredi de 10h à 18h, le samedi de 10h à 14h. Tarif 6 €, réduit 4 €.
Musée pédagogique et didactique sur la falsification dans le monde de l'art.

Galerie Vittorio Emanuele II

Un musée intéressant avec de belles pièces… toutes fausses ! Le laboratoire d'authentification officielle du musée est le plus important d'Europe, tant pour les pièces d'art qu'historiques, pour les collections privées et publiques.

■ PALAZZO REALE

Piazza Duomo
M° Duomo.
Sur le côté droit du Duomo, précédé par une large esplanade, se trouve le palais royal. En 1138, à ce même emplacement se dressait le Broletto Vecchio, siège de l'administration milanaise pendant sa période communale. Ce fut ensuite la résidence des différentes familles qui gouvernaient la ville (les Torriani, les Visconti, les Sforza). Plus tard, le palais fut occupé par les gouverneurs espagnols et par Ferdinand d'Autriche, qui confia son remaniement à l'architecte Giuseppe Piermarini (l'architecte du théâtre de la Scala). Le Palazzo Reale est actuellement un centre très actif d'expositions temporaires.

■ PARCO SEMPIONE

Derrière le Castello Sforzeco (on peut l'atteindre en traversant les cours du Castello).
Le parc doit son nom au fait qu'il se trouve sur la directrice qui du Dôme va vers le pas du Simplon, dans les Alpes. Il a été réalisé sur l'ancienne place d'armes en 1890, par l'architecte Alemagna avec un plan irrégulier en contraposition à la structure régulière du tissu urbain. L'idée était celle d'un vaste parc à l'anglaise, avec des cours d'eau, des sentiers et des petites hauteurs. Le parc abrite les arènes napoléoniennes et l'Arco della Pace, l'aquarium municipal, un théâtre (Teatro dell'arte), la Triennale (pavillon d'exposition devenu fin 2007 le musée du Design), la Torre Branca, une fontaine décorée par de Chirico et une bibliothèque municipale.

■ PIAZZA DEI MERCANTI

M° Duomo.
A l'ouest de piazza Duomo se trouve l'un des lieux les plus évocateurs du Milan médiéval, la piazza dei Mercanti. Cette place était le centre vital de la ville. On y exerçait la justice, le commerce et l'arbitrage. Elle était autrefois fermée par 4 portes portant le nom des activités mercantiles dans lesquelles Milan excellait et dont aujourd'hui il ne reste que le souvenir dans les noms des rues adiacentes (via Spadari, ou la rue des fabricants d'épées ; via Armorari, celle des fabricants d'armures ; via Cappellari, celle des fabricants de chapeaux ; via Orefici, celle des orfèvres).

De l'ensemble originel de la place, il ne nous reste aujourd'hui que le Palazzo della Ragione, dit « Broletto Nuovo », et la Loggia degli Osii. On y trouve également quelques bâtiments de l'époque baroque, comme le Palazzo delle Scuole Palatine, construit sur l'emplacement de l'Ecole palatine où enseignèrent saint Augustin et Virgile. Enfin, la place est fermée par la Casa Panigarola (XVe), autrefois siège des notaires de la ville.

© STÉPHANE SAVIGNARD

Duomo

▶ **Palazzo della Ragione (Broletto Nuovo)**. Le palais della Ragione (1233) fut le siège administratif de la Lombardie communale jusqu'en 1770 et c'est là que les juges rendaient raison (*ragione*) aux citoyens. Broletto dérive du mot *brolo* désignant, pendant le haut Moyen Age, un pré ombragé où était habituellement rendue la justice. La façade du palais est ornée d'un bas-relief représentant une truie à moitié recouverte de laine, animal qui, selon la légende, serait à l'origine de la fondation de Milan.

▶ **Casa Panigarola**. Ce bâtiment d'origine médiévale, remanié en style gothique au XVe siècle, est également appelé palais des Notaires car c'est là qu'étaient conservés les actes administratifs de la seigneurerie de Milan.

▶ **Palazzo delle Scuole Palatine**. La construction actuelle date du XVIIe siècle mais le palais originel, bâti à l'époque communale, était le siège des écoles de droit, d'éloquence, de médecine et de mathématiques de Milan.

▶ **Loggia degli Ossii**. A gauche du palais des Ecoles palatines se trouve cette loggia en marbre blanc et noir construite en 1316 par Matteo Visconti et dont les niches abritent des statues d'origine représentant les saints patrons de Milan et la Vierge Marie. La loggia était un lieu politique important au Moyen Age car, du haut de son balcon, dit la Parlera, étaient proclamées les ordonnances. Aujourd'hui, elle est occupée par un organisme de crédit.

▶ **Palazzo dei Giureconsulti**. Construit en 1561, ce palais a été le siège de la Bourse de Milan jusqu'en 1864. Aujourd'hui, il est devenu la chambre de commerce de la ville. Dominant sa façade, la Torre di Napo est une tour datant de 1272, de l'époque de Napo Torriani, seigneur de Milan, qui la fit bâtir. Elle a été remaniée depuis en style baroque.

■ PIAZZA DUOMO
M° Duomo.
Les visiteurs arrivant pour la première fois sur la place du Duomo de Milan ne peuvent manquer d'être frappés par le magnifique ensemble architectural qu'elle forme avec la cathédrale, le Palazzo Reale et la galerie Vittorio Emanuele II dont la statue équestre (1896) trône en son milieu.
La piazza del Duomo est le cœur de la ville, un lieu de rencontre non seulement pour les Milanais mais aussi pour les communautés d'immigrants qui ont choisi de vivre et de travailler à Milan. Elle est également le principal lieu de célébrations de la ville.

■ SAN MAURIZIO AL MONASTERO MAGGIORE
Museo Civico Archeologico
Corso Magenta, 15
✆ 02 86450011
M° Cadorna, tram 1. Musée : du mardi au samedi de 9h à 13h et de 14h à 17h30.
Une église unique à Milan car entièrement recouverte de fresques. Datant de 1503, elle faisait partie du couvent bénédictin le plus important de la ville. Elle est composée par une seule nef divisée en deux églises, l'église publique et l'église du couvent dans laquelle vous pouvez admirer un magnifique et monumental chœur en bois sculpté. La décoration de l'église fut confiée à Bernardino Luini, et le résultat est impressionnant. Chaque centimètre de ses murs est en effet décoré de fresques dont l'éclat a été ravivé par une récente restauration. Une véritable merveille ! Cette église est également connue à Milan pour ses concerts de musique classique. Le museo civico Archeologico abrite quant à lui des collections d'arts étrusque, grec et romain, dans les anciens bâtiments conventuels. Des vestiges de la muraille romaine sont également visibles.

■ TORRE BRANCA
Parco Sempione ✆ 02 3314120
www.branca.it/torre
Ouverture variée selon les jours et les saisons. Entrée 4 €.
Dessinée par Gio Ponti, la tour est considérée une véritable œuvre d'art. Construite en 1933 à l'occasion de la Ve Triennale, elle devint inaccessible en 1972. Restaurée par les frères Branca, célèbres producteurs de boissons alcoolisées, elle en porte encore aujourd'hui le nom. De son sommet vous pourrez admirez un beau panorama de Milan.

■ TRIENNALE DESIGN MUSEUM
Viale Alemagna, 6 ✆ 02 724341
www.triennale.it
M° Cadorna.
Du mardi au dimanche de 10h30 à 20h30, jeudi nocturne jusqu'à 22h30. Entrée 11 €, tarif réduit 8 €. Ce lieu est un hommage au Milan de la mode et du design. Au premier étage, sur une surface d'environ 2 000 m², le musée raconte et représente l'histoire du design italien, à travers différentes interprétations.

Régulièrement siège d'expositions avant-gardistes et branchées, la Triennale propose un café très agréable et évidemment à la pointe du design.

Scala – Quadrilatère de la mode

De la galerie Vittorio Emanuele II, vous aboutissez à la piazza della Scala, un des temples de l'opéra. A partir de cette place, vous pourrez au choix, aller rejoindre les *fashion victims* dans le Quadrilatère de la mode ou bien aller siroter un verre dans le quartier de Brera.

■ CASA DEGLI OMENONI

Via Omenoni, 3
M° Duomo.
Ce bâtiment datant de 1565 a été baptisé ainsi en raison des deux grandes statues, dites Omenoni (grands hommes ou géants), qui décorent sa façade. Il fut construit par Leone Leoni, sculpteur de Charles Quint et de Philippe II d'Espagne.

■ CASA E MUSEO ALESSANDRO MANZONI

Via Morone, 1 ℰ 02 86460403
www.casadelmanzoni.mi.it
M° Duomo, tram 1, bus 61.
Du mardi au vendredi de 9h à 12h et de 14h à 16h. Entrée libre.
A deux pas de la Scala se trouve la maison de l'auteur de *I Promessi Sposi* (*Les Fiancés*), l'œuvre littéraire fondatrice de la langue italienne moderne. La maison du XVe siècle où Manzoni accueillit Verdi (qui lui consacrera à sa mort une messe de Requiem), Garibaldi et Cavour est maintenant un musée consacré à l'écrivain. Vous pouvez y voir son cabinet, avec une bibliothèque de plus de 3 000 livres et sa chambre à coucher dont le décor semble en harmonie avec son caractère austère. Parmi les objets conservés dans ce musée, il y a une curiosité : le dernier ouvrage de broderie effectué par Marie-Antoinette dans la prison du Temple.

■ MUSEE DU THEATRE ALLA SCALA

Piazza della Scala
℀ 02 4335 3521
M. 1 ou 3 Duomo.
Ce musée, fondé en 1913, est situé au premier étage du théâtre. Constitué de 14 salles, il nous présente l'histoire du théâtre et de l'opéra à travers les collections de l'antiquaire français Jules Sambon. On y verra les instruments de musique anciens, les costumes et les scènes qui contribuèrent à la gloire des plus célèbres artistes lyriques de tous les temps, comme Maria Callas, Pavarotti ou Carrera. Une section est consacrée à l'iconographie et aux curiosités ; une autre est dédiée au « Maestro » par excellence, Giuseppe Verdi.

■ PALAZZO BELGIOIOSO

Piazza Belgioioso
M° Duomo.
Construit par Giuseppe Piermarini (1781), ce palais est l'un des plus beaux exemples de l'architecture néoclassique milanaise. A l'intérieur, un escalier monumental et une galerie dont la voûte est décorée d'une fresque de Martin Knoller.

■ PALAZZO MARINO

Piazza della Scala, 2
M° Duomo.
Ce bel exemple d'architecture maniériste se trouve juste en face du théâtre de la Scala. Construit en 1523 par une famille de riches banquiers génois, ce palais est l'un des plus intéressants hôtels particuliers de Milan et un chef-d'œuvre du XVe siècle. Sa cour intérieure, richement décorée, est remarquable. Aujourd'hui, le Palazzo Marino est le siège de la mairie de Milan, il n'est donc pas ouvert à la visite, mais vous pouvez en admirer la façade assis sur les bancs en pierre qui entourent la statue de Léonard de Vinci.

© STÉPHANE SAVIGNARD

Vue de Milan depuis les toits du Duomo.

■ PIAZZA DELLA SCALA

M° Duomo, tram 1.

L'axe de la galerie Vittorio Emanuele qui part de la piazza del Duomo mène directement à la piazza della Scala. C'était la promenade favorite de Stendhal, qui se disait milanais dans l'âme et dans l'esprit. A la sortie de la galerie, vous arrivez sur la place de la Scala où s'élève le théâtre de la Scala, le temple de la musique lyrique et classique. A gauche du théâtre se trouve le musée de la Scala où l'on conserve des collections de costumes et de documents relatifs à la musique lyrique.

■ QUADRILATERE DE LA MODE

Vous ne pouvez pas quitter Milan sans avoir visité le cœur même de la haute couture italienne, le Quadrilatère de la mode. Limité par les vie Montenapoleone, Sant'Andrea, della Spiga et Manzoni, ce quartier abrite les boutiques et les ateliers des plus fameux designers italiens, comme Versace, Gucci, Valentino, Prada, etc. Le Quadrilatère est particulièrement animé lors des « Fashion Week » (septembre et janvier), quand mannequins, VIP et acheteurs du monde entier se donnent rendez-vous à Milan.

Autour des jardins publics

En continuant vers le nord par la via Manzoni ou le corso Venezia qui encadrent le Quadrilatère de la mode, vous arriverez aux Giardini Pubblici, un des grands parcs de Milan et une zone réunissant quelques-uns des musées et palais de la ville. Au-delà, le corso Venezia se transforme en corso Buenos Aires avec ses boutiques variées et plus populaires que les magasins ultra chic du Quadrilatère. On trouve aussi dehors, devant les devantures des magasins, nombre de vendeurs de sacs, lunettes, ceintures, foulards, etc : attention, sur les trottoirs, aucun sigle ou nom de marque n'est ici vrai, c'est le royaume des imitations.

■ GIARDINI PUBBLICI INDRO MONTANELLI

M° Palestro.
Jan-Avr et Nov-Dec 6h30-20h, Mai 6h30-22h, Ju-Sep 6h30-23h30, Oct 6h30-20h. Entrée libre.

Jardin préféré des Milanais, c'est un havre de paix pour toutes les générations. Les enfants s'amusent sur les manèges, les ados jouent au foot, les *buiseness men* y font leur jogging, les amoureux s'embrassent sur les bancs et les personnes âgées profitent de la fraîcheur de ses arbres séculiers. Ce parc remontant au XVIIIe siècle, aujourd'hui dédié au célèbre journaliste Indro Montanelli, héberge le musée municipal d'Histoire naturelle, le Planétarium et le Palazzo Dugnani (XVIIe siècle).

■ PADIGLIONE D'ARTE CONTEMPORANEA (PAC)

Via Palestro, 14
✆ 02 76020400
www.comune.milano.it/pac
M° Palestro.
Du mardi au dimanche de 9h30 à 19h30, lundi et jeudi de 14h30 à 19h30. Entrée 4 €, tarif réduit 3 €.

Ouvert en 1979, ce grand pavillon d'expositions consacré à l'art contemporain occupe les anciennes écuries de la Villa Reale (siège à présent du musée d'Art moderne). Très attentif aux nouvelles tendances, le PAC organise d'intéressantes expositions relatives à tous les domaines de l'art contemporain, de la sculpture à l'audiovisuel, de l'infographisme à la photographie, de la peinture au graphisme. De nombreuses expositions sont également consacrées aux jeunes artistes. Et c'est pourquoi le PAC est considéré comme la vitrine de l'art contemporain italien. Le PAC a fait les gros titres des journaux italiens lorsqu'en 1993 il fut entièrement détruit par un attentat d'origine mafieuse.

■ VILLA REALE

Via Palestro, 16
M° Palestro.
De mai à octobre de 9h à 19h, novembre à avril de 9h à 16h. Entrée libre.

Ancienne résidence d'une riche famille de notables milanais, les Belgioso, cette villa est l'un des plus beaux exemples d'architecture néoclassique de Milan. Pendant la période napoléonienne, elle fut offerte à Napoléon qui y habita avec Joséphine. Elle passa ensuite à Eugène Beauharnais. Aujourd'hui, dans ses salles ornées de fresques, de sculptures et de meubles d'époque néoclassique, est installée la galerie d'Art moderne. Le jardin à l'anglaise est un magnifique havre de paix pour petits et grands.

■ VILLA REALE MUSEO DELL'OTTOCENTO

Villa Reale
Via Palestro, 16
✆ 02 76340809
M° Palestro.
Du mardi au dimanche de 9h à 17h30. Entrée libre.

© STÉPHANE SAVIGNARD

Pinacothèque Ambrosienne

Le musée d'Art moderne situé à l'intérieur de la Villa Reale de Milan, abrite des peintures et des sculptures du XVIIIe et du XXe siècle, dont le célèbre tableau symbole de la lutte du prolétariat, le *Quatrième Etat* de Pellizza da Volpedo. Egalement remarquables sont les collections des impressionnistes français : Renoir, Manet, Cézanne. Citons également qu'il y a des quelques Picasso.

Autour de la via Torino

La Via Torino est une artère importante qui relie le quartier des Navigli à la piazza Duomo. Tout au long de cette rue, entre divers magasins intéressants aux prix plus abordables que ceux du Quadrilatère, se cachent des trésors d'architecture comme l'église San Satiro œuvre de Bramante, un véritable joyau de la Renaissance. Non loin de la via Torino se trouve la Pinacothèque Ambrosienne, qui recèle des chefs-d'œuvre à ne pas manquer.

■ PINACOTHEQUE AMBROSIENNE
Piazza Pio XI, 2
✆ 02 806921
www.ambrosiana.eu
M° Duomo, Cordusio.
Du mardi au dimanche de 10h à 17h30. Tarif 8 €, réduit 5 €. Non loin de la via Torino et de la place du Dôme se trouve ce musée pas assez connu pour les trésors qu'il conserve. La Pinacothèque a été constituée à partir de la collection privée de Federico Borromée (1618),

cardinal de Milan et sauveteur de plusieurs chefs-d'œuvre se trouvant dans les palais milanais pendant la peste qui frappa Milan en 1630 (décrite dans l'ouvrage d'Alessandro Manzoni, *Les Fiancés*). Elle abrite des œuvres d'artistes comme Botticelli, Léonard de Vinci, Raphaël (l'esquisse pour l'*Ecole d'Athènes*) le Caravage (*Nature morte*), Titien. Elle est installée dans un ancien palais qui a appartenu pendant l'occupation espagnole (XVIIe siècle) à la famille Borromée.

■ SANTA MARIA PRESSO SAN SATIRO
Via Torino 17/19
M° Duomo.
Du lundi au vendredi de 7h30 à 11h30 et de 15h à 19h, le samedi de 9h30 à 12h et de 15h à 19h, le dimanche de 8h30 à 12h30 et de 15h à 19h.
Située à quelques pas de la cathédrale, cette église est un chef-d'œuvre de l'architecture sacrée de la Renaissance. Elle n'a gardé de son origine paléochrétienne que les vestiges de la chapelle de la Pietà, évoquant des monuments similaires de style arménien.
En 1478, Bramante fut chargé de sa reconstruction. Son intervention nous a laissé un célèbre trompe-l'œil créant, selon un raffiné jeu de contrastes, l'abside de l'église.
Le baptistère, de forme octogonale, est également l'œuvre de Bramante tandis que la façade a été refaite au XIXe siècle. Le clocher, qui date du Xe siècle, est considéré comme un très bel exemple de style roman-lombard.

Brera – Garibaldi

■ CORSO COMO

Au-delà du corso Garibaldi commence le corso Como, piéton, à la mode, et donc propice au shopping. C'est ici l'un des nouveaux cœurs de la vie branchée milanaise, fréquenté par les professionnels de la mode et du design.

■ ORTO BOTANICO BRAIDENSE

Via Brera, 28
℡ 02 89010419
Du lundi au vendredi de 9h à 12h et de 13h à 16h. Entrée libre.
Ce jardin botanique créé par Marie-Thérèse d'Autriche est une ancienne propriété des jésuites. On peut y voir notamment des spécimens d'arbres séculaires immenses, comme des gingkos biloba et des juglans.

■ PALAZZO BRERA

Via Brera, 28
M° Duomo, tram 1.
Ancien collège jésuite du XVIIe siècle abritant la fameuse Pinacothèque et l'Ecole des beaux-arts de Brera. Située dans un ancien collège jésuite du XVIIe siècle, le palais est l'œuvre de deux grands architectes italiens du XVIIIe siècle, Francesco Maria Richini et Giuseppe Piermarini, le même qui réalisa le théâtre de la Scala. Dans sa cour, entourée d'un superbe portique, on peut voir une statue de Napoléon, œuvre de Canova. A l'intérieur se trouvent la bibliothèque Braidense et un observatoire astronomique.

■ PINACOTHEQUE DE BRERA

Via Brera, 28
℡ 02 722631
www.brera.beniculturali.it
M° Duomo, tram 1.
Du mardi au dimanche de 8h30 à 19h15. Entrée 10 €, réduit 7,50 €.
L'un des plus importants musées d'Europe, mondialement connu pour la richesse de ses collections (œuvres de Mantegna,, Piero della Francesca, Raphaël). Le musée est également un centre d'art et de science, accueillant l'Ecole des beaux-arts avec la Bibliothèque nationale d'art, un observatoire, un musée astronomique et un jardin botanique. Plus de 400 œuvres d'artistes lombards et italiens recouvrant une vaste période (du XIVe au XXe siècle) sont réparties de manière chronologique dans 38 salles. Enfin, un détail finalement pas très surprenant : la Pinacothèque survit aujourd'hui partiellement grâce aux recettes du jeu du Loto !

■ SAN MARCO

Piazza San Marco
Construite en 1254, après la destruction de la ville ordonnée par Frédéric Barberousse et en remerciement aux Vénitiens qui avaient soutenu les Milanais dans leur lutte contre l'empereur, cette église a eu parmi ses fidèles Martin Luther et Mozart. Elle conserve d'importantes fresques dont une, récemment découverte, attribuée à l'école de Léonard de Vinci et représentant une Madone avec l'Enfant Jésus et saint Jean.

■ SAN SIMPLICIANO

Piazza San Simpliciano
M° Lanza. Ouverture de 8h à 10h et de 11h30 à 18h. Jours fériés de 7h30 à 18h.
L'une des premières basiliques fondées par saint Ambroise au IVe siècle. Sa construction fut terminée par San Simpliciano, dont elle porte le nom et qui la choisit pour son dernier repos. L'église a connu plusieurs remaniements au cours des siècles, notamment au VIIe et au XIe puis au XIXe, mais la structure originale a perduré et l'ensemble a gardé son aspect simple et harmonieux. Sa façade fut décorée de vitraux représentant la bataille de Legnano, qui a opposé les communes lombardes et l'empereur Barberousse (*voir « Histoire »*). L'abside abrite une précieuse fresque du Bergognone (1470-1523), *Le Couronnement de Marie*.

Autour de l'Universita cattolica Sant'Ambrogio

L'université catholique de Milan a investi le monastère de sant'Ambrogio, mais il est toujours possible de faire la visite des deux cloîtres dus à Bramante et visibles en semaine durant les heures de cours.
Ce quartier se situe dans la continuité du corso Magenta qui délimite sa zone nord. Donc, de san Lorenzo Maggiore et de son museo archeologico, vous pouvez poursuivre votre chemin jusqu'à la piazza santa Maria delle Grazie avant de redescendre sur sant'Ambrogio et le museo della Scienza e della tecnologia. Le corso Magenta lui ne fait que traverser la zone et continue jusqu'à devenir le corso Vercelli. Cette artère attire du monde en soirée et plus encore le samedi avec ses boutiques chics mais moins qu'au quadrilatère, et donc plus accessibles. Le corso Vercelli se termine sur la piazza Piemonte. Dans l'autre sens, la via Edmondo de Amicis vous amènera jusqu'à la basilica san Lorenzo di Maggiore et le corso di Porta Ticinese.

■ MUSEO DE LA SCIENZA E DELLA TECNICA « LEONARD DE VINCI »

℡ 02 485 551

M. 2, San Ambrogio – bus 50, 58, 94.
Ouvert du mardi au vendredi de 9h30 à 17h, les samedis et dimanches de 9h30 à 18h30. Entrée 8 €. 6 € pour les étudiants, les moins de 18 ans et les plus de 6 ans.
Milan ne pouvait pas oublier sa vocation de capitale de l'industrie et de la technique, une tradition ancienne. La ville a donc consacré, à juste titre, ce musée à Léonard de Vinci, génial ingénieur, savant et habitant de la cité durant 20 ans. Installé dans un ancien monastère du XVIe siècle, dans sa Galerie de Léonard, ce musée conserve 30 maquettes qui reconstituent, d'après des dessins originaux, certaines parmi les inventions les plus audacieuses de Léonard. A l'extérieur, une gare de 1900, un voilier et un sous-marin grandeur nature peuvent être admirés.

■ SANTA MARIA DELLE GRAZIE – CENACOLO VINCIANO

Piazza Santa Maria delle Grazie, 2
℡ 02 46761125, Cenacolo 02 89421146
www.cenacolovinciano.org
M° Cadorna, tram 24.
Eglise 7h-12h, 15h-19h, jours fériés 7h-12h15, 15h30-21h.
Cène de Léonard uniquement sur réservation. Entrée 6-10 €.
Deux grands personnages de la Renaissance ont contribué à la réalisation de l'église Santa Maria delle Grazie, Donato Bramante et Léonard de Vinci. De style gothique lombard à l'origine, l'église a subi d'importants remaniements en 1492, quand Ludovico il Moro, duc de Milan et grand mécène, demanda à Bramante d'y apporter sa touche géniale. Le grand architecte y ajouta le grandiose dôme à 16 pans, le petit cloître et la sacristie, exemples uniques du style Renaissance. En entrant dans le réfectoire du couvent annexe, on se trouve devant la plus célèbre fresque de l'histoire de l'art, *La Cène* de Léonard de Vinci (*Cenacolo Vinciano*). Réalisée entre 1495 et 1498, grande de 9m x 5m, elle représente Jésus annonçant aux apôtres la trahison de l'un d'entre eux. Les couleurs de *La Cène* n'ont pas supporté le passage du temps en raison de la technique employée par le peintre. Grand inventeur, Léonard ne la peignit pas « a fresco » (à frais) mais il utilisa sur un mur sec une mixture de pigments à l'huile, pour pouvoir modifier l'œuvre à sa guise. Vingt ans après,

l'humidité et la saleté avaient déjà altéré le chef-d'œuvre. *La Cène* a subi plusieurs restaurations au cours des siècles, jusqu'à celle, intervenue il y a près de vingt ans et qui lui a rendu sa splendeur et ses couleurs initiales.

■ SANT' AMBROGIO

Piazza San Ambrogio
℡ 02 85450895
M° Sant'Ambrogio.
Ouverture de 7h à 12h et de 14h à 19h, festifs 7h-13h, 15h-21h.
Témoignage de seize siècles d'histoire, c'est la principale basilique milanaise dédiée au patron de la ville. Construite en 379 par saint Ambroise, évêque de Milan, elle est considérée comme l'un des exemples les plus célèbres d'art roman lombard. La basilique elle a été détruite et reconstruite à maintes reprises (XIe et XIIe siècles), notamment à la suite des bombardements de la Seconde Guerre mondiale. L'autel en or et pierres précieuses sculpté par Vuolvinius (IXe siècle) est un extraordinaire exemplaire d'orfèvrerie du Moyen Age.

Autour de Corso di Porta Romana (est)

Des anciens canaux qui entouraient le centre-ville (le long des vie Sforza et Visconti di Modrone), il ne reste rien puisqu'ils furent enfouis en 1930. Le quartier reste néanmoins intéressant pour son patrimoine et son animation. L'université et le palais de justice soutiennent le dynamisme du quartier. Au-delà, la ville extérieure puis la banlieue milanaise commence peu à peu à prendre le pas mais le long du corso Corsica, se trouvent des lieux branchés et alternatifs où passer une bonne soirée.

■ CA'GRANDE (ANTICO OSPEDALE MAGGIORE)

Via Festa del Perdono, 5
M° Missori.
En 1456, Francesco Sforza décide de réunir dans un seul lieu tous les hôpitaux de Milan. Il construit donc la Ca' Granda, qui restera un hôpital jusqu'en 1942. Actuellement, elle est le siège du Rectorat universitaire et d'un certain nombre de facultés.
L'immeuble est l'œuvre de l'architecte Filarete, le même qui construisit la tour centrale du château Sforza. La partie droite de la longue façade de Ca' Granda, recouverte de très beaux décors en terre cuite,

présente un mélange de styles gothique et Renaissance. L'intérieur est caractérisé par le Cortilone, une grande cour dominée par un portique surmonté d'une superbe loggia.

La partie datant du XIXe abrite la Quadreria, une pinacothèque riche de 900 tableaux, du début du XVIe jusqu'au XIXe siècle, représentant les portraits de bienfaiteurs de l'ancien hôpital.

■ ROTONDA DELLA BESANA
Via Besana

La construction de ce bâtiment à la forme octogonale singulière date du début du XVIIe siècle, ancien lieu où étaient confinés les pestiférés. La Rotonda abritait l'église San Michele ai Nuovi Sepolcri à laquelle était autrefois attaché un cimetière.

Eugène de Beauharnais voulut faire du monument le Panthéon du royaume d'Italie mais, en raison de difficultés financières, le projet n'aboutit pas. Récemment restaurée, la Rotonda accueille aujourd'hui diverses manifestations, devenant ainsi en été une salle de cinéma à ciel ouvert.

■ SAN PIETRO IN GESSATE
Corso di Porta Vittoria
Bus 94.

Dans les 12 chapelles latérales de cette église du XVe siècle, on pourra voir de très belles fresques du début du XVIe siècle, dont *L'Adoration des Mages* de G. Battista Secchi.

■ TORRE VELASCA
Piazza Velasca
M° Missori.

Ce gratte-ciel en forme de champignon est l'un des meilleurs exemples de l'architecture italienne de l'après-guerre. Haut de 106 m, il a été construit en 1958 et est devenu un prototype de l'architecture contemporaine. Mal aimé par les Milanais, il fait désormais partie du tissu urbain.

Porta Ticinese et Navigli (sud)

■ NAVIGLI ET DARSENA
Viale Gabriele d'Annunzio-viale Gorizia
✆ 02 6679131
www.naviglilombardi.it
M° Porta Genova.
Navigation en péniche : 12 €, enfant - 12 ans : 8 €. Départ Alzaia Naviglio Grande 4, réservations
✆ 02 33227336.

Le quartier des Navigli est l'un des plus caractéristiques de Milan. Ses ponts et ses case di ringhiera (maisons typiques milanaises caractérisées par des cours intérieures entourées de balcons aux balustrades fleuries) nous font découvrir l'ancien visage de la ville, aujourd'hui pratiquement disparu.

Le Darsena, l'ancien port de Milan, est en plein réaménagement. Pour l'amour de la tradition, ne manquez pas de faire un tour au Vicolo dei Lavandai, une petite ruelle sur le Naviglio Grande où l'on peut voir encore un lavoir du XIXe siècle. Le soir, le quartier des Navigli est très fréquenté par les jeunes Milanais.

On y trouve en effet de très nombreux bars, cafés et restaurants typiques et, pendant les mois d'été, des bars-péniches et des terrasses tout du long des berges, ce qui fait des Navigli un lieu festif, propice à la promenade et à la drague. La zone n'est pas en reste non plus pour la culture car elle grouille d'antiquaires (marché tous les derniers dimanches du mois).

■ SAN EUSTORGIO
Piazza San Eustorgio, 3
✆ 02 58101583

Colonnes romaines et San Lorenzo Maggiore

Cimetière monumental

Chapelle Portinari : 10h-18h. Entrée 6 €, réduit 3 €.
Construite par l'évêque Eustorgio (315-331), en l'honneur des Rois mages dont elle conserve des restes, l'édifice actuel du XIe siècle abrite un magnifique témoignage de l'art de la Renaissance lombarde : la chapelle Portinari, construite en 1466 par l'architecte Michelozzo et décorée de remarquables fresques de Vincenzo Foppa. Elle abrite le tombeau de saint Pierre martyr. Importante nécropole paléochrétienne sous la basilique.

■ SAN LORENZO MAGGIORE
Corso di Porta Ticinese, 39
✆ 02 89404129
Du lundi au samedi de 7h30 à 12h30 et de 14h30 à 18h45. Le dimanche : ouvert en continu.
Cette église est un témoignage important du rôle joué par Milan à l'époque romaine et paléochrétienne. Elle est précédée par 16 colonnes romaines corinthiennes provenant d'un temple du IIIe siècle av. J.-C. au-delà desquelles on accède au parvis où s'élève la statue de l'empereur Constantin. Bien que plusieurs fois reconstruite et remaniée, l'église a gardé en partie sa structure originelle du IVe siècle. Elle est toutefois le produit d'une superposition d'éléments paléochrétiens, romans, Renaissance et baroques. Sa façade est du XIXe et son imposante coupole (la plus grande de Milan) du début du XVIIe siècle. A l'intérieur, elle a conservé plusieurs éléments de la basilique primitive : la chapelle di Sant'Aquilino (IVe siècle apr. J.-C.), décorée de magni-

fiques mosaïques d'inspiration byzantine, des vestiges de fresques paléochrétiennes ainsi que les chapelles de San Ippolito et de San Sisto.

Stazione centrale Isola (nord)

■ CIMETIERE MONUMENTAL
Via Ceresio,
piazzale Cimitero Monumentale
✆ 02 88465600
M° Garibaldi FS.
Du mardi au dimanche de 8h à 17h30.
C'est le cimetière le plus surprenant d'Europe. Construit quelques années après l'Unité d'Italie, il abrite, sur ses 25 000 m², les tombeaux sculptés des riches Milanais de cultes les plus divers. Le résultat est un impressionnant ensemble de chapelles, cryptes, statues, œuvres d'artistes de renom comme Giacomo Manzu' et Francesco Messina. C'est un véritable musée en plein air, chaque tombeau étant une petite folie monumentale.

■ STAZIONE CENTRALE
Piazza Duca d'Aosta
M° Centrale.
Important exemple du néoclassicisme mussolinéen, la principale gare de Milan et deuxième gare d'Italie fut construite entre 1926 et 1931. Tout autour se trouvent certains parmi les principaux gratte-ciel de la ville dont la tour Pirelli, le Pirellone, la plus haute tour de Milan (124 m), œuvre de Gio Ponti et symbole de l'importance financière de Milan, elle date de 1960.

La Lombardie

La Lombardie est la région la plus développée et la plus peuplée d'Italie. Riche d'un patrimoine qui remonte aux Etrusques, elle a vu toutes les époques laisser une trace dans la région : Antiquité (étrusque et romaine), Moyen Age (roman et gothique), moderne (renaissance et baroque), sans compter les témoignages plus récents d'une bourgeoisie aisée qui se faisait encore construire de somptueuses demeures jusqu'au XIXᵉ siècle. Bien équipée en infrastructures, même s'il n'est pas toujours facile d'y trouver des logements à bon prix, la Lombardie attend d'être découverte. Les villes de la région sont facilement accessibles, en voiture ou par le train, depuis Milan. Les sites peuvent se visiter le temps d'un week-end ou d'une journée. La région des Grands Lacs, essentiellement centrée sur le nord de la Lombardie – même si le Piémont, le Haut-Trentin et la Vénétie sont aussi de la partie – est un cas à part, traité séparément dans le chapitre suivant.

LA LOMELLINA

La région, dite Lomellina, est une oasis naturelle très réputée en raison de la présence de plusieurs zones protégées consacrées aux hérons (garzaie). Le vélo est la meilleure façon de les visiter. Cette région de la province de Pavie se situe entre le Pô au sud, le Ticino à l'est et le Sesia à l'ouest ; son centre historique est la ville de Mortara.

Transports

▶ **Voiture**. De Milan SS494 - Vigevano 35 km - Mortara 47 km - Lomello SS211 60 km.
▶ **Train**. Stazione Porta Genova Milan - Vigevano/Mortara (30-40 minutes). Train régional depuis Pavie pour Lomello.

VIGEVANO

Capitale de la chaussure en Italie, c'est surtout une ville entièrement centrée sur sa place Ducale, l'une des plus belles réalisations de la Renaissance, dessinée, dit-on, par Léonard de Vinci sur ordre de Ludovico il Moro en 1492. La place, lieu de fêtes, a maintenu intacte son allure de décor de théâtre. Elle est dominée par le château Sforza, résidence estivale de la cour de Milan, par une tour-horloge, œuvre de Bramante, et par la cathédrale. Celle-ci, construite à une époque plus tardive, a une curieuse façade concave. Depuis la sacristie, on peut voir le trésor de la cathédrale, riche collection d'art sacré. Le château ducal, très bel exemple d'architecture palatiale fut construit entre les règnes des Visconti et des Sforza.

MORTARA

L'étymologie du nom de ce gros bourg agricole milanais est assez étrange : « *mortis ara* », soit champ des morts. Son origine remonte à une furieuse bataille (12 octobre 773) qui opposa les Lombards aux Francs de Charlemagne. Sur le lieu où se déroula la bataille fut construite une abbaye, l'abbaye de Sant'Albino. Cette église possède un élégant portique du XIIIᵉ siècle et d'intéressantes fresques du XVᵉ siècle à l'intérieur.

A Mortara, le dernier samedi de septembre, on fête le saucisson d'oie. Au programme, course d'oies, défilés en costume et joutes.

Les immanquables de la Lombardie

▶ **Visiter la chartreuse de Pavie** et se laisser impressionner par ses marbres polychromes et par le cloître.

▶ **Plonger dans l'univers des Gonzaga** à Mantoue et savourer les spécialités locales.

▶ **Découvrir Bergame** et succomber au charme de la ville haute et de la ville basse.

▶ **Partir pour Cremona**, visiter un époustouflant atelier de fabrication de violons et goûter le *torrone*.

La Lombardie

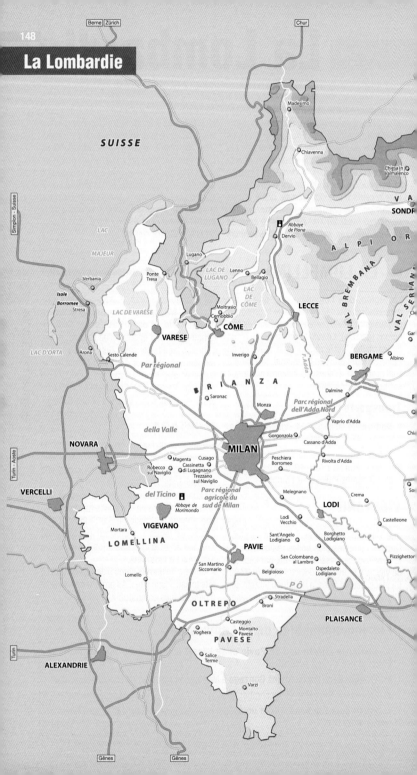

Chur

SUISSE

Simplon - Suisse

Madesimo

Chiavenna

Chiesa in
Valmalenco

V A
SONDR

LAC

MAJEUR

Abbaye
de Piona
Dervio

ALPI OR

Lugano

Verbania

Ponte
Tresa

LAC DE
LUGANO

Lenno

Bellagio

VAL BREMBANA

VAL SERIAN

Isole
Borromee
Stresa

LAC DE VARÈSE

Moltrasio

Cernobbio

LAC DE
CÔME

LECCE

Gar

LAC D'ORTA

Arona

Sesto Calende

VARESE

CÔME

Inverigo

BERGAME   Albino

Par régional

B R I A N Z A

F. Adda

Saronac

Monza

Dalmine

Parc régional
dell'Adda Nord

della Valle

Vaprio d'Adda

NOVARA

MILAN

Gorgonzola

Cassano d'Adda

Chia

VERCELLI

Magenta Cusago

Robecco
sul Naviglio

Cassinetta
di Lugagnano

Trezzano
sul Naviglio

Peschiera
Borromeo

Rivolta d'Adda

Melegnano

Crema

So

del Ticino

Parc régional
agricole du
sud de Milan

LODI

Castelleone

Abbaye de
Morimondo

VIGEVANO

Mortara

LOMELLINA

Lomello

PAVIE

San Martino
Siccomario

Lodi
Vecchio

Sant'Angelo
Lodigiano

San Colombano
al Lambro

Belgioioso

Borghetto
Lodigiano

Ospedaleto
Lodigiano

Pizzighettor

ALEXANDRIE

Turin

OLTREPO

Voghera

Casteggio

Montalto
Pavese

PAVESE

Salice
Terme

Varzi

Stradella

Broni

PÔ

PLAISANCE

Turin - Aoste

Turin - Aoste

Gênes   Gênes

© CANABI, HUGO - ICONOTEC

Au bord du lac Majeur (côté Piémont)

LOMELLO

Ancien comté impérial, Lomello ne conserve de cette époque de splendeur que son château, le baptistère octogonal de l'église Saint-Jean aux Fontaines (IVe siècle) et l'église de Santa Maria Maggiore (XIe siècle).

PARC DU TESSIN

C'est l'une des plus grandes zones naturelles protégées de la Lombardie. Entre Abbiategrasso et Pavie, on traverse l'une de ses parties les plus intéressantes. Son environnement fluvial a été restauré en respectant l'équilibre hydrobiologique et les cultures de la région. Avec ses parcours cyclables et pédestres, c'est le lieu idéal pour une balade estivale dans les environs de Milan.

▶ **Voiture.** A4 sortie Boffalora.

■ **CENTRES INFORMATIONS**
✆ 02 9729091, 0382 303793, 381 691635
www.parcoticino.it
Le parc dispose de plusieurs points d'information dans les villes sur son territoire.

▬ PAVIE ET SA RÉGION

Pavie

Cette ville, baignée par le Tessin, est l'un des centres les plus importants de la Lombardie. Elle possède un centre historique bien conservé avec quelques joyaux d'architecture mais elle est particulièrement connue pour son université, l'une des plus anciennes et des plus réputées d'Italie, qui compta parmi ses élèves Christophe Colomb et Alessandro Volta. Pavie, à l'époque Ticinum, fut un centre de première importance dès l'antiquité. Mais elle connut sa période de plus grande gloire après la chute de l'empire romain. Conquise en 523 par les Lombards, elle fut la capitale de leur royaume, puis capitale du royaume d'Italie jusqu'au XIe siècle. Eglises, monastères et tradition scolastique remontent à cette époque. Ville puissante, ennemie de Milan et alliée de l'empereur Frédéric Barberousse, sacré roi d'Italie dans l'église de San Michele, Pavie tomba sous la domination des Visconti de Milan. Ces derniers y tinrent leur cour et furent à l'origine d'un nouvel épanouissement de la ville. Ils fondèrent l'université en 1361.
En 1525, sous ses murs, eut lieu la fameuse bataille qui opposa Français et impériaux de Charles Quint. François Ier, défait, y fut fait prisonnier. Sous la domination espagnole, la ville entra dans une période de décadence dont elle ne sortira qu'au XVIIIe siècle, sous le règne de Marie-Thérèse et de Joseph II de Habsbourg, qui redonnèrent du lustre à son université. Dès lors, le destin de Pavie

se confond avec celui de toutes les autres villes lombardes. Libérée de la domination autrichienne par les guerres pour l'indépendance italienne, elle entra dans le royaume d'Italie en 1861 tout en maintenant le prestige de son université.

Transports

▶ **Voiture.** De Milan A7/E62 (38 km).

▶ **Train :** Stazione Centrale Milan - Pavie (30 minutes).

Pratique

■ OFFICE DU TOURISME
Piazza Petrarca, 4
✆ 0382 597001/2
www.provincia.pv.it/turismo
turismo@provincia.pv.it
Du lundi au vendredi de 8h30 à 12h30 et de 14h à 17h.

Hébergement

■ AURORA
Via Vittorio Emanuele II, 25
✆ 0382 23664 – Fax :0382 21248
www.hotel-aurora.eu
Simple 55 €, double 80 €, petit déjeuner 6 €.
Position idéale, à quelques pas de la gare et du centre-ville. Chambres claires et équipées en téléphone, TV, climatisation.

■ B&B VILLA ARABELLA
Fraz. Losana, 16
Mornico-Losana
✆ 0383 892338, 348 3419247
www.villa-arabella.it
info@villa-arabella.it
Double 100-130 €, simple 70-90 €. Dîner 29 € vins exclus. Fermé de décembre à mars.
Perdue au milieu des vignobles, une villa de rêve où vous pourrez vous détendre dans une des belles chambres aux tons pastel ou au bord de la piscine. Paul et Arabella vous réservent un accueil de charme, et sur demande, vous pourrez même profiter de leur délicieuse cuisine ou déguster les vins de la région.

■ CAMPING TICINO
Via Mascherpa, 10
Lanfranco (PV) ✆ 03 82527094
www.campingticino.it
Ouvert d'avril à septembre. Par personne 5,80-6,50 €, emplacement tente 4-4,50 €, emplacement camping car 8,80-10 €,
bungalow x 4 64-70 €.
Niché dans la verdure du parc du Ticino, un petit parking agréable avec jolis bungalows en bois. Point de départ idéal pour des balades et pour visiter Pavie et la Chartreuse à quelques minutes.

Restaurants

La cuisine du Pavese fait appel au riz produit sur place, aux légumes, aux charcuteries, aux grenouilles, aux escargots et aux crevettes d'eau douce. Le *risotto certosino* est d'ailleurs un mélange de ces produits. Des charcuteries de tout genre, de la bonne viande et des tartes (celles aux amandes de Varzi' sont fameuses) complètent un menu, qui ne dédaigne pas non plus les poissons de rivière.

■ ANTICA OSTERIA DEL PREVI
Via Milazzo, 65
Loc. Borgo Ticino ✆ 0382 26203
Repas 30-40 €. Fermé le dimanche sauf de mars à juin.
Dans le vieux bourg le long du fleuve, un air d'antan entre la cheminée et les poutres apparentes. Spécialités lombardes (risotto, anguilles).

■ OSTERIA ALLE CARCERI
Via Marazzi, 7
✆ 0382 301443
Repas 25-35 €. Fermé samedi, dimanche midi.
Ce restaurant très central tire son nom des anciennes prisons avoisinantes. Mais la salle et le menu n'ont rien de lugubre. Au contraire ! La cuisine savoureuse et recherchée, à base de produits saisonniers, vous mettera rapidement de très bonne humeur.

■ VECCHIA PAVIA
Via Mantovani, 3 ✆ 0382 27178
Repas 15 €. Fermé le samedi.
Vaste choix de pizze. Les papilles se régaleront, et c'est ce qui compte.

Sortir

Les étudiants se retrouvent en général à la terrasse du bar Araldo.
Pour ceux qui ont du mal à dormir, l'Insomnia Caffè, Via Cravos, ouvre ses portes à partir de 22h30.

Points d'intérêt

■ BROLETTO
Bâtiment du XIIe siècle, au sud de la Piazza Vittoria. Siège administratif communal selon le style des traditionnaux *broletti* lombards.

■ CASTELLO VISCONTEO

✆ 0382 33853

www.museicivici.pavia.it

Du mardi au dimanche de 10h à 18h. Fermé le lundi. Juillet, août, décembre, janvier, février de 9h à 13h30. Tarif 6 €, réduit 4 €.

Entouré de jardins, ce château construit par les Visconti (1360-1365) est une bâtisse imposante de plan carré avec deux tours puissantes. Belle cour intérieure à portiques et loggias. Il abrite les musées municipaux (Antiquités, Haut Moyen Age, Roman/ Renaissance, Sculptures, Pinacothèque).

■ DUOMO

Il s'agit de l'une des œuvres les plus importantes de la Renaissance, et on la doit essentiellement à l'architecte Amadeo, avec quelques apports du Bramante. La coupole est du XIXe siècle.

■ PONT COUVERT

L'un des symboles de Pavie. Long de 182 m sur 5 arcades, le pont de 1352 fut reconstruit après sa destruction en 1944.

■ SAN MICHELE

Piazza san Michele

www.sanmichele-pavia.it

Jours ouvrables de 8h à 12h et de 14h30 à 19h30, jours fériés de 8h à 12h, 15h à 20h.

Le lieu où furent couronnés les rois des Lombards, les empereurs Charlemagne, Henri II et Frédéric Barberousse. La fondation de cette basilique date de l'époque romane, mais sa reconstruction au XIIe siècle en a fait un chef-d'œuvre de l'art roman. A remarquer surtout, la façade, l'intérieur à trois nefs et son « triforium » réservé aux femmes, les chapiteaux et la belle mosaïque du presbytère, avec sa partie supérieure portant sur les 12 mois de l'année et sa partie inférieure montrant le labyrinthe de Crète et le combat de Thésée contre le minotaure.

■ TOURS MEDIEVALES

Le centre historique de Pavie fut jadis hérissé d'une véritable forêt de tours, chacune manifestant la puissance d'une famille de notables. Il n'en reste que quelques spécimens.

■ UNIVERSITE

✆ 0382 9811

Possibilité de visiter certains amphithéâtres sur réservation. Elle fut créée en 1361, sous la forme encore largement visible d'un édifice en brique. Elle fut, bien sûr, plusieurs fois réaménagée. Ainsi sa façade principale est du XVIIIe siècle et les cours intérieures du XVIIe siècle.

Dans les environs

■ CHARTREUSE DE PAVIE

✆ 0382 925613

Mars/octobre 9h-11h30, 14h30-17h30 (18h juillet/août, 16h30 novembre/février). Fermé le lundi. Parking payant.

Excentré par par rapport à la ville, le Gratriarum Cartusia (chartreuse des Grâces) fut construit sous le règne du duc de Milan Gian Galeazzo Visconti en 1396. Des ajouts se sont opérés au XVe siècle puis au XVIIIe siècle. La charteuse de Pavie est un chef-d'œuvre incontestable de l'art lombard. La façade a été achévée en 1470. C'est une symphonie de marbres polychromes. Remarquable exemple de la Renaissance italienne, elle a beaucoup marqué la Renaissance française. Si l'intérieur est gothique dans sa structure, il recèle néanmoins de nombreux signes de la Renaissance dans sa décoration.

Spécialités gourmandes

Vin et gourmandises l'emportent dans cette région du sud de Milan essentiellement agricole : à Mortara, le saucisson d'oie ; à Cilavegna, les asperges ; à Parona, les offelle, sortes de biscuits sucrés en pâte feuilletée ; les vins à Santa Maria della Versa, Broni et Stradella, et les saucissons et tartes aux amandes à Varzi. Au sud de Lodi, deux villes sont particulièrement connues pour leur intérêt culinaire : San Colombano al Lambro et Sant'Angelo Lodigiano. A San Colombano, vous goûterez un excellent rouge D.O.C., tandis qu'à Sant'Angelo vous pourrez visiter le musée du Pain (informations ✆ 0371 211 40/41), situé au premier étage du château Visconti Morando Bolognini. Les champs de l'Oltrepo' Pavese (au delà du Pô), transformés par l'œuvre patiente des moines cisterciens, sont ponctués de nombreuses fermes transformées en brasseries ou restaurants. Parmi un ample choix où la qualité est souvent très bonne, nous vous suggerons l'Antica Osteria San Desiderio (✆ 0383 940574) pour ses succulents *risotti*, plus raffiné il Sasseo (✆ 0385 278563) et la traditionnelle Trattoria Quaglini (✆ 0383 892840).

■ CRÉMONE ET SA RÉGION

CRÉMONE

Ville d'eau (le Pô y reçoit l'Oglio et la Mincio à proximité) et de tradition, riche mais discrète, Crémone est le symbole d'une Italie méconnue mais déterminée en matière d'économie et de société. Fondée en 218 av. J.-C., détruite par les Lombards, elle renaît comme commune libre, au Moyen Age, et connaît alors son âge d'or. Commune libre, elle s'allie à l'empereur Frédéric Barberousse contre Milan. Elle finit quand même par tomber sous la coupe de la capitale lombarde, avant d'être conquise par Venise. Son sort suivra alors l'évolution de toute la Lombardie.

La musique a donné à Crémone ses lettres de noblesse. La ville peut en effet s'enorgueillir d'être la ville natale de Monteverdi, inventeur du mélodrame, et d'Antonio Stradivari, maître luthier. Crémone est considérée comme la capitale du violon. Les familles Amati, Guarneri et, surtout, les Stradivari réalisèrent, entre 1500 et 1700, les violons les plus précieux et les plus renommés du monde. Cette tradition reste vivante à Crémone. En témoigne la présence d'une école de lutherie, d'une école de paléographie et de philologie musicale.

Le *torrone* (nougat) est l'une des douceurs préférées des Italiens. Il reste une des gourmandises favorites de Noël. Fait à base d'amandes, de miel et de blancs d'œufs, il fut servi pour la première fois à l'occasion des noces entre Francesco Sforza e Bianca Maria Visconti en 1441, en forme de Torrazzo, la tour campanile de Cremona.

La *mostarda* n'évoque pas un condiment comme en France mais un plat au goût « Renaissance », composé de fruits pris dans une sauce piquante servie en accompagnement de viandes bouillies.

Transports – Pratique

▶ **Voiture.** De Milan A1 en direction de Piacenza, ensuite A21 sortie Cremona (95 km).

▶ **Train :** Stazione Centrale Milan - Cremona (1 heure 40).

■ OFFICE DU TOURISME
Piazza del Comune, 5
✆ 0372 23233
www.turismocremona.it
Du lundi au dimanche de 9h à 12h30 et de 15h à 18h.

■ TAXIS
✆ 0372 21 300, 0372 26 740

Hébergement

■ ASTORIA
Via Bordigallo, 19
✆ 0372 461616
Fax :0372 461810
www.astoriahotel-cremona.it
info@astoriahotel-cremona.it
Simple 50-60 €, double 80-90 €.
Dans le centre, à côté du Duomo, des chambres sobres et propres, dans un coin calme du quartier historique.

■ CREMONA
Viale Po, 131 ✆ 0372 32220
Fax :0372 422680
www.hotelcremona.it
info@hotelcremona.it
Simple 50-70 €, double 70-85 €.
Situé le long du Pô, un hôtel simple et bien équipé. Certaines chambres ont vue sur le fleuve.

Restaurants

■ CERESOLE
Via Ceresole, 4
✆ 0372 23322
Repas 30-40 €. Fermé dimanche soir et lundi.
Situé en plein centre et élégant, c'est l'un des restaurants les plus réputés de la ville. Spécialités de poissons d'eau douce.

■ TRATTORIA CERRI
Piazza Giovanni XIII, 3
✆ 0372 22796
Repas 20-30 €. Fermé mardi et mercredi.
Un classique à Cremona, la Trattoria Cerri propose une cuisine rigoureusement du terroir (*stinco, zabaione...*) dans un décor invarié depuis 1912 et à de très bons prix.

■ TRATTORIA DEL CIGNO
Vicolo del Cigno, 7
✆ 0372 21361
Repas 20-30 €. Fermé le dimanche.
Repaire des bonnes fourchettes, solidement établi au cœur de la ville, vous ne regretterez pas d'avoir manger dans ce charmant restaurant au décor de céramique. *Cotechino con mostarda, cannelloni alla stradivari, torrone...*

Manifestations

▶ **Festival di Cremona**, Mai-Juin. La ville des violons ne pouvait pas ne pas avoir son festival musical. Excellent répertoire classique à Cremona et dans ses environs (℡ 0372 800387).

▶ **Festa del Torrone**, 2e ou 3e semaine de novembre. Expositions, conférences et bien sûr dégustation de la spécialité crémonaise.

Points d'intérêt

Outre ses pièces maîtresses décrites ci-dessous, la ville compte un ensemble de palais qui n'attendent que d'être admirés au gré de flâneries. N'hésitez pas non plus à pénétrer dans les cours, qui valent tout autant d'être vues que les façades.

■ **BAPTISTERE**
Piazza del Comune
Tous les jours de 10h à 13h et de 14h30 à 18h. Tarif 2 €, réduit 1 €. Le même billet permet de visiter les mosaïques du Camposanto dei Canonici au Dôme. Billet cumulatif 5 € avec le Torrazzo.
Baptistère roman octogonale construit en 1167, considérablement remanié au XVIe siècle. A l'intérieur deux autels baroques et un beau fond baptismal en marbre rouge de 1531.

■ **DUOMO**
Piazza del Comune
Ouverture 8h-12h30, 15h30-19h.
Construit en 1107, il arbore la couleur rouge typique de la brique de cette partie de la plaine du Pô. Plusieurs ajouts postérieurs sont venus se superposer à la structure romane de manière très harmonieuse. L'intérieur, impressionnant, en forme de croix latine, possède trois nefs et des peintures célèbres de l'école de Crémone du XVIe siècle, en particulier les œuvres des frères Campi et de Pordenone.

■ **LOGGIA DEI MILITI**
Elégante structure gothique en brique lombarde, datant de 1292. Ici se réunissaient les capitaines des milices de la ville.

■ **MUSEO STRADIVARIANO**
Via Dati, 4
℡ 0372 407770
Ouvert de 9h à 18h (dimanche 10h). Fermé le lundi. Tarif 7 €, réduit 4 €.
Modèles et ustensiles du grand luthier. Une partie de son atelier a même été reconsti-

tuée. Les instruments à cordes du XVIIe au XIXe siècles en font un étape obligée pour tous les amateurs de musique.

■ **PALAZZO COMUNALE**
Piazza del Comune
℡ 0372 22138
Du mardi au dimanche de 9h à 18h. Fermé le lundi. Tarif 6 €, réduit 3,50 €.
Edifice à arcades, rénové à plusieurs reprises, il accueille une collection de violons anciens dans la « saletta dei Violoni ». Sur réservation (tél. 0372 20502) vous pourrez assister à une audition avec un des instruments d'époque (1,50 €).

■ **SAN SIGISMONDO**
Piazzetta Bianca Maria Visconti
Commanditée par Bianca Maria Visconti en 1463 à l'emplacement où s'érigeait la chapelle où elle avait épousé Francesco Sforza. Très bel exemple d'église de style pré-Renaissance.

■ **SANT' AGOSTINO**
Superbe église de style gothique aux proportions grandioses. A l'intérieur, de belles fresques de Bonifacio Bembo.

■ **TORRAZZO**
Piazza del Comune
Ouvert tous les jours de 10h à 13h et de 14h30 à 17h30. Tarif 4 €.
Cette tour de brique, haute de 111 m, est la construction du genre la plus haute d'Europe et le symbole de la ville. Une horloge astronomique du XVIe siècle orne son sommet. En haut (après 500 marches !) superbe panorama.

Croisières

En Italie, la navigation sur les canaux est difficilement praticable. Cela est dû autant au caractère tortueux des canaux qu'à leur mauvais état. Une possibilité est néanmoins offerte à Crémone, où la société de navigation Conii (℡ 0372 35919 - www.viviilpo.it) organise des croisières le long du Pô.

Shopping

■ **CONSORZIO LIUTAI A. STRADIVARI**
Piazza Stradivari, 1
℡ 0372 463503
www.cremonaliuteria.it
Plongez dans l'univers des violons et violoncelles. Ce consortium rassemble les meilleurs luthiers de Cremona. Des visites aux ateliers de fabrication des instruments sont possibles sous réservation.

CREMA

Crema est une agréable petite ville fortifiée, connue dans l'histoire pour avoir un siège terrible par les troupes de Barberousse (1159) et vu se dérouler à proximité la bataille d'Agnadel (1509). Remportée par le roi Louis XII sur Venise, c'est là que s'illustra notamment Bayard. Profitez-en pour goûter aux *tortelli cremaschi*, fourrés aux amandes et aux raisins, la spécialité locale.

Transports

▶ **Voiture.** De Milan SS415 (44 km).

▶ **Train.** Stazione Garibaldi Milan - Crema (1 heure, 4,20 €).

■ **OFFICE DU TOURISME**
Via Racchetti, 8
✆ 0373 811020
www.prolococrema.it

Hébergement – Restaurant

■ **MARIO**
Via Stazione, 118
✆ 0373 204708
Repas 20-30 €.
Un vrai repaire pour les gourmands ! Le restaurant Mario, entrepôt de fromages, vous propose également de délicieux *tortelli cremaschi*, des viandes grillées et des desserts maison.

■ **PALACE HOTEL**
Via Cresmiero, 10
✆ 0373 81487
Fax : 0373 86876
Simple 50-60 €, double 70-90 €.
Hôtel confortable au « look » résolument moderne, dans le centre historique de la ville.

Points d'intérêt

La place du Duomo est une belle place à l'ambiance suggestive, bordée de palais du XVIe siècle. On y trouve également le Torrazzo (petite tour), témoignage de la rivalité entre Créma et Crémone. Tout autour de la place partent des petites rues et des passages dans lesquels vous aurez plaisir à flâner.

■ **DUOMO**
Edifice en style gothique lombard (1284-1341), avec une façade en brique rouge « à vent » (plus haute que le toit des nefs).

■ **MUSEO CIVICO**
Via Dante, 49
✆ 0373 257161
Du mardi au vendredi de 9h à 12h et de 14h30 à 18h30, le lundi de 14h30 à 18h30, samedi et dimanche de 9h à 12h et de 16h à 19h.
Hébergé dans l'ancien couvent de Sant' Agostino, il présente de nombreux documents sur la vie lombarde et autres pièces archéologiques.

■ **SANTUARIO DI SANTA MARIA DELLA CROCE**
Très bel édifice à plan central où se greffent quatre chapelles disposées en croix (1500).

■ **SS. TRINITA**
Belle église baroque de 1739 à la double façade aux corniches ondulées.

PANDINO

Bourg moyenâgeux (18 km de Crema), qui a mantenu quasiment inchangé la structure de l'époque. Le château du XVe siècle, offre l'un des exemples les mieux conservés de forteresse lombarde.

■ MANTOUE ET SA RÉGION

MANTOUE

Ville de Virgile et des Gonzague, son apparence est trompeuse. Vue de l'extérieur, elle a la sérénité d'une traditionnelle ville d'art italienne, située dans un somptueux décor naturel formé de trois lacs, le lac Supérieur, le lac di Mezzo et le lac Inférieur. La réalité est tout autre.
La ville des Gonzague est aujourd'hui l'un des centres industriels les plus dynamiques d'Italie. Riche, ambitieuse, volontaire, la nouvelle bourgeoisie a voulu redonner à Mantoue le rôle de référence qui était le sien pendant la Renaissance. C'est ainsi que se sont développées de nombreuses industries (conserves, métallurgie, chimie, vêtements).

Transports – Pratique

▶ **Voiture.** de Milan A1 vers Piacenza, A21 vers Cremona, poursuivre sur la SS10 jusqu'à Mantova (158 km).

▶ **Train.** Stazione Centrale Milan - Mantova (environ 2 heures, 8,75 €).

■ **OFFICE DU TOURISME**
Piazza Mantegna, 6
✆ 0376 944061
www.turismo.mantova.it
info@turismo.mantova.it
La Mantova Card (5 €) vous permet d'obtenir des réductions dans plusieurs sites et musées, dans de nombreuses boutiques, dans les établissements hôteliers conventionnés et de voyager gratuitement avec les transports en commun.

Hébergement

■ **AGRITURISMO LE SORGIVE**
Via Piridello, 6
Solferino
✆ 0376 854252
www.lesorgive.it
info@lesorgive.it
Chambre 68-105 €, appartement 80-129 €.
A 30 km de Mantova, deux *cascine* (villas de campagne) du XIXe siècle réaménagées en chambres et appartements très accueillants avec piscine, salle de sport et manège. Idéal pour allier détente et culture !

■ **B&B CORTE POSTA**
Via Ostiglia, 1
✆ 0376 370422, 348 4106034
www.corteposta.it
info@corteposta.it
Simple 40-60 €, double 80-90 €.
Belle demeure de charme à 1 km du centre. Jadis relais à chevaux, une aile de la maison a été aménagée en 3 jolies chambres tout confort. Petit déjeuner en terrasse.

■ **BROLETTO**
Via Accademia, 1
✆ 0376 326784
www.hotelbroletto.com
info@hotelbroletto.com
Simple 55-75 €, double 90-120 €.
Au cœur du centre historique, petit et intime hôtel géré familialement, un peu vieillot mais confortable.

■ **CASA POLI**
Corso Garibaldi, 32
✆ 0376 288170
Fax : 0376 362766
www.hotelcasapoli.it
info@hotelcasapoli.it
Simple 75-135 €, double 135-240 €.

Une nouvelle adresse de grande qualité. Sobre et élégant cet hôtel 4-étoiles offre un excellent buffet au petit déjeuner et même un apéritif de bienvenue.

Restaurants

■ **GRIFONE BIANCO**
Piazza Erbe, 6
✆ 0376 365423
Repas 35-55 €. Fermé mardi et mercredi midi.
Belle terrasse pour ce restaurant au cadre historique car entouré des monuments principaux de la ville, d'où son côté un peu touristique. Spécialités locales et bonne cave.

■ **"IL CIGNO" TRATTORIA DEI MARTINI**
Piazza Carlo d'Arco, 1
✆ 0376 327101
Repas 40-60 €. Fermé dimanche et lundi.
Dans une ancienne demeure du XVIe siècle, Gaetano et Alessandra Martini dirigent depuis seize ans une des étapes gourmandes incontournables du Nord de l'Italie. *Tortelli alla mantovana*, *anguilla in carpione*, *sbrisolona*... Tout est savoureux et raffiné.

■ **OSTERIA DELL'OCA**
Via Trieste, 37
✆ 0376 327171
Repas 20-30 €. Fermé mardi et dimanche soir.
Ce bistrot gastronomique a plus d'un tour dans son sac pour conquérir le cœur du grand public. Une cuisine comme celle de grand-mère, une salle au décor caractéristique et chaleureux et un propriétaire surnommé « Il Baffo » (la moustache) qui tient le record du *cotechino* (saucisson de porc cuit) le plus long du monde !

Manifestations

▶ **18 mars :** fête de saint Anselme, patron de la ville.

▶ **Procession du vendredi saint :** la manifestation la plus populaire de Mantoue. Les vases sacrés qui contiennent la terre imprégnée du sang de Jésus sont portés en procession dans toutes les rues de la ville.

▶ **Festivaletteratura :** début septembre, Mantoue organise, depuis 1997, un festival littéraire accueillant des écrivains du monde entier. Débats, lectures et spectacles investissent différents lieux de la ville (www.festivaletteratura.it).

Points d'intérêt

■ DUOMO
Piazza Sordello
Sa façade résulte d'un remaniement au XVIIIe siècle, le clocher est d'origine romane.

■ PALAZZO DUCALE
Piazza Sordello
✆ 0376 224832
Du mardi au dimanche de 8h30 à 19h. Tarif 6,50 €, réduit 3,25 €.
L'un des plus importants monuments italiens. Construit à partir de deux palais déjà existants, il fut transformé par les Gonzague, au fil du temps, en une véritable citadelle. L'intérieur renferme une très riche collection de peintures, souvenir du mécénat des Gonzague qui firent de Mantoue, l'une des capitales de la Renaissance italienne. Parmi les nombreuses merveilles présentées, les célèbres fresques d'Andrea Mantegna de la Camera degli Sposi (chambre des époux).

■ PALAZZO TE
Viale Te, 13
✆ 0376 323266
Du mardi au dimanche de 9h à 18h, lundi 13h-18h. Tarif 8 €, réduit 5-2,50 €.
Parmi les nobles édifices de la Piazza Sordello, le Palazzo Te se démarque par sa majesté. Conçu par le peintre et architecte Giulio Romano, afin d'offrir un lieu pour abriter les amours de Federico II Gonzague avec Isabela Boscheti. C'est l'un des meilleurs exemples du maniérisme italien, célèbre pour ses fresques profanes qui décorent tous les murs intérieurs du monument.

■ PIAZZA DELLA ERBE
Au cœur de la vie citadine, cette place abrite le Palazzo della Ragione, la tour de l'Horloge et plusieurs édifices gothiques et Renaissance.

■ SANT'ANDREA
Piazza Mantegna
Chef-d'œuvre de la Renaissance italienne (1472), c'est une des œuvres principales de l'architecte Leon Battista Alberti. Y sont conservés les vases sacrés contenant le sang du Christ.

■ TEATRO ACCADEMICO DEL BIBIENA
Via Accademia, 47
✆ 0376 327653

Du mardi au dimanche de 9h30 à 12h30 et de 15h à 18h. Tarif 2 €, réduit 1,20 €.
Destiné à accueillir aussi bien des pièces de théâtre que des démonstrations scientifiques, cet édifice est un chef-d'œuvre de l'architecture rococo (1769). Une merveille où Mozart s'illustra en un fabuleux concert en 14 pièces.

SABBIONETA

Bourg de province jusqu'en 1544, Sabbioneta devint à cette date le fief de Vespasien Gonzague (1511-1591), qui décida de transformer les lieux en une cité idéale. Il insuffla une vie culturelle intense à sa cour, qui valut à la ville le titre de « petite Athènes », destinée cependant à ne pas avoir d'avenir après la mort du duc.
De cet âge d'or restent les murailles et un tissu urbain bien conservé, témoignage rare d'un modèle de ville parfaite selon les canons de la Renaissance et aujourd'hui patrimoine mondial de l'Unesco.

Transports – Pratique

▶ **Voiture.** De Mantova SS420 (35 km).

▶ **Bus.** Plusieurs départs par jours depuis Mantova (✆ 0376 327237).

■ OFFICE DU TOURISME
Piazza D'Armi, 1
✆ 0375 52039
Du mardi au vendredi de 9h30 à 13h et de 14h30 à 18h (samedi et dimanche 17h).
Billet cumulatif de 10 € comprenant la visite guidée des principaux monuments de la ville.

Manifestations

▶ **Nuit blanche**, début septembre. Un cadre magique pour cette nuit où toute la ville est illuminée aux flambeaux. Représentations de théâtre et concerts comme à la Renaissance !

Points d'intérêt

Sabbioneta fut une idée avant d'être une ville. Son plan en étoile est rigoureux, avec des rues coupées à angle droit et orientées selon les points cardinaux. Elle fut constituée de 30 parties pour une population de 3 000 habitants. Aujourd'hui la cité semble plus être un gigantesque décor de théâtre qu'une véritable ville.

Et pourtant, cette nostalgie ne fait que rajouter aux charmes de cette belle décatie.

■ CHIESA DELL'INCORONATA

Bâtie en 1586, selon un plan octogonal, l'église renferme le mausolée de Vespasien Gonzague.

■ GALLERIA DEGLI ANTICHI

Longue de 96 m, elle abritait les œuvres d'art du Duc.

Plafond en bois décoré et fresques murales représentant des allégories féminines.

■ PALAZZO DUCALE

Vespasien Gonzague était ambitieux mais pauvre. Si les monuments construits sont simples extérieurement, ils renferment de véritables richesses à l'intérieur. Les stautes équestres des Gonzaga sont particulièrement évocatrices.

■ PALAZZO GIARDINO

Résidence privée du Duc (1578-1588). En brique à l'extérieur, elle est décorée à l'intérieur de riches fresques de Bernardino Ciampi.

■ SYNAGOGUE

Edifiée en 1824, elle est le témoignage de l'existence jadis, d'une communauté juive importante, encouragée par la tolérance du Duc.

■ THÉÂTRE OLYMPIQUE

Un complexe architectural spectaculaire, édifié à partir de 1588, d'après le projet de Vincenzo Scamozzi, élève de Palladio. Les premières pièces de Monteverdi y furent montées. Le théâtre comporte plusieurs entrées dont une première, celle des artistes. Le plafond intérieur imite un ciel étoilé et la scène, en trompe-l'œil, représente une rue de face.

DE MANTOUE À BRESCIA

▶ **Itinéraire :** Mantoue, Goito, Solferino, Castiglione delle Stiviere, Sirmione, Desenzano, Salo, Gardone, Brescia (100 km environ). Goito, Solferino, San Martino constituent trois étapes intéressantes avant d'arriver sur le lac de Garde. Points d'observation stratégiques, c'est ici que les troupes de Napoléon III et du roi Vittorio-Emanuele II vainquirent les forces autrichiennes qui occupaient la Lombardie. Ces victoires franco-piémontaises déterminèrent en grande partie la libération du Nord de l'Italie sous l'égide des Savoie. A San Martino et à Solferino, deux musées conservent documents, armes et divers objets relatifs aux batailles en question. A Castiglione delle Stiviere, le musée International de la Croix Rouge rappelle que c'est à la suite de ces deux batailles très meurtrières que le Suisse Henri Dunant créa cette institution. Découvrez ensuite la route des vins qui relie Volta Mantovana, Monzambano, Castellaro, Solferino et Castiglione delle Stiviere. D'un grand intérêt œnologique, c'est ici qu'est produit le lambrusco, vin rouge frais et légèrement pétillant. La partie méridionale du lac de Garde est aussi recouverte de vignes et se prête au plaisir du tourisme lacustre. Desenzano, Salo et surtout Gardone sont trois villes de villégiature plaisantes et attrayantes (voir « Les Grands Lacs »). De Gardone à Brescia, une route sinueuse traverse la montagne sauvage et rocheuse. Cette région est connue sous le nom de « ferrarezza » (ferrrière) à cause du travail centenaire de l'acier et du fer. C'est aussi la vallé des armes depuis l'époque de la Serenissima, car on y enfermait les prisonniers musulmans, experts en armes blanches pour y fabriquer épées et boucliers. Aujourd'hui, ses pistolets et ses fusils sont parmi les plus renommés au monde.

■ BRESCIA ET SA RÉGION

BRESCIA

Seconde ville de Lombardie par le nombre d'habitants, Brescia est situé au centre d'une des régions les plus riches d'Italie. La ville possède, dans un contexte urbain essentiellement moderne, conforme à son activité industrielle et commerciale, des monuments historiques d'une grande importance artistique et culturelle.

Cité d'origine celte (Galli Cenomani), elle devint romaine en 225 av. J-C. (Brixia). Brescia acquiert ses lettres de noblesse en 1849, lorsqu'elle se révolte contre l'occupation autrichienne durant les fameux « dix jours de Brescia ».La « lionne d'Italie » (en souvenir de sa participation héroïque à tous les mouvements de l'indépendance italienne), ne peut toutefois pas être considérée comme

Retrouvez l'index général en fin de guide

un des lieux les plus fascinants de la région. Une journée vous suffira pour visiter ses monuments à l'intérêt artistique certain.

Transports – Pratique

▶ **Voiture.** De Milan A4/E64 (93 km).

▶ **Train.** Stazione Centrale Milan - Brescia (45 minutes).

■ OFFICE DU TOURISME
Palazzo Martinengo
Via Musei, 32 ℂ 030 3749990
www.provincia.brescia.it/turismo,
www.bresciatourism.it
Du lundi au jeudi de 9h à 12h30 et de 14h à 16h30, vendredi de 9h à 12h30.

Hébergement

Comme toutes les grandes villes à vocation commerciale, Brescia propose un choix important de chambres à tous prix, en toutes saisons. Nous vous conseillons pourtant de sortir de la ville et d'opter pour ses alentours, sur les bords de lac, d'où vous pourrez facilement rejoindre la ville en moins d'une heure.

■ AGRITURISMO VILLA FRANCIACORTA
Fraz. Villa
Monticelli Brusati
ℂ 030 652329
Fax : 030 6852305
www.villafranciacorta.it
info@villafranciacorta.it
Appartements deux/trois pièces pour un minimum de trois nuits à partir de 180 € le week-end. Dépôt obligatoire 100 €. Piscine. Entreprise agricole et *agriturismo* près du lac d'Iseo. La maison du XVIIIe siècle située au cœur d'un bourg rural a beaucoup de charme. Piscine et activités sportives à proximité. Bonne cuisine.

■ LEONARDO
Via Pietro Dal Monte, 40
ℂ 030 397391
Fax : 030 383212
www.hotel-leonardo.com
Simple 53-57 €, double 78-85 €. Parking gratuit. L'hôtel est proche du centre et si le quartier n'a rien d'exceptionnel, il est bien situé. Ses chambres sont sobres et propres. Évitez cependant celles qui donnent sur la rue, bruyantes.

■ VITTORIA
Via X Giornate, 20 ℂ 030 28 00 61
Fax : 030 28 00 65

www.hotelvittoria.com
info@hotelvittoria.com
Simple 166-176 €, double 217-274 €. Construit en 1938, un hôtel institution pour Brescia, il offre tout le confort possible. Position centrale.

Restaurants

■ LA SOSTA
Via San Martino della Battaglia, 20
ℂ 030 295603
Repas 60-80 €. Fermé dimanche soir et lundi. Dans un palais du XVIe siècle, ce restaurant de grand charme propose une cuisine raffinée qui délectera vos papilles. On y dîne dehors en été et on peut même assister à des cours de cuisine.

■ TRATTORIA NUOVO NANDO
Via Amba D'oro 121/A ℂ 030 364288
Repas 20-30 €.
Nouvelle adresse, perchée sur la colline, avec une vue spectaculaire sur Brescia. A l'entrée pour vous accueillir un plateau de charcuterie et de fromages à tomber, auxquels suivra une des meilleures viandes grillées de la région.

■ TRATTORIA PORTERI
Via Trento, 52
ℂ 030 380947
Repas 25-35 €. Fermé dimanche soir et lundi. Atmosphère conviviale et charmante dans cette brasserie historique aux vieilles pierres, où vous pourrez déguster le meilleur de la cuisine bresciane. En particulier polenta et fromages.

Sortir

Le Corso Zanardelli est le lieu de la *passegiata*, du shopping et des rencontres. Dans les bars qui entourent la piazza del Duomo, vous pourrez prolonger la soirée en buvant un verre. Le Martha Wine Bar est un des plus fréquentés. Vers le quartier de la gare, au Lio Bar, l'ambiance est jeune et dynamique, avec des concerts de musique live, à écouter un verre à la main jusque sur le trottoir d'en face.

Manifestations

▶ **Fête des saints patrons San Faustino et Santa Geovita**. Le 15 février : exposition des saintes reliques dans l'église et fête populaire.

▶ **Brocante**. Chaque 2e dimanche du mois, Portici di Piazza Vittoria.

Points d'intérêt

Les places della Vittoria, del Duomo et della Loggia au centre de la ville, modèlent le tissu urbain organisé autour de ce qu'on appelle aussi « le système des trois places ».

■ BROLETTO

Ancien palais communal du XIIIᵉ siècle. A sa droite, la tour du Peuple du XIIᵉ siècle. Deux belles cours à portique et une loggia font partie du bâtiment.

■ CASTELLO

Via Castello, 9
✆ 030 44176 / 40233
D'octobre à mai de 9h30 à 13h et de 14h30 à 17h, de juin à septembre de 10h à 17h. Tarif musées 3 €, réduit 2 €.
Située en haut du col Cidneo (la montagne de Brescia), cette forteresse du XIVᵉ siècle abrite aujourd'hui le musée du Risorgimento et le musée des Armes. Dans la partie nord se trouvent les Grande et Piccolo Miglio, dépôts de grain sous la Sérénissime.

■ DUOMO NUOVO

La construction de cet édifice se prolongea du XVIIᵉ au XIXᵉ siècles, ce qui en entacha l'unité stylistique. A l'intérieur, nombreuses peintures de l'école de Brescia.

■ DUOMO VECCHIO OU ROTONDA

Exemple d'art roman du XIᵉ siècle. A l'intérieur, on pourra voir des œuvres de Moretto et des vestiges d'anciennes mosaïques.

■ PIAZZA DELLA LOGGIA

Elle doit son nom à la Loggia, siège du Conseil de l'aristocratie sous la Sérénissime. Bâtie entre 1492 et 1574 avec une forte influence palladienne, elle abrite l'actuel hôtel de ville de Brescia. La tour de l'horloge est joliment ornée des signes du zodiaque et s'inspire de la tour de la place Saint-Marc de Venise. Au nord de la place, s'étend un quartier médiéval.

■ PINACOTECA TOSIO MARTINENGO

Via Moretto, 4 ✆ 030 3774999
Fermé pour rénovation jusqu'en février 2011.
L'une des plus belles collections d'art de la Lombardie : œuvres de Raphaël, du Tintoret, Clouet, Lorenzo Lotto et, surtout de peintres de l'école de Brescia : Foppa, Moretto, Romanino, Savoldo, etc. La Renaissance lombarde à son apogée.

■ SAN FRANCESCO

Eglise romane de 1265. Fresques de Moretto et de Romanino. Beau chœur en marbre de Vérone.

■ VIA DEI MUSEI

Elle comprend le monastère fondé en 753 et comprenant en son sein les églises romanes de San Salvatore, Santa Maria in Solario et Santa Giulia. A côté se trouvent les ruines antiques du temple capitolain et du théâtre.

Shopping

Vous trouverez la tradition de Brescia en matière d'articles cadeaux dans les magasins du centre-ville. S'y marient le design et l'industrie de l'acier. Les vieilles rues autour de la piazza delle Loggia et de la piazza Paolo VI (dont le corso Zanardelli, la via X Giornate, le corso Magenta, le corso Palestro, le corso Mameli et le corso Garibaldi) sont à explorer. En ce qui concerne les magasins d'antiquités, vous les trouverez du côté des via Trieste, vie dei Musei ou Canetto.

RODENGO SAIANO

▶ **Voiture.** Autoroute A4, sortie Ospitaletto. 15 km à l'ouest de Brescia.

■ ABBAYE DE SAN NICOLO

Une des principales abbayes lombardes, de l'ordre des olivétains. Reconstruite avec les meilleurs artistes de la région entre 1450 et 1534. Cloître élégant et belles frises en céramique polychrome.

La Franciacorta

La Franciacorta est une vaste région de collines qui s'étend entre Brescia et le lac d'Iseo. Célèbre pour ses paysages enchanteurs aux pentes douces cultivées en vignobles et en oliviers, où il est fréquent de voir des villas du XVIIIᵉ siècle, des châteaux et des monastères, la Franciacorta n'a rien à envier à la Toscane. D'un point de vue œnogastronomique, cette région est un paradis pour les gourmets. De ses vignobles très réputés proviennent les grands vins rouges et blancs « Terre di Franciacorta » et bien sûr le spumante, vin blanc pétillant cultivé à la manière champenoise. Parmi les meilleures caves : Azienda Agricola Bersi Serlini (✆ 030 9823338), Berlucchi à Borgonato (visites des caves sur réservation ✆ 030 984381) et le couvent de la Ss. Annunciata à Rovato (✆ 030 7721377).

BERGAME ET SA RÉGION

BERGAME

Bergame offre une vision extraordinaire pour qui arrive de la plaine. La ville haute, ou de « dessus » (*sopra*) comme l'appellent les habitants, apparaît entourée de murailles, de tours et de clochers qui fendent l'air. Cette vision, courante dans le centre et le sud du pays, est plus insolite dans le nord.

Pendant des années, Bergame, ville frontière entre le duché milanais et la république de Venise, fut une cité riche et élégante, enfermée dans ses traditions et ses palais.

La ville basse apparaît assez différente de sa sœur de « dessus ». Avec ses amples avenues et ses constructions modernes, elle témoigne que la vie de la cité continue de vivre au présent. Mais il n'y a pas de rivalité entre les deux, seulement une continuité. Bergame est une ville unique, belle et attirante.

Transports

▶ **Voiture.** De Milan l'A4/E64 en direction de Venise (47 km).

▶ **Train.** Stazione Garibaldi Milan - Bergamo (1 heure).

▶ **Avion.** Aéroport Orio al Serio (www.sacbo.it). Il a été choisi comme site privilégié par les compagnies low cost desservant la Lombardie. Un service de navettes relie l'aéroport à Bergame centre, Milan (trajet 1 heure) et Brescia.

■ FUNICULAIRE
Viale Vittorio Emanuele II
✆ 035 235783
Tous les jours 7h-0h30.
Géré par l'entreprise de transports urbains de Bergame, son installation remonte à 1887. Il relie la ville haute et la ville basse.

Pratique

■ OFFICE DU TOURISME
Piazzale Marconi (face à la gare)
Città Bassa
✆ 035 210204
www.comune.bergamo.it

■ POSTE
Piazza della Libertà
Città Bassa

✆ 035 4284892
Du lundi au vendredi de 8h30 à 19h, le samedi de 8h30 à 12h30.

Hébergement

■ AGNELLO D'ORO
Via Gombito, 22
✆ 035 24 9883
www.agnellodoro.it
hotel@agnellodoro.it
Chambres à partir de 60 €.
Abrité dans un vieux palais de la ville haute. Mobilier d'époque et excellente cuisine. Une très bonne adresse.

■ A.I.G. NUOVO OSTELLO DELLA GIOVENTU
Via Ferraris, 1
✆ 035 361724
www.ostellodibergamo.it
hostelbg@libero.it
Double avec salle de bains 25 €, chambre plusieurs lits 18 €.
27 chambres avec salle de bains privée pour cette auberge de jeunesse propre et sympathique. Immergée dans la verdure, elle propose une laverie, une connexion Internet et même des vélos.

■ EXCELSIOR SAN MARCO
Piazza Repubblica, 6
✆ 035 366111
Fax : 035 223201
www.hotelsanmarco.com
info@hotelsanmarco.com
Simple 160-240 €, double 200-280 €.
Référence historique à Bergame, pour cet hôtel situé dans le quartier résidentiel, à deux pas des rues commerçantes. 155 chambres où tout est de qualité. Superbe restaurant panoramique, le Roof Garden (✆ 035 366159).

■ LA VALLETTA RELAIS
Via Castagneta, 19
✆ 035 242746
Fax : 035 2281217
www.lavallettabergamo.it
info@lavallettabergamo.it
Simple 70-80 €, double 85-100 €.
Immergée dans le vert di Parco dei Colli, cette jolie villa bourgeoise vous réserve 8 chambres de charme personnalisées. Excellent petit déjeuner. Service de transport en centre-ville gratuit. Parking privé.

Restaurants

La cuisine de Bergame est simple et ne renie jamais ses origines paysannes. La polenta est le plat principal, elle vous sera servie accompagnée de charcuterie, et fromages ou de gibier. Vous goûterez aux *casonsei*, raviolis richement farcis de viande et de légumes, cuisinés au beurre et à la sauge.

■ DA VITTORIO
Via Giovanni XXIII, 21
℀ 035 218060
Repas 70-100 €. Fermé le mercredi et au mois d'août.
Etape gastronomique pour les palais raffinés avec ce restaurant étoilé tenu par la famille Cerea depuis 40 ans. Chaque plat est une œuvre d'art, accompagné par de grands vins.

■ LIO PELLEGRINI
Via San Tomaso, 47
℀ 035 247813
Repas 70-90 €.
Un emplacement élégant et très agréable avec un beau jardin d'été pour une cuisine riche de saveurs. Spécialités de poisson, goûtez les spaghettis froids aux *telline*. Desserts gourmands et ample choix de vins.

■ OL GIOPI E LA MARGI
Via Borgo Palazzo, 27
℀ 035 24 23 66
Repas 25-35 €. Fermé le dimanche soir et le lundi.
Une auberge résolument régionaliste, avec menus en dialecte et serveuses en costumes.

■ TAVERNA COLLEONI DELL'ANGELO
Piazza Vecchia, 7
℀ 035 23 25 96
Repas 50-70 €.
Fermé le lundi.
Un emplacement très évocateur pour ce restaurant situé sur l'une des places les plus belles d'Italie. Etape obligée pour qui désire connaître la cuisine lombarde de qualité. A l'honneur viande et poisson, cuisinés de manière inventive et recherchée.

Sortir

Même si la ville haute paraît plus belle et fascinante, c'est dans la ville basse que se déroule la plus grande partie de la vie sociale. Le café Balzer (portici Sentierone 41), ouvert en 1836, est un des meilleurs bars d'Italie qui offre tout ce qu'on attend d'un bar de qualité :

charme, histoire, tradition et modernité. Le Caffè del Tasso (qui remonte à 1476 !) sur l'envoûtante Piazza Vecchia, vous replonge dans une ambiance d'antan et offre d'excellentes gourmandises comme la *torta tasso* ou la *torta donizetti*.

La vie nocture de Bergame se concentre surtout dans les grandes discothèques de la plaine (Dalmine, Caravaggio, Treviglio) ou bien en direction de Milan.

Points d'intérêt

Bergame a vu naître le peintre Lorenzo Lotto dont quelques églises de la ville basse ont gardé des œuvres. Pourtant, c'est la partie haute qu'il faudra aller visiter en priorité. Elle est le cœur historique de Bergame.

Rappelons enfin qu'une autre célébrité est d'origine bergamaise : Arlequin, personnage mythique de la *comedia dell'arte*, a été inspiré par les paysans de la ville.

Ville haute

La ville haute incite d'abord le visiteur à déambuler dans ses artères : à partir de la piazza Vecchia, vous croiserez à droite la via del Gombito, la via San Pancrazio, la piazza del Mercato del Fieno, la piazza del Mercato delle Scarpe, la via Donizetti.

■ CAPPELLA COLLEONI
℀ 035 210061
De mars à octobre, du mardi au dimanche, de 9h à 12h30 et de 14h à 18h30. De novembre à février, de 9h à 12h30 et de 14h30 à 16h30.
Erigée dernière demeure du condottiere vénitien Bartolomeo Colleoni en 1472, par l'architecte de la chatreuse de Pavie, Antonio Amedeo. La façade couronnée par une coupole est recouverte de marbre polychrome. A l'intérieur, le tombeau monumental reprend des motifs gothiques élaborés selon une sensibilité Renaissance. De très belles fresques représentant la vie de saint Jean-Baptiste, par G. B. Tiepolo (1733), ornent la coupole. Sur la gauche, se trouve le tombeau de la fille du condottiere, Medea Colleoni.

■ CITTADELLA ET MURA VENETE
Piazza Cittadella
℀ 035 242839
Du mardi au dimanche de 9h à 12h30 et de 14h30 à 18h.
Voulu par les Visconti au XIVe siècle dans un but défensif, la citadelle fut trans-

formée par les Vénitiens en demeure civile. Elle renferme aujourd'hui les musées d'Histoire naturelle et d'Archéologie. En se promenant sur les remparts vénitiens (*mura venete*) vous pourrez admirez un beau panorama sur la ville basse et sur la plaine.

■ DUOMO

Commencé en 1459 sur les plans du Filarete, sa construction se prolongea jusqu'au XIXe siècle quand furent terminés la coupole et la façade. A l'intérieur de nombreuses peintures dont *Le Martyre de saint Jean*, évêque de Bergame, de G.B. Tiepolo (1743) et un beau chœur du XVIIIe siècle.

■ PIAZZA DEL DUOMO

Stupéfiant ensemble d'édifices religieux rassemblés dans un espace unique.

■ PIAZZA VECCHIA

Ornée en son centre d'une fontaine du XVIIIe siècle, cette belle place du XVe est bordée de palais célèbres. Parmi eux, le Palazzo della Ragione (1598) se distingue par un bel escalier extérieur et des arcades. Le lion de Saint-Marc qui figure sur la façade rappelle que la ville fut durant 350 ans, possession vénitienne, jusqu'à l'arrivée de Bonaparte.

Vous admirerez également le Palazzo della Biblioteca, terminé en 1611 par Vincenzo Scamozzi. Près du Palazzo della Ragione se trouve la tour communale, dite Il Campanone.

■ SANTA MARIA MAGGIORE

✆ 035 22 33 27

Au cœur de la ville, cette basilique est considérée comme le monument le plus important de Bergame. Erigée en 1100 à l'emplacement d'une église plus ancienne, elle conserve une structure romane, tandis que l'intérieur s'est enrichi aux XVIe et XVIIe siècles. En 1660, le baptistère octogonal qui se trouvait à l'intérieur fut déplacé. Son emplacement actuel sur la place ne date cependant que du XIXe siècle.

Ville basse

Construite ou remaniée pour l'essentiel durant les deux derniers siècles, cette partie de Bergame se situe entre la gare et le funiculaire, reliés par la viale Vittorio Emanuele II.

■ PINACOTECA DELL'ACCADEMIA CARRARA

Piazza Carrara, 82

✆ 035 270413

www.accademiacarrara.bergamo.it

Fermé pour travaux. Une partie des collections est exposée au Palazzo della Ragione (ville haute). De juin à septembre et du mardi au dimanche de 10h à 21h, d'octobre à mai de 9h30 à 17h30, le samedi de 10h à 18h. Tarif 5 €, réduit 3 €.

Remarquables, ces collections comptent parmi les plus importantes de Lombardie. Œuvres de Raphaël, Mantegna, Giovanni, Bellini, Carpaccio, Tiepolo, Botticelli, Giorgione, Lotto et d'artistes locaux, comme Moroni, Baschenis, Fra Galgario et Bergognone.

■ TEATRO DONIZETTI

Piazza Cavour, 14

✆ 035 4160611

Construit entre 1783 et 1791, il fut par la suite dédié à Donizetti, grand compositeur natif de Bergame (1797-1948). Les amoureux de la musique n'oublieront pas de visiter le musée Donizetti.

▬ MONZA ET BRIANZA ▬

Des collines plutôt basses avec des bois de peupliers et de robiniers, des champs cultivés, des villas de toutes les tailles et de toutes les époques éparpillées dans la nature, des lotissements résidentiels anciens et récents et des villages tranquilles : voilà les éléments qui composent le paysage de la Brianza. Délimitée au nord par les petits lacs (lacs de Alserio, de Pusiano et de Annone) qui s'étendent entre Côme et Lecco et au sud par Milan, cette région est traversée par trois rivières, le Seveso à l'ouest, l'Adda à l'est, le Lambro au centre. Sa « capitale » Monza incarne parfaitement le dynamisme de l'industrie et de l'artisanat de toute la région (production de mobilier). Les liaisons ferroviaires entre la Brianza et Milan sont fréquentes et véhiculent chaque jour des milliers de banlieusards, les *pendolari*. Il est possible de choisir un hôtel en Brianza pour aller visiter Milan en prenant le train et ainsi trouver une paix agreste introuvable dans la grande ville.

MILAN ET LA LOMBARDIE

© DE AGOSTINI PICTURE LIBRARY (ENIT)

Villa Reale à Monza

MONZA

Cette ville située à 15 km au nord-est de Milan est surtout connue pour son Grand Prix de Formule 1. Cependant, Monza possède des atouts historiques et artistiques considérables. C'est d'ailleurs ici que fut assassiné le roi Umbert Ier par un anarchiste en 1900.

Transports – Pratique

▶ **Voiture.** SP51 (15 km).

▶ **Train.** Stazione Garibaldi - Milan (20 minutes).

■ OFFICE DU TOURISME
Piazza Carducci, 2 ✆ 039 323222
Tous les jours de 9h à 12h et de 15h à 18h.

Hébergement

■ CAMPING AUTODROME DE MONZA
Biassono, Via Santa Maria alle Selve
✆ 039 387771
De Milan, sortie Agrate Brianza.
Ouvert d'avril à septembre. 10 € par personne. Emplacement auto + 1 personne 16 € par jour, enfant jusqu'à 6 ans 4 €. Douche chaude 0,50 € (dépêchez-vous, le jet ne dure que 3 minutes). Situé dans le parc de Monza, ce camping est tout près des pistes. C'est le lieu idéal pour les passionnées de Formule 1 (le Grand Prix se tient en septembre).

■ HÔTEL DE LA VILLE
Viale Regina Margherita, 15
✆ 039 39421
Fax :039 367647
www.hoteldelaville.com
info@hoteldelaville.com
Simple 150 - 220 €, double 257-327 €.
Élégant hôtel près du parc de Monza, fréquenté surtout par le tourisme d'affaires. Tout confort et grand raffinement. Une très bonne adresse à seulement 15 km de Milan.

Manifestation

▶ **Grand prix de F1**, mi-septembre (réservation ✆ 039 2482212 - fax 039 320 324 - www.monzanet.it - tarif 90-530 €). Des millions de passionnés de la Testarossa se retrouvent à Monza pour cette prestigieuse compétition. Si vous voulez essayer avec votre voiture ou votre moto la piste du Grand Prix de l'autodrome, vous pouvez le faire pendant le week-end en période creuse. Nous vous conseillons de réserver en décembre, janvier et février (✆ 039 24821).

Points d'intérêt

■ ARENGARIO
Sur la Piazza Roma, ce beau bâtiment du Moyen Age (1290) est l'ancien palais communal, où étaient lus les décrets impériaux.

■ DUOMO

Musée et trésor du Dôme : du mardi au dimanche de 9h à 13h et de 14h à 18h. Tarif musée + couronne : 8 €, réduit 6 €.

Derrière la façade bichrome verte et blanche, restaurée au XIXᵉ siècle s'ouvre l'édifice gothique qui fut longtemps siège du chapitre ecclésiastique de Monza. Des fresques y racontent l'histoire de la reine Teodolinde.

Dans l'église se trouve la fameuse couronne de fer des rois lombards, qui, selon la légende, fut forgée à partir d'un clou de la Croix. C'est la pièce maîtresse d'un important trésor d'art sacré.

■ VILLA REALE

Viale Regina Margherita, 2
℅ 039 323222
Réservation obligatoire min. 10 jours à l'avance.

Créée à la demande de Ferdinand d'Autriche comme lieu de villégiature, la villa est un bel ensemble mi-baroque mi-néoclassique, avec un parc magnifique. Eugène de Beauharnais, vice-roi d'Italie, y séjourna ainsi que les rois de la maison de Savoie. L'architecte, Piermarini, est aussi celui de la Scala de Milan.

MONTEVECCHIA

L'un des endroits les plus caractéristiques de la Brianza. Au sommet de la petite colline couverte de vignobles, se dresse le petit sanctuaire de la Madone du Carmel (XVᵉ siècle). On y trouvera des petites auberges typiques où l'on déguste les fromages de chèvre, le vin et les saucissons de production locale.

Transports

▸ **Voiture.** Prendre l'A51 en direction de Lecco. Continuer sur la SS342d. A Cernusco Lombardone, prendre à gauche la SP54.

INVERIGO

L'un des célèbres « balcons » de la Brianza, dominé par la rotonde, curieux édifice néoclassique de l'architecte Cagnola. Au lieu-dit Cremnago, voir la villa Perego, l'une des plus belles de la région.

CANTU'

La basilique de Galliano est un important ensemble religieux du VIIIᵉ siècle décoré de fresques. La réputation de cette ville est due à ses fabriques de meubles et de dentelles. Ces dernières sont fabriquées selon la technique des fuseaux et navettes importée de France au XVIᵉ siècle.

▸ **Accès.** De Milan SS35 vers Meda. Poursuivre direction de Cantu' sur la SP34 (43 km).

ERBA ET CIVATE

La villa Amalia, grande construction néoclassique admirablement située, est fréquentée par les artistes et les poètes. Les environs d'Erba sont constellés de lacs : vers Côme, le lac de Montorfano, grand étang circulaire bordé en grande partie par un golf. Vers Lecco, les lacs d'Alserio, de Pusiano, d'Oggiono.

Dans les environs d'Erba, à Civate on rejoint la basilique de San Pietro al Monte par une montée. On ne peut l'atteindre qu'à pied, par un sentier assez pentu, en 30 min environ. Il s'agit d'une vaste construction du IXᵉ siècle. De là, on a une vue étendue sur toute la plaine. Dans la basilique, de belles fresques illustrent l'Apocalypse.

Transports

▸ **Voiture.** De Milan prendre la SP5 via Monza. Continuer sur la SS36. Après 280 m, vous trouverez Civate. Pour aller à Erba, continuer sur la SS342. A Lurago d'Erba, prendre à droite la SP41 (47 km).

▸ **Train.** Stazione Cadorna - Erba (1 heure). Stazione Garibaldi - Civate (1 heure 30).

MILAN ET LA LOMBARDIE

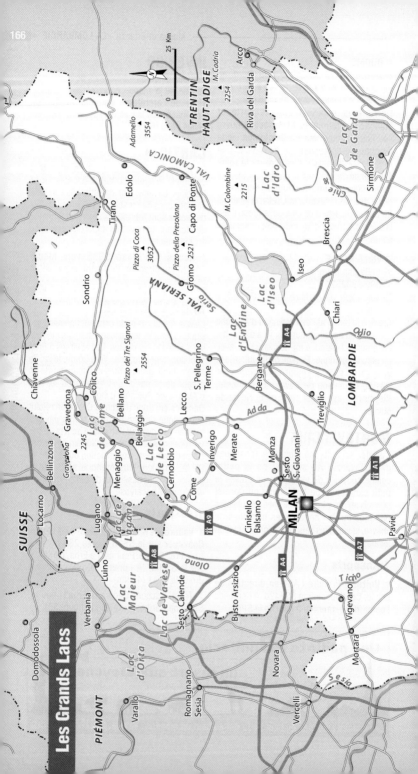

Les Grands Lacs

0 25 Km

SUISSE

PIÉMONT

LOMBARDIE

TRENTIN HAUT-ADIGE

Domodossola

Varallo

Locarno

Bellinzona

Lugano

Luino

Verbania

Romagnano Sesia

Vercelli

Novara

Mortara

Vigevano

Pavie

Busto Arsizio

Sesto Calende

Cinisello Balsamo

MILAN

Sesto S. Giovanni

Monza

Merate

Inverigo

Côme

Cernobbio

Lecco

Bellagio

Menaggio

Bellano

Colico

Gravedona

Chiavenne

Sondrio

Tirano

Edolo

Capo di Ponte

Gromo

S. Pellegrino Terme

Bergame

Treviglio

Chiari

Iseo

Brescia

Sirmione

Riva del Garda

Arco

Lac Majeur

Lac d'Orta

Lac de Varèse

Lac de Lugano

Lac de Côme

Lac de Lecco

Lac d'Endine

Lac d'Iseo

Lac d'Idro

Lac de Garde

VAL CAMONICA

VAL SERIANA

Adda

Olona

Ticino

Sesia

Oglio

Chiese

Serio

Adamello 3554

M. Cadria 2254

M. Colombine 2215

Pizzo della Presolana 2521

Pizzo di Coca 3052

Pizzo dei Tre Signori 2554

Gravedona 2245

🏛 A4

🏛 A1

🏛 A9

🏛 A8

🏛 A4

🏛 A7

Les Grands Lacs

Les montagnes et les lacs de l'Italie du Nord n'ont cessé d'enchanter le voyageur, depuis les romantiques en quête d'une nature sauvage et somptueuse jusqu'à l'aristocratie européenne venue y trouver un lieu de villégiature privilégié dès le début du siècle. Ce que l'on appelle la « région des Lacs » *désigne une vingtaine de lacs de l'Italie du Nord centrés sur la Lombardie mais touchant aussi les régions du Piémont, du Trentin et de la Vénétie sur leurs frontières. Pour la plupart d'origine glaciaire, ces lacs se déploient au pied des Alpes et jouissent souvent d'un climat bénéfique.*

■ LAC MAJEUR

Le lac Majeur, à cheval sur le Piémont, la Lombardie et le Tessin, constitue la première étape pour ceux qui viennent de l'ouest. Le climat et la flore méditerranéennes donnent aux multiples jardins un air proprement exotique. Jardins, villas et autres palais constituent d'ailleurs l'attrait essentiel des paisibles villages qui jalonnent les rives.

Stresa en particulier offre une vue imprenable sur les îles Borromées, écrins de verdure abritant le somptueux palais Borromée. Il ne faut pas oublier les sports aquatiques, la montagne et ses randonnées, ainsi que les achats auxquels invitent les belles boutiques. C'est vers la fin du XIXᵉ siècle, que le lac Majeur fut consacré en tant que lieu de villégiature internationale, entraînant la construction d'hôtels de grand luxe et de villas superbes. Le lac Majeur se divise en deux parties : la rive occidentale piémontaise, au charme

éternel, et la rive orientale lombarde, un peu moins riche artistiquement mais non moins intéressante.

On peut les visiter en voiture, par les transports collectifs ou avec les bateaux qui relient tous les petits ports qui donnent sur le lac.

▶ **Saisonnalité.** Le voyageur prudent évitera la saison estivale pour partir à la découverte de tous les Grands Lacs en général. La région est en effet envahie par le tourisme de masse à la belle saison. Mieux vaut tenter sa chance durant le printemps ou l'automne, saisons au climat encore doux et où l'atmosphère est tout aussi fascinante et romantique. Attention, le développement du tourisme a fait du lac Majeur un lieu assez cher aussi bien pour l'hôtellerie que pour la restauration. En basse saison, les tarifs baissent légèrement.

Transports

▶ **Voiture.** 89 km de Milan. A8 dir/E62.

▶ **Train.** Stazione Centrale Milan, train cisalpin pour Stresa (durée 50 minutes).

STRESA

La ville est une première étape sur la route des Lacs mais, si elle ne possède pas de monuments spécifiques, son charme mérite qu'on s'y arrête pour flâner à l'ombre des petites ruelles et pour profiter d'une vue du lac Majeur incomparable grâce à la présence voisine des îles Borromées.

C'est le principal centre de la rive piémontaise. Il faut admirer, le long du lac, ses somptueuses villas, ses palaces style Liberty et sa végétation aux senteurs exotiques. Au large apparaissent, comme des mirages sortis de l'eau, les îles Borromées.

Les immanquables des Grands Lacs

▶ **Parcourir les berges** du lac Majeur pour contempler le paysage et les splendides villas.

▶ **Partir à la découverte** des îles Borromées enchanteresses.

▶ **Respirer la quiétud**e des abords du lac d'Orta et grimper jusqu'au Sacro Monte.

▶ **Naviguer sur le lac de Côme** et se laisser porter par le vent au milieu des montagnes boisées.

▶ **Retrouver une ambiance** début XXᵉ siècle, sur les berges du lac de Garde.

Isola Bella sur le lac Majeur

Pratique

■ OFFICE DU TOURISME

Piazza Marconi, 16
℗ 0323 30150/31308
www.illagomaggiore.com
turismo@comune.stresa.vb.it
Tous les jours 10h-12h30, 15h-18h30.

Hébergement

■ LA FONTANA

Via Sempione Nord, 1
℗ 0323 32707
Fax : 0323 32708
www.lafontanahotel.com
direzione@lafontanahotel.com
Simple 85 € , double 110 €.
Immergé dans le vert d'un grand parc,
l'hôtel La Fontana est l'emplacement idéal
pour partir à la découverte du lac Majeur.
Chambres simples mais confortables, bon
petit déjeuner.

■ GRAND HOTEL DES ILES BORROMÉES

Lungolago Umberto I, 67
℗ 0323 938938
Fax : 0323 32405
www.borromes.it
borromes@borromes.it
*Simple 220-295 €, double 250-390 €, suite
à partir de 500 €.* Hôtel de rêve, de luxe et de
charme, le Grand Hôtel des Iles Borromées

ne cesse d'enchanter ses hôtes depuis 1861.
Hemingway y séjourna et une suite lui est
dédiée. Ambiance aux teintes de pourpre et
d'or, aux lustres de cristal et à la fascinante vue
sur le lac, le tout au centre d'un parc de contes
de fée...

Restaurants

■ PIEMONTESE

Via Mazzini, 25
℗ 0323 330235
Fermé le lundi. Repas 25-45 €.
Une des meilleures tables du lac Majeur.
Cuisine savoureuse assez recherchée, à
déguster en été sous la belle pergola. Leur
risotto au *barolo* est un vrai régal !

■ LA TAVERNA DEL PAPPAGALLO

Via Principessa Margherita, 46
℗ 0323 30411, 0323 30 411
Fermé le mercredi. Repas 25-30 €.
Petit bistrot familial qui fait aussi pizzeria dans
le centre de Stresa. Pâtes maison et bonne
sélection de vins piémontais.

Manifestations

Nombreux rendez-vous musicaux pendant l'été
dont surtout le Lago Maggire Jazz Festival et
les Semaines musicales de Stresa, qui offrent
de très bons concerts et récitals dans un
cadre évocateur.

Point d'intérêt

■ FUNIVIA STRESA-MOTTARONE
Piazzale Lido
Fraz. Carciano di Stresa
℮ 0323 30295
www.stresa-mottarono.it
Départ toutes les 20 minutes de 8h30 à 16h50.
Aller-retour 13,50-17,50 €, selon la saison.
Le téléphérique permet de rejoindre le
Mottarone qui culmine à 149 m et sépare le lac
Majeur du lac d'Orta. Là-haut, une vue incomparable de la région des lacs, embrassant la
plaine du Pô jusqu'aux Alpes. De multiples
activités alpines existent été comme hiver. A
mi-pente, la station de l'Alpino permet grâce
à son jardin botanique la découverte de la
flore des Alpes.

ARONA

C'est la patrie de Charles Borromée (1536-
1584), un grand prince de l'Eglise. Sur la
colline qui domine la ville, la colossale statue
(1697) de ce dernier dresse ses 23 m de
bronze sur un socle de 12 m. C'est la seconde
plus grande statue du genre au monde après
la statue de la Liberté de New York.

■ AGRITURISMO CASCINA DELLE RUOTE
Via Beati, 151
Castelletto Sopra Ticino
℮ 033 1973158
Rive sud du lac Majeur. Double 62 €.
A 15 minutes d'Arona, grande maison avec
piscine. Excellente cuisine, dont pâtes faites
à la main. VTT, équitation, balades.

CANNOBIO

Bourg dont la naissance remonte au Xe siècle,
Cannobio conserve de beaux témoignages
d'art médiéval comme le palais de la Raison
(1291) avec sa tour communale romane. Très
beau aussi l'oratoire baroque de Santa Marta
(1581).

■ HOTEL PIRONI
Via Marconi, 35
℮ 0323 70624
Fax : 0323 72184
www.pironihotel.it
Simple 100-120 €, double 130-170 €.
Petit hôtel de charme, situé en centre-ville
dans une ancienne demeure du XVe siècle, à
l'origine couvent franciscain. Les chambres
allient tradition et modernité. Demandez celles
avec vue sur le lac.

ÎLES BORROMÉES

Propriété des Borromée depuis le XIVe siècle
jusqu'à nos jours, c'est à cette puissante
famille lombarde que l'on doit la transformation de l'Isola Madre et de l'Isola Bella en
de fastueux lieux de plaisance (visites des
palais 16,50 € les deux, 10 €-12 € l'un).
Quant à l'Isola dei Pescatori, c'est la seule
aujourd'hui encore habitée par quelques
familles de pêcheurs (www.borromeoturismo.it).

■ ISOLA BELLA
Sur l'île, le palais Borromeo est une parfait
exemple du grand art baroque. Dans le
bâtiment séjournèrent des personnages
illustres comme Napoléon Ier et Mussolini.
Les jardins en terrasse abritent des grottes
selon la mode rocaille du XVIe siècle, dignes
d'un conte de fée.

■ ISOLA DE PESCATORI
Elle abrite un petit village de pêcheurs et
un grand nombre de restaurants. Idéal pour
flâner et se reposer.
Malheureusement l'été l'afflux de touristes
est vraiment trop important. Néanmoins
nous vous conseillons de vous arrêter au
charmant hôtel Verbano (℮ 0323 30408,
simple à partir de 100 €, double à partir de
150 €) et de savourer au restaurant Casabella
(℮ 0323 33471) une cuisine régionale
raffinée.

■ ISOLA MADRE
Un extrême raffinement caractérise la plus
grande et à la fois la plus intime des îles
Borromées. Dans le palais du XVIe siècle,
admirez les élégants salons d'époque et
une exposition sur les « Petits théâtres de
marionettes » du XVIIIe au XIXe siècle. Dans
les jardins exotiques vivent des paons, des
faisans et des perroquets.

■ NAVIGAZIONE
LAGO MAGGIORE
Viale Francesco Baracca, 1
Arona
℮ 0322 2332200, 800 551801
www.navigazionelaghi.it
Parcours 3 îles départ Stresa-Baveno-Pallanza
(Isola Bella, Isola Superiore, Isola Madre):
12 €.
Stresa et Arona sont parmi les points de départ
pour s'embarquer vers les îles Borromées.
Le long des berges plusieurs entreprises de
navigation proposent des liaisons vers toutes
les localités.

▬ LAC D'ORTA

Le lac est une véritable perle, dans un écrin de verdure qui fait penser à une aquarelle, à un paysage qui est resté vierge. Tout est calme, enchanteur, avec un parfum d'un autre temps. La rive sud abrite de somptueuses villas, que l'on devine à travers la végétation des jardins et des parcs.

Pour qui veut se repentir, mais pas seulement, la montée Sacro Monte est un très beau chemin de croix : une vingtaine de chapelles ornées de statues et de fresques racontant la vie de saint François. Quant à ceux qui s'intéressent à l'histoire littéraire, il faut savoir que c'est en gravissant ce Sacro Monte que Nietzsche succomba inexorablement aux charmes de Lou Salomé (www.orta.net).

▶ **Accès :** de Milan (80 km) prendre l'A8, sortie Borgo Manero par la N142 et de là suivre la N229.

Points d'intérêt

▬ ISOLA DI SAN GIULIO
Service de vedettes qui relie l'île à Orta.
La légende veut que San Giulio délivra l'île et ses environs d'un terrible serpent dévastateur. La basilique du XIe siècle abrite des très belles sculptures en bois et des fresques allant du XVe au XVIIIe siècle. Depuis 1842, une communauté de sœurs bénédictines s'est installée dans le séminaire et contribue fortement au mysticisme de l'île, dénommée également « l'île du silence ».

▬ ORTA SAN GIULIO
Classé parmi les bourg les plus beaux d'Italie, la petite ville aux rues étroites et aux balcons en fer forgé, tire son nom du latin *hortus conclusus* (jardin fermé). Sur la place centrale, Piazza Motta, le regard est attiré par le palais communal (1582), siège autrefois des pouvoirs exécutif et législatif, témoignage de l'autogestion de la région. De belles demeures seigneuriales du XVIe au XVIIIe siècles sillonnent la ville.

▬ SANCTUAIRE DU SACRO MONTE
Construit de 1590 à 1630, le sanctuaire et son chemin de croix furent édifiés dans l'esprit de dévotion issu du concile de Trente. Aujourd'hui, au sein d'une réserve naturelle, les chapelles sont décorées de fresques et des personnages en terre cuite polychrome évoquent la vie de saint François d'Assise.

Shopping
Parmi les spécialités du lieu, goûtez au pain de San Giulio fait par les religieuses de l'île, aux *roselline* et *amaretti* (biscuits) de la pâtisserie Adriana sur la place, ou encore à la mortadelle de foie.

Île de San Giulio sur le lac d'Orta

■ LAC DE CÔME ■

Le visiteur qui descend pour la première fois sur les berges du lac de Côme ne peut éviter d'être saisi par le même émerveillement dont témoigna Stendhal encore jeune officier. Evocateur, romantique, riche tant de beautés naturelles que culturelles, ce coin de paradis bénéficie d'un climat mitigé au pied des Alpes. La route qui longe la berge occidentale (strada Regina) suit le même tracé transalpin marqué par les Romains. Région florissante au Moyen Age, c'est au XVIIe et XVIIIe siècle qu'elle acquit sa réputation internationale de lieu de villégiature, avec la construction de somptueuses villas. Avec sa forme en « Y » renversé, le lac de Côme est le troisième lac d'Italie en surface, mais c'est aussi le plus profond. C'est un lac glaciaire, qui reçoit l'Adda au nord, à la sortie de la vallée de la Valteline. Le fleuve ressort du lac à Lecco, à l'extrémité sud-est. Les montagnes boisées qui entourent le lac de toute part tombent à pic dans l'eau, ce qui ne laisse que peu de place pour les plages. La route et les petites bourgades qui se sont accrochées sur les berges l'ont donc fait de façon parfois acrobatique. L'activité locale essentielle n'est pas la baignade, déconseillée, mais plutôt la voile et le windsurf, qui exploitent les vents impétueux du matin et du soir. Le ski nautique et les courses de hors-bord sont aussi très pratiqués.

La branche occidentale du lac présente des berges sinueuses avec des golfes et des sortes de calanques abritant des belles villas, des pittoresques localités historiques et des bourgs un peu plus importants. Toutes ces localités ont en commun des venelles en pente rapide et des petits ports où il n'est pas rare de voir une *lucia*, barque typique surmontée d'un toit en bois tressé.

La rive orientale est plus uniformément verticale et d'accès difficile, si l'on en exclut la péninsule de Piona, où subsiste l'abbaye cistercienne de Santa Maria. Entre les deux branches du lac se trouve la presqu'île de Bellagio, une des localités les plus chic du lac, où vous aurez peut-être l'occasion de croiser quelques stars d'Hollywood.

Transports

▸ **Voiture.** De Milan A9/E35 en direction de Como (48 km).

▸ **Train.** Stazione Centrale Milan - Como et Lecco, trains quotidiens.

Hébergement

On peut passer une nuit mais aussi une semaine de vacances en combinant lac, montagne et tourisme culturel. A cause d'une affluence touristique constante, les tarifs sont généralement très élevés, toutes catégories confondues. De nombreux établissements ne travaillent que de mars à octobre. Il vaut toujours mieux se renseigner à l'avance si l'on prévoit de s'y rendre en hiver.

Bien et pas cher

■ AGRITURISMO LOCANDA MOSE
Loc. Piani di Nesso
Nesso ✆ 031 917909
http://locandamose.it/
info@locandamose.it
B&B, chambre double 70 €.
Tout est caractéristique dans cette ferme de montagne à 25 km de Bellagio, qui propose aussi de savoureux repas. On peut assister aux activités de la ferme ou partir en balade dans les environs.

■ GARDEN
Via A. Diaz, 30
Nobiallo ✆ 0344 31616
www.hotelgarden-menaggio.com
info@hotelgardenmenaggio.com
1,5 km de Menaggio.
Simple 50-65 €, double 75-88 €.
Ce petit hôtel dispose d'un accès direct au lac, d'un jardin et même d'une plage. Excellent rapport qualité/prix pour un endroit où il est difficile de trouver un hébergement bon marché.

■ OSTELLO LA PRIMULA
Via IV Novembre, 106
Menaggio
✆ 0344 32356, 339 6523824
www.lakecomohostel.com – greenvol@iol.it
Couchage à partir de 15 €.
Excellente position pour cette auberge de jeunesse avec vue sur le lac. A proximité du centre et de plusieurs activités sportives.

Confort ou charme

■ FLORENCE
Piazza Mazzini, 46
Bellagio ✆ 031 950342
Fax : 031 951722
www.hotelflorencebellagio.it

info@hotelflorencebellagio.it
Simple 110-120 €, double 140-200 €.
Chambres raffinées et de bon goût dans cet
hôtel de charme, doué d'un belle terrasse-
restaurant avec vue sur le lac et même d'un
Spa.

■ HOTEL SAN GIORGIO
Via Regina, 81
Lenno
✆ 034 440415
Fax : 034 457055
www.sangiorgiolenno.com
sangiorgio.hotel@libero.it
*Simple 100 €, double 125-150 €, petit
déjeuner 10 €.*
Géré depuis quatre générations par la famille
Cappelletti, ce petit hôtel entouré par un
grand jardin au bord du lac garde un charme
d'antan.

Luxe

■ GRAND HOTEL VILLA SERBELLONI
Via Roma, 1
Bellagio
✆ 031 950216
Fax : 031 951529
www.villaserbelloni.com
inforequest@villaserbelloni.com
*Simple 235-275 €, double 375-800 €, suite
970-1030 €.*
L'un des tops du lac. Pour un séjour princier tel
que l'apprécia Flaubert, qui y séjourna.

■ VILLA D'ESTE
Via Regina, 40
Cernobbio ✆ 031 3481
Fax : 031 348844

www.villadeste.it
info@villadeste.it
*Simple 295-650 €, double 490-930 €, 9
suites.*
Transformé en hôtel de grand luxe en 1873,
la villa et les jardins du XVe siècle conservent
le charme de leur histoire.

Restaurants

■ CROTTO DEL MISTO
Fraz. Crotto, 10
Lezzeno
✆ 031 914541
Repas 35-50 €. Fermé le mardi.
Autrefois cantine et lieu de rendez-vous des
pêcheurs, c'est aujourd'hui le restaurant le
plus connu du lac, spécialisé dans le poisson,
en particulier le lavaret. Chambres disponibles.

■ GATTO NERO
Via Montesanto, 69
Cernobbio
✆ 031 512042
Repas 40-70 €. Fermé lundi et mardi midi.
Un restaurant raffiné, très romantique avec un
vue époustouflante sur le lac. Spécialités : les
fritti al Gatto Nero, friture de poisson légère
et savoureuse.

■ TAVERNA BLEU
Via Puricelli, 4
Sala-Comacina
✆ 0344 55107
Repas 20-30 €.
Bon restaurant au bord de l'eau et l'un des
rares à ne pas augmenter ses prix en été.

Les villas du lac de Côme

▶ **Villa d'Este**, Cernobbio. Construite vers 1550 par Pellegrino Tibaldi, aujourd'hui
grand hôtel.

▶ **Villa Passalacqua**, Moltrasio. Très bel exemple de néoclacissime et superbes
jardins en terrasse.

▶ **Villa Carlotta**, Tremezzo. Construite au début du XVIIIe siècle pour Giorgio Clerici,
président du Sénat lombard, elle est parmi les plus belles du lac. On y admire des
sculptures de Canova.

▶ **Villa Pliniana**, Torno. Construite en 1599, y séjournèrent Napoléon, Byron, Rossini
et Stendhal.

▶ **Villa Serbelloni**, Bellagio. Erigée au XVIIIe siècle par la famille Serbelloni, aujourd'hui
hôtel de luxe, elle appartient à la Rockfeller Foundation.

▶ **Villa Melzi**, Bellagio. Réalisée entre 1808 et 1810 par Francesco Melzi d'Eril, vice-
président de la République italienne sous Napoléon. Magnifiques jardins.

© APT DEL COMASCO (ENIT)

Lac de Côme

MILAN ET LA LOMBARDIE

Manifestations

▶ **Fête de la Saint-Jean, 24 juin.** Sur l'Isola Comacina et dans les villages voisins, grand spectacle pyrotechnique suivi d'une régate en costumes traditionnels.

BELLAGIO

Rejoignable en bateau depuis Cadenabbia, Bellagio est la localité la plus en vogue du lac. Positionné au pied d'une paroi boisée, le bourg conserve presque intact son tissu urbain médiéval.

BELLANO

Célèbre pour ses effroyables gorges (l'orrido). Point de départ pour des excursions intéressantes dans la Valsassina et surtout pour rejoindre les stations de ski de Barzio et Moggio.

COMO

Côme est aujourd'hui une ville riche pour sa production industrielle essentiellement textile. D'intérêt historique sont le Dôme (1396-1740), le Broletto (XIIe siècle) et certaines parmi les plus significatives architectures du XXe siècle, comme la Ex Casa del Fascio (1932).

GRAVEDONA

Sur les bords du lac, l'église romane de Santa Maria del Tiglio, avec ses pierres noires et blanches. Le palais Gallio, carré, avec des tours angulaires. Au printemps, exposition annuelle de camélias.

ISOLA COMACINA

En face de Lenno se trouve la petite île boisée de Comacina, la seule île du lac, jadis habitée, et qui ne garde du passé que l'oratoire baroque de San Giovanni. Pour une pause romantique, arrêtez-vous le temps d'un repas au restaurant La Locanda (✆ 0344 55083).

LECCO

Ville d'aspect industriel qui donne son nom à la région du Lecchese. Elle possède quelques vieilles rues intéressantes. On y trouve la maison de villégiature des Manzoni, famille du célèbre auteur des *Promessi sposi* (*Les Fiancés*).

PIANELLO DEL LARIO

Endroit idéal pour les amateurs de voile. Vous y trouverez le musée très original de La Raccolta della Barca Lariana, où sont exposés plus de 160 types d'embarcations traditionelles, dont certaines très anciennes (Via Statale 139 ✆ 0344 87235, tous les jours de juillet à septembre).

PIONA

Abbaye clunisienne du XIIe siècle, pourvue d'un magnifique cloître. Une atmosphère unique où les moines produisent encore des liqueurs et des tisanes exquises.

LAC DE VARÈSE

Ce petit miroir d'eau entouré de verdure et encadré au nord par les Alpes et le massif du mont Rosa, a longtemps été un des sujets favoris des paysagistes au XVIIIe siècle. Malmené par une grave pollution, il vient récemment d'être rendu à la vie.

Transports

▶ **Voiture :** de Milan A8 (56 km).

▶ **Train :** Stazione Garibaldi Milan - Varèse (54 minutes).

VARÈSE

Autrefois dénommé « la ville jardin », Varèse perdit malheureusement une partie de sa réputation à cause de l'urbanisme des dernières décennies. Restent cependant un centre historique riche et intéressant (San Vittore, Palazzo Estense) et à 8 km le complexe du Sacro Monte (1605-1680) dédié à la Vierge. Patrimoine mondial de l'Unesco, c'est un des ensembles religieux les plus vastes et raffinés d'Europe, avec son chemin de croix aux chapelles décorées de fresques et de figures en terre cuite.

ÎLE DE VIRGINIA

Sur le lac de Varèse, la petite île de Virginia (Isolino) présente des restes préhistoriques lacustres, aujourd'hui visibles au musée Civic de Varèse. L'embarcadère pour l'atteindre se trouve à Biandronno.

INDUNO OLONA ET ENVIRONS

En prenant la S344 vers Porto Ceresio, on rencontre d'abord, à Induno Olona, les curieux bâtiments de la brasserie Poretti datant du début du XXe siècle. Puis on peut faire un détour par la villa Cicogna Mozzoni à Bisuschio : très beau jardin à l'italienne (✆ 0332 471134, de fin mars à octobre, visites guidées de 9h30 à 12h et de 14h30 à 19h). En continuant vers Porto Ceresio, vous vous engagez dans la vallée préférée des Varesans pour la fraîcheur de ses grottes, avant d'atteindre le lac de Lugano et la Suisse.
Près de Ganna, ne manquez pas l'abbaye de San Gemolo du XIe siècle, récemment restauré et transformé en centre culturel.

© FOTOTECA ENIT

Lac de Varèse

LAC D'ISEO

A quelques kilomètres de Brescia, le paysage du lac d'Iseo, au bord de la Franciacorta, région célèbre pour ses excellents cépages, est fait de collines, vignobles et de montagnes. Une balade incontournable, riche de nombreuses découvertes.

Transports

▶ **Voiture :** de Milan (80 km) A4/E64 en direction de Venezia. Au panneau Rovato sortir et prendre la SP5. Continuer sur la SP11, passer Corte Franca et entrer dans Iseo.

▶ **Train :** Stazione Centrale Milan - Brescia - correspondance pour Iseo.

ISEO

Cette petite ville lacustre donne son nom au quatrième lac italien (appelé également Sebino), long de 61 km. A voir, l'église de San Andrea, avec son beau clocher, ainsi que le château Olofredi, du XIVᵉ siècle. Pour une escapade romantique, pensez à réserver dans l'un des hôtels discrets de la région. A Clusane sul Lago à 5 km d'Iseo, le restaurant Al Porto (✆ 0309 829090) propose une délicieuse cuisine locale, bien sûr à base de poisson lacustre grillé, vapeur, au four...

MONTE ISOLA

La plus grande île lacustre d'Italie (4,3 km de long) abrite quatre villages de pêcheurs. Vous pourrez la rejoindre à partir d'Iseo, de Sulzano ou de Sale Marasino, et débarquer à Peschiera Maraglio ou Carzano.
Les voitures sont interdites dans l'île, les balades s'avèrent ainsi vraiment très agréables. Pour faire le tour de l'île, il faudra emprunter l'autobus qui part de Peschiera Maraglio.

BOARIO TERME

Au croisement des routes en provenance de Bergame et de Brescia, se situe cette jolie ville thermale réputée pour les cures des maladies du foie. Il faut aller admirer l'édifice

des thermes, de style Liberty. Si vous êtes intéressé par les vestiges archéologiques, de Boario une route conduit au parc de Luine, où se trouvent environ 230 parois historiées. Ces incisions rupestres évocatrices représentent des scènes de chasse, d'animaux et de combats (6000-1200 av. J.-C.). En poursuivant vers le nord (SS42) vous rencontrerez le Parco Nazionale delle Incisioni Rupestri di Capo di Ponte (✆ 036 442212). Il s'agit de la découverte la plus importante concernant la civilisation des Camuni (IIIᵉ millénaire av. J.-C.), et qui a donné son nom à la vallée, la Valcamonica. Le parcours est ouvert de 9 h à la fin de l'après-midi, et fermé le lundi.

ZONE

Sur la rive orientale du lac d'Iseo, depuis Marone, prendre à gauche une petite route tortueuse vers Cislano et Zone. Là, vous admirerez de curieuses structures géologiques connues sous le nom de « Fate di Pietra » (fées de pierre). Ce sont de hautes aiguilles de pierre surmontées par des roches (✆ 030 9870913).

■ LAC DE GARDE

Le plus grand lac italien n'a pas peur des paradoxes : alors que, encaissé au nord entre de hautes montagnes, il se donne des airs de fjord norvégien, il jouit par ailleurs d'un climat méditerranéen qui fait pousser sur ses

rives citronniers et oliviers. Cette situation lui a valu d'être peuplé dès l'Antiquité dont de nombreux vestiges subsistent : les grottes de Catulle à Sirmione ou encore la villa romaine de Desenzano del Garda.

© FOTOTECA ENIT - PHOTO BY VITO ARCOMANNO

Rocca Scaligera au bord du lac de Garde

La tradition de villégiature du lac a par la suite drainé un certain nombre de célébrités qui en ont fait la notoriété. Au XVIIIe et XIXe siècles Wimmer et Goethe donnèrent l'exemple à leur concitoyens, alors que le poète italien D'Annunzio en y faisant construire sa villa monumentale, entraîna sur les berges du lac la bonne société européenne du début du XXe siècle. Moins riche en monuments et en œuvres d'art que les autres lacs, le lac de Garde possède néanmoins une nature généreuse et propice aux âmes sportives. La rive occidentale, dite « des citrons », est sans doute la moins envahie et la plus agréable.

Transports

▶ **Voiture.** Autoroute Milan - Venise A4/E64, sortie Desenzano (118 km).

▶ **Train.** Stazione Centrale Milan - Desenzano, toutes les heures.

SIRMIONE

L'une des perles du lac de Garde que les Romains appréciaient déjà pour les vertus curatives de ses sources, une tradition encore en vigueur de nos jours avec les thermes de Sirmione. Attention à la forte affluence en saison.

■ GROTTE DI CATTULLO

Piazzale Orti Manara, 4

☎ 030 916157

De mars à octobre : 8h30 à 19h, d'octobre à février : 8h30-17h. Fermé le lundi. Tarif 4 €, réduit 2 €.

Entourée par les oliviers, sur la pointe d'un rocher qui s'avance vers le lac, cette villa aurait appartenue au poète romain Catulle. Un antiquarium conserve des vestiges retrouvés sur place.

■ ROCCA SCALIGERA

☎ 030 916468

D'octobre à mars : 9h-13h, d'avril à septembre : 9h/19h. Fermé le lundi.

Manoir du XIIIe siècle entouré par les eaux, construit par la famille della Scala (Scaligeri). Du haut des murs d'enceinte on aperçoit la darse, ancient abri de la flotte des Scaligeri.

DESENZANO DEL GARDA

Localité portuaire d'origine romaine, elle connut son apogée sous la domination de Venise. La villa romaine avec son superbe dallage en mosaïque et le dôme de Santa Maria Maddalena du XVIe siècle, où se trouve *La Cène* de Tiepolo, assurent à Desenzano son comptant de richesses artistiques. Le nombre de restaurants et autres lieux de sorties font également de la ville un lieu animé de la vie nocturne.

Manifestation

▶ **Bandiera del Lago**. Juin/août. Chaque année sont organisées les régates des « Bisse », embarcations traditionnelles semblables à des gondoles - www.legabisse. com - ☎ 0365 290411.

SALO

C'est à Salo que s'installa Mussolini, fuyant l'avancée alliée entre 1943 et 1945 pour fonder l'éphémère république de Salo. Les rives du lac où se trouvent le Palazzo della Magnifica Patria (1524) et le Duomo (1453-1502) en style gothique tardif méritent une petite visite. L'endroit a véritablement beaucoup de charme.

GARGNANO

Ce petit bourg sur les berges du lac mérite le détour. La vieille ville s'élève entourée par des jardins de citronniers et des luxueuses villas du XIXe siècle. C'est à la villa Feltrinelli (1894), aujourd'hui transformée en hôtel de grand luxe, que Mussolini chosit de résider pendant la république de Salo. Arrêtez-vous déguster les spécialités locales au restaurant La Tortuga (☎ 0365 71251), un des meilleurs de la région.

GARDONE RIVIERA

Villas, grands hôtels, promenades... Gardone est un lieu de séjour prisé depuis le XIXe siècle.

■ VITTORIALE DEGLI ITALIANI

Piazzale del Vittoriale

☎ 0365 296511

www.vittoriale.it

D'avril à septembre : 8h30/20h, d'octobre à mars : 9h-17h. Tarif 16-7 € selon les parties visitées.

Cette villa, la maison du poète Gabriele D'Annunzio, est un curieux mélange de style Liberty, de fantastique et de kitsch. Dans le jardin, cohabitent un sous-marin, la proue d'un navire et un théâtre ouvert. S'y trouvent aussi un musée de la Guerre et le mausolée du poète, mort en tombant d'un balcon en 1938.

VENISE ET LA VÉNÉTIE

*Devant l'escalier
du Ca' Rezzonico*

© PEPEIRA, TOM - ICONOTEC

Venise

Bâti sur 118 îlots quadrillés par un réseau de canaux et de rii (pluriel de rio), Venise est un lieu unique au monde. La meilleure façon de le visiter est d'y flâner à pied, au gré des 400 ponts, et de ses ruelles qui débouchent sur de petites places bordées de belles églises et de boutiques élégantes. La ville et les îles sont devenues un centre touristique international majeur, la ville des amoureux et du carnaval, des amateurs d'art et d'histoire.

Alors Venise s'est-il galvaudé avec la montée en puissance du tourisme de masse? Si la montée des eaux et la pollution, auxquelles il faut ajouter les dégâts causés par les pigeons, ont entamé, au fil des ans, le riche patrimoine et le charme unique de la cité, Venise reste cependant un spectacle à ne pas rater. « Le caractère irréel de Venise, écrit Fernand Braudel, en engendre l'enchantement et les mythes répétés ». En février, le carnaval est un événement qui attire des milliers de personnes. Pendant onze jours, la ville est envahie par des silhouettes chamarrées et féeriques, et les touristes présents se prennent l'âme d'un paparazzo. La cité a gardé sa magie: « voir Venise et mourir », c'est toujours vrai.

■ TRANSPORTS ■

L'arrivée à Venise

« Arriver à Venise par le train ou par la route, c'est entrer dans un palais par l'escalier de service », disait Thomas Mann. Autrement dit, c'est en arrivant par la mer que la découverte de la ville est la plus bouleversante. Cependant, l'arrivée par le train ou par l'avion permet de jouir d'une vue d'ensemble exceptionnelle sur la lagune. Si vous atterrissez à l'aéroport Marco-Polo, vous vous rendrez à Venise soit en bus, soit en bateau. Et dans ce cas, vous pourrez continuer votre découverte de la lagune. Vous longerez en effet Torcello et Burano pour ensuite emprunter le canal des Anges de Murano.

En arrivant à proximité de l'île de San Michele, Venise se révélera à vous dans ses plus beaux atours. Vous mettrez pied à terre aux Fondamenta Nuove, au Lido, à San Marco ou le long des Zattere. Si vous prenez le bus, vous longerez les rives de la lagune, en pleine campagne de la Vénétie, jusqu'à votre arrivée à Piazzale Roma. L'arrivée en train est

Les immanquables de Venise

▸ **Se rendre au petit matin** sur la place Saint-Marc alors que Venise s'éveille lentement sous une brume matinale.

▸ **Monter tout en haut du campanile de Saint-Marc**, point le plus haut de la ville, et profiter d'une vue incomparable sur la cité des Doges.

▸ **Visiter le palais des Doges**, siège du gouvernement de la république de Venise pendant dix siècles: c'est entre ses murs que l'on mesure la grandeur de la Sérénissime.

▸ **Aller admirer les splendeurs** de la basilique Saint-Marc.

▸ **Déguster sur l'une des terrasses** du campo San Giovanni e Paolo un Bellini ou un spritz (apéritifs typiquement vénitiens).

▸ **Se passionner pour l'histoire du ghetto**, le plus ancien du monde occidental, dans le quartier de Cannaregio.

▸ **Passer quelques heures** en compagnie des plus grands maîtres de la peinture vénitienne, en parcourant les Galeries de l'Accademia.

▸ **Faire un tour en gondole sur les canaux de Venise** ou à défaut –de moyens financiers– prendre le traghetto, gondole publique bien plus abordable… eh oui, Venise se découvre au fil de l'eau.

Le Canal Grande

Si vous regardez la carte de Venise, vous remarquerez sans doute sa forme de poisson traversé au milieu par la longue épine du Canal Grande. Le Canal Grande est l'un des trois principaux canaux de Venise, les deux autres étant le Canale di Cannaregio au nord-est et le Canale della Giudecca au sud. C'est également « la plus belle route du monde », comme on la définit. En effet, les palais, les églises et les campi qui bordent les eaux de ce principal boulevard de Venise sont les plus beaux et les plus richement décorés de la ville. Il est enjambé par trois ponts : le célèbre Ponte di Rialto, le Ponte degli Scalzi et le Ponte dell'Accademia. Ces trois ponts seulement permettent de traverser le Canal. S'étendant sur 4 km, les palais et les églises qui ornent les rives du Canal Grande sont le fruit d'une urbanisation commencée dès le XIIe siècle, lorsque les puissantes familles de la Sérénissime choisirent ses rives pour y édifier de vastes demeures. Les architectes Pietro Lombardo, Codussi, Sansovino et Longhena (ce dernier ayant introduit le baroque à Venise) ont contribué à donner au Canal Grande le visage qu'on lui connaît aujourd'hui, perpétuant ce style architectural spécifique qu'est le gothique vénitien, enrichi d'influences byzantines. Une visite de Venise se doit de commencer par une balade en vaporetto sur le Canal Grande. Concentré de beauté, de richesses, reflets d'un art de vivre et d'une magnificence perdue, le Canal Grande offre une source inépuisable de promenades, tant les reflets de l'eau, les nuances de la pierre varient au fil des saisons et de la lumière... A la sortie de la gare Santa Lucia, en faisant un aller-retour avec le vaporetto n° 1 ou la n° 82, vous assisterez pendant environ 30 minutes (jusqu'à l'arrêt San Marco) à un spectacle d'une beauté unique au monde.

moins spectaculaire. Cependant, vous aurez l'impression d'entrer immédiatement dans le cœur de la ville, ce qu'effectivement vous ferez en traversant le populaire sestiere de Cannaregio.

En avion

Ceux qui arrivent à Venise par l'avion rejoindront le centre historique par le bus ou, pour les plus fortunés, par les bateaux-taxis. Pour reprendre votre avion, vous pourrez utiliser le service direct des bus ATVO depuis Piazzale Roma ✆ (041) 52 05 530. De nombreuses compagnies aériennes relient Venise au reste du monde.

■ AEROPORT MARCO POLO
✆ (041) 26 06 111/260, Renseignements horaires ✆ (041) 26 09 260
www.veniceairport.it
Cet aéroport est aussi relié à la gare de Mestre par le bus n° 15 ACTV.

De l'aéroport Marco Polo à Venise

▶ **Autobus n° 5 ACTV.** Ce bus effectue plusieurs arrêts intermédiaires avant d'arriver à Piazzale Roma, mais le coût du billet est vraiment imbattable : 1,10 € (plus 1 € pour chaque bagage). Toutes les 30 minutes, après 20h toutes les heures (durée du trajet 30 minutes environ).

▶ **Autobus ATVO.** Toutes les 30 minutes (durée du trajet 20 minutes), billet : 3 € (aller/retour : 5,50 €) bagages inclus. Dernier autobus vers minuit environ – www.atvo.it – Cet aéroport est aussi relié à la gare de Mestre par le bus n° 15 ACTV.

▶ **Motoscafo Alilaguna ACTV** (ligne bleue). 1h10 jusqu'à San Marco, tarif 12 € par personne.

▶ **Bateau-taxi** jusqu'à San Marco 1/6 personnes, 95 € environ.

En voiture

La circulation en voiture est interdite. Sachez de plus que les week-ends et les vacances font de l'approche de Venise un cauchemar. Mieux vaut laisser l'automobile sur la terre ferme à Mestre ou à Marghera et traverser le pont de la Liberté en train ou en bus, mais des parkings existent de l'autre côté aussi - www.veniceparking.it

■ ASM MESTRE
Piazzale Candiani, Mestre
✆ (041) 27 27 301
www.urbislimen.it
Comptez 10 € pour la journée.

■ TERMINAL FUSINA VENEZIA
Venezia, Dorsoduro 909/C

Grand Venise

Légende :

⬥	Informations touristiques
☆	Eglise
☆	Palais et musée
★	Scuole
★	Place et pont
☆	Théâtre
✉	Poste
P	Parking
⛴	Arrêt de Vaporetto
✚	Hôpital
🚢	Terminal Bateau de croisière

vers Continent

Canale delle Sacche

Canale Colambola

S. Alvise

Madonna dell'Orto

CANNEREGIO

Madonna dell'Orto

P. dei Tre Archi

P. delle Guglie

Palazzo Labia

S. Marcuola

Pal. Loredan

Canale Grande

Gare Santa Lucia

Santa Maria di Nazareth

Riva di Brasio

Museo di Storia Nat.

S. Stae

S. Stae

Stazione FS

S. Giacomo dell'Orio

S. CROCE

Stazione FS

San Nicolo da Tolentino

Scuola grande di S. Giov. Evangelista

Piazzale Roma

Croisières

P Piazzale Roma

S. Rocco

S. POLO

S. Polo

Scuola di S. Rocco

S. Maria Gloriosa dei Frari

S. Silvestro

C. Grande

Palafenice

Tronchetto A

Tronchetto B

P

S. Pantalon

S. Toma

S. Angelo

SAN MARCO

Ferry pour île de Lido

Bacino della Stazione Maritima

Scuola dei carmini

Ca' Rezzonico

Santo Stefano

la Fenice

San Samuele

S. Marta

DORSODURO

Palazzo Zenobio

Santa Maria del Carmelo

Ca' rezzonico

S. Maria d. Giglio

San Nicolo dei Mendicoli

Accademia

Giglio

S. Sebastiano

Gallerie dell' Accademia

Collection Guggenheim

S. Basilio

Eglise dei Gesuati

Zattere

Zattere Traghetto

Sacca Fisola

Canale de la Giudecca

S. Eufemia

Eglise de S. Eufemia

Guidecca Traghetto

Sacca San Biagio

Redentore

GIUDECCA

Eglise de Redentore

SACCA SESSOLA

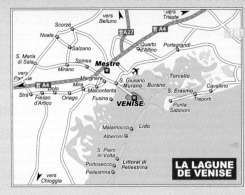

LA LAGUNE DE VENISE

vers Belluno · vers Trieste
Scorzè
Noale
vers A27
Salzano
Quarto d'Altino · Portegrandi
S. Maria di Sala
Spinea
Mirano
Mestre
Torcello
vers Padoue
Marghera
S. Giuliano · Burano · S. Erasmo · Cavallino
vers A4
Dolo
Mira
Murano
Stra
Fiesso d'Artico
Oriago
Malcontenta
Treporti
Fusina
Punta Sabbioni
Malamocco · Lido
Alberoni
S. Piero in Volta
Littoral di Pellestrina
Portosecco
Pellestrina
vers Chioggia

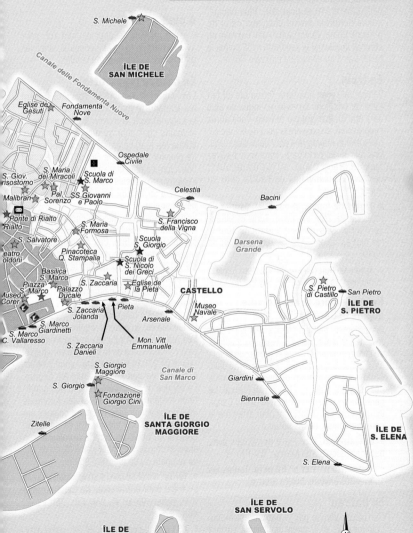

S. Michele

ÎLE DE SAN MICHELE

Canale delle Fondamenta Nuove

Eglise des Gesuti
Fondamenta Nove

Ospedale Civile

S. Giov. risostomo
S. Maria dei Miracoli
Scuola di S. Marco

Malibran
Pal. Sorenzo
SS. Giovanni e Paolo

Celestia

Bacini

Ponte di Rialto
Rialto

S. Maria Formosa

S. Francisco della Vigna

S. Salvatore
Il Scuola S. Giorgio
Darsena Grande

eatro oldoni
Pinacoteca Q. Stampalia
Scuola di S. Nicolo dei Greci

Basilica S. Marco
S. Zaccaria
Eglise de la Pieta

Piazza S. Marco
Palazzo Ducale

CASTELLO

Museo Corer
S. Zaccaria Jolanda
Pieta

S. Marco Giardinetti
Museo Navale

S. Marco C. Vallaresso
Arsenale

S. Pietro di Castillo
San Pietro
ÎLE DE S. PIETRO

S. Zaccaria Danieli
Mon. Vitt Emmanuelle

S. Giorgio Maggiore
Canale di San Marco

S. Giorgio
Giardini

Zitelle
Fondazione Giorgio Cini
Biennale

ÎLE DE SANTA GIORGIO MAGGIORE

ÎLE DE S. ELENA

S. Elena

ÎLE DE SAN SERVOLO

ÎLE DE SAN CLEMENTE

0   400 m

N

✆ (041) 52 31 337
www.terminalfusina.it

■ **VENEZIA TRONCHETTO PARKING**
Isola del Tronchetto
(reliée au centre-ville par les vaporetti n° 82)
✆ (041) 52 07 555
www.veniceparking.it
tronchettopark@iol.it
Tournez à droite après avoir traversé le Ponte della Libertà. 18 € pour 24h. Plus équipé, moins bondé et moins cher que celui du piazzale Roma. Ouvert 24h/24, il est relié au cœur de la ville par le vaporetto n°82 ou par le bus 6 barré au départ du piazzale Roma.

En train
Venise est reliée à la terre ferme qui lui fait face par une ligne ferroviaire longue de plus de 1 km. En arrivant par le train, vous aurez l'impression, en passant le pont de la Liberté, de quitter le monde réel pour celui des rêves. Une fois sortis de la gare, vous vous trouvez face au Grand Canal, à l'extrémité ouest de la ville : bienvenue de l'autre côté du miroir…

▶ **Trains de jour.** Liaisons quotidiennes de Paris par le TGV, via Lyon, Turin et Milan-Terminus. Des correspondances toutes les heures relient Milan à Venise (trajet de 2h30).

▶ **Trains de nuit (Le Stendhal).** Deux départs quotidiens de Paris pour un voyage de 13h.

Pour rejoindre le centre-ville depuis la Gare Santa Lucia
Si vous voulez quitter la féerie vénitienne pour revenir à la réalité, rendez-vous aux guichets de la gare, faites la queue et prenez un billet : c'est aussi simple que ça. Les « Ferrovie dello Stato » vous mèneront où bon vous semble pour des prix bien plus bas qu'en France. La gare Santa Lucia donnant sur le Grand Canal, le mieux est de l'emprunter pour atteindre le cœur de Venise, et ses hôtels.

▶ **Bateau-Taxi.** Prix 1 à 8 personnes avec bagages jusqu'à San Marco : 65-100 €.

▶ **Vaporetto n° 1 et n° 82 actv.** Toutes les 10 minutes environ, billet : 6,50 €.

En bateau
L'arrivée à Venise par le bateau est moins pratique mais absolument inoubliable, surtout en été. On débarque à San Basilio, tout au fond du quai des Zattere, à la Stazione Marittima et sur la Riva dei Sette Martiri dans le sestiere de Castello.

Se déplacer à Venise

En voiture
La voiture est une bonne solution pour visiter les environs de Venise sur la terre ferme et notamment les villas du canal de la Brenta.

À pied
C'est le moyen de déplacement roi, pour avoir accès à tout, et découvrir ainsi les petites places cachées de la ville.

En bateau (vaporetto)
Les vaporetti de l'ACTV (société gérant les transports maritimes en commun de la Lagune) sont le moyen le plus simple et le moins cher pour se déplacer sur l'eau. Même les marcheurs invétérés apprécieront de pouvoir traverser le Grand Canal quand bon il leur semble (il n'y a que trois ponts qui l'enjambent) et seuls les oiseaux peuvent se passer d'un bateau pour rejoindre les îles de la Lagune.
Ils vous transporteront sans encombre d'une rive à l'autre naturellement comme si s'agissait d'arrêts de bus. Les accostages sont rarement faits avec délicatesse, mais on s'y habitue. Que ceux qui ont le mal de mer se rassurent immédiatement : on n'est pas malade en vaporetto, même avec des grosses vagues. Dites-vous bien que la lagune n'est qu'une grande baignoire.
Le service est en général régulier et efficace. Les bateaux sont plus ou moins fréquents selon l'importance de la ligne. Le service est ralenti de 22h30 à minuit. De minuit à 6h30, le bateau de nuit passe toutes les heures. Le service des vaporetti dépend des conditions météorologiques. Ainsi, les habitants du Lido se voient régulièrement coincés sur leur île, faute de bateaux. Ça se passe en général en hiver, en cas de brouillard trop épais et empêchant toute visibilité, ou en cas de tempête ou de mer trop agitée.

▶ **Tarifs** : ticket 60 min. 6,50 €, ticket touriste un trajet pour la traversée du Canal Grande 2 €, ticket 12h 16 €, 24h 18h, 36h 23 €, 48h 28 €.

▶ **ACTV**. Call center 041 24 24, www.actv.it

Gondoles à quai, église de La Salute en arrière-plan

Les autres bateaux

▶ **Alilaguna (vaporetti)**. Isola Nuova Tronchetto 24 ✆ 041 24 01 701 – www.alilaguna.it

▶ **Lineafusina**. Ligne pour rejoindre le parking de Fusina du quartier des Zattere ✆ 041 54 70 160, www. terminalfusina.it

▶ **Gondoles**. Prix prohibitifs pour naviguer dans la Lagune sur une gondole privée : 80 € pour 40 min. pour un maximum de 6 personnes (40 € pour 20 min. supplémentaires). La nuit les promenades sont majorées de 20 € (10 € pour 20 min. supplémentaires) ✆ 041 52 85 075 – www.gondoleavenezia.it.

▶ **Traghetti**. Gondoles collectives publiques manœuvrées par des gondoliers (l'un à la poupe, l'autre à la proue) qui permettent de passer d'une rive à l'autre du Gran Canal. On reste debout et la traversée ne coûte que 0,50 €.

▶ **Cooperativa Serenissima (bateaux-taxis)**. La rapidité et la liberté de mouvement sur l'eau à Venise ont un prix : les droits de départ sont de 8,70 € et le prix ensuite est de 1,30 € par minute. Parmi les suppléments le droit d'appel est de 6 €, si vous appelez la nuit ajoutez 5,50 €, les bagages supplémentaires sont à 1,50 € ✆ 041 52 21 265.

■ PRATIQUE

Tourisme

▶ **Venice Card.** Il existe deux versions de cartes-forfaits avantageuses pour partir à la découverte de la Lagune. La carte bleue vous donne accès à tous les transports publics de la société ACTV et aux toilettes publiques. La carte orange vous ouvre en plus toutes les portes des musées de la ville de Venise (tous ceux de la place Saint-Marc) et des îles (Murano et Burano). Cette Venice Card vous permet, en outre, d'entrer gratuitement dans les casinos de Ca'Vendramin et de Ca'Noghera, si vous avez la Venice Card Senior. Sa période de validité peut être de 1, 3 ou 7 jours. Le prix varie en fonction de l'âge (jusqu'à 29 ans, on a droit à la carte junior sans l'entrée au casino ; après 29 ans, on devient inévitablement senior !) et en fonction des services demandés. Les prix varient de 17 à 54 € pour la carte bleue et entre 29 et 85 € pour la carte orange, selon les modalités d'âge (junior/senior) et de temps (1,3,7 jours).

La carte junior offre en outre une série de réductions dans certains magasins de la ville. La carte est gratuite pour les enfants de moins de 4 ans. Vous pouvez vous procurer ce précieux sésame dans tous les musées conventionnés ou dans les églises appartenant au circuit Chorus pass.

Vous pouvez aussi la commander sur le site www.venicecard.it. Un numéro de service est à disposition : 899 90 90 90 depuis l'Italie et 041 271 47 47 depuis l'étranger.

▶ **Rolling Venice.** C'est une carte spéciale pour les jeunes entre 14 et 29 ans. Elle permet d'obtenir des réductions dans les musées, les expos, les théâtres, sur les transports de Venise, de la lagune et de la terre ferme (vous pourrez acheter le pass 72h pour les bus et les vaporetti à 15 € au lieu de 25 € !). Son prix est de 4 € et elle est valable jusqu'à la fin de l'année. Vous aurez une carte de Venise, un petit guide et une liste d'adresses fréquentées par les jeunes. Vous pouvez acheter cette carte dans la plupart des kiosques ACTV, à l'office de tourisme ou en appelant ℂ 041 27 27 226.

▶ **Chorus Card.** C'est un billet combiné pour visiter les 15 églises, parmi les plus belles de Venise, à un prix réduit. Le Chorus Pass, pour 9 € donne accès à toutes les églises (au lieu de 3 € à l'unité pour chaque église). Les fonds récoltés sont destinés à la restauration des églises vénitiennes. Elle peut se combiner à certaines Venice Card – www. chorusvenezia.it

▶ **Museum Pass.** Ce pass, valable 6 mois, donne accès (une seule entrée pour chaque musée) à tous les musées de la ville de Venise (Musei Civici). Pass : 18 €. Tarif réduit : 12 € pour les enfants de 6 à 14 ans, les étudiants (jusqu'à 29 ans), les possesseurs de la carte Rolling Venice et les membres de l'UE de plus de 65 ans.

▶ **Museum Card.** Cette carte donne accès à différents groupes de musées réunis par thèmes et par quartier : Musées de la place Saint Marc, Musées du XVIIIe siècle, Musées des Iles. Tarifs entre 11 et 6 € selon le groupe.

■ BUREAUX
Palazzo Ziani
Castello 5050 ℂ (041) 52 98 711
Fax : (041) 52 30 399
www.turismovenezia.it
www.veniceguide.net
info@turismovenezia.it
Bureaux annexes à la gare ferroviaire Santa Lucia et sur le Piazzale Roma.

Consulat

■ CONSULAT DE FRANCE
Palazzo Morosini, ramo del Pestrin, Castello, 6140

ℂ (041) 52 24 319/22 392
Prendre la Calle Larga depuis le Campo Santa Maria Formosa et la 1re à gauche, puis tout au bout sur la gauche. Monter au 2e étage. Ouvert le lundi et le jeudi de 14h à 16h et le mardi, mercredi et vendredi de 9h à 12h.
Le consulat peut, en cas de difficultés financières, vous indiquer la meilleure solution pour que des proches puissent vous faire parvenir de l'argent de France.

Poste et télécommunications

Bureaux de poste

▶ **Informations** ℂ 160 – www.poste.it

■ UFFICIO POSTALE DI VENEZIA CENTRO
Rialto, Fontego dei Tedeschi
San Marco, 5554
ℂ (041) 27 17 111/322

Internet

■ INTERNET VENICE CONNECTION
Calle del Campaniel
San Polo, 2898/A
ℂ (041) 24 40 276
venezia2k@yahoo.it
Ouvert de 10h à 21h.

■ THE NET GATE
Crosera San Pantalon
Dorsoduro, 3812
ℂ (041) 24 40 213
www.thenetgate.it
Ouvert de 10h30 à 20h30. Fermé le dimanche.

■ NET HOUSE
Calle delle Boteghe
Campo San Stefano
San Marco, 2967/2958
ℂ (041) 27 71 190
www.nethousecafes.com
Ouvert 7j/7, 24h/24 !

▶ **Autre adresse :** www.venicepages.com

Santé

■ OSPEDALE CIVILE DI VENEZIA
Campo S. S. Giovanni e Paolo
ℂ (041) 78 41 11
C'est le centre des urgences médicales de Venise. Prenez le vaporetto 52 et descendez à Ospedale : vous y êtes. Sinon, en prenant le vaporetto 1 ou le 82, vous descendrez à San Marco ou à Rialto et ferez le reste à pied. Si vous ne pouvez pas vous déplacer, appelez, on

viendra vous chercher en bateau-ambulance. On vous examinera et on vous soignera très bien. Si ça peut attendre, vous obtiendrez un rendez-vous dans le service adéquat. Respirez, détendez-vous et profitez-en pour admirer les bâtiments hospitaliers (de véritables petits joyaux, fermés aux touristes).

Pharmacies

La liste des pharmaciens de garde est affichée sur la vitrine de chaque pharmacie. Elle est également publiée dans *Venezia News* (journal gratuit), *Il Gazzetino* et *Nuova Venezia* (si vous n'avez pas les journaux sous la main).

■ FARMACIA AL LUPO CORONATO
Santi Filippo e Giacomo
Castello 4513
℘ (041) 52 20 675

■ INTERNAZIONALE
Piazza San Marco ℘ (041) 52 22 311

Gendarmerie (carabinieri)

■ CARABINIERI PRONTO INTERVENTO STRANIERI
(Urgences pour l'aide aux étrangers)
Castello 4693/A ℘ (041) 52 04 777

En mer

■ EMERGENZA MARE-SPIAGGE
℘ 1530

Manifestations

▶ **Mostra Internazionale del Cinema di Venezia.** Août/septembre. La Mostra du Cinéma de Venise a lieu dans l'historique Palazzo del Cinema, sur le lungomare Marconi. Inauguré en 1932, le festival fut créé dans le cadre de la Biennale. La première édition se déroula sur la terrasse de l'hôtel Excelsior mais ce n'est qu'à partir de 1936 que la manifestation est devenue un festival à part entière, au même titre que le Festival de Cannes ou la Berlinale.

▶ **Biennale di Venezia**. Juin/septembre. La Biennale de Venise est depuis sa création en 1895, une des institutions culturelles parmi les plus importantes sur la scène internationale. Elle se propose de promouvoir les disciplines contemporaines d'avant-garde de façon pluridisciplinaire (art, architecture, cinéma). Alternant une année sur deux, l'art contemporain et l'architecture, les expositions se tiennent de juin à septembre sur deux sites, au pavillon de l'Arsenal et aux Giardini.

■ QUARTIERS ET ORIENTATION

« Venise est là, assise sur le rivage de la mer, comme une belle femme qui va s'éteindre avec le jour : le vent du soir soulève ses cheveux embaumés ; elle meurt saluée par toutes les grâces et tous les sourires de la nature. »

Venise en bref

▶ **Situation administrative :** chef-lieu de la province de Venise et de la région Vénétie.

▶ **Population de l'agglomération** (Venise, Mestre, Marghera et les îles de la lagune) : 271 050 habitants ; ville de Venise : 69 000 habitants.

▶ **Superficie :** 41 316 hectares dont 25 302 de lagune et 3 000 îles.

▶ **Nombre d'îles de Venise :** 118.

▶ **Nombre de canaux reliant les îles :** 160.

▶ **Altitude :** quelques dizaines de cm.

(Chateaubriand.) Le voyageur arrivant à Venise, que ce soit par le train, la route ou l'avion, découvre d'abord la lagune bleu-vert qui ceint la ville. Paysage de barene (marais de la lagune morte), l'environnement lagunaire est un labyrinthe de terre et d'eau dont la profondeur change au gré des marées. D'étroits cours d'eau serpentent au milieu des champs de roseaux. Le paysage est changeant : les lignes d'eau, à l'horizon des terres cultivées, se métamorphosent à l'improviste en lignes de terre entourées d'eau. Effet miroir troublant et obsédant.

Monde de l'illusion, de l'hallucination, mirage, vision en trompe-l'œil, où une barque semble naviguer sur un champ d'artichauts, la lagune se révèle encore un peu plus, lorsqu'en hiver l'eau, la ligne d'horizon et les embarcations se fondent dans l'épaisseur du brouillard. Dans l'île de Venise, strictement piétonne, il n'existe pas de vraie périphérie. Tous les quartiers de la ville font partie du centre historique, et les points d'intérêt majeurs sont donc facilement accessibles à pied ou en vaporetto.

Gondolier

Les merveilleux palais sur le Grand Canal qui ne sont ni des musées ni des sièges administratifs ne sont généralement plus habités que pour de brèves périodes, d'autant que pour la plupart il s'agit de propriétés appartenant à des non-Vénitiens. La ville est particulièrement tranquille, de jour comme de nuit, et il n'y a pas de quartiers considérés comme dangereux. Visiter Venise, c'est surtout flâner,

le nez en l'air, se perdre et se laisser faire par les images, les parfums et les sons (qui se répondent, comme on le sait). Les parcours que nous vous proposons ici sont « ouverts » : vous êtes amicalement invité à vous perdre, à traîner, à vous arrêter et à revenir en arrière ! De ce fait, le temps de parcours est extensible et difficilement prévisible.

Comment se perdre à Venise ?

Mise à part une envie volontaire de se perdre dans les dédales de Venise par flânerie, il est très facile d'être désorienté dans la cité des Doges. Les noms de rues sont uniques, en lien avec l'eau omniprésente. Une grande voie navigable est un canal, une plus petite étant un rio. Mais un rio qui a été comblé pour devenir une rue sera plus précisément appelé rio terà. Une rue normale est nommée calle, mais si elle longe une voie d'eau, elle deviendra une riva ou un fondamenta. Les campo sont des places, le terme de piazza ayant été monopolisé par la piazza San Marco. Les passages et autres petites rues de Venise sont des ramo, ruga, piscina ou sattoportego.

Pour ne pas faire dans la facilité, l'occupation autrichienne a laissé une numérotation, non pas classée par rue, mais par sestiere (quartier). Il existe six sestieri : San Marco, Castello, Cannaregio, San Polo, Santa Croce, Dorsoduro, tous traversés par le Grand Canal. Les îles de San Giorgio Maggiore et de la Giudecca font face au Dorsoduro.

■ SAN MARCO

Le sestiere de San Marco porte le nom du saint protecteur de Venise, représenté dans l'iconographie religieuse sous la forme d'un lion ailé. Ce quartier s'organise autour du cœur commercial de la ville, formé par la zone de Rialto et par les Mercerie. C'est le centre de la vie publique et religieuse de Venise.

D'époque byzantine, ce sestiere s'est enrichi au fil des ans de nobles demeures, de prestigieux monuments et de palais somptueux. Là était concentré le pouvoir sous toutes ses formes : étatique, ecclésiastique et économique. Ainsi, la Repubblica Serenissima siégeait au palais des Doges. Les riches commerçants et les grands ecclésiastiques avaient également leurs quartiers à San Marco.

Aujourd'hui, la zone autour de San Marco compte les plus riches palais, une grande partie des bibliothèques et des musées de

la ville, les hôtels, les restaurants et les boutiques les plus luxueux. Les théâtres y sont tellement nombreux qu'à la fin du XVIIIe siècle, la municipalité avait proposé d'appeler « Spettacolo » ce quartier qui s'étend le long du Canal Grande, de Rialto à San Marco. Ce sestiere comprend également l'île de San Giorgio Maggiore, siège de la fondation culturelle Giorgio Cini. La structure urbaine de San Marco, en raison de sa position centrale et de ses fonctions administratives et religieuses, a connu des changements radicaux tout au long des siècles. La place San Marco a été et est encore aujourd'hui un chantier permanent. Pourtant, outre ses riches monuments qui attirent chaque année d'innombrables touristes, le sestiere de San Marco a aussi un charme plus caché. La nuit, désertés des touristes, ses cafés historiques, tels le Florian ou le Quadri, accueillent leurs habitués. La traversée nocturne de la Piazza San Marco, accompagnée par la musique des orchestres des cafés huppés, est d'une douceur inoubliable.

Le quartier possède encore des coins plus intimes, comme la Corte seconda del Milione, où se trouve la maison de Marco Polo, ou bien de ces lieux qui abritent encore la vraie vie de quartier, comme le Campo San Bartolomeo, où de jeunes Vénitiens se donnent rendez-vous sous la statue de Goldoni. Cependant, le jour venu, ce quartier se métamorphose en un grand parc de loisirs pour les touristes et en un mauvais plan pour votre porte-monnaie.

Hébergement

Bien et pas cher

■ HÔTEL BARTOLOMEO

5494, San Marco ℰ (041) 52 35 387
Fax : (041) 52 06 544
www.hotelbartolomeo.com
Chambre simple de 40 € à 100 € la nuit selon la saison. Chambre double de 70 € à 150 € la nuit. Petit déjeuner inclus.
Situé à proximité du Rialto, l'hôtel Bartolomeo vous propose 26 chambres agréables et décorées avec goût. L'accueil est très important pour cet hôtel qui offre une pléiade de services : réservation de barque, billet de théâtre ou de concert, baby-sitting, etc. Ennio, à l'accueil, parle parfaitement le français ! Très bon rapport qualité/prix. Wi-fi gratuit.

Confort ou charme

■ ANTICA LOCANDA AL GAMBERO

Calle dei Fabbri, 4687
ℰ (041) 52 24 384
Fax : (041) 52 00 431
www.locandaalgambero.com
31 chambres dans cet hôtel décoré avec beaucoup de goût. La plupart donnent sur le canal et permettent d'admirer, le soir venu, le ballet des gondoles. Accueil aimable et belle salle de petit déjeuner, bon rapport qualité/prix. A la réception, on trouve de bons conseils et tout type d'informations touristiques. Consultation gratuite de livres, guides et accès Internet. Bar et canapés pour une pause-café ou une friandise à tout moment de la journée. Point Internet et wi-fi gratuit. Il est également possible de louer un appartement à côté de l'hôtel, sur demande. 5 % de réduction sur présentation du guide.

■ HÔTEL LISBONA

San Marco, 2153 (église San Moisé)
ℰ (041) 52 86 774
Fax : (041) 52 07 061
www.hotellisbona.com
La vue sur le Rio San Moisè est enchanteresse (canal avec gondoles et gondoliers…). L'hôtel est un élégant palais du XVIIIe siècle, meublé à la mode de cette époque. Les chambres, elles aussi, sont rigoureusement XVIIIe, avec le confort XXIe en plus (dont l'air conditionné), ce qui n'est pas négligeable. Le petit plus : à l'occasion, le personnel de l'hôtel se transforme en baby-sitter. Bar dans l'hôtel.

■ LOCANDA FIORITA

Campiello Novo, 3457
ℰ (041) 52 34 754
Fax : (041) 52 28 043
www.locandafiorita.com
Chambre double à partir de 80 € la nuit, petit déjeuner inclus.
Lorsque vous arriverez sur cette petite place, située juste derrière le Campo Santo Stefano, vous tomberez nez à nez avec un petit hôtel plein de charme qui vous donnera l'envie d'en savoir plus… Un patio à l'entrée pour des petits déjeuners ensoleillés et des chambres décorées à la vénitienne, dans le respect du XVIIIe siècle. Air conditionné, TV câblée, téléphone, salle de bains – baignoire ou douche et sèche-cheveux. Et n'hésitez pas à demander des conseils pour des petites balades hors des sentiers battus… Alessandra se fera un plaisir de vous aider ! La propriétaire possède également 3 guesthouses à côté de l'hôtel. Une surprise sera offerte aux lecteurs du Petit Futé !

Luxe

■ HÔTEL FLORA

Calle dei Bergamaschi,
San Marco 2283/A
(Calle XXII Marzo,
entre Campo Santa Maria del Giglio et
Campo San Moisè) ℰ (041) 52 05 844
Fax : (041) 52 28 217
www.hotelflora.it
Situé dans une demeure vénitienne ancienne, ce bel hôtel de charme propose des chambres romantiques et meublées chacune autour d'un thème. Autrefois siège d'une école de peinture, plusieurs générations de la famille Romanelli ont su combiner hospitalité et créativité, pour faire de l'hôtel Flora le lieu recherché d'une clientèle toujours fidèle.

Il dispose aussi d'un joli jardin intérieur où l'on prend le petit déjeuner en été. Réparti sur trois étages, c'est un lieu intime et à l'élégance discrète. Toutes les chambres ont une salle de bains privée, téléphone direct, coffre-fort, télévision, connexion à Internet, climatisation et chauffage autonome. Sur demande, il est possible d'ajouter un troisième lit dans les chambres les plus spacieuses.

Grand luxe

■ **HÔTEL BAUER**
S.Marco 1459 (Giardini Reali-Rio
San Moisè) ✆ (041) 52 07 022
Fax : (041) 52 07 557
www.bauervenezia.com
Un des hôtels historiques de Venise datant de 1880 et dernièrement restauré. Installé dans un palais du XVIIIe siècle, il possède aussi une aile contemporaine, datant des années 1940. La façade fut alors reconstruite, contrastant de manière contemporaine avec l'architecture baroque de l'église Saint Moïse. La décoration est raffinée, entre marbre de Carrare et verrerie de Murano, meubles aux accents Art Déco et oeuvres d'art contemporaines. Situé à l'embouchure de la lagune de Saint-Marc, les chambres dominent le Grand Canal.

Restaurants

Une pléthore de restaurants et de bars touristiques envahit ce quartier, tous proposant des menus touristiques à base de lasagne et cappuccino, ce qui est honteux pour une ville et une région d'Italie où la cuisine est particulièrement réputée. Notre sélection s'est donc portée sur des établissements historiques, la plupart concentrés autour de la Piazza San Marco, et sur des restaurants proposant un véritable et typique menu vénitien.

Sur le pouce

■ **BAR MIO**
Frezzeria, San Marco 1176
✆ (041) 52 35 612
Fax : (041) 52 35 612
Ouvert de 6h à 21h. Comptez... pas grand chose. Excellent buffet de cichetti fréquenté par de nombreux Vénitiens. Les panini sont évidemment faits sur place (ceux aux courgettes et poivrons grillés sont excellents) et vous pourrez aussi compter sur une bonne salade et sur les éternels tramezzini.

■ **CAVATAPPI**
Campo della Guerra, San Marco, 525/526

✆ (041) 29 60 252
Ouvert de 9h à 21h. Fermé le lundi. Comptez entre 7 et 12 € pour un apéritif ou pour grignoter sur le pouce. Comptez environ 20 € pour un plat et un dessert.
Au cœur du quartier touristique de Venise, tout près de la place San Marco, le Cavatappi est une des rares adresses du coin où vous pouvez vous aventurer sans trop d'appréhension : on y mange assez bien à des prix tout à fait raisonnables. De 11h à 17h, le Cavatappi vous propose des primi de pâtes fraîches (à partir de 6,50 €) et des plats composés arrosés d'un verre de vin italien (penne au gorgonzola avec une galette de légumes de saison pour 11 €) choisi parmis les 30 bouteilles différentes qui composent la carte. Le soir, la maison organise de temps à autre des dégustations de produits de différentes régions : c'est l'occasion de découvrir les vins locaux et italiens, les fromages, les saucissons. Si vous venez avec l'idée que c'est meilleur chez nous, vous aurez l'occasion de remettre en cause vos certitudes... Bar aux multiples facettes, le Cavatappi vous propose également des dégustations de saveurs, de parfums et de musiques du monde (soirées à thème : grecque, régionale, sushi-sashimi, accompagnées parfois de musique ive). Le reste du temps, vous pouvez aller au Cavatappi pour siroter Cuba Libre, long drinks et autres cocktails. Si vous y êtes autour de 18h, vous pourrez découvrir le « spritz time alla milanese », typiquement milanais et rudement sympa quand on n'a pas beaucoup de sous pour manger le soir. Le principe est très simple : pourvu qu'on consomme un verre de quelque chose, on peut manger des *cicchetti* (tapas locales entre 1 € et 1,50 €) jusqu'à ce qu'il n'y en ai plus ou alors, que vous n'en puissiez plus. Le décor est simple et moderne, avec, sur des présentoirs, de beaux spécimens de tire-bouchons (en fait, *cavatappi* signifie « tire-bouchon »).

Bien et pas cher

■ **OSTERIA ALLA BOTTE**
Calle della Bissa,
San Marco, 5482
(campo San Bortolomio)
✆ (041) 52 09 775
www.osteriaallabotte.com
Ouvert de midi à 15h et de 18h30 à 23h. Fermé le jeudi et dimanche soir. Comptez environ 25 € pour un repas composé d'un antipasto, d'un primo, avec eau et café.

Les cafés historiques de San Marco

■ CAFFE FLORIAN

Piazza San Marco 56/59
✆ (041) 52 05 641
Fax : (041) 52 24 409
www.caffeflorian.com

Ouvert de 9h30 à minuit. Fermé le mercredi en hiver et 15 jours entre décembre et janvier. Comptez 10 € pour le café en terrasse quand l'orchestre joue.

Fondé en 1720, le Florian est le plus célèbre café historique de Venise, décoré de peintures du XVIIIe siècle. Son chocolat (*cioccolata in tazza*), son sabayon et sa terrasse avec petit orchestre sur la place Saint-Marc sont l'une des images les plus célèbres de la place et de la Sérénissime. Dès 18h, asseyez-vous au bar et partagez les discussions des Vénitiens les plus huppés. Le Flore vénitien, en somme.

■ CAFFE QUADRI

Galleria San Marco 120/123
✆ (041) 52 22 105
Fax : (041) 52 08 041
www.quadrivenice.com

Ouvert de 9h à minuit. Fermé le lundi. Comptez entre 100 et 150 € pour un repas.

Alors que le Florian était le café des nationalistes italiens, voici l'antre des Autrichiens. Le cadre est superbe et a séduit en son temps Stendhal, Proust et Wagner. La salle de restaurant à l'étage est décorée de stucs, de marbre, de velours et de miroirs précieux et offre une vue inoubliable sur la place Saint-Marc. Goûter dans un tel cadre les coquilles Saint-Jacques au safran ou les gnocchetti de châtaignes avec leur sauce au canard est une expérience vraiment unique.

■ HARRY'S BAR

Calle Vallaresso, 1323
(derrière l'aile napoléonienne de la place Saint-Marc)
✆ (041) 52 85 777
Fax : (041).52 08 822
www.cipriani.com

Ouvert de 10h à 22h30.

Repaire des nantis vénitiens et surtout américains, il est connu pour avoir été le bar-restaurant vénitien préféré d'Hemingway et de Charlie Chaplin. On y boit le meilleur Bellini de la ville. Forcément, c'est le propriétaire de l'époque, Arrigo Cipriani, qui inventa ce mélange subtil de jus de pêche blanche et de vin blanc sec, le prosecco : le tour était joué, un mythe était né. Le verre est très cher, tout comme le restaurant où vous pouvez déguster le fameux *carpaccio alla Cipriani.*

© NOËLE. FRANCK - ICONOTEC

Terrasse d'un café sur la place San Marco

L'Osteria alla Botte est un typique bacaro vénitien où se donnent rendez-vous les musiciens locaux, les gens du coin, mais aussi les touristes qui réussissent à trouver où il se cache. Le niveau sonore y est très élevé, l'ambiance musicale, détendue et informelle. On y écoute les nouveautés de la ville en buvant des spritz ou des verres de rouge. Les murs sont recouverts de toiles, de gravures, d'affiches typiquement vénitiennes et de vieilles photos, en particulier des Pink Floyd, le 16 juillet 1989... On y mange très bien et sans se ruiner : pâtes aux haricots secs, foie à la vénitienne, polpette et autres spécialités locales. Les pâtes à la crème, à la roquette et aux crevettes sont parfaites et suffisamment légères pour ne pas compromettre l'après-midi de marche qui vous attend. À vous de décider si vous voulez vous installer confortablement à table ou si vous préférez vous caler sur un tabouret et manger sur le pouce. Dans ce cas, vous devrez aller chercher vos plats au comptoir.

Bonnes tables

■ ANTICO MARTINI
Campiello della Fenice, 2007
San Marco
✆ (041) 52 24 121
Fax : (041) 52 89 857
www.anticomartini.com
Ouvert tous les jours de midi à minuit.
Juste à côté du théâtre de La Fénice, cet établissement se distingue par son élégance et la qualité de son service. Sir Elton John et Maria Callas en ont dit le plus grand bien ! De grands noms de la culture vénitienne s'y rendent régulièrement et son ambiance romantique, sur une petite place calme, (les jours où il n'y a pas de représentation à La Fénice) vous fera passer de délicieuses soirées. Très bon rapport qualité/prix.

■ DA IVO
Calle dei Fuseri, S.Marco 1809
✆ (041) 52 05 889
Comptez de 30 à 80 €. Réservation conseillée, sauf à midi.
Une trattoria romantique et intime, l'idéal pour un tête-à-tête. Quelques tables le long d'un joli canal où sont arrêtées les gondoles. Spécialités de poisson et de viande, mais nous vous conseillons aussi d'essayer les beignets de fleurs de courgettes. Délicieux !

Luxe

■ DO FORNI
San Marco 457
✆ (041) 52 30 663
Fax : (041) 52 88 132
www.doforni.it
Ouvert tous les jours de midi à 15h30 et de 19h à minuit. Réservation conseillée.
De Sydney à Rio en passant par Tokyo ou Mombasa, le Do Forni a souvent exporté un peu des spécialités vénitiennes à travers des manifestations gastronomiques sur tous les continents. Mais allez manger au Forni reste une expérience unique. Et son décor des années 1930 allié à ses mets raffinés a fait le bonheur de Caroline de Monaco, du Duc de Kent ou encore de Silvio Berlusconi. Tête couronnée, bienvenue !

Sortir

Venise n'est pas une ville dont la night life rivaliserait avec celle d'Ibiza. Les soirées sont plutôt paisibles et aucune discothèque n'est particulièrement exceptionnelle. Cependant, la ville sur l'eau ne manque pas de bars et cafés où les Vénitiens aiment se retrouver à l'heure de l'apéritif ou pour un verre après-dîner, qui souvent se prolonge jusqu'à tard dans la nuit. Il n'est pas rare en effet que certaines places où les berges des canaux, se peuplent d'une jeunesse branchée qui se retrouve pour boire un verre, tout au long des soirées d'été. C'est alors que vous découvrirez une ambiance unique, chaleureuse et animée, qui pourra vous consoler de l'absence de dance floor. Dans un autre registre, les théâtres et les salles de concerts sont nombreux, fidèles à la tradition musicale qui règne sur la Lagune depuis la Renaissance.

■ CAFFÉ DEL DOGE
Calle dei 5
Rialto
✆ 041 522 7787
Pour les amateurs du petit noir italien, le Caffé del Doge est l'endroit rêvé. Ici les Vénitiens s'arrêtent siroter leur café avant d'aller faire leurs achats. Vous aurez le choix entre une infinité de typologies et de mélanges divers. L'espresso pour grands connaisseurs.

■ SCUOLA GRANDE DI SAN TEODORO
Campo San Salvador
Rialto San Marco, 4810
✆ (041) 52 10 294
www.imusiciveneziani.com

Les prix varient selon les concerts. Billets à retirer à la Scuola Grande di San Teodoro ou dans les agences et les box-offices autorisés.

On y joue traditionnellement les *Quatre Saisons* de Vivaldi, Pachelbel et Albinoni. Des concerts de musique baroque et d'opéra sont également organisés (musiques de Mozart, Bizet, Puccini, Verdi, Offenbach, Pachelbel, Boccherini et Mascagni).

🎻 VINO VINO

Ponte delle Veste
San Marco 2007/A
(entre le théâtre La Fenice
et la via XXII Marzo)
✆ (041) 24 17 688
Fax : (041) 52 89 857
www.anticomartini.com
Ouvert de 11h30 à 23h30. Comptez entre 16 et 25 € pour une bouteille de vin classique et un plat.

Beau comptoir en bois et cruchons pendus au plafond, ce qui rend l'ambiance déjà très décontractée... Ce bar très bien placé, à quelques pas de La Fenice, attire une clientèle très variée, mélange de véritables Vénitiens et étrangers en quête d'originalité. On peut y manger des cicchetti (*sarde in saor, polpetti con sedano*) et des plats vénitiens typiques (*pasta e fasoi*). Ne le répétez pas trop fort mais ce que vous mangerez, assis au comptoir de ce bar à vin, a été confectionné dans les cuisines du luxueux Antico Martini...

Théâtres

■ GRAN TEATRO LA FENICE

Campo San Fantin, 1965, San Marco
✆ (041)786511
www.teatrolafenice.it
Pour les billets : ✆ (041)786562
Visites guidées, ou avec audioguides.

La Fenice est, avec la Scala de Milan et le Teatro di San Carlo de Naples, un des trois temples lyriques d'Italie, une référence au niveau mondial. Le théâtre est né au XVIIIe siècle. Il est de style néoclassique avec de riches décorations rococo. La Fenice (« phénix ») est, comme son nom l'indique, intimement liée au feu. On la fit construire à la suite de la destruction par un incendie du théâtre San Benedetto. Lui-même renaîtra deux fois de ses cendres, après les incendies de 1846 et de 1996 (criminel). Il aura fallu huit ans, et l'aide de l'Etat italien et de l'Unesco, pour qu'il rouvre ses portes en 2003, dans un décor à l'identique, mais au confort

moderne. La réputation de la Fenice est due aux liens étroits qu'entretient Venise avec la musique classique et le bel canto. Monteverdi et Vivaldi sont nés et ont vécu ici. Rossini et Verdi créèrent certains de leurs opéras dans ce lieu d'exception; l'insuccès dont se solda dans cette salle la première de *La Traviata* est d'ailleurs resté légendaire.

■ TEATRO A L'AVOGARIA

Dorsoduro, Calle de l'Avogaria, 1617
✆ (041) 5206130
Une bonne adresse pour voir une comédie de la commedia dell'arte dans un décor « naturel ».

■ TEATRO JUNGHANS

Giudecca, campo Junghans
✆(041)2411974
www.teatrojunghans.it
Théâtre inauguré le 31 janvier 2005, et qui se veut une vitrine pour les productions du théâtre contemporain.

■ TEATRO MALIBRAN

Corte del Teatro Malibran, 5886
✆ (041) 24 18 029
Concerts classiques et pièces de théâtre dans cet ancien théâtre fondé en 1968.

Points d'intérêt

Autour de la Piazza San Marco

Les deux colonnes de saint Marc et saint Todaro marquent l'entrée de la Piazzetta San Marco, bordée sur la gauche par la Libreria Sansoviniana, la bibliothèque de Venise qui possède un splendide escalier décoré de fresques et de stucs dorés, et, sur la droite, par le majestueux palais des Doges. En poursuivant, vous voilà en face du campanile et donc sur la Piazza San Marco.

Appelée le plus beau salon du monde, la Piazza San Marco est la seule place de Venise digne de porter ce nom car toutes les autres s'appellent des campi. Elle est depuis toujours le cœur de la vie publique et religieuse de Venise. Son périmètre est bordé d'une galerie construite au début du XIXe siècle abritant plusieurs musées et monuments. La place fut agrandie tout au long de son histoire, notamment par Napoléon Bonaparte. En forme de trapèze, elle étais jadis traversé par le canal Botario, depuis comblé. Aujourd'hui les touristes ont remplacé les Vénitiens. Le pigeons très nombreux eux aussi, ne doivent pas être nourris.

■ **BASILIQUE SAINT-MARC**
Piazza San Marco, 1
℡ (041) 52 25 205
Ouverte tous les jours de 9h45 à 16h45, 17h en été. Entrée pour le musée, 4 €, pour le trésor, 3 €, pour le Pala d'Oro, 2 €.
La basilique Saint-Marc, de style dit « romano-byzantin », constitue un mélange unique de styles et, via Byzance, elle relaie mieux qu'aucun autre édifice européen les traditions de l'Antiquité. En 828, Venise se retrouvait donc avec de précieuses reliques volées à Alexandrie, celles de saint Marc. C'est pourquoi fut construite la basilique Saint-Marc, consacrée en 832. Détruite en 976 dans l'incendie qui ravagea le palais ducal, on en édifia une nouvelle, consacrée en 978. La basilique que nous admirons aujourd'hui a donc des fondations du XIe siècle. Elle est construite sur le modèle de l'église des Saints-Apôtres de Constantinople, selon un plan en croix grecque. Au cours des siècles suivants, au fur et à mesure qu'augmentaient la puissance et la richesse de Venise, la basilique fut considérablement remaniée, aux XIIIe, XVe et XVe siècles. Le sac de Constantinople en 1204 devait être à l'origine du premier enrichissement décoratif de Saint-Marc. Des trésors inestimables tombèrent entre les mains des Vénitiens à cette occasion, ainsi que de nombreux territoires en Méditerranée orientale pris à l'Empire byzantin. Comme il fallait faire étalage de cette prospérité, la basilique fut gratifiée de nouvelles coupoles (chacune des coupoles basses fut recouverte d'une seconde coupole à charpente de bois revêtue de plomb, beaucoup plus haute et surmontée d'une lanterne et d'une croix dorée). Les arcades supérieures ont subi un changement notable entre la fin du XIVe siècle et le milieu du XVe siècle : elles ont été couronnées de sculptures gothiques qui forment une frise dentelée. La façade principale de la basilique est divisée en cinq portails surmontés de cinq grands arcs. Le portail du centre est fermé par des portes de bronze rapportées de Byzance au Xe siècle. Ici, un losange en porphyre marque l'endroit précis où l'empereur Frédéric Barberousse dut s'agenouiller devant le pape Alexandre III en 1177. Sur la loggia dei Cavalli, au-dessus du portail central, se dressent les très célèbres chevaux de bronze doré provenant du sac de Constantinople de 1204, le seul quadrige de l'Antiquité qui nous soit parvenu. Ces chevaux furent confisqués par Napoléon qui les installa sur l'arc du Carrousel du Louvre. Ils furent restitués à la chute de l'empereur des Français tandis que l'arc du Carrousel dut se contenter d'une œuvre s'inspirant du quadrige. Le portail donne sur le narthex (vestibule d'entrée) décoré de marbres rares et de mosaïques à fond doré remarquables. Un petit escalier à droite du portail central conduit au musée Marciano.

■ **BIBLIOTECA NAZIONALE MARCIANA OU LIBRERIA SANSOVINIANA**
Piazzetta San Marco
San Marco, 7
℡ (041) 24 07 211
http://marciana.venezia.sbn.it

© STÉPHANE SAVIGNARD

Basilique Saint-Marc

Ouvert tous les jours de 8h10 à 19h. Le samedi jusqu'à 13h30. Fermé le 25 décembre et le 1er janvier.

Sur la piazzetta dei Leoncini, place saint-Marc, au bord du Grand Canal se trouve la bibliothèque de Saint-Marc. Les Vénitiens l'appellent familièrement « La Marciana ». Construire une bibliothèque publique à Venise était un projet de Pétrarque. Son rêve ne se réalisera pas mais, à sa mort, il légua tous ses livres à la ville, désormais conservés à La Marciana. Avec son inégalable collection de manuscrits, c'est la plus grande bibliothèque de Venise et l'une des plus grandes d'Italie. Construite par Jacopo Sansovino entre 1537 et 1560, ses salles monumentales abritent des œuvres du Titien et de Paolo Véronèse. Elle possède également de précieux ouvrages manuscrits, comme le Brevario Grimani qui date du XVe siècle. Mais chut... de nombreux érudits venant de tous horizons y travaillent !

Détail de la façade de la basilique Saint-Marc

■ CAMPANILE DI SAN MARCO

Piazza San Marco

✆ (041) 52 24 064

Ouvert de novembre à mars tous les jours de 9h30 à 16h15. D'avril à juin et de septembre à octobre, tous les jours de 9h à 19h. Juillet et août, tous les jours de 9h à 21h. Entrée 6 €. Du haut de ses 99 m (pas de problème, il y a un ascenseur), le campanile de Saint-Marc est le point le plus haut de la ville et, comme l'appellent les Vénitiens, il est aussi le « paròn de casa » ou patron de la maison. Au sommet, l'archange Gabriel, dit « l'angelo della banderuola » (l'ange de la girouette), passe son temps en pirouettes pour nous indiquer le sens du vent. La première construction du campanile date de la fin du IXe siècle, mais il doit son aspect actuel à Bartolomeo Bon, qui le restaura après un tremblement de terre, en 1514. Après avoir fait pendant longtemps office de phare, il fut utilisé au Moyen Age pour les peines capitales. Les condamnés, enfermés dans des cages, étaient hissés à mi-hauteur et y étaient laissés plusieurs semaines jusqu'à leur mort. Le campanile s'effondra à 9h55, le 14 juillet 1902, reconstruit à l'identique (en une version moins lourde de 2 000 t), grâce à des dons, et inauguré en 1912. Sa base est constituée de la Loggetta, un ensemble construit entre 1537 et 1549 par Jacopo Sansovino, et reconstruit, lui aussi à l'identique, avec les matériaux récupérés. La Loggetta est formée de deux grandes arcades abritant les statues de Minerve, d'Apollon, de Mercure et de la Paix, également œuvres de Sansovino.

Au XVIIIe siècle, elle fut enrichie par une balustrade en bronze. Au sommet du campanile se trouvent 5 cloches dont les noms et la signification sont spéciaux : la *marangona* marquait la fin et le début de la journée de travail ; le *malefico* les exécutions capitales ; la *mezza terza* convoquait les sénateurs au palais des Doges et la *trottiera* annonçait les séances du Maggior Consiglio.

■ LES COLONNES DE SAINT-MARC ET SAINT-THEODORE

Piazzetta San Marco

Datant de 1172, ces deux hautes colonnes de granit dominent la lagune. L'une est surmontée du lion de saint Marc, saint protecteur de la ville depuis 828 ; et l'autre, de la statue de saint Todaro (Théodore), patron des études et premier protecteur de Venise. Rapportées de Constantinople comme butin de guerre, ces colonnes marquaient autrefois l'entrée de la cité. Des tables de jeu furent longtemps installées entre ces colonnes, mais leur histoire est plutôt liée aux exécutions capitales dont la Piazzetta a été le théâtre. Ne passez donc jamais entre ces deux colonnes, selon la tradition vénitienne, cela porte malheur.

■ MUSEO ARCHEOLOGICO NAZIONALE DI VENEZIA

Piazza San Marco, 52

✆ (041) 52 25 978

Entrée près du musée Correr (Ala Napoleonica). Entrée : 4 €, cumulatif avec la bibliothèque Marciana (réduit 2 € et gratuit pour les jeunes jusqu'à 18 ans et les seniors à partir de 65 ans).

VENISE ET LA VÉNÉTIE

Venice Card valable. Ouvert tous les jours d'avril à octobre de 9h à 19h ; de novembre à mars de 9h à 17h. Fermé le 25 décembre et le 1er janvier.

En 1523, le cardinal Grimani fit don à la Serenissima d'une importante collection d'objets provenant de Rome et laissa en héritage à la République le palais qui allait les abriter. Depuis, ce palais de la place Saint-Marc s'est transformé en Musée archéologique de Venise. Il présente de nombreux originaux de la période classique grecque provenant des collections des familles nobles de Venise, qui se livraient au commerce d'antiquités des colonies. Des guides vous expliquent l'exposition, répondent patiemment à vos questions et démontrent que l'archéologie peut être passionnante pour peu qu'on veuille s'y intéresser.

■ MUSEO CORRER

San Marco, 52
30124 Venezia ✆ (041) 24 05 211
Fax : (041) 52 00 935
www.museicivicivenezia ni.it
L'entrée est située côté aile napoléonienne de la place Saint-Marc. Ouvert de novembre à mars de 9h à 17h et d'avril à octobre de 9h à 19h. Les caisses ferment une heure avant. L'entrée, cumulative avec le palais des Doges, le Musée archéologique national et les salles monumentales de la bibliothèque Marciana, est de 13 ou de 8 € avec les réductions.

Situé dans les Procuratie Nuovissime, dites aile napoléonienne, le Museo Correr, le plus grand musée municipal de la ville, présente une importante collection d'objets et de documents relatifs à l'histoire de la Repubblica Serenissima, ainsi que de toiles de grands maîtres du XIVᵉ au XVIᵉ siècle. La première partie de la visite comprend la section, dite néoclassique, consacrée aux sculptures d'Antonio Canova. On visite ensuite l'aile constituée par les Procuratie Nuovissime, réalisée par un élève d'Andrea Palladio, Vincenzo Scamozzi. Les vastes salles du premier étage retracent l'histoire de la République, de ses institutions ainsi que de différents aspects de sa vie quotidienne (le doge, les magistratures, l'Arsenal, le Bucentaure, les festivités, les arts et métiers, les jeux…). Le deuxième étage est consacré à la Quadreria (galerie) où est exposée une riche collection de tableaux de Paolo et Lorenzo Veneziano, Bartolomeo et Alvise Vivarini, Antonello da Messina, les Bellini, Cima da Conegliano, Lorenzo Lotto et Vittore Carpaccio.

■ LA PALA D'ORO ET LE TRESOR DE SAINT-MARC

Basilica San Marco
Piazza San Marco
✆ (041) 52 25 205
Dans l'aile nord de la basilique, derrière le maître-autel. Ouvert d'octobre à avril de 9h45 à 16h45 (jours fériés de 13h à 16h45). De mai à septembre de 9h45 à 17h00. Entrée pour la Pala 1,50 € ; pour le trésor 2 €.

De l'or et encore de l'or ! Vous pourrez constater, de vos propres yeux qui brillent, à quel point la Repubblica Serenissima pouvait être riche et pieuse. Le trésor de Saint-Marc se compose d'objets liturgiques, de coupes et de calices, de reliquaires provenant de Constantinople et de textes sacrés. C'est un des plus riches trésors de l'art sacré. La Pala d'Oro est un retable d'or de 1,40 m x 3,48 m, chef-d'œuvre de bijouterie byzantine et vénitienne. Il est constitué de 250 plaques d'or incrustées de perles, cloisonnées de 80 émaux et serties de quelque 3 000 pierres précieuses et semi-précieuses. Il fut réalisé en 978 par des orfèvres de Constantinople pour le doge Pietro Orseolo, agrandi aux XIIᵉ et XIIIᵉ siècles, et achevé en style gothique par un orfèvre siennois, en 1345. Sur le registre supérieur sont figurées les principales fêtes de l'Eglise. Au centre apparaît le Christ, entouré d'évangélistes. Au-dessous du Christ sont représentés la Vierge, l'impératrice Irène et le doge Ordelaffo Falier. De chaque côté s'ordonnent, sur 3 rangées, anges, apôtres et prophètes.

■ LA TORRE DELL'OROLOGIO

Piazza San Marco
✆ (041) 52 24 951,
Réservation entrée
✆ (041) 52 09 070
www.museicivicivenezia ni.it
L'entrée est de 12 € (réservation+visite guidée) et elle est cumulative avec le musée Correr, les salles monumentales de la bibliothèque Marciana et le Musée archéologique national.

Une des plus originales constructions de l'architecture vénitienne de la Renaissance. La tour de l'Horloge, réalisée à la fin du XVᵉ siècle d'après un projet de Mauro Codussi, marque l'entrée du quartier marchand Mercerie. Le cadran de l'horloge, en émail bleu nuit constellé d'étoiles dorées, représente la voûte céleste et le Temps. Deux statues en bronze, dites les Maures en raison de la couleur sombre du métal dont elles sont faites, viennent sonner

Pont du Rialto et gondoles

Palais des Doges

la cloche toutes les heures. Mais l'horloge indique aussi les phases de la Lune et le zodiaque. Son mécanisme complexe fut créé, selon la légende, par deux horlogers vénitiens, qu'on a rendus aveugles ensuite afin que seule Venise puisse posséder une œuvre aussi exceptionnelle. Le précieux mécanisme vient tout juste d'être restauré et vous pouvez l'admirer au palais des Doges. Tout les ans, à l'Ascension, ce mécanisme se met en marche : toutes les heures, trois automates, représentant les Rois mages, viennent se prosterner devant les statues de la Vierge et de l'Enfant-Jésus, installées dans les niches au-dessus de l'horloge.

Palazzo Ducale – Palais des Doges

■ **PALAZZO DUCALE**
Porta del Frumento
piazzetta San Marco
✆ (041) 52 09 070
www.museiciviciveneziani.it
Ouvert tous les jours d'avril à octobre de 9h à 19h ; de novembre à mars de 9h à 17h. Fermé le 25 décembre et le 1er janvier. Fermeture de la billetterie une heure avant. Tarif 12 €, réduit 6,50 €, entrée incluse dans les cartes Museum Card et Museum Pass. Accès et services pour handicapés.
Le palazzo Ducale, ce qui a donné en français le palais des Doges, fut non seulement la résidence des doges mais aussi le siège du gouvernement et de la justice de la république pendant plus de dix siècles. Aujourd'hui, il demeure l'un des symboles les plus forts de

la ville de Venise et de son prestigieux passé. Il représente, en plus, le plus bel exemple d'architecture vénéto-gothique. Ce joyau en contient d'autres car de nombreuses œuvres d'art recouvrent les murs et les plafonds de ses salles richement décorées. Initialement (IXe siècle) château-résidence des doges, ce palais fut remanié et définitivement reconstruit en style vénéto-byzantin sous le doge Sebastiano Ziani (1172-1178). Cependant, sa structure actuelle est le fruit de deux siècles de travaux, commencés avec le remaniement, en 1340, du quai donnant sur la lagune et avec la construction d'un balcon de cérémonie de style gothique flamboyant en 1404. En 1424, fut ajoutée l'aile, également de style vénéto-byzantin, qui donne sur la piazzetta San Marco. La partie gothique du palais fut achevée avec la construction de la porta della Carta (1438-1441), ainsi appelée (porte du Papier) parce qu'on y affichait les décrets de la république, et celle de l'arco Foscari (1462-1471). Un incendie, en 1483, détermina l'édification de la partie orientale du palais, de style Renaissance, avec la transformation, achevée en 1516, de cette aile en portique. Enfin, le palais des Doges fut restauré en 1577 après plusieurs incendies qui l'avaient gravement endommagé. Le célèbre pont des Soupirs, traversant le rio (canal) del Palazzo, relie le palais aux prisons, bâties entre 1560 et 1614. L'entrée du public se fait par la porta del Frumento (côté lagune), ainsi appelée parce qu'elle se trouvait à côté de l'ufficio delle Biade (biada en italien signifie « avoine »).

La visite commence par la cour interne, dans laquelle sont disséminés plusieurs puits aux margelles de bronze datant du XVIe siècle. On monte ensuite à l'étage des loggias (piano delle Logge), où, après avoir tourné à droite, on visite les appartements du doge, au premier étage, et les salles institutionnelles situées entre le deuxième étage et l'étage des loggias.

La visite se termine enfin avec l'armeria et les prisons (en passant par le pont des Soupirs), que vous pouvez découvrir en payant un supplément.

Les deux ailes les plus anciennes du palais sont aussi les moins décorées, tandis que l'aile Renaissance, à l'est, est beaucoup plus chargée. Elle est caractérisée par la scala dei Giganti (l'escalier des Géants), construit par Antonio Rizzo et précédé par deux statues de Neptune, dieu de la Mer, et de Mars, dieu de la Guerre, œuvres de Sansovino (1565).

La scala dei Giganti était l'ancienne entrée d'honneur du palais et elle est la continuation de l'arc Foscari, relié à la porta della Carta, l'actuelle sortie du palais. Elle était aussi le lieu où les doges étaient couronnés.

A la droite de la scala dei Giganti s'ouvre la cour des Sénateurs (XVIe siècle), où ces derniers se réunissaient avant de commencer les réunions.

A l'opposé de la scala dei Giganti, sous le portique, se trouve la scala dei Censori (escalier des Censeurs – 1525), où commence le parcours de visite des étages supérieurs. Pour monter à l'étage, vous emprunterez – en suivant les flèches de la visite – la scala d'Oro (l'escalier d'Or), construit en 1559 et dont la voûte est ornée d'une décoration composée de fresques et de stucs blancs et dorés de 24 carats.

Cet escalier constituait l'accès d'honneur aux appartements du doge et aux salles dans lesquelles se réunissaient les magistratures de la république. On visite donc les appartements du doge et ensuite l'aile Renaissance, dans laquelle se trouvent les salons des magistratures vénitiennes. Sur les parois de l'entrée des offices administratifs, vous remarquerez plusieurs bouches de lion utilisées, à partir du XVe siècle, comme boîtes aux lettres pour les dénonciations anonymes.

Les lettres, introduites dans la bouche, arrivaient ainsi directement dans les bureaux des administrations concernées mais elles étaient rarement prises en considération car on savait qu'elles étaient surtout dictées par l'esprit de vengeance.

■ PLOMBS ET ITINÉRAIRE SECRET

Entrée cumulative avec la visite du palais des Doges (16 €).

La visite des anciennes prisons, qui s'effectue dans le cadre des itinéraires secrets, permet de pénétrer les arcanes du système politique de la Sérénissime. Vous visiterez les archives et les bureaux de la police secrète, la Camera del Tormento (la salle de torture directement reliée aux prisons) et les prisons elles-mêmes, les Plombs (*i Piombi*).

Situées dans les greniers du palais, ces prisons, réservées aux prisonniers politiques, devaient leur nom au revêtement en plomb de leur toit.

Comportant de 6 à 8 cellules, elles offraient des conditions de vie bien meilleures que les Puits (i Pozzi), situés dans les caves. Deux de ces cellules furent occupées par Giacomo Casanova en 1755. Les Plombs ne devaient plus être très sûres à l'époque, car Casanova, en creusant le sol de sa cellule avec un pic, réussit à s'en évader. Aventure qu'il raconta ensuite, dans *Histoire de ma fuite des prisons de la République de Venise* et dans sa biographie, *Histoire de ma vie* (ouvrages écrits en français).

L'itinéraire secret comprend également une visite de la Sala dei Tre Capi del Consiglio dei Dieci (la salle de réunion des trois chefs du Conseil des Dix) qui abrite quatre œuvres de Jérôme Bosh, les seules en Italie. La Saletta dei Tre Inquisitori di Stato (les Trois Inquisiteurs étaient les magistrats qui s'occupaient des affaires les plus confidentielles) est décorée de toiles du Tintoret datant d'entre 1566 et 1567.

■ PONTE DEI SOSPIRI

Un mythe s'écroule ! Si le pont des Soupirs relève du lexique amoureux et de l'imaginaire romantique, la réalité est tout autre. Les soupirs étaient en réalité ceux des prisonniers qui le traversaient pour être conduits devant leur juge et gagner les prisons situées de l'autre côté du canal. De style baroque, le Pont des soupirs a été construit en 1602 par Antonio da Ponte, alors chef de service au Bureau du Sel de Venise pour relier le Palais des Doges avec la nouvelle prison. Il fut édifié en marbre et en pierre blanche d'Istrie. Chacune de ses deux faces comporte des fenêtres formant une sorte de grillage de pierre. Il était ainsi impossible aux prisonniers de s'en échapper en se jetant dans le canal. De là ils étaient conduits soit aux « puits » (les cachots), soit aux « plombs ».

Vers la Fenice

■ ÉGLISE SAN MOISÈ

Campo San Moisè 1456,
San Marco
℗ (041) 52 85 840
Ouvert du lundi au samedi de 9h30 à 12h30.
L'église originale était du VIIIe siècle.
Reconstruite au Xe siècle par Moisé Vernier
qui la consacra à son saint patron. La façade
actuelle, de style baroque (1668), fut réalisée
grâce aux dons de la famille Fini, des riches
marchands qui avaient acheté leur titre de
noblesse et à qui d'ailleurs est consacrée
la décoration de l'église. A l'intérieur, dans
la chapelle de gauche, on pourra voir une
Cène de Palma il Giovane et le *Lavement des pieds* du Tintoret.

■ LE RIDOTTO DI SAN MOISE'

Palazzo Dandolo Calle del Ridotto,
1332 San Marco
Fermé au public.
En 1638, Marco Dandolo transforma son
palais en maison de jeu. Ce fut le premier
casino d'Europe. Les joueurs ne pouvaient
y entrer que masqués. Il fut fermé en 1774.
Anciennement, il n'était ouvert que pendant
les festivités du carnaval.

■ THÉÂTRE DE LA FENICE

Campo San Fantin, San Marco
℗ 041) 78 65 11
Voir rubrique « Sortir ».

■ SCALA CONTARINI BOVOLO

Corte dei Risi ou del Bovolo, 4299 (suivez
les indications depuis le campo Manin)
San Marco ℗ (041) 27 19 012
www.scalabovolo.org
Ouvert de 10h à 18h. L'accès à la cour est gratuit. Bovolo signifie en vénitien « escargot ».
En italien, « escargot » se dit chiocciola, et
escalier en colimaçon scala a chiocciola (soit
« escalier à escargot »). Cet escalier extérieur
en colimaçon avec de nombreuses arches,
qui constitue une partie de la façade du joli
petit palais Contarini del Bovolo construit au
XVe siècle, porte bien son nom. Ses magnifiques
balustrades et arcades en pierre blanche
et briques datent de 1499. Depuis plus de
500 ans, elles offrent une vue panoramique
magnifique sur les toits de Venise. Le Palais
n'est pas facile à trouver, perdu au milieu d'un
labyrinthe de ruelles. Il n'est malheureusement
pas possible d'y accéder, car l'escalier est
fermé pour restauration. Allez tout de même
jeter un œil à ce bijou d'architecture, près du
campo Manin.

Vers l'Accademia

Le campo Santo Stefano est le premier campo
rencontré, en venant de San Marco, durant un
parcours que les Vénitiens appellent *strada dei campi* (route des Campi), traversant le
sestriere de San Marco du pont du Rialto au
pont de l'Accademia et passant, outre le campo
Santo Stefano, par le campo Sant'Angelo, le
campo Manin, le campo San Salvador et le
campo San Bartolomeo.

VENISE ET LA VÉNÉTIE

© STÉPHANE SAVIGNARD

Théâtre de la Fenice

■ **CAMPO SANTO STEFANO OU MOROSINI**

Campo Santo Stefano est un des plus vastes et animés campi de Venise. Des courses de taureaux avaient lieu autrefois sur ce très vaste campo. Il fait partie d'un itinéraire que les Vénitiens appellent Strada dei campi (route des Campi), traversant le sestriere de Saint-Marc du pont du Rialto au pont de l'Accademia et passant, outre le Campo Santo Stefano, par le Campo Sant'Angelo, le Campo Manin, le Campo San Salvador et le Campo San Bartolomeo. Sur le côté gauche du Campo Santo Stefano s'ouvre la gigantesque entrée du Palazzo Morosini (XVIIᵉ siècle), tandis que sur le côté droit, adjacent à l'église San Vitale, se dresse le Palazzo Loredan. En face de ce dernier, sur le Campiello Pisani, se trouve le Conservatoire de musique de Venise où est gardée la baguette utilisée par Richard Wagner lors de sa dernière représentation. Sur ce même Campo Santo Stefano, on peut voir également l'église Santo Stefano.

■ **ÉGLISE ET MUSÉE DE SANTO STEFANO**

Campo Santo Stefano, San Marco
℡ (041) 27 50 462
www.choursvenezia.org
Ouvert de 10h à 17h du lundi (dernière entrée à 16h45). Entrée : 2,50 € ou avec Venice Card et Chorus Pass.
Non ce ne sont pas les effets du spritz dégusté au déjeuner ! Le campanile penche allègrement et c'est d'ailleurs le plus incliné de la ville. Il est de plan carré. Au sommet, une chambre à trois arches est surmontée par un tambour octogonal. L'église fut construite au XIIIᵉ siècle, reconstruite au XIVᵉ, et encore modifiée au XVᵉ. Sa façade comporte un beau portail gothique construit par Bartolomeo Bon. A l'intérieur, on remarquera tout particulièrement le plafond en coque de navire renversé, avec des poutres gravées et des colonnes en marbre de Vérone. La sacristie abrite quelques très beaux tableaux du Tintoret comme *Le Lavement des pieds des disciples*, *Le dernier repas* ou *La Prière aux jardins des oliviers*. On peut voir aussi le tombeau de Giacomo Surian par Pietro Lombardo.

■ **PALAZZO GRASSI**

Campo San Samuele, San Marco, 3231
℡ (0424) 60 04 58
Fax : (0424) 46 41 91
www.palazzograssi.it
Ouvert du mercredi au lundi (fermé le mardi), de 10h à 19h. Entrée 20 €, réduit
15 € (pour les deux sites). Vaporetto lignes 1 €(San Samuele) ou 82 (Sant Angelo).
Le palazzo Grassi fait face à la Cà Rezzonico sur la rive gauche du Canale Grande. Il s'agit d'une des dernières constructions de la Sérénissime sur ce canal. Il fut édifié par Giorgio Massari entre 1748 et 1766. François Pinault, homme d'affaires français, a racheté ce palais pour en faire un centre d'art moderne et contemporain pour sa collection, riche de plus de 2 000 œuvres, après l'échec de la construction d'un tel centre sur l'île Seguin à Boulogne-Billancourt, dans les Hauts-de-Seine. La collection Pinault, entamée il y a trois ans, comprend un large panorama de l'art moderne et contemporain avec des pièces issues du pop art, de l'arte povera, du minimalisme, de l'abstraction… Le palazzo Grassi partage aujourd'hui son importante collection entre Campo San Samuele et Punta della Dogana, dernière acquisition de l'entrepreneur français.

Vers le Rialto

■ **FONDACO DEI TEDESCHI**

Salizzada Fondaco dei Tedeschi
San Marco 5554
℡ (041) 52 86 212
Ouvert de 8h30 à 19h. Fermé les samedi et dimanche. Entrée libre.
Le Fondaco dei Tedeschi abrite aujourd'hui l'une des postes centrales de la ville de Venise. Ce bâtiment était autrefois destiné aux marchands allemands (les Tedeschi). Dans les arcades du rez-de-chaussée ils entreposaient leurs marchandises, et leur hébergement se trouvait à l'étage. Erigé au XIIIᵉ siècle, le Fondaco dei Tedeschi fut détruit par un incendie, et entièrement reconstruit en 1506 sur le modèle de son équivalent cairote, la wakala d'al-Ghurî, construit en 1404. Giorgio Spavento et Scarpagnino sont à l'origine de son architecture actuelle. La façade ouvrant sur le grand Canal était jadis décorée de fresques peintes par Giorgione et Titien. D'une grande sobriété et d'une allure sévère, sa façade présente un fort contraste avec celles des palais du Grand Canal. L'endroit est magnifique, l'accès est gratuit, alors profitez-en !

■ **PONTE DI RIALTO**

Le célèbre pont enjambe le Grand Canal pour relier San Marco à San Polo au niveau de la fondation Tedeschi. Immortalisé par Shakespeare dans Le Marchand de Venise, ce pont est parmi les symboles les plus connus de la cité des Doges. Situé à l'endroit le plus étroit du Canal Grande, emprunté depuis toujours par les Vénitiens pour passer d'une rive à l'autre du canal, ce pont était autrefois constitué simplement de barques, appelées quartarole, d'après le nom de la monnaie utilisée pour le péage : il suffisait d'en désaccoupler quelques-unes pour laisser passer les navires. Au XIIIe siècle, ce pont rudimentaire fut remplacé par un pont-levis en bois. Incendié, écroulé, plusieurs fois rebâti, en 1557, il menaçait de tomber en ruine de nouveau et Venise se décida à s'offrir enfin un pont en pierre. Plusieurs projets furent donc présentés, certains signés par des célèbres architectes de l'époque, comme Andrea Palladio, Jacopo Sansovino ou Vincenzo Scamozzi. Ce fut le projet d'Antonio Da Ponte qui fut retenu. Les travaux commencèrent en 1588 et s'achevèrent en 1591. Constitué par une seule grande arcade, le pont du Rialto est long de 48 m, large de 22 m et haut de 7,50 m. Il relie les sestieri de San Marco, plus précisément le quartier de Rialto et de San Polo. Il est traversé par trois rampes d'escaliers, et une double rangée de boutiques attrape-touristes !

■ SAN POLO – SANTA CROCE ■

Les *sestieri* de Santa Croce et de San Polo sont voisins et comparables sous leur aspect urbanistique. On passe de l'un à l'autre sans s'en rendre compte, et l'atmosphère y est sensiblement la même. Cette partie de la ville est d'origine antique : ce sont les quartiers autour du pôle commercial du marché du Rialto (appelée zone réaltine).
Les maisons sont vieilles, mais, adossées les unes aux autres, elles semblent tenir le coup malgré les problèmes d'humidité propres à Venise. Le tissu urbain est donc très dense et l'ombre omniprésente. Le dédale des rues débouche tout de même assez fréquemment sur de beaux campi lumineux et arborés, tels Campo San Giacomo dall'Orio ou Campo San Polo. La zone ouest, longtemps caractérisée par son maillage beaucoup plus ouvert, a récemment fait l'objet de constructions nouvelles. Venise continue donc à se densifier : les plus petits recoins de la ville sont ainsi mis à profit pour construire des logements. C'est à n'y rien comprendre quand on sait que la ville se dépeuple à une vitesse hallucinante et que les infrastructures manquent de plus en plus aux Vénitiens qui ont décidé de ne pas abandonner le navire. Allez comprendre… Ces nouveaux immeubles sont entourés d'un exceptionnel ensemble monumental qui comprend notamment les scuole (la Scuola de San Giovanni Evangelista et celle de San Rocco) et l'église Dei Frari. Ces quartiers (surtout ceux qui entourent Rialto) connaissent leur pic d'activité dans la matinée, activité rythmée par le marché aux poissons. C'est l'heure à laquelle une multitude d'embarcations sillonnent le Grand Canal et tous les rii alentour.

Hébergement

■ CASA PERON
Salizzada San Pantalon 84/85
Santa Croce ✆ (041) 71 00 21
Fax : (041) 71 10 38
www.casaperon.com
Hôtel simple et agréable, avec une petite terrasse. L'ambiance est sympathique. Cette pension familiale est en plein cœur de San Polo, sestiere calme et peu couru par les touristes. Les chambres sont simples mais confortables, meublées avec goût. Vous apprécierez l'altana, cette petite terrasse de bois, perchée sur pilotis au-dessus des toits et qui surplombe toute la ville.

■ HÔTEL AIRONE
Santa Croce, 557 (près du Palazzo Foscarini) ✆ (041) 52 04 800
Fax : (041) 52 04 991
www.aironehotel.com
Chambre double avec salle de bains entre 50 et 180 € selon la saison, petit déjeuner compris. Pas de pension ni de demi-pension. Petits animaux acceptés.
13 chambres petites mais confortables, certaines avec vue sur le Grand Canal. Bar dans l'hôtel. Très proche de la gare. Le personnel est agréable, même si nous avons trouvé que les prix sont un peu excessifs par rapport à la prestation. Le petit déjeuner est plutôt moyen. Les croissants pourraient être plus frais.

■ HÔTEL ALEX
Rio Terrà Frari, San Polo, 2606
✆ (041) 52 31 341
Fax : (041) 52 31 341
www.hotelalexinvenice.com

L'hôtel Alex, logé dans une jolie maison ancienne, est situé à quelques minutes de la Chiesa dei Frari et de la Scuola Grande di San Rocco, pas très loin du Pont du Rialto. Onze chambres joliment meublées en style ancien du XVIIe siècle : meubles laqués aux couleurs pastel, ou meubles plus classiques en noyer massif. Certaines chambres ont un balcon ou une petite terrasse, avec vue sur la rue commerçante et deux canaux.

Restaurants

■ BANCOGIRO
Campo San Giacometto
San Polo, 122
℅ (041) 52 32 061
Ouvert de 10h30 à 15h et de 18h30 à minuit.
Fermé le dimanche soir et le lundi.
Cet établissement occupe l'emplacement de l'une des premières banques de Venise, d'où son nom. En été, une très belle terrasse à l'écart du bruit du marché aux poissons donne sur le canal, juste à côté du pont du Rialto. La qualité des plats proposés pourrait faire croire que l'on se trouve à l'une de ces adresses prestigieuses, aux secrets culinaires jalousement gardés ! La carte, de qualité, mêle tradition et audace. Le poisson est très frais (le marché du Rialto est à deux pas !) et le choix des vins de très bonne qualité. Ne manquez pas non plus le rendez-vous du samedi, à midi, après les courses au marché !

■ TRATTORIA ALLA MADONNA
Calle della Madonna, 594 (Près du Rialto)
℅ (041) 52 23 824
Ouvert de midi à 15h et de 18h45 à 22h15.
Fermé le mercredi et le 24 décembre jusqu'aux premiers jours de janvier et au mois d'août.
Demandez à n'importe quel Vénitien : la Tratorria alla Madonna est une référence. Depuis les années 1950, Oscar Fulvio Rado puis son fils Lucio régalent les habitants de la cité des Doges avec leurs spécialités de poisson comme le risotto aux fruits de mer, à la fois fondant et léger, accompagné de délicieuses lottes ou de seiches à la vénitienne. Ceci explique que l'on y trouve plus de Vénitiens attablés que de touristes ! Un peu cher cependant, entre 30 et 45 € le plat, et souvent bondé.

■ TRATTORIA AL NONO RISORTO
Campo di San Cassiano Sotoportego dea Siora Betina
Santa Croce, 2338
℅ (041) 52 41 169

Ouvert de midi à 14h30 et de 19h à 23h.
Fermé le mercredi et le vendredi midi. Comptez environ 35 €. La particularité du lieu : une magnifique pergola, spacieuse et charmante de glycines, où viennent se retrouver les Vénitiens, dès qu'il commence à faire assez doux pour s'attabler dehors. Si vous craignez les moustiques, rien ne vous empêche de vous réfugier à l'intérieur, chaleureux et confortable. L'ambiance est résolument vénitienne : chaude et bruyante. Les grandes familles sont les bienvenues et on ne vous fera pas la tête si vous demandez une table pour 17 personnes. Pour les repas romantiques en tête à tête, on vous réservera un petit coin intime et tranquille… La maison propose la carte, le menu du jour et un large choix de pizzas. Les pâtes sont fraîches et faites maison. Quant aux pizzas, elles sont tout à fait délicieuses ! Le lundi et le mardi, la trattoria « du grand-père ressuscité » (traduction littérale) est le lieu de rendez-vous des amateurs d'échecs. Vous pouvez donc ici vous mesurer aux petits vieux vénitiens ou prendre des leçons théoriques et stratégiques en vue du prochain tournoi mensuel, organisé au même endroit ! À l'intention des novices angoissés : rassurez-vous, l'ambiance est détendue et personne ne se prend vraiment au sérieux !

Sortir

Bars

Au dos du marché de Rialto, le quartier nommé *Erberia* (ancien emplacement du marché des fruits et légumes), a été récemment rénové et réaménagé pour devenir un des endroits de sortie favoris par les Vénitiens. Sous les arcades qui donnent sur une jolie place, une série de bars et de cafés-restaurants accueillent la vie nocturne branchée de la Lagune, de l'apéro jusqu'à l'after.

■ AL PESADOR
Sestiere San Polo,125 ℅ 041 52 39 492
Dénommé amicalement « Al Pesa » par les Vénitiens qui en ont fait le QG, Al Pesador est comme bon nombre d'osteries vénitiennes, un endroit où l'on vient pour l'apéro, pour dîner, pour boire un verre après dîner. Cadre et cuisine, vénitiens à 100 %, ne vous laisseront pas déçus.

■ NARANZARIA
Sestiere San Polo, 130 ℅ 041 72 41 035
Naranzaria est un bar plutôt tendance (eh oui même Venise s'y met !) ouvert récemment.

© STÉPHANE SAVIGNARD

Bord du Grand Canal

Restaurant raffiné, il est surtout très fréquenté dans les soirées d'été pour des apéros recherchés (dégustation de sushi) ou bien en tant que bar à vin après dîner.

Concerts

■ AI MUSICANTI

Palazzo Zeno, Campiello de Ca'Zen
San Polo, 2580
✆ (398) 97 88 724
Fax : (041) 72 04 27
www.ai-musicanti.com
Tous les soirs vers 21h30.
Dans ce café-concert, on joue les plus grands classiques de Strauss, Mozart, Puccini, Verdi, Gershwin, Vivaldi, Modugno, Chopin, Rossini... à raison d'un concert tous les soirs, à 21h30.

Points d'intérêt

San Polo

■ BASILICA SANTA MARIA GLORIOSA DEI FRARI

Campo dei Frar
✆ (041) 27 50 462
www.basilicadeifrari.it
Ouvert du lundi au samedi de 10h à 17h et le dimanche de 13h à 17h. Entrée 3 € ou avec le Chorus Pass et la Venice Card.
Prestigieux témoignage de l'architecture gothique vénitienne et excellent exemple de musée-église ou d'église-musée (le doute reste entier), la basilique des Frari Minori (les

franciscains) fut édifiée en 1338 dans un style gothique tardif. Son campanile haut de 70 m (le plus haut de Venise après celui de Saint-Marc) et son intérieur à trois nefs bordées de 12 colonnes sont tout à fait remarquables. On peut y contempler quelques-unes des plus importantes œuvres d'art de Venise.

■ CASA GOLDONI

Calle dei Nomboli, San Polo 2794
✆ (041) 27 59 325
Fax : (041) 24 40 081
Ouvert d'avril à octobre de 10h à 17h ; de novembre à mars, de 10h à 16h. Fermé le dimanche et les jours fériés. Entrée 2,50 €. Carte Rolling Venise.
« Je suis né à Venise, l'an 1707, dans une grande et belle maison, située entre le pont de Nomboli et celui de Donna Onesta, au coin de la rue de Ca' Centanni, sur le paroisse de S. Thomas » c'est ainsi que Carlo Goldoni décrit sa maison natale dans ses *Mémoires*, écrits en français car l'auteur habita Paris pendant les derniers 25 ans de sa vie. Ce palais fut construit au XVe siècle dans le style gothique flamboyant caractéristique des constructions de la Sérénissime à cette époque. Le créateur de l'opera buffa (opéra-comique), mais aussi l'auteur de nombreuses satires sociales, vécu donc dans ce cadre somptueux pendant ses douze premières années. Aujourd'hui, il accueille un petit musée, consacré à l'œuvre et à la vie de Goldoni, et un centre d'études théâtrales. La cour intérieure est ravissante, avec ses très beaux puits sculptés et son escalier.

VENISE ET LA VÉNÉTIE

■ ÉGLISE SAN POLO
Campo San Polo
℅ (041) 27 50 462
Ouvert de 10h à 17h du lundi au samedi et de 13h à 17h le dimanche et les jours fériés. Entrée 3 € ou avec le Chorus Pass et la Venice Card.
Fondée au IXe siècle, cette église fut remaniée au XIXe. De la période gothique, elle ne conserve que son beau porche et deux lions romains situés au pied du campanile. L'un deux tient une tête d'homme entre ses pattes. Il s'agirait, selon certains, d'une référence à la condamnation à mort du doge Falier, condamné pour haute trahison, décapité en 1354. Il était accusé d'avoir traité avec Gênes, alors grande rivale de Venise. Son corps fut enterré dans un caveau de l'église San Polo. A ne pas manquer, à l'intérieur, les 14 toiles de la *Via Crucis de Tiepolo*, une Cène du Tintoret et des œuvres de Véronèse et de Palma il Giovane. A la sortie de l'église, attardez-vous sur le très beau Campo San Polo, l'un des plus grands et des plus animés de Venise, lieu de plaisirs et de méfaits. En 1548, sur cette place fut assassiné Lorenzo de Medici, qui avait trouvé refuge à Venise après avoir tué son cousin, le duc Alessandro. Tous les ans, on y organise un très beau carnaval, et les enfants s'y retrouvent à la sortie de l'école pour jouer… bien qu'une plaque de 1611 apposée sur l'abside de l'église San Polo y interdit tout commerce et jeu. Ne partez pas sans avoir admiré les remarquables façades du Palazzo Tiepolo-Maffetti, du Palazzo Corner-Mocenigo et, sur le côté est, du Palazzo Soranzo, formé de l'union de deux édifices gothiques. En face de l'église, vous pourrez voir le campanile qui date de 1362.

■ MARCHES DU RIALTO, PESCHERIA ET ERBERIA
Poissons : de 5h à 12h30 du lundi au samedi. Légumes : de 7h à 13h du mardi au samedi.
Très colorés et vivants, ces deux marchés existent depuis des siècles. Le quartier du Rialto (Rialto : Rivo alto, soit rive haute) fut un des premiers quartiers de la lagune et le centre commercial et financier de la ville (les prostituées n'y manquaient pas non plus). La halle médiévale de la Pescheria, restaurée au début du XXe siècle en style néogothique, est l'un des marchés aux poissons les plus animés et les plus typiques d'Italie.

■ SCUOLA GRANDE DI SAN GIOVANNI EVANGELISTA
Campiello della Scuola
Campo San Stin San Polo, 2454
℅ (041) 71 82 34
www.sgiovanniev.it
Actuellement centre de congrès et réunions. Visite avec accord préalable et réservation téléphonique pour 5 € par personne.
La Scuola San Giovanni Evangelista fut créée fin XIVe et s'installa en plein cœur de Venise. Avec l'essor de la Sérénissime se développa un grand complexe de bâtiments à la décoration intérieure et extérieure admirable, magnifique cadre pour des concerts classiques. Pietro Lombardo conçut le magistral arc de portail. Mauro Condussi construisit le grand escalier qui aboutit à la salle du chapitre. Et de nombreux peintres contribuèrent à la décoration de l'ensemble : Vittore Carpaccio, Gentille Bellini, Tizian dont les œuvres décrivent fidèlement la naissance du monde vénitien… Promenez-vous dans ces superbes salles, l'Atrium, le salon San Giovanni, la chapelle Sainte-Croix. Et venez écouter ici *la traviata* de Verdi, la *Tosca* de Puccini, ou *le Barbier de Séville* de Rossini…

Santa Croce

■ CA' PESARO – GALERIE INTERNATIONALE D'ART MODERNE ET MUSÉE D'ART ORIENTAL
Fondamenta de Ca'Pesaro
Santa Croce, 2076
℅ (041) 72 11 27 – Fax : (041) 52 41 075
D'avril à octobre de 10h à 18h ; de novembre à mars de 10h à 17h. Entrée 5,50 €. Museum Pass accepté.
La Cà Pesaro est un admirable exemple de baroque vénitien. Construite au XVIIe siècle par Baldassare Longhena, réalisateur aussi de la Ca' Rezzonico, elle fut achevée par Antonio Gaspari en 1710. Aujourd'hui, ce magnifique palais accueille deux musées : la galerie internationale d'Art moderne et le musée d'Art oriental (le billet est valable pour les deux). Fondé en 1897, la galerie a été créée à partir des œuvres présentées à la première Biennale et représente aujourd'hui une des plus grandes collections de peintures, sculptures et d'art graphiques italiens et internationaux, du XVIIIe siècle à nos jours. On y admire notamment des œuvres de Rodin, Bonnard, Matisse, Klee, Klimt (Salomé), Kandinsky, etc. Le musée d'Art oriental est né de la collection personnelle d'un

particulier vénitien de la fin du XVIIIe siècle ; On y conserve des œuvres provenant de Chine, d'Indonésie et une très importante collection d'art japonais de la période Edo, l'une des plus grandes qu'il est possible d'admirer sur le Vieux continent.

■ MUSEO DI PALAZZO MOCENIGO CENTRE D'ETUDES ET D'HISTOIRE DU TISSU ET DU COSTUME

San Stae, Santa Croce, 1992
✆ (041) 72 17 98
Fax : (04) 52 41 614
www.museicivicivenezieni.it
Ouvert d'avril à octobre de 10h à 17h et de novembre à mars de 10h à 16h. Entrée 4 €. Museum Pass et Rolling Venice accepté.
Construit à l'aube du XVIe siècle, agrandi au XVIIe siècle, le palais Mocenigo a deux façades identiques, l'une qui donne sur l'eau et l'autre sur la « salizada ». Propriété de la célèbre dynastie des doges, il a été donné à la Ville de Venise par Alvise Nicolo, en 1945, dans le but d'être transformé en « galleria d'arte ». En 1985, les appartements, restaurés, ont été ouverts au public et l'on pénètre désormais dans une sorte de maison-musée. Les concepteurs de l'exposition ont en effet cherché à conserver l'ambiance du XVIIe siècle. Ainsi, les meubles sont d'origine et les livres sont présentés dans leur bibliothèque. En plus de ces appartements, on peut admirer une belle collection de robes et de tissus précieux français et italiens, de costumes d'époque, d'accessoires de mode.

■ CASTELLO

Le sestiere de Castello est le plus grand des six quartiers vénitiens. Il date de la fin de l'époque romaine. Tout commença par la construction d'un fort, qui a probablement donné son nom au quartier car castello veut dire « château » en italien. Comprenant des espaces publics et des zones construites, le Castello est dominé, dans sa partie orientale, par la structure de l'Arsenale, lieu symbolique de la puissance maritime militaire de la Serenissima, qui est séparé et qui se distingue du reste du quartier par ses hautes murailles et ses tours emberlificotées.

Dans la partie occidentale, le tissu urbain devient extrêmement complexe (en clair, vous vous y égarerez à coup sûr !). Les maisons et les églises s'emboîtent entre elles. Cette partie compte quelques constructions d'architectures byzantine et gothique. C'est également là que se trouvent la plupart des hospices et les couvents. Au sud-est, au contraire, le quartier devient particulièrement populaire. Fait notable, cette partie de Castello abrite l'unique espace vert de la ville, I Giardini (les jardins), d'époque napoléonienne, et les palais-musées de la Biennale internazionale (d'art ou d'architecture, un an sur deux).

A l'extrême sud, les îles de San Pietro et de Sant'Elena sont les quartiers nouveaux de Venise. L'île de Sant'Elena abrite, outre les logements, le collège naval militaire Morosini et le stade de la ville. Diverses institutions ecclésiastiques y sont également installées. L'urbanisation de cette aire débuta à l'époque napoléonienne avec la consolidation des berges et l'édification de quais. Aujourd'hui, le quartier se développe principalement derrière l'Arsenale, vers l'ouest, particulièrement à Celestia, à Bacini et autour de la Via Garibaldi. Ces quartiers, avec ceux de Cannaregio, sont les plus populaires. On s'y promène agréablement au milieu d'un brouhaha ambiant caractéristique et du linge tendu (grâce à un système de fils et de poulies) entre les maisons aux couleurs vives. On y respire vraiment Venise, en somme…

Hébergement

En ce qui concerne le logement, Castello est un quartier contrasté. Vous y trouverez en effet les hôtels les plus chic, comme le Danieli, sur la Riva degli Schiavoni et, dans sa partie est, des hôtels à la portée de tout le monde.

■ HÔTEL CANEVA

Castello, 5515
✆ (041) 52 28 118
Fax : (041) 52 08 676
www.hotelcaneva.com
Situé à 2 minutes de la place Saint-Marc et juste en face de l'ancienne demeure de Giacomo Casanova, cet hôtel, géré par une famille, compte 23 chambres dont certaines avec vue sur un petit canal. Les chambres sont propres et simples, meublées dans un style moderne et confortable et toutes placées au 1er étage. Certaines sont peut-être un peu petites mais toujours très lumineuses. Possibilité de loger en chambres à trois ou à quatre lits. Gino, le propriétaire, est très charmeur.

■ HÔTEL DANIELI

Castello 4196
(ponte del Vin, Riva degli Schiavoni)
✆ (041) 52 26 480
www.luxurycollection.com/danieli
L'hôtel Danielli (cinq étoiles « Luxe ») est l'hôtel mytique qui abrita les amours tumultueuses de George Sand et d'Alfred de Musset dans la chambre n°10, et vit défiler bien des célébrités. Avec ses 233 chambres, cet hôtel est le synonyme du luxe et de la splendeur de Venise. Situé dans l'ancienne demeure de style gothique du doge Dandolo, l'un des plus célèbres du XIVe siècle, sa décoration est somptueuse : lustres de Murano, tapisseries, colonnes de marbre rose, plafonds décorés à la feuille d'or, ameublement d'époque… Superbe panorama depuis le restaurant du dernier étage.

■ LOCANDA LA CORTE

Calle Bressana, Castello 6317
(Campo Santi Giovanni e Paolo)
✆ (041) 24 11 300
Fax : (041) 24 15 982
www.locandalacorte.it
Situé à quelques pas du Campo SS. Giovanni e Paolo, un des plus charmants de Venise, cet hôtel allie le romantisme typique des palais du XVIe siècle au confort le plus moderne. Planchers à la vénitienne, poutres apparentes, cour-jardin intérieure décorée d'un joli puits jadis utilisé par les habitants de la calle, cet hôtel est une oasis de paix et de charme. Les chambres lumineuses et spacieuses et sobrement (ce qui n'est pas toujours le cas dans les hôtels vénitiens) meublées dans le style vénitien sont pourvues de tout le confort, avec accès Internet wi-fi et climatisation incluse en été.

■ RESIDENZA DEL DOGE

Castello, 6113/A
✆ (041) 09 94 402
Fax : (041) 09 94 402
residenzadeldoge@virgilio.it
La Residenza del Doge se situe dans une rue tranquille à côté de la Piazza San Marco. Les propriétaires de cet ancien petit manoir XVIIIe ont pour particularité d'avoir un grand salon où les hôtes peuvent, s'ils le souhaitent, faire connaissance et qui sait, nouer de nouvelles amitiés… Les chambres sont décorées avec goût et chaque détail de ce lieu a été étudié, avec soin.

Restaurants

■ L'ACIUGHETA

Campo SS. Filippo e Giacomo
Castello 4357
(Santa Maria Formosa)
✆ (041) 522 42 92
Fax : (041) 52 08 222
Ouvert tous les jours de 11h30 à 23h30. Repas entre 15 et 32 €, menu à 16 €.
Appartenant aux propriétaires de l'hôtel Rio, ce restaurant situé près du Campo Santa Maria Formosa est très connu parmi les amateurs pour sa riche carte de vins. Comptoir en bois et poutres apparentes, l'ambiance est très chaude et familiale, et la clientèle composée de trentenaires et d'hommes d'affaires. On y déguste les plats typiques de la tradition vénitienne et d'excellentes pizzas (essayez celle à la mozzarella de bufflonne et tomates fraîches). N'hésitez pas à imiter les habitués en dégustant un bon verre de vin au comptoir en attendant votre pizza. Beau jardin où se détendre en été.

■ OSTERIA OLIVA NERA

Salizzada dai Greci,
Castello 3417/3446
(près du Ponte dei Greci)
✆ (041) 52 22 170
Fax : (041) 52 30 393
www.osteria-olivanera.com
Ouvert de 12h30 à 14h30 et de 19h à 22h. Fermé le mercredi. Comptez entre 30 et 50 €, la bonne carte de vins faisant pratiquement la note. Réservation obligatoire en haute saison.
Hors des parcours touristiques, cette osteria, désormais pourvue de deux salles, offre une cuisine vénitienne typique et de qualité. Dégustez en particulier la salade de poulpe aux pommes de terre ou les coquilles Saint-Jacques aux cèpes. Une centaine d'étiquettes pour la carte des vins, régionaux pour la plupart. Quelques tables en terrasse l'été, mais peu faciles à saisir car les Vénitiens vous auront sans doute précédés. Dino et Isalla sont très à l'écoute et ils s'occupent de leur restaurant avec passion.

■ TRATTORIA DA REMIGIO

Castello 3416
(près de la Scuola
San Giorgio dei Greci)
✆ (041) 52 30 089
Fax : (041) 241 78 28
Ouvert du lundi au vendredi de 13h à 2h du

matin et le samedi de 19h à 23h. Comptez entre 55 et 65 € avec une bonne bouteille de vin. La Da Remigio est connue à Venise depuis les années 1950. Depuis cette époque, elle attire une clientèle d'habitués qui apprécient sa cuisine à base de poisson. Si le décor est un peu froid, le service est impeccable mais, malheureusement, les prix du poisson ne baissant pas (dit le patron), le repas reste assez cher. Le chef parle par ailleurs très bien français, et c'est tant mieux, car il vous aidera à comprendre les subtilités de la carte. A vous de jouer !

Points d'intérêt

■ L'ARSENAL

Partiellement ouvert au public. Entrée à partir du Campo dell'Arsenale. Arrêts de vaporetto Arsenale ou Celestia (n° 41-42).

Le mot « arsenal » dérive de l'arabe darsinâ'a, ce qui signifie « maison de fabrication ». Et, en effet, l'Arsenal de Venise fut le grand chantier naval de la ville pendant neuf siècles à partir de 1104, année où sa construction fut ordonnée par le doge Ordelaffo Falier. Avec les quartiers de San Marco et Rialto, il fut l'un des principaux pôles d'activité de la cité des Doges, centre de production et cœur de la puissance de la Serenissima. Imposant complexe couvrant 1/10e du centre historique de la ville, l'Arsenale était une ville dans la ville. Il regroupait des chantiers, des dépôts et des ateliers, et il conditionnait la vie des quartiers limitrophes, les commerces et les habitations des arsenalotti, ces charpentiers de marine. Au XVIe siècle, le niveau de spécialisation des ouvriers travaillant à la construction des galères de la flotte vénitienne et des navires marchands était tellement élevé qu'on y trouvait une sorte de chaîne de montage qui employait 16 000 ouvriers. Bien défendu par des canaux artificiels et naturels et par de grands remparts, l'arsenal resta en pleine activité jusqu'à la fin de la Seconde Guerre mondiale, au cours de laquelle il fut utilisé comme abri antiaérien.

Aujourd'hui, les espaces qui avaient été occupés par l'Arsenal ont été répartis entre la Marine militaire italienne et la commune de Venise. A partir de 2003, cette dernière a commencé à utilisé les structures lui appartenant pour des expositions temporaires liées à la Biennale d'art et d'architecture. Le portail d'entrée de l'Arsenale, ressemblant à un grand arc de triomphe et enjambant le Rio dell'Arsenal, est considéré comme l'un des premiers exemples d'architecture de la Renaissance. Il présente, dans sa partie supérieure, un grand lion, attribué à Bartolomeo Bon et installé en 1571, avec les deux Victoires ailées ajoutées après la bataille de Lépante. Il est entouré de quatre lions en marbre. A l'entrée du Rio dell'Arsenale, qui relie les darses internes au canal de San Marco, s'élèvent deux tours datant de 1686. Un des lieux les plus intéressants de ce complexe est l'édifice des Corderia della Tana (Tana était la ville située sur le fleuve Don, appelé à l'époque Tanai, d'où étaient importées les cordes). Reconstruit à la fin du XVIe siècle par Antonio Da Ponte, c'était le hangar où l'on stockait le chanvre utilisé pour la construction des amarres.

■ CAMPO SANTA MARIA FORMOSA

Une vaste place animée, idéale pour une pause réparatrice, où se dresse, au sud, l'église Santa Maria Formosa et où se tient un marché en semaine. On y célébrait la fête des Douze Marie. Sur le côté droit du campo, remarquez une jolie margelle de puits sculptée par Jacopo Sansovino.

■ ÉGLISE DE SAN ZACCARIA

Campo San Zaccaria
Castello 4693
℧ (041) 522 12 57
Ouvert de 10h à midi et de 16h à 18h du lundi au samedi, et de 11h à midi et de 16h à 18h le dimanche et les jours fériés. Entrée libre.

Arsenal

Arsenal

Fondée au IXe siècle, l'église San Zaccaria est le résultat de multiples remaniements qui se sont succédé pendant plusieurs siècles. Elle acquit sa forme actuelle au XVe siècle, lorsque la nef gauche et l'abside de l'ancienne petite église gothique furent incorporées dans une structure plus grande de style Renaissance. La façade, mêlant le style gothique (bas) au style Renaissance (haut), fut commencée par l'architecte Antonio Gambello entre 1458 et 1481 et achevée par Mauro Codussi en 1515. Le campanile en brique, l'un des plus anciens de la ville (XIIIe siècle), est de style vénéto-byzantin. L'intérieur mêle harmonieusement les styles gothique et Renaissance. On peut y voir des œuvres célèbres de Palma il Giovane, du Tintoretto, de Bassano (les trois dans la chapelle Sant'Anastasio), de Giovanni Bellini, *Vierge à l'Enfant entourée de saints,* et d'Antonio Vivarini (triptyque de la chapelle San Tarasio ; accès payant). Au XIIe siècle, les sœurs du couvent bénédictin de San Zaccaria offrirent une partie de leur brolo (jardin) à la Ville de Venise pour contribuer à l'élargissement de la Piazza San Marco. Aussi, le jour de Pâques, le doge avait l'habitude de se rendre en visite solennelle à l'église San Zaccaria afin de remercier les sœurs de leur don. Remarquez que les nonnes de San Zaccaria étaient toutes issues de nobles familles vénitiennes et… connues pour leurs mœurs peu « catholiques ».

■ ÉGLISE SAN FRANCESCO DELLA VIGNA
Ramo San Francesco
✆ (041) 52 06 102

Ouvert tous les jours de 8h à 12h30 et de 15h à 19h.

Vigna en italien signifie « vignoble ». Un vignoble poussait en effet à l'endroit où les franciscains ont édifié cette église en 1253. San Francesco delle Vigna fut réaménagée en 1534 par Jacopo Sansovino, d'après les conseils du moine Zorzi qui basa ses calculs sur le chiffre de la Trinité : 9 pas sur 27 pour la nef, 3 pas pour les chapelles latérales. Andrea Palladio construisit la façade quelques années après. Vous êtes ici dans la deuxième grande église franciscaine de Venise, toute de rigueur et de simplicité, après Santa Maria dei Frari. Le chœur, autrefois occupé par les moines, est derrière l'autel. A l'intérieur, le cloître à gauche de l'autel conserve une *Vierge à l'Enfant* de Giovanni Bellini, et deux tableaux de Véronèse : la *Conversation sacrée,* et la *Résurrection de Christ.*

■ ÉGLISE SAN GIOVANNI IN BRAGORA
Campo Bandiera e Moro, Castello
✆ (041) 27 02 464

Ouvert de 9h à 11h à 16h du lundi au samedi. Visites organisées par l'Associazione Sant'Apollonia. L'église San Giovanni in Bragora s'élève sur la Campo Bandiera e Moro. Cette édifice témoigne parfaitement du passage, à Venise, du gothique à la Renaissance. La façade gothique fut en effet modifiée aun début de la Renaissance, en 1475. Sur le maître-autel, admirez le magnifique *Saint Jean baptisant le Christ de Cima* de Conegliano. La scène, dans des tons bleu et argenté, se passe dans un cirque de montagne. Admirez aussi le retable de Bartolomeo Vivarini. On peut voir encore ici une peinture en quatre parties attribuée à Sainte Catherine des Vigri qui représente des martyres peintes sur fonds d'or. C'est encore dans cette église que fut baptisé Antonio Vivaldi, né dans dans le sestierce del Castello le 4 mars 1978. Prêtre catholique, les Vénitiens le surnommaient « il Prete rosso » (le Prêtre roux).

◼ ÉGLISE SAN PIETRO DI CASTELLO

℅ (041) 27 50 462

Du lundi au samedi de 10h à 17h. Dimanche de 13h à 17h. Entrée 2,50 € ou avec le Chorus Pass.

Cette vieille église s'élève sur le Campo San Pietro, au nord de la Via Garibaldi. Longtemps considérée comme la cathédrale de Venise, elle fut remplacée par la plus « visible » basilique Saint-Marc en 1807. Sa structure de base, du VIIe siècle, a été transformée, vraisemblablement par Andrea Palladio, au XVIe (façade). Son campanile penché, qui domine l'île, est l'œuvre de Mauro Coducci qui l'érigea à la fin du XVe siècle, tandis que sa coupole fut ajoutée à la fin du XVIIe siècle. A l'intérieur, la chapelle Lando et la chapelle Vendramin conservent des peintures du XVIIe siècle. Mais la pièce la plus intéressante de l'église est un siège de marbre provenant d'Antioche, dit le trône de saint Pierre, dont le dossier est constitué d'une stèle funéraire décorée de versets du Coran. Avant de quitter les lieux et de découvrir les autres trésors que cache cette partie de Castello, ne manquez pas de jeter un coup d'œil au Palazzo Patriarcale, ancien palais épiscopal situé non loin de l'église.

◼ ÉGLISE SANTA MARIA DELLA PIETA'OU DELLA VISITAZIONE

Riva degli Schiavoni

℅ (041) 53 27 395

Ouvert tous les jours de juin à septembre de 9h30 à 12h30 et de 15 à 18h.

Le reste de l'année, seulement pour les messes et les concerts (les lundi et mardi). Edifiée au XVe siècle, cette église fut reconstruite à la fin du XVIIIe par Giorgio Masari (sauf sa façade sculptée de reliefs datant de 1906). L'Ospedale della Pietà, annexé à l'église, était connu pour accueillir les jeunes orphelines et bâtardes vénitiennes et pour l'œuvre de son maître de chapelle, Antonio Vivaldi, qui y enseigna et en dirigea l'école de musique pendant 37 ans, entre 1703 et 1740. Le plafond de l'église est décoré d'une fresque de Gianbattista Tiepolo, *Triomphe de la Foi.*

◼ EGLISE SANTI GIOVANNI E PAOLO

Campi Santi Giovanni e Paolo

℅ (041) 52 35 913

Ouvert du lundi au samedi de 8h à 12h30 et de 15h30 à 18h, le dimanche de 15h à 17h30. Entrée : 2,50 €.

Cette église dominicaine, appelée par les Vénitiens « Zanipolo », est l'une des plus grandes d'Europe et des plus ornées de la sérenissime, c'est dire ! Construite entre le XIIIe et le XIVe siècle, elle mesure 100 m de longueur sur 30 m de largeur (nef) et 45 m (transept) sur 32 m de hauteur. Sa coupole fait 45 m de diamètre. Les colonnes de son imposante façade au portail décoré de reliefs byzantins attribués à Bartolomeo Bon, appartenaient à une ancienne église de Torcello. Les quatre reliefs qui entourent le portail sont des urnes funéraires, celles de l'extrême gauche étant celles de Jacopo et Lorenzo Tiepolo. Une rosace décorée de vitres de Murano et les trois pinacles abritant les statues de saint Pierre, de saint Dominique et de saint Tomas d'Aquin ornent le sommet de la façade. L'église abrite plusieurs tombeaux de doges vénitiens. Le tombeau situé à droite de l'entrée est celui du doge Pietro Mocenigo ; il a été réalisé par Pietro Lombardo en 1481. Plus loin, du côté gauche, on peut admirer la chapelle de Saint-Dominique au plafond décoré d'une fresque de Piazzetta. Cette chapelle abrite une relique de sainte Catherine (son pied). Le maître-autel, de style baroque, fut réalisé par Baldassarre Longhena. Sur sa gauche se trouve le tombeau d'Andrea Vendramin, œuvre de Pietro Lombardo. En poursuivant sur la gauche du maître-autel, vous pourrez admirer la beauté de la chapelle du Rosario, décorée de splendides toiles de Paolo Véronèse dont notamment une Adoration des bergers. En sortant de la chapelle, ne manquez pas de jeter un coup d'œil au Christ portant la Croix, de Vivarini, situé dans la sacristie. Enfin, avant de quitter l'église et si vous n'êtes pas retenus par un concert, remarquez encore le tombeau du doge Nicolò Marcello, œuvre de style Renaissance de Pietro Lombardo.

◼ GIARDINI PUBBLICI

Via Garibaldi

Un des lieux les plus paisibles de Venise permettant de jouir d'une des vues les plus sublimes sur la lagune. Les jardins municipaux étaient autrefois un quartier de pêcheurs et de merlettaie (les dames qui travaillaient les dentelles).

Construits par Napoléon Ier, les jardins sont aujourd'hui un haut lieu de l'art contemporain international, abritant la célèbre Biennale Internazionale d'Arte Contemporanea. L'entrée principale des jardins (Viale Trento ou Riva dei Partigiani) est gardée par une statue en bronze de Giuseppe Garibaldi.

■ MUSEO DIOCESANO D'ARTE SACRA

Ponte della Canonica, Castello
✆ (041) 52 29 166
Ouvert du lundi au samedi de 10h30 à 12h30. Fermé le dimanche et les jours fériés. Entrée libre. Dons appréciés.
Dans l'ex-couvent bénédictin de Sant'Aponal ou Sant'Apollonia, unique bâtiment roman de Venise, vous découvrirez un magnifique cloître et un intéressant musée d'Art sacré. ce dernier abrite notamment des œuvres du Tintoret et de Palma il Giovane, provenant des églises et des couvents fermés par Napoléon, qui n'ont pas pour autant rejoint les collections des musées nationaux français.

■ MUSEO STORICO NAVALE

Campo San Biagio,
ex-Granai della Repubblica, Arsenale
Castello, 2148
✆ (041) 52 00 276
Ouvert du lundi au vendredi de 8h45 à 13h30 et le samedi de 8h45 à 13h. Entrée 3 €. Carte Rolling Venice acceptée.
Ce musée, créé par les Autrichiens en 1815, est installé à l'entrée de l'Arsenale. Passionné ou néophyte, l'histoire maritime de Venise s'offre à vous à travers les 42 salles de ce musée. Vous admirerez une quantité impressionnante de maquettes de navires construits dans l'Arsenale. De la Bucentore, la barge des cérémonies des doges détruite par Napoléon en 1897, aux célèbres galères, en passant par la gongole particulière de Peggy Guggenheim, admirer ces embarcations indissociables de l'histoire et de la vie vénitienne est un réel plaisir. Cette collection de maquettes est complétée par de nombreux instruments de navigation anciens, des uniformes, des cartes géographiques. N'hésitez pas à embarquer pour cette passionnante croisière au fil des siècles.

■ RIVA DEGLI SCHIAVONI

Ce quai est certes très touristique mais, il est vrai, remarquable. Il doit son nom aux marins de la Schiavonia, nom que les Vénitiens donnaient autrefois à la Dalmatie, dont les bateaux remplis d'esclaves jetaient l'ancre près d'ici. Chaque heure donne au bassin une couleur nouvelle. Vous croiserez les ombres de George Sand et de Musset qui abritèrent leurs amours à l'hôtel Danieli, après le Pont des soupirs et les Prigioni. Et vous admirerez palais et églises, mais aussi les îles de la Grazia et de San Servolo, au loin le Lido, et puis, bien sûr, les coupoles de la Salute, le clocher de San Giorgio, la boule d'or de la douane de mer. Après le Ponte del Vin, le quai devient plus calme. On peut jeter un oeil au monument équestre de Vittorio Emanuele II, datant de 1887 et entrer dans l'église Santa Maria della Pietà pour y découvrir son vaste vestibule, où ont lieu des concerts, et une fresque de Tiepolo. Enfin, vous ne pourrez pas éviter de jeter un coup d'œil à la lagune et d'admirer la vue de l'île de San Giorgio.

■ STATUE DU COLLEONI

Campo Santi Giovanni e Paolo
Castello
Cette statue en bronze, qui évoque celle du Gattamelata de Donatello (Padoue, place du Santo), est l'œuvre d'Andrea Verrocchio, grand sculpteur florentin et maître de Léonard de Vinci. Elle fut commandée par le condottiere Bartolomeo Colleoni, qui, ayant légué sa fortune à la Serenissima, avait exprimé le vœu qu'une statue lui soit érigée sur la place Saint-Marc. La République contourna le souhait du condottiere en installant la statue, non pas sur la place Saint-Marc mais devant la Scuola de Saint-Marc !

■ VIA GARIBALDI

Cette grande avenue était autrefois un canal. Comblé en 1807, le canal s'est transformé aujourd'hui en une des artères les plus animées de Castello. Animée de bars, de restaurants et de magasins, cette rue, la seule via avec la Via XXII Marzo, constitue un passage obligé pour ceux qui décident d'explorer la partie la plus extrême du vieux Venise. Peu de touristes s'y aventurent, mais la promenade dans les ruelles populaires qui l'entourent vaut absolument le coup si vous cherchez Venise habité par les Vénitiens authentiques. A l'entrée de la Via Garibaldi, ne manquez pas de jeter un coup d'œil à la maison de Jean Cabot (première à droite), l'explorateur italien qui découvrit Terre-Neuve et le Labrador.

■ ZONE EST DE CASTELLO

A partir de ce point, vous pouvez vous aventurer dans la partie est de Castello, l'une des plus authentiques de Venise. Vous explorerez l'île de San Pietro, l'un des premiers lieux habités de la lagune, sur lequel se trouvait jadis un château, d'où le nom de « castello » donné au quartier, et l'île de Sant'Elena. Situés hors des circuits touristiques, ces quartiers populaires vous offrent le luxe d'un vrai dépaysement, puisque vous êtes à peu près sûr de ne pas rencontrer votre voisin de palier (comme ce peut être le cas vers San Marco). Bref, c'est une balade reposante qui vous montrera une facette méconnue de la cité des Doges.

DORSODURO

Le *sestiere* de Dorsoduro (dont le nom, du fait de son terrain extrêmement rehaussé et dur, signifie « dos dur »), bien qu'ayant une position excentrée par rapport à Rialto et San Marco, est un endroit assez fréquenté par les touristes, notamment dans sa partie orientale, où sont situés de nombreux monuments et les universités vénitiennes.

Le musée Peggy Guggenheim, l'ensemble della Carità comprenant les Gallerie dell'Accademia, l'école des Beaux-Arts (Accademia delle Belle Arti) et le pont de l'Accademia, ne sont que quelques exemples de la richesse de cette partie de Dorsoduro.

Dans l'homogénéité dense de cette zone, le Campo Santa Margherita, à la croisée des universités, constitue en quelque sorte le Quartier latin de la ville.

Point de rencontre favori des étudiants, avec son petit marché et ses terrasses ensoleillées, où les bars pratiquent encore des prix accessibles et où les étudiants font la fête jusque très tard dans la nuit, il est un lieu idéal pour l'apéritif du soir et pour goûter un verre de spritz (l'apéritif local).

Les palais et les immeubles de cette partie de Dorsoduro sont habités surtout par les Vénitiens aisés (certaines vieilles familles d'origine patricienne y élurent leur domicile après la chute de la République) et par les touristes anglais. Cependant, ce quartier offre encore des coins typiquement vénitiens.

À l'extrême ouest, où sont rassemblés la station maritime et les entrepôts, le quartier de San Nicolò dei Mendicoli est une zone plus populaire. Cependant, cette partie de Dorsoduro est en pleine transformation. Ses édifices ont été comptabilisés comme faisant partie du patrimoine préindustriel et ils sont déjà en cours de rénovation ou de réhabilitation (comme le siège de l'IUAV, l'université d'architecture, qui se trouve dans une zone d'entrepôts désaffectés). N'hésitez donc pas à aller vous promener au clair de lune sur le quai des Zattere jusqu'à la Punta Della Dogana, le long du Canale della Giudecca ; le spectacle de la lagune y est unique.

Hébergement

Dans le passé, Dorsoduro était un des quartiers populaires de Venise. Mais avec le temps, grâce à la présence de l'université et de l'école de Beaux-Arts, il est devenu un quartier chic. C'est pourquoi les bonnes adresses ne manquent pas, si on sait les chercher.

■ ANTICO CAPON

Campo Santa Margherita
Dorsoduro, 3004/B
✆ (041) 52 85 292
www.anticocapon.com
Un établissement très propre et pas très cher. En raison de sa situation exceptionnelle, c'est le lieu rêvé pour ceux qui viennent à Venise faire la fête, en plein dans le mille. Si, au contraire, vous souhaitez dormir tôt, attendez-vous à « un peu » de brouhaha en bas de vos fenêtres. Les chambres sont simples mais propres et elles ont une charmante vue sur le campo. Le petit déjeuner est servi dans trois restaurants sur le campo. L'hôtel possède aussi un restaurant à poximité.

■ FUJIYAMA

Calle Lunga San Barnaba 2727/A
✆ (041) 72 41 042
Fax : (041) 27 71 969
www.bedandbreakfast-fujiyama.it
À quelques pas du Campo Santa Margherita, dans une petite rue tranquille et discrète, les propriétaires de ce Bed and Breakfast vous ouvrent les portes de leur petite maison et vous accueillent dans quatre chambres élégantes et confortables : air conditionné, parquet, salle de bains privée. Pour vos petits déjeuners, une salle à l'orientale et un petit jardin fleuri. Une atmosphère asiatique que les propriétaires désirent faire partager, pour avoir vécu au Japon et en Chine. Une bonne adresse.

■ HÔTEL BELLE ARTI

912/A, Dorsoduro (Accademia)
✆ (041) 52 26 230
Fax : (041) 52 80 043
www.hotelbellearti.com

L'hôtel Belle Arti tient son nom du musée qui le jouxte. Depuis l'hôtel, franchir le pont Accademia pour rejoindre la place Saint Marc. Décor traditionnel des 67 chambres, avec mobilier élégant et lustres en verre de Murano. Pour en voir la fabrication, un bateau gratuit part tous les matins à 10 heures de l'hôtel pour l'île de Murano. Agréable jardin intérieur avec jolie fontaine.

Restaurants

C'est à coup sûr le quartier où l'on peut le plus facilement manger sur le pouce car les bars, habitués à une clientèle étudiante, offrent tous de quoi casser la croûte.

Plusieurs bars et petits restaurants se trouvent autour du Campo Santa Margherita et San Barnaba. Les prix, hélas, deviennent de plus en plus chers.

■ AGLI ALBORETTI

Accademia, 884
Dorsoduro
☎ (041) 52 30 058
Fax : (041) 52 10 158
www.aglialboretti.com
info@aglialboretti.com
Fermé en janvier. Risotto à partir de 8 €. Cette risotteria vient de changer de propriétaire et selon ce dernier, elle a plus d'un tour dans son sac. On y mange bien et elle devient aujourd'hui une des cantines préférées des Vénitiens, ce qui est plutôt bon signe.

■ BAR DA GINO

Dorsoduro, 853/A
(Accademia di Belle Arti)
☎ (041) 52 85 276
Ouvert de 6h à 21h. Fermé le dimanche.
Lieu de rendez-vous des futurs artistes italiens, le Bar Da Gino est voisin de l'Accademia delle Belle Arti. C'est donc dans une bonne ambiance estudiantine que vous prendrez un cappuccino, en compagnie des élèves des Beaux-Arts, pendant leur récréation artistique. Idéal pour boire un spritz ou grignoter quelques ciccheti avant d'aller au Guggenheim, un peu plus loin, le long de la pointe, ou d'aller écumer les petites galeries d'art qui ponctuent la route.

■ GELATERIA LO SQUERO

Fondamenta Nani, Dorsoduro, 99
☎ (041) 24 13 601
Arrêt vaporetto Zattere. Comptez 1 € pour une boule et 1,60 € pour deux.
Comme pour tous les bons coins, ici à Venise, celui-ci ne paye pas de mine. Et ce n'est pas encore ici que Venise réussira à vous ruiner. Foncez donc au Squero San Trovaso (là où on répare les gondoles), près de l'Accademia. Vous reconnaîtrez facilement cette petite boutique à sa marquise aux rayures bleues et blanches. Couleurs rafraîchissantes pour des glaces diaboliquement crémeuses. Elles sont faites à la main, à la maison, et rien qu'avec des bonnes choses bien saines, comme dit le propriétaire. Il vous achève en concluant que quand on mange avec plaisir des choses saines, ça ne peut faire que du bien.

Ce monsieur choisit tous ses fruits, qu'il fait venir de Sicile, parce qu'avec *il sole* qu'il y a là-bas, ils sont meilleurs. Le reste des ingrédients ? Lait, crème fraîche, œufs et plein d'autres choses selon les goûts. Les bons glaciers ont en moyenne 12 à 14 parfums à vous proposer. S'il y en a plus, à moins qu'il n'y ait énormément de passage, ça veut dire qu'elles datent de plusieurs jours, donc ne sont plus très fraîches… Ici, pas de problème : tous les Vénitiens connaissent l'adresse et se déplacent volontiers d'un peu loin, le soir, pour venir finir la cena en dégustant une glace assis sur le rebord du petit canal ou, en journée, pour aller ensuite se promener sur les Zattere.

Sortir

■ CAFFÉ TONOLO

Sestiere Dorsoduro, 3764
☎ 041 52 37 209
Certains estiment que Tonolo est la meilleure pâtisserie de Vénise. En rentrant, impossible de ne pas être attiré par la vitrine, qui surtout pendant la période du carnaval, se remplit de croissants, brioches, *foccacce* et gâteaux en tout genre. Allez-y pour un petit déjeuner gourmand, ou bien à l'heure de l'apéro pour un *spritz* et une *pizzetta*.

■ CANTINONE

Sestiere Dorsoduro, 992
Une *osteria* du XIXᵉ siècle, bien plus fréquentée à l'heure de l'apéro qu'au dîner, par des habitués qui depuis des générations passent ici boire un verre. Des plus âgés aux étudiants, tous se retrouvent au Cantinone dans une ambiance très animée, souvent bondée mais où vous n'aurez jamais à faire la queue. L'été, vous prenez votre boisson et vous sortez la siroter assis sur le muret le long du canal, en l'accompagnant bien sûr d'excellents fromages et de charcuterie.

Points d'intérêt

■ CA' REZZONICO
MUSEO DEL SETTECENTO ITALIANO
E PINACOTECA EGIDIO MARTINI
COLLEZIONE MESTROVICH
Calle San Barnaba
Dorsoduro, 3136
℡ (041) 24 10 100,
Réservations ℡ (041) 52 09 070
*Ouvert de novembre à mars de 10h à 17h et
d'avril à octobre de 10h à 18h. Fermé le mardi.
Entrée : 6,50 €. Museum Pass.*
Si vous voulez contempler l'intérieur d'un palais
vénitien, la visite de ce musée est recommandée. De style baroque, la Ca'Rezzonico
fut commencée par Longhena (église della
Salute), pour la famille Bon, en 1667. Mais,
en 1772, en raison de manque d'argent, la
famille Bon céda le palais aux très riches
Rezzonico, Génois fraîchement anoblis qui
chargèrent Giorgio Massari de l'achèvement
de l'ouvrage de Longhena. Depuis 1934, le
palais abrite un musée consacré à la Venise
baroque. Un escalier monumental mène au
premier étage où l'on peut admirer une somptueuse salle de bal, décorée de fresques,
de trompe-l'œil et de meubles sculptés.
Suivent trois pièces décorées de fresques
de Gianbattista et Giandomenico Tiepolo,
dont celle représentant l'allégorie nuptiale
du mariage de Ludovico Rezzonico est particulièrement spectaculaire. Au premier étage
également est installée la pinacothèque Egidio
Martini. Cette collection enrichit l'ensemble
du patrimoine pictural vénitien de quelque
300 œuvres des représentants les plus doués
de la peinture vénitienne, dont Guardi (*Le
Ridotto* et *Le Parloir des nonnes*), Canaletto
et ses vues de Venise (*La Vue du Rio dei
Mendicanti*), Tiepolo et Longhi. Les fresques
peintes par Giandomenico Tiepolo pour la
villa de Zianigo, représentant un spectacle
de lanternes magiques et ses spectateurs,
sont originales et étonnantes. Le dernier
étage, enfin, nous réserve une pharmacie du
XVIIIe siècle et un théâtre de marionnettes.

■ COLLEZIONE PEGGY GUGGENHEIM
Palazzo Venier Dei Leoni
Dorsoduro, 701
℡ (041) 24 05 411
Fax : (041) 520 68 85
www.guggenheim-venice.it
*Vaporetti n° 1 ou 82, arrêt Accademia.
Ouverture de 10h à 18h. Fermé le mardi et le
25 décembre. Entrée : 10 €. Visites guidées :*
60 € pour une durée d'une heure. Installé
dans un palais du XVIIIe siècle, qui devait
à l'origine compter quatre étages mais qui
n'en compte qu'un seul (aussi les Vénitiens
l'appellent-ils il palazzo Nonfinito, « le palais
inachevé »), ce musée fut créé par la célèbre
héritière américaine Peggy Guggenheim. Cette
dame passionnée et excentrique avait un
flair unique pour l'art contemporain. Déjà,
en 1938, elle ouvre son premier musée à
Londres et puis un autre à New York. Mariée en
deuxièmes noces à Max Ernst, elle devient la
bienfaitrice de l'avant-garde artistique qu'elle
soutient même financièrement (comme ce
fut le cas pour Pollock). En 1948, invitée par
la Biennale de Venise, elle décide d'acheter
le palais Venier et d'y installer son troisième
musée.
La ville de Venise lui en est tellement recon-
naissante qu'en 1969, elle lui offre la citoyenneté honoraire. Peggy mourra dix ans plus
tard. Aujourd'hui, sa dépouille et celles de
ses 14 petits chiens shihtzu sont enterrées
dans le jardin du musée.
Le musée Guggenheim de Venise est sans
doute l'un des plus complets et des mieux
aménagés, des musées d'art contemporain.
A travers ses sept salles, vous découvrirez
la maison de Peggy, sa cuisine, décorée par
Picasso, son entrée où est suspendu un mobile
de Calder ou son séjour où sont exposées de
merveilleuses sculptures de Giacometti.
Le musée est divisé en plusieurs sections :
l'ancienne maison de Peggy abrite les
collections qu'elle a constituées au cours
de sa vie, alors que dans une autre partie
du bâtiment se trouve la collection Giovanni
Mattioli. Enfin, de l'autre côté, se trouve un
café, accueillant et calme (bien qu'un peu
cher) et l'aile consacrée aux expositions
temporaires.

■ ÉGLISE
DE SANTA MARIA DELLA SALUTE
Piazzetta della Salute
Dorsoduro, 30123
℡ (041) 52 25 558
*Ouvert de 9h à midi et de 15h à 17h30, jusqu'à
18h30 de juin à septembre.*
La basilique Santa Maria della Salute fut
réalisée par Baldassarre Longhena et ses
élèves entre 1631 et 1687 (Longhena mourut
en 1682) et nécessita la démolition d'un espace
déjà habité. 56 ans furent donc nécessaires
pour pouvoir remercier la Vierge d'avoir libéré
la ville d'une terrible épidémie de peste qui
décima la population vénitienne en 1630.

Depuis, le jour de la présentation de Marie au temple, le 21 novembre, l'église devient lieu de pèlerinage. Pendant cette journée, un pont de barques s'organise sur le Canal Grande permettant à la foule des fidèles de gagner l'église à pied et d'y allumer un cierge. Pour soutenir cette imposante structure de style baroque, 1 556 627 poteaux en bois furent nécessaires. Réalisée en pierre blanche et en forme de couronne octogonale, la basilique est enrichie d'une coupole colossale dont le sommet est couronné par une statue de la Vierge en uniforme de capitaine de Marine. L'extérieur est sculpté de motifs relatifs à la Vierge et à sa fonction de protectrice de la ville, tandis que l'intérieur, très vaste et lumineux, est en pierre florentine grise et soutenu de colonnes de style palladien. Une succession d'arcs renvoie le regard du visiteur vers le maître-autel, sculpté par Juste le Court. L'église est enfin enrichie de beaux ouvrages de Bartolomeo Bon et de Pietro Lombardo. Les peintures de la sacristie, à gauche du maître-autel, sont particulièrement intéressantes : il s'agit en effet de plusieurs toiles du Titien et du Tintoret, dont Les *Noces de Cana* (regardez le premier apôtre de gauche, c'est Le Tintoret en personne !). Tout aussi admirables sont les œuvres de Palma il Giovane ainsi que des icônes d'art gréco-byzantin. L'icône centrale du maître-autel aurait été peinte par saint Luc.

■ GALERIA DELL'ACCADEMIA

Campo della Carità, Dorsoduro, 1050
ⓒ (041) 52 22 247
www.gallerieaccademia.org

Ouverte le lundi de 8h15 à 14h et du mardi au dimanche de 8h15 à 19h15. Fermée les 1ᵉʳ janvier, 1ᵉʳ mai et 25 décembre. Fermeture des caisses, 45 minutes avant. Entrée 8,50 €, tarif réduit (pour citoyens U.E. de 18 à 25 ans) 5,25 €, gratuit jusqu'à 18 ans et pour les plus de 65 ans. Vous pouvez également acheter un billet unique (cumulativo), à 11 € (prix réduit 5,50 €), valable aussi pour la visite de Ca'd'Oro et du musée d'Art oriental. Accès par vaporetto 1 ou 82, arrêt à la station Accademia. Le musée exposant les plus grands maîtres de la peinture vénitienne (Bellini, Carpaccio, Giorgione, Lotto, le Tintoret, Titien, Tiepolo, Guardi), l'affluence touristique en haute saison y est redoutable. La collection offre un panorama complet de la peinture vénitienne, des primitifs jusqu'au XVIIIᵉ siècle. Citons parmi les chefs-d'œuvre, *La Tempête* de Giorgione, *Le Gentilhomme au Lézard* de Lotto, et le *Cycle de sainte Ursule* de Carpaccio.

■ PONTE DELL'ACCADEMIA

Soufflez un bon coup et attaquez vous à la traversée de ce pont en bois quelque peu fatiguant à enjamber, avec sa seule arche assez pentue. Mais San Marco est à ce prix ! Ce pont devait être provisoire lorsqu'il remplaça le précédent, en fer, construit par les Autrichiens, et qui commençait à gêner les nouveaux vaporetti. Mais le provisoire dure toujours... Allez vous y promener le matin, lorsqu'il est baigné par le soleil. Paul Morand, qui aimait s'asseoir de bonne heure à la terrasse du petit café situé à gauche, en venant du quartier de San Marco, en bas du pont, disait de lui : « L'air n'a pas encore

Église Santa Maria della Salute au coucher du soleil

© STÉPHANE SAVIGNARD

Le Ponte dell' Accademia

servi ; il court à vous, tout débarbouillé, venant de la mer »...

■ ZATTERE

Le quai des Zattere s'étend le long du Canale della Giudecca, dans le sud de Dorsoduro. Son nom dériverait des radeaux, zattere en italien, utilisés autrefois pour l'acheminement des marchandises débarquées sur le quai. Depuis

ses nombreuses terrasses de café, vous aurez un panorama sublime sur la lagune et sur le Redentore. C'est la promenade préférée des Vénitiens à la tombée de la nuit

Shopping

■ LORIS MARAZZI SCULTORE
Santa Margherita
Dorsoduro, 2903
℡ (041) 52 39 001
Fax : (041) 52 39 001
www.lorismarazzi.com
Loris Marazzi, un Vénitien de 27 ans, cherche, à travers ses sculptures à « *recueillir l'harmonie des choses de la vie quotidienne et de la transformer en émotions* ». De ses mains, à partir des précieux matériaux qu'il utilise, naissent des œuvres uniques, symbolisant la fantaisie humaine et se manifestant sous la forme de fascinantes sculptures. L'atelier de Loris Marazzi apparaît aux yeux de ceux qui aiment l'art authentique comme une inépuisable source d'imagination. Créées dans le mélancolique et vibrant cadre vénitien de Campo Santa Margherita, ses œuvres ont rapidement suscité l'intérêt des clients célèbres du monde entier, qui aiment à s'entourer d'objets uniques et rares : Mario Valentini, Bruno Magli, Pierre Cardin, Kassogi et beaucoup d'autres.

■ CANNAREGIO

Le sestiere de Cannaregio est le second, après Castello, en terme de superficie. Son nom suscite la controverse. Selon certains, il dériverait de canal regio (canal droit), selon d'autres il vient du fait qu'à l'origine, avant la construction des digues et les travaux de consolidation des sols, le quartier était complètement recouvert de petits canaux et de joncs (« canne » en italien). Le quartier est caractérisé par son tissu urbain typiquement vénitien, et en cela, exemplaire. Au nord s'étend une vaste zone ensoleillée de rii (petits canaux) parallèles, sur lesquels donnent des maisons et des palais alignés à la fondamenta (quai), comme la Fondamenta della Misericordia. Souvent l'espace s'ouvre à l'improviste sur de petites places, laissant apercevoir la façade d'une église (San Alvise, la Madonna Dell'Orto…). Plus au sud, autour d'un vaste campo, le Ghetto, à demi caché par un long mur habité, se referme comme un

hérisson gardant secrètes ses jolies synagogues. Passé les portes est du Ghetto, Strada Nuova et Campo Santi Apostoli introduisent vers les sestieri voisins, plus touristiques : Rialto, Castello ou vers les Fondamente Nuove, à l'embarcadère du vaporetto menant aux îles de San Michele, Murano et Burano.

Hébergement

C'est le quartier où vous trouverez le plus d'hôtels bon marché, notamment autour de la gare Santa Lucia. Malheureusement, les services offerts ne sont pas toujours à la hauteur du prix demandé. Ouvrez bien les yeux donc et demandez à voir une ou deux chambres avant de réserver.

■ HÔTEL BERNARDI SEMANZATO
SS Apostoli 4363
℡ (041) 52 27 257
Fax : (041) 52 22 424
www.hotelbernardi.com

Hôtel à la clientèle plutôt jeune, en raison de ses prix et de son emplacement qui sont très intéressants ! La réservation n'est pas obligatoire, l'accueil des propriétaires est charmant et les chambres sont propres, spacieuses, dont certaines avec vue sur un petit canal… Le patron originaire de Venise connaît parfaitement l'histoire et l'architecture de sa ville. Du campo Santa Sofia on peut traverser le canal en gondole pour se rendre au marché aux poissons. Une très bonne adresse pour les petits budgets à la recherche de confort !

■ HÔTEL SAN GEREMIA

Cannareggio, 270/A ✆ (041) 71 62 45
Fax : (041) 52 42 342
www.sangeremiahotel.com
Situation stratégique pour ce petit hôtel, installé dans un ancien petit palais du XVIIIe siècle : entre la gare et le pont du Rialto. Un hébergement agréable et satisfaisant avec 16 chambres lumineuses et équipées du confort nécessaire : télé, téléphone, coffre-fort, ventilateur. Dix d'entre elles ont une salle de bains privée. Cette adresse a un petit plus : la place, juste devant, où l'on profite des rayons du soleil en terrasse…

■ LOCANDA DEL GHETTO

Cannaregio 2892-2893
✆ (041) 27 59 292
Fax : (041) 27 57 987
www.locandelghetto.net
Comme son nom l'indique, cet hôtel est situé dans un des quartiers les plus intéressants de la ville, et pour compte, ce bâtiment restauré au XVIIIe siècle se trouve non loin du Musée juif, dans le ghetto le plus vieux au monde. La Locanda del Ghetto vous accueille dans des chambres tout confort avec télé câblée, téléphone, air conditionné, coffre, minibar, wi-fi, et salle de bains. Les chambres sont meublées avec goût. Pain et croissant casher au petit déjeuner. L'accueil est chaleureux et la réception est à votre disposition pour toute demande.

Restaurants

Cannaregio est sans doute le quartier que nous avons aimé le plus pour son offre de restaurants typiques dont le charme ne s'est pas encore perdu dans une marée de menus touristiques. Les restaurants des Fondamenta degli Ormesini et de la Fondamenta della Misericordia sont particulièrement indiqués pour leur position enchanteresse au bord des canaux : le lieu idéal pour dîner en amoureux.

Sur le pouce

■ ENOTECA LA CANTINA

Campo San Felice, Cannaregio, 3689
✆ (041) 52 28 258
Ouvert tous les jours, sauf le dimanche, de 10h à 22h.
Les horaires semblent être en fonction de la clientèle. Dans un beau décor de murs blancs et de bois sombre, très bien pensé, on déguste à La Cantina presque les meilleurs panini de Venise accompagnés de très bons vins. On vous fait les panini sur mesure, bien préparés, bien présentés. Vous avez également la possibilité de manger de bonnes salades, bien généreuses. Le service est tranquille et chaleureux. On s'y sent vraiment à l'aise. La bonne musique jazz peaufine le temps. On y passerait des après-midi entiers, mais l'appel du shopping à Strada Nuova est trop irrésistible…

Bien et pas cher

■ ANTICHE CANTINE ARDENGHI

Calle della Testa, 6369,
Cannaregio
✆ (041) 52 37 691
Ouvert tous les jours, sauf le dimanche, de 19h30 à 22h30. Comptez 36 € le menu (pas de cartes de crédit). Réservation indispensable au moins un jour à l'avance.
Un bacaro au milieu de photographies accrochées aux murs, vous dégusterez quelques plats vénitiens comme la soupe de pâtes aux haricots (pasta e fagioli) ou du potage de riz aux petits pois (risi e bisi). Excellents jambons San Daniele. Ouvert seulement le soir, l'on y sert encore des recettes aujourd'hui disparues tel le bisato in humido, de l'anguille bouilli avec de la polenta. C'est une véritable plongée dans les traditions culinaires de la cité des Doges.

Bonnes tables

■ L'ANICE STELLATO

Fond. della Sensa, 3272
Canaregio
✆ 041 72 07 44
Repas 15-30 €.
Ambiance rustique pour cette osteria très vénitienne, où vous ne risquez pas de croiser que des touristes. La cuisine typique vénitienne propose des plats savoureux comme la *polenta* aux seiches, ou du poisson grillé très frais au citron et au gingembre.

■ OSTERIA AI QUARANTA LADRONI

Canareggio, Fond. della Sensa 3253
℃ 041 71 57 36
Repas 25-35 €.

Ici les Vénétiens arrivent en petit bateau personnel, comme nous pourrions arriver en voiture. Le long du canal, on dîne au bord de l'eau dans un cadre composé d'anciennes demeures et d'églises Renaissance loin des bains de foule. La réservation est conseillée, mais si cependant vous n'avez pas pu réserver, on vous fera patienter en buvant un verre d'excellent vin blanc et en croquant des grissins assis sur un petit pont à cheval sur le canal.

■ OSTERIA ALLA VEDOVA

Calle del Pistor, 3912
Canareggio
℃ 041 52 85 324
Repas 18-38 €. Fermé le dimanche.

Une des plus anciennes osterie de Venise. A quelques pas du cinéma le plus fréquenté de Venise, Al Giorgione, les Vénitiens s'arrêtent alla Vedova pour boire un verre de vin et avaler un *polpetta* (boulette de viande) avant ou après le spectacle. A saisir à peine sorties du four, car elles sont si savoureuses qu'elles partent tout de suite !

■ OSTERIA BOCCADORO

Campo Widmann,
Cannaregio, 5405/A
(Fondamenta Nuove)
℃ (041) 52 11 021
Ouvert de midi à 15h30 et de 18h à minuit. Fermé le lundi. Comptez environ 50 €. Réservation conseillée.

L'Osteria-Enoteca Boccadoro se trouve sur le joli Campo Widmann, sur la route des Fondamenta Nuove. Sous l'agréable toit de glycines, vous pourrez déguster de nombreux plats d'excellente qualité, boire de bons vins et apprécier une musique de qualité. Les propriétaires appellent occasionnellement des artistes pour des concerts à l'extérieur. La simplicité de la cuisine exalte la saveur des poissons des eaux adriatiques. Des vins parfumés, secs, aromatiques ou fruités les accompagnent harmonieusement. Des soirées dédiées à la cuisine sarde revisitée par le chef sont régulièrement organisées. Elles vous permettront de voyager sur place, et ne représenteront qu'une toute petite trahison, à peine un intermède, dans votre relation avec Venise. Les prix sont un peu élevés, mais les plats, eux, ne vous trahiront pas.

Points d'intérêt

■ ANTICO GHETTO EBRACO DI VENEZIA

Ghetto Nuovo,
Cannaregio, 2902/B
www.ghetto.it

Divisée en Ghetto Vecchio et Ghetto Nuovo, cette partie de Cannaregio est tristement célèbre pour avoir été à l'origine du mot ghetto qui dériverait du nom de la zone où les juifs de Venise étaient contraints à vivre. L'attitude de la Sérénissime à l'égard des Juifs fut toujours ambiguë. Au début du XVIe siècle, l'antisémitisme battait son plein dans la région et les juifs de Trévise, de Padoue et de Vérone se réfugièrent en masse à Venise. Les prédicateurs dominicains en profitèrent pour demander l'expulsion définitive de toute la population juive de Venise, mais la Sérénissime, qui était consciente de l'importance de cette communauté pour l'économie de la République, choisit une solution alternative : elle autorisa les juifs à s'installer de manière définitive, en tant que prêteurs à gages, fripiers et médecins, dans une zone assignée et fermée.

En 1516, un décret instituait donc le premier ghetto de l'histoire. On opta pour une petite île de Cannaregio, l'île de Geto Nuovo. Le mot geto désignait en vénitien l'endroit où étaient rejetées les scories des fonderies voisines. L'île, en partie désaffectée, fut vendue à une famille bourgeoise, les Da Brolo, qui fit aménager une cour de 25 maisons approvisionnée par trois puits (toujours existants). Cette zone s'appellera Ghetto Nuovo. Les habitants du Ghetto juif étaient soumis à des règles de vie très strictes.

A la tombée du jour, ils étaient enfermés dans leur quartier et surveillés par des gardes (payés par la communauté juive !) qui leur interdisaient tout contact avec l'extérieur. Bien que contrôlée, l'activité commerciale juive était florissante. Le Ghetto Vecchio attirait la ville entière pour l'excellence de ses marchés et de ses boutiques. L'activité culturelle y était également très intense : le Ghetto s'était doté de plusieurs synagogues, d'un centre d'études rabbiniques, d'un théâtre, d'un conservatoire de musique et de salons littéraires. Au début du XVIIe siècle, les juifs du Ghetto étaient plus de 5 000. Au XVIIIe siècle, les Vénitiens se montrèrent de plus en plus tolérants : les signes distinctifs furent abandonnés et l'on venait consulter les médecins du Ghetto.

En 1797, Napoléon décida la suppression du Ghetto. Il fut en revanche rétabli par les Autrichiens et il ne fut définitivement aboli qu'en 1866.

Aujourd'hui, les familles juives sont disséminées dans toute la ville, mais dans ce quartier de Cannaregio se trouvent encore des boutiques kasher, des librairies juives et des synagogues.

■ CA D'ORO GALLERIA GIORGIO FRANCHETTI

Calle della Ca'd'Oro
Cannaregio, 3932 (Strada Nuova)
✆ (041) 52 00 345 (réservations)
www.cadoro.org
Ouvert le lundi de 8h15 à 14h et du mardi au dimanche de 8h15 à 19h15. Entrée 6 €.
Merci Giorgio Franchetti ! Ce patient propriétaire du début du XXe siècle a permis de récupérer une bonne partie des pièces ornementales vendues par la ballerine Marina Taglioni qui habitait les murs de la « Maison d'or » depuis 1846 et dont le passage fut désastreux pour la beauté des lieux. La visite de ce splendide palais, superbe exemple du gothique vénitien, commence pendant le tour sur le Canal Grande. Sa façade finement ciselée sur laquelle s'ouvrent des fenêtres en ogive donne un aperçu de ce qui pouvait être ce palais au XVe siècle.

Construit en 1420 sur l'ordre d'un riche patricien vénitien, Marino Contarini, ce palais était célèbre à Venise pour sa façade décorée de feuilles d'or (d'où le nom de Ca' d'Oro, « maison d'or »), d'outremer et de vermillon. Au cours des siècles qui suivirent, la Ca' d'Oro fut habitée par de nombreux propriétaires.

La transformation effectuée pour la ballerine Marina Taglioni, qui l'habita en 1846, fut particulièrement maladroite. Parmi ses initiatives malencontreuses, citons la destruction du grand escalier central et la vente d'un puits datant de 1427, œuvre de Bartolomeo Bon. Seul le patient travail réparateur du baron Giorgio Franchetti réussit, au début du XXe siècle, à redonner au palais son ancienne splendeur. Il parvint à récupérer une grande partie des pièces perdues (le puits de Bon par exemple) et à mettre définitivement en valeur ce chef-d'œuvre de l'art gothique. L'Etat italien, qui possède actuellement le palais, a consacré une pinacothèque au baron Franchetti, avec des oeuvres du Tintoret, de Titien, de Van Eyck.... Cette collection figure parmi les plus riches et les plus intéressantes de la ville.

■ CAMPO DEI MORI, MAISON DU TINTORET ET FONDAMENTA DELLA SENSA

Non loin de l'église Sant'Alvise, se trouve le Campo dei Mori, appelé ainsi en raison des sculptures qui ornent son côté est. D'après la légende, les sculptures en question représenteraient les trois frères Maselli, des marchands de tissu originaires du Péloponnèse qui s'installèrent à Venise au début du Xe siècle. La statue qui a un nez en métal est surnommée Signor Antonio Rioba. Elle est fameuse à Venise, car les habitants du quartier avaient l'habitude d'y afficher des notes de protestation. En vous déplaçant vers la Fondamenta dei Mori vous découvrirez, au n° 3399, l'ancienne maison du Tintoret. Le quartier autour de la Fondamenta della Sensa est l'un des plus calmes et des plus populaires de Venise. N'hésitez donc pas à vous glisser dans les calli qui l'entourent : vous découvrirez une Venise autre que celle, touristique, de Rialto et de San Marco.

■ FONDAMENTA DEGLI ORMESINI ET FONDAMENTA DELLA MISERICORDIA

Les longs quais qui côtoient le Ghetto Nuovo sont l'idéal pour passer une soirée en amoureux. Leurs ponts à peine illuminés, leurs bacari et osterie populaires aux prix plus qu'abordables vous offriront un abri romantique, loin des lieux les plus touristiques de la ville.

■ MADONNA DELL'ORTO

Campo della Madonna dell'Orto
Cannaregio 3121
✆ (041) 27 50 462
Ouvert du lundi au samedi de 10h à 17h. Fermé les dimanches et jours fériés. Entrée 2,50 € ou avec le Chorus Pass.
Etape importante pour se familiariser avec l'œuvre du Tintoret, cette élégante église en brique rouge et marbre blanc est considérée comme l'une des plus belles de Venise. Erigée au XVe siècle et initialement dédiée à saint Christophe, elle fut ensuite consacrée à une statue de Madone à l'Enfant, considérée comme miraculeuse, retrouvée non loin dans un potager (orto en italien). Vous pouvez la voir dans la chapelle San Mauro. Passé le portail gothique de l'église, vous découvrirez à l'intérieur trois amples nefs dans lesquelles sont conservées des toiles de Jacopo Tintoretto (1518-1594 ; il naquit et vécut toute sa vie à Cannaregio). Le tombeau du grand artiste se trouve dans la

première chapelle de droite, près du maître-autel où l'on pourra admirer les étonnantes grandes toiles que le peintre réalisa pour cette église : un splendide *Jugement Universel* et *L'Adoration du veau d'or*, où l'artiste s'est représenté en l'homme qui porte le veau, la 4e figure en partant de gauche. Il est en compagnie d'autres peintres célèbres, tels que Giorgione, Titien et Véronèse. Du Tintoret, vous pouvez encore admirer, sur la porte d'accès à la chapelle San Mauro, une *Présentation de Marie au Temple*, datant de 1552, et, dans la quatrième chapelle de gauche, une Sainte Agnès. Une toile de Cima da Conegliano, représentant saint Jean Baptiste, orne le premier autel dans la nef de gauche, tandis que dans la chapelle Valier, située dans la première nef de gauche, une photo (pas toujours exposée) remplace une *Vierge à l'Enfant*, de Giovanni Bellini, dérobée en 1993.

■ MUSEO D'ARTE EBRAICA
Campo di Ghetto Nuovo
Cannaregio 2902/b
✆ (041) 71 53 59
www.museoebraico.it
Arrêt vaporetto 1 et 82 S. Marcuola. Ouvert de 10h à 18h (jusqu'à 19h du 1er juin au 30 septembre). Fermé le samedi et pendant les festivités juives. Fermé aussi les 25 décembre, 1er janvier et 1er mai. Entrée 3 €.
Voilà une visite qui vous permettra de mieux appréhender le rôle de la communauté juive dans l'histoire de la Sérénissime. Objets de culte, tissus, manuscrits de la tradition juive y sont exposés. Du musée, partez avec votre guide à la rencontre des synagogues qui jalonnent ce quartier étonnant.

▶ **Le plan futé :** Visites en français (8,50 €) sur réservation en appelant le ✆ (041) 71 53 59.

■ SANTA MARIA DEI MIRACOLI
Campo dei Miracoli, Cannaregio
Ouvert du lundi au samedi de 10h à 17h, le dimanche et les jours fériés de 13h à 17h. Entrée 2,50 € ou avec le Chorus Pass.
La plus coquette des églises vénitiennes est aussi la seule à pouvoir se flatter d'une architecture de style unitaire. Chef-d'œuvre de Pietro Lombardo, son style Renaissance de la fin du XVe siècle lui donne une allure de boîte à bijoux sculptée. Sa façade en marbre polychrome (récupérée à la fin du chantier de Saint-Marc) est ornée d'un fronton curviligne et de deux ordres de colonnes ioniques sculptées, rappelant le style Renaissance florentin. L'intérieur à une seule nef, aussi décorée de marbres polychromes et sculptés, accentue cet effet de coffret. L'autel est orné d'une Vierge à l'Enfant (paraît-il miraculeuse) due à Nicolò di Pietro. La voûte en berceau, formée de panneaux en bois sculpté, porte 50 caissons peints aux effigies des prophètes et des patriarches. Un chœur en bois sculpté enrichit l'entrée principale. C'est ici que les sœurs de l'ancien couvent adjacent assistaient à la messe. Santa Maria dei Miracoli est très appréciée des Vénitiens, qui la choisissent souvent pour y célébrer des mariages.

▬ ÎLE DE LA GIUDECCA ▬

La Giudecca étant une île, on y arrive forcément par la mer, en taxi ou en vaporetto (au départ de San Zaccaria ou des Zattere). C'est sans doute la zone la plus hétérogène de Venise : logements, couvents, usines et entrepôts. Cette île de pêcheurs s'est d'abord appelée Spina longa, en raison de sa forme en arête de poisson. L'origine de son nom actuel est controversée. Certains prétendent que l'île aurait servi de lieu de déportation aux Giudei, « juifs » en italien, ou encore aux zudegà, « jugés » en vénitien (c'est-à-dire condamnés) car, au IXe siècle, on appelait ainsi les nobles que la République y envoyait en exil. Au XVIe siècle, les nobles allaient choisir cette île plus spontanément, non pas comme lieu d'exil mais plutôt comme lieu de loisirs. Ils y bâtirent leurs résidences secondaires entourées de jardins. C'est également à cette époque que fut construite l'église du Redentore. Aux XVIIIe et XIXe siècles, avec le développement industriel, les infrastructures portuaires, les casernes et les usines se multiplièrent, et l'île fut habitée par des ouvriers de plus en plus nombreux. L'île de la Giudecca est formée de 8 petits îlots et traversée par une longue fondamenta principale, commençant sur la Sacca Fisola et aboutissant au quai des Zitelle. La partie sud de l'île est occupée par des jardins et des maisons ouvrières. La Giudecca est à la fois l'île la plus vaste et la plus proche de Venise.

Les îles de la lagune

Les îles sont les petites sœurs de Venise, elles sont son complément spatial et paysager.
En effet, on les voit depuis les quais de Venise, que ce soit de la Riva dei Schiavoni ou des Fondamente Nuove ; elles sont l'élément essentiel de la lagune, toujours présentes au regard.
Elles sont également indissociables de Venise dans le fait qu'elles accueillirent les premières civilisations de la lagune.

LES ÎLES DU NORD

SAN MICHELE

C'est dans l'île de San Michele que se trouve actuellement le cimetière de Venise. En 1807, Napoléon attribua d'abord cette fonction à San Cristoforo, sa voisine, mais les cimetières étant surchargés à cette époque, le canal qui séparait San Cristoforo de San Michele fut comblé, ce qui donna naissance à une nouvelle île, plus grande.

L'île doit son nom à son église du Xe siècle, dédiée à l'archange Michel. Important centre d'étude au début du XVIIIe siècle, San Michele abrita une célèbre et riche bibliothèque. Elle fut également, avant d'être un cimetière, la prison où étaient incarcérés les prisonniers politiques.

C'est seulement à partir du XIXe siècle que San Michele devint le cimetière principal de Venise mais, outre les sépultures des riches Vénitiens, il comporte aussi une zone réservée aux étrangers et pas n'importe lesquels : Stravinsky, Diaghilev et Ezra Pound y reposent.
En 1212, l'île fut cédée à trois moines qui y fondèrent un monastère resté en activité jusqu'à 1810. Y séjournèrent, entre autres, Fra Mauro, auteur de la Mappemonde conservée à la Bibliothèque Marciana, et Frate Capellari, qui allait devenir le pape Grégoire XVI. Ensuite, devenue prison pour les prisonniers politiques, l'île vit transiter Silvio Pellico et Maroncelli.
En 1829, le couvent devint la résidence des Padri Riformati qui, encore aujourd'hui, gèrent l'église San Michele, annexée au cimetière.

Transports

▶ **Vaporetto 41 ou 42** depuis Fondamenta Nuove (Cannaregio).

Point d'intérêt

■ CIMETIÈRE
✆ (041) 52 89 518
Ouvert d'avril à septembre de 7h30 à 18h, d'octobre à mars de 7h30 à 16h. A Noël et le 1er janvier, fermeture à midi.
Communément les Vénitiens aisés étaient enterrés dans les églises, mais, pour des raisons d'hygiène, Napoléon fit interdire cette pratique. En parcourant les boulevards ombragés de cyprès du cimetière, vous verrez la tombe d'Ezra Pound dans la partie protestante, dite des Evangelisti, et celles de Serge de Diaghilev et d'Igor Stravinsky dans la partie orthodoxe, dite des Greci. Aujourd'hui, ce cimetière n'est rien d'autre qu'un musée car les Vénitiens, même les plus aisés, sont enterrés sur la terre ferme.

MURANO

Située à l'est de Venise, Murano s'étend sur cinq îles, divisées par un « petit » Grand Canal, le Canale dei Marani. Tout comme Torcello, elle fut fondée par les populations qui fuyaient Altino (région de Padoue) au VIe siècle, à l'époque des invasions barbares. Son ancien nom dériverait d'ailleurs d'Ammurianum, nom d'une des portes d'accès d'Altino. Au Moyen Age, Murano était déjà très appré-ciée pour ses activités productives : les moulins et la pêche. L'île devint tellement importante que la république de Venise lui octroya la permission de battre sa propre monnaie, les oselle, et d'avoir un Maggior Consiglio autonome formé de 500 membres. Actuellement, elle est habitée par seulement 7 000 personnes, cependant elle connut des périodes démographiques plus prospères.

Au XVIe siècle, à l'époque de son apogée, Murano comptait 30 000 habitants. On y construisait de somptueux palais et jardins, églises et monastères, lieux de villégiature des aristocrates et de leurs invités. On y donnait de nombreux dîners en présence d'artistes, d'hommes de lettres, d'invités d'honneur de la Repubblica Serenissima, comme Henri III (de France) en 1574. Murano est aussi appelée « l'île des feux », à cause de nombreux fourneaux. En fait, le véritable tournant dans l'histoire de l'île, et, qui décida de sa richesse, date du décret de 1295, quand les fours des maîtres vitriers de Venise furent transférés à Murano par crainte d'incendies. Au XVIe siècle, l'île possédait 37 fabriques de verre, et cette industrie hautement spécialisée, dont les secrets de fabrication étaient jalousement gardés, procurait à ses propriétaires d'innom-brables privilèges. Aujourd'hui, les techniques employées à Murano ont beau n'être plus un secret, peu d'artisans en dehors des Vénitiens font preuve d'un meilleur savoir-faire. Les verreries d'art de Murano ont une renommée internationale. Elles sont exportées à travers le monde et font de l'île une destination touristique très prisée. Contemplez les souffleurs de verre travailler qui emploient encore aujourd'hui les mêmes méthodes et les mêmes outils que leurs ancêtres : de longues cannes creuses pour souffler le verre et de simples pinces pour l'étirer. Le verre, le cristal et les articles de céramique constitueront de magnifiques souvenirs de voyage. En déhors des verreri, Murano reste une ville très agréable pour vagabonder dans les ruelles autour de l'église San Pietro Martire.

Transports

▶ **DM :** direct pour Murano. Départ de Tronchetto en passant par le Piazzale Roma et la Gare.

▶ **LN :** dessert les îles au nord de la lagune. Au départ de Fta Nuove, il atteint Murano en 10 minutes et Burano en 30 minutes. Il vous emmène également à Treporti, Punta Sabbioni et au Lido.

▶ **NLN ou NMU (Murano) :** ce sont des lignes nocturnes pour les îles nord de la lagune. Lignes 41 et 42.

Points d'intérêt

■ **MUSEO DEL VETRO**
Fondamenta Giustinian, 8
℧ (041) 73 95 86
Ouvert d'avril à octobre de 10h à 18h, de novembre à mars de 10h à 17h. Entrée 5,50 €. Venice Card et Rolling Venice.
Créé dans la seconde moitié du XVIIIe siècle par l'abbé Vincenzo Zanetti et entouré d'agréables jardins, ce musée retrace l'histoire de l'art verrier à Murano. On y expose et explique, de manière très pédagogique, les différentes manières de travailler le verre. Les enfants comme les grands amateurs de design s'y retrouveront. Le musée conserve la plus grande collection de verre vénitien au monde, soit 4 000 pièces, du XVe siècle à nos jours. L'objet le plus ancien (1437 environ) est une coupe de mariage en verre bleu, décorée par Angelo Barovier.

VENISE ET LA VÉNÉTIE

© LEROY, ARTHUR - ICONOTEC

Murano

BURANO

A 8 km de Venise, cette île de 5 000 habitants doit son origine, comme Murano et Torcello, aux peuples qui jadis fuyaient la Terra ferma. En effet, Burano, ou Bureana, tient son nom elle aussi d'une des portes d'accès d'Altino. Au VIᵉ siècle, elle n'était qu'un vicus, quartier de Torcello. Burano est aujourd'hui une île à part entière, avec des caractéristiques bien à elle : ses maisons aux couleurs vives (bleu ciel, rouge, vert clair...), ses pâtisseries (les busolai, les zaeti, gâteaux en forme de « S ») et son campanile de l'église de San Martino, penché d'environ 1,80 m. Burano fut une des rares îles de la lagune à ne pas subir le déclin qui fut celui de sa voisine, Venise. Grâce à sa configuration, elle put également éviter de devenir un marais, à l'image de Torcello. Bien qu'une grande partie des habitants de Burano travaille à Venise ou dans les fabriques de verre de Murano, l'île conserve encore une activité propre liée à la pêche, mais surtout à l'artisanat de la dentelle et de la broderie.

Cette tradition, qui date du XVᵉ siècle, fit connaître l'île de Burano à travers le monde. Selon la légende, un pêcheur qui résista au chant des sirènes reçut de celles-ci une couronne faite de l'écume des vagues de la mer. Il l'offrit à son épouse alors que les femmes de l'île, jalouses, essayèrent d'égaler l'œuvre des sirènes en travaillant une dentelle très fine. C'est ainsi que naquit le fameux point de Burano, le punto in aria (littéralement, « point en l'air »). Tombé en déclin, l'art de la dentelle connut une seconde vie à la fin du XIXᵉ siècle grâce à la ténacité d'une des dernières dentellières de l'île, Cencia Scarpariola. Cependant, le Buranello (comme on appelle les habitants de Burano) le plus célèbre de l'île ne fut pas cette courageuse petite dame mais Baldassarre Galuppi, musicien baroque à qui est consacrée la place principale. Burano est également intéressante pour ses édifices religieux. Malheureusement, pendant la période napoléonienne, de nombreuses églises furent désaffectées, comme Santa Maria delle Grazie, dite les Capucines, ou bien San Moro et San Vito. Seule demeure l'église San Martino Vescovo, qui abrite des fresques de Tiepolo.

■ MUSEO DEL MERLETTO

Piazza Galuppi 187 ✆ (041) 735 471
www.dallalidia.com
Ouvert d'avril à octobre de 10h à 17h, de novembre à mars de 10h à 16h. Fermé le mardi. Entrée 4,50 €. Venice Card ou Rolling Venice. Vous voilà dans le temple de la dentelle. Cet artisannat se développa sur l'île de Burano à partir du XVᵉ siècle. Après une période de déclin, cet artisanat fut relancé en 1872 par Paolo Fambri et la comtesse Andriana Marcello qui créèrent une école de dentellières, la Scuola dei Merletti, à laquelle est annexé ce musée. Plus d'une centaine d'exemplaires de dentelle vénitienne des XVIᵉ et XVIIᵉ siècle sont exposées ici, avec des archives, des dessins, des photographies. Vous serez ébloui par la précision des détails des pièces exposées. Et songez au temps, et surtout à la patience, dont il a fallu faire preuve pour réaliser de telles pièces. Vous pourrez d'ailleurs en avoir une idée précise et concrète : des dentellières sont présentes au musée le matin.

TORCELLO

Située au nord-est de la lagune, cette île a été découverte au VIIᵉ siècle par les habitants de Carole, d'Aquilée et d'Altino, qui cherchaient un refuge à l'époque des invasions barbares et fut le premier site d'installation de la population lagunaire. Son importance en tant que centre de la lagune grandit ensuite avec le temps. La stèle commémorant la fondation de la cathédrale date de 639 : c'est le plus ancien document concernant la lagune. Avant la fin du Ier millénaire, l'ancienne île de Dorceum, ou Turricellum, comptait près de 20 000 habitants. Elle représentait alors le plus grand centre habité de la lagune. Elle rayonnait par son activité jusqu'aux îles de Mazzorbo, Burano et d'autres sites alors construits mais aujourd'hui disparus. Cette croissance continua jusqu'aux XIIᵉ-XIIIᵉ siècles, quand la population insulaire commença à migrer vers les îles Réaltines (actuel Rialto).

L'activité de l'île se maintint grâce au port commercial, aux salines et au travail de la laine. Cependant, elle connut un déclin lent mais régulier qui la transforma en bourg rural qui essaie de survivre aujourd'hui principalement du tourisme et de l'agriculture (culture des artichauts).

Les friches d'orties et de ronces ont envahi le reste de l'île qui ne compte que qu'une centaine d'habitants. Mais il y règne une certaine magie et il existe encore des monuments pour témoigner de son passé glorieux. Notamment le complexe monumental de la cathédrale de Santa Maria Assunta (fondée en 639) avec ses mosaïques byzantines et romaines, et l'église de Santa Fosca (datant du XIe siècle), entourée par un beau portique.

Transports

Depuis Burano prendre la ligne T. Pas de directs depuis Venise.

LES ÎLES DU SUD

SAN GIORGIO MAGGIORE

La petite île de San Giorgio concourt à la mise en scène et au décor de la place San Marco, avec son grand campanile qui répond à celui de San Marco.

Après avoir accueilli de très nombreux édifices religieux, lieux de résidence d'abbés étroitement liés à la vie de la Repubblica, elle subit différentes transformations, puis, après la période de décadence du XVIIIe siècle, une profonde restructuration, entreprise en 1953 par la Fondation Giorgio Cini.

■ CHIESA E CAMPANILE DI SAN GIORGIO MAGGIORE

Isola di San Giorgio Maggiore
✆ (041) 52 27 827
Ouvert de mai à septembre de 9h30 à 12h30 et de 14h30 à 18h30 ; d'octobre à avril de 9h30 à 12h30 et de 14h30 à 16h30. Entrée de l'église gratuite. Visite du campanile 3 €.
Cette imposante église fut fondée par les bénédictins au Xe siècle. Reconstruite au XIIIe siècle à la suite d'un tremblement de terre, elle fut définitivement remaniée en 1565 par le génie d'Andrea Palladio dont elle représente l'un des ouvrages majeurs. Le grand architecte vicentin ne vit pourtant jamais son achèvement et l'église fut terminée par son élève Vincenzo Scamozzi. Les schémas et les formes classiques chères au style palladien sont ici strictement respectés. A l'intérieur sont conservées des toiles de Da Bassano, de Ricci, de Carpaccio et du Tintoret, dont on peut admirer dans le chœur une splendide *Cène*, une *Récolte de la manne* ainsi que sa dernière œuvre, une *Déposition* datant de 1594, terminée par son fils Domenico. Du haut du campanile, érigé en 1726, on jouit d'une impressionnante vue de Venise et de sa lagune. En 1797, l'église fut fermée par Napoléon et transformée en caserne, tandis que les œuvres d'art furent dispersées. Après des longues années d'abandon, en 1951, une partie du bâtiment fut achetée par le comte Cini, qui la transforma en Ecole d'arts et métiers et en centre d'exposition. Il fit aussi restaurer l'église palladienne.

LIDO DI VENEZIA

Le Lido est une mince bande de sable, comme sa voisine Pellestrina, séparant la lagune de la mer Adriatique. A chaque extrémité de l'île, mer et lagune se rencontrent. Au milieu de l'île, les murazzi, des grandes barrières en pierre d'Istrie bâties à la fin du XVIIIe siècle, retiennent les vagues de l'Adriatique. Peuplée par des pêcheurs jusqu'au milieu du XIXe siècle dans sa partie appelée San Nicolò, située près de la caserne militaire, le Lido devint au XIXesiècle une station balnéaire de luxe appréciée des aristocrates et des familles fortunées de l'Europe entière. En témoigne le prestigieux Grand Hôtel des Bains, qui est au centre du film *Mort à Venise,* de Luchino Visconti (fermé au public). Le Festival international de cinéma de Venise, la Mostra, vit le jour en 1932 au Lido. Ce qui entraîna la construction sur le Lido, en 1936, du non moins célèbre Palazzo del Cinema, qui a vu passer les plus grandes figures du septième art : John Ford, Orson Welles, Federico Fellini, etc. Sinon, le Lido est, durant l'été, la station balnéaire de la lagune. La foule est au rendez-vous !

MALAMOCCO

Venir au Lido sans se rendre à Malamocco serait comme renoncer dès le départ à découvrir l'île. Il s'agit de l'antique Metamaucus, premier site des populations d'Altino, qui fut dévastée par un raz de marée et reconstruite ensuite au XIIe siècle. On peut donc deviner ce qu'elle était il y a un peu plus d'un siècle, quand la quasi-totalité de la population – 1 000 habitants environ – résidait dans ce qui était non seulement le siège de la Commune qui embrassait tout le Lido mais aussi le seul centre habité (le reste de la population était en effet presque uniformément dispersé sous toute l'île). Après la transformation radicale qu'a connue l'île à partir de la fin du XIXe siècle, Malamocco est le seul endroit où il est encore possible de trouver des vestiges du passé.

▶ **À visiter :** les trois édifices gothiques du XVe siècle qui s'élèvent sur sa place principale : le Palazzo del Podestà, l'église Santa Maria Assunta et une maison patricienne.

VENISE ET LA VÉNÉTIE

La Vénétie

On ne connaît souvent de la Vénétie qu'une petite presqu'île en forme de poisson traversée par des canaux. Certes, on en conviendra volontiers, visiter Venise est une expérience magique, incontournable. Mais les quelque 18 000 km² de la région Vénétie méritent eux aussi la visite. Mieux, il faut prendre le temps de découvrir leurs richesses. Des beautés qui sonnent comme une évidence : la majestueuse quiétude de la Vicence du Palladio, le cachet romantique de Vérone ou les splendeurs quasi mystiques des fresques de Giotto, à Padoue. Montagnes acérées, collines généreuses, plaines fertiles, la diversité du paysage a d'égale celle des réussites économiques d'une région considérée comme un moteur du made in Italy, fief de la dynastie Benetton, mais aussi de l'industrie de la chaussure, des lunettes ou des jean's. Pour ne rien gâcher, la Vénétie dispose d'un maillage routier et de chemin de fer très compétitifs, qui vous permettront d'écumer sans stress ce territoire riche à plus d'un titre.

Paysage de Vénétie

TRÉVISE

Traversé par deux fleuves, le Sile et la Botteniga, ainsi que par d'innombrables petits canaux, Trévise est une ville charmante et prospère, située à une trentaine de kilomètres au nord-est de Venise.

Le nom de Trévise dériverait du mot tarvos (« taureau »), mais une autre interprétation lie son nom à une tribu provenant de l'Illyrie. Renommée pour sa chicorée rouge, (radicchio rosso), la ville joue un rôle économique très important, au niveau italien aussi bien qu'européen.

Trévise (exactement à Ponzano Veneto) est le berceau de la société Benetton, qui y a installé son siège. Le cas de Benetton n'est pas isolé car Trévise, au même titre que Vicence, est à la tête de ce phénomène économique surprenant qui a fait de la Vénétie l'un des plus importants centres d'activité d'Europe. Par ailleurs, Trévise peut s'enorgueillir d'une histoire fort ancienne, comme en témoignent sa configuration urbaine romaine et ses trésors architecturaux du Moyen Age et de la Renaissance.

Transports

▶ **Avion**. Aréoport international A. Canova (5 km du centre). Liaisons avec la France par Ryanair. Le bus n°6 relie la gare de Treviso à l'aréoport en 20 min. de 6h à 20h. Un service de navette conduit jusqu'à la gare de Venise. ✆ 0422 315111, www.trevisoairport.it.

▶ **Bus**. Liaisons régulières avec Venise, Padoue, Vicence. Autogare Via Roma, face à la gare ferroviaire. ✆ 0422 577311.

Les immanquables de la Vénétie

▶ **Admirer la série de fresques** la plus complète réalisée par Giotto dans la chapelle Scrovegni à Padoue.

▶ **Se rendre sur le très grand et animé marché** des poissons à la Pescheria, qui, depuis 1855, occupe une île au milieu du plus grand canal de Trévise.

▶ **Se promener dans le cœur historique de Vicence,** la piazza dei Signori, sa plus grande place, et piazza delle Erbe, où se tient un marché très coloré.

▶ **Faire un bond dans la Rome antique** en découvrant l'amphithéâtre romain.

225

SITES ET MONUMENTS

1- Musée Luigi Bailo
2- Eglise Santa Caterina
3- Palazzo Trecento
4- Cathédrale et Baptistère
5- Eglise San Francesco
6- Loggia dei Cavaleiri
7- Eglise S. Nicola et Sala del Capitolo

Site et monument
Information touristique

Trévise

0   200 m

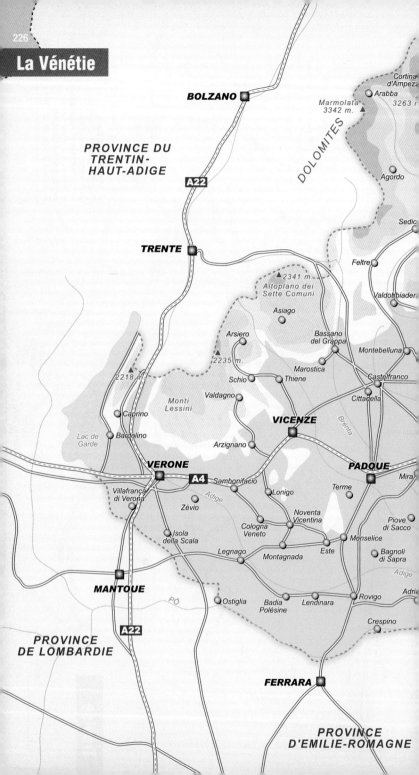

La Vénétie

PROVINCE DU TRENTIN-HAUT-ADIGE

BOLZANO

A22

DOLOMITES

Marmolata 3342 m.

Arabba

Cortina d'Ampez

3263 r

Agordo

Sedic

TRENTE

Feltre

Valdobbiader

Altopiano dei Sette Comuni

2341 m.

Asiago

Arsiero

2235 m.

2218 m.

Monti Lessini

Caprino

Bardolino

Lac de Garde

Valdagno

Schio

Thiene

Marostica

Bassano del Grappa

Montebelluna

Castelfranco

Cittadella

VICENZE

Brenta

Arzignano

VERONE

A4

Sambonifacio

Villafranca di Verona

Zévio

Isola della Scala

Lonigo

Cologna Veneto

Legnago

Montagnada

Noventa Vicentina

Este

Terme

PADOUE

Mira

Piove di Sacco

Monselice

Bagnoli di Sapra

Adige

Adige

MANTOUE

PÓ

Ostiglia

Badia Polésine

Lendinara

Rovigo

Adria

Crespino

A22

PROVINCE DE LOMBARDIE

FERRARA

PROVINCE D'EMILIE-ROMAGNE

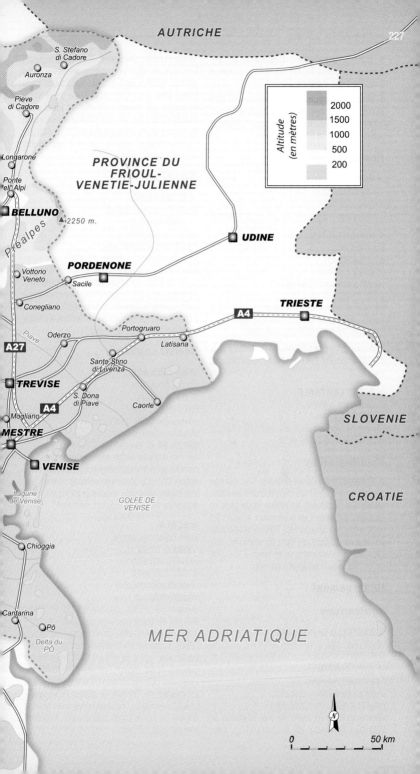

▶ **Train**. Lignes Venise-Belluno ou Venise-Bolzano, départs toutes les 15 min. Liaisons directes avec Vicence.

▶ **Voiture**. Depuis Venise, autoroute A27 Venise-Belluno (30 km). Depuis Milan, autoroute A4 Milan-Venise jusqu'à Mestre, poursuivre sur la SS13.

Pratique

■ INTERNET TRAIN
Via Noalese, 63/E
✆ 042 2234817
Tous les jours 9h30-21h30. 5 € de l'heure.

■ OFFICE DU TOURISME
Via Sant'Andrea, 3
Palazzo Scotti
✆ 0422 547632
turismo.provincia.treviso.it,
www.trevisoinfo.it
iattreviso@provincia.treviso.it
Lu 9h-13h, Ma-Ve 9h-13h, 14h-18h, Sa 9h-13h, 15h-18h, Di 9h30-12h30, 15h-18h.

▶ **Autre adresse :** Ufficio I.A.T. Aereoporto,
✆ 0422 263282, iataeroporto@provincia.treviso.it

■ POSTE CENTRALE
Piazza della Vittoria, 1
✆ 0422 653211
Ouvert du lundi au vendredi de 8h30 à 18h30, et le samedi de 8h30 à13h.

Manifestation

▶ **Ombralonga**. Début octobre. Une journée de fête un peu atypique, devenue une véritable institution parmi les Trévisans et de plus en plus de touristes. Les principaux acteurs en sont le vin, les brasseries, Trévise et le public qui tourne de bars en bars du matin au soir pour remplir son verre et le boire à la santé de la ville (www.ombralonga.net).

Hébergement

Agritourisme

■ CASTELLO DI RONCADE
Via Roma, 141
Roncade
✆ 0422 708736
Fax : 0422 840964
www.castellodironcade.com
info@castellodironcade.com
Chambres entre 70-160 € par jour. Majestueuse villa du XVIe siècle, de haut standing, avec tennis et cours de cuisine. Cinq appartements pourvus de tout le confort, meublés avec goût et raffinement, ont été aménagés dans l'ancienne structure médiévale de la villa. Roncade est le point de départ idéal pour découvrir les spécialités gastronomiques de la région et sa célèbre production viticole, dont le château peut se vanter d'être un des grands producteurs.

Bien et pas cher

■ AL GIARDINO
Via S. Antonino, 300/A
✆ 0422 406406
www.hotelalgiardino.it
info@hotelalgiardino.it
Simple 54-60 €, double 75-90 €.
Situé à environ 3 km au sud-est de Trévise, dans un environnement calme et accueillant, au cœur du parc naturel Sile. Les chambres sont confortables et lumineuses. L'accueil est familial. Le restaurant attenant à l'hôtel propose des plats typiques.

Confort ou charme

■ IL FOCOLARE
Piazza Ancillotto, 4
✆ 0422 56601
Fax : 0422 540871
www.albergoilfocolare.net
ilfocolare@citycenter.it
Simple 80 €, double 100-120 €.
Au cœur de la vieille ville, une adresse de charme qui marie parfaitement tradition et innovation. Des chambres agréables et spacieuses, meublées avec une touche provençale, sont équipées de tout le confort moderne.

■ SCALA
Viale Felissent, angle
Calata di Breda, 1
✆ 0422 307600
✆ 0422 305048
www.hotelscala.com
info@hotelscala.com
Simple 55-85 €, double 85-95 €, triple 99-110 €. Dans une villa du XVIIIe siècle, à 1 km du centre-ville (arrêt de bus en face), l'hôtel Scala est un établissement au charme particulier, point de départ idéal pour visiter Trévise et sa région (en été possibilité de louer des vélos pour des balades à travers la campagne de Trévise, la *Marca Trevigiana*). Les 20 chambres sont meublées avec goût et douées de tout le confort nécessaire. Excellent rapport qualité/prix.

Luxe

■ VILLA CONDULMER
Via Preganziol, 1
Mogliano Veneto
℡ 041 59 72 700
Fax : 041 59 72 777
www.hotelvillacondulmer.com
info@hotel-villacondulmer.it
Chambre à partir de 140 € par personne.
Un 5-étoiles dans les règles de l'art. La villa
du XVIIIe siècle, sur la route entre Venise et
Trévise, vous fera revivre les fastes de la
Vénétie d'antan. L'édifice ancien, les suites
douées de tout le confort moderne, le parc,
le parcours de golf et le restaurant, tout est
simplement parfait.

Restaurants

On mange bien à Trévise. On dirait presque que
la vie sociale de cette ville n'est faite que pour
les bons vivants. Entre les cichetti, le spritz, les
bons vins dans les bacari typiques (équivalent
de nos cafés ou des pub), nul besoin de se
déplacer au-delà du centre-ville.

■ LE BECCHERIE
Piazza Ancillotto, 10
℡ 0422 56601
*Repas 30-45 €. Fermé le dimanche soir et
le lundi.*
L'un des plus anciens restaurants de Trévise,
le Beccherie, occupe un vieux bâtiment de
style vénitien ; son mobilier est d'époque.
Cuisine typique de la région ; pâtes et haricots,
riz, céleri et tomates, gnocchis de pommes
de terre, morue et polenta, soupe d'orge,
oie rôtie. Incontournable aussi pour l'apéro,
avec prosecco et sandwich à la porchetta
(cochon roti).

■ LOCANDA ALLA COLONNA
Via Campana, 27
℡ 0422 583599
Fax : 0422 419177
www.ristorantelacolonna.it
*Repas 25-35 €. Chambres simple 70 €,
double 100 €.*
Bar à vins, restaurant typique branché et
hôtel. Excellemment situé sous les arcades
d'un palais trévisan typique à la façade peinte
donnant sur un joli canal, c'est l'endroit idéal
pour passer une soirée en dégustant des vins
accompagnés de fromages et de charcuteries
locales. Possibilité de loger dans ses douze
chambres dotées de tout le confort et de
beaucoup de charme.

■ MUSCOLI'S
Via Pescheria, 23
℡ 0422 583390
Repas 10-20 €. Fermé le dimanche.
Un petit bar où les clients du marché aux
poissons viennent boire un verre de rouge, de
blanc ou de spritz après les courses. Ambiance
vivante et populaire. Une bonne adresse pour
l'apéritif.

■ TRATTORIA TONI DEL SPIN
Via Inferiore, 7
℡ 0422 543829
*Repas 25-35 €. Fermé le lundi et le
dimanche.*
Petite *trattoria* à l'ambiance familiale et à la
cuisine soignée. Propose une cuisine typique
de Trévise, avec notamment des croûtons
de soppressa (une sorte de salami très, très
gras), morue et polenta, *osei scampai.* Prix
corrects et excellentes *grappe.*

Points d'intérêt

Trévise, ville aux jolis canaux, florissante
économiquement dans le passé, était connue
pour ses maisons et ses palais aux façades
peintes. Quelques bâtiments frappent encore
aujourd'hui les visiteurs par l'éclat de leur
peintures, justifiant ainsi l'appellation de « ville
peinte ». L'écrivain Giovanni Comisso (1895-
1969), un des plus célèbres enfants du pays,
restitua très bien le caractère hédoniste de
cette ville et mit l'accent sur l'extraordinaire
rapport entre la beauté de ses femmes et le
charme de « ces maisons avec de vagues
couleurs sur leurs façades », des visions qui
changent à chaque pas.

■ DUOMO
Piazza Duomo
℡ 0422 545720
*Ouvert de 7h30 à 12h et de 15h30 à 19h (20h
les jours fériés).* La cathédrale, dédiée à saint
Pierre est érigée sur des bâtiments romains
et paléochrétiens qui remontent aux premiers
siècles de l'évangélisation de la Vénétie (IIIe-IVe
siècle). L'ensemble du Dôme, qui comprend
le baptistère Saint-Jean situé derrière le
clocher, le dôme et l'évêché, fut édifié à partir
du XIe-XIIe siècle. Edifié originairement en
style romain, il avait des galeries en façade
et était soutenu par deux lions romains en
marbre. Le dôme fut complètement démoli et
reconstruit en style néoclassique à la moitié du
XVIIIe siècle. En 1836 fut construit le pronaos
néoclassique à six colonnes qui en caractérise
la façade actuelle.

L'intérieur, imposant aussi pour les sept coupoles qui dominent les trois nefs, est important pour sa crypte, où l'on trouve des mosaïques des XIVe et XVe siècles. L'œuvre la plus précieuse, est une Annonciation de Tiziano Vecellio, plusieurs fois restaurée.

■ REMPARTS

Trévise a eu jadis trois différents murs d'enceinte : un romain, un médiéval et un à la Renaissance. Les murs actuels furent voulus par la Sérénissime pour défendre la ville et protéger Venise des armées de la Ligue de Cambrai. Le franciscain Fra Giocondo (connu pour son activité de plombier et d'ingénieur militaire) au service de Venise, imagina le système hydraulique de défense de la ville et fit raser les villages en dehors des murs sur une distance d'un mille. Le travaux se terminèrent en 1517 par la construction de trois portes. De tout l'appareil défensif, constitué par des parcours souterrains et par des embrasures dans le donjon, aujourd'hui presque plus rien n'est visible (bien qu'il soit en partie conservé). En été, les habitants de la ville ont l'habitude de s'y promener et de prendre un apéritif à l'un de ses nombreux kiosques et bars, en écoutant de la musique.

■ LOGGIA DEI CAVALIERI
Via Martiri della Libertà

La Loge des Chevaliers, une construction quadrilatère du XIIIe siècle destinée aux congrès, aux causeries et aux distractions des patriciens (surtout le jeu d'échecs). Son style relie le roman trévisan aux réminiscences byzantines de Venise, en formant une construction aussi légère qu'élégante. C'est l'un des monuments les plus caractéristiques de la ville. Reconstruite après la partielle démolition causée par le bombardement du 7 avril 1944, la Loge (actuellement en restauration) était, à l'origine, entièrement décorée de fresques et fut ensuite enrichie d'ornements polychromes géométriques et floraux. Son style relie le roman trévisan aux réminiscences byzantines de Venise, en formant une construction aussi légère qu'élégante.

■ MONT DE PIÉTÉ
Piazza Monti di Pietà, 3

Le Mont de Pitié (Monte di Pietà) est une maison de gages communale. Fondé par l'évêque Nicolò Franco en 1496, il occupa le siège actuel deux ans plus tard, dans un édifice qui autrefois abritait les prisons. Son objectif était d'éviter que les bons chrétiens commercent avec les circoncises, c'est-à-dire les juifs qui à l'époque contrôlaient le système bancaire trévisan. Il vaut une visite pour l'intéressante Cappella dei Rettori (chapelle des Recteurs), décorée au XVIe siècle avec des fresques, peintes sur toile et cuir de Cordova. Au milieu de la paroi du fond, une fresque de Ludovico Fiumicelli, la Multiplication des pains et des poissons. Au-dessous, des peintures de Ludovico Toeput, dit el Pozzoserrato, qui représentent des épisodes de l'Ancien et du Nouveau Testament. Dans les pièces adjacentes on peut voir les balances utilisées pour évaluer les prêts, des peintures de Luca Giordano et de Sebastiano Ricci, et une peinture attribuée à Giorgione.

■ PESCHERIA

Le quartier de Pescheria tire son nom du marché aux poissons qui se tient tous les matins sur le petit îlot au milieu di Cagnan Grande, dénommé île de Botteniga. Cet îlot fut créé pendant l'occupation autrichienne, en 1856. L'enchevêtrement des ruelles et des canaux et la présence d'un moulin en bois contribuent à faire de ce marché une joyeuse attraction. Les alentours du marché présentent des édifices médiévaux dont les façades sont peintes de fresques dites « à tapisserie ». Semé de bars et de petits restaurants, ce quartier piétonnier est parmi les plus animé de la ville. L'été après le marché les berges se couvrent subitement de petites tables de café où déguster les « spuncetti » (bouchées apéro) accompagnés d'un verre de vin blanc ou de l'apéro traditionnel, le spritz.

■ PIAZZA DEI SIGNORI

C'est le cœur palpitant de Trévise, le point où toutes les routes conduisent et où les Trévisans aiment se rencontrer. Elle est délimitée sur trois côtés ; à l'ouest par le palais du Podestà des Vénitiens (1491, puis remanié) ; au nord par le palais de la Seigneurie, aujourd'hui siège de la préfecture (la construction actuelle est une malheureuse réfection du Palais communal du XIIIe siècle, démoli en 1874 – sauf le toit et la paroi nord) ; à l'est, le palais dei Trecento. Le côté sud de la place est marqué par la continuation du Calmaggiore vers piazza Indipendenza et par les palais qui la flanquent. Elle était connue sous le nom de place du Carrubio (ou Carrubbio) à cause de sa proximité avec le quadrivium romain, puis elle fut nommée « place Majeure », enfin, à partir du XXe siècle, « place des Seigneurs ».

© FOTOTECA ENIT - PHOTO BY VITO ARCOMANO

Église San Nicolò

■ SAN NICOLÒ ET SALA DEL CAPITOLO
Via S. Nicolo

La sévère église dominicaine de S. Nicolò qui domine le quartier de la vieille ville au-delà du fleuve Sile fait concurrence au Dôme par ses dimensions imposantes. Erigée dans la première moitié du XIVᵉ siècle, grâce surtout à une généreuse largesse du pape de Trévise, Niccolò Bocassino (Benedetto XI) qui avait été frère dans le couvent des dominicains depuis 1221, elle ne fut pas terminée au cours des cinquante ans suivants, mais dut attendre la deuxième moitié du siècle passé pour voir finies ses trois premières travées et la partie supérieure de la grande nef. Par ses formes simples mais allongées, ses murs massifs et ses anciens vitraux, San Nicolò' marque le passage du style roman robuste au style gothique élancé. Dans le couvent attenan, le cloître peut se visiter ainsii qu'une salle du Chapitre décorée par des fresques.

■ SANTA MARIA MAGGIORE
Piazza Santa Maria Maggiore

L'église de sainte Marie Majeure, connue par les Trévisans comme Madonna Granda, est célèbre dès le VIIIᵉ siècle pour l'adoration de la Vierge pour ses miraculeuses guérisons. L'église actuelle fut construite dans la seconde moitié du XVᵉ siècle en style gothique tardif (elle fut terminée en 1474) et remaniée ultérieurement vers 1522. Elle présente une façade toute particulière, avec les lignes courbes de son couronnement et l'élancement des

ouvertures allongées de deux vitraux compris entre trois rosaces, avec briques et décoration en terre cuite.

■ VIA CALMAGGIORE
Calmaggiore (Callis Maior, déjà Cardus Maximus de la Tarvisium romaine) signifie « rue Majeure », et c'est vraiment la rue la plus importante du centre historique, celle qui relie ce qui, au Moyen Age, constituait les deux centres du pouvoir, la cathédrale, siège du pouvoir spirituel, et le palais de la Signorie (près de la Domus Nova Communis, appelé plus tard palais de la Raison puis palais dei Trecento), qui était le centre du pouvoir temporel. Aujourd'hui, le Calmaggiore est le lieu de promenade favori de Trévise. Les arcades sur les deux côtés cachent quelques fresques intéressantes ; mais elles accueillent surtout une série ininterrompue de boutiques de toutes sortes et créent une extraordinaire symbiose entre le côté ancien des palais et des maisons, avec leurs fresques gothiques ou de la Renaissance, et le côté moderne des vitrines scintillantes. Celui qui se trouvera à regarder le Calmaggiore pendant les heures où la foule afflue, c'est-à-dire à midi et en début de soirée, aura l'impression de voir onduler une mer de têtes.

ASOLO

Située dans un endroit agréable et dotée d'un climat particulièrement plaisant, Asolo devint une agglomération dès le néolithique.

Siège des Vénitiens, elle devint Municipe Romain au Ier siècle avant J.-C ; évoquée par Pline l'Ancien et Ptolémée. En 1489, Caterina Cornaro reine de Chypre de la Seigneurie d'Asolo intronisée par Venise prend les rênes de la ville. Elle y régna jusqu'en 1509.

La cité conserve un aspect médiéval, entourée par les vieux murs et dominée par la Rocca (forteresse) millénaire située au sommet de la colline. Les rues sont très caractéristiques, flanquées des arcades gothiques des vieux immeubles et des maisons aux façades décorées de fresques, et sur lesquelles s'ouvrent d'élégantes fenêtres jumelées et trilobées, ainsi que d'harmonieux balcons.

Beaucoup d'hommes de lettres, poètes, et artistes italiens et étrangers, visitèrent et aimèrent cette ville. On trouve principalement Pietro Bembo qui, durant la domination de la reine Cornaro y écrivit l'œuvre Gli Asolani, Robert Browning qui lui dédia Asolando, Giosuè Carducci qui l'appela « la Ville aux cents horizons », Giorgione dont les œuvres donnent vie à la grâce du paysage environnant Asolo, Palladio, Canova et enfin Eleonora Duse, grande actrice et amante du poète Gabriele D'Annunzio !

◼ CATHÉDRALE

D'origine médiévale, elle a été remaniée en 1747 d'après le projet de Giorgio Massari. A l'intérieur, on peut y admirer *L'Assunta*, très beau tableau de Lorenzo Lotto (1506), ainsi que *L'Assunta de Jacopo da Ponte*, dit-il Bassano.

◼ CHÂTEAU

Une construction massive, flanquée de la tour de l'horloge. S'est d'ici que régna Caterina Cornaro avec sa cour humaniste.

◼ TEATRO DUSE

Via Cartoleria, 42
✆ 0423 524637
Visites uniquement sur réservation.
Un théâtre en activité depuis le XVIIe siècle, qui a vu sur sa scène les plus grands noms de l'histoire théâtrale italienne dont Vittorio Gassman et Dario Fo. Parmi tous prime Eleonora Duse, à laquelle le théâtre est dédié.

PADOUE

Connue comme la ville de saint Antoine, Padoue, située au centre de la plaine vénitienne, a des origines très anciennes remontant à plus de 3 000 ans. Selon la légende rapportée de Virgile dans *L'Enéide*, la ville a été fondée en 1184 av.

J.-C. par le héros troyen Anténor ; selon les archéologues, elle tire son origine d'un village paléovénète des VIIIe-VIIe siècles. Tite-Live en parle comme d'une cité fluviale existant déjà en 302 av. J.-C. Centre commercial, allié des Romains contre les Gaulois cisalpins (226 av. J.-C.) et municipe en 49 av. J.-C., Patavium, comme l'appelaient les Romains, devint sous Auguste un centre agricole riche et productif particulièrement spécialisé dans le négoce des tissus. De cette époque prospère, il ne reste aujourd'hui que les vestiges de l'amphithéâtre romain et les collections du Musée municipal. En 1405, Padoue devient un domaine de Venise sur la terre ferme. Donatello et Mantegna participèrent au renouvellement urbanistique qui la transforma au XVIe siècle. Aujourd'hui Padoue a gardé son animation grâce à son université et à ses étudiants qui se répandent dans les rues le soir venu pour se détendre et s'amuser. C'est un centre économique important qui dispose d'un des plus grands ports d'Italie et d'un réseau de transports fluviaux parmi les plus développés en Europe.

Transports

▶ **Avion**. Un service de navette relie l'aéroport de Venise Marco Polo, à la gare de Padoue, côté piazzale Boschetti (60 km). Le petit aéroport de la ville, Gino Allegri est reservé au vols privés et sanitaires.

▶ **Bus**. Autogare Via Trieste 40 (en face de la gare). La compagnie Sita Bus assure des liaisons avec les principales villes de Vénétie ✆ 049 820611, www.sitabus.it.

▶ **Train**. Liaisons régulières avec Venise (toutes les 30 minutes), Milan (2h) et Bologne (1h30).

▶ **Voiture**. Autoroute A13 Padoue-Bologne ou A4 Milan-Venise.

Se déplacer en ville

▶ **Bus**. La société APS gère un réseau de transports urbains très efficace de bus et de tramway. Ticket urbain valable 75 minutes. 1 €, carnet 11 tickets 10 €, ticket famille 2 €. Infos ✆ 049 8241111 – www.apsholding.it

▶ **Location de vélos** : Piazzale Stazione Padova ✆ 348 7016374. Réduction de 20 % avec la Padova Card.

▶ **La voiture** à Padoue est presque inutile, d'autant qu'une partie du centre historique est fermé à la circulation.

Nous vous conseillons de vous garer en dehors des remparts et de visiter la ville à pied ou en bus, Padoue étant assez étendue. Vous pourrez également louer des vélos.

▶ **Parking**. Deux types de parking à Padoue : ceux payants (tickets en vente chez les marchands de tabac) dans certaines rues du centre, du lundi au vendredi de 8h à 20h ; et les parking couverts surveillés (1-3 € de l'heure). Infos www.apsholding.it/parcheggi

Pratique

■ ASSOGUIDE VENETO

Via Savelli, 8 ℂ 049 86 98 601
Fax : 049 86 98 614
www.venetoguide.it

■ CITY SIGHTSEEING PADOVA

Viale Regione Veneto, 10
ℂ 049 870 49 33
www.padova.city-sightseeing.it
infopadova@city-sightseeing.it
Adultes 13 €, enfants (5-15 ans) 6 €, famille (2 adultes + 2 enfants) 26 €. Valable 24h pour les deux lignes.
Deux itinéraires à travers Padoue et ses environs proches. Commentaires multilingues. Hop on/hop off à chaque arrêt.

■ OFFICE DU TOURISME

Galleria Pedrocchi ℂ 049 87 67 927
www.turismopadova.it
infopedrocchi@turismopadova.it
Lu-Sa 9h-13h30, 15h-19h.

▶ **Padova Card**. 2 types de forfaits valables pour un adulte + un enfant de moins de 14 ans : 48h à 15 € et 72h à 20 €. Elle donne accès à l'ensemble du réseau des transports en commun, à 12 sites artistiques majeures, à des réductions sur les cars rouges city sight seeing et sur le bateaux pour la navigation sur le Brenta et à plusieurs autres avantages. www.padovacard.it

▶ **Autres adresses :** Gare ferroviaire ℂ 049 8752077 • Piazza del Santo (Avril/Octobre) ℂ 049 8753087.

Hébergement

Padoue est une ville chère en ce qui concerne le logement et plus particulièrement les hôtels. Rien de vraiment inabordable, mais les jeunes auront du mal à trouver un hôtel bon marché. L'auberge de jeunesse et la résidence universitaire constitueront donc d'excellentes solutions. Pensez à réserver bien à l'avance.

Bien et pas cher

■ OSTELLO CITTA DI PADOVA

Via A. Aleardi, 30
Adria
ℂ 049 875 22 19
www.ostellopadova.it
ostellopadova@ctgveneto.it
Par personne : chambre 6 et 4 lits 19 €, dortoir 9 lits 17 €, chambre 4 lits avec salle de bain 23 €. Check in 16h-23h.
Vous pouvez loger dans cette belle et calme auberge de jeunesse pendant cinq jours maximum. Les dortoirs sont propres et certains donnent sur un agréable patio. Il y a aussi des chambres avec 2 lits et salle de bains privée pour les familles.

Confort ou charme

■ AL FAGIANO

Via Locatelli, 45
ℂ 049 8750073
Fax : 049 8753396
www.alfagiano.it
Compter entre 50 et 70 € la chambre simple, entre 70 et 100 € la double et entre 90 et 110 € la triple.
Impossible de ne pas succomber au charme de l'hôtel Al Fagiano. Au cœur de la ville, l'hôtel se démarque par une personalisation des espaces et de ses quarante chambres vraiment singulière. Peut-être un peu kitsch, mais agréablement originales, à chaque étage les chambres sont différentes : rouge passion, orange vie, bleue rêve et blanc vérité... de quoi bien commencer son séjour à Padoue !

■ CASA DEL PELLEGRINO

Via Cesarotti, 21
ℂ 049 82 39 711
Fax : 049 82 39 780
www.casadelpellegrino.com
info@casadelpellegrino.com
Simple 41-67 €, double 52-81 €. Petit déjeuner 7 €, parking voiture 5 € par jour, vélo 1 €.
Située sous une charmante galerie, cette auberge était destinée à l'accueil des pèlerins qui se rendaient à la basilique Saint-Antoine, à l'occasion de l'Année Sainte en 1950. Il va sans dire que, de nos jours, son accès est ouvert à tout le monde. La décoration des chambres est un peu triste, mais le service est de qualité. Malheureusement, il est assez difficile d'y trouver de la place à cause de la grande affluence de pèlerins en toute saison.

VENISE ET LA VÉNÉTIE

■ GIOTTO

P.le Pontecorvo, 33
✆ 049 8761845
Fax : 049 662677
www.hotelgiotto.com
info@hotelgiotto.com
*Simple 65-80 €, double 85-120 €, triple
105-140 €.* Un hôtel plutôt classique, très
bien situé sur une jolie place de Padoue, qui
offre 35 chambres confortables et équipées de
climatisation, minibar, TV satellite, connexion
Internet, sèche-cheveux, coffre-fort.

Luxe

■ METHIS

Riviera Paleocapa, 70
✆ 049 872 55 55
Fax : 049 872 51 35
www.methishotel.com
info@methishotel.com
Une nouvelle adresse à Padoue design et
tendance. Le Méthis s'inspire des quatre
éléments pour la décoration des chambres et
des espaces. Selon que vous soyez plus terre,
air, eau ou feu, vous choisirez la chambre que
vous préférez. Chacune propose des services
particuliers, comme un cocktail de bienvenue,
le journal du matin et pour certaines, deux
personnes pour le prix d'une.

Dans les environs

■ HÔTEL RIVIERA DEI DOGI

Via Don Minzoni 33, 30034 Mira
✆ (041) 42 44 66 – Fax : (041) 42 44 28
www.rivieradeidogi.com
*Chambre simple entre 57 et 77 €, double 150 €
max, lit supplémentaire 20 €.* Ces 43 chambres
sont toutes dotées d'air conditionné, minibar,
TV couleur, téléphone avec ligne externe,
bain et douche privés. Cet élégant hôtel est
situé entre les villages avoisinants de Padou
et Venise dans un établissement datant de
1537, aujourd'hui entièrement restauré mais
conservant son âme d'antan. Il se place sur
la « Riviera del Brenta », connue pour ses
richesses artistiques et architecturales mais
aussi ses fameuses Villas Palladiennes. Le bar,
le parking privé et l'accueillant Jardin d'Hiver
intérieur sont d'autres atouts de cet hôtel,
rendant les séjours touristiques, tranquilles
et agréables.

Restaurants

Bon choix de restaurants et de bars dans la Via
Santa Lucia, à deux pas des places du centre,
mais aussi dans le Ghetto et dans les petites
ruelles à côté des places. Les restaurants
situés sur les collines euganéennes offrent
une alternative agréable aux restaurants du
centre-ville.

■ NANE DELLA GIULIA

Via Santa Sofia, 1
✆ 049 66 07 42
Repas 20-30 €. Fermé le lundi. Ambiance
accueillante et chaleureuse pour la plus vieille
osteria de Padoue, située dans une ancienne
fabrique du XVe siècle. Une petite salle et une
petite carte qui change tous les jours selon les
arrivages du marché. La cuisine est savoureuse
et la carte des vins bien fournie.

■ OSTERIA DEI FABBRI

Via dei Fabbri, 13
Adria ✆ 049 65 03 36
Repas 25-30 €. Fermé le dimanche. Bistrot
historique situé dans l'ancien Ghetto en plein
centre-ville. Une bonne adresse pour qui aime
les ambiances cosy, qui propose une carte du
marché aux saveurs régionales.

■ LO ZAIRO

Prato della Valle, 51
✆ 049 66 38 03
Repas 15-30 €. Fermé le lundi.
Bien que très touristique, ce restaurant pizzeria
mérite la visite sourtout pendant les soirs
d'été. Cet édifice du XVIIe a été restauré de
façon un peu kitsch et pourtant manger une
pizza sur sa terrasse qui donne sur Prato
illuminé à la belle saison, vous laissera un
excellent souvenir.

© STÉPHANE SAVIGNARD

Basilique Saint-Antoine de Padoue

Sortir

Les jeunes étudiants branchés de Padoue se retrouvent habituellement en centre-ville dans l'une des trois places voisines qui ne manquent pas de bars et cafés sympathiques pour tous les âges. Piazza delle Erbe c'est le Nazionale, où il faut absolument goûter aux *tramezzini* (sandwich au pain de mie) chauds ; Piazza della Frutta c'est le Margherita qui est surtout très fréquenté pour sa terrasse en été, et Piazza dei Signori c'est le Pilar qui est incontournable à l'heure de l'apéro pour siroter le cocktail traditionnel, le spritz.

Manifestations

▶ **Giugno Antoniano.** Juin. Le Saint Patron de la ville, vénéré dans le monde entier, est fêté par un calendrier de célébrations religieuses et laïques qui s'étendent sur tout le mois de juin. Le 13 juin, jour du Saint Patron, une imposante procession traverse les rues de la ville (www.turismopadova.it/Eventi).

▶ **Maraton de Saint Antoine.** Dernier dimanche d'avril. Un évènement incontournable pour les habitants de la région. Il tient son nom du fait que les participants parcourent le chemin que fit le saint avant de mourir, en voulant rejoindre Padoue. Automobilistes, gare aux routes barrées pour l'évènement (www.maratonasant-antonio.com).

Points d'intérêt

Padoue est une étape sur la ligne de chemin de fer, la dernière, avant Venise. Padoue est une chance, un bonheur. C'est la ville de l'intelligence et de la tolérance, de la foi et du beau. La ville où ont pu s'épanouir les génies de Dante et de Copernic, de Galilée et de Giotto, la ville qui a vu naître Mantegna et mourir saint Antoine. Padoue possède les plus grandes œuvres de Donatello, le premier Théâtre anatomique de la Renaissance et le plus beau café du monde !

■ BASILICA DI SANT'ANTONIO

Piazza del Santo
℅ 049 82 42 811
www.basilicadelsanto.org
Ouverte de 6h30 à 19h (19h45 les samedi et dimanche).

Padoue a su admirablement concilier l'esprit et la religion. Elle reste intimement liée à Antoine de Padoue, le saint le plus populaire d'Italie. Le protecteur des enfants s'appelle ici, Il Santo. L'immense basilique qui lui est dédiée est un important lieu de pèlerinage. Le déploiement de marchands de bondieuseries dans toutes les rues aux alentours est un bon témoignage de cette ferveur populaire. Ferveur qu'on retrouve à l'intérieur de la basilique, notamment dans la très baroque chapelle du trésor, où les fidèles se recueillent face aux reliques du saint. Dans la nef, l'ambiance est plus à la dévotion qu'à la contemplation, et il faut faire un certain effort pour pouvoir admirer les magnifiques bronzes de Donatello qui ornent le maître-autel. Il sera difficile, par contre, de rater Le Gattamelata, la plus grande sculpture de l'artiste, qui trône sur le parvis de la basilique.

Cartes à l'effigie de saint Antoine

■ CAFÉ PEDROCCHI

Via 8 Febbraio, 15
Adria
℗ 049 878 12 31
www.caffepedrocchi.it
Visite du 2ᵉ étage 4 €. Gratuit avec la Padova Card.
Un lieu historique parmi les plus fameux d'Europe. Bâti en 1831 en style néoclassique, avec un caprice gothique de Giuseppe Jappelli, ce café comporte différentes salles restaurées depuis peu. En 1848, il fut le centre du mouvement du Risorgimento et vit la naissance et l'organisation des révoltes anti-autrichiennes. Au deuxième étage, les salles sont décorées de manière originale. La salle Egizia, réalisée entre 1831 et 1842, ressemble à l'intérieur d'un temple égyptien. C'était un hommage à l'explorateur égyptologue Giovan Battista Belzoni. Le Pedrocchi est également connu pour être ouvert tout le temps. Vous pouvez donc vous asseoir, sans rien consommer, dans ses deux salles latérales, la salle verte et la salle rouge : du kitsch, mais quel kitsch !

■ CHAPELLE SCROVEGNI

Piazza Eremitani.
Billets à retirer aux Musei Civici Eremitani, Piazza Eremitani
Adria ℗ 049 20 100 20
www.cappelladegliscrovegni.it
Ma-Di 9h-19h, nocturnes jusqu'à 22h de

mars à novembre. Visite de maximm 20 min. Tarif 11 € + 1 € de réservation, réduit 7 €. Réservation obligatoire. Par téléphone au minimum trois jours à l'avance, par internet un jour à l'avance. Forfaits cumulables possibles, infos sur les site.
Padoue peut s'enorgueillir de posséder un des plus extraordinaires et révolutionnaires chefs-d'oeuvre de l'art médiéval. La série complète de 36 panneaux peints par Giotto entre 1303 et 1305 (la première et la plus connue se trouvant à Assise), illustre la Rédemption et le Jugement dernier, avec des épisodes de l'histoire de la Vierge et du Christ, l'histoire de Marie et de Jésus jusqu'à la Rédemption et le Jugement dernier. Ces peintures lui avaient été commandées par Enrico Scrovegni, issu d'une famille patricienne du XIVᵉ siècle. Par la fondation de cette chapelle, ce patricien cherchait à sauver de la damnation éternelle l'âme de son père, un usurier dont l'histoire était connue à Padoue et dans le reste de l'Italie car Dante, dans son *Enfer*, nous parle de ce personnage. Le peintre a procédé ici par des innovations qui influenceront durablement la peinture italienne : approches de perspectives, détails naturalistes et découpages des scènes par les paysages.

■ CHIESA DEGLI EREMITANI

Piazza Eremitani, 9
℗ 049 87 56 410
Ouverture 10h-13h, 16h15-19h, jours fériés 8h15-18h45. Billet cumulatif avec la Chappelle Scrovegni.
Commencée en 1276, cette église fut achevée en 1306 par le frère Giovanni Eremitani, à qui l'on doit le plafond en bois et le portique angulaire à l'extérieur. L'intérieur, à une seule nef, est riche en fresques du XIVᵉ siècle (de Guariento, dans le presbytère). Ces fresques, notamment celles réalisées par le Padouan Andrea Mantegna, représentant les vies des saints Jacques et Christophe, furent en partie détruites pendant les bombardements de 1944. Seules les fresques de Mantegna ornant la chapelle Ovetari (dans le sud du sanctuaire) ont été épargnées.

■ JARDIN BOTANIQUE

Via dell'Orto Botanico, 15
℗ 049 82 72 119
www.ortobotanico.unipd.it
Avril/Octobre 9h-13h, 15h-19h, Novembre/ Mars 9h-13h et fermé les jours fériés. Tarif 4 €, réduit 3 €.

Ouvert en 1545 en tant que jardin de plantes médicinales de la faculté de Médecine, il s'agit du jardin botanique universitaire le plus ancien d'Europe, et il abrite une importante collection de plantes rares, une ancienne bibliothèque et les collections botaniques de l'université. Depuis 1997, le jardin botanique est protégé par l'Unesco.

■ MUSEI CIVICI EREMITANI

Convento degli Eremitani
Piazza Eremitani, 8
℗ 049 82 04 551
Tous les jours 10h-19h. Tarif 10 €, réduit 8 €. Les musées de la Ville sont installés dans l'ancien couvent des ermites de Saint Augustin. Le rez-de-chaussé est dévolu à l'archéologie égyptienne, grecque et romaine, ainsi qu'à la numismatique. Le premier étage se consacre au Moyen Age. Parmi les œuvres du XIIIe siècle il est important de signaler la Croix de Giotto et les Tables de Guariento. La collection Emo Capodilista plusieurs tableaux des écoles vénitiennes et flamandes du XVIe au XVIIIe siècle.

■ MUSEO ANTONIANO

Piazza del Santo, 11
Adria ℗ 049 82 25 656
Hiver Ma-Di 9h-13h, 14h30-18h30. Eté tous les jours 9h-13h, 14h-18h. Tarif 2,50 €, réduit 1,50 €. Le Musée antonien, rouvert depuis 1995, propose un parcours unique parmi les trésors artistiques réalisés au cours des siècles pour la basilique et la Vénérable Arche du Saint : peintures, sculptures, plâtres, ornements sacerdotaux, tapisseries, orfèvrerie, peu accessibles jusqu'à présent. D'authentiques chefs-d'œuvre sont exposés : la lunette peinte par Mantegna pour la porte de la basilique, des marqueteries en bois du XVe siècle, la précieuse navette d'art d'un orfèvre allemand du XVIe siècle, les retables de Tiepolo et de Piazzetta, un rare ornement sacerdotal en tissu de Lyon du XVIIIe siècle.

■ PALAZZO DEL CAPITANIATO

Piazza dei Signori
Bâtiment de la fin du XVIe siècle. Au centre de sa façade se trouve une tour percée d'un beau porche de Falconetto (1532) et dominée par une horloge astronomique de 1344, de Giovanni Dondi. Sur le côté gauche du palais du Capitaniato se trouve la Corte del Capitaniato, abritant autrefois la faculté des arts et aujourd'hui ouverte pendant les concerts. On y admire des fresques dont l'une est un des rares portraits de Pétrarque.

■ PALAZZO DELLA RAGIONE

Piazza delle Erbe
℗ 049 820 50 06
Ma-Di 9h-19h. Tarif 8 €, réduit 4 €.
Ce palais divisant les deux places principales, la Piazza delle Erbe et la Piazza della Frutta, fut construit entre 1218 et 1309. Caractérisé par son toit en forme de carène de navire, l'intérieur est constitué par une seule grande pièce de 81 m x 27 m, entièrement peinte de sujets astrologiques et religieux, au centre de laquelle trône un impressionnant cheval en bois datant de 1466, copie du cheval de la statue du Gattamelata de Donatello. Quand le palais n'accueille pas des expositions temporaires, vous pouvez également y observer une pierre singulière appelée la « Pietra Vituperia ». Elle était utilisée pour punir les usuriers qui, paraît-il, abondaient dans la ville au Moyen Age (comme le père d'Enrico Scrovegni dont la chapelle de Giotto devait garantir le salut). Dans les galeries et sous les arcades du rez-de-chaussée se trouve le plus ancien centre commercial d'Europe, comprenant à l'heure actuelle une cinquantaine de magasins. Un très bon endroit pour faire son shopping gastronomique.

■ PIAZZA DEI SIGNORI

Sur cette large place se dresse une colonne portant le lion vénitien, en symbole de la domination exercée par la Sérénissime sur la ville pendant presque quatre siècles. En regardant autour de vous, vous ne pourrez qu'admirer la belle façade du Palazzo del Capitaniato.

■ PIAZZA DELLE ERBE ET PIAZZA DELLA FRUTTA

Ces deux places sont le cœur de la ville. Tous les matins, elles s'animent d'un marché qui s'y tient depuis des siècles. Sur la Piazza delle Erbe, on peut voir le Palazzo della Ragione, autrefois réservé à la justice. La plus belle vue de la piazza delle Erbe est celle qui nous est donnée à partir de la loggia du XVe siècle bâtie par Palladio.

■ PRATO DELLA VALLE

Cette grande place, à l'origine ancien théâtre romain, servait à saint Antoine de lieu de prière et de prêche. Abandonnée après la mort du saint, elle était infestée par les insectes et la malaria quand, en 1775, après son assainissement, on y construisit une gigantesque île verte en forme d'ellipse, appelée Memmia, traversée par quatre allées, elles-mêmes dans le prolongement de quatre ponts.

VENISE ET LA VÉNÉTIE

© APOLLON - ICONOTEC

Prato della Valle

L'île est entourée par un canal dont les rives sont ponctuées de 78 statues d'hommes illustres locaux. Aujourd'hui, Prato della Valle est le traditionnel lieu de foires et de divertissement, très agréable pour s'y promener.

■ **UNIVERSITÉ (« PALAZZO BO »)**
Via 8 Febbraio, 2
Palazzo del Bo
✆ 049 82 73 047
www.unipd.it/ateneo
Visites guidées : lundi, mardi et mercredi à 15h et 16h, jeudi et vendredi à 10h et 11h. Tarif 5 €, réduit 2 €. Réservation obligatoire pour les groupes.
L'université de Padoue est un rendez-vous avec l'intelligence humaine depuis 1221. Fondée par les Bolonais, elle prit son essor alors que Padoue était passée sous la domination de Venise, bénéficiant de l'extraordinaire climat de liberté et de tolérance religieuse qui régnait dans la Sérénissime. Les étudiants y affluèrent des confins de l'Europe, de la Suède à la Pologne. Les plus grands génies de leurs temps y trouvèrent un lieu propice à l'expérimentation et à la pensée : Copernic, Dante, Galilée. On peut toujours voir la chaire en bois sur laquelle ce dernier a enseigné, mais la chose la plus spectaculaire à voir ici est sans doute le Théâtre anatomique. Premier auditorium de sciences médicales au monde, construit en 1594. Un défi à l'obscurantisme et à l'Inquisition. Un espace composé de cercles concentriques, dépourvu de lumière naturelle, les séances se déroulant de nuit, pour plus de sûreté, ce type d'expérience scientifique étant mal vues par l'Eglise. Cet extraordinaire dispositif a permis à la médecine d'avancer jusqu'en 1892 ! Cet élan pour la connaissance dans un esprit de liberté, on le trouve toujours, que ce soit dans le rituel ancestral qui suit les remises de diplômes, en juin, au cours duquel chaque étudiant a droit à une mise en scène, entre le bizutage et le strip-tease – toujours, dans une ambiance bon enfant –, ou bien dans la cour, ou Jannis Kounellis a créé une installation avec des planches de bois et un drapeau, œuvre commandée pour le 50e anniversaire de la Libération et dédiée à l'idéal de culture que véhicule l'université pour « reconstruire l'Italie de la liberté ».

Navigation sur le Brenta
À la Renaissance, la noblesse de la Vénétie choisit de se faire construire de somptueuses villas le long du lit du fleuve Brenta, cours d'eau navigable qui relie Padoue à Venise. Une manière originale de découvrir les villas aux alentours de Padoue reste la navigation fluviale. Pour les informations, s'adresser au Consorzio Battellieri di Padova, Galleria Pedrocchi ✆ 049 8766860 – www.padovanavigazione.it

LES COLLINES EUGANÉENNES

Situé au sud de Padoue, cet étrange ensemble de collines est aussi appelé Distretto vulcanico Euganeo, car il s'agit de reliefs d'origine volcanique. Elles sont composées d'une pierre faite de trachyte et de basalte. La beauté de cette région fut célébrée par Pétrarque, qui y passa les derniers jours de sa vie. Entourée par la verdure rafraîchissante de ses hauteurs, les Thermes Euganéennes, célèbres dans le monde entier, sont l'endroit idéal pour la détente et le bien-être. Dans les principaux centres de Albano et Montegrotto, plusieurs établissements thermaux proposent des cures thérapeutiques à base d'une boue particulière, extraite d'un sol très riche en minéraux. Mais les Colli Euganei sont également réputés pour leurs paysages, où la forme des collines rondes et peu élevées (le sommet le plus haut atteint 603 m au Monte Venta), se prête particulièrement à tout genre d'activités sportives (cinq terrains de golf, randonnée, vélo...). Une excellente cuisine locale terminera de satisfaire les amoureux de la bonne table, aussi bien dans ses formes traditionnelles, que par des recettes gastronomiques plus élaborées. Le tout accompagné par les vins des Colli, déjà célébrés par Pétrarque. Infos sur www.turismopadova.it/terme euganee

VICENCE

Situé au pied des monts Berici, au confluent de la Retrone et de la Bacchiglione, Vicence est placé stratégiquement au cœur de la Vénétie. Fondée entre les XIe et VIIe siècles av. J.-C. par les populations euganéennes (une période de l'histoire de Vicence dont il ne reste que très peu de témoignages, tous conservés au musée archéologique Santa Corona), la ville, sous le nom de Vicetia, devint un municipe romain en 49 av. J.-C. et, en même temps, un carrefour important des communications en Vénétie. Au XVIe siècle, l'architecte Andrea Palladio enrichit la ville et ses alentours d'élégantes villas ainsi que du théâtre olympique. Cet environnement a valu à Vicence d'être inscrite sur la liste du patrimoine mondial de l'Unesco. Dans l'immédiat après-guerre, une grande partie de la population fut contrainte d'émigrer. Pourtant, à partir des années 1950, la structure socio-économique de Vicence commença aussitôt à se reconfigurer de manière positive. Aujourd'hui Vicence peut s'enorgueillir d'une activité économique prospère qui lui a valu le titre de capitale du phénomène industriel du nord-est italien et de l'orfèvrerie mondiale. En effet, de nos jours, on peut dire que Vicence est un lieu de pèlerinage pour les architectes, qui viennent admirer et étudier les œuvres d'Andrea Palladio, et les bijoutiers, qui s'y rendent trois fois par an pour participer à Vicenza Oro, la première foire de bijouterie-joaillerie d'Italie.

Transports

▶ **Bus**. Autogare face à la gare ferroviaire. Liaisons avec les principales villes de Vénétie. FTV (Ferrovie Tramvie Vicentine), Viale Milano 78 ℰ 0444 223115.

▶ **Train**. Ligne Turin-Trieste (2 heures de Milan, 20 minutes depuis Padoue et Vérone) ℰ 0444 326707.

▶ **Voiture**. Autoroute A4 Milan-Venise. 250 km de Milan, 75 km de Venise. Du sud de l'Italie autoroute A13 Bologne-Padoue, après Padoue poursuivre sur la A4.

Se déplacer

Vicenza est une ville à taille humaine faite pour être découverte à pied ou à vélo. A cause de l'intense développement économique des dernières années, la ville est devenue une des zones de très grande affluence en Italie, rendant ainsi le réseau routier souvent très embouteillé. Il est ainsi conseillé de préférer les transports en commun dont le service est toujours efficace et régulier.

▶ **Bus**. AIM Trasporti Urbani ℰ 0444 394 911/09 – www.aimvicenza.it – Les liaisons entre les parkings et le centre-ville sont garanties par le service Centrobus (lignes 7 et 10, a/r 2,50 €).

▶ **Taxi**. Station Gare ferroviaire ℰ 0444 324 396 ; Radio Taxi ℰ 0444 920600.

▶ **Vélo**. Location de vélo auprès des bureaux de la mairie, sur présentation d'une pièce d'identité (info@vicenzatour.com).

▶ **Voiture et parking**. Une partie du centre historique est interdite à la circulation. Il existe cependant plusieurs possibilités de se garer, dans des parking surveillés (liste sur www.vicenza.com/parcheggi) et non surveillés (V.le Eretenio, Piazza Matteoti, P.le Bologna, P.le Giusti, Piazza Mutilato). Nous rappelons que les places de parking délimitées par la ligne jaune sont réservées aux résidents, tandis que celle délimitées par la ligne bleue sont payantes (tickets en vente chez les marchands de tabacs).

Pratique

■ **ASSISTANCE MEDICALE
(GUARDIA MEDICA)**
℃ 0444 567228

■ **HÔPITAL DE VICENCE
(OSPEDALE CIVILE)**
℃ 0444 993111

■ **OFFICE DU TOURISME**
Piazza Matteotti, 12
℃ 0444 32 08 54
turismo.provincia.vicenza.it
iat.vicenza1@provincia.vicenza.it,
www.vicenzae.org
Lu-Sa 9h-13h, 14h-18h. Fermé le dimanche après-midi.

▶ **Autre adresse :** Ufficio I.A.T. Piazza dei Signori, 8 ℃ 0444 544122.

Hébergement

Vicence est une ville qui offre toutes les typologies d'hébergement à des prix tout à fait corrects par rapport au reste de la Vénétie. Il est cependant important de signaler que, siège du Salon Internationale de l'Orfèvrerie, en période de foire (janvier, mai, septembre) les établissements sont pris d'assaut et les prix augmentent considérablement. Il est donc conseillé de se renseigner par avance.

Bien et pas cher

■ **OSTELLO OLIMPICO**
Viale Giuriolo, 9
℃ 0444 54 02 22
Fax : 0444 54 77 62
www.ostellovicenza.it
ostello.vicenza@tin.it
Lit en dortoirs 4/6 places 20-26 €, chambre double de 50-60 €, chambre familiale 60-75 €.
Située sur la Piazza Matteotti, juste en face du Palazzo Chiericati et non loin du Teatro Olimpico, cette auberge de jeunesse jouit d'une position exceptionnelle. Les chambres très simples offrent néanmoins le meilleur tarif de la ville.

Confort ou charme

■ **CONTINENTAL**
Viale G.G. Trissino, 89
℃ 0444 50 54 78
Fax : 0444 51 33 19
www.continental-hotel.it
info@continetal-hotel.it

Simple 70-130 €, double 90-180 €.
A quelques pas du centre historique de Vicence, cet hôtel dispose de chambres spacieuses et tout confort aux noms évocateurs tels que vitality, fresh, energy... Point Internet, solarium et parking face à l'hôtel gratuit de 20h à 8h.

■ **DUE MORI**
Contrà do Rode, 26
℃ 0444 32 18 86
Fax : 0444 32 61 27
www.hotelduemori.com
info@hotelduemori.com
Simple 48 €, double 80 €, sans salle de bain 55 €. Petit déjeuner 5 € par personne.
Sans doute la meilleure adresse, en ce qui concerne le rapport qualité/prix, située dans une petite ruelle du centre-ville (difficile d'accès en voiture). Les 30 chambres, dont 3 moins chers avec salle de bains à l'étage, toutes différentes l'une de l'autre, sont meublées en style Liberty.

Luxe

■ **CAMPO MARZIO**
Viale Roma, 21
℃ 0444 54 57 00
Fax : 0444 32 04 95
www.hotelcampomarzio.com
info@hotelcampomarzio.com
Simple 170 €, double 250 €. Parking privé voitures et vélos.
Proche des espaces verts du Campo Marzio et non loin de la gare, une adresse idéale pour ceux qui apprécient le grand confort accompagné d'un brin de distinction. Toutes les chambres sont décorées de manière différente et équipées de téléphone, télévision, climatisation, réfrigérateur, etc.

■ **PALLADIO**
Contrà Oratorio dei Servi, 25
℃ 0444 325347
Fax : 0444 393632
www.hotel-palladio.it
Situé dans un palais du XVe siècle, restauré en 2007, l'hôtel Palladio offre des chambres d'une élégante sobriété, adaptées aussi bien à une clientèle d'affaire qu'à un tourisme de qualité.

Restaurants

Vicence est une terre de gastronomie. On y trouve des agriturismi de qualité et des trattorie qui proposent des plats typiques comme *polenta et baccalà* (morue) ou *risotto* et pâtes aux truffes. Aventurez-vous dans le quartier universitaire des Barche où les prix sont moins élevés et l'ambiance plus authentique. En voiture vous pourrez rejoindre les collines Berici et vous arrêter dans un des nombreux petits restaurants que vous croiserez sur la route.

Bien et pas cher

■ ANTICA CASA DELLA MALVASIA
Contrà delle Morette, 5
✆ 0444 543704
Repas 20-30 €. Fermé dimanche soir et lundi.
Un des brasseries les plus connues de Vicence, à deux pas de la basilique palladienne. Ancien dépôt de vin (le *malvasia*) depuis le XIIIᵉ siècle, l'endroit a su garder une ambiance de vieux bistrot, dans un cadre très évocateur. Côté menu, les plats reflètent la tradition culinaire régionale.

■ OSTERIA IL CURSORE
Stradella Pozzetto, 10
✆ 0444 323504
Repas 15-30 €. Fermé le mardi.
Ambiance rustique pour une *osteria* comme autrefois, repaire des *tifosi* et des VIP de l'équipe de football de Vicence. Les maillots blancs et rouges de l'équipe locale décorent les murs. Une adresse historique où déguster *baccalà alla vicentina* (morue en sauce), *cavatelli radicchio e salsiccia* (pâtes chicorée et saucisse) et *spuncetti* de toutes sortes.

■ SELF-SERVICE RIGHETTI
Piazza del Duomo, 3
✆ 0444 543135
Repas 10-20 €. Fermé le week-end.
Righetti est bien plus qu'un self-service. Un décor de boiseries chaleureux et une ambiance très animée surtout à midi, donnent le ton à cette cantine très fréquentée par les Vicentini, où on est toujours sûr de faire un repas complet, plutôt savoureux pour moins de 15 €.

Bonnes tables

■ AL PESTELLO
Contrà Santo Stefano, 3
✆ 0444 323721
Fermé le dimanche. Pour un repas, comptez entre 25 € et 30 €.
Cette ancienne brasserie de quartier située dans une ruelle calme du centre, propose une cuisine typiquement régionale (le *menù* est en dialecte ! mais ne vous inquiétez pas, on vous le traduira avec plaisir). Souvent pendant votre repas, vous pourrez assister à des concerts de jazz ou à des lectures de poésie locale.

■ GRAN CAFFÉ GARIBALDI
Piazza dei Signori, 5
✆ 0444 542455
Repas 25-50 €. Fermé mardi soir et mercredi.
Café historique de Vicence, ouvert depuis 1943, le Gran Caffé Garibaldi est à la fois caffé, restaurant et glacier. La salle du rez-dechaussé est très agréable à l'heure du déjeuner ou pour l'apéritif (goûtez aux délicieux *tramezzini*), tandis qu'à l'étage, le vrai restaurant propose une carte de spécialités saisonnières régionales.

Manifestations

■ VICENZA JAZZ
Mai. Un festival de renommée internationale consacré au jazz, qui attire chaque année de nombreux spectateurs du monde entier. Les concerts se déroulent dans différents sites et bars de la ville. www.vicenzajazz.it

---

Représentations au Teatro Olimpico

La renommée du Teatro Olimpico de Vicence ne se limite pas à son extraordinaire architecture. Le Théâtre propose une bonne programmation musicale et théâtrale, dans un cadre d'exception. Les spectacles et les concerts attirent chaque année un public international. Informations et réservations ✆ 347 492500 – info@olimpico.vicenza.it – Tarifs 14-38 €.

▶ **Semaines musicales**. Mai/juin. Festival de musique classique.

▶ **Cycle de spectacles classiques**. Septembre/octobre. Représentations des grands titres classiques de l'Antiquité grecque et romaine.

▶ **Pièces de William Shakespeare**. Les pièces du dramaturge anglais, en langue originale.

Palladio Card

Un seul billet au tarif privilégié de 8 € (réduit 6 €), garantit l'accès aux sites suivants : Teatro Olimpico, Palazzo Chiericati – Museo Civivo Pinacoteca, Museo Naturalistico Archeologico, Museo del Risorgimento e della Resistenza, Galleria di Palazzo Leoni Montanari, Museo Diocesano. En vente à la billeterie du Teatro Olimpico, la Card est valable trois jours à partir de la première visite (www.palladiocard.it).

Points d'intérêt

■ BASILIQUE PALLADIENNE

Piazza dei Signori

℡ 0444 323681

Première grande commande du jeune architecte Andrea Palladio en 1546, la Basilique Palladienne est le résultat de la fusion entre les édifices gothiques préexistants et le double ordre de loggias, d'arcs et des colonnes serliennes, œuvres de Palladio.

Les loggias sont fermées par une balustrade ponctuée de statues d'où émerge l'immense carène verte en cuivre qui couvre le grand salon intérieur. L'édifice anciennement siège des magistratures de Vicence, est aujourd'hui le principal lieu d'exposition de la ville. Symbole de Vicence, elle entre, en 1994, avec d'autres architectures de Palladio de la région, au patrimoine mondial de l'Unesco.

■ CORSO ANDREA PALLADIO

Axe de la vie artistique et sociale de la ville, cette longue avenue s'étend de la Piazza dei Signori au Teatro Olimpico. Au sud et au nord du Corso, les monuments sont entourés par des murs datant du haut Moyen Age, construits par les Della Scala de Vérone, et par des rues étroites appelées contrà. Le long du Corso Palladio défilent plusieurs siècles d'architecture. En partant de la Piazza Castello, au sud-ouest de la ville, vous découvrirez une série de palais, œuvres du grand architecte Andrea Palladio. En face de la Piazza Castello, le Palazzo Porto Breganze, dont la façade semble avoir été tronquée, a été conçu par Palladio et construit par Vincenzo Scamozzi au début du XVIIe siècle. De l'autre côte de la place, à l'angle du Corso Palladio, se trouve une construction un peu classique, le Palazzo Thiene-Bonin Longare, à la façade monumentale composée d'une superposition de deux niveaux de colonnes corinthiennes. Juste en face du Palazzo Bonin se trouve le Palazzo Piovene et, plus loin, le Palazzo Loschi Zileri, réalisé par Ottone Calderari dans la seconde moitié du XVIIIe siècle, l'église S. Filippo Neri, reconstruite en 1730, le Palazzo Braschi, du XVe siècle, entièrement refait à l'identique après les bombardements de 1944, et le Palazzo Trissino, œuvre de Scamozzi et siège actuel de la mairie de Vicence. Continuant sur cette même avenue, on arrive au Palazzo Da Schio, également appelé Ca' d'Oro et datant du XVe siècle, et à l'église Santa Corona, de style roman, abritant des œuvres de Paolo Véronèse et de Giovanni Bellini. On croise enfin

Basilique Palladienne et la Torre di Piazza

un petit édifice, ancienne maison de Palladio, et, sur la Piazza Matteotti, on s'arrête devant la splendide façade du Palazzo Chiericati. C'est le dernier palais construit par Palladio.

■ CRYPTOPORTIQUE ROMAIN

Piazza del Duomo, 2

✆ 0444 226626.

Sa 10h-11h30, 2e dimanche du mois été 10h-12h, 15h30-17h, hiver 10h-12h, 14h30-16h.

Les amateurs d'architecture romaine pourront visiter, sur le côté droit de la place de la cathédrale, un exceptionnel vestige de l'époque, un cryptoportique parfaitement conservé. Faisant partie d'une ancienne demeure patricienne dont la construction date probablement d'entre la fin du Ier siècle av. J.-C. et le Ier siècle apr. J.-C., le cryptoportique, composé de trois galeries, était utilisé comme déambulatoire (lieu de promenade), car il était frais en été et couvert en hiver.

■ DUOMO

Piazza del Duomo, 8

✆ 0444 320996

Ouvert de 8h30 à 12h et de 15h à 18h.

La cathédrale de Vicence a été presque entièrement détruite pendant la Seconde Guerre mondiale. Seuls sa splendide façade et le chœur de style gothic tardif sont demeurés intacts. A l'intérieur sont conservés une œuvre de Domenico Veneziano et le maître-autel sculpté par Giovanni da Pedemuro. Les passionnés d'histoire romaine pourront également visiter les vestiges d'anciennes habitations et de routes romaines conservés dans les souterrains de la cathédrale.

■ MUSEO PALLADIO - PALAZZO BARBARAN DA PORTO

Contrà Porti, 11

✆ 0444 323014

www.cisapalladio.org

Ma-Di 10h-18h. Entrée payante selon les expositions.

Ce chef-d'œuvre palladien est le seul palais de Vicence que l'architecte réussit à réaliser entièrement. Ses salles décorées de fresques et de stucs sont aujourd'hui le siège d'un musée qui expose une série de maquettes en bois, reproductions des principales oeuvres de Palladio, et du Centre International d'Etudes d'Architecture (Cisa), mondialement réputé pour ses études consacrés à l'histoire de l'architecture. Sa bibliothèque conserve d'importants textes sur le sujet remontant au XVIe siècle. Observez la cour d'entrée, parfait exemple du génie de Palladio. En la regardant,

vous aurez l'impression qu'elle est symétrique mais détrompez-vous ! Si vous regardez le plan affiché sur votre droite, vous remarquerez qu'elle est en réalité asymétrique. Un effet d'optique obtenu par Palladio grâce à un jeu d'arcades et de colonnes, procédé devenu désormais classique en architecture.

■ PALAZZO LEONI MONTANARI

Contrà S. Corona, 25

✆ 800 578875 (n° vert à partir de l'Italie)

Fax : 0444 991280

www.palazzomontanari.com (réservation en ligne) *Ma-Di 10h-18h. Tarif 4 €.*

Un somptueux palais baroque rénové avec beaucoup de style. En effet, l'architecture de ce palais datant du XVIIe siècle s'éloigne de la leçon de Palladio pour reprendre celle du baroque dit « européen ». Scénographie et éclairage admirables, du vrai design italien contemporain. Le palais est actuellement le siège du département des œuvres d'art de la banque Intesa San Paolo, un des premiers établissements financiers en Italie. Les salles accueillent d'intéressantes collections et des expositions temporaires. Parmi les œuvres de la collection permanente, on pourra admirer un splendide cycle de quatorze toiles de Pietro Longhi représentant des scènes de la vie quotidienne de l'aristocratie vénitienne. Le dernier étage du palais est consacré à une étonnante collection de plus de 400 icônes russes, du XIIIe au XIXe siècle, précieux témoignages de l'art sacré russe.

■ PIAZZA DEI SIGNORI

Piazza dei Signori est la plus grande place de Vicence et son cœur historique. Elle se trouve à l'emplacement de l'ancien forum romain et fut pendant longtemps la place du marché. Tous les symboles politiques y trônent : le campanile, ou Torre Bissarra, haute de 82 m ; les deux colonnes portant le lion de saint Marc ; la Loggia del Capitano, siège du conseil municipal, œuvre assez affectée de Palladio ; le Mont de Piété et enfin la gigantesque Basilica Palladiana.

■ PIAZZA DELLE ERBE ET PIAZZA DELLE BIADE

Après la piazza dei Signori, Vicence possède un certain nombre de places dignes d'intérêt. Parmi celles-ci Piazza delle Erbe et Piazza delle Biade, respectivement à l'est et au nord de la place centrale, étaient les lieux où se déroulaient les marchés, des fruits et légumes dans la première, des céréales dans la seconde.

Aujourd'hui sur la Piazza delle Erbe, se tient encore un marché très coloré, à l'ombre de la Torre del Tormento (tour du tourment) érigée au XIIIe siècle et utilisée au Moyen Age comme prison et lieu de torture. En suivant, au sud de cette place, la Via SS. Apostoli, la Piazzetta S. Giuseppe et la Via del Guanto, vous pourrez reconstruire le périmètre du Teatro Berga, l'ancien théâtre romain dont les vestiges ont été intégrés dans des constructions plus récentes. Si vous avez la chance de trouver un portail ouvert, n'hésitez pas à jeter un coup d'œil dans les cours des immeubles qui bordent ce périmètre. Vous y découvrirez un peu de ces vestiges qui constituent aujourd'hui le décor d'habitations privées.

■ PINACOTHÈQUE DE PALAZZO CHIERICATI

Piazza Matteotti, 37/39
℃ 0444 321348
www.museicivicivicenza.it
Ma-Di 9h-17h. Compris dans la Palladio Card 8 €. Abrité dans le Palazzo Chiericati, un des premiers ouvrages de Palladio construit en 1551 mais terminé seulement au XVIIe siècle, ce musée accueille une pinacothèque riche en peintures de la Vénétie du XIVe au XVIIIe siècle (Cima da Conegliano, Bartolomeo Montagna, etc.). Une partie des plafonds du musée est décorée de fresques de Jacopo Bassano, de Francesco Maffei et de Giulio Carpioni. Parmi les œuvres majeures exposées, on remarquera *le Miracle de saint Augustin* du Tintoret, *les Trois Ages de l'homme* de Van Dyck et une riche collection de dessins d'Andrea Palladio.

■ TEATRO OLIMPICO

Piazza Matteotti
℃ 0444 222800
www.teatro-olimpico.vicenza.com
museocivico@comune.vicenza.it
Ma-Di 9h-17h. Palladio Card : tarif 8 €, réduit 6 €. Situé sur la gauche du Palazzo Chiericati, ce théâtre extraordinaire, commencé en 1580 par Palladio et achevé par son élève Vincenzo Scamozzi, a été le premier théâtre couvert d'Europe. Il est devenu très vite le modèle de théâtre par excellence et a influencé de nombreux architectes européens. De type classique, il est cependant à l'opposé du théâtre aristocratique de cour qui apparaît vers la fin du XVIe siècle et qui correspond davantage à l'explosion de l'art baroque. Bâti en bois et en stuc, il matérialise une interprétation du théâtre antique faite d'après

les études et les idées de l'humanisme classique. Commandé par l'Accademia Olimpica, composée d'intellectuels et de notables de Vicence, le théâtre est englobé dans un édifice préexistant, l'ancien château des Carrara. L'entrée en pierre, ornée de gravures martiales, s'ouvre sur une agréable cour-jardin. Le théâtre est construit sur le modèle des théâtres romains, divisés en quatre parties : la cavea (ou l'orchestre), le proscenium, l'agora et la scène fixe. Cette dernière s'ouvre par un grand arc triomphal, précédé d'une avant-scène aux motifs peints imitant des arcades, des colonnes et des statues de marbre figurant les membres de l'Académie qui financèrent la construction du théâtre. La scène reproduit, en trompe-l'œil, la perspective imaginaire des sept rues de la ville de Thèbes. Le théâtre peut accueillir 800 personnes. Pour assister aux représentations, vous pouvez appeler le ℃ (0444) 22 28 01/00.

■ TORRE BISSARA

Cette tour en brique appellée aussi Torre di Piazza, est l'édifice le plus élevé de Vicence. Construite par la famille Bissarri en 1174, elle fut surélevée au XIVe siècle par la Ville de Vicence qui en avait acquis la propriété. Le lendemain d'un bombardement en 1945, elle se présenta aux habitants de la ville « décapitée ». Aujourd'hui reconstruite, elle a la particularité de sonner à « la neuvième heure ». Tous les jours sept minutes avant midi et sept minutes avant 18h, les cloches jouent une mélodie particulière.

BASSANO DEL GRAPPA

Célèbre pour son eau-de-vie à base de marc de raisin, la grappa, et pour ses faïences, Bassano possède un agréable cœur historique, dont témoignent, au gré des rues, églises, palais et couvents. Son nom vient de fundus Bassianus ou Baxianus, c'est-à-dire « grande propriété foncière » ou « ville de la famille romaine Bassia ». Ses origines remontent en effet à l'époque romaine.

Aujourd'hui, Bassano est une riche petite ville de la Vénétie à l'économie florissante, et les amateurs de musées ne seront pas déçus : ils auront le choix entre le Museo della Ceramica (Palazzo Sturm, Via Schiavonetti 7, ℃ 0424 524933), et le Museo Civico (Piazza Garibaldi 34, ℃ 0424 522235), un des plus anciens musées de la Vénétie, qui conserve une importante collection de peintures (le plus grand ensemble d'œuvres de Jacopo da

Ponte) et d'extraordinaires témoignages de l'œuvre d'Antonio Canova. Pour les curieux, une visite à la principale distillerie d'eau-de-vie de Bassano s'impose. La grappa Nardini est la plus ancienne et la plus prisée de la région (visites sur réservation ✆ 0424 227741 - www.nardini.it). La principale curiosité de la ville est cependant le Ponte degli Alpini, un pont en bois couvert datant du XIIIe siècle et reconstruit par Palladio en 1569. Détruit à plusieurs reprises par la crue de la Brenta ainsi qu'au cours des deux dernières guerres, il a toujours été reconstruit selon les plans du célèbre architecte.

MAROSTICA

Cette belle ville à quelques kilomètres à l'ouest de Bassano, située au pied des montagnes de Vicence entre les rivières Astico et Brenta, peut s'enorgueillir d'un riche passé. Des céramiques et deux pierres tombales attestent du passage des Paléovénètes puis des Romains. Marostica aurait abrité les dépendances de la famille de Ezzelini, au même titre que Bassano del Grappa, avec laquelle elle partage une bonne partie de son histoire médiévale. Elle fut source de dispute entre les patriciens padouans et ceux de Vicence, passant en 1404 sous domination vénitienne. Mais Marostica reçut un traitement de faveur de la part des Vénitiens, car elle se déclara indépendante de Vicence et se laissa gouverner directement par la Sérénissime. Comme Bassano, elle fut dévastée par la seconde invasion allemande, mais l'économie reprit en 1685, année où le doge Corner la reconnut comme cité.

Aujourd'hui, perchée sur des collines où poussent des cerisiers, des vignes et des oliviers, Marostica est entourée par des enceintes érigées par les Scala de Vérone en 1370. Pour en apprécier le panorama, promenez-vous le long du chemin menant au Castello Inferiore, sur la place principale de la ville, jusqu'au Castello Superiore (sur la colline).

Marostica est célèbre pour son tournoi d'échecs, la Partita a Scacchi. En souvenir de l'anecdote selon laquelle, en 1454, la belle châtelaine Lionora fut offerte en récompense au meilleur joueur d'échecs de la ville, un gigantesque tournoi d'échecs avec des personnages vivants en costume d'époque est organisé chaque année à l'automne. Pour assister au spectacle, informations et réservations sur www.marosticascacchi.it

VÉRONE

Aujourd'hui, Vérone est une des villes les plus visitées d'Italie. Située stratégiquement entre Milan et Venise ainsi que sur la route de l'Europe centrale, via le col du Brenner, elle s'étend sur les rives de l'Adige, au pied des monts Lessini. Ses origines remontent à la préhistoire.

En 89 av. J.-C., Vérone était une ville romaine. Le chef barbare Odoacre en fit une forteresse militaire au Ve siècle apr. J.-C., avant d'être vaincu par Théodoric en 489. Rattachée à l'Empire germanique en 952, elle devint une ville libre en 1107. Elle atteignit son apogée politique et artistique au XIVe siècle, sous la tutelle des Gibelins et des Scaligeri dont la longue domination, commencée en 1263, perdura pendant 127 ans.

Cette famille de condottiere, dont la particularité était de porter des noms originaux comme Mastino (chien de garde) et Cangrande (grand chien), sut transformer sa cour en un haut lieu de la culture, accueillant notamment Dante Alighieri de 1301 à 1304 (le poète dédia le dernier livre de sa *Divine Comédie*, « Le Paradis », à Cangrande Ier). Annexée par les Visconti de Milan en 1387, Vérone fut intégrée à la République vénitienne de 1405 à 1797, date à laquelle elle fut occupée par les armées françaises dirigées par Napoléon. Cédée à l'Autriche par Bonaparte, elle fut rattachée au royaume d'Italie en 1866. L'Unesco l'a inscrite sur sa liste du patrimoine mondial. Et pourtant... est-ce son histoire ou la richesse artistique mêlant l'Antiquité, le Moyen Age et la Renaissance qui ont fait sa notoriété ? Non, c'est l'amour, un amour dramatique mis en scène par un Anglais, qui n'y avait d'ailleurs jamais mis les pieds, William Shakespeare. Sa pièce *Romeo et Juliette*, depuis mise en scène à l'opéra comme au cinéma, retrace l'amour impossible de deux jeunes Véronais : un rêve, une image de marque, une publicité, pour Vérone, à faire pâlir d'envie toute ville désireuse d'assurer sa promotion.

Transports

▶ **Avion.** Aéroport Valerio Catullo, Villafranca. Vols internes vers plusieurs villes du centre et du sud de l'Italie, ainsi qu'avec les principales capitales européennes (vol Air France Paris-Vérone) ✆ 045 8095666 – www.aeroportoverona.it – Service navette a/r Gare Porta Nuova-Aréoport, tous les jours aux 10-30-50 minutes de chaque heure, de 6h à 23h, tarif 4,50 €.

▶ **Bus**. La ATV, entreprise de transports publique de la ville, relie Vérone et les principales localités de la province. Terminal devant la Gare Porta Nuova ✆ 045 8057911 – www.atv.verona.it

▶ **Train**. Gare Verona Porta Nuova. Ligne Milan-Venise (est/ouest) et ligne Rome-Trente (nord/sud). Liaisons régulières vers les autres villes de la région. Le train de nuit Paris-Venise s'arrête à Vérone ✆ 89 20 21 – www.trenitalia.com.

▶ **Voiture**. Autoroute Est/Ouest A4, autoroute Nord/Sud A22. Milan est à 161 km, Venise à 114 km.

Se déplacer à Vérone

▶ **Bus**. Les bus urbain sont de couleur orange. Les ticket s'achètent dans les bureaux de tabac et dans les kiosque à journaux. Ticket à 1 € (valable 60 minutes sur tout le réseau urbain- aussi dans le bus mais majoré de 20 centimes), ticket touristique 3,50 €. Carnet de 10 billets à 9 € ✆ 045 8057922 – www.atv.verona.it.

▶ **Taxi** ✆ 045 532666 – www.radiotaxiverona.it

▶ **Voiture**. La circulation est interdite dans la zone piétonne de Via Roma, Via Mazzini, Via Cappello, Via Leoni et Corso Porta Borsari ainsi que dans l'anse de l'Adige (zone AZTL). L'accès au centre historique est autorisé à tous aux horaires suivants : lu-ve 10h-13h30, 16h-18h, 20h-22h, sa-di 10h-13h30. Cependant, il vous sera permis de vous rendre à votre hôtel s'il se trouve dans la zone interdite.

▶ **Parking**. Seuls les véhicules en possession du Verona Park, ticket horodateur en vente dans les bureaux de tabac et bars agréés (1-1,50 €) sont autorisés à stationner. Parking gratuits : Porta Palio e Stadio Comunale. Parking payants : Via Città di Nimes et Passalacqua (le plus proche du centre), 5 € les 24h (www.amt.it).

Pratique

Offices du tourisme

■ CITY SIGHTSEEING VERONA
✆ 045 6206842
www.verona.city-sightseeing.it
Ligne A Corso Porta Nuova - Giardini Pradaval 9-19 €, Ligne B Piazza Bra - Porta Leoni 9,30-19,30 €. Ticket valable 24h. Tarifs variables selon l'horaire et selon la saison.

Deux itinéraires à travers les principaux sites de la ville. A chaque site, il est possible de descendre pour la visite et de reprendre le bus à un autre arrêt.

■ INTERNET TRAIN
Via Roma, 17
✆ 045 8013394
Cybercafé disposant de tous les services informatiques disponibles.

■ OFFICE DU TOURISME
Via degli Alpini, 9
✆ 045 8068680
www.tourism.verona.it
iatverona@provincia.vr.it

▶ **Verona Card**. Billet cumulatif à prix réduit sous deux formules : 1 jour à 10 €, 3 jours à 15 €. Les deux permettent d'utiliser les transports en commun, d'accéder librement aux églises, aux musées et aux monuments conventionnés et d'obtenir des réductions sur d'autres lieux d'intérêt touristique. En vente à l'office du tourisme et dans tous les endroits adhérant à l'initiative.

▶ **Autre adresse :** Gare de Porta Nuova. Plus d'infos au ✆ 045 8000861 ou sur iatferrovia@provinvincia.vr.it

■ VERONA BOOKING
Via Patuzzi, 5
✆ 045 8009844
www.veronapass.com
info@veronabooking.com
Service gratuit de réservation hôtelière à Vérone et dans sa province. L'office du tourisme met également à disposition du public des cellules de réservation dans ses bureaux.

Guides touristiques

■ A.G.T.A. – ASSOGUIDE
Via A. Da Mosto, 7
✆ 045 8101322
www.veronacityguide.it
prenotazioni@veronacityguide.it

■ VERONA TUTTINTORNO
Largo Caldera, 11
✆ 045 8009461
www.veronatuttintorno.it
info@veronatuttintorno.it
Consortium pour la promotion touristique de la ville, Verona Tuttintorno propose de visites thématiques originales et intéressantes pour découvrir Vérone insolite, par exemple en canoë en pagayant sur le fleuve Adige !

Hébergement

Vérone comme le reste de la Vénétie, n'est pas une région pour voyageurs aux poches vides. Une bonne solution, pour ceux qui ne peuvent pas se permettre les hôtels tout confort du centre-ville, est de loger au camping San Pietro, ou bien dans un des nombreux *agriturismi* de la région. Une autre solution moins onéreuse est celle des auberges de jeunesse ou bien des B&B qui offrent un bon rapport qualité/prix.

Campings

■ CASTEL SAN PIETRO

Via Castel San Pietro, 2
✆ 045 592037
www.campingcastelsanpietro.com
info@campingcastelsanpietro.com
Bus 41 + 95 direction Valdonega, arrêt Via Marsala. 5-7 € par personne, emplacement tente 7-10 €, camping car 11-15 €, voiture 5 €, moto 2 €. Le camping n'est pas équipé en prises de courant.
Non loin du centre, ce camping jouit d'une situation absolument enchanteresse. Il est en effet inséré dans une forteresse médiévale, au milieu des vignes et des fleurs. Très belle vue sur Vérone.

■ EL BACAN

Via Verona, 11
Palazzolo di Sona
✆ 348 9317204
www.el-bacan.it – info@el-bacan.it
15 km de Vérone (SR11).
Emplacement 12 €, adultes 4 €, enfants 3 €, chiens 2 €. La formule de l'agriturismo s'adapte aussi au camping, ce qui donne « l'agricampeggio ». Cette entreprise agricole qui vend ses propres produits et qui organise des buffets repas (10-15 € par personne), dispose d'un terrain de camping équipé en électricité, toilettes, douches et espace pique-nique.

Bien et pas cher

■ VILLA FRANCESCATTI

Salita Fontana del Ferro, 15
✆ 045 590360
Fax : 045 8009127
www.villafrancescatti.it
info@villafrancescatti.it
Dortoir 18 €, chambre famille 20 €, repas 10 € (sur réservation). Une auberge de jeunesse dans un cadre unique. La villa du XVe siècle est entourée par un des plus beaux parcs de la ville, à 3 km de la gare de Porta Nuova. Restaurant et laverie automatique en annexe.

Confort ou charme

■ AURORA

Piazza delle Erbe, 2
✆ 045 594717/7834
Fax : 045 8010860
www.hotelaurora.biz
info@hotelaurora.biz
Simple 90-125 €, double 100-145 €.
Hôtel 2-étoiles au cœur de la ville. La décoration est un peu terne, mais la position est inégalable. Les chambres récemment rénovées disposent toutes de climatisation, salle de bains privée, TV satellite et téléphone.

■ MASTINO

Corso Porta Nuova, 16
✆ 045 595388
Fax : 045 597718
www.hotelmastino.it
info@hotelmastino.it
Double 90-120 €.
Au cœur de la ville, un établissement sobre et raffiné, avec des chambres de charme au décor néo-Renaissance, un peu kitch mais « in the mood ». Bon buffet petit déjeuner. Parking à quelques pas de l'hôtel.

■ TORCOLO

Vicolo Listone, 3 ✆ 045 8007512
Fax : 045 8004058
www.hoteltorcolo.it
hoteltorcolo@virgiolio.it
Simple 110 €, double 155 €, triple 185 €.
Cet hôtel a comme grand avantage sa position à deux pas des Arènes. Il propose 19 chambres au mobilier ancien et équipées de téléphone, télévision et climatisation. Possibilité de garer sa voiture dans le garage de l'hôtel.

Luxe

■ DUE TORRI BAGLIONI

Piazza Sant'Anastasia, 4
✆ 045 59 50 44
Fax : 045 80 04 130
www.baglionihotels.com
Simple 110-430 €, double 200- 550 €.
L'hôtel le plus luxueux de Vérone, dans un hôtel du XVIIe siècle avec de grands salons meublés en styles différents, dont certains d'époque. 90 chambres, dont 9 suites, avec tout le confort nécessaire et un service impéccable.

VENISE ET LA VÉNÉTIE

Restaurants

A quelques rares exceptions près, les restaurants autour des arènes sont à notre avis à éviter, tout comme les bars et restaurants de la Via Mazzini. Préférez les petits bars à vin et les *osterie* (brasseries) de la via Sottoriva.

Sur le pouce

■ BRA BRA

Via degli Alpini, 7 ℰ 045 59 06 72
Panini 3-6 €.
Un bar pub qui sert de la petite restauration, le Bra Bra est un endroit où les Véronais aiment bien se retrouver pour un verre à la sortie du bureau. Les *panini* sont bien garnis et pas très chers.

Bien et pas cher

■ OSTERIA DEL DUCA

Via Arche Scaligere, 2
ℰ 045 59 44 74
Repas 20-25 €. Fermé le dimanche.
Installée dans la maison de Roméo et à deux pas des Arche Scaligere, cette osteria offre une cuisine et une cantine de bonne qualité à des prix sans concurrence à Vérone. La carte est typiquement véronaise (*bigoli au ragù* d'âne ou de canard ; *braciole* de cheval ; *pasta e fasoi* ; *pastissada de caval*). L'ambiance est d'autant plus décontractée que l'espace est réduit et qu'on partage les tables avec d'autres clients.

■ OSTERIA SOTTORIVA

Via Sottoriva, 9
ℰ 045 80 14 323
Repas 20-25 €. Fermé le lundi.
Sous les arcades d'une jolie petite rue menant à l'église Sant'Anastasia le long de l'Adige, une osteria à l'ambiance informelle et décontractée. On y partage sa table en bois avec d'autres convives et on fait connaissance en mangeant une assiette d'excellents fromages des monts Lessini accompagnés d'un bon verre de vin, *soave* (blanc), *amarione* (rouge) ou *reciotto* (rouge).

■ TRATTORIA DUOMO

Via Duomo, 7
ℰ 045 800 73 33
Repas 15-25 €. Fermé le dimanche et le jeudi midi. Peu de places dans cette brasserie historique à quelques pas du Duomo. Assis sur des tabourets en bois et accoudés à des tables à nappes à carreaux, vous dégusterez les plats typiques de la cuisine régionale à des prix indiscutablement modiques. Un tonneau à l'entrée permet d'appuyer son verre, en attendant sa table.

Luxe

■ 12 APOSTOLI

Corticella San Marco, 3
ℰ 045 596999
Repas 70-90 €. Fermé dimanche soir et lundi.
Un des restaurants les plus réputés de Vérone. Situé dans un palais du XVIIIe siècle, il tire son nom des 12 marchands qui en 1750 avaient l'habitude de se retrouver ici pour parler affaires devant un plat de *pasta e fagioli* (pâtes aux haricots) et un verre de Valpolicella. Les mêmes recettes se reproduisent aujourd'hui, bien sûr plus recherchées et plus raffinées. Depuis 1968 le prix littéraire du même nom, y est discerné chaque année au meilleur écrivain.

Sortir

Pour des soirées enflammées, les jeunes de Vérone se retrouvent dans les boîtes de nuit sur les berges du lac de Garde. Mais quand il s'agit juste de boire un verre en bonne compagnie dans un cadre agréable, Piazza delle Erbe, Corso di Porta Borsari, ainsi que le quartier de Veronetta, de l'autre côté de l'Adige, font tout à fait l'affaire. C'est ici, en effet, que se déroule la plus grande partie des soirées étudiantes, particulièrement animées le jeudi soir.

■ CAMPUS PUB

Via XX Settembre, 18
ℰ 349 4287094
Situé au cœur du quartier universitaire de Veronetta, Campus est un pub à l'ambiance chaleureuse toujours très fréquenté par les étudiants.

Carte « Chiese Vive »

L'association « Chiese Vive» s'occupe de l'entretien et de la promotion des cinq plus belles et importantes églises de Vérone : Sant'Anastasia, San Lorenzo, San Fermo, San Zeno Maggiore et le Duomo. La carte Chiese Vive (vendue à chaque entrée) permet l'accès à toutes les cinq au prix unique de 5 €, au lieu de 2,50 € par église. Infos et réservations ℰ 045 592813 – www.chiesevive.it

■ KAPPA CAFFE

Piazzetta Bra Molinari, 1

✆ 045 800 45 16

Sur les berges de l'Adige, un petit bar romantique et discret, dans un cadre évocateur. Idéal pour boire un verre en amoureux ou entre amis.

■ TUBINO

Corso Porta Borsari, 15

✆ 045 803 22 96

Pour les amateurs du petit noir italien, le café Tubino est le paradis. Dans une toute petite salle suffisante pour quelques tables, le comptoir et une impressionnante collection de théières, dégustez celui qui est probablement le meilleur café de Vérone. Laissez-vous tenter par les différents cafés gourmands du menu : un régal !

Manifestations

▶ **Carnaval**. Février. Défilé-concours de chars à travers toute la ville et dégustation des célèbres gnocchis véronais.

▶ **Vinitaly**. Avril. Salon international du vin et des spiritueux. Un grand rendez-vous pour professionels et amateurs. A ne pas manquer si vous êtes à Vérone en avril (www.vinitaly.it).

▶ **San Zeno**. 12 Avril. Fête du Saint Patron, jours férié, tous les commerces sont fermés.

▶ **Natale in Arena**. Décembre. Exposition de crèches du monde entier dans le cadre évocateur de l'Arena (www.prese-piarenaverona.it).

Points d'intérêt

Bien que Vérone contienne de telles richesses qu'il est très facile de passer de l'Antiquité, au Moyen Age et à la Renaissance rien qu'en changeant de trottoir, elle reste une ville aux distances relativement étendues, très agréable à parcourir à pied. Le centre s'articule autour de Piazza delle Erbe et de Piazza Bra et son Arène, d'où partent des dédales de rues d'empreinte moyenageuse. Moins connue par les touristes, du côté de la rive nord de l'Adige, « Veronetta » (petit Vérone) est un quartier plus résidentiel, qui recèle des joyaux d'art et d'architecture à ne pas manquer comme les Giardini Giusti et l'église de Santa Maria in Organo.

■ ARCHE SCALIGERE

Via S. Maria Antica, 4

Visite extérieure libre toute l'année. Juin/ septembre visite à l'intérieur des grilles, billet cumulatif avec la Torre Lamberti. Auprès de l'église de S. Maria Antica, dans une petite placette, on peut admirer les imposants tombeaux des Scaligeri. Au XIVᵉ siècle, l'ancien cimetière annexé à l'église S. Maria Antica (XIIᵉ siècle) fut transformé en un tombeau de famille monumental. Les tombes, de vraies sculptures gothiques représentant les faits d'armes de la famille, portent les statues équestres de ses plus importants représentants, des personnages aux noms originaux tels que Cangrande Iᵉʳ (grand chien), Mastino II (chien de garde), Cansignorio Iᵉʳ (chien noble). Les Scaligeri avaient en effet l'habitude de prendre des appellations se référant à la figure du chien, symbole de fidélité. Une grille portant le motif répété de l'échelle, emblème de la famille, cerne ce cimetière.

■ ARENA

Piazza Bra

✆ 045 800 32 04

www.arena.it

Ma-Di 9h-19h, pendant la saison lyrique les jours de représentations 9h-15h30. Tarif 6 €. Cet amphithéâtre romain est le mieux conservé d'Italie et le troisième pour sa taille après le Colisée de Rome et l'amphithéâtre de Capua près de Naples. Il tire son nom du mot latin pour sable « arena » avec lequel était recouvert le sol autrefois. Il fut construit au Iᵉʳ siècle ap. J.-C. pour y organiser les spectacles de combats des gladiateurs, et les chasses aux animaux sauvages. A l'époque il se trouvait en dehors de l'enceinte de la ville. A l'intérieur, 45 rangs de gradins permettaient d'accueillir environ 30 000 spectateurs. Ses pierres furent longtemps employées en tant que matériel de construction, en provoquant son successif démentèlement. En 1117 un tremblement de terre détruisit définitivement l'enceinte extérieure, dont on peut observer aujourd'hui les restes sur le côté nord du monument. Au dessous du théâtre ont été trouvées des traces d'un complexe système d'implantation hydrique, afin d'introduire l'eau pour les jeux aquatiques. Aujourd'hui, pendant les mois d'été, l'Arena prête son cadre évocateur au festival d'opéra lyrique, un spectacle unique en son genre.

■ CASA DI GIULIETTA

Via Cappello, 23

✆ 045 80 34 303

Ma-Ve 8h30-19h30, Lu 13h30-19h30. Tarif 4 €. L'histoire des deux jeunes amants de Vérone et la tragédie qui s'ensuivit, on la connaît, mais ce qu'on ne sait pas, c'est si ce balcon-là est bien celui de l'héroïne de Shakespeare.

Vérone musicale

Vérone n'est pas seulement une ville d'art et de lettres, mais aussi une ville de musique qui attire les mélomanes du monde entier avec ses trois festivals.

▶ **Festival Areniano.** Juin/juillet/août. Depuis 1913, l'arène est devenue le siège du plus important théâtre lyrique à ciel ouvert du monde, avec 22 000 places disponibles. La scénographie imposante permet de monter des représentations grandioses, notamment d'opéras de Verdi. Informations et réservations ℰ 045 8005151 – www.arena.it – Tarifs entre 18 et 200 €.

▶ **Jazz Festival.** Juin. Cet évènement qui égaye les étés de Vérone depuis 1985, se déroule entre le Théâtre romain et la Corte Mercato Vecchio à Veronetta. Infos ℰ 045 8011154. Tarifs 10-20 €.

▶ **Concerti Scaligeri.** Juillet. Revue internationale de musique acoustique. De grands interprètes et d'importants ensembles de musique traditionnelle jouent dans les cadres évocateurs du Forte Gisella et du Castello di Montorio. Entrée gratuite (www.concertiscaligeri.info).

En tout cas, des millions de visiteurs et de cœurs brisés se retrouvent tous les ans sous les fenêtres de Juliette. La tradition veut que la maison, dite del Cappello (« chapeau » en italien – vous en verrez effectivement un sculpté sur le fronton de l'édifice), appartenait au XIIIe siècle à la famille dal Cappello ou Capuleti, dont l'ennemie la plus acharnée était celle des Monticoli ou Montecchi. C'est à partir du XIXe siècle qu'on a voulu reconnaître dans cette maison celle de Juliette. La visite de la maison, entièrement refaite entre 1930 et 1940, ne présente aucun intérêt particulier. Cependant, vous pourrez vous arrêter dans la cour et consacrer quelques instants à la lecture des milliers de petits mots d'amour écrits et gravés sur ses murs (certains ont même gravé leur message dans du chewing-gum !). Au fond de la cour se trouve une statue en bronze de Juliette… littéralement prise d'assaut par les touristes qui veulent se faire immortaliser à ses côtés.

■ CASTEL SAN PIETRO

Construit au XIVe siècle en intégré en 1450 aux remparts de la ville, les trouppes napoléoniennes en commencerent la démolition en 1801. En 1845 les Autrichiens transformèrent ce qui restait en caserne. Malgré l'état actuel de l'édifice à l'abandon, depuis la terrasse antérieure, on peut encore profiter d'une vue incroyable sur la ville.

■ DUOMO

Piazza Duomo
Mars/Octobre 10h-17h30, Novembre/février 10h-16h, Di 13h-17h. Tarif 2,50 €. Construite en 1187, sa façade présente une variété de matériaux et de styles où se mêlent roman et

gothique. Le majestueux portail est l'œuvre d'un artiste padouan du XIIe siècle. Le flanc de droite, avec son portail mineur, et l'abside, finement décorée, sont également très intéressants. Le campanile, dont une partie fut construite par Sanmicheli, fut continué mais non achevé au XXe siècle. A l'intérieur, vous pourrez admirer de nombreuses œuvres importantes comme L'Assomption du Titien (1530) ornant le maître-autel et, à gauche de l'entrée, le monument funéraire de Nichelosa, œuvre de Jacopo Sansovino.

■ GIARDINO GIUSTI

Via Giardino Giusti, 2
ℰ 045 80 34 029
Tous les jours 9h-20h. Tarif 5 €, réduit 2,50 €. Visité et célébré par nombre de personnages illustres, le Giardino Giusti est l'un des plus beaux parcs de la Renaissance italienne. Conçu en 1580, il est constitué d'une partie inférieure ordonnée par le savoir-faire d'artistes-jardiniers et d'une partie supérieure plus sauvage. Une jolie terrasse de pierre, appartenant au Palazzo Giusti et ornée de statues du XVIe siècle, sépare ces deux parties.

■ MUSEO DI CASTELVECCHIO

Corso Castelvecchio, 2 ℰ 045 80 62 611
www.comune.verona.it/castelvecchio/cvsito/index:htm
Ma-Di 8h30-19h30, Lu 13h45-19h30. Tarif 6 €, réduit 4 €. Cet imposant édifice en brique, construit entre 1354 et 1357 par Cangrande II della Scala sur des préexistantes fortifications, était la résidence des seigneurs de Vérone. Il servait tout autant de fortesse défensive envers les attaques de la ville et du pont qui menait vers le Tyrol. En 1928, ainsi retapé, il

devint le siège du musée de Castelvecchio. En 1943, il abrita l'assemblée de la république de Salò, et, toujours ici, eut lieu le procès qui condamna à mort les chefs fascistes qui avait déposé Mussolini (dont son gendre, Galeazzo Ciano). Partiellement détruit pendant la Seconde Guerre mondiale et restauré en 1958 par l'architecte Carlo Scarpa, il accueille aujourd'hui un musée de 29 salles proposant un beau panorama de l'art de l'époque paléochrétienne jusqu'au « '700 vénitien », avec une attention particulière à l'école véronaise.

■ PIAZZA BRA

Cette vaste place située devant les célèbres arènes est le centre de la ville. Son nom provient de la contraction de Braida, toponyme dérivé de l'allemand breit, qui signifie « large ». A partir du XIIe siècle cette place était le siège d'un grand marché de bois, foin et bestiaux, qui en 1633 est devenu la grande Foire des marchandises, avec plus de 250 expositeurs de différents produits. Ensuite, en 1897, Piazza Bra est devenue le siège de la Foire des chevaux. La place est délimitée sur le côté sud (celui donnant sur le Corso di Porta Nuova) par deux grands arcs qui faisaient partie des enceintes du XIVe siècle. Sur la droite de ses deux grands arcs se trouve le Museo Lapidario Maffeiano, où est conservée une belle collection de stèles romaines. Ces deux grands arcades, construites à la fin du XVIe siècle par Gian Galeazzo Visconti, sont appelées I Portoni della Bra. Juste à côté, on reconnaît la Torre Pentagona, une tour du XIIIe siècle qui faisait partie de la Cittadella (citadelle) désormais détruite, et, sur la droite,

le palais Barbieri, ou de la Gran Guardia Nuova, actuel siège municipal. Enfin, sur le côté ouest de la place s'étend le long Liston, un trottoir d'origine romaine aux nombreux cafés.

■ PIAZZA DELLE ERBE

C'est la plus belle place de la ville et aussi la plus animée. Depuis des siècles s'y tient un marché coloré, qui rend plus pittoresque encore le cadre architectural des maisons du XIVe siècle et des palais Renaissance. En arrivant de la Via Mazzini, on remarquera des édifices hauts et sombres : il s'agit de l'ancien ghetto juif. Au fond de la place se trouve l'imposant Palazzo Maffei (1668), sur la gauche duquel s'élève la tour carrée en brique del Gardello, construite en 1370 par les Scaligeri. Le côté nord-est de la place commence avec la Casa Mazzanti, ornée de belles fresques du XVIe siècle reprenant des thèmes de la mythologie. Au centre de la place s'élève la Colonna del Mercato (la colonne du marché), dite la Berlina (pilori), en raison du fait qu'autrefois on y attachait les détenus pour les lapider avec… des fruits. On aperçoit ensuite la fontaine de la Madonna Verona (1368). La statue qui orne cette fontaine est une sculpture romaine que les Scaligeri firent « déguiser » en Vierge. Enfin, plus loin, se dresse la Colonna di San Marco, symbole de la domination vénitienne.

■ PONTE PIETRA

Ce pont enjambant l'anse de l'Adige, situé au nord-est et reliant la rive gauche au Théâtre romain, est la plus ancienne construction de Vérone.

Duomo de Vérone

© APOLLON - ICONOTEC

Piazza delle Erbe, fontaine de la Madonna Verona

Il a été bâti en 89 av. J.-C., en marbre de Valpolicella, mais seuls les deux arcades et les deux piliers les plus proches de la rive gauche subsistent de la construction originale. Le pont a, en effet, subi plusieurs reconstructions, à l'identique, à plusieurs reprises. En 1945, le pont fut détruit par les Allemands. Il fut reconstruit entre 1957 et 1959, en utilisant ce qui restait du matériau retrouvé dans le fleuve.

■ SANT'ANASTASIA
Piazza Sant'Anastasia
La basilique est le monument gothique le plus remarquable de Vérone. Les Frères Domenicani en commen-cèrent sa construction en 1290. Cette grandiose église gothique au double portail et au haut campanile en terre cuite, fut reconstruite en 1481. Parmi les nombreuses œuvres remarquables : la fresque d'Altichiero (dans la chapelle Cavalli), l'autel Fregoso (environ 1560) de Michele Sanmicheli, et, dans la chapelle Pellegrini, des terres cuites représentant la vie de Jésus, de Michele da Firenze. On ne peut pas oublier la très célèbre fresque de Pisanello, Saint Georges libère la princesse du dragon (1433-1438), qui est la plus belle expression du gothique véronais. Les deux bénitiers de l'entrée sont très populaires à Vérone. On les appelle i Gobbi, « les bossus ».

■ SAN ZENO
Piazza San Zeno
Voici l'un des plus grands chefs-d'œuvre de l'architecture romane, datant du XIIe siècle, consacré au saint patron de Vérone (évêque de 362 à 380). La façade de brique rose et ivoire est d'une harmonie absolue. Elle s'élève sur une grande place, au côté d'un très beau campanile roman (72 m) datant de la première moitié du XIIe siècle. La rosace qui orne le centre de sa façade est l'œuvre de M. Briolo ; entourée de personnages représentant les hauts et les bas de la destinée humaine, elle symbolise la roue de la Fortune. Le grand portail ouest est revêtu de 48 panneaux de bronze, cloués sur le bois, et sculptés de scènes de l'Ancien et du Nouveau Testament et de la vie de saint Zeno. A l'intérieur l'autel est décoré du célèbre triptyque d'Andrea Mantegna. L'aile nord de l'église est occupée par un cloître superbe, bâti en 1123 et mélangeant harmonieusement les styles roman et gothique.

■ TEATRO ROMANO E MUSEO ARCHEOLOGICO
Regaste Redentore, 2
✆ 045 8000 360
Ma-Di 8h30-19h30, Lu 13h45-19h30. Tarif 4,50 €, réduit 1 €. Bâti au Ier siècle av. J.-C., en creusant, comme pour les théâtres grecs, un hémicycle en forme de cône renversé dans une colline, ce théâtre constitue un excellent observatoire en hauteur d'où l'on peut jouir d'une vue superbe sur Vérone. Il resta enseveli plusieurs siècles. Pendant le Moyen Age, il a été investi par des habitations et des églises et il n'a été récupéré que dans la première moitié du XIXe siècle. Depuis 1985 se déroule ici le Festival Verona Jazz. Le musée archéologique fut inauguré en 1923 à l'emplacement de l'ex-couvent de San Girolamo, au dessus du théâtre. Les anciennes cellules des moines abritent une riche collection de mosaïques, statues, verreries, poteries et pierres tombales.

■ TORRE DEI LAMBERTI
Via dalla Costa, 1 ✆ 045 927 30 27
Tous les jours 8h30-19h30. Montée en ascenseur 3 € (non compris dans la Verona Card), 2 € par les escaliers (368 marches). Construite entre le XIIe et le XVe siècle, cette tour, qui appartient au Palazzo del Comune, est la plus haute de la ville (83 m). Seule tour privée de Vérone, elle a été construite par la famille Lamberti. Son sommet abrite deux cloches, Rengo et Marangona. Du sommet, la vue de Vérone est à couper le soufle.

FRIOUL-VÉNÉTIE JULIENNE

Vestiges d'une
basilique romane

Le Frioul-Vénétie Julienne

Forni Avoltri

465
Comeglians

Cervicento

Forni di Sopra

Ampezzo

Raveo

52

Enemonzo

**Parc naturel régional
des Dolomites**

552

Tramonti di Sopra

Tramonti di Sotto

251

Barcis

Meduno

Maniago

Montereale
Valcellina

Sequais

251

463

Polcenigo

Budola

Roveredo

Pordenone

Codroipo

463

Prata di
Pordenone

S. Vito al
Tagliamento

Azzano
Decimo

A 28

251

0   15 km

SLOVENIE

Paluzza
Paularo
Malborghetto-
Valbruna
Tarvisio

Arta Terme
Zuglio

Dogna

52b

Tolmezzo
Moggio Udinese

Amaro
A 23

Cavazzo
Carnico

*Parc régional
delle Prealpi Giulie*

512
13

Gemona

A 23
Tarcento

Nimis

S. Daniele
del Friuli
Cassaco
356

Faedis

Tricesimo
Cividale
del Friuli

464
UDINE

Campoformido

352
Gorizia

Castions
di Strada
252
Palmanova

353

S. Giorgio
di Nogaro
351

A 4
14

Marano Lagunare
Aquileia

Duino

Lignano Sabbiadoro
14

Grado
Golfe de Trieste

TRIESTE

Mer adriatique

Frioul-Vénétie Julienne

Aux confins de l'Autriche et de la Slovénie, la région autonome du Frioul-Vénétie Julienne est un monde à part. Entre mer et montagne, cultivant traditions et langues ancestrales, ce territoire, qui n'a été épargné ni par les soubresauts de l'histoire ni par les cahots de la terre, est encore préservé du tourisme de masse.

Le Frioul-Vénétie Julienne (FVG) a un territoire de 7 845 km² et sa population compte environ 1 203 000 habitants. Elle est divisée en quatre provinces : Gorizia, Trieste, Pordenone et Udine. Trieste et Udine jouent à parts égales leurs rôles de prima donna, Trieste est le chef-lieu : charme slave et élégance autrichienne, tandis qu'Udine revendique sa propre langue, un passé personnel et des atours vénitiens que la première n'a pas. Udine est le cœur du Frioul, la « Petite Patrie » qui, après la tragédie du tremblement de terre qui l'a secouée il y a seize ans, a su en peu de temps cicatriser ses blessures. On rattacha à cette partie historique du Frioul des bouts de la Vénétie Julienne (Collio, Carso, Trieste et Gorizia), qui passa sous souveraineté italienne entre les deux guerres mondiales, pour être rétrocédés et enfin rachetés au terme du dernier conflit. Un entrelacs de faits, de gens et de migrations en tout genre a marqué, depuis la fin de la préhistoire, le destin de cette région. Ici se sont succédé, à différentes époques, les Ventici, les Celtes, les Istri, les Romains, les Lombards, les Avari, les Slovènes, les chevaliers Teutoniques, les prélats byzantins, les patriciens vénitiens et les marchands du Danube.

La grâce de la région tient à l'atmosphère impalpable et immuable de sa campagne paisible : dans l'oasis naturaliste de la lagune de Marano, sur les hauts pâturages ponctués d'étables et de granges, sur les collines de morènes du Tagliamento. Les vignobles les plus recherchés d'Italie mûrissent sur les doux versants du Collio. De vastes étendues de maïs interrompues par d'interminables rangées de peupliers, d'où s'élancent les clochers des petites églises de campagne, dessinent le paysage calme et doux du « Bas-Frioul ».

Des villes comme Aquileia et Cividale ont un patrimoine artistique à faire rêver. Le rempart des montagnes de la Carnia rappelle d'anciennes solitudes, ces grandes forêts où la Serenissima trouvait le meilleur bois pour ses bateaux. Le Frioul-Vénétie Julienne se caractérise avant tout par une civilisation paysanne, même si la fièvre commerciale et des industries bien implantées n'y manquent pas. Certes, chaque noyau urbain est ici riche de trésors, d'événements historiques et de légendes, mais sans être en rupture avec le tissu de la civilisation rurale ; il s'y insère au contraire comme une pierre précieuse, et c'est ainsi que se forme, de la rencontre fantastique entre des châteaux, des forteresses, des tours,

---

Les immanquables du Frioul-Vénétie Julienne

▸ **Partir** à la rencontre de Cividale del Friuli. Fondée en 53 av. J.-C. par Jules César lui-même, cette petite ville est empreinte d'histoire et son oratoire lombard est saisissant.

▸ **Écouter** battre le cœur d'Udine. Bien sûr, la ville renferme de jolis trésors comme sa cathédrale et sa place Giacomo, mais c'est surtout pour sentir vivre sa tradition que l'on aime y faire une halte.

▸ **Tomber** sous le charme du château Miramare aux abords de Trieste. Tout de blanc vêtue, presque posée sur l'eau, cette ancienne résidence de Maximilien de Habsbourg est un petit bijou.

▸ **Découvrir** les montagnes de la Carnia avec ses traditions anciennes et ses paysages magnifiques. Elles feront le bonheur des amoureux de la nature, des randonneurs, des amateurs de sports d'hiver.

Gastronomie locale

Elle correspond à la réalité des différents milieux naturels qui composent la région : Udine et la Carnia sont de petits pays montagneux dont la cuisine populaire se compose de soupes d'orge, de haricots, de polenta et de fromage. La Carnia offre des *cjalsons*, des gnocchis au beurre accompagnés de courgettes farcies. Plat typique, le *frico* aux pommes de terre est un plat consistant et très simple, capable de remplir l'estomac pour des heures entières.

Sur la côte, les repas se composent essentiellement de poisson, soit dans des soupes savoureuses, soit doré sur le grill. Le tout accompagné de vins du Collio et des côteaux orientaux, dont les blancs figurent parmi les plus fameux d'Italie.

des murs crénelés, des bourgs fortifiés et du milieu naturel, l'étonnante harmonie d'une région à découvrir.

Transports

L'axe principal est l'autoroute A4, qui relie les quatre chefs-lieux avec Venise et Padoue. Pour aller en Autriche, prendre la route Pontebbana n° 13 et la A23 après Palmanova, ou bien la route Carnica n° 52 bis qui mène au col du mont Croce Carnico. Pour passer en Slovénie, on peut prendre le Ferretti ou le Rabuiese (après Trieste) pour descendre en Istrie, ou encore la Casa Rossa et S. Andrea (à Gorizia) pour les autres destinations à l'intérieur du pays. Le réseau ferroviaire permet une communication régulière avec Venise, Milan ainsi qu'avec l'Autriche et la Slovénie. L'aéroport de Ronchi dei Legionari, à mi-chemin entre Udine et Trieste, sert d'escale aux principaux vols italiens.

■ LE GOLFE DE TRIESTE

TRIESTE

Accrochée aux collines vert sombre du plateau de Karst, la belle Trieste se laisse couler négligemment dans les eaux moirées de l'Adriatique, au creux d'un golfe majestueux. Sévère au premier abord, Trieste, ville aux influences mélangées, respire le passé glorieux mais résolu des Habsbourg, l'odeur des échanges avec l'Orient mais aussi une italianité particulière. En 1719, Charles VI de Habsbourg déclara « port franc » l'ensemble des 600 maisons qui s'adossaient à la colline San Giusto et à son église. Ce fut le début du développement et de la prospérité de Trieste, qui devint ainsi un passage obligé vers l'Europe centrale et le Moyen-Orient.

Transports

Avion

■ AÉROPORT INTERNATIONAL DE TRIESTE - RONCHI DEI LEGIONARI
Via Aquileia, 46
Ronchi dei Legionari
✆ (0481) 77 32 24
Fax : (0481) 47 41 50

www.aeroporto.fvg.it
A 33 km au nord-ouest de Trieste. Vols quotidiens vers Paris, nombreuses liaisons vers Rome et plusieurs villes européennes. La ligne 51 de bus APT assure la liaison avec Trieste et Udine. La gare de Monfalcone, à 5 km, est reliée par les lignes 1, 26 et 51 de bus ATP (toutes les 20 min).

Train

■ GARE CENTRALE
Piazza della Libertà, 8
✆ (040) 41 82 07
Liaisons avec Udine (7 € environ, 1 heure 10 de trajet), Venise (toutes les heures, 12 €, 2 heures 5 min ou 3 heures de trajet selon l'itinéraire).

Bus extra-urbains

■ GARE ROUTIÈRE
Piazza della Libertà, 11
✆ (040) 42 50 20
www.autostazionetrieste.it
Juste à côté de la gare ferroviaire. Lignes pour la Slovénie, la Croatie, la Serbie, la Bulgarie, la Roumanie et la Hongrie.

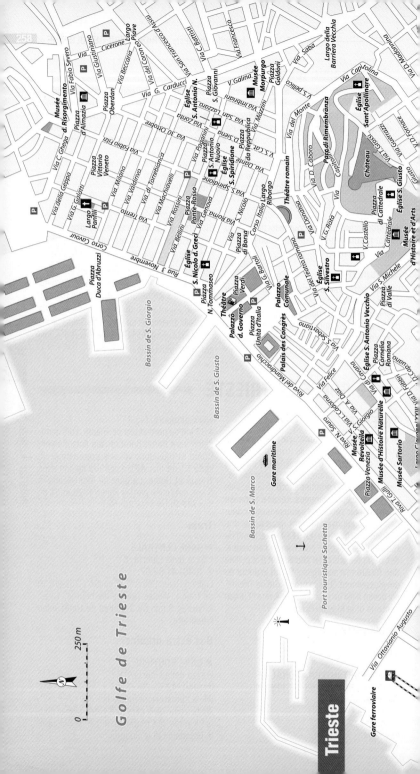

Trieste

Golfe de Trieste

250 m

Bassin de S. Giorgio

Bassin de S. Giusto

Bassin de S. Marco

Gare maritime

Port touristique Sachetta

Gare ferroviaire

Via Ottaviano Augusto

Musée d. Risorgimento
Via C. Ghega
Via Giustiniano
Via Fabio Severo
Largo Cicerone
Via del Coroni
Via San Francesco d'Assisi
Via Beccaria
Largo Piave
Via C. Battisti
Via Francesco
Via F. Filzi
Via G. Carducci
Piazza Oberdan
Piazza d'Almazia
V. Galina
Musée Morpurgo
Piazza Goldoni
V.S. Pellico
Largo della Barriera Vecchia
Via Capitolina
Via Soba
Via Madonna
Église S. Antonio N.
Via San Lazzaro
Via Imbriani
Via Mazzini
Via del Monte
Église Sant'Apollinare
Via L. Grossi
Via L. Grossi
Via 30 Octobre
Via Paganini
S. Antonio Nuovo
Piazza S. Antonio
Via C. Sten
Piazza da Repubblica
Via Dante
V.S. Caterina
Capitole
Parc di Rimembranza
Château
Via D. Caboro
Piazza di Cattedrale
Cattedrale
Église S. Giusto
Piazza Vittorio Veneto
Via Milano
Via Valdirivo
Via di Torrebianca
Via Machiavelli
Église S. Spiridione
Via S. Spiridione
Via S. Nicolò
Largo Riborgo
Corso Italia
Théâtre romain
Via Donizza
V.G. Rota
Via
V.G. Rota
Musée d'Histoire et d'Arts
Via della Geppa
Via G. Galatti
Largo Panfili
Via Trento
Via Rossini
Via Bellini
Piazza Ponte-Rosso
Via Genova
Via Roma
Piazza di Borsa
V.S. Castello
Via Cattedrale
Via S. Michele
Corso Cavour
Piazza Duca d'Abruzzi
Rua 3 Novembre
Église S. Nicolo d. Greci
Piazza N. Tommaseo
Théâtre
Via G. Bartoli
Palazzo d. Governo
Palazzo Comunale
Église S. Silvestro
Via S. Sebastiano
Piazza S. Antonio Vecchio
Piazza di Valle
Piazza Unità d'Italia
Palais des Congrès
Via Felice
Via S. Giorgio
Via Cadorna
Via A. Diaz
Via del Cavana
Église S. Antonio Vecchio
Piazza Cornelia Romana
Via O. Cagnoni
Rio del Mandrachio
Riva N. Sauro
Musée d'Histoire Naturelle
Musée Revoltella
Piazza Venezia
Musée Sartorio
Riva T. Gulli

Bus urbains

■ TRIESTE TRASPORTI
Via d'Alviano, 15 ✆ (040) 77 95 31
www.triestetrasporti.it
Bus urbains. Billets en vente chez les marchands de journaux, de tabac et dans les cafés voisins des arrêts de bus.

Tramway

▶ **Trieste-Opicina.** Tramway historique, construit en 1902, et symbole de Trieste, le tram de Opicina relie le centre de Trieste à la localité de Villa Opicina, sur le haut plateau du Karst, d'où l'on jouit d'un panorama époustouflant sur Trieste et son golfe. Départ de la piazza Oberdan toutes les 20 minutes.

Taxi

■ RADIO-TAXIS
✆ (040) 30 77 30
24h/24.

Bateau

■ PORTO DI TRIESTE
Agence Agemar
✆ (040) 36 37 37
Fax : (040) 63 81 72
Liaisons de ferries avec l'Albanie. En été, des liaisons locales pour Muggia et Grado sont assurées par la société Delfino Verde (✆ 335 54 81 327).

Voiture

Trieste est située à 72 km au sud-est d'Udine et à 155 km de Venise, par l'autoroute A4. Passé Monfalcone, la route nationale S14, qui serpente à flanc de colline, offre des points de vue saisissants sur le golfe de Trieste. Distance de Bologne : 290 km, de Milan : 410 km.
En ville, le parking couvert Silos, situé derrière la gare, est un bon compromis pour laisser sa voiture (compter 1 € l'heure). Il est en effet très difficile de trouver une place, a fortiori gratuite, dans le centre-ville. De nombreuses places pour se garer sont également disposées entre la place Oberdan et le palais de Justice.

■ AVIS
Molo dei Bersaglieri, 3
✆ (040) 30 08 20, (04) 81 77 70 85
Aéroport

■ HERTZ
Aéroport ✆ (04) 81 77 70 25

Pratique

■ BANCA ANTONVENETA
Piazza della Borsa, 11 ✆ (040) 375 11 11
Banque. Ouverte du lundi au vendredi de 8h20 à 13h20 et de 14h35 à 15h35.

■ CONSULAT DE FRANCE
Piazza Unità d'Italia, 7
✆ (040) 36 69 68

■ OFFICE DU TOURISME
Piazza Unita d'Italia
✆ (040) 34 78 312
Fax : (040) 34 78 320
www.turismofvg.it
Tous les jours de 9h à 18h. Le samedi et le dimanche de 9h à 13h.
On peut y acheter la Friuli Venezia Giulia Card, qui offre un accès gratuit à la plupart des sites de la région, des réductions pour les transports, les théâtres, les visites guidées (15 € les 48 heures, 20 € pour 3 jours, 29 € la semaine). On peut se la procurer aussi dans tous les offices de tourisme de la région.

■ OSPEDALE MAGGIORE
Piazza dell'Ospedale, 2
✆ (040) 399 11 11
Hôpital.

■ POLICE
✆ (040) 37 90 111

■ POSTE
Piazza Vittorio Veneto, 1 ✆ (040) 36 80 74

Hébergement

Trieste est une ville de congrès et peut proposer un vaste choix d'adresses.
Les alentours de la ville, pourvu qu'ils soient reliés à une ligne de bus, ont aussi quelques adresses à proposer.

▶ **Juste à côté de la gare,** vous trouverez un point d'informations pour les hébergements : CAT piazza Liberta, 8 ✆ (040) 45 28 696.

■ AUBERGE DE JEUNESSE TERGESTE
Viale Miramare, 331
✆ (040) 22 41 02
Fax : (040) 22 41 02
ostellotrieste@hotmail.com
Ouverte de 7h30 à 10h et de 15h30 à minuit. Chambres de 2, 4, 6, 8 lits. Entre 16 et 22 € la nuit, petit déjeuner inclus. Parking, restaurant. A 35 km de l'aéroport, 8 km du port, 5 km de la gare de Trieste et à 200 m de l'arrêt de bus (ligne 36).

■ HÔTEL ALABARDA
Via Valdirivo, 22
✆ (040) 63 02 69
Fax : (040) 63 92 84
www.hotelalabarda.it
Situé au cœur du centre historique, cet hôtel simple mais cosy propose des chambres dont le prix varie en fonction du confort proposé (33 € la simple sans toilettes, jusqu'à 80 € la double). Accueil chaleureux et point Internet à disposition.

■ HÔTEL JAMES JOYCE
Via Cavazzeni, 7
✆ (040) 31 10 23
Fax : (040) 30 26 18
www.hoteljamesjoyce.com
120 € la chambre double, petit déjeuner inclus.
Construit en 1770, rénové en 2003, l'hôtel James Joyce est un point de chute confortable, en plein centre de Trieste. Cuisine régionale, wi-fi gratuit dans les parties communes et personnel accueillant. Attention, seulement 12 chambres : mieux vaut réserver assez tôt à l'avance.

■ HÔTEL RÉSIDENCE SAN GIUSTO
Via dell'Istria, 7
✆ (040) 76 48 24
De 90 à 170 € la chambre double, petit déjeuner inclus. TV satellite, air conditionné, téléphone. Possibilité de séjourner dans de petits appartements. Appartement pour deux : à partir de 80 €. Parking 16 €/jour.
Un peu excentré, sur les hauteurs de Trieste, on prend le bus 10 depuis le centre pour y arriver et le bus 1 depuis la gare. Demander, si possible, à séjourner dans la dépendance, les petits studios y sont récents, spacieux et kitsch !

Restaurants
Si Trieste est plus connue pour ses cafés que pour ses restaurants, la ville offre néanmoins des aventures gustatives à la croisée des chemins entre spécialités italiennes, autrichiennes et slaves, avec le poisson comme invité vedette. Entre la piazza Unità d'Italia et le Castello San Giusto, les petites rues recèlent de trattorie de bon aloi.

■ ANTICA TRATTORIA SUBAN
Via Comici 2/d
✆ (040) 54 368
Fermé le lundi et le mardi. Menus de 30 à 45 €. Réservation obligatoire.
La vue que l'on a du haut de la ville n'a d'égale que la cuisine de la famille Suban qui est depuis trois générations la pierre angulaire de la bonne table triestine. Vieilles recettes remises au goût du jour.

■ BUFFET DA PEPI
Via della Cassa di Risparmio, 3
✆ (040) 366 858
De 8h à 21h. Fermé le dimanche. 15-20 €.
Buffet historique de Trieste, Da Pepi existe depuis 1897. Cependant, il a gardé son identité : deux locaux minuscules avec tables en bois et tabourets, et le comptoir avec la charcuterie à l'entrée. Ici on ne mange que de la viande de porc, servie avec moutarde, sauce au raifort ou choucroute.

■ RISTORANTE AI FIORI
Piazza Hortis, 7
✆ (040) 30 06 33
www.aifiori.com
Fermé le dimanche et lundi midi, du 15 juin au 15 juillet. Autour de 40 €. Réservation obligatoire. Raffinement. Excellente cave. Spécialités de poisson.

Cafés littéraires
Célèbre pour le négoce, la torréfaction et la commercialisation du café, notamment avec la marque Illy, Trieste est la ville du café et des cafés. Notamment des cafés historiques et littéraires qui ont su préserver leur style 1900 ou Art nouveau. Parmi les rescapés des quelques quarante cafés littéraires qui abritèrent au XIXe siècle les plus grandes ardeurs intellectuelles et de nombreuses manifestations de la Trieste des Habsbourg, on peut citer l'Antico Caffè Tommaseo (riva 3 Novembre, 5), le plus chargé d'histoire et toujours le lieu de retrouvailles de l'intelligentsia de la ville ; le Caffè San Marco (via Cesare Battisti, 18), reconstruit après la Première Guerre mondiale et qui devint le rendez-vous des intellectuels tels que Saba, Svevo et Giotti ; le Caffè dell' Albergo Duchi d'Aosta ainsi que la pâtisserie Penso (via Diaz, 11), et, enfin, le café-pâtisserie Pirona (largo Barriera Vecchia, 12), où Joyce aimait venir déguster des gâteaux parmi les vitrines au style floral tant prisé à la fin de ce siècle.

À la découverte du Karst et de ses saveurs : les osmizza

En 1784, un décret signé par l'impératrice Marie-Thérèse autorise les paysans du Karst à vendre du vin et des produits alimentaires de leur production pour une période de huit jours, *osem* en slovène, d'où le nom de *osmizza*. Rien n'a changé depuis : ces maisons paysannes sont un lieu de rendez-vous et de socialisation à l'atmosphère fort conviviale où on goûte du vin, des œufs, de la charcuterie et du fromage. Suivez la Strada del vino Terrano, sur le haut plateau du Karst aux alentours de Trieste : les panneaux en bois entourés d'une branche de lierre aux carrefours vous indiqueront les *osmizza* ouvertes.

■ RISTORANTE AL GRANZO
Piazza Venezia, 7
℃ (040) 30 67 88
Fax : (040) 40 41 01 57
30 € environ. Fermé le mercredi. Jardin.
Autrefois lieu de rendez-vous des pêcheurs, ce local à l'atmosphère marine propose d'excellents plateaux de fruits de mer.

■ TRATTORIA DA GIOVANNI
Via San Lazzaro, 14
℃ (040) 63 93 96
Ouvert de 8h à 15h, et de 16h30 à 23h. Fermé le dimanche. 20-25 € environ.
Depuis 1961, ce restaurant à gestion familiale est le rendez-vous de tous les amants de la cuisine locale. Accueil chaleureux, décor simple.

Manifestations

▸ **Le Festival de l'opérette** (juin-août) a lieu au théâtre Verdi avec la participation des meilleurs interprètes mondiaux du genre. Il faut réserver très longtemps à l'avance. ℃ (040) 63 19 48.

▸ **La Barcolana,** début octobre, est la plus grande régate de voiliers en Méditerranée.

Shopping

■ LA BOMBONIERA
Via XX Ottobre, 3
℃ (040) 63 27 52
Une pâtisserie légendaire, au style Liberty,

spécialisée dans les gâteaux de tradition autrichienne, cuits dans un four à bois datant de 1850 : tarte Dobusch, Sachertorte, strüdel, pinza et fave.

■ GRAN MALABAR
Piazza San Giovanni, 6
℃ (040) 63 62 26
Cave à vin historique dans le centre de Trieste avec un vaste choix de vins régionaux, slovènes, italiens et du monde. L'endroit idéal pour découvrir la culture vinicole de la région.

■ MARCHÉ DE LA PIAZZA PONTEROSSO
Tous les jours.
Poissons, fruits et légumes, fleurs.

■ QUI GATTA CI COVA
Via Rossetti, 13/b
℃ (040) 76 00 343
Céramique artistique
Atelier de céramique locale. Fabrication et décor faits main.

Points d'intérêt

Autrichienne pendant deux siècles, jusqu'en 1918, Trieste a gardé de ses années habsbourgeoises une architecture néoclassique qui a donné son caractère à l'urbanisme d'ensemble et une atmosphère un peu surannée : celle d'une Mitteleuropa les pieds dans l'eau de la Méditerranée. Une journée bien remplie permet de faire connaissance avec les sites immanquables de la ville. Deux ou trois jours de visite seront nécessaires pour s'imprégner de l'atmosphère si particulière de la province, en découvrant aussi les richesses alentour.

FRIOUL-VÉNÉTIE JULIENNE

© FOTOTECA ENIT - PHOTO BY VITO ARCOMANO

Cattedrale di San Giusto

■ CASTELLO SAN GIUSTO

Piazza della Cattedrale, 3
(colline San Giusto)
Ouvert de 9h à 17h, d'avril à octobre de 9h à 19h. Fermé les 25 et 26 décembre et les 1ᵉʳ et 6 janvier.
Lieu d'origine de la ville, ce château, dont la construction débuta au XVᵉ siècle, renferme une collection d'armes, de meubles et de tapisseries. D'ici, on jouit d'une vue superbe sur le golfe.

■ CATTEDRALE DI SAN GIUSTO

Piazza della Cattedrale
(colline San Giusto)
Du lundi au vendredi : 8h-12h et 14h30-18h30, le week-end : 8h-13h et 15h30-20h.
La cathédrale date du XIVᵉ siècle La façade romane est ornée d'une rosace gothique. De magnifiques mosaïques décorent l'intérieur. On entre dans le baptistère par la nef de gauche. Le campanile de la cathédrale peur aussi se visiter (*1,50 €*) : de son sommet, une magnifique vue de Trieste est offerte aux courageux. En descendant la colline, on arrive à la Città Vecchia (vieille ville), la mémoire vive de Trieste. En partie restaurée, elle est toujours très animée entre le vicolo della Bora et l'arco di Riccardo, une des portes des enceintes de la ville, bâtie en 33 av. J.-C.

■ CIVICO MUSEO DEL MARE

Via Campo Marzio, 5
℡ (040) 30 49 87
Ouvert de 8h30 à 13h30. Fermé le lundi. 3,50 €. Sur un quai du front de mer, le musée retrace l'histoire de la marine avec, entre autres, des maquettes de bateaux et des instruments de navigation.

■ CIVICO MUSEO SARTORIO

Largo Papa Giovanni XXIII
℡ (040) 30 14 79
Ouvert de 9h à 13h. Fermé le lundi. 5,20 €.
En partie réaménagé, c'est un bâtiment du XIXᵉ siècle où sont exposés meubles, peintures, icônes et céramiques. On remarquera surtout des dessins de Tiepolo.

■ MUSEO REVOLTELLA
GALERIE D'ARTE MODERNA

Via Diaz, 27 ℡ (040) 67 54 350
www.museorevoltella.it
Ouvert de 9h à 13h30 et de 16h à 19h. Fermé le mardi. 6 €.
Six étages et plus de 350 œuvres exposées, la richesse de ce musée est certaine. On y trouve notamment des sculptures absolument majestueuses, ainsi que des œuvres de De Chirico et Morandi dans la section moderne du musée.

■ PIAZZA DELL'UNITA

Ouverte sur le front de mer, située en plein cœur de Trieste, la piazza dell'Unità ne fait qu'un avec le môle du port Audace, qui est la promenade favorite des Triestins. Les contours actuels de la place remontent au XIXᵉ siècle, cependant on peut y remarquer des monuments datant du XVIIIᵉ siècle, comme le palazzo Pitteri, la statue de Charles VI et la fontaine avec l'allégorie des Quatre Continents. Le Caffè degli Specchi (des Miroirs) donne

© FOTOTECA ENIT - PHOTO BY VITO ARCOMANO

Piazza dell'Unità

aussi sur cette place ; fondé en 1840, c'est l'un des plus anciens de la ville. Un peu plus loin, découvrez la Stazione Marittima (1928) et la Pescheria (1913) de style Art nouveau.

■ PIAZZA SANT'ANTONIO NUOVO

La piazza Sant'Antonio Nuovo est le centre du borgo Teresiano, qui s'est formé au XVIIIe siècle sur l'emplacement des anciennes salines. C'est dans ce faubourg (via San Lazzaro, 8) que se trouvaient la maison et le cabinet d'Edoardo Weiss, le fameux disciple de Freud, qui importa la psychanalyse en Italie et fut l'analyste du grand poète triestin Umberto Saba.

■ TEATRO ROMANO

Via del Teatro Romano
Au pied de la colline San Giusto, on trouve les vestiges d'un théâtre construit au début du IIe siècle.

Dans les environs

■ CASTELLO DI DUINO

Duino-Aurisina ✆ (040) 20 81 20
www.castellodiduino.it
A 21 km de Trieste. D'avril à septembre : 9h30-17h30. D'octobre à mars : 9h30-16h. Fermé le mardi. 7 €.
« *On voudrait pouvoir remonter le cours des siècles quand on rêve devant la mer Adriatique qui s'entend au pied de la falaise de Duino* ». Comme en témoigne cet article du *Figaro* du 4 juillet 1969, le château de Duino est avant tout un témoignage incroyable du passé. Cette évocation, il l'a faite par petites touches, comme quelques notes de musique qu'aurait pu jouer Liszt lors de son passage à Duino. Le château possède quelques éléments intéressants (tour du XIIIe siècle, bunker), mais ce qui retient ici le visiteur, c'est la beauté du site, romantique et époustouflant. Duino surplombe en effet l'Adriatique sur un rocher verdoyant, saisissant ! Le château est situé à l'intérieur de la réserve naturelle des falaises de Duino que l'on peut parcourir en empruntant le sentier Rilke, entre Sistiana et Duino.

■ CASTELLO DI MIRAMARE

Viale Miramare
✆ (040) 22 41 43
www.castello-miramare.it
4 €. Ouvert de 9h à 19h. Il se situe à une dizaine de kilomètres de Trieste en longeant la mer : commune de Grignano. Bus 36 de la piazza Oberdan. Ce beau château de pierres blanches, serti d'un parc de 22 ha, fut la résidence de l'archiduc Maximilien,

frère de l'empereur François-Joseph. C'est lui qui décida de sa construction comme du parc. Riche idée ! Moins bonne fut celle d'accepter la couronne impériale du Mexique que Napoléon III lui offrait. « L'expédition » au Mexique tourna mal et Maximilien fut fusillé. La femme de Maximilien, Charlotte de Belgique, revint veuve et sombra dans la folie.

■ GROTTA GIGANTE

Borgo Grotta Gigante. Scognito
✆ (040) 32 73 12
www.grottagigante.it
Ouvert de 10h à 16h et jusqu'à 18h d'avril à septembre. A 13 km au nord de Trieste. Bus 45 ou 42. Visites guidées uniquement : 8,50 €.
Ces grottes gigantesques se transforment par leur éclairage en un monde fantastique à la Jules Verne. La visite dure en moyenne 50 minutes.

BARCOLA ET GRIGNANO

Les abords de Trieste, falaises escarpées plongeant dans l'Adriatique, ne sont pas propices aux jolies plages. Reste que les Triestins ont leurs habitudes de baignade à Barcola, station qui longe la route S14 en direction du château de Miramare. Les voitures garées à la queue leu-leu en bord de mer indiquent l'endroit. Les plages bétonnées s'enfilent le long de la route, avant et après le château. Quelques kilomètres plus loin, la marina de Grignano offre un autre cadre propice à la baignade et à la navigation.

MUGGIA

Charmante petite ville fortifiée sur la côte d'Istrie, entre Trieste et la frontière slovène. La colline descend sec dans la mer et donne à Muggia l'aspect d'un port enclavé. La basilica di Muggia Vecchia (IXe siècle) est le témoignage du passé romain de la ville. Muggia est accessible en bateau depuis Trieste (départ du môle Pescheria, 5 € l'aller-retour).

AQUILEIA

Les chroniques de l'Antiquité la décrivaient autrefois comme « la plus opulente et la plus magnifique ». A son apogée, Aquileia atteint durant l'époque romaine les 100 000 habitants et servit de poste avancé à la pénétration romaine vers le nord du Danube autant que centre névralgique de plusieurs routes commerciales.

Elle fut une des villes les plus importantes de l'Empire romain. Le faste d'antan est toujours visible lorsqu'on prend, en direction de Grado, la route qui sépare l'agglomération en deux et que l'on passe entre les colonnes de l'ancien forum, au bord du grand mausolée et des restes de la voie romaine. Une bonne partie de cette cité reste encore ensevelie dans les champs et la nature. Alors qu'Attila ravageait l'Empire, les habitants se réfugièrent sur les îles après avoir caché leurs richesses au fond d'un puits qu'ils recouvrirent ensuite de terre. Ce puits légendaire n'a jamais été retrouvé et il est toujours vivant dans l'imaginaire populaire. Aquileia, détruite par les Huns, tenta de renaître de ses cendres. Puissant patriarcat durant le haut Moyen Age, sa volonté de renouer avec sa gloire d'antan ne suffit pas et le siège patriarcal finit par être transféré à Udine.

Pratique

■ OFFICE DU TOURISME
Via Julia Augusta - Parcheggio/
Bus Terminal
✆ (0431) 91 94 91

Points d'intérêt

Outre les points d'intérêt suivants, le reste de la ville peut se visiter librement. Il y a le forum et les vestiges de l'ancien port fluvial qui reliait la cité à la mer (*entrée gratuite, de 8h15 au coucher du soleil*). Le Museo paleocristiano (*entrée gratuite, de mardi à dimanche de 8h30 à 13h45*) conserve d'autres mosaïques, sans compter des sarcophages chrétiens issus des fouilles dans la région.

■ BASILICA, CRIPTA ET CAMPANILE
Piazza Capitolo
De mars à septembre, de 9h à 19h. De novembre à février, de 9h à 17h. L'entrée à la basilique est gratuite. Entrée pour la Cripta degli Affreschi et la Cripta degli Scavi : 3 €. Le campanile est ouvert de mars à septembre, de 9h30 à 13h30 et de 15h30 à 18h30. En octobre, samedi et dimanche de 10h à 16h30. Entrée pour le campanile : 1,20 €.
C'est la plus grande construction d'art roman de la ville. Elle fut reconstruite après le séisme de 1348. A l'intérieur, la plus grande mosaïque paléochrétienne du monde peut être admirée de près grâce à des passerelles de verre. Les deux cryptes de la basilique détiennent aussi de superbes mosaïques ainsi que des fresques.

■ MUSEO ARCHEOLOGICO NAZIONALE
Via Roma, 1
✆ (0431) 91 016
Le lundi de 8h30 à 14h et de mardi à dimanche de 8h30 à 19h30. Entrée : 4 €.
On y trouve toutes les pièces mises au jour par des fouilles. Ne pas rater une tête en bronze doré de l'empereur Maximinus, les mosaïques du jardin et la coque d'un navire romain.

GRADO

« Fille d'Aquileia et mère de Venise », ainsi aime à se définir cette belle bourgade, située sur une île entre la lagune et la mer. Le bourg est né quand les habitants d'Aquileia, fuyant les hordes d'Attila en 452, se réfugièrent sur ces îlots déserts, y fondant une nouvelle patrie. La plage de Grado, avec la finesse de son sable et la qualité de son climat, est renommée pour ses vertus thérapeutiques depuis 1873, date à laquelle le médecin florentin Giuseppe Barellai y créa « un hospice marin ».
Des restaurateurs autrichiens arrivèrent aussitôt à Grado et ouvrirent des hôtels où affluait une clientèle huppée venue de tout l'Empire... C'est ainsi qu'est né le Grado moderne, petite station balnéaire et centre de convalescence avec ses cures de bains de sable et de kinésithérapie. Cependant, le centre médiéval de la ville se préservera.
Grado est la station balnéaire familiale par excellence. Les rues piétonnes y sont nombreuses et l'on s'y déplace majoritairement à vélo. Les plages sont essentiellement privées. Comptez 12 € par jour pour le droit d'entrée sur la plage, un parasol et un transat.

Transport – Pratique

▶ **Accès.** On accède à Grado par Aquileia (à 24 km) ou directement par l'autoroute A4, en sortant au péage de Palmanova et en parcourant 28 km. Et aussi depuis l'aéroport de Ronchi dei Legionari (à 18 km) ou à partir de la gare de Cervignano (à 16 km).

■ OFFICE DE TOURISME
Viale Dante, 72
✆ (0431) 87 71 11

Hébergement

■ HÔTEL VILLA BIANCHI
Viale Dante Alighieri, 50
✆ (0431) 80 169 – Fax : (0431) 87 70 00
www.villebianchi.it

De 110 à 130 € la chambre double. Chambres avec TV, air conditionné, téléphone. Parking 6 €/jour. Du nom du baron qui prit l'initiative de construire cette villa en 1900, cet hôtel est d'une grande élégance. Très bien situé, dans la rue piétonne qui borde la plage, l'accueil et le service sont impeccables.

Manifestation

▶ **Perdon di Barbana.** Procession de barques à travers la lagune de Marano, le premier dimanche de juillet, de Grado au monastère de l'île de Barbana. C'est une procession impressionante où la statue de la Madone est montée sur des barques décorées de fanions.

Points d'intérêt

▶ **Depuis le port, il est aisé de s'embarquer pour des petites balades fluviales dans le golfe.** On trouve même des taxis-bateaux qui vous déposent où bon vous semble de 9h à 19h. Comptez pas moins de 50 € l'heure pour la course ! (Laguna Taxi Grado - ✆ 339 53 29 064).

■ **BASILICA DI SANTA MARIA DELLE GRAZIE**
Du Ve ou VIe siècle, ce monument paléochrétien possède une belle mosaïque.

■ **BASILICA DI SANT'EUFEMIA**
Campo dei Patriachi
Elle a été construite sur le modèle de la basilique civile romaine. Des hautes fenêtres tombent des gerbes de lumière illuminant le splendide sol en mosaïque du VIe siècle. Une chaire du XIIe siècle est surmontée d'une coupole mauresque. Sur la gauche de la basilique, on trouve le baptistère du Ve siècle et, sur la droite, le Lapidario, un petit musée qui réunit des inscriptions, des autels et des pièces romaines.

■ **RISERVA NATURALE VALLE CAVANATA**
On la rejoint depuis Grado par piste cyclable.
Ces 327 ha avec plus de 200 espèces d'oiseaux sont un réel enchantement. De loin en loin, sur les îles, on aperçoit les *casoni*, maisonnettes en roseau des pêcheurs locaux et emblèmes de la lagune.

LIGNANO SABBIADORO

L'ensemble est formé de trois agglomérations : Lignano Sabbiadoro, Lignano Riviera et Lignano Pineta, le plan de cette dernière obéissant à une forme spiralée. Le tout est moderne et destiné à mettre en valeur les longues plages de sable fin et doré (8 km), avec en toile de fond le couvert végétal de la pinède et la lagune. Les divertissements sont nombreux : discothèques, complexes sportifs et parc d'attractions Aquasplash.

Transports – Pratique

▶ **Accès.** A 59 km d'Udine et à 100 km de Trieste.

■ **OFFICE DU TOURISME**
Via Latisana, 42 ✆ (0431) 71 821

MARANO LAGUNARE

Pour ceux qui voudraient fuir la vie de plagiste afin de goûter aux délices de la nature, c'est là le refuge idéal. La lagune de Marano, avec celle de Grado, occupe la dépression entre l'embouchure du Tagliamento et le delta de l'Isonzo. C'est un paysage sauvage enrichi d'une myriade d'îles minuscules, paradis des oiseaux, et où l'on peut voir encore quelques *casoni*, traditionnelles cabanes en paille et en jonc. Aujourd'hui remises à neuf, elles servent de maisons secondaires pour les citadins.
Le port de Marano Lagunare est encore préservé d'un tourisme de masse, discrètement protégé par les réserves naturelles qui l'entourent.
Tout le paysage est fait de canaux, d'avancées sablonneuses (*barene*) émergeant des eaux, d'églises en ruine et de chapelles qui, sur quelques îles (Sant'Andrea, San Pietro d'Orio, San Giuliano, Gorgo), témoignent de la présence de communautés monastiques qui ont trouvé là, dans le passé, leur « désert ».
On peut visiter l'île de Barbana, but du pèlerinage de la Madonna Barbana à laquelle est consacrée l'église.
La faune aviaire locale est riche de nombreuses variétés : on peut y voir, entre autres, des cygnes, des hérons, des cormorans et des faucons *di palude*.

Pratique

▶ **Pour les tours organisés sur la lagune :** Motonave Saturno, Contrada Rialto, 34, Marano Lagunare ✆ (0431) 67 891.

■ **ASSOCIATION DES GUIDES NATURALISTES DE LA RÉGION**
Via Tagliamento, 9, Udine
✆ (0432) 28 41 22

FRIOUL-VÉNÉTIE JULIENNE

■ UDINE ET SA RÉGION

Dame provinciale, élégante et réservée, Udine possède un centre historique qui représente un véritable trésor : la piazza della Libertà, avec sa colonne surmontée d'un lion de Saint-Marc, rappelant à tous qu'Udine fut une conquête de Venise à partir du XVe siècle.

On parla d'Udine pour la première fois en 983 apr. J.-C. Du XIIIe au XVe siècle, ce fut la résidence des patriarches d'Aquileia. Au XVIIIe siècle, elle devint le siège de l'archevêché, puis durant les guerres napoléoniennes elle passa à l'Autriche. Elle ne redevint italienne qu'en 1866.

Si le centre-ville peut facilement être atteint en voiture, le cœur historique d'Udine est petit et son charme ne se révélera pleinement que parcouru à pied. Udine ne peut prétendre être une destination de séjour de plus d'un week-end. Il serait dommage cependant de ne pas y passer si l'occasion se présentait.

UDINE

Transports

■ BUS
Viale Europa Unita, 31
✆ (0432) 50 40 12
www.saf.ud.it
Liaisons avec les autres villes du Frioul et avec l'aéroport de Friuli Venezia Giulia (billet à 3,25 €). Les lignes 6, 7, 8, 10 desservent le centre d'Udine.

■ GARE FERROVIAIRE
Viale Europa Unita, 40
✆ (0432) 89 20 21
Informations de 6h30 à 20h30.
Toutes les villes de la région sont rejointes de la gare (1 heure 30 min de Trieste), ainsi que Venise (2 heures de trajet).

Voiture

Udine se situe à 72 km au nord-ouest de Trieste et à 127 km au nord-est de Venise (autoroutes A4 puis A23).
Udine comporte de nombreuses places de parking payantes. Les prix varient de 0,60 à 1,50 € de l'heure à mesure que l'on se rapproche du centre historique. Très pratique, un grand parking découvert fait face à l'office du tourisme, Piazza I Maggio (0,60 € de l'heure).

Pratique

■ OFFICE DU TOURISME
Piazza I Maggio, 7
✆ (0432) 29 59 72
info.udine@turismo.fvg.it
Du lundi au samedi, de 9h à 18h, le dimanche de 9h à 13h. Nombreuses brochures d'information, possibilité de louer gratuitement des vélos et des guides audio à 4 €.

■ PHARMACIE DE GARDE
Piazza Libertà, 9
Ouverte la nuit, toute l'année.

■ POSTE
Via Vittorio Veneto, 42
✆ (0432) 22 32 63
Ouverte du lundi au vendredi de 8h30 à 19h et le samedi de 8h30 à 13h.

Hébergement

L'offre hôtelière udinaise est très complète pour une ville qui n'est pourtant pas (encore) une destination très courue. Néanmoins, les hôtels du centre-ville sont assez chers. Il peut être judicieux de se tourner vers les agritourismes (si l'on est motorisé) afin de profiter au mieux de la région, sans se ruiner dans l'hébergement.

■ AGRITURISMO LOCANDA AL CASTELLO
Via del Castello, 20, Cividale del Frioulil (Udine)
✆ (0432) 73 32 42
Fax : (0432) 70 09 01
www.alcastello.net
Chambre double entre 150 et 165 € avec petit déjeuner. Demi-pension et pension complète. Parc, accès handicapés, parking, restaurant (fermé le mercredi).
Située dans un ancien couvent de jésuites, une auberge généreuse comme on les aime.

■ HOSTARIA HÔTEL ALLEGRIA
Via Grazzano, 18
✆ (0432) 20 11 16
www.hotelallegria.it
140 € la chambre double, petit déjeuner inclus. Tarifs réduits le week-end (2 nuits au minimum). Parking à 11 € par jour.
Palais historique situé dans le centre. 20 chambres avec Internet, climatisation, TV satellite. L'hôtel dispose aussi d'un restaurant

de spécialités locales. Une bonne adresse aussi bien pour le logement que pour la restauration.

◼ HÔTEL CLOCCHIATTI
Via Cividale, 29
✆ (0432) 50 50 47
www.hotelclocchiatti.it
*Fermé du 24 décembre au 15 janvier. 125 €
pour une chambre double avec petit déjeuner.
Air conditionné, TV satellite et téléphone.
Parking, piscine, vélo, service de laverie.*
La dépendance (baptisée "Next") a été placée sous le signe du design. Tout y a été pensé dans les moindres détails. On aime ou pas, c'est une question de goût. Le service et l'accueil sont impeccables.

Restaurants

◼ OSTERIA AL CAPPELLO
Via Paolo Sarpi, 5
✆ (0432) 29 93 27
Fermé le lundi, repas pour environ 20 €.
Point de rencontre des jeunes Udinais à l'heure de l'aperitivo mais aussi pour le repas du soir, le Cappello propose, dans un cadre boisé où des « chapeaux » sont suspendus au plafond, une cuisine régionale délicate et parfumée.

◼ OSTERIA AL VECCHIO STALLO
Via Viola, 7
✆ (0432) 21 296
*Repas complet autour de 25 €. Fermé le
mercredi. Cartes de crédit non acceptées.*
Un bistrot classique installé dans une ancienne étable. En été, on mange sous les arcades. Plats traditionnels, strictement frioulans : orge et haricots, *cjalcon* (pâtes de légume, beurre et fromage qui nous vient tout droit des montagnes) et fricot de pommes de terre.

◼ RISTORANTE SENZA SCAMPO
Via Planis, 30
✆ (0432) 28 71 51
Fermé le lundi et le dimanche soir.
Ici pas de menu, les plats dépendent de la pêche du jour. On y mange exclusivement du poisson frais. Un vrai régal.

Points d'intérêt

Udine revendique son identité à part, celle d'un passé agité et d'une culture qui lui est propre (le frioulan est enseigné dans les écoles et les rues sont écrites en italien et frioulan). L'atmosphère y est extrêmement chaleureuse et authentique, bien reconstituée après le terrible tremblement de terre de

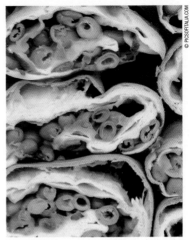
© PICSOFITALIA.COM

Le pain aux olives est apprécié à l'heure de l'apéritif

1976 qui fit beaucoup de dégâts. Précisons enfin que Tiepolo a habité Udine et y a laissé de nombreuses œuvres semées à travers la plupart des monuments et musées de la ville. En un après-midi, on peut apprécier le castello et la piazza Libertà, avant de clôturer le tout par un verre piazza Matteotti, à deux pas de là.

◼ CASTELLO – MUSEO ARCHEOLOGICO E GALLERIA D'ARTE ANTICA
✆ (0432) 71 591
*De mai à septembre, de 10h30 à 17h. D'octobre
à avril, de 10h30 à 17h. Fermé le lundi. Entrée :
5 €.*
La légende veut que la colline d'où surgit le château ait été érigée par les guerriers d'Attila pour permettre à ce dernier de mieux contempler les lueurs de l'incendie d'Aquileia. L'ange protecteur perché en haut d'une coupole de cet imposant bâtiment du XVIe siècle est le symbole de la ville. Les musées qu'il abrite présentent de belles petites collections, dont quelques Caravage et des Tiepolo. On peut visiter l'église S. Maria al Castello (XIIIe s.) en le demandant au gardien du musée du château.

◼ CIVICA GALLERIA D'ARTE MODERNA
Palamostre
Piazzale Diacono, 22
✆ (0432) 29 58 91
*De 10h30 à 17h. Fermé le mardi. Entrée :
5 €.*
Nombreuses œuvres d'artistes italiens tels Morandi et De Chirico.

■ DUOMO

Piazza Duomo
La cathédrale date du XIIIe siècle dans un style alliant le roman et le gothique. Son musée (Museo del Duomo. *Ouvert de 9h à 12h et de 16h à 18h et le dimanche de 16h à 18h, fermé le lundi*) expose des œuvres de Tiepolo (voir notamment la chapelle du Saint Sacrement). A côté de la cathédrale, l'Oratorio della Purità contient des fresques de Tiepolo. Pour les voir, demander à la sacristie du Duomo.

■ MUSEO DIOCESANO E GALLERIE DEL TIEPOLO

Palazzo Patriarcale
Piazza Patriarcato, 1
℃ (0432) 25033
Ouvert de 10h à 12h et de 15h30 à 18h30. Fermé lundi, mardi, Noël et Pâques. Entrée : 5 €.
La Galleria et la Sala Rossa de ce beau palais du XVIIIe siècle contiennent le cycle de fresques le plus significatif que Tiepolo a peint à Udine. Le musée Diocesano présente aussi une belle collection de sculptures en bois (XIII-XVIIIe siècle) et d'orfèvrerie provenant des églises de la région.

■ PIAZZA DELLA LIBERTA

C'est le joyau Renaissance de la cité.
Le palazzo del Comune date du XVe siècle. Connu aussi comme la loggia del Lionello, il rappelle l'influence vénitienne. Voir aussi la loggia et le portique de San Giovanni surmonté par la tour de l'Horloge. L'arco Bollani est une œuvre conçue par Palladio qui mène au castello d'Udine.

■ PIAZZA MATTEOTTI

L'un des endroits les plus caractéristiques de la ville. Le marché y prend place tous les matins : aquarelle d'un autre temps, où de petites femmes vendent leurs herbes des champs (de moins en moins) tout autour de l'église baroque de San Giacomo, sur un fond de belles maisons colorées à arcades. Le soir, vers 18h, les cafés qui bordent la place se remplissent en quelques minutes. Après le travail, les Udinais viennent y siroter un spritz dans une atmosphère détendue mais toujours élégante. On y voit également une fontaine du XVIe siècle et une colonne de la Vierge du XVe siècle.

PALMANOVA

Forteresse construite en forme d'étoile à neuf branches par les Vénitiens pour protéger Udine, Palmanova offre un exemple remarquable de ville fortifiée de l'époque moderne : il n'y a plus de tours et de murailles crénelées mais des redoutes et des contrescarpes, afin de prendre en compte les armes à feu et les canons. Avec un guide et à la lueur d'une torche, on pourra visiter l'intérieur des fortifications.

CASTELLO BORGO

Sis à Gorizia, c'était la demeure des comtes de la ville et des dignitaires de l'Empire, ennemis acharnés de la république de Venise. Des remparts, une succession de collines parsemées de vignobles s'offrent au regard. Les vins blancs produits sont parmi les plus recherchés d'Italie, comme le tokay d'origine hongroise, et le piccolit, un cru extrêmement rare. De même que les bars-caves jalonnent les ruelles du bourg, les *frasche*, qui bordent en général les routes de campagne, sont l'élément principal du paysage.

■ CASTELLO BORGO

Castello Borgo, 36
Gorizia
℃ (0481) 53 51 46
De novembre à mars, de 9h30 à 18h. D'avril à octobre, de 9h à 13h et 15h à 19h30. Fermé le lundi. Entrée : 3 €.

Nediske Doline - Valli del Natisone

Aux environs de Cividale et à la frontière avec la Slovénie, les vallées du Natisone sont connues comme la Slavie du Frioul. Riches en sources d'eaux et grottes, ces vallées sont constellées de lieux de culte datant du XIIe au XVIe siècle qu'on rejoint en parcourant des sentiers au milieu de prés et de forêts. D'origine romaine, le monastère de Castelmonte (XIIe siècle) est un de plus anciens monastères chrétiens au monde. Les vallées sont également parsemées de témoignages de l'histoire ancienne et moderne : restes de fortifications médiévales et d'installations romaines, ainsi que de tranchées de la Première Guerre mondiale.

▶ **Mail de l'office de tourisme** : info@nediskedoline.it

CIVIDALE DEL FRIULI

Alboino, roi des Lombards, arrivé en 568 avec son armée aux confins de l'Italie, choisit pour capitale de son royaume le petit municipe romain de Cividale. Les vestiges lombards y sont d'un grand intérêt. En 737, le patriarche d'Aquileia, Callisto, s'installa à Cividale et, depuis lors, le premier dimanche de janvier, on célèbre dans le Duomo la traditionnelle *messa dello spadone* : l'officiant, un casque à plumet sur la tête, bénit l'assemblée des fidèles, une épée dégainée dans la main droite, un précieux missel dans la main gauche.

Points d'intérêt

Rues étroites, façades peintes, Cividale renferme une atmosphère reposante et emplie d'histoire. Ne pas manquer le ponte del Diavolo, qui surplombe le fleuve Natisone et le palazzo Comunale (XVe siècle) sur la piazza del Duomo.

■ LE DUOMO – MUSEO CRISTIANO

Piazza del Duomo
✆ (0432) 70 12 11
Le Duomo est ouvert de 9h30 à 12h30 et de 15h à 18h, le dimanche de 15h à 18h. Entrée libre. Le Museo Cristiano est ouvert de novembre à avril, uniquement le samedi et dimanche de 10h à 13h et de 15h à 18h. D'avril à novembre, de mercredi à dimanche de 10h à 13h et de 15h à 18h. Entrée : 4 €. Billet cumulatif avec le Tempietto Longobardo et le monastère de Santa Maria in Valle à 6 €.
Commencé en 1457 dans le style gothique vénitien, il fut retravaillé au XVIe siècle On accède au Museo Cristiano par la nef de droite. S'y trouvent le baptistère octogonal de Callisto (VIIIe siècle), le sarcophage du duc Ratchis (VIIIe siècle) ainsi qu'une chaire patriarcale et des fresques prises au *tempietto* (oratoire) lombard.

■ MUSEO ARCHEOLOGICO

Piazza del Duomo, 13
✆ (0432) 70 07 00
Du mardi au dimanche de 8h30 à 19h30, le lundi de 9h à 14h. Entrée : 2 €.
Y sont exposés des tombeaux romains et surtout différentes pièces lombardes (armes, outils) trouvées dans des tombes et le précieux voile brodé (XIIIe siècle) de la sainte Benvenuta Boiani. Le musée se trouve dans le palais Pretorio ou des Provveditori Veneti (XVIe siècle).

■ TEMPIETTO LONGOBARDO

Borgo Brossana
✆ (0432) 70 08 67
De 9h30 à 12h30 et de 15h à 17h, les dimanche et jours de fête de 9h30 à 12h30 et de 14h30 à 18h. Entrée : 4 €. Le billet inclut la visite au monastère de Santa Maria in Valle.
C'est le monument d'art le plus remarquable de Cividale (VIIIe siècle), avec ses colonnes en marbre grec du Ve siècle. Un parfait exemple d'art lombard.

SAN DANIELE

Sur le chemin de Tarvisio, à une demi-heure au nord d'Udine, 32 km de fuite vers des contrées verdoyantes, intemporelles, à la rencontre des jambons de San Daniele dont c'est ici le lieu de fabrication. On trouve des producteurs de cette spécialité un peu partout et la possibilité d'en acheter directement. La petite ville de San Daniele, accrochée à une colline verdoyante, abrite l'une des plus anciennes – et prestigieuses – bibliothèque d'Italie : la biblioteca Guarnieriana. Y sont conservés de précieux codex et retables. Le duomo du XVIIe siècle et l'église de Sant'Antonio Abate, qui contient des fresques Rennaissance, méritent également le détour. Faites aussi une escapade à Ragogna, à quelques kilomètres de San Daniele. Sur un rocher, vous trouverez les restes d'un château du XIe siècle d'où s'ouvre un panorama à couper le souffle sur le fleuve Tagliamento.

SPILIMBERGO

Perdu à une trentaine de kilomètres au nord de Pordenone, Spilimbergo est l'un des plus beaux bourgs de la région. Une fascinante ambiance médiévale se dégage des petites rues de pierre du centre. Profiter d'une balade le long du corso Roma, bordé d'échoppes médiévales. On atteint ensuite le duomo de Santa Maria Maggiore, un imposant édifice gothique du XIVe siècle. A l'intérieur, des fresques du XIVe racontent les épisodes de l'Ancien et du Nouveau Testament. Un halo de lumière dorée enveloppe l'abside… Au sortir du duomo, sur la droite, un vieux pont-levis mène au château de la ville. Son surnom, *girone*, ne doit rien au hasard ; il a en effet une forme circulaire et semble en suspension au-dessus du lit du fleuve Tagliamento. Enfin, Spilimbergo possède une école de mosaïque de renommée internationale : la Scuola mosaicisti del Friuli est un centre de formation d'avant-garde.

A la mi-août, l'atmosphère médiévale de Spilimbergo prend corps avec les journées historiques de la Macia, où de par les rues on croise, de façon naturelle, guerriers et ménestrels.

PASSARIANO

A 30 km à l'ouest d'Udine.

■ VILLA MANIN

✆ (0432) 82 12 11
www.villamanin-eventi.it
De lundi à jeudi de 9h à 18h, vendredi, samedi et dimanche jusqu'à 19h. Entrée : 10 €.
Il s'agit de la résidence du dernier doge de Venise. Son vaste parc était célèbre au XVIIIe siècle pour ses « plaisirs champêtres ». Le doge Manin a fait construire sa villa sur les vestiges d'une maison de campagne du XVIe siècle. Napoléon y séjourna en 1797, afin de mettre au point les préliminaires de la paix de Campoformio, qui précipitèrent la fin de la république de Venise. Décorés de fresques, les salons spacieux de la villa accueillent toute l'année de prestigieuses expositions d'art contemporain.

SACILE

Surnommé « le jardin de la Sérenissime », Sacile est un ravissant bourg lové dans les méandres du fleuve Livenza, à 20 km à l'ouest de Pordenone. Les harmonieux palais Renaissance se reflètent dans les eaux couleur olive, tandis que saules pleureurs et fleurs des champs donnent un air campagnard à l'ensemble. Il fait bon flâner sous les portiques et entrer dans l'élégant duomo de San Nicolo. En août, la tranquille bourgade est en effervescence et résonne de pépiements. La Sagra degli Osei, l'une des plus anciennes fêtes italienne, met à l'honneur les oiseaux (et leurs maîtres). Les rues se transforment alors en une oisellerie géante, au grand bonheur des enfants.

■ RÉGION DE LA CARNIA

La Carnia ressemble à une grande main dont la paume correspond à la vallée du fleuve Tagliamento et les doigts aux vallées tracées par ses affluents, pour un total de huit vallées. Au milieu de la vallée du Tagliamento, le « cœur » de la Carnia, surgit Tolmezzo, son principal centre politique et économique. Des montagnes silencieuses à découvrir à pied ou à cheval à travers vastes pâturages, prés fleuris, forêts, buissons de rhododendrons et myrtilles, accompagnés par le sifflement des marmottes, les mugissements des troupeaux et les cris des rapaces alpins.

Ici, la nature cohabite de façon harmonieuse avec l'homme, ses traditions, son histoire. Les habitants de la Carnia ont su préserver les anciens métiers d'autrefois. C'est pourquoi on trouve partout des ateliers d'artisans, notamment dans le territoire de la vallée de Valcalda, où l'on tisse, entaille le bois, bat le fer, travaille la pierre, décore les terres cuites.

Et au milieu de la nature sauvage s'égaille une myriade de petites églises du XVe siècle à l'architecture typique du coin. Précédées par un portique sur la façade et surmontées par un clocher, elles constituaient au Moyen Age les principaux remparts contre les envahisseurs étrangers. Parmi les plus connues : l'église de San Floriano à Iligio, Santa Maria di Gorto à Ovaro et San Pietro in Carnia à Zuglio. Théâtre de combats au cours de la Première Guerre

---

Les alberghi diffusi

Spécificité frioulane, les vacances dans les *alberghi diffusi* sont une expérience unique. Il s'agit de villages de montagne qui réservent quelques beaux chalets à ceux qui désirent vivre au rythme des locaux, goûter à leur roborative cuisine et partager leur traditions… Le temps semble s'être arrêté sur les flancs verdoyants des alpes frioulanes. En couple, en famille ou en groupe, les *alberghi diffusi* sont une belle surprise dans cette région où le tourisme est encore relativement peu développé. Une immersion originale, pour souvent moins de 25 € la nuit par personne. On conseille notamment les villages de Sauris, Borgo Soandri ou encore Ovaro.

▶ **Les alberghi diffusi ont un site Web dédié** : www.clubalbergodiffuso.it

mondiale, cette région est riche aussi en restes qui témoignent des anciens affrontements : tranchées, remparts, et un musée, à Timau, « La Zona Carnia durante la Grande Guerra » qui raconte la Première Guerre mondiale en Carnia (✆ 0433 77 91 68, fermé de novembre à mai). La région de la Carnia englobe également une bonne partie des Dolomites frioulanes.

▶ **Pour plus de renseignements sur la Carnia,** adressez-vous à l'office du tourisme de Tolmezzo - ✆ (0433) 44 898 - info. tolmezzo@turismo.fvg.it.

▶ **On rejoint la Carnia depuis Udine** par l'autoroute A23 Udine-Tarvisio, sortie "Carnia", à 6 km de Tolmezzo. Les autres localités de la Carnia sont à environ 30 min de Tolmezzo. Par train : gare "Carnia" sur la ligne Vienne-Rome ou bien "Udine" et ensuite par bus.

VENZONE

A mi-chemin entre Udine et les montagnes suggestives de la Carnia, Venzone est le seul exemple de citadelle médiévale avec enceintes qui reste dans la région. Cette charmante ville, riche en palais du XIVe siècle, a été entièrement reconstruite après le séisme de 1976 qui l'avait anéantie.

Reconstruit par anastylose, le duomo di Sant'Andrea (XIVe siècle) est son symbole. A côté, la chapelle de San Michele (XIIIe siècle) abrite une quarantaine de momies à l'origine mystérieuse, retrouvées vers la fin du XVIIe siècle dans les tombeaux du Duomo. L'hôtel de ville, un superbe palais du gothique vénitien, les restes de l'église de San Giovanni Battista, la porte de San Genesio sont d'un vif intérêt.

Transports – Pratique

▶ **À 35 km au nord d'Udine,** on rejoint Venzone par la SS13 Pontebbana. D'Udine, on peut aussi prendre le train (ligne Udine-Carnia-Tarvisio) ou le bus (ligne Udine-Carnia-Tarvisio ou Udine-Carnia-Tolmezzo).

■ **OFFICE DU TOURISME**
Via Glizoio di Mels, 5/4
Venzone
✆ (0432) 98 50 34
www.prolocovenzone.it

TOLMEZZO

Ville principale de la Carnia, Tolmezzo présente un centre historique bien préservé qui se concentre autour du quartier Borgàt avec

la cathédrale de San Martino, de jolis palais du XVIIIe siècle et de nombreux portiques. Elle héberge aussi le Museo Carnico delle Arti e Tradizioni Popolari, riche en matériel ethnographique concernant la vie, les traditions et l'art de la Carnia du XIVe siècle au XIXe siècle.

Aux alentours, il est possible d'effectuer des randonnées en toute tranquillité. Une promenade de 30 min vous amènera à l'église de San Floriano, à 735 m de hauteur, une de plus anciennes de la Carnia (Xe siècle environ). Elle surgit sur un rocher en surplomb de la vallée des fleuves But et Tagliamento offrant une vue superbe sur les vallées et les montagnes autour. A Preone, à quelques kilomètres à l'ouest de Tolmezzo, le sentier des Dinosaures avec des pancartes explicatives vous permet de suivre les traces de ces reptiles. D'ailleurs, c'est ici que les fossiles de dinosaures les plus anciens au monde ont été retrouvés.

SAURIS

Ancienne communauté germanophone à 1 200 m d'altitude, dans la Val Lumiei, Sauris est un des bourgs les plus caractéristiques de la Carnia aux jolies maisons en pierre et bois. Célèbre pour sa production de ricotta, bière et prosciutto fumé, Sauris est le point de départ pour des randonnées au milieu des Alpes qui vous mèneront, notamment, aux nombreux *malghe* (chalets d'alpage destinés à la fromagerie) éparpillés dans les montagnes autour. Demeures estivales, on y pratique l'alpage et on y produit fromage, beurre et lait. Parfois, quelques chambres sont réservées aux visiteurs. A côté de Sauris se trouve le lac homonyme où en été on peut se baigner et pratiquer des sports nautiques.

Sauris se trouve à 37 km au nord-ouest de Tolmezzo par la SS52.

■ **OFFICE DU TOURISME**
✆ (0433) 86 076
www.sauris.com

SUTRIO

Sutrio est le village le plus charmant de la vallée de la Valcalda. Il est célèbre pour ses anciens ateliers de travail du bois. Au courant du mois de septembre, ici se passe la manifestation « Magie du bois » avec des expositions partout d'artisanat local.

De Sutrio, on rejoint aisément les pistes du mont Zoncolan (1 700 km), parmi les plus renommées et les mieux équipées du Frioul.

Sutrio se trouve à 15 km au nord de Tolmezzo par la SS52bis.

▶ **Office du tourisme de Sutrio**
℡ (0433) 77 67 42.

PARC NATUREL DES DOLOMITES FRIOULANES

Situé entre les fleuves Tagliamento et Piave dans la partie nord-occidentale de la région, ce parc séduira les amoureux de la nature par son caractère sauvage. Grimpeurs téméraires, chasseurs, chercheurs de champignons et simples randonneurs trouveront leur bonheur au milieu de vallées longues et sinueuses, prairies verdoyantes, forêts anciennes, pics rocheux et petits bourgs charmants. Le clocher de Val Montanaia est le symbole du parc, un pic solitaire de 200 m sur une base de 60 m d'une beauté spectaculaire qui surgit au milieu d'une vallée ouverte, isolé des autres pics qui composent l'amphithéâtre des montagnes autour. A côté de Barcis et de son lac, on trouve la réserve naturelle Forra del Cellina. Il s'agit d'un grand canyon, un des plus spectaculaires d'Italie, formé par le torrent Cellina. Un des sentiers qui le traverse mène aussi aux grottes Vecchia Diga qui peuvent être visitées uniquement sur réservation (℡ 0427 87 333).

Destination inconnue au tourisme de masse, le parc offre de nombreuses opportunités de vacances aux amoureux de la montagne en toute saison. Si l'été est le moment idéal pour les randonnées, l'escalade, l'équitation ou les sports nautiques, en hiver des pistes de ski et des remontées mécaniques performantes sont à disposition des visiteurs, notamment à Forni di Sopra et Claut.

Transports

Des bus réguliers sillonnent le parc reliant ses localités principales à Pordenone (ligne Claut-Maniago-Pordenone). Pordenone se trouve à 50km à l'ouest d'Udine par la route SS464. Pour plus d'informations, consultez le site des bus extra-urbains de Pordenone (www.atap.pn.it). On accède à Forni di Sopra et Forni di Sotto en passant par Tolmezzo, route SS52.

Pratique

■ **CENTRO VISITE « PARCO NATURALE DOLOMITI FRIULANE »**
Via Roma, 4
Cimolais
℡ (0427) 87 333, (0427) 87 046
www.parcodolomitifriulane.it
info@parcodolomitifriulane.it
Informations sur le parc et possibilité de réserver des visites guidées.

Andreis

Situé sur une terrasse verdoyante entourée par les sommets des Dolomites, Andreis est un musée vivant de la civilisation de montagne, notamment pour ses maisons en pierre avec balcons en bois et escaliers extérieurs. A Andreis se trouve le centre de réhabilitation de l'avifaune du parc des Dolomites du Frioul, ce qui lui vaut le surnom de « pays des aigles ». Depuis Andreis, un parcours fascinant et tortueux permet de rejoindre le col de Pala Barzana, parsemé de *malghe* des années 1920 pour ensuite descendre vers la Val Corvera où le bourg typique de Poffabro mérite sûrement une visite.

Forni di Sopra

Perle carnique des Dolomites orientales, Forni di Sopra est l'une des plus belles stations touristiques du parc, entourée par des forêts verdoyantes et des sommets imposants. Son centre historique garde le charme d'antan, avec ses maisons en bois et pierres et les statues en bois conservées dans ses églises. Ses habitants y résident toute l'année, ce qui permet de conserver intactes les traditions locales.

Claut

Située dans la vallée verdoyante de la Valcellina, à la confluence des torrents Cellina et Settimana, Claut est une station de sports d'hiver de grande renommée.

Du village de Lesis, empruntez le sentier qui suit le torrent Cellina en direction "casera Casavento". Au pied de la chute de la rivière Casavento, on trouve un rocher avec des empreintes de dinosaures. A côté de Claut, sur une clairière du mont Ressetum à 1 600 m, surgit un village d'igloos destinés à héberger les esprits les plus aventureux.

▶ **Pour plus de renseignements,** contacter le Consorzio Valcellina ℡ (0427) 87 84 16 - valcellina@libero.it

TRENTIN ET SUD-TYROL

Le Trentin

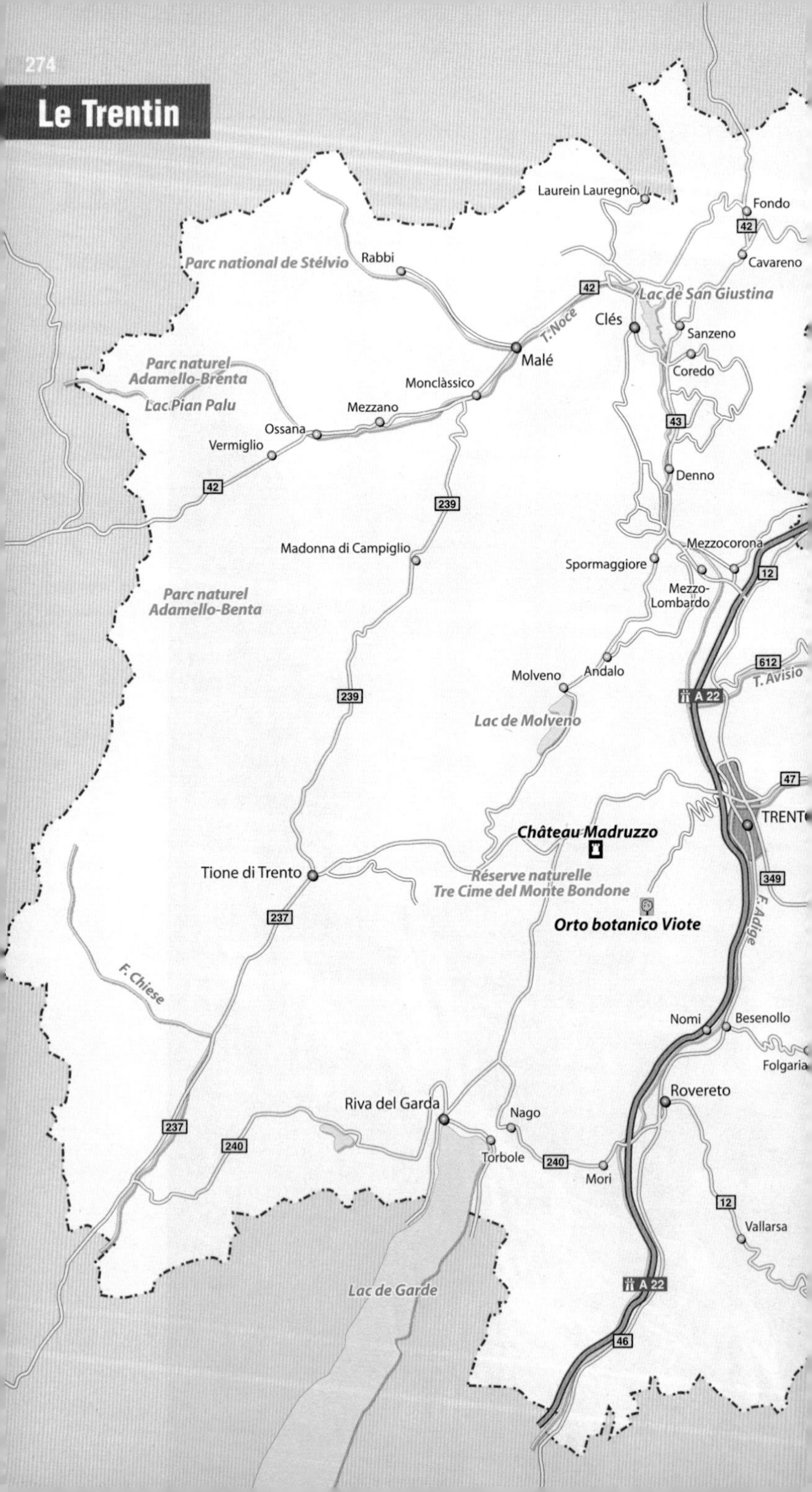

Laurein Lauregno

Fondo

42

Cavareno

Parc national de Stélvio

Rabbi

42

Lac de San Giustina

Clés

Sanzeno

T. Noce

Malé

Coredo

Parc naturel
Adamello-Brenta

Monclàssico

Lac Pian Palu

Mezzano

43

Ossana

Vermiglio

Denno

42

239

Mezzocorona

Madonna di Campiglio

Spormaggiore

Mezzo-
Lombardo

12

Parc naturel
Adamello-Benta

612

T. Avisio

Molveno

Andalo

A 22

239

Lac de Molveno

47

TRENTO

Château Madruzzo

Tione di Trento

*Réserve naturelle
Tre Cime del Monte Bondone*

349

F. Adige

237

Orto botanico Viote

Nomi

Besenollo

F. Chiese

Folgaria

Rovereto

Riva del Garda

Nago

237

240

Torbole

240

Mori

12

Vallarsa

Lac de Garde

A 22

46

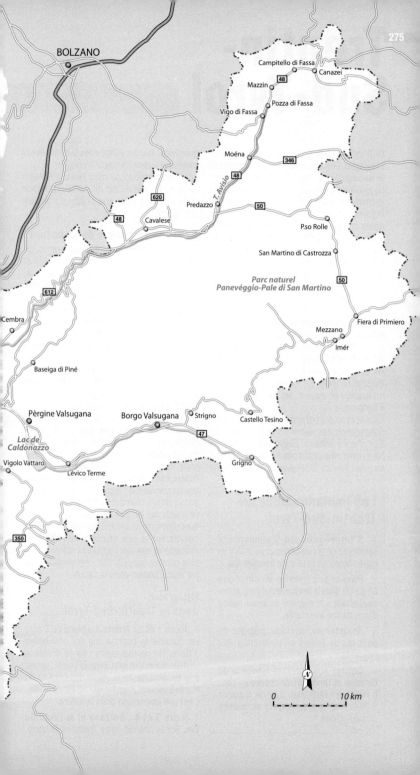

BOLZANO

Campitello di Fassa
Canazei
48
Mazzin
Pozza di Fassa
Vigo di Fassa

Moéna
346

620
48
T. Avisio
Predazzo
50
48
Cavalese
P.so Rolle

San Martino di Castrozza
50

Parc naturel
Panevéggio-Pale di San Martino
612

Cembra
Fiera di Primiero
Mezzano
Imér

Baseiga di Piné

Pèrgine Valsugana
Borgo Valsugana
Strigno
Castello Tesino

Lac de
Caldonazzo
47
Vigolo Vattaro
Grigno
Lévico Terme

350

N

0   10 km

Trentin-Sud-Tyrol

Le Trentin-Sud-Tyrol est une région autonome et bilingue. Elle a su conjuguer intelligemment la sauvegarde du paysage et les contraintes du tourisme. L'engouement pour les maisons secondaires n'a pas bouleversé outre mesure le paysage (en particulier dans les vallées des Alpes atésines), qui continue à ressembler à une carte postale de la Belle Epoque. En revanche, le réseau routier a été largement transformé, avec, en particulier, l'autoroute du Brennero qui, de Vérone, monte vers le nord le long de la vallée de l'Adige jusqu'à Trente et Bolzano.

C'est une région riche en œuvres d'art et en traditions sauvegardées jalousement par les habitants des vallées qui, par ailleurs, offrent un intéressant mélange ethnique et linguistique. Dans beaucoup de villages, on porte encore le costume traditionnel les jours de fêtes, et l'ancienne coutume du maso chiuso est toujours en vigueur : les parents continuent à transmettre l'entreprise agricole familiale au fils aîné et se retirent pour vivre dans une petite dépendance. Les autres frères doivent tenter leur chance ailleurs. Fidèle à la tradition et pour notre plus grand plaisir, en fin d'année, les marchés de Noël prennent place dans quasiment tous les villages rendant les séjours hivernaux indéniablement féeriques.

Le Trentin s'étend au nord jusqu'à Salorno et au sud jusqu'au lac de Garde. La région reste italienne, avec une pointe d'influence germanique.

Pour les amoureux de la nature

C'est un paysage alpestre de pâturages, de villages aux clochers en forme de bulbe et de châteaux. Au printemps, les rangées de vignes et de pommiers lui donnent une note candide. Vers les sommets, les sapinières denses et noires s'éclaircissent et se reflètent dans de petits lacs qui prennent des couleurs rosées au coucher du soleil. Plus haut encore, sur les cimes des Dolomites, un entrelacs de flèches, de campaniles, de crêtes et de donjons alterne avec des parois vertigineuses aux couleurs changeantes, et où fleurissent les rhododendrons et les gentianes.

En choisissant de passer vos vacances dans un mas, hébergé par un paysan, vous aurez l'occasion de vivre dans une nature inchangée, au contact d'une société encore traditionnelle. L'hospitalité y est simple et vraie, comme la cuisine à base de produits locaux. Les nombreux sentiers qui partent des fermes conviennent aussi bien aux marcheurs endurcis qu'à ceux qui veulent simplement se dégourdir les jambes. Il est recommandé de faire référence en priorité aux établissements inscrits sur la liste officielle de l'office du tourisme et non aux nombreux autres qui se sont octroyé l'appellation «agriturismo», de par leur situation dans la nature.

Itinéraire dans le Trentin-Sud-Tyrol

▶ **Jours 1 et 2 : Trente.** La place de Trente est considérée comme une des plus belles d'Italie. On ne manquera pas de visiter le castello Buonconsiglio. Depuis Trente, partez à la découverte de la vallée des Lacs et du Monte Bondone. A seulement 20 km de la ville, c'est une immersion dans la nature.

▶ **Jours 3 et 4 : Bolzano et la route du Vin.** Sur le chemin entre Trente et Bolzano,

Les immanquables du Trentin-Sud-Tyrol

▶ **S'imprégner** de l'atmosphère solennelle de la cathédrale et du cloître en style roman de la ville de Bressanone.

▶ **Passer** une journée au cœur des Alpes de Siusi à la recherche de plantes médicinales et évoluer au beau milieu d'une nature luxuriante.

▶ **Assister** au spectacle magique du petit lac de Braies en plein cœur des Dolomites.

▶ **Goûter** aux charmes tyroliens de Bolzano et rendre visite, pourquoi pas, à notre ancêtre Ötzi, âgé de quelque 5 300 ans, qui sommeille au musée archéologique.

les étapes de la route du Vin méritent le détour. Appiano, Termeno et les cinq autres villes le long de la route sont des lieux enchanteurs où culture, paysages de rêve et « œnogastronomie » sont au rendez-vous. Arrivé à Bolzano, laissez-vous surprendre par le charme de la ville. C'est surtout un lieu de séjour idéal car on peut aisément accéder à de très belles balades (notamment le haut plateau du Renon) tout en profitant des attraits culturels de la ville. On en profitera pour faire un saut à Bressanone et admirer un des plus beaux édifices religieux de la région.

▶ **Jours 5 et 6 : Castelrotto et les Alpes de Siusi.** Depuis le charmant village de Castelrotto, partez à la découverte des traditions populaires des Alpe di Siusi, entourées par une nature quasi-vierge. Plusieurs sentiers de promenade pour tous niveaux vous feront découvrir ces montagnes uniques. On peut également pousser jusqu'au Val Gardena pour grimper les différents cols qui s'y trouvent et admirer l'art de la sculpture sur bois dans les villages du coin.

▶ **Jour 7 : Brunico.** Paradis des skieurs qui trouveront leur bonnheur sur le plateau du Kronplatz, Brunico est une ville au charme moyenâgeux qui ne décevra pas les amoureux d'art et de culture. Ne manquez pas de vous rendre dans la vallée de Braies, où son lac couleur émeraude est un des plus beaux endroits de la région.

◼ TRENTIN

TRENTE

Trente fut une des trois principales villes du Sud-Tyrol à se retrouver, de par son emplacement géographique stratégique, « sur la route vers l'Italie ». Ses maîtres furent des princes-évêques, sous l'obédience du Saint Empire romain germanique. Aussi en 1004, l'évêque Uldarico Ier inaugura l'exercice du pouvoir temporel par l'Eglise sur le territoire Trentin, pouvoir qui perdurera plus de huit siècles. En outre, Trente est indéniablement marquée par le règne de l'évêque Bernardo Clesio de 1514 à 1539. Il introduisit en effet dans la ville, la Renaissance : la plupart des bâtiments en portent encore la trace aujourd'hui. La chiesa di Santa Maria Maggiore, le palazzo Magno, mais aussi la rénovation de nombreux palais ou tout simplement l'aménagement urbain de la ville sont autant de travaux qu'il entreprit à cette époque.

Comment ne pas évoquer ici le fameux concile de Trente qui prit place dans la ville, le 13 décembre 1545, afin de réformer et revigorer le catholicisme face au mouvement protestant. Il s'acheva dix-huit ans plus tard, en 1563, en donnant un nouvel élan à la religion chrétienne, initiant, dans l'histoire de l'art, l'âge baroque. On y définit aussi la suprématie du pape sur l'église et de façon plus symbolique, l'utilisation du confessionnal et de la chaire dans les églises.

Cité historique donc, Trente est également devenue une cité universitaire depuis une quinzaine d'années. Conséquence de cette « déferlante » de jeunesse, la ville se veut résolument dynamique et tournée vers l'avenir. Pour preuve, elle est la seule ville d'Europe à avoir été choisie par Bill Gates lui-même pour créer un département Microsoft.

Transports

▶ **Voiture.** Autoroute du Brennero A22, 250 km de Milan, 218 km de Venise.

▶ **Train.** Ligne « del Brennero » (vers Bolzano et le Nord) et ligne de la Valsugana Venise-Trente (2 heures 30 min).

▶ **Bus.** Liaisons régulières avec les principales localités de la province (✆ 0461 821 000 - www.ttesercizio.it) et avec de nombreuses villes de la région (Bolzano, Marilleva, Canazei, S. Cassioano) et d'Italie du Nord (www. statturismo.com).

▶ **Taxi** ✆ 0461 930 002.

Pratique

◼ **CONSULAT DE FRANCE**
Passagio Zippel, 2 ✆ 0461 238882

◼ **OFFICE DU TOURISME**
Via Manci, 2 ✆ 0461 216000
www.apt.trento.it
informazioni@apt.trento.it
Tous les jours de 9h à 19h.

▶ **Trento Card.** Donne accès aux musées de la ville, Jardin Botanique Alpin au Monte Bondone, visite des Caves, transports urbains, emprunt de vélos + nombreuses réductions. 10 € pour 24h et 15 € pour 48h. Disponible à l'office du tourisme et dans les musées.

■ **POINT INTERNET**
Via XXIV Maggio, 2/1
www.Internetarena.net
Du lundi au samedi de 10h à 2h, dimanche de 16h à 2h. 3 € de l'heure.

Hébergement

■ **AMERICA**
Via Torre Verde, 50 ✆ 0461 983010
Fax : 0461 230603
www.hotelamerica.it
info@hotelamerica.it
Simple de 70 à 80 €, double de 108 à 130 €.
Gestion familiale depuis 1923 pour cet hôtel en centre-ville confortable et chaleureux, adapté aussi bien à une clientèle d'affaires qu'aux visiteurs. Les chambres sont meublées avec beaucoup de goût et le buffet du petit déjeuner est alléchant.

■ **ELISA**
Viale Rovereto, 17
✆ 0461 922133
www.bbelisa.com
emagrandi@gmail.com
Simple 50 €, double 75 €. Petit déjeuner en chambre 5 €, coin cuisine pour thé et café, Wi-Fi gratuit, vélos, parking pour vélos et motos.
Un B&B agréable et calme à quelques pas du centre. Emanuela vous réserve un accueil chaleureux, vous aurez l'impression d'être comme chez vous. Tarifs très avantageux.

■ **OSTELLO GIOVANE EUROPA**
Via Torre Vanga, 11
✆ 0461 263484
Fax : 0461 222517
www.gayaproject.org
info@gayaproject.org
Chambres : simple 16 €, double 25 €, triple 20 €, multiple 18 €.
Une auberge de jeunesse propre et accueillante, à quelques pas de la gare et du centre-ville. 32 chambres de 1 à 6 couchages, toutes pourvues de salle de bains privée et téléphone. Restaurant et bar.

■ **VILLA MADRUZZO**
Loc. Ponte Alto, 26 Cagnola
Cagnola
✆ 0461 986220
Fax : 0461 986361
www.villamadruzzo.it
nfo@villamadruzzo.it
Simple de 70 à 80 €, double de 100 à 140 €.

A 3 km du centre-ville, en position favorable sur la colline de Trente, cette ancienne demeure historique offre tout le confort moderne d'un hôtel 3-étoiles, entouré par la verdure d'un vaste parc. Meubles anciens et parquet complètent le cadre recherché.

Restaurants

■ **CANTINOTA**
Via San Marco, 22/24
✆ 0461 238527
Repas 20-30 €. Fermé le jeudi.
Au cœur de la ville, cette cave du XVIe siècle entourée d'un jardin propose les classiques de la cuisine trentine selon les arrivages du marché. Charcuterie, pâtes farcies aux légumes et au speck, polenta et champignon et l'immanquable strüdel… autant de spécialités qui raviront vos palais.

■ **OSTERIA DELL' ACCADEMIA**
Vicolo Colico, 4/6
✆ 0461 981580
Repas 20-30 €. Fermé le lundi.
Un bar à vin riche en crus du Piémont, de Toscane, ainsi qu'en vins locaux d'excellente qualité. Le vin Filo Rosso est mis en bouteille par le patron. Pour éviter que l'on ne sombre trop rapidement dans l'ivresse, l'établissement sert des tagliatelles faites maison, accompagnées de goulasch et de la polenta maure de sarrasin.

■ **OSTERIA LE DUE SPADE**
Via Don Rizzi, 11
✆ 0461 234343
Repas 40-60 €.
Fermé dimanche midi et lundi.
C'est depuis le XVIe siècle que l'Osteria Le Due Spade restaure les habitants et les voyageurs à Trente. Aujourd'hui restaurant raffiné, l'Osteria a gardé son architecture du XVIIe et un beau plafond vouté de 1700 où l'on déguste une cuisine régionale créative.

Sortir

Trento, ville étudiante de renom, bouillonne de bars et de pubs où prendre l'apéro et où se retrouver boire un verre pendant les froides soirées d'hiver. La Birreria Pedavena (Piazza di Fiera, 13) est un pub sympathique où boire de la bière Lag's de production artisanale unique en Trentin. Les cafés Duomo et Mozart dans le centre historique sont des endroits très fréquentés par les étudiants où boire un bon spritz (apéritif alcoolisé de la région) avant de passer à table. Incontournable, l'Osteria della Mal'Ombra (Corso III Novembre, 43), un bar à vin où l'on respire un air d'antan.

Manifestations

▶ **Trento Festival.** Avril-mai. Festival international du film alpin. Nombreuses projections publiques (℃ 0461 986 120 - www.trentofestival.it).

▶ **Feste Vigiliane.** Juin. Fêtes avec parades et tournois pour évoquer de nouveau la tradition médiévale de la ville en l'honneur du saint patron Vigilio.

Points d'intérêt

■ CASTELLO DEL BUONCONSIGLIO
Via B. Clesio, 5
℃ 0461 233770
www.buonconsiglio.it
De mai à novembre de 10h à 18h, sinon de 9h30 à 17h. Fermé le lundi. Tarif : 7 €, réduit 4 €.
Le château devint à partir de 1247 la demeure des princes-évêques. Très bien conservé, le pouvoir de l'époque (évêques et empereurs germaniques) y est très largement représenté dans les nombreuses fresques. Le palais Magno annexé au XVIe siècle au château d'origine, avec ses fresques de Dosso et Battista Dossi qui décorent le hall et le grand salon, est un véritable hymne au règne de son bâtisseur : Bernardo Clesio, qui se fit représenter en toutes circonstances. La superbe loggia depuis laquelle les évêques se montraient au peuple offre un joli point de vue sur la ville. Le palais Magno fut le point de départ pour l'introduction de la Renaissance à Trente.

■ DUOMO
De 6h30 à 12h et de 14h à 18h.
Dédiée à Vigilio, le saint patron de Trente, c'est le principal édifice religieux de la ville. La construction de l'église fut entreprise par l'évêque Federico Vanga, en 1212, et achevée vers le milieu du XIVe siècle. Sur le côté nord richement décoré, le portail de l'Évêque tire son nom des cortèges des évêques qui le franchissaient pendant les années du Concile. A l'intérieur, dans la chapelle Alberti de la nef Sud, furent promulgués les décrets de la Contre-Réforme. La crypte est le dernier témoignage de l'ancienne église paléochrétienne.

■ MUSEO D'ARTE MODERNA E CONTEMPORANEA (MART)
Palazzo delle Albere
Via R. da Sanseverino, 45
℃ 800 397760
www.mart.trento.it
De mardi à dimanche, de 10h à 18h. Tarif : 6 €, réduit 4 €.
Le palais a été acheté par la région et sauvé d'un triste état d'abandon grâce à une intelligente restauration. Le musée abrite une exposition permanente d'art moderne et contemporain, et accueille régulièrement des activités liées à la sauvegarde et à la mise en valeur de collections d'art des XIXe et XXe siècles.

■ MUSEO DIOCESANO TRIDENTINO
Palazzo Pretorio
Piazza del Duomo, 18
℃ 0461 234419
De juin à septembre de 9h30 à 12h30, de 14h30 à 18h (de 14h à 17h30 d'octobre à mars). Fermé le mardi. Tarif : 4 €, réduit 2,50 €, gratuit le premier dimanche du mois.
Fondé en 1903 pour sauvegarder le patrimoine du diocèse de Trente, il conserve de riches collections d'enluminures, de sculptures, de tapisseries, d'orfèvrerie et de parements sacrés.

■ PIAZZA DUOMO
La grande place de Trento est considérée comme l'une des plus belles d'Italie. On y admire la cathédrale, bien sûr, mais aussi le palazzo Pretorio, les maisons Renaissance (case Cazuffi) aux fresques du XVIe siècle et, majestueuse, la fontaine de Neptune réalisée en 1768 par le sculpteur Andréa Giongo.

■ SANTA MARIA MAGGIORE
Erigée par volonté du prince-évêque Bernardo Clesio entre 1520 et 1524, selon le modèle parfaitement humaniste de l'église Sant'Andrea de Mantoue, Santa Maria Maggiore abrita plusieurs séances du concile de Trente. A l'intérieur, l'encoignure et l'orgue (1536), finement décorés, sont un chef-d'œuvre d'art classique.

■ TORRE AQUILA
Château de Buonconsiglio
Tarif : 1 €.
On doit la beauté de cette « tour de l'Aigle » au prince-évêque Giorgio di Liechtenstein, qui éleva cette tour et la fit décorer de fresques d'une luminosité encore intacte.

Datées de la fin du XIVe siècle et représentant le cycle des mois, elles constituent de par leur minutie un livre ouvert sur le quotidien de la vie à cette époque.

■ **VIA BELENZANI**

Le révolutionnaire Rodolfo Belenzani, à la tête de la République trentine, tenta sans grand succès de renverser le pouvoir ecclésiastique, au début du XVe siècle. On y découvre de majestueuses façades Renaissance. Le palazzo Thun, érigé au XVIe siècle, fut rénové dans la première moitié du XIXe siècle. Résidence d'une des familles les plus influentes de Trente, les Thun, il accueille à présent la mairie de la ville. Le palazzo Geramia date du XVe siècle. Ses fresques témoignent de l'histoire de la ville et scénarisent les plus importants événements qu'elle a connus depuis la période romaine.

■ **VIA MANCI**

Dans cette rue se succèdent le palazzo Saracini-Pedrotti avec sa façade décorée de motifs géométriques en damiers, le palazzo Trentini de style baroque avec une façade du XVIIIe, désormais siège du conseil régional, et le palazzo Fugger-Galasso qui date du début du XVIIe siècle. Ce dernier est aussi appelé le palazzo del Diavolo, « palais du Diable » : selon la légende populaire, il aurait été construit en une seule nuit grâce à l'intervention de Satan. Dans la réalité, il fallut deux mois pour le bâtir, une très courte période pour un tel palais, ce qui aurait motivé les premières rumeurs d'un pacte passé avec le démon pour le construire au plus vite…

Shopping

▶ **Marché de Noël.** Novembre-décembre, Piazza Fiera. Marché traditionnel, rendez-vous très animé pour un shopping de Noël caractéristique (www. mercatinodinatale. tn.it).

▶ **Mercatino dei Gaudenti.** Avril-juin, Piazza Garzetti, 2e samedi du mois (sauf janvier et août). Brocante et marché aux puces.

VALLE DEI LAGHI

A 15 minutes d'autoroute de Trente (SS45bis) se trouve la vallé des Lacs, un paysage de contes de fée où les principaux acteurs sont huit bassins d'eau très claire. Autour des lacs de Terlago, Santa Massenza, Toblino et d'autres plus petits, une végétation alpine se mélange de façon très singulière à une flore quasi méditerranéenne où l'olivier côtoie le sapin. Un endroit idéal pour les randonnées à pied, à cheval ou pour le VTT. Infos : ✆ 0461 864 400 - www.valledeilaghi.it

MONTE BONDONE

A seulement 22 km de Trente (SS45bis), le Monte Bondone est une incroyable terrasse naturelle aux portes de la ville, pour les amoureux de la montagne. Il s'agit d'une petite chaîne de montagnes dont quatre cimes atteignent 2 000 m. En hiver, le domaine skiable moderne (www.ski.it/bondone) offre des bonnes descentes des deux côtés de la montagne, alors qu'en été il devient le paradis du promeneur avec son Jardin botanique alpin (✆ 0461 948 050 - www.mtsn.tn.it) où sont rassemblées plus de 2 000 espèces de plantes du monde entier. Une navette depuis la gare de Trento assure des liaisons quotidiennes. Infos ✆ 0461 947 128 - www.apt.trento.it

RIVA DEL GARDA

Après avoir été longuement l'objet de contentieux militaires par son rôle stratégique de port lacustre, Riva del Garda acquit au XIXe siècle sa réputation de localité de villégiature, appréciée par Goethe et par Stendhal. Quelques décennies de domination vénitienne suffirent pour donner à la ville son aspect enchanteur. De la piazza III Novembre aux belles demeures nobles au dédale de ruelles de la via Fiume, Riva del Garda est un endroit idéal pour qui souhaite allier culture, détente et sport. Les activités sportives lacustres et les sentiers de promenade à pied et à vélo ne manquent pas dans les environs. Pour y arriver : autoroute A22, sortie Rovereto Sud-Lago di Garda Nord. Un service de bateau relie entre elles toutes les villes du lac. Pour tout renseignement : www.gardatrentino.it

ROVERETO

Situé au centre du Val Lagarina, il est entouré d'un doux paysage où domine la verte géométrie des vignes. Son centre urbain commença à se développer au XIIe siècle, sous les Castelbarco. Ces derniers donnèrent à la ville un système de fortifications, dont une partie est encore visible via della Fosse. La ville passa sous domination vénitienne de 1416 à 1509. De cette époque datent l'essentiel de l'infrastructure urbaine ainsi que le dialecte et la toponymie du lieu. Rovereto est célèbre pour son industrie de la soie, qui fut introduite dans la région en 1520. Imposante fortification

Château de Riva del Garda

érigée au XIVe siècle, le château surplombe la ville. La vieille ville s'étend à ses pieds. Des palais magnifiques rappellent cette époque florissante en particulier autour de la moyenâgeuse via della Terra.

Surnommée l'Athènes du Trentin par sa forte vocation culturelle, Rovereto est une ville riche de manifestations d'art et de culture tout au long de l'année (www.visitrovereto.it).

■ MUSEO D'ARTE MODERNA E CONTEMPORANEA (MART)

Corso Bettini, 43
℃ 046 4438887
www.mart.trento.it
De mardi à dimanche de 10h à 18h, le vendredi de 10h à 21h. Tarif : 10 €, réduit 7 €.
Le Mart de Trente a inauguré en 2002 son nouveau site d'exposition à Rovereto. Ce musée à l'architecture délibérément moderne présente sur quatre étages une collection impressionnante d'archives et d'œuvres d'art du XXe et XXIe siècles.

■ MUSEO STORICO ITALIANO DELLA GUERRA

Via Castelbarco, 7 ℃ 0464 438100
www.museodellaguerra.it
Du mardi au dimanche de 10h à 18h. En juillet, août, septembre, les samedi et dimanche de 9h30 à 18h30. Tarif : 6,50 €, réduit 2,50 €, billet jumelé pour tous les musées de Rovereto 15 €. Dans le château de Rovereto, le plus grand musée italien de la guerre retrace l'histoire militaire du pays du Moyen Age à nos jours.

PAGANELLA

A 39 km au nord de Trente (A22/E45 et SS421), la Paganella, célébrée par des chants et des poèmes, est la montagne la plus populaire du Trentin. On trouve à son sommet un observatoire météorologique pour l'aéronautique et surtout un vaste domaine skiable. A ses pieds, le lac de Molveno entouré de vertes prairies reflète les cimes du massif de la Brenta. Un très beau cadre pour un séjour à l'enseigne de la détente et du sport (www.paganella.net).

CALDONAZZO

Le village de Caldonazzo est situé à une courte distance du lac éponyme, qui est le plus grand bassin lacustre du Trentin. Pour y arriver (SS47, 20 km de Trente), on traverse les champs de pommiers d'où viennent les pommes juteuses du Trentin. Les berges du lac, équipées pour tout genre d'activités sportives, sont idéales pour la promenade et la détente. Le bourg est dominé par le château Trapp, une forteresse du XVe siècle où les seigneurs locaux administraient la justice eux même.

LEVICO TERME

Située sur le versant méridional du Panarotta et dominant le rio Maggiore, cette station thermale est réputée pour ses eaux arsenicales et ferrugineuses. Dans la partie haute de la ville, la route panoramique s'éloigne pour rejoindre le centre thermal de Vetriolo.

TRENTIN ET SUD-TYROL

Le lac de Levico se trouve à 1 km de ce centre. C'est un bassin aux eaux vertes, parmi les plus propres d'Italie, encastré dans un paysage de fjords entre des berges escarpées et boisées (www.visittrentino.it/levico-terme).

SEGONZANO

A 25 km de Trente, Segonzano est le nom d'une vaste localité dans la vallé du Cembra, réputée pour ses vignobles et pour sa tradition artisanale du travail du bois. Mais le véritable intérêt de Segonzano sont ses pyramides de terre naturelle, gigantesques champignons dus à l'érosion des eaux sur une butte morainique. Elles ont la forme d'un cône étroit surmonté généralement d'un bloc de rocher (www.tr3ntino.it/segonzano).

MADONNA DI CAMPIGLIO

Station de vacances parmi les plus importantes de la chaîne alpine, Madonna di Campiglio s'étale dans une superbe combe aux prés couleur émeraude et aux noires sapinières. Zone de passage depuis des temps ancestraux, elle devint, dans la seconde moitié du XIXe siècle, un célèbre lieu de villégiature des aristocrates autrichiens.

▶ **Voiture.** A 73 km de Trente. A22, sortie Sarche-Tione-Pinzolo-Madonna di Campiglio.

▶ **Train.** Gare de Trente. Bus pour Madonna di Campiglio (http://orari.ttspa.it/).

■ **OFFICE DU TOURISME**
Via Pradalago, 4 ✆ 0465 447501
www.campiglio.net

■ **OBEROSLER**
Via Monte Spinale, 27
Madonna di Campiglio ✆ 0465 441136
Fax : 0465 443220
www.hoteloberosler.it
info@hoteloberloser.it
Double en demi-pension de 85 à 250 €.
Un chalet au bord des pistes, dans un site tranquille et ensoleillé. La décoration récemment rénovée est un mélange réussi de design et de style montagnard. Les chambres modernes sont dotées de tout le confort.

■ **LE ROI**
Via Cima Tosa, 40 ✆ 0465 443075
Repas 15-30 €.
Restaurant-pizzeria caractéristique. Excellente polenta et gibier. Un must à Campiglio.

■ LES DOLOMITES

Des bois, des pâturages alpins, des mas bien entretenus aux balcons fleuris, une succession de bourgs dont on ne distingue souvent que le clocher qui surplombe les toits et les plus belles cimes des Dolomites : l'ensemble constitue un environnement exceptionnel.
Les Dolomites doivent leur nom au géologue français de la fin du XVIIIe siècle, Déodat de Dolomieu, qui perça leur mystère en 1788 et les définit comme des roches sédimentaires blanches faites de carbonate, de calcium et de magnésium. Leurs formes pointues ne sont autres qu'une résultante des bouleversements climatiques subis depuis des siècles. Ce sont elles, ces montagnes blanches teintées de rouge au coucher de soleil, qui donnent à cette région une empreinte si particulière où la force de la nature reste omniprésente.
Par ailleurs, le site des Dolomites présente un intérêt ethnographique : dans les vallées de Gardena, de Badia et Cortina subsiste le dialecte ladin, troisième groupe linguistique du Haut-Adige. Aujourd'hui, cet idiome néolatin, qui remonte au temps des Romains, est encore

enseigné à l'école. De même des journaux, radio et programmes TV locaux communiquent en ladin. L'itinéraire qui va de Bolzano à Cortina est un classique en toute saison. Des vallées fleuries au printemps et en été, des bois dorés en automne, de la neige et des pistes pour les épreuves du championnat du monde en hiver.

Sports et loisirs

■ **DOLOMITI SUPERSKI**
Alpe di Siusi - Seiser Alm
www.dolomitisuperski.com
Il s'agit du domaine skiable le plus important du monde avec 1 180 km de pistes, 460 téléphériques et 1 100 km de pistes de randonnées.

ALPE DI SIUSI/SEIS

Ce plateau, au pied de la montagne symbole du Haut-Adige, le Sciliar, est sans doute le plus réputé d'Europe : il s'agit du plus grand alpage d'altitude d'Europe avec 52 km² de vastes pâturages et de petits bois. L'Alpe di

Forêt de Marilleva

Siusi s'élève de 1 800 m à 2 950 m d'altitude et son paysage est bucolique : mais blancs avec leur classique façade de bois, petites églises aux clochers à bulbe, hôtels noyés dans la verdure, tout s'harmonise heureusement avec la nature environnante.

Le paysage vallonné est ponctué de petites maisons, qui ne dépassent pas 4 m sur 4 et ne comptent que 2 pièces : la cuisine d'où sort la cheminée et la grange-chambre à coucher. De 400 à 500 paysans se partagent le haut plateau. Chacun y possède un alpage où il mène paître ses troupeaux pendant les mois d'été jusqu'au 29 septembre, jour de San Michele. A cette date, d'après la légende, la montagne se peuple de sorcières et devient dangereuse.

Les touristes ont à leur disposition un réseau très dense de quelque 350 km de promenades bien balisées et bien entretenues. Les itinéraires les plus faciles mènent aux petites églises mystiques du Moyen Age disséminées sur tout le territoire de la commune, ou au bord des petits lacs de Fié allo Sciliar, romantiques et propres, dans lesquels les plus courageux pourront se baigner. Les promenades les plus difficiles conduisent aux Denti di Terrarossa ou au mont Bullaccia, tout fleuri de rhododendrons. Les activités y sont nombreuses : marche, découverte de la faune et de la flore (à son apogée de mi-juin à mi-juillet), mais aussi

VTT, parapente… En hiver, ski alpin ou ski de fond (plus de 60 km de pistes), mais aussi, à l'écart des pistes, luge et patin à glace.

Transports-Pratique

▶ **Voiture.** A22 sortie Bolzano Nord - Altipiano dello Sciliar/Alpe di Siusi. La route est fermée pendant la période des grandes vacances de 9h à 17h. Le téléphérique et un service de navette sont alors à disposition.

▶ **Téléphérique.** Depuis Seis allo Sciliar (20 min de montée). Tarif A/R : 13,50 € par personne, junior 6,50 €, senior 11 €.

▶ **Bus.** Service de bus au départ de Bolzano, Bressanone et Chiusa.

■ **OFFICE DU TOURISME**
Via del Paese, 15
✆ 0471 709600
www.seiseralm.it.
info@alpedisiusi.info

Hébergement

Des refuges aux hôtels de luxe, chacun trouvera son bonheur pour séjourner dans la quarantaine de complexes et appartements qui accueillent les amoureux de la nature.

CASTELROTTO/ KASTELRUTH

Castelrotto (1 060 m) est la localité principale du Sciliar, mais surtout un bourg où sont encore très vivantes les traditions d'autrefois. Ancien village romain dont les premières mentions remontent à l'an 985, on aperçoit son clocher de loin. Tout autour partent en étoile les ruelles de la ville. Les jours de fêtes, il n'est pas rare de voir ses habitants en costume traditionnel. La gastronomie locale attire de nombreux gourmands, presque autant que le paysage évocateur et les nombreuses activités sportives proposées. Depuis le village, on peut également rejoindre en téléphérique le mont Marinzen (1 486 m), point de départ pour les randonnées, où en hiver se trouvent des aménagements pour le ski.

Pratique

■ **OFFICE DE TOURISME**
Piazza Kraus, 2
✆ 0471 706333
Situé sur la place principale du centre-ville piétonnier.

TRENTIN ET SUD-TYROL

Hébergement

■ AL LUPO

Via O. V Wolkenstein, 15
℃ 0471 706332
Fax : 0471 707030
www.hotelwolf.it
info@hotelwolf.it
De 36 à 45 € par personne et par jour.
Depuis le XVIe siècle, l'hôtel Al Lupo accueille ses visiteurs avec sa façade décorée. Les chambres typiquement tyroliennes sont chaleureuses et accueillantes. Très bon rapport qualité-prix.

■ POSTHOTEL LAMM

Piazza Kraus, 3
℃ 0471 706343
Fax : 0471 707063
www.posthotellamm.it
De 60 à 130 € par personne et par jour. Offres « spécial séjour » sur le site.
L'hôtel jouit surtout d'une situation privilégiée, sur la place Kraus. Le charme montagnard y est partout présent, déco, accueil et même costume traditionnel pour le personnel en été ! Une piscine, un centre de bien-être et un restaurant gastronomique complètent le cadre.

Manifestations

▶ **Chevauchée Oswald von Wolkenstein**. Juin. En l'honneur de l'ancien seigneur des lieux, une chevauchée costumée est organisée sur 40 km. Une occasion pour célébrer la gastronomie locale par des dégustations dans toute l'Alpe di Siusi (semaine du strüdel).

VAL GARDENA

Les trois centres de la vallée, Selva di Val Gardena, Santa Cristina et Ortisei, forment une agglomération avec une succession de maisons, d'hôtels et de magasins modernes et fonctionnels. Cependant à mi-hauteur du versant droit, le plus ensoleillé et le plus panoramique, s'accroche une guirlande de petits villages où l'on peut retrouver l'âme gardenoise la plus authentique. Ici, les témoignages d'une histoire millénaire sont encore bien visibles. 90 % de la population utilise encore le ladin comme langage courant et plusieurs églises et châteaux anciens servent de cadre à cette vallée si attachée à ses traditions. Parmi eux le Castel Gardena (1622-1641),

aujourd'hui résidence privée, en est le plus bel exemple. L'artisanat du bois sculpté a rendu célèbre aux yeux du monde le Val Gardena, grâce à son école d'art pour l'enseignement du dessin, des arts plastiques et de la sculpture.

Transports – Pratique

▶ **Voiture.** A22, sortie Chuisa/Val Gardena.

▶ **Train.** Gare de Bressanone ou Bolzano. En semaine, un service de navettes est assuré avec la gare de Ponte Gardena.

▶ **Bus.** Liaisons régulières avec Bolzano et les autres villes les plus importantes du Sud-Tyrol.

■ OFFICE DU TOURISME

Via Dursan 80/c
Santa Cristina
℃ 0471 777777
www.valgardena.it
info@valgardena.it

▶ **Val Gardena Card.** Carte de transport bus et remontées mécaniques. En vente dans les offices de tourisme, remontées mécaniques et dans la plupart des hôtels. Tarif : 64 € pour 6 jours, 51 € pour 3 jours.

Balades

Les clubs du Val Gardena offrent un panorama exceptionnel. C'est le lieu de prédilection des alpinistes mais également des promeneurs moins aventureux.
Le long des routes panoramiques, de nombreux refuges et restaurants vous proposent les meilleures spécialités de la région et souvent des dégustations de leurs produits. Vous trouverez également plusieurs aires de pique-nique en bord de route et le long des sentiers. Renseignements sur www.visittrentino.it

▶ **Passo Sella (2 237 m).** C'est un des cols les plus fameux des Dolomites. Pris entre le Sasso Lungo et le massif de la Sella, il marque la limite linguistique entre le Haut-Adige et le Trentin. Le panorama y est unique.
De la rudesse rocheuse de la Sella au paysage verdoyant de l'Alpe di Siusi c'est un itinéraire pédestre d'environ 6 heures. Le départ se fait au refuge du Passo Sella, situé à 2 218 m, puis on prend le sentier 594 en direction du col Rodella. Après une marche de 45 min, on arrive sur le versant du Sasso Piatto, que l'on suit par le sentier 617. A chaque lacet, la vue s'élargit et le panorama devient plus majestueux, jusqu'à ce que l'on arrive au refuge Sasso Piatto d'où

l'on poursuivra en direction du refuge Giogo. Le sentier n° 7, qui devient le n° 525, traverse les prés de l'Alpe di Siusi jusqu'au mont Pana.

▌ **Passo Pordoi (2 239 m)**, ce col couvert d'herbages entre le Sass Pordoi et le Sass Beccè, à cheval entre les vallées de Fassa et du Cordevole, est accessible toute l'année. Il s'ouvre sur le spectacle des Dolomites. La descente mène à la vallée de Cordevole, dont la partie haute abrite la communauté ladine des Fodom. La route traverse de grands pâturages, toujours exploités par les paysans. On y entasse le foin jusqu'à ce que la neige en permette le transport par traîneau. On peut emprunter le téléphérique vers La Terrasse des Dolomites à 2 950 m d'altitude (ouvert de 9h à 17h, 13 € l'aller-retour). De là-haut, une vue impressionnante s'étend sur presque toute la région des Dolomites, des Tofane au Pelmo et aux Pale di San Martino.

▌ **La route du Passo Gardena mène au Val Badia**, une vallée profonde, tapissée de prés et dominée par le massif de la Sella. La basse vallée est un défilé encaissé, bordé des deux côtés par des forêts. La population ladine parle le dialecte badiotto. Les maisons des villages sont typiques.

▌ **Dans la haute vallée, à Villa Stern**, on peut monter avec le téléphérique à Piz la Villa (à 2 077 m), d'où l'on jouit d'un très beau point de vue. Le télésiège de San Lorenzo relie Pedràces à la Croda di Santa Croce (à 1 840 m).

Ortisei

Cette station de villégiature et de sports d'hiver (1 236 m) est la commune principale, où coutumes et traditions populaires restent très présentes. Le travail du bois est ici une activité qui se transmet depuis le XVIIe siècle, symbole de la vocation artistique de la région, célébrée au musée de Val Gardena. Le centre est traversé par la longue via Rezia, bordée d'hôtels et de magasins.

Selva Gardena

Station de villégiature et de sports d'hiver (1 563 m), ce village est blotti dans la combe au confluent du Val Lunga, entre des pentes couvertes de conifères. Pour preuve de la qualité de ses pistes : la station accueille fréquemment, en décembre, des épreuves du Championnat du monde de ski.

■ **CHALET GERARD**
Via Plan de Gralba, 37
Route pour Passo Gardena
✆ 0471 795274
Fax : 0471 794508
www.chalet-gerard.com
info@chalet-gerard.com
Repas 25-50 €. Chambre double 76-86 €.
Un chalet entouré de montagnes géré par la famille Mussner depuis 40 ans. Une cuisine régionale et savoureuse où découvrir les recettes traditionnelles : charcuterie, gibier mariné, raviolis farcis aux cèpes. Le tout accompagné par les meilleurs vins. Le Chalet propose aussi des chambres accueillantes avec une superbe vue.

Santa Cristina

Le village pittoresque de Santa Cristina (1 428 m), caractérisé par un entrelacs de petites ruelles, se situe entre le mont Pana, le col Raiser et le Seceda, à l'arrivée de la célèbre piste Saslong, théâtre des compétitions de la Coupe du monde. D'ici, on accède aux remontées de la Gardenronda et de la Sellaronda, considérés parmi les tracés les plus passionnants de la chaîne alpine. En été, c'est le point de départ idéal pour des randonnées de tout niveau, dans le cadre évocateur des parcs naturels du Puez-Odle et du Sciliar.

■ **GENZIANA**
Via Dursan, 62
✆ 0471 792081
www.villagenziana.it
info@villagenziana.it
Simple 55 €, double 75 €.
Dans le centre de Santa Cristina, à deux pas des remontées pour Sellaronda, ce B&B est l'endroit idéal pour des vacances sportives. Les chambres simples de style montagnard sont confortables et certaines ont une vue magnifique sur le massif du Sassolungo.

CANAZEI

En plein cœur des Dolomites, dans une des plus belles vallées de toute la chaîne des Alpes (la vallée de Fassa), Canazei est entouré de forêts, de prairies et de falaises tombant à pic. Les sommets du massif de la Sella, du Sassolungo et de la Marmolada sont tout proches, paradis pour les alpinistes et les randonneurs. On y vient surtout pour le sport mais aussi pour le traditionnel carnaval ladin.

SUD-TYROL

Bien plus large que le Trentin, le Sud-Tyrol couvre tout le nord de la région autonome jusqu'à la frontière autrichienne. La région est délibérément attachée à ses origines autrichiennes. Aussi le sentiment d'avoir quitté l'Italie en pénétrant dans le Sud-Tyrol est fort probable. 70 % de la population y parle allemand et la plupart des inscriptions administratives pourtant censées respecter la double culture restent majoritairement allemandes.

On définit la naissance du Tyrol en 1248, suite au pouvoir et à la détermination des comtes du Tyrol qui ont réussi à imposer leur domination sur le territoire. Mais c'est en 1363 que le Tyrol passa sous autorité autrichienne sous les Habsbourg. Près de sept siècles plus tard, le 10 septembre 1919, à la suite de la Première Guerre mondiale, le Sud-Tyrol revient à l'Italie par le traité de Saint-Germain et prend le nom de Région autonome du Sud-Tyrol. Pour autant, la transition n'est pas évidente pour ses habitants qui, à partir de 1922, ont largement souffert de la période fasciste où le mot d'ordre était d'italianiser à tous prix. L'allemand en tant que langue fut alors banni, les noms de villes, de rues, de fleuves ont alors été rebaptisés en italien. Aujourd'hui, les germanophones ont à nouveau voix au chapitre et l'allemand est à nouveau une langue officielle aux côtés de l'italien. Dans ce somptueux territoire recouvert à 42 % de forêts et parsemé de quelque 400 châteaux, c'est un peu de l'Autriche que l'on retrouve de ce côté-ci des Alpes. Les Dolomites, massifs alpins parmi les plus connus, traversent le Sud-Tyrol jusque dans le Trentin et même un peu en Vénétie. A eux seuls, ils évoquent des montagnes intemporelles, massives mais fuselées et pleines de grâce. L'âme de ce Tyrol italien est un peu cela aussi.

BOLZANO/BOZEN

Située dans une vallée profonde, au croisement des vallées de l'Adige, de la Talvera et de l'Isarco, la capitale du Sud-Tyrol est une ville agréable, entourée de hauts plateaux boisés et, plus loin, par les cimes des Dolomites. Ici, la vie suit son cours, tranquille, sous les arcades aux belles devantures et aux cafés ouverts sur l'extérieur. La proximité des belles vallées alpines (à moins d'une demi-heure en voiture) en fait un point de départ idéal pour des randonnées dans la région.

Un des côtés attrayants de Bolzano réside dans cette atmosphère unique qui mélange (dans l'architecture, la langue et les coutumes) des traits caractéristiques de l'Italie et de l'Autriche. Si la difficulté de cohabiter entre Italiens et Autrichiens d'origine s'est longtemps fait ressentir, aujourd'hui la jeune génération est consciente de la chance et des opportunités qu'offre une double culture. Pour autant, ils ne se sentent ni totalement italiens ni vraiment autrichiens, mais bel et bien tyroliens (du Sud), à mi-chemin entre les deux mais délibérément « à part ». La position de Bolzano a pesé sur son histoire. Disputée par les Lombards, les Francs et les Bavarois, la ville, qui dépendait du duché de Trente, fut cédée au comte du Tyrol, puis au duc de Carinthie, qui à son tour la céda aux ducs d'Autriche. Elle resta autrichienne jusqu'en 1918. En 1927, elle devint chef-lieu de province et fut dotée d'une plus grande liberté d'action lorsqu'en 1948 on accorda un régime d'autonomie à la région.

Törggelen

Le long de la route du Vin (*voir encadré*) et dans toute la région de Bolzano, depuis des générations, la tradition veut qu'en novembre, à la fin des vendanges, tous ceux qui ont aidé à la récolte soient invités à une grande fête pour déguster le vin nouveau Susser. Cette coutume s'est maintenue aujourd'hui, faisant de la période du Törggelen une des plus animées de l'année. En effet, le nom vient du verbe latin *torquere*, qui signifie « presser », en l'occurrence les grappes mûres. Ainsi d'une ferme à l'autre, on déguste non seulement la nouvelle cuvée mais aussi les spécialités culinaires régionales et les produits de saison : châtaignes grillées, noix, *krapfen* (délicieuses pâtisseries fourrées à la confiture), saucisses et charcuterie maison, dont le savoureux speck (jambon fumé)... une vraie festivité culinaire dans le cadre évocateur des collines du Haut-Adige.

Transports

▶ **Avion.** Aéroport Bolzano-Dolomiti (ABD). Liaisons avec Rome et Munich. ✆ 0471 255 255 - www.abd-airport.it - Relié à la ville par le bus 10A ou 10.

▶ **Car.** Bahnhofhalle. Liaisons avec les communes limitrophes et les villes de la région. ✆ 800 000 471 - www.sii.bz.it

▶ **Taxi.** Radio Taxi Bolzano ✆ 0471 98111 - www.ratabz.it

▶ **Train.** Ligne Verona-Bolzano (2 heures), ligne Insbruck-Brennero-Bolzano.

▶ **Voiture.** Autoroute du Brennero A22.

Location de vélos

Via della Stazione et Piazza Walther
www.comune.bolzano.it
viabilità e trasporti
D'avril à fin octobre de 7h30 à 20h (en octobre 19h). Tarif : 1 € les premières 6 heures, 2 € au-delà des 6 heures. Pour plusieurs jours 5 € par jour. Caution 10 €.
Idéal pour circuler à Bolzano ou suivre les balades qui partent du centre-ville.

▶ **Passepartour.** Cette association propose des itinéraires thématiques à vélo, accompagnés par un guide, pour découvrir Bolzano insolite : La Ville médiévale, Bolzano au XXe siècle... Tarif variable selon le nombre de participants. ✆ 333 838 4447 - www.passepartour.com

Téléphériques

Il en existe trois. Ils conduisent vers les hauteurs proches autour de la ville entre 1 000 m et 1 400 m. Comptez 10 minutes pour chaque destination.

▶ **Funivia Renon.** Relie Bolzano à la station de ski de Soprabolzano. Possibilité de poursuivre le tour du plateau par un petit train via Collabo.

▶ **Funivia del Colle.** Avec un engin caractéristique de 1908, on rejoint le quartier résidentiel de Kohlem.

▶ **Funivia San Genesio et le haut plateau de Salto.** Idéal pour un après-midi à arpenter les sentiers de randonnée, que l'on peut emprunter à pied ou sur les Aveglinesi, cette race de chevaux originaire de la région.

Pratique

■ **OFFICE DU TOURISME**
Piazza Walther, 8
✆ 0471 307000

Centre-ville de Bolzano

www.bolzano-bozen.it – www.bolzano.net
info@bolzano-bozen.it
Du lundi au vendredi de 9h à 13h et de 14h à 19h. Le samedi de 9h à 14h.
Possibilité d'acheter la Museum Card. Elle offre des réductions pour le Castel Roncolo, le Castel d'Appiano et la visite guidée de la ville. On la trouve à l'office de tourisme et dans tous les musées de la ville (2,50 €).

Hébergement

■ **AGRITURISMO KANDLERHOF**
Via Untermagdalena, 30
Santa Magdalenasse ✆ 0471 973033
www.kandlerhof.it
info@kandlerhof.it
D'avril à novembre, de 26 à 30 € par personne avec petit déjeuner.
Ici on vit au rythme de cette production viticole familiale. La famille Spornberger, qui habite les lieux depuis 1793, vous réserve un accueil chaleureux. Au programme, visite des caves et dégustation, goûter du soir avec spécialités de la région et même cours pour apprendre à jouer au *watten*, le jeu de cartes régional !

■ **CAMPING MOOSBAEUR**
Via San Maurizio, 83
✆ 0471 918492
Fax : 0471 204894
www.moosbauer.com
info@moosbauer.com
Tarif : par personne 7,50-8,70 €, emplacement 13-15 €, tente 5-6 €.

© FOTOTECA ENIT - PHOTO BY VITO ARCOMANO

TRENTIN ET SUD-TYROL

Camping bien tenu. Emplacement sous les arbres à l'ombre. Snack-bar, restaurant, laverie, piscine.

■ MAGDALENRHOF

Via Rencio, 48 A
℄ 0471 978267
Fax : 0471 981076
http://magdalenerhof.it
info@magdalenerhof.it
Simple 78-105 €, double 115-135 €.
Entourée de vignobles, cette adresse de charme accueille sa clientèle dans une ambiance typiquement tyrolienne. Les chambres aux murs recouverts de bois sont meublées avec beaucoup de goût et disposent de tout le confort. Un beau jardin et un restaurant complètent le cadre.

■ PARKHOTEL LAURIN

Via Laurin, 4
℄ 0471 311000 – Fax : 0471 311148
www.laurin.it
info@laurin.it
Simple 98 €, double 138-225 €. Parking pour 24 heures à 13 €.
Depuis sa création en 1910, l'hôtel a subi nombre de transformations mais a su conserver son âme d'origine. Du confort des chambres spacieuses aux salles de bains marbrées, aux allées du jardin, en passant par la piscine extérieure, tout y est confort et tranquillité.

Restaurants

■ CAVALLINO BIANCO

Via Bottai, 6
℄ 0471 973267
Repas 20-30 €. Fermé samedi soir et dimanche.
Ambiance rustique et très accueillante au Cavallino Bianco, auberge historique où déguster les spécialités de la région : filet de cerf aux champignons, truite au vin blanc, speck et bien sûr le strüdel aux pommes.

■ LAURIN

Via Laurin, 4
℄ 0471 311000
Repas 70-120 €. Fermé le dimanche.
Le restaurant Laurin accueille sa clientèle avec le même raffinement et savoir-faire que l'hôtel du même nom. Dans la belle salle de style Liberty ou sous la pergola du jardin, vous dégusterez la cuisine créative du chef dont la spécialité est la *greinetti*, une pâte à base de vin rouge. Une belle sélection de

vins accompagne les plats. Le muscadet Abbé Abtei Muri de la région est idéal avec les desserts.

■ VÖGELE

Via Goethe, 3
℄ 0471 973938
Repas 25-50 €. Fermé le dimanche.
Le Vögele (petit oiseau) a fait son nid dans un recoin du vieux Bolzano depuis 1840. C'est le restaurant le plus typique de la ville où aimaient à se retrouver autrefois les artistes. Le mobilier rustique est de la fin du XIXe siècle. L'attention méticuleuse apportée au moindre détail fait du Vögele un restaurant très classe.

Manifestation

▶ **Marché de Noël.** De la fin novembre au 23 décembre. Le marché de Noël de Bolzano est un des plus réputés de la région. Pas moins de quatre-vingt petites huttes se chevauchent sur la grande place. L'artisanat local y est évidemment grandement mis en valeur (www.mercatinodinatalebz.it).

Points d'intérêt

Bolzano ne cultive pas le passé artistique et culturel de l'Italie de la Renaissance ou du baroque : ce qui fait son charme, c'est sa capacité à allier les traditions autrichiennes et la culture italienne.

■ CASTEL RONCOLO (RUNKELSTEIN)

Sent. Imperatore Francesco Giuseppe
℄ 0471 329808
De mardi à dimanche de 10h à 18h. Tarif : 8 €, réduit 5,50 €. Situé le long de la route du val Sarentina, accroché sur un rocher à pic au-dessus du torrent Talvera, ce château, d'aspect très romantique, est un des plus renommés de la région. Il date de 1237 mais fut en partie reconstruit à la fin du siècle dernier. Sa cour intérieure fait grande impression. Les salles surtout conservent de précieuses fresques de peinture chevaleresque profane du début du XVe siècle, réalisées par différents artistes de l'école de Bolzano.

■ CHIESA DEI DOMENICANI

Piazza dei Domenicani
Du lundi au samedi de 9h30 à 17h, dimanche de 12h à 18h. Attenante au duomo, cette église fut construite à la fin du XIIIe siècle, agrandie au XVe, à moitié détruite par les bombardements de la dernière guerre et, enfin, restaurée. A l'époque napoléonienne, le couvent qui la jouxtait fut supprimé, et l'église,

dépouillée de tous ses autels et meubles, fut transformée en dépôt, puis en magasin militaire. De précieuses fresques, dont le *Triomphe de la mort*, de l'école de Giotto de Padoue, se trouvent à l'intérieur de la chapelle San Giovanni (XIVᵉ siècle).

■ CHIESA DEI FRANCESCANI
Via Francescani, 1
Du lundi au samedi de 10h à 12h et de 14h30 à 18h, le dimanche de 15h à 18h.
Construite en 1221, cette église fut détruite par un incendie en 1291 ; sa forme gothique actuelle date de 1348. Les vitraux extrêmement lumineux scénarisent la vie de saint Francois d'Assise. A voir également, le cloître qui lui est contigu, plein de grâce avec ses petites colonnes et ce qui lui reste des fresques de l'école de Giotto. Aujourd'hui le monastère est habité par des Franciscains qui par ailleurs dirigent un des lycées les plus réputés de la région.

■ COUVENT DE MURI GRIES
Piazza Gries, 21
℡ 0471 28 22 87
www.muri-gries.com
Du lundi au vendredi de 8h à 12h.
Cet ancien château fut offert aux moines augustiniens au XVᵉ siècle. Transformé en couvent au XIXᵉ siècle, il passa aux Bénédictins qui poursuivirent la culture des vignobles environnants, commencée par leurs prédécesseurs. Aujourd'hui les caves de Muri Gries sont parmi les mieux fournies de la ville et on y trouve d'excellents crus. Le couvent expose également une très belle collection de crèches anciennes, belle illustration de la vie paysanne d'autrefois.

■ DUOMO
Piazza Walther
Du lundi au samedi de 7h à 12h et de 14h à 17h. Musée : du mardi au samedi de 10h à 12h.
C'est ici que l'on avait coutume de venir en pèlerinage pour redonner la parole aux enfants qui en étaient démunis. Aussi sur la gauche de l'entrée principale, on découvrira une peinture de la mère bavarde. Si le duomo fut détruit à 60 % pendant la Seconde Guerre mondiale, son style gothique, son caractéristique toit en pente polychrome et son élégante chaire en font un des plus importants édifices religieux de la région. Son clocher aux fenêtres en ogive est en trois parties et daté de trois périodes différentes allant du XIIIᵉ siècle à la touche finale en 1503. A l'intérieur (à trois nefs d'égale hauteur), on admirera les fresques des XIVᵉ,

© FOTOTECA ENIT - PHOTO BY VITO ARCOMANO

Eglise Santa Maria Assunta

XVᵉ et XVIᵉ siècles ainsi que l'impressionnant autel baroque de 1720. Le Musée du trésor du dôme conserve de précieux parements sacrés.

■ MUSEO ARCHEOLOGICO DELL'ALTO ADIGE
Via Museo, 43
℡ 0471 320100
www.iceman.it
Du mardi au dimanche de 10h à 18h. Ouvert le lundi en juillet-août et en décembre. Tarif : 9 €, réduit 7 €.
La collection abrite des vestiges préhistoriques et romains. La vedette du musée est pourtant un homme du nom d'Ötzi. « L'homme des glaces » fut découvert en 1991 dans le glacier de Similum. Cette momie vieille d'au moins 5 100 ans est l'attraction principale de la région depuis l'ouverture du musée en 1998. Plus de 200 000 visiteurs du monde entier viennent chaque année faire la queue pour la voir. Rappelons, pour la petite histoire, qu'Ötzi, un homme d'une quarantaine d'années, tatoué, est sans doute mort assassiné d'une flèche qui lui a été tirée dans son dos.
Du récit de sa découverte à l'interprétation dans les moindres détails de sa vie en l'an 3200 av. J.-C., le parcours du 1ᵉʳ étage du musée qui lui est dédié est tout simplement fascinant.

La visite touche évidemment son apogée lorsque, un par un, seul face à une petite fenêtre, on aperçoit le corps d'Ötzi : forcément troublant !

■ PIAZZA DELLE ERBE

Tous les jours, sauf le samedi après-midi et le dimanche. Entourée par de petits palazzi typiques et agrémentée d'une fontaine de Neptune (XVIIe siècle), cette place est le lieu traditionnel (depuis le XIIe siècle) du marché aux fruits et légumes, très coloré, avec ses fameux étalages pyramidaux. La fontaine de Neptune au centre (1745) est classée parmi les cent plus belles d'Italie.

■ PIAZZA WALTHER

Ici poussaient des vignes jusqu'au XVIIIe siècle, avant de devenir de nos jours la place la plus animée de la ville. Depuis 1901, elle est dédiée au poète Walther von der Vogelweide, dont la statue trône au milieu de la place. Né en 1170, il est considéré comme le plus grand poète médiéval de langue allemande et supposé natif de la région. La place marque l'entrée de la zone piétonne de Bolzano, qui est aussi son centre historique.

■ VIA DEI PORTICI/LAUBEN

Cette rue est la plus ancienne et la plus élégante de la ville. Fondée au Xe siècle, elle est aujourd'hui l'axe commercial principal, animé par des négoces de qualité. Elle incarne la double culture de Bolzano : les portiques italiens à gauche font face aux germaniques à droite. Elle est bordée de maisons typiques des XVIe, XVIIe et XVIIe siècles, aux saillies riches en stuc et aux portails raffinés, et on peut encore y découvrir des fresques du XVe siècle, comme au n° 30 sur les arcades, accompagnées du blason de la ville au-dessus du porche.

Balades depuis le centre-ville

▶ **Promenade du Talvera.** Une des plus belles promenades de Bolzano, inaugurée en 1905, elle longe en hauteur le fleuve et permet d'admirer plusieurs châteaux et forteresses dont Castel Mareccio, Castel Roncolo et Castel Flavon.

▶ **Promenade de Sant'Osvaldo.** Cette avenue en lacet suit, pendant un kilomètre, les pentes du mont Renon, offrant au passage de beaux points de vue sur la ville et les vignobles, la Mendola et le Latemar. On l'emprunte depuis le centre-ville, via Sant' Osvaldo.

APPIANO/EPPAN

Placée sur une terrasse ensoleillée, au pied du haut plateau de la Mendola, cette petite ville présente une belle harmonie architecturale, dans le style du Sud-Tyrol, qui uniformise toutes les habitations, depuis les maisons bourgeoises jusqu'aux mas paysans : escaliers extérieurs, loggias ouvertes et fenêtres doubles avec arc en plein cintre. C'est le point de départ idéal pour découvrir les témoignages d'art et d'architecture de la région : plus de 40 châteaux dominent les alentours, sans oublier la « cathédrale de campagne », la paroisse de Saint-Paul et son clocher de 90 m. Appiano est aussi et surtout généreusement dotée de vignes et réputée comme telle, ce qui incite à un détour dégustation parmi la douzaine de caves qui s'offrent aux assoiffés (www.eppan.com) !

■ CHÂTEAU D'APPIANO

✆ 0471 636081

De mi-mars à novembre de 10h à 18h, fermé le mercredi. Entrée libre. Visite guidée à 10h30 et 17h30.

La maison-mère des comtes d'Appiano fut construite au XIIe siècle. Perchée sur un rocher,

La route du Vin

Sept villages sillonnent la célèbre route du Vin du Haut-Adige : Appiano, Caldaro, Cortina dell'Adige, Cortaccia, Magré, Salorno et Termeno. Tout au long de ce doux paysage pittoresque, incontournable pour les amateurs de bon vin, l'art, l'histoire et la gastronomie sont également au rendez-vous. En effet la tradition œnologique de cette région remonte au XIVe siècle, avec plus de 70 % du territoire recouvert par des vignobles. Pourtant pour faire face à une quantité modérée (5 000 ha cultivés), la région se rattrape sur la qualité. La diversité des sols et son microclimat offrent la possibilité de cultiver de nombreux cépages. Parmi le nombreux vins, en majorité du rouge, on prendra soin de goûter le gewürztraminer, le vernatsch et le lagrein (www.weinstrasse.com).

haute de 636 m en position stratégique, elle domine la plaine. Particulièrement intéressantes les fresques de la chapelle (XIIIᵉ siècle), les mieux conservées du Tyrol, où parmi les scènes de la Bible on admire la première représentation du typique *calderolo* (boulettes de pain farcies) !

LAC DE CALDARO/KALTERN

Situé au creux d'une combe verte, riche en vignobles et en arbres fruitiers, s'étendent Caldaro et son lac, le plus chaud de tout le Sud-Tyrol en raison d'une faible profondeur qui n'atteint pas plus de 4 m. C'est le lieu idéal pour les amoureux de sports nautiques, voile et planche à voile. Les pêcheurs y trouveront aussi leur bonheur après un détour par l'office de tourisme pour un permis journalier. Par ailleurs 200 km de chemins balisés s'ouvrent aux amateurs de randonnées, autant pour les débutants que pour les marcheurs confirmés. On peut également expérimenter l'audacieux train à crémaillère pour se rendre en moins de 15 min au col de Mendola.
L'installation ferroviaire du début du XXᵉ siècle, avec une pente à donner le frisson (65 % de dénivelé) a été réalisée en 1903 sur la demande de l'empereur d'Autriche François-Joseph, afin de relier les vallées du Sud-Tyrol et du Trentin, qui faisaient alors partie de l'Empire austro-hongrois. Un intéressant musée provincial du vin retrace l'histoire de la tradition viticole dans la région (www.kaltersee.com).

TERMENO/TRAMIN

Patrie du très parfumé gewürztraminer, ce bourg (276 m) qui domine la route du Vin est situé sur les pentes escarpées du mont Roen. On pourra admirer dans le village les belles résidences parées des typiques *erker* (ornements) et d'arcs en pierre, ainsi que le clocher de l'église de San Quirico et de la Giulietta, le plus haut de toute la région (www.tramin.com).

■ CANTINA HOFSTATTER
Piazza Municipio, 7
℗ 0471 860161
www.hofstatter.com
L'orgueil de cette cave est son tonneau, le plus grand d'Europe, dit-on, d'une capacité de 60 000 litres et d'un diamètre d'environ 4 m. Ses excellents vins agrémentèrent la table de l'empereur François-Joseph.

MERANO/MERAN

Orientée vers le sud, au milieu des arbres fruitiers de la vallée de l'Adige, Merano (324 m) conserve son cachet Belle Epoque du temps où elle était le jardin méridional de l'empire des Habsbourg et la station thermale à la mode de l'aristocratie d'Europe centrale. Sa renommée date de la première moitié du XIXᵉ siècle, époque à laquelle d'illustres cliniciens lancèrent la mode de la cure de raisin.
Mais au XVIIᵉ siècle déjà, la cour des Habsbourg avait été provisoirement transférée dans le château de Merano pour échapper à l'épidémie qui ravageait la vallée de l'Inn.
La combe de Merano était réputée depuis longtemps pour ses excellentes conditions climatiques, comme en témoignent les nombreux manoirs et châteaux des plus anciennes familles du Tyrol.

■ JARDIN BOTANIQUE DE TRAUTTMANSDORFF
Via San Valentino, 51
℗ 0473 235730
D'avril à novembre de 9h à 18h, de mi-mai à mi-septembre de 9h à 21h.
Tarif : 10,20 €, réductions familles et groupes.
Inauguré en 2001, ce jardin, unique en son genre, est surplombé par le château du comte de Trauttmansdorff, rebâti en 1840 dans un cadre enchanteur. Sur une surface de 12 ha, le jardin présente plus de 80 sites botaniques, où la flore du monde entier est mise en valeur de façon artistique et pédagogique à la fois. L'impératrice Sissi y séjourna à plusieurs reprises avec ses filles.

Transports – Pratique

▸ **Bus.** Liaisons quotidiennes avec Bolzano et autres localités de la région.
℗ 800 846047
www.sii.bz.it

▸ **Train.** Liaisons Bolzano-Merano toutes les heures (30 min).

▸ **Voiture.** A22, sortie Bolzano Sud, direction Merano.

■ OFFICE DU TOURISME
Corso Libertà, 45
℗ 0473 272000
www.meran.eu
www.meranodintorni.com
info@merano.eu

Loisirs

Balade verte

Les promenades de Merano, dont certaines de plus de 62 km, font l'orgueil de la ville. Il s'agit de parcours faciles, adaptés à tous. Nous signalons ici les plus intéressants, mais la liste est loin d'être exhaustive. Infos : www.meran.eu/it/passeggiate-a-merano

▶ **Promenade d'hiver.** Très ensoleillée, cette allée couverte est le prolongement de la promenade Lungo Passirio. Elle s'étend sur une centaine de mètres par des loggias aux murs peints de paysages alpins signés Lenhart, Comploier et Demetz.

▶ **Promenade d'été.** Au milieu d'une végétation luxuriante où des plantes exotiques, comme le palmier du Japon et l'araucaria, contrastent avec la nature alpine environnante.

▶ **Tappeiner.** Du nom du docteur qui la fit construire à ses frais, pour l'offrir ensuite à la commune. Longue d'environ 4 km, elle chemine entre les jardins et les vignes avant d'aboutir au-dessus de Quarazze, offrant au promeneur un beau panorama de la vieille ville, des villas de Maria et de la vallée de l'Adige.

Cures thermales

Selon la légende, un ourson vivait dans la montagne, à San Vigilio, au-dessus de Merano. Il ne vieillissait pas car il avait l'habitude de se baigner en un endroit nommé aujourd'hui encore Bagni dell'Orso (bains de l'Ours). C'est là que jaillissent les eaux thermo-minérales de Merano.
Maladies vasculaires, arthrose, maladies de la vieillesse, affections des voies respiratoires, affections gynécologiques : les vertus curatives des eaux de Merano commencèrent à être exploitées après la Première Guerre mondiale. Une autre spécialité de Merano est la cure de raisin, diurétique, désintoxiquante et bénéfique à l'activité du foie et des voies biliaires (en septembre et octobre).

■ **TERME MERANO**
Piazza Terme, 9
✆ 0473 252000
www.termemerano.it
Piscines et fitness de 9h à 22h, sauna de 13h à 22h, les samedi et dimanche de 9h à 22h. Tarif : (piscine + sauna, un jour) de 16 à 25 €.

Inaugurés en 2005, les thermes de Merano représentent une des attractions prinicipales de la région. Dans une architecture ultra design dessinée par Mattheo Thun, c'est l'endroit idéal pour un séjour détente et bien-être entre les piscines et le sauna, le fitness, le spa et un bistrot très design.

VAL SARENTINO/ SARNTHEIN

A seulement 20 km de Bolzano, l'étroit Val Sarentino est une des vallées les plus caractéristiques du Tyrol. Isolée géographiquement, c'est à cause des difficultés de communication que la région a pu conserver intactes toutes les traditions séculaires, perdues désormais dans presque toutes les autres vallées.
La route qui traverse la gorge du torrent Talvera (19 galeries se succèdent l'une après l'autre !) a été creusée il y a à peine 50 ans. 6 000 habitants sont dispersés dans 7 hameaux et dans plus de 500 mas anciens encore bien conservés.
Parmi les particularités de la région, l'artisanat du bois, l'élevage des chevaux Avelignesi à la crinière blonde et l'art de travailler le cuir à l'aide de plumes de paon font certainement partie des facteurs qui ont contribué à consolider la réputation de la vallée. Les costumes traditionnels sont portés régulièrement et sont réputés être parmi les plus beaux de la région. Dans le Val Sarentino, les petits villages alternent avec les vertes prairies et les bois de conifères.
D'anciens mas entourés par les cimes de montagnes caractérisent ce cadre authentique et invitent les promeneurs à s'arrêter pour contempler le paysage. Le château Reinegg, où fut condamnée la dernière sorcière en 1540, domine la vallée.

Transports – Pratique

▶ **Bus.** Liaisons quotidiennes depuis la gare de Bolzano.

▶ **Voiture.** Depuis Bolzano, SS508 direction Sarentino.

■ **OFFICE DE TOURISME**
Via Europa, 15
Sarentino
✆ 0471 623091
www.sarntal.com
D'octobre à juin, du lundi au vendredi de 8h30 à 12h30 et de 15h à 18h, le samedi de 8h30

à 12h. En juillet et septembre, du lundi au vendredi de 8h30 à 12h30 et de 14h à 18h30, le samedi de 8h à 12h et de 15h30 à 18h.

Hébergement

■ BOTENHOF

Fam. Premstaller
Street 16
Sarentino ℂ 0471 623377
www.botenhof.com
info@botenhof.com
Appartement 2/3 personnes de 50 à 65 € par jour, appartement 4-5 personnes de 70 à 90 € par jour.
Un mas du XVIe siècle réaménagé en appartements modernes et bien équipés. L'idéal pour passer des vacances sports et détente, entouré par les montagnes et par les forêts.

Points d'intérêt

■ OMINI DI PIETRA

Un endroit mystérieux et évocateur où d'étranges constructions de pierres ressemblent de loin à des figures humaines... Mentionné depuis le XVIe siècle, ce site, dit-on, aurait été le lieu des sabbats des sorcières. On le rejoint depuis le village de Sarentino par le sentier n° 2, en croisant plusieurs mas séculaires. Continuez en longeant le torrent Almbach jusqu'à la Malga dei Prati.

■ ROHERHAUS

Via Ronco, 10
ℂ 0471 622786
De juin à septembre uniquement sur visite guidée. Jeudi de 14h à 22h, de vendredi à dimanche de 14h à 18h.
Authentique mas du XIIIe siècle, la Roherhaus illustre bien le genre d'habitat rural caractéristique de la région, sans décoration et avec un mobilier sobre et rustique tout en bois et en pierre, avec la traditionnelle *stübe* (pièce entièrement revêtue de bois à la fois cuisine et pièce principale).

BRESSANONE/BRIXEN

On est très vite séduit par la ville de Bressanone (561 m). D'abord il y a les portes de la ville par lesquelles on pénètre au cœur du centre historique, puis sa place principale avec sa fontaine, ses nombreux bancs, ses façades pastel, et enfin le *fiume* (fleuve) qui traverse la ville en son milieu et dont le bruit de l'eau berce notre flânerie. Bressanone est la ville la plus ancienne du Tyrol, sa naissance datant, avec une remarquable précision, du 13 septembre 901. Siège des princes-évêques à partir de 970, puis chef-lieu de la province de 1027 au milieu du XIIIe siècle, Bressanone conserve un héritage quasi intact de son rôle historique. Son centre-ville piétonnier conserve encore une âme médiévale avec ses ruelles, ses arcades et ses étals de produits frais et locaux. Ainsi la ville millénaire se présente comme un centre d'art et de culture dont on ne se lasse pas de parcourir toutes les rues. Via dei Portici Maggiori, on s'arrête contempler la plus belle maison de Bressanone, la Pflaunder-Goreth, tandis que l'on fera une halte, émerveillé, Via dei Portici Minori devant la statue du XVIe siècle du Wild Mann, « l'homme sauvage » qui crachait des pièces en or des bouches de ses trois têtes.

■ ABBAYE DE NOVACELLA

Via Abbazia, 1
Varna ℂ 0472 836189
Au milieu des vignobles s'élève un des ensembles religieux qui ont fait l'histoire du Tyrol. L'abbaye de Novacella fondée en 1142, couvent des Augustins en 1190, a été l'un des centres intellectuels et artistiques des plus fervents du Moyen Age. Y sont encore conservés 76 000 volumes enluminés et reliés qui confirment le prestige de l'abbaye dans la transmission du savoir écrit.

■ DUOMO

Fermé de 12h à 15h.
Construit au Xe siècle, il conserve surtout un style roman et des aménagements effectués au cours du XIIIe siècle. On y admire également l'autel de Théodor Benetti qui date du milieu du XVIIIe siècle. Mais le bijou de l'édifice médiéval est sans aucun doute le cloître (XIVe-XVIe siècle). Ses portiques illustrent le mariage parfait entre roman et gothique, tandis que ses fresques représentent une sorte d'encyclopédie de la peinture sud-tyrolienne.

■ OFFICE DU TOURISME

Viale Stazione, 9
ℂ 0472 836401
www.brixen.org
Du lundi au vendredi de 8h30 à 13h30 et de 14h à 18h, le samedi de 9h à 12h30.

▶ **Brixen Card.** Elle offre des réductions sur les entrées dans les musées et les transports et également sur les événements culturels et sportifs organisés par la ville (de mai à octobre).

■ SAN MICHELE ARCANGELO

De construction romane au XIe siècle, elle mélange tous les styles : gothique pour le chœur et le clocher (pas moins de 72 m), baroque avec des fresques de l'école de Vienne, et des touches néoclassiques dans les autels. L'église renferme surtout un orgue tout simplement majestueux.

BRUNICO/BRUNECK

Brunico (835 m) est une ville fascinante, dont le charme se révèle surtout en parcourant les ruelles du centre. C'est le centre économique et touristique du Val Pusteria, et ses habitations moyenâgeuses Via Centrale sont de magnifiques témoignages de l'habileté et de la finesse des architectes d'autrefois. Elles sont décorées de fresques et de toitures brodées (maison Kirschenberg), avec portails sculptés et enseignes en fer forgé, et toute l'âme du Tyrol est là. Pour le shopping, vous n'aurez que l'embarras du choix entre les produits gastronomiques traditionnels, les poêles en céramique et les costumes régionaux en tissu Loden.

Transports – Pratique

▶ **Voiture.** A22, sortie Bressanone/Val Pusteria, 25 km jusqu'à Brunico.

▶ **Train.** Changement pour Brunico à Fortezza.

■ OFFICE DU TOURISME

Piazza Municipio, 7
✆ 0474555722
www.bruneck.com, www.kronplatz.com
info@bruneck.com

Hébergement

■ GOLDENE ROSE

Via Bastioni 37
✆ 0474 413000
Fax : 0474 413099
www.hotelgoldenerose.com
info@hotelgoldenerose.com
Simple 65-105 €, double 47-78 €.
Des chambres de charme avec mobilier en bois et linge brodé, dotées de tout le confort. Un très bon rapport qualité-prix au cœur de la ville, juste à côté de la jolie petite tour qui termine la via Bastioni, près du fleuve.

■ OSTELLO THALACKERHOF

Via Thalacker, 12
San Giorgio
✆ 0474 550187, 340 9827286
www.thalackerhof.it
info@thalackerhof.it
Par jour et par personne 12-13,50 €. Linge 5 €.
A 3 km de Brunico, cette auberge de jeunesse entourée de bois de conifères allie chambres confortables et tarifs très avantageux. Pour les groupes, la cuisine et le ménages sont à faire soi-même !

Points d'intérêt

■ CASTELLO DI BRUNICO

✆ 0474 555722
Fermé jusqu'à l'automne 2010.
Impossible de ne pas être frappé par ce majestueux château du haut de sa colline, en particulier le soir alors qu'il est illuminé. Erigé par l'évêque de Bressanone, Bruno von Kirchberg (d'où le nom de Brunico), en 1250, il reçut au cours des siècles la visite de prestigieuses personnalités et notamment plusieurs empereurs au XVIe siècle tel Maximilien Ier. Le château est actuellement fermé pour travaux en vue de l'ouverture du musée Reinhold Messner, dédié aux peuples de montagne.

■ MUSÉE DES TRADITIONS POPULAIRES

Via Duca Diet, 27
✆ 0474 552087
Du mardi au samedi de 9h30 à 17h30, le dimanche de 14h à 18h. Tarif : 5 €, réduit 3,70 €.
Musée en plein air, sur 3 ha, où se rassemblent les exemplaires les plus originaux des architectures typiques de la vallée.

Sports et loisirs

▶ **Kronplatz.** De décembre à avril, on s'adonne au plaisir des sports de glisse sur le Kronplatz, avec sa trentaine de remontées mécaniques et ses 100 km de pistes tous niveaux. En été, les remontées mécaniques menant à Ruis et au Kronplatz 2000 déposent au cœur de la montagne.

▶ **Dolomiti Super Première.** De fin novembre à Noël, on peut profiter de cette offre qui propose des promotions aussi bien sur les logements partenaires (une nuit offerte) que sur les pass ski. Infos sur www.kronplatz.com

Dans les environs

A Riscone/Reischach, à 2 km de Brunico, au pied des remontées mécaniques des pistes de ski du Kronplatz.

■ RÉSIDENCE AICHNER
Via Reinthal, 2
✆ 0474 410236
Fax : 0474 549577
www.residence-aichner.it
aichner.martin@rolmail.net
De 50 à 150 € pour un appartement de 2/3 personnes. Navette pour les pistes de ski (à 500 m), location de vélos.
Appartements spacieux avec balcon. Situation idéale pour profiter aisément, hiver comme été, des activités de la vallée.

Shopping

■ BERNARDI
Via Centrale, 36
✆ 0474 555472
Une boutique centenaire où la famille Bernardi propose les meilleures spécialités gastronomiques de la région. On peut s'arrêter au bar à vin pour une dégustation de vins accompagnés de charcuterie.

DOBBIACO/TOBALCH

Dobbiaco (1 211 m) ou la douce alliance entre le paysage artistique, culturel et naturel. De loin, on aperçoit son clocher « au chapeau vert » qui s'élève par-dessus les toits, telle une broche raffinée dont la vallée se serait parée. Isolé au creux de la vallée, le village dispose d'un environnement naturel exceptionnel, d'un côté les montagnes rocheuses, de l'autre des plaines verdoyantes ou enneigées.
Témoin de la magie du paysage, le compositeur Gustave Malher avait trouvé dans ce lieu, où il avait choisi de s'installer, l'inspiration nécessaire pour composer au début du XXe siècle ses 9e et 10e symphonies. Aujourd'hui, on peut encore visiter la hutte en bois où il s'était installé et le festival Les Semaines de Gustave Malher, de mi-juillet à mi-août, rend hommage au musicien.
La ville propose de nombreuses activités et rencontres avec la nature : la visite de son Parco Fauna pour une découverte des animaux de la vallée (ouvert de mai à octobre de 9h à 17h) et ses deux lacs, celui de Dobbiaco pour une virée en barque et celui de Durrën pour les pêcheurs.

■ OFFICE DU TOURISME
Via Dolomiti, 3
✆ 0474 972132
www.hochpustertal.info
info@dobbiaco.info

LAGO DI BRAIES

La vallée de Braies (1496 m) offre l'opportunité de pratiquer d'innombrables activités en contact avec la nature incontaminée. Les pistes de ski de fond sont parmi les plus agréables de la région, mais c'est surtout le lac de Braies qui est une véritable merveille naturelle. Surnommé « l'émeraude des Dolomites », c'est un endroit magique où l'on vient pour s'allonger sur ses rives, louer une petite barque et surtout respirer et contempler.
Car en fait d'un lac, le lago di Braies est un somptueux lagon dans lequel se réfléchissent les monts qui l'entourent : en face, le Croda del Becco (2 810 m), à gauche le Sasso del Signore (2 447 m), à droite le Monte Nero (2 123 m). De ce joyau naturel part la fameuse haute route n° 1, qui va jusqu'à Belluno (Vénétie) que l'on atteint après plusieurs haltes nocturnes dans des refuges… Bien sûr, on peut se baigner. Enfin… si on n'est pas frileux, car sa température n'excède pas les 14 °C !

Transports – Pratique

▶ **Train.** Gare de Villabassa. Service de navette jusqu'au lac (de juin à septembre).

▶ **Voiture.** A22, sortie Bressanone, parcourir le Val Pusterie pour 50 km. Après Monguelfo, tourner à droite dans la vallé de Braies. Le lac est à 8 km.

■ OFFICE DU TOURISME
Braies di Fuori, 78
✆ 0474 748660
www.hochpustertal.info
info@valledibraies.info

Hébergement – Restaurant

■ LAGO DI BRAIES
San Vito, 27
✆ 0474 748602
www.lagodibraies.com
hotel@lagodibraies.com
Demi-pension (3 jours au minimum), double 45-75 €, simple 57-88 €.
Pour profiter pleinement de ce petit trésor qu'est le lac, il est possible de séjourner dans le seul hôtel-restaurant qui le borde. Se réveiller au milieu de ce petit bout de paradis et prendre ses premières inspirations sur un balcon face au lac… si on peut le faire, il ne faut pas s'en priver !

Gênes
© AUTHOR'S IMAGE

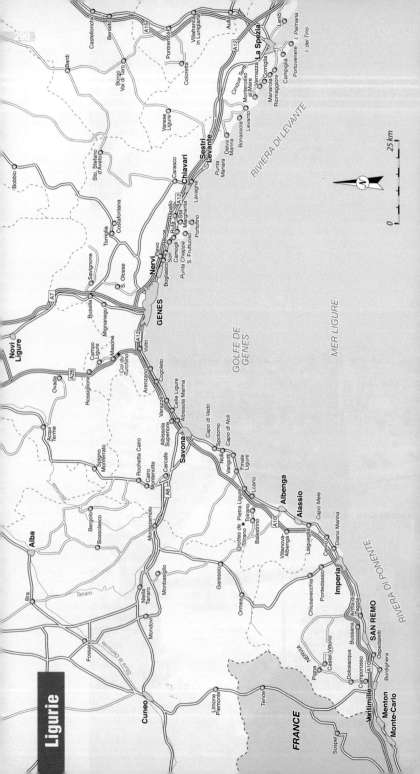

La Ligurie est une région à la forme originale puisque, sur une carte, elle ressemble à un immense arc de cercle, une côte continue coincée entre mer et montagnes. Les Riviera italiennes, celles du Ponant et du Levant – Gênes séparant les deux – ne sont pourtant pas tout ce que cette terre a à offrir au visiteur, loin s'en faut. L'intérieur des terres réserve une ambiance qui n'a rien à voir avec le tourisme de masse. En février, les mimosas sont en fleur et on trouve déjà sur les marchés les premières salades de chicorée amère. Fin septembre, les journées sont fraîches mais la mer est encore chaude. La Ligurie offre aussi à ses visiteurs des vallées et des villes préservées. Il suffit pour s'en rendre compte de tourner le dos à l'autoroute des Fleurs, qui relie, en trois heures environ, Vintimille à La Spezia, et de pénétrer dans les vallées de l'Apennin. Là, sur des pentes abruptes, l'homme a creusé des terrasses pour y cultiver des potagers et planter des oliviers. Il a aussi construit des villages de pierres qui ont résisté au temps. Le long de la côte on rencontre des petits ports qui ont su conserver le charme d'autrefois et de splendides villas de riches vacanciers. Les *carrugi*, venelles très étroites et entralacées, caractérisent le paysage urbain des villages ligures. Souvent longés par des arcades, des boutiques pleines de surprises s'y sont installées. En hiver, ces petites villes se parent d'un charme particulier, un peu décadent : plages vides, promenades battues par le vent et rues dont les habitants reprennent possession, en même temps que les chats, acteurs immanquablement présents. Pour visiter la Ligurie, il faut suivre la nationale Aurelia ou l'autoroute A10 en direction de l'est. Vous verrez alors les plus beaux lieux de villégiature et vous vous arrêterez sur les plus belles plages. L'arrière-pays est facilement accessible depuis les étapes qui parsèment ce chemin.

▶ **Avertissement.** L'été est peut-être la saison la moins recommandée pour visiter la Ligurie. En effet, durant cette période, vous croiserez la foule de vacanciers qui se déversent sur les plages. Vous risquez d'être bloqué, tant sur l'autoroute que sur la nationale, par des kilomètres de bouchons aussi bien en direction de la côte que vers l'intérieur. Par ailleurs, dans les centres-ville, se garer est un véritable casse-tête. Et les problèmes de parking peuvent très vite devenir un cauchemar.

Il est aussi bon de savoir que les bords de mer ligures sont le long de la Riviera Ponente plutôt de sable où il est extrêmement difficile de trouver un petit bout de plage public. Les *bagni* privés se partagent la quasi-totalité de la côte. Le coût pour une journée sur un transat est élevé : entre 10 et 20 € la journée. La Riviera Levante est quant à elle couverte de galets ou de cailloux ou bien même de rochers souvent très escarpés.

Quant à l'hébergement le long de la côte, il est extrêmement cher et le rapport qualité-prix n'est pas au rendez-vous. Si la Ligurie mérite donc le voyage pour sa terre, son passé, sa culture, elle n'est pas particulièrement le but de séjour idéal pour la seule activité balnéaire.

Itinéraire

▶ **Jours 1 et 2 : Riviera di Ponente.** S'arrêter aux marchés de Ventimiglia et de San Remo pour profiter des achats à de très bons prix et pour se perdre dans les *carrugi* moyenâgeux des vieilles villes.

Les immanquables de la Ligurie

▶ **Découvrir** les petits villages aux configurations improbables, à flanc de montagne. Entre tous : Apricale, Cervo, Verezzi sont les plus délicieux.

▶ **Se promener** le long du port ultra chic de Portofino et en apprécier le mélange intriguant entre tradition et glamour.

▶ **Se perdre** dans les *carruggi* du centre de Gênes avant de déboucher sur le magnifique Porto Antico.

▶ **Succomber** au charme des Cinque Terre. Entre terre et mer, ces localités enchanteresses sont aussi fascinantes à découvrir par bateau que par les sentiers du haut de leurs collines.

▶ **Déguster** les spécialités ligures : la focaccia et le pesto comme vous en aurez jamais goûté !

A l'intérieur des terres, découvrez Apricale et Cervo, charmants petits bourgs accrochés comme par magie à la falaise.

▶ **Jours 3 : Gênes.** Découvrez le lien profond qui unit cette ancienne république marinière à la mer, par une visite de son fascinant Porto Antico et de l'Aquarium, premier parc marin d'Europe. Plongez ensuite dans les fastes baroques des palais de la via Garibaldi, inscrits au patrimoine mondial de l'Unesco. Si l'été est aux portes, un apéro en bord de mer s'impose.

▶ **Jours 4 et 5 : Camogli et Portofino.** Le charme des maisons colorées, la douce musique des vagues qui s'étirent sur la falaise... voilà de quoi se détendre au ravissant village de pêcheurs de Camogli. Prenez le bateau et découvrez l'abbaye de San Fruttuoso et le Christ des Abysses. Enfin pour un peu de mondanités, profitez de l'ambiance glamour de Portofino, la perle de la Ligurie.

▶ **Jour 6 et 7 : Cinque Terre et Golfo dei Poeti.** Se promener le long de la Via dell'Amore, parcourir les mille sentiers entre vignes et oliviers, goûter au pesto biologique... Malgré la foule, les Cinque Terre sont uniques au monde. De là, partez en bateau à la découverte du golfe des Poètes, de Lerici à Portovenere en passant par l'île de la Palmaria.

■ GÊNES ■

Pétrarque l'a décrite comme une ville royale, superbe par ses hommes et ses murs. Au XIXe siècle, Stendhal regrettait que Gênes se fût consacrée uniquement aux affaires et que, d'une manière générale, elle ne fût « qu'un labyrinthe de rues larges de quatre pieds ». Depuis, l'eau est passée sous les ponts et la ville s'est développée. Aujourd'hui, elle s'étend de manière continue, sur 34 km, le long de la côte de Voltri à Nervi.

La meilleure vision de Gênes est, sans aucun doute, celle qu'on en a en arrivant par la mer : vous aurez l'impression de l'avoir toujours connue. Vous reconnaîtrez ses bateaux et ses pilotis, la jetée surélevée, le quartier de Caricamento, les maisons de maître de la via XX Settembre, les villas sur les collines, les casernes populaires, et puis, tout là-haut, la ligne des fortifications qui entourent la ville. Le charme de Gênes réside dans le contraste ambigu entre les quartiers chic et les quartiers populaires, qui cohabitent sous la lanterne, symbole de la ville. Microcosmes d'un monde disparu qui résistent à l'avancée du temps.

L'antique empire maritime des Ligures est né en 381 d'une colonie romaine. Après les invasions barbares, les évêques, gouverneurs de la ville, confortent leur pouvoir. Commune indépendante en 1162, Gênes assoit

© AUTHOR'S IMAGE

Cloître San Andrea

son pouvoir économique et politique tout en étendant progressivement sa domination. Malgré les luttes sanglantes entre Guelfes (partisans du pape) et Gibelins (partisans de l'empereur germanique), la ville réussit à maintenir son expansion économique, symbolisée par l'existence de la banque San Giorgio.

La ville a pu se créer un empire maritime au Moyen Age avec des colonies jusqu'en mer Noire, comme Trébizonde.

Le transport des croisés et des pèlerins vers la Palestine et Jérusalem, le commerce des épices avec l'Orient, la lutte contre les Sarrasins, tout cela lui a apporté une puissance considérable, au même titre que sa grande rivale Venise.

Les deux grands ports italiens se sont d'ailleurs déjà fait la guerre et Gênes a battu la république de Saint-Marc en 1298, lui assurant une période de grande prospérité. En Ligurie même, Gênes a alors conforté sa domination sur la côte du Nord-Ouest italien et en mer Tyrrhénienne.

En 1528, alors que l'Italie est déchirée par les guerres que s'y livrent Habsbourg d'Autriche et d'Espagne face aux Valois de France, la constitution d'Andrea Doria la rend indépendante. Mais la découverte de l'Amérique, par Christophe Colomb, un Génois, lui fait perdre ses colonies et son pouvoir sur les mers. A la suite de la Révolution française, Gênes s'allie à la France et doit ainsi supporter le terrible assaut des Autrichiens.

En dehors de ces deux figures célèbres, Gênes peut se targuer d'avoir vu naître en ses murailles, Paganini, qui, au tournant des XVIIIe et XIXe siècles, devient le plus grand violoniste du monde. Il reste d'ailleurs de nos jours la référence en la matière. Son violon est exposé à l'hôtel de ville de Gênes.

Après la victoire de Napoléon, à Marengo (1800), la ville est annexée à la France. En 1814, le royaume de Sardaigne récupère Gênes et la Ligurie. C'est d'ailleurs du port du Quarto qu'est partie l'expédition de Garibaldi en vue de libérer la Sicile.

A l'occasion du 500e anniversaire de la découverte de l'Amérique par Colomb, puis lorsqu'en 2004 elle devint capitale européenne de la culture, Gênes profita d'une réhabilitation très importante, lui redonnant le lustre qui l'avait fait surnommer dans le passé, la « Superbe ». L'architecte Renzo Piano, enfant du pays possédant d'ailleurs des bureaux à proximité de la cité, a largement participé au lifting,

notamment du Porto Antico. Coincée entre mer et collines abruptes, entre montées d'escaliers et passages souterrains, Gênes est une ville où il est difficile de circuler. Débarrassez-vous de votre voiture sur un des nombreux parkings, laissez-vous guider par votre instinct et partez à l'aventure. Vous rencontrerez des endroits délicieux. Vous tomberez en admiration devant des petites chapelles dédiées à la Vierge. Vous respirerez les parfums des anciens fastes, et vous fouinerez dans des boutiques pleines de surprises. Et vous vous laisserez prendre au charme de Gênes… la « Superbe » !

▌ **Avertissement :** visiter Gênes en août est fortement déconseillé. La plupart des établissements sont fermés pour congés annuels.

Transports

Avion

◼ **AEROPORTO INTERNATIONAL C. COLOMBO**
Sestri-Ponente
℃ 010 60151
www.airport.genova.it
L'aéroport a sa piste principale construite sur l'eau, ce qui rend l'atterrissage des avions assez impressionnant. Liaisons quotidiennes avec plusieurs villes en Italie et en Europe.

▌ **Volabus**. Navette entre l'aéroport et Gênes, gare Principe (trajet 20 min.) Tarif 4 € (ticket valable sur tout le réseau urbain pendant 24 heures). Départs de 6h à 23h environ.

Car

◼ **STAT**
Piazza della Vittoria, 57/59
www.volpibus.com
volpi@statcasale.com
Départ Piazza della Vittoria 2-4 et Genova gare Principe.
Liaisons quotidiennes aller-retour vers les aéroports de Milan Malpensa (via Alessandria, Casale) et de Nice (via Savona, Albenga, Imperia San Remo et Ventimiglia).

Train

Des liaisons quotidiennes et fréquentes relient les deux gares de Gênes à toutes les villes de la côte ligure (℃ 010 892021 – www.trenitalia.it). Comptez 3 heures pour aller jusqu'à Ventimiglia à l'ouest et 2 heures pour aller jusqu'à La Spezia à l'est.

Gênes

Ponte Morisini

Ponte Nave Italia

Bassin Porto Vecchio

Piazza delle Feste

Musée de la mer

Via de Campo

Via Ponte Calvi

Via Fossatello

Piazza Fossatello

Piazza S. Pancrazio

Piazza Agnello

Via Lomellini

Via Caroli

Largo Zecca

Église San Siro

Via S. Siro

Piazza della Meridiana

Via della Maddalena

Piazza Pellicceria

Piazza S. Luca

Via Posta Vecchia

Via S. Luca

Piazza Caricamento

Piazza Bianchi

Piazza delle Vigne

V. Bianchi

Via degli Orefici

Piazza de' Marni

Église S. Pietro in Banchi

Piazza della Raibetta

Piazza Scuole Pie

V. Scurreria

Via Conteto il Curto

Piazza S. Lorenzo

Via T. Reggio

Via F. Turati

Piazza S. Giorgio

Cathédrale S. Lorenzo

Via Conteto il Lungo

Piazza Cavour

Piazza Cattaneo

Piazza dei Giustiniani

Via dei Giustiniani

Via S. Bernardo

Piazza Embriaci

Église Santa Maria di Castello

Via di Mascherona

v. di Mascherona

Piazza S. Donato

V. Donato

Sal. Pollaioli

V. Donato

V. Biscotti

Via di S. Croce

Via S. Maria di Castello

Piazza S.S. M. in Passione

Bassin de la Grâce

Stradone S. Agostino

Théâtre della Tosse

Piazza R. Negri

Piazza Sarzano

Corso Maurizio Quadrio

Strada Sopraelevata Aldo

Via della Marina

Corso Aurelio Saffi

0   200 m

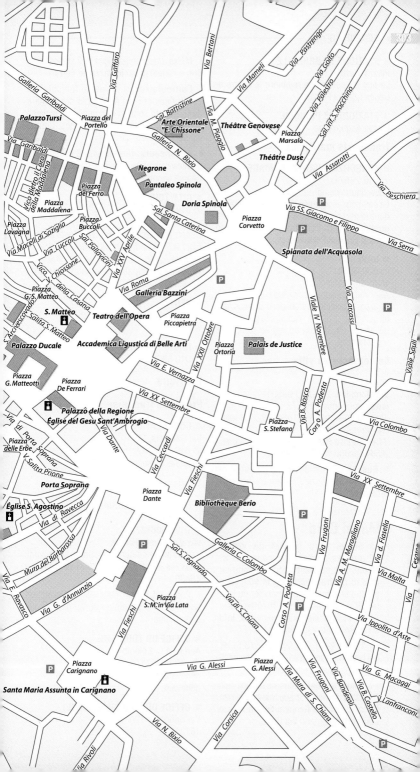

■ **STAZIONE FS BRIGNOLE**
Piazza Verdi
Le bus 35 permet de rejoindre le centre de
Gênes (piazza Ferrari).

■ **STAZIONE FS PRINCIPE**
Piazza Acquaverde

Transports maritimes

■ **CONSORZIO LIGURIA VIAMARE**
✆ 010 265712
www.liguriaviamare.it
La compagnie organise des tours commentés
dans le port de Gênes, ainsi que des départs
quotidiens vers Portofino, San Fruttuoso,
Cinque Terre et Portovenere.

■ **NAVEBUS**
✆ 800 085311
www.amt.genova.it
Aller-retour Porto Antico-Pegli.
Géré par la société de transports urbains AMT,
ce service permet de rejoindre la partie ouest
de Gênes en 30 min au même tarif qu'un
trajet normal.

Se déplacer en ville

■ **AMT**
Via Montaldo, 2 ✆ 800 085311
www.amt.genova.it
*Tarifs : 1,20 € valable 90 min et 3,50 € valable
24 heures. Carnet de 10 tickets ordinaires
11 €. Genova Pass 4 €, valable 24 heures +
guide découverte de la ville.*

▶ **Bus.** La ville est desservie par un réseau
important de lignes urbaines et extraurbaines.

Musei Card

La Musei Card permet de visiter
22 musées municipaux, nationaux et
privés. Elle consent l'accès illimité au
réseau de transports de la ville. Elle
permet également de bénéficier du tarif
réduit à l'Aquarium, au théâtre Carlo
Felice et à plusieurs autres sites. Info
sur www.genova-turismo.it

▶ **Tarif :** 12 € (24 heures), 13,50 €
(24 heures + transports), 16 € (48 heures),
20 € (48 heures + transports).

▶ **Points de vente :** Musées municipaux,
Bookshop Musei di Strada Nuova, Palazzo
Ducale, kiosque Genovainforma Piazza
Matteotti, Ligursind Via Balbi.

▶ **Métro.** Une première ligne de 7 stations relie
Brin à l'ouest jusqu'à Piazza de Ferrari.

▶ **Funiculaires.** Les deux funiculaires
Zecca Righi et Sant'Anna et la crémaillère
de Granarolo sont un des meilleurs moyens
de rejoindre les hauteurs de Gênes. Course
simple 0,70 €.

▶ **Ascenceurs.** Une dizaine d'ascenseurs
publics relient la ville aux parties hautes.
Course simple 0,70 €.

■ **CITY TOUR**
✆ 010 5959779
www.amt.genova.it
*Départ tous les jours de Piazza Verdi à 9h30
(sauf le 3e samedi du mois). Durée 2 heures +
1 heure à pied. Tarif : 13 €, enfant 5 €.*
Tour des principaux sites touristiques de
Gênes, par bus AMT.

■ **HERTZ**
Via Ruspoli, 1 ✆ 010 5702625
www.hertz.it

■ **RADIO TAXI GENOVA**
✆ 010 5966

Pratique

Présence française

■ **CONSULAT DE FRANCE**
Via Garibaldi, 20
✆ 010 2476327
Antenne consulaire.

Tourisme

■ **OFFICE DU TOURISME**
Largo Petrini, 13
✆ 010 8606122
www.genovaturismo.it
genovaturismodeferrari@comune.genova.it
*Tous les jours de 9h à 13h et de 14h30 à
18h30.*

▶ **Passport.** Revue mensuelle d'information
touristique. Disponible auprès des offices
du tourisme.

■ **OFFICE DU TOURISME**
Aeroport C. Colombo
✆ 010 6015247
genovaturismoaereoporto@comune.
genova.it

■ **OFFICE DU TOURISME (SIÈGE)**
Via Garibaldi, 12/r
16124

www.genova-turismo.it
genovaturismo@comune.genova.it
Le siège central se charge de l'envoi de tout type de documentation papier sur Gênes et sa province. La demande est à adresser par email.

Visites guidées

▶ **Le Centre historique et les Palais des Rolli.** Visite du centre historique de Gênes (italien et français) organisée par l'office du tourisme + entrée aux musées de Strada Nuova. Samedi à 10h30, 12 €.

▶ **Itinera.** Visites guidées thématiques (Les Mystères de Gênes, Gênes souterraine...). Réservation obligatoire. ✆ 010 609 1603/346 223 1872 ou par mail - info@itineraliguria.it - www.itineraliguria.it

▶ **Associazione Guide Turistiche Liguria.** Pour visiter Gênes accompagné par un guide privé en français. ✆ 335 844 5391 - info@associazioneguide.com

Utile

■ POLICE (QUESTURA)
Via Diaz, 2
✆ 010 53661

■ POSTE CENTRALE
Via Dante, 2
Du lundi au vendredi de 8h30 à 18h30. Samedi de 8h30 à 13h.

Hébergement

Bien et pas cher

■ B&B PALAZZO MORALI
Piazza Raibetta, 2-29
✆ 010 2467027, 339 2057854
info@palazzomorali.com
Double 70-90 €.
Une adresse de charme dans cet ancien palais entre le port et le centre historique. Les chambres accueillantes et chaleureuses sont meublées avec beaucoup de goût et le petit déjeuner se prend dans le salon de famille ! Un inconvénient : une seule chambre dispose d'une salle de bains privée.

■ OSTELLO PER LA GIOVENTU GENOVA
Via Costanzi, 120
✆ 010 2422457
www.ostellogenova.it
hostelge@iol.it
Bus : 40 ou 640. Voiture : sortie Genova Ouest,

poursuivre jusqu'à la gare Principe et ensuite vers Parco del Peralto.
Par personne de 16,50 € à 27 € selon les chambres de 8 lits à 1 seul, avec ou sans salle de bains. Réservation par Internet possible uniquement pour les chambres 8 lits. Parking privé gratuit.
Une auberge de jeunesse propre et sympathique. Un peu excentrée, mais de sa hauteur elle offre une belle vue sur la ville.

■ VERONESE
Vico Cicala, 3
✆ 010 2510771
Fax :010 2510639
www.hotelveronese.com
Simple 65-100 €, double 80-150 €, triple 100-170 €.
Hôtel propre et confortable, situé dans une ruelle typique du centre historique à quelques pas du port et de l'Aquarium.

Confort ou charme

■ COLOMBO
Via Porta Soprana, 27
✆ 010 2513643
www.hotelcolombo.it
mail@hotelcolombo.it
Simple 85-160 €, double 110-170 €.
Charmant et original petit hôtel en position centrale. La décoration des 18 chambres est soignée dans le détail, avec une attention particulière au mariage entre coloris, teintures et mobilier design. Le petit déjeuner est servi au 6e étage, d'où vous profiterez d'une magnifique vue sur la ville.

■ LOCANDA DI PALAZZO CICALA
Palazzo Cicala
Piazza San Lorenzo, 16
✆ 010 2518824
Fax :010 2467414
www.palazzocicala.it
info@palazzocicala.it
Simple à partir de 100 €, double à partir de 129 €. Offres spéciales et packs découverte mis à jours sur le site.
Au cœur du centre historique, face à l'église San Lorenzo, cet ancien palais du XVIe siècle réserve plus d'une surprise. Entièrement rénovée, cette fascinante structure allie le moderne à l'ancien par un mobilier design et des œuvres d'art contemporain. Les chambres d'une élégante simplicité offrent tout le confort et même un PC avec Internet illimité et gratuit. Excellent buffet au petit déjeuner.

■ METROPOLI

Piazza Fontane Marose
℡ 010 2468888
Fax :010 24 68 686
www.bestwestern.it/metropoli_ge
metropoli.ge@bestwestern.it
Simple 70-150 €, double 90-180 €.
A deux pas de l'historique Via Garibaldi et du théâtre Carlo Felice, cet hôtel de la chaîne Best Western offre des chambres spacieuses, lumineuses et bien meublées. Bouilloire dans chaque chambre et connexion Internet gratuite. Très bon service.

Luxe

■ GRAND HÔTEL SAVOIA

Via Arsenale di Terra, 5
℡ 010 27721
Fax :010 261883
www.grandhotelsavoia.it
info@grandhotelsavoia.it
Chambres à partir de 180 €.
Rénové en 2008, ce magnifique hôtel raconte l'histoire de Gênes : construit en 1897, il reçut de nombreuses personnalités dont les signatures restent gravées dans le précieux Livre d'or instauré depuis 1907. Le mobilier s'inspire des quatre éléments naturels. Le Ristorante Novecento nous immerge dans une atmosphère classieuse aux menus raffinés inspirés de la tradition ligurienne. L'hôtel dispose aussi d'un centre de bien-être, piscine, solarium panoramique, une salle de gym, un bar cocktail, un executive lounge et le Jardin des pirates, dédié aux enfants. Parking privé. Il bénéficie d'une situation idéale, à quelques minutes des plus grands sites touristiques de la ville.

Restaurants

Pour vous pénétrer de l'atmosphère du vieux Gênes, arrêtez-vous dans une *friggitoria*. C'est une institution génoise où l'on déguste dans de minuscules boutiques carrelées de blanc, des plats simples et appétissants : légumes farcis, beignets de poissons et de légumes, minestrone à la génoise, tartes salées. Impossible de repartir sans avoir goûter au *pesto alla genovese* (les Génois ajoutent à leurs pâtes au pesto des pommes de terre et des haricots verts) et à la *farinata*, cette galette de farine de pois chiches est vraiment délicieuse. Dégustez également les glaces, confiseries et pâtisseries : les Génois et les Ligures en général adorent ces sucreries raffinées.

Sur le pouce

■ IL GRAN RISTORO

Via di Sottoripa
℡ 010 2473127
Sandwich 3-6 €.
Un tout petit café face à l'aquarium où l'on prépare les sandwichs les plus divers avec tout genre de farces copieuses : charcuterie, fromages, olives, sauces... Idéal pour qui a passé une journée à arpenter les rues de Gênes. Attention : on fait la queue et on mange debout, sur le pouce !

Bien et pas cher

■ DA MARIA

Vico Testadoro, 14
℡ 010 581080
Repas 5-10 €.
Au coude à coude avec votre voisin, sur des grandes tablées à nappes à carreaux où l'on ne soucie pas vraiment de balayer les miettes avant votre arrivée, vous mangerez la cuisine génoise la plus savoureuse, dans une ambiance des plus authentiques. La même depuis 50 ans.

Bonnes tables

■ LA BUCA DI SAN MATTEO

Via Chiossone 5/r
℡ 010 2362389
Repas 30-50 €. Fermé dimanche et lundi midi.
Dans les anciennes caves d'un palais aristo-cratique, la nouvelle gestion a donné alla Buca di San Matteo (le trou de saint Mathieu) un ton raffiné et romantique. Dans une petite salle, on dîne avec vue sur une marelle d'époque. Au menu, une cuisine terre et mer très fraîche selon les arrivages du marché.

■ MAXELA

Vico Inferiore del Ferrro, 9
℡ 010 2474209
Repas 20-30 €. Fermé le dimanche.
Un restaurant où la viande et le vin sont rois. Voûtes en briques rouges et carreaux en céramique aux murs pour un cadre style boucherie où l'on peut même acheter de la viande à emporter.

■ OSTERIA DI VICO PALLA

Vico Palla 15/r
℡ 010 2466575
Repas 20-40 €. Fermé dimanche et lundi midi.

A quelques pas de Porto Antico, une osteria historique où l'on peut savourer une bonne cuisine de poisson. Essayez le *stoccafisso* (filets de merlan séchés et bouillis), qui était même parmi les favoris du peintre Van Dyck.

■ SANTA CHIARA
Via Capo Santa Chiara 69/r
Boccadasse
✆ 010 3770081
Repas 35-60 €. Fermé le dimanche.
Dans l'ancien bourg de pêcheurs de Boccadasse, un restaurant avec une très agréable terrasse qui donne sur la mer où l'on déguste une excellente cuisine de poisson.

Luxe

■ ZEFFIRINO
Via XX Settembre, 20/7
✆ 010 591990
Repas 50-80 €.
De Gorbatchev à Pavarotti, toutes les célébrités qui passent par Gênes viennent manger chez Zeffirino. Il a même été le fournisseur officiel de pesto de Frank Sinatra !

Sortir

Gênes ne manque pas d'attractivité pour ceux qui souhaitent passer une bonne soirée. Piazza delle Erbe et Via San Bernardo sont les deux pôles de la nightlife urbaine où se trouvent les bars et les pubs les plus fréquentés par la jeunesse génoise. En été, le rendez-vous est en bord de mer, où plusieurs établissements balnéaires s'animent la nuit en proposant de copieux happy hour et de la bonne musique pour prolonger sa soirée. En costard-cravate ou en tongues et paréo, c'est le rendez-vous officiel dès le mois de juin !

Cafés – Bars

■ BAGNI SANTA CHIARA
Via Flavia, 4
Capo Santa Chiara
✆ 339 8617167
Ouvert de 9h à minuit, de juin à septembre.
A l'heure où le soleil se couche, cet établissement balnéaire perché sur un rocher à pic sur l'eau remplace ses transats par des petites tables où siroter un apéro. Vous pourrez même prolonger la soirée en y restant dîner.

■ CAFFÉ DEGLI SPECCHI
Salita Pollaiuoli, 43
✆ 010 2468193

Ouvert de 7h à 20h30. Fermé le dimanche.
Un lieu de rendez-vous à ne pas manquer à l'heure de l'apéro, dans un décor début du siècle, où l'écrivain Dino Campana aimait venir se détendre.

■ LA LEPRE
Piazza Lepre, 5 ✆ 010 2517693
En plein centre-ville, La Lepre est un must de la vie nocturne génoise. Assis sur des escabeaux en bois, profitez d'un happy hour pas commes les autres : harengs fumés, lard, fromages picants...

Pâtisseries-Confiseries

A Gênes et en Ligurie en général, on est très friands de sucreries. Du *gelato* au *pandolce* (gâteau aux raisins secs), les maîtres pâtissiers se livrent à des prouesses culinaires autant pour les recettes les plus simples que pour les pâtisseries les plus élaborées. A un tel point que certaines adresses historiques sont devenues désormais de véritables institutions.

■ PROFUMO
Via del Portello, 2
Pour les Génois, le mot "Profumo" évoque d'exquises douceurs. Cette pâtisserie raffinée vous propose les meilleures tartes de la ville et toutes sortes de délicates confiseries. Un peu plus loin, la nouvelle Gelateria fabrique ses glaces sans aucun produit industriel. Goûtez le parfum *zabaion* à l'orange...

▶ **Autre adresse :** Vico Superiore del Ferro, 14.

■ ROMANENGO
Via Soziglia, 74 ✆ 010 2474574
Le parfum des fruits confits et des pralines en chocolat et pâte d'amande vous saisit au bout de la rue. Avec divers points de vente, Romanengo poursuit la tradition pâtissière génoise depuis 1780. Dans sa boutique aux présentoirs en bois et miroirs, on retrouve un charme d'antan et le même souci d'excellence qu'autrefois.

Théâtres

■ TEATRO DELLA TOSSE
Piazza Negri, 6
✆ 010 2487011, (010) 24 70 793
Billetterie – www.teatrodellatosse.it
Réservation par ✆ 010 2470793 entre 15h et 19h. Vente en ligne.
Pour les amateurs de théâtre, un lieu de rencontre dynamique de la création italienne et internationale.

■ TEATRO DELL'OPERA CARLO FELICE

Passo Eugenio Montale, 4

Billetterie Galleria Cardinal Siri, 6

© 010 5381224/227 – www.carlofelice.it

Billeterie : du mardi au samedi de 11h à 18h, dimanche de 13h à 16h, de 18h à 21h pour les spectacles du soir. Par téléphone sous garantie de carte de crédit © 010 5701650. En ligne sur www.vivaticket.it.

Une heure avant le début de la représentation, 30 places avec une réduction de 30%. 10 min avant le début de la représentation, vente de places debout.

Les amateurs de concerts classiques, de ballets et d'opéras surveilleront le programme du Teatro Carlo Felice.

Manifestations

▶ **Saint Jean.** 23-24 Juin. Fête qui renoue l'ancien lien entre Gênes et le Baptiste. La nuit du 23, veillée autour des feux de joie que chaque quartier tente de faire le plus haut possible. Procession religieuse le 24.

▶ **Saints Pier et Paul.** Dernier dimanche de juin. Régates où participent les équipages des différents quartiers de la ville.

▶ **Regate des anciennes Repubbliche Marinare.** Fin juin tous les quatre ans. Révocation historique des rivalités qui opposèrent autrefois Gênes aux trois autres anciennes républiques : Pise, Amalfi et Venise. Des bateliers tentent de gagner la course sur des galères typiques, précédés par un défilé en costume médiéval.

▶ **Fêtes de fin d'année.** La veille de Noël les Génois brûlent des feux de joie de lauriers, en offrent un partie au maire de la ville et en ramènent les cendres chez eux en signe de bon augure.

▶ **Salon nautique.** Premier week-end d'octobre. La plus grande foire internationale d'équipement nautique (www.genoaboatshow. com).

Points d'intérêt

La vieille ville

■ CHIESA DEL GESU

Piazza Matteotti

Bel exemple d'architecture baroque décorée en marbres polychromes et stucs dorés. L'église conserve d'importants témoignages de peinture de l'époque dont deux œuvres de Rubens et une de Guido Reni.

■ GALLERIA DI PALAZZO REALE

Via Balbi, 10

© 010 2710236

www.palazzorealegenova.it

Les mardi et mercredi de 9h à 13h30, de jeudi à dimanche de 9h à 19h. Tarif : 4 €, gratuit pour les moins de 18 ans et les plus de 65 ans. Billet jumelé avec le palazzo Spinola 6,50 €.

Primitifs, peintres des XVIIe et XVIIIe siècles (Véronèse, Titien, Van Dyck, le Tintoret), sculptures baroques, tapisseries et céramiques orientales, le tout dans un décor aristocratique de premier plan : le palais Balbi fut la résidence des familles Balbi puis Durazzo, avant de devenir résidence royale des Savoie, après l'absorption de Gênes au Piémont-Sardaigne. Il y a une remarquable galerie des Glaces, inspirée de Versailles.

■ GALLERIA NAZIONALE PALAZZO SPINOLA

Piazza di Pellicceria, 1

© 010 2705300

www.palazzospinola.it

Du mardi au samedi de 8h30 à 19h30, dimanche de 13h30 à 19h30. Tarif : 4 €, réduit 2 €. Billet combiné avec le palazzo Reale 6,50 €.

Un des plus beaux palais de Gênes (XIVe-XVIIIe siècle) où sont rassemblées les collections des familles génoises l'ayant habité (Grimaldi, Pallavicino, Doria e Spinola). Parmi les œuvres les plus marquantes, une sculpture de Giovanni Pisano et des peintures d'Antonello da Messina.

■ MAISON DE COLOMB

Vico Dritto Ponticello (Piazza Dante)

© 010 2465346

En réalité, il s'agit d'un immeuble reconstruit au XVIIe siècle à l'emplacement présumé de la demeure du célèbre navigateur. A côté, un jardin où, dit-on, il passait ses journées à penser à ses voyages...

■ MUSEO DELL'ACCADEMIA LIGUSTICA DI BELLE ARTI

Largo Pertini, 4

Palazzo dell'Accademia

© 010 560130

www.accademialigustica.it

Du mardi au vendredi de 14h30 à 18h30. Tarif : 5 €, réduit 3 €.

Référence en matière d'art régional, l'académie recueille une importante collections de peintures, sculptures, céramiques et d'objets du XVe au XIXe siècle.

Via Garibaldi et les musées de Strada Nueva

La via Garibaldi, appelée aussi «Via Aurea» pour le faste de ses architectures ou «Strada Nuova» (nouvelle rue), est une des rues les plus intéressantes de Gênes. Construite à partir de 1550 pour rassembler les plus grandes familles de la ville dans un secteur privilégié, elle est flanquée par 14 somptueux palais. Construits avec des matériaux précieux, décorés de stucs, fresques et dorures, ces bâtiments semblent rivaliser entre eux par leur splendeur : escaliers monumentaux, loggias, jardins suspendus, fontaines... Au début du XVII\ siècle, le peintre Rubens qui fréquentait beaucoup Gênes à l'époque resta si émerveillé par l'exceptionnalité et le confort de ses demeures qu'il les proposa comme modèle dans toute l'Europe dans une célèbre série de gravures *Les Palais de Gênes*. En 1576, le Sénat de la République de Gênes établit le Rouleau (Rollo) des logements publics, une liste des demeures aristocrates officiellement choisies pour héberger d'illustres visiteurs d'Etat. Parmi celles-ci figuraient les palais de via Garibaldi, grande marque de prestige pour les familles nobles y habitant. En 2006, les palais des Rolli, via Garibaldi ensemble avec via Balbi et via Cairoli, ont été inscrits sur la Liste du patrimoine mondial de l'Unesco. Aujourd'hui, le système des musées de Strada Nuova valorise le lien historique entre les palais et les collections artistiques de grande valeur qu'ils exposent.

■ GALLERIA DI PALAZZO BIANCO
Via Garibaldi, 11 ✆ 010 5572193
Musées de Strada Nuova (Palazzo Bianco, *Palazzo Rosso, Palazzo Tursi) : du mardi au vendredi de 9h à 19h, les samedi et dimanche de 10h à 19h. Tarif :* €, *réduit 6 € (avec Card Musei), gratuit pour les moins de 18 ans.* La pinacothèque expose des œuvres de peintres génois des XIII\ et XIV\ siècles, ainsi que des primitifs flamands et hollandais, des maîtres de la peinture du nord du XVII\ siècle avec des Rubens, Van Dyck... Quelques œuvres de maîtres italiens (Caravage), français (Vouet) et espagnols (Zurbaràn). Un ascenseur panoramique permet d'accéder au belvédère d'où l'on jouit d'une vue unique sur la ville.

■ GALLERIA DI PALAZZO ROSSO
Via Garibaldi, 18
✆ 010 5574972
Les 39 salles, presque toutes décorées de fresques, proposent un vaste panorama des écoles génoise, émilienne, flamande et espagnole du XIII\ au XV\ siècle. Importante collection de porcelaines chinoises et de faïences françaises. Une très belle *Madeleine pénitente* de Canova.

■ PALAZZO TURSI
Via Garibaldi, 9
✆ 010 5572193
L'hôtel de ville est un palais Renaissance à l'intérieur riche et qui offre, en dehors des bureaux de la mairie, une belle collection de peintures, de mobilier et d'objets d'art parmi lesquels l'importante collection de pots de pharmacie en céramique du XVII\ siècle. Le must reste le violon de Paganini, grand violoniste, compositeur de surcroît et génois, bien sûr.

■ MUSEO DEL RISORGIMENTO
Via Lomellini, 11
Instituto Mazziniano ✆ 010 24 65843
www.istitutomazziniano.it
Du mardi au vendredi de 9h à 19h, samedi de 10h à 19h. Tarif : 4 €, réduit 2,80 €, gratuit 0-18 ans.
Dans la maison natale de Giuseppe Mazzini, exposition de cadres, reliques et gravures qui retracent l'histoire du mouvement intellectuel et politique qui conduisit à l'unification et à l'indépendance de l'Italie.

■ PALAZZO DUCALE
Piazza Matteotti, 9
✆ 010 5574000
www.palazzoducale.genova.it
De mardi à dimanche de 9h à 19h.
Originaire du XIIIe siècle, il fut entièrement reconstruit entre 1590 et 1620 par l'architecte Andrea Ceresola. Sa structure actuelle est caractérisée par un vaste atrium couvert, flanqué par deux cours bordées d'arcades. Un imposant grand escalier mène au premier étage. Aujourd'hui, il s'agit du principal centre d'exposition de la ville.

■ PALAZZO DURAZZO PALLAVICINI
Via Balbi, 1
Conçu en 1618 par Bartolomeo Bianco, exemple intact et fastueux d'une maison de maître décorée de manière originale, le palais possède des archives et une belle bibliothèque du XVIIIe siècle.

Statue du Palazzo Ducale

■ PALAZZO SAN GIORGIO
Piazza Caricamento
Construit en 1260, ce fut le siège du Banco San Giorgio, une des premières institutions bancaires de l'Italie communale. Marco Polo, prisonnier de la République de Gênes, y dicta ses mémoires de voyage. Les fresques extérieures du XVIe siècle ont été rénovées pour la commémoration des 500 ans de la découverte de l'Amérique.

■ PALAZZO TURSI
Via Garibaldi, 9
✆ 010 5572193
L'hôtel de ville est un palais Renaissance à l'intérieur riche et qui offre, en dehors des bureaux de la mairie, une belle collection de peintures, de mobilier et d'objets d'art parmi lesquels l'importante collection de pots de pharmacie en céramique du XVIIe siècle. Le must reste le violon de Paganini, grand violoniste, compositeur de surcroît et génois, bien sûr.

■ PIAZZA BANCHI
Ainsi dénommée car dès le XIIIe siècle les « banquiers » exerçaient leur activité sous les arcades des maisons médiévales. La Loggia dei Mercanti (1598) abrita de 1855 à 1942 le premier marché boursier d'Italie. L'église San Pietro (1572) se découpe surélevée dans le fond.

■ PIAZZA CARICAMENTO
Célèbre place de Gênes qui s'ouvre sur le Porto Antico. Avec ses palais médiévaux et ses boutiques sous les arcades. Bien que très bombardée pendant la dernière guerre, elle maintient intacte l'atmosphère d'antan.

■ PIAZZA DE FERRARI
Réalisée au XIXe siècle et pourvue d'une belle fontaine, cette place est l'un des nombreux cœurs de la ville. Le théâtre Carlo Felice y exhibe sa parure postmoderne.

■ PIAZZA SAN MATTEO
Exemple unique d'urbanisme médiéval quasi inchangé depuis 1278. Place forte des Doria depuis 1125, la place est représentative de la puissance de la grande famille. La crypte de San Matteo conserve les restes d'Andrea Doria.

■ PORTA DEL MOLO
Piazza Porta del Molo
Exemple d'architecture militaire du XVIe siècle, elle présente la particularité d'être largement ouverte vers la ville et resserrée vers la mer.

parmi les plus représentatifs du maniérisme tardif génois et du baroque du début du XVIIe siècle.

■ SANTA MARIA DI CASTELLO

Piazza Santa Maria di Castello
L'un des plus anciens et des plus importants lieux de culte chrétiens à Gênes. Reconstruit en style roman au XIIe siècle, il fut embelli au XVe siècle par l'ajout d'un couvent et de deux cloîtres.

■ TORRE DEGLI EMBRIACI

Salita Torre Embriaci
Construction de pierre couronnée d'arceaux, c'est l'unique tour à avoir échappé à une ordonnance de 1296 qui réglementait la hauteur de toutes les tours de la ville.

■ VIA SAN LUCA

C'est le Carruggio Dritto médiéval, une voie unique qui relie le borgo aux premières murailles. Aspect austère des *case torri* (maisons tours) et somptuosité des palais : palazzo Spinola (via San Luca, 14), palazzo Centurione (via San Luca, 2), palazzo Pallavicino (piazza Fossatello, 21), palazzo Grimaldi (via San Luca, 84-88) et palazzo Salvago (via San Luca, 12). Aujourd'hui, cette rue très animée, entre boutiques et marchés improvisés, est tout à fait fascinante.

Porto Antico

Le vieux port est pour Gênes une sorte de terrasse sur la Méditeranée. Son périmètre se partage entre le Molo Vecchio, les quartiers anciens et le ponton de l'Aquarium. L'aspect actuel est le fruit de plusieurs remaniements qui concilient l'ancien et le moderne. Renzo Piano en a été le principal rénovateur entre 1985 et 1992 à l'occasion des 500 ans de la découverte de l'Amérique (www.porto-antico.it).

■ AQUARIUM

Ponte Spinola
✆ 010 2345666
www.acquariodigenova.it
Du lundi au vendredi de 9h à 19h30. De novembre à février de 9h30 à 19h30, en juillet et août de 8h30 à 22h.
Tarif : 21 €, plusieurs forfaits possibles selon les options de visites.
C'est le plus grand parc marin d'Europe. On y est bercé par le bruit de la mer tout au long de la visite.

Palazzo Durazzo Pallavicini

■ PORTA SOPRANA

Piano di Sant' Andrea
Témoignage unique d'architecture médiévale, sa structure remonte au IXe siècle, modifiée par la suite au XIIe. Flanquée de deux tours jumelles, jadis entrée principale de la ville, elle délimite aujourd'hui la vieille ville.

■ SAN GIOVANNI DI PRE

Piazza della Commenda
Cette église fut construite en 1180 à la demande des cavalieri Gerosolimitani, ou della Commenda, pour y héberger les pèlerins en route pour la Terre sainte.

■ SAN LORENZO

Piazza San Lorenzo
Construite entre le XIIe et le XIVe siècle, la cathédrale, siège du diocèse de Gênes, possède une façade à bandeaux blancs et noirs, trois portails gothiques et est ornée de deux grands lions. L'intérieur est majestueux par sa simplicité. Le monument abrite le musée du Trésor qui expose une très belle collection d'orfèvreries et de reliquaires, dont celui contenant la relique de saint Jean-Baptiste rapportée d'Orient durant la Ire Croisade.

■ SANTA ANNUNZIATA DEL VASTATO

Piazza dell'Annunziata
Construite en 1520, l'église est un exemple

On peut y admirer les dauphins et les phoques se mouvoir, s'étonner devant la reconstitution des vaisseaux des explorateurs, côtoyer la version réelle du *Nemo* de Walt Disney et rencontrer des espèces aussi intéressantes qu'invraisemblables. Le prix d'entrée est à la carte, selon les « attractions » souhaitées (biosphère, forêt des colibris, ascenseur panoramique).

■ BIGO

De 10h à 17h. 3 € par personne.
Durée : 5 min.
Cette grosse araignée renversée, construite en 1992, est désormais le symbole du Porto Antico. Un ascenseur panoramique rotatif vous emmène en musique à 40 m de hauteur ; de là, une des plus belles vues de Gênes et de la mer.

■ GALATA MUSEO DEL MARE

Calata De Mari ; 1
Darsena
✆ 010 2345655
www.galatamuseodelmare.it
De mars à octobre du mardi au dimanche de 10h à 19h30, de novembre à février du mardi au vendredi de 10h à 18h, les samedi et dimanche de 10h à 19h30. Tarif : 10 €, réduit 5 €. Possibilité de billet combiné avec l'aquarium.
Le musée retrace l'histoire maritime du port et de la mer. Le bâtiment qui l'accueille est le dernier de ceux qui formaient l'arsenal des galères de la République génoise. A l'intérieur, une extraordinaire reconstitution de la vie portuaire depuis ses origines jusqu'à nos jours : installation de l'arsenal, armurerie de la darse, arrivée des cargaisons des Amériques et une fabuleuse reconstruction d'un vrai galion du XVIIᵉ siècle. L'approche est rendue encore plus intéressante par un parcours interactif et multimédia.

■ LA LANTERNA

Via Milano (entrée)
✆ 010 910001
Lanterne et musée : les samedi, dimanche et jours fériés de 10h à 19h. Tarif : 6 €, réduit 4 €. Promenade tous les jours de 8h au coucher du soleil.
Bâtie en 1543, la Lanterne, haute de 77 m, atteint une hauteur sur le niveau de la mer de 117 m. La promenade du phare a été construite sur le reste des murs qui soutenaient l'ancienne route d'accès à Gênes. Un musée recueille les documents et des témoignages sur l'histoire de la ville.

La ville moderne

■ CASTELLO D'ALBERTIS

Corso Dogali, 18
Musée des Cultures du Monde/Musée de la Musique des Peuples
✆ 010 2723820
www.castellodalbertis.comune.genova.it
Bus 33,39, 40. Ascenseur Principe/Corso Dogali.
De mars à octobre, du mardi au vendredi de 10h à 17h, les samedi et dimanche de 10h à 18h. D'avril à septembre, du mardi au vendredi de 10h à 18h, les samedi et dimanche de 10h à 19h. Tarif : 6 €, réduit 4,50 €. Billet cumulé Galata-Musée de la mer 13 €, réduit 8 €.
Construit entre 1886 et 1892, en style néogothique, il est considéré comme l'édifice le plus significatif du renouveau génois. La résidence du capitaine De Albertis est aujourd'hui musée des cultures du monde qui propose un parcours intéressant des civilisations de l'Amérique centrale et du Sud, des Indiens d'Amérique en passant par les cultures de l'Océanie et par d'autres encore.

■ CIMETIÈRE DE STAGLIENO

Une des plus grandes et importantes nécropoles d'Europe. Niché parmi les arbres, avec ses plates-bandes fleuries, ses statues et ses formidables chapelles familiales, c'est un véritable musée ouvert où vous pourrez errer une journée entière.

■ MUSEO D'ARTE ORIENTALE E. CHIOSSONE

Piazzale Mazzini, 4
Villetta Dinegro
✆ 010 542285
Du mardi au vendredi de 9h à 13h, les samedi et dimanche de 9h à 19h. Tarif : 4 €, réduit 2,80 €. Vaste collection de peintures, sculptures, porcelaines, estampes, émaux, laques, bronzes, armes, instruments de musique, costumes et tissus rassemblés au Japon par Edoardo Chissone au XIXᵉ siècle.

■ MUSEO DI STORIA NATURALE G. DORIA

Via Brigata Liguria, 9
✆ 010 564567
Du mardi au vendredi de 9h à 19h, les samedi et dimanche de 10h à 19h. Tarif : 4 €, réduit 2,80 €.
Importantes collections zoologiques, botaniques, minéralogiques et paléontologiques provenant d'Afrique et des Indes orientales. Section spécialisée en ornithologie ligure.

■ SANTA MARIA ASSUNTA
Piazza Carignano
Sur la colline de Carignano, l'église est un des exemples plus réussis d'architecture Renaissance à Gênes. Construite par Galeazzo Alessi (1550), elle présente un plan en croix latine inscrit dans un quadrilatère. Sa coupole remonte au XVIIe siècle. On raconte que, en 1737, un descendant de la famille commanditaire Sauli fit fondre les cloches en argent pour obtenir un son meilleur.

■ SANTO STEFANO
Piazza Santo Stefano
Un des exemples les plus remarquables d'architecture romane de Gênes. L'église actuelle remonte au XIIIe siècle. Ici fut baptisé Colomb.

■ SPIANATA DELL'ACQUASOLA
Piazza Corvetto
Le grand parc public occupe l'emplacement d'un ancien bastion.

Shopping

Gênes est une des rares villes en Europe à avoir conservé un nombre incroyable de boutiques d'époque. Certaines remontent au XVIIe siècle ainsi que leur secteur d'activité qui dans certains cas (pâtisserie, barbier, cordonnerie) est resté quasi inchangé. Pour des achats « plus modernes », Via Roma et Via XX Settembre sont les principales rues commerçantes, où s'alternent magasins de luxe et grandes chaînes de distribution.

■ ANTIQUITÉS-BROCANTE
Piazza Ducale
Piazza Matteotti ✆ 010 588735
De 9h à 19h. 1er dimanche du mois (sauf août et septembre).

■ MERCATO ORIENTALE
Via XX Settembre, 11
www.mercatoorientale.org
Du lundi au vendredi de 7h30 à 13h, les samedi et dimanche de 15h30 à 19h30. Les halles historiques de Gênes où trouver tout genre de produits frais et le vrai *pesto alla genovese*.

Dans les environs

Le petit train de Casella

Juste au dos de la ville, un ancien chemin de fer à écartement réduit (il trenino di Casella) pénètre dans l'intérieur des terres et roule lentement pendant 25 km sur un parcours montagneux. Entre maisons éparpillées et pinèdes, vous découvrirez des bourgs carac-téristiques, des forteresses et des anciens sanctuaires. A chaque arrêt, on peut descendre du train. De Campi part la promenade des anciennes forteresses de Gênes (www.forti-genova.com). A Sant'Olcese, profitez-en pour déguster le célèbre saucisson (*salumificio parodi*). De Sant'Olcese Tullo part le sentier botanique Ciaè, tracé par les volontaires de la brigade antifeu. Au départ de Piazza Manin, comptez de 2 à 3 € par personne pour un trajet simple (www.ferroviagenovacasella.it).

Pegli
Pegli est un quartier élégant de la côte ouest de Gênes. Trés fréquenté par la bourgeoisie étrangère au XIXe siècle, on y admire les grands hôtels, les vastes parcs et les somptueuses villas témoins de la Belle Epoque. Parmi les plus intéressantes, la villa Durazzo Pallavicini propose un parcours scénographique parmi ses jardins évocateurs et ses architectures romantiques (www.villapallavicini.net).
Un musée naval, idéal pour compléter la visite du musée de la mer Galata, vient également d'ouvrir ses portes (✆ 010 6969885 - www.museonavale.it).

Nervi
A quelques kilomètres de Gênes, Nervi est depuis le XIXe siècle une station balnéaire et hivernale très réputée pour son climat doux et ventilé, comme en témoignent les grands hôtels et les villas construites dans le grand parc. Célèbre pour sa promenade Anita Garibaldi qui surplombe la mer sur 2 km, Nervi possède également une très belle roseraie et un ensemble muséal important enfoui dans son grand parc de palmiers.

■ GALLERIA D'ARTE MODERNA
Via Capolungo, 3 – Villa Saluzzo
Du mardi au dimanche de 10h à 19h. Tarif : 6 €, réduit 5 €. Billet cumulé des quatre musées de Nervi 10 €.
Dans une ancienne villa patricienne, une collection de peintures des XIXe et XXe siècles, liée à la production artistique ligure.

■ MUSEO GIANNETTINO LUXORO
Via Mafalda di Savoia, 3
Villa Luxoro ✆ 010 322673
Du mardi au vendredi de 9h à 13h, le samedi de 10h à 13h.
Une importante collection d'horloges et pendules, de céramiques, d'argenterie, de tissus anciens et autres objets d'art du XVIIIe au XIXe siècle.

LA RIVIERA DES FLEURS

Cette bande étroite de terre qui s'étend de la frontière française jusqu'à la ville d'Imperia environ est ainsi dénommée à cause d'une de ses activités productives principales : la floriculture. Plus de 6 000 producteurs poursuivent une vieille tradition que les conditions climatiques de la Riviera ont favorisée depuis toujours. Œillets, roses, genêts et mimosas sont les vedettes de cet artisanat floral. D'amples plages de sable caractérisent la côte, alors que l'intérieur est très valloné et cultivé pour la plupart en oliviers. En effet, à la culture des fleurs s'ajoute l'oléiculture (une petite olive particulière, la *taggiasca*), activité tout aussi typique de la région. Bien qu'aujourd'hui on n'emploie plus les pressoirs traditionnels actionnés par des ânes, la culture et la pression de l'huile à froid sont menées avec la même passion qu'autrefois (www.rivieradeifiori.com/www.visitrivieradeifiori.it).

VINTIMILLE (VENTIMIGLIA)

Ville frontalière, Vintimille, fut pendant des siècles le centre commercial le plus important de la Ligurie de l'ouest. Une prédominance qui s'explique par sa position stratégique au croisement de la voie romaine vers la Gaule et de l'antique route du sel vers le Piémont. Le centre historique, aujourd'hui en ruine, surgit à droite du fleuve Roia. Vintimille est aussi très réputée pour son grand marché qui se tient chaque vendredi en bord de mer. On y trouve de tout : fruits, légumes, fleurs, mais surtout vêtements et accessoires à des prix imbattables. Un rendez-vous à ne pas manquer pour autant que l'on est conscient que la contrefaçon reste punie en France !

Transports

▶ **Voiture.** Depuis la France, autouroute A8. Depuis Turin, autoroutes A6 et A10 direction Savona-Ventimiglia.

▶ **Train.** Ligne Marseille-Nice-Ventimille. Depuis Turin, ligne Torino-Cuneo-Ventimiglia. Depuis Milan, Nice.

Pratique

■ **OFFICE DU TOURISME**
Via Cavour, 61 ☎ 0184 351183
www.comune.ventimiglia.it
Du lundi au samedi de 9h à 12h30 et de 15h à 19h30.

Hébergement

■ **ECOVILLAGGIO TORRI SUPERIORE**
Via Torri Superiore, 5
☎ 0184 215504
Fax :0184 215914
www.torri-superiore.org
info@torri-superiore.org
Simple sans salle de bains 58 €. Double avec salle de bains 54 € par personne et sans salle de bains 43 € par personne. Draps de bain non compris.
Une association culturelle a entièrement restauré le village médiéval en ruine de Torri Superiore. Aujourd'hui, c'est un écovillage où chaque activité est menée dans le respect le plus complet des normes environnementales. Le village offre hospitalité (40 lits) dans des structures indépendants, où tout, du nettoyage à l'alimentation, est rigoureusement « vert ».

■ **LA RISERVA DI CASTEL D'APPIO**
Loc. Peidaigo, 71
☎ 0184 229533
Fax :0184 249712
www.lariserva.it
info@lariserva.it
Double 120-190 €. Suite à partir de 170 €.
Cette ancienne demeure située en dessous d'un château en ruines du XIIIe siècle surplombe la ville et la côte. On rejoint cet endroit calme et loin de la foule après une montée de 2,5 km au gré des petites routes qui nous portent à 300 m d'altitude (un moyen de locomotion est indispensable). L'accueil est très chaleureux, et le restaurant tient

---

Alta Via dei Monti Liguri

Pour les bons marcheurs, Ventimiglia est le point de départ d'un itinéraire de grande randonnée : qui va jusqu'à La Spezia : l'Alta Via dei Monti Liguri. Il s'agit de 440 km divisés en 44 étapes. Un itinéraire entre la côte et l'intérieur des terres immergé dans la nature, où vous croiserez d'importants témoignages culturels qui ont participé à l'histoire de la région. Infos : www.altaviadeimontiliguri.it ou au numéro vert ☎ 800 445445.

ses promesses. Sur place : vélo, ping-pong, piscine et vue panoramique pour le coucher du soleil…

■ SOLE MARE

Lungomare Marconi, 22
℡ 0184 351854 – Fax :0184 230988
www.hotelsolemare.it
Simple 70-130 €, double 80-150 €. Parasol 5 €, chaise longue 5 € par jour.
Récemment rénové. Les étages sont de couleurs différentes et les chambres ont suivi la tendance. Elles sont très confortables et avec balcon. Face à la mer et non loin du centre. Plage privée.

Restaurants

■ HANBURY

Via Hanbury, 4 ℡ 0184 34426
Repas 30-50 €.
Un joli restaurant où l'ambiance est jeune. Très bon poisson frais et cuisine régionale.

■ MARCO POLO

Passegiatta Cavalotti
℡ 0184 352678
Repas 25-50 €. Fermé dimanche soir et lundi sauf en juillet et en août.
Une très bonne cuisine et un service impeccable. Belle terrasse en bord de mer.

Points d'intérêt

■ CATTEDRALE DELL'ASSUNTA

Edifiée au XIIᵉ siècle sur les restes d'un ancien temple païen, elle présente un beau portail de 1222 et une crypte ornée d'une sculpture préromane.

■ JARDINS DE VILLA HANBURY

Corso Montecarlo, 43
Capo Mortola ℡ 0184 229507
De 9h30 à 17h. De juin à septembre jusqu'à 18h. Tarif : 7,50 €, réduit 4,50 €.
C'est le plus grand jardin botanique d'Italie : 18 ha de collines qui descendent de la via Aurelia à la mer. En 1868, sir Thomas Hanbury acheta le palais situé sur le promontoire de Mortola et transforma son parc en un paradis de plus de 6 000 plantes arrosées de ruisseaux, parsemé de fontaines et de grottes obscures. Vous vous perdrez dans un labyrinthe de sentiers qui s'enfoncent dans des vergers de dattiers, de bananiers et d'arbres à papayes. Près du vieux pressoir à huile pousse un des cyprès les plus hauts du monde.

■ MUSEO PREISTORICO DEI BALZI ROSSI

Via Balzi Rossi
℡ 0184 38113
Du mardi au dimanche de 8h30 à 19h30.
Le musée expose les restes préhistoriques des plus anciens habitants de la Ligurie, retrouvés dans les grottes des Balzi Rossi. Il s'agit des squelettes d'un homme, d'une femme et d'un adolescent enterrés avec leurs ornements de coquillages et de dents de cerf.

■ SAN MICHELE

Construite aux alentours de 1100 sur les fondements d'une chapelle du Xᵉ siècle, cette église bénédictine est un très bel exemple d'art roman.

■ TEATRO ROMANO

Il appartient aux ruines de l'antique Albintimilium (IIᵉ siècle).

ALPES LIGURES

Des oliviers, des vignes, des roches : ici le temps s'est arrêté et dans les petits villages parsemés au milieu de la verdure, seules les conversations des aînés rassemblés par petits groupes dans les ruelles animent la vallée. Le charme et l'authenticité sont à leur comble.
Une succession de bourgs médiévaux bien conservés qui étaient autrefois une étape importante sur la route du sel reliant la Ligurie à la Suisse. Camporosso, Dolceacqua, Apricale, Pigna et Castelvittorio… Un détour bucolique.

▶ **Accès.** Depuis Vintimille, prendre la direction Camporosso par la SP64, poursuivre vers Dolce Acqua et Pigna.

APRICALE

Perché à 291m d'altitude, la stupéfaction est de rigueur. Comment ce petit village, dont les habitations sont empilées comme un jeu de Lego, fait-il pour ne pas dégringoler ? Ancien village fortifié, littéralement accroché à la falaise, Apricale ressemble à un puzzle grandeur nature. Et au milieu de cet apparent bric-à-brac on découvrira les restes du castello della Lucertola, l'ancienne propriété des comtes de Vintimille datant du XIIᵉ siècle et l'église romane San Antonio avec ses fresques du XVᵉ siècle. Réputé pour sa céramique, le village fourmille d'ateliers d'art que l'on prend plaisir à visiter.

▶ **Voiture.** Route provinciale de la Val Nervia (11 km) jusqu'à Isolabona, tourner à droite et poursuivre pour 2 km jusqu'au parking du village.

▶ **Bus.** Un service de navette est garanti depuis la gare de Ventimille, avec des horaires variables selon la saison.

■ **APRICALE DA DELIO**
Piazza Vittorio Veneto, 9
✆ 0184 2080008
Repas 25-40 €.
Raviolis de lapin, parpadelle aux champignons, côtelettes d'agneau grillées... Le slogan « Une pincée de paradis » n'est pas usurpé ni pour la cuisine ni pour le cadre.

■ **LA FAVORITA**
Strada San Pietro, 1
✆ 0184 208186
Fax :0184 208247
www.lafavoritaapricale.com
Repas 30-40 €. Double 70 €.
Sa position offre une vue magnifique sur le village et l'accueil y est très chaleureux. Au restaurant, les grillades accompagnées des légumes du jardin sont un must.

■ **OFFICE DU TOURISME**
Via Roma, 1
✆ 0184 208641
Ouverture saisonnière estivale. Le reste du temps, s'adresser à la mairie ✆ *0184 208126.*

PIGNA

Ce petit village d'un peu plus de 1 000 habitants ne manque pas d'attrait. Les maisons s'y encastrent les unes dans les autres et, en parcourant les ruelles escarpées médiévales, vous aurez l'impression que le temps s'est arrêté. On y découvre l'église paroissiale San Michele du XVe siècle, la loggia de la piazza Vecchia et les fresques époustouflantes de 1482 de l'église San Bernardino.

BORDIGHERA

Vers la fin du XIXe siècle, il fut un moment où la population anglaise dépassa celle des locaux, tel était l'engouement des Britanniques pour Bordighera. Cette extraordinaire « colonisation touristique » fut intensifiée par la publication du roman de Giovanni Ruffini *Il Dottor Antonio* (1855). Appréciée pour ses beautés naturelles et pour son climat mitigé, Bordighera devint une étape privilégiée par les étrangers au

même titre que Cannes ou Nice. Bien que les Anglais aient organisé une véritable ville british, avec des banques, des clubs intellectuels et sportifs, des églises et un cimetière, le centre de Bordighera conserve encore auourd'hui des structures moyenâgeuses.

Transports – Pratique

▶ **Voiture.** Autoroute des Fleurs A10. Sortie Bordighera, après le péage à droite.

▶ **Train.** Gênes-Bordighera (3 heures), départ toutes les heures environ. Train direct depuis Nice ou avec changement à Vintimille (1 heure 30).

■ **OFFICE DU TOURISME**
Via Vittorio Emanuele, 172
✆ 0184 262322
www.bordighera.it
Du lundi au vendredi de 9h à 12h30, du mardi au jeudi de 15h à 18h.
Mise à disposition de vélos par la ville de Bordighera dans les places suivantes : Piazza del Mercato Coperto, Piazza del Parco, Piazza della Stazione, Ospedale Civile. Retrait préalable de la clé (15 € + pièce d'identité) auprès du commissariat de police Piazza Mazzini de 9h à 12h. ✆ 0184 260495.

Hébergement – Restaurants

■ **ANTICA MADDALENA**
Via Arziglia, 83
✆ 0184 266006
Repas 25-50 €. Fermé le mardi.
Un petit restaurant où l'on déguste une savoureuse cuisine du terroir : poisson frais, pâtes au pesto maison et de délicieux desserts. Bonne carte des vins et agréable terrasse en été.

■ **DA VINCENZINO**
Via Marconi, 26
✆ 0184 261435
Pizza 8-12 €.
Ne vous laissez pas impressionner par l'endroit un peu spartiate. On y mange une des meilleures pizzas d'Italie... en forme d'ellipse.

■ **VILLA ELISA**
Via Romana, 70
✆ 0184 261313
Fax :0184 261942
www.villaelisa.com
Simple 80-110 €, double 100-185 €.
Au calme, c'est le lieu de séjour idéal pour les

familles. Les services sont nombreux (centre bien-être, navette pour descendre en centre-ville) et l'accueil chaleureux. Le tout dans une belle villa très stylée.

Points d'intérêt

■ **GIARDINO ESOTICO PALLANCA**
Via Madonna della Ruota, 1
✆ 0184 266347
www.pallanca.it
Du mardi au dimanche de 9h à 12h30 et de 14h30 à 19h. Tarif : 6 €, réduit 5 €.
Un jardin botanique spécialisé dans les cactus et les plantes exotiques. Le dépaysement est encore plus évocateur grâce au paysage environnant à couper le soufle.

■ **MUSEO BICKNELL**
Via Romana, 39
✆ 0184 263601
Du lundi au vendredi de 9h30 à 13h et de 13h30 à 16h45. Entrée libre.
L'Institut international d'études sur la Ligurie, fondé par l'anglais Clarence Bicknell, expose des vestiges préhistoriques provenant du mont Bego.

■ **LA PROMENADE D'ARGENTINE**
Inaugurée en 1947 par Evita Peron, cette promenade – la plus longue (2 km) de la Riviera des Fleurs – offre un magnifique panorama sur la côte.

■ **SANT'AMPELIO**
Une petite église construite au XIe siècle sur les rochers à pic sur la mer, dédiée au saint patron de la ville.

SAN REMO

La ville est connue dans toute l'Italie pour son festival de la chanson italienne. Découverte en tant que station balnéaire par les Anglais, ce n'est pas un hasard si le premier hôtel, créé en 1860 et toujours en activité, s'appelle Londres. Par la suite, on vit arriver dans la ville Maria Alexandrovna, impératrice de Russie, et Frédéric Guillaume, prince héritier d'Allemagne, entraînant derrière eux la crème de l'aristocratie européenne. Vers la fin des années 1800 poussèrent des hôtels, des villas, un casino, des équipements sportifs, des parcs et des jardins. En même temps la construction de serres modifiait le paysage autour de la ville et faisait de San Remo le marché aux fleurs le plus important d'Italie.

Transports – Pratique

▶ **Voiture.** Autouroute des Fleurs A10.

▶ **Train.** Nice-San Remo (1 heure 25 min), changement à Vintimille.

▶ **Bus.** Autogare Piazza Colombo (www.rivieratrasporti.it).

■ **OFFICE DU TOURISME**
Corso Cavallotti, 51 ✆ 0184 530353
www.comunedisanremo.it
Du lundi au vendredi de 9h30 à 13h et du lundi au mercredi de 15h à 17h.

Hébergement – Restaurants

■ **A'CUVEA**
Corso Garibaldi, 110
✆ 0184 503498

LIGURIE

© AUTHOR'S IMAGE

Vue sur San Remo

Repas 15-20 €.
Un petit restaurant qui ne paye pas de mine, mais qui vous réserve une cuisine ligure traditionnelle vraiment succulente : minestrone à la génoise, pâtes fraîches au pesto, tartes maison...

■ CORTESE
Corso Garibaldi, 20
✆ 0184 500486
Fax :0184 546270
www.hotelcortese.it
info@hotelcortese.com
Simple 50-75 €, double 75-102 €.
Hôtel accueillant et moderne en centre-ville, dans un bel immeuble d'époque. Chambres simples et confortables.

Points d'intérêt

Le cœur historique de San Remo se situe dans la «Pigne», ainsi dénommée à cause de sa forme allongée et intérieurement tortueuse. Ce quartier médiéval accroché à la colline a été construit en anneaux concentriques pour le rendre inaccessible aux attaques des pirates et des Sarrasins qui terrorisaient la côte lors de fréquentes incursions.

■ MUSEO CIVICO
Corso Matteotti, 143
✆ 0184 531942
De mardi à samedi de 9h à 13h et de 15h à 19h. Entrée gratuite.
Situé dans le plus beau palais de San Remo, palazzo Borea d'Olmo, le musée présente une collection d'objets préhistoriques de la région, une sélection dédiée aux vestiges romains des villes de Foce et de Bussana et une importante collection de peintures ligures anciennes, qui se prolonge à la pinacothèque Rambaldi.

▶ **Autre adresse :** Pinacoteca Rambaldi, Via Rambaldi 51. ✆ 0184 670398.

■ SAN SIRO
Eglise la plus ancienne de San Remo (XIIᵉ siècle) et un des premiers exemplaires d'art roman de la Riviera Ponente. Elle conserve le crucifix noir du XVᵉ siècle, auquel est attribuée la victoire de San Remo sur les Sarrasins en 1543.

Shopping

■ MERCATO ANNONARIO
Piazza Eroi Sanremesi
Du mardi au samedi de 6h à 13h30 et de 16h30 à 20h.

Les halles de la ville entourées par un marché à ciel ouvert où vous trouverez de tout, de l'habillement à l'alimentaire en passant bien sûr par les articles de contrefaçon.

TAGGIA

La commune de Taggia est formée de deux ensembles : le centre historique (Taggia) et le centre moderne (Arma), situé sur la côte. Juste à la sortie de la vallée Argentina. Les origines de la vieille ville remontent au VIIᵉ siècle et, avec l'arrivée d'une communauté de moines bénédictins, Taggia devint un haut lieu culturel et religieux, rôle conservé jusqu'au XVIIᵉ siècle. Sur la côte, le centre d'Arma s'est développé au cours des dix dernières années et sa plage est une des plus jolies et des plus agréables de la côte occidentale de la Ligurie. Taggia donne le nom aux olives *taggiasche*, qui sont cultivées encore aujourd'hui selon la tradition introduite par les moines.

Transports – Pratique

▶ **Voiture.** Autoroute A10, sortie Imperia-Porto Maurizio. Dès que vous êtes sur l'Aurelia, tournez à droite.

▶ **Train.** Liaisons régulières entre Gênes et toutes les villes de la Riviera Ponente. A la sortie de la gare, prendre le bus pour rejoindre les centres de Arma et de Taggia.

■ OFFICE DU TOURISME
Via Boselli
Villa Boselli
✆ 0184 437333
www.turismoinliguria.it

Hébergement – Restaurants

■ JEAN MARIE
Via A. Doria, 40 ✆ 0184 43103
www.hoteljeanmarie.it
reception@hoteljeanmarie.it
Double 70-120 €.
Au calme, un peu retiré du bord de mer, à 150 m de la rue principale. Les chambres sont confortables et l'accueil chaleureux.

Points d'intérêt

La bourgade entourée des remparts du XVIᵉ siècle est traversée par une longue route bordée d'arcades. Tout au long de la via Dalmazzo et de la via Soleri, de nombreux palais du Moyen Age et de la Renaissance alignent portails sculptés, frontons et porches très élaborés.

■ CONVENTO SAN DOMENICO

Piazza Beato Cristoforo, 6
✆ 0184 477278, 320 5540259
www.conventosandomenicotaggia.org
info@conventosandomenicotaggia.org
Construit en 1490, ce couvent fut pendant trois siècles, le principal centre culturel et artistique de la Ligurie occidentale. Entouré d'oliviers, il conserve de riches collections d'art (peintures des Brea, de Canavesio et du Parmesan). Le couvent offre la possibilité d'hébergement avec un réfectoire.

■ FRANTOIO BOERI

Viale Rimembranza, 34
✆ 0184 475301
www.olioboeri.com
info@olioboeri.com
Visites guidées sous réservation.
Depuis 1897, la famille Boeri cultive et sélectionne les meilleures olives pour en faire une huile de grande qualité. La visite guidée du pressoir est une étape essentielle pour s'imprégner des traditions et de la culture séculaire de la région.

■ MADONNA DEL CANNETO

Une belle église cachée par les oliviers. L'intérieur présente des fresques intéressantes datées de 1547.

■ PORTA DELL'ORSO

Erigée en 1540, elle est ornée des blasons de la ville.

Balades

Après le pont médiéval qui traverse le torrent Taggia, un sentier vous conduira en dix minutes à l'église de San Martino. A l'inverse, un chemin muletier vous fera grimper à Castellaro et au sanctuaire de Lampedusa.

BUSSANA VECCHIA

Sur les ruines d'un bourg moyenâgeux abandonné, à quelques kilomètres de Taggia (SS1), s'élève le village ressucité de Bussana Vecchia. En 1887, un violent tremblement de terre fit s'écrouler ce qui avait résisté pendant des siècles à tant d'épreuves. Le village abandonné retourna à la vie dans les années 1960, grâce à une communauté d'artistes du monde entier qui, après restauration, y a installé ses boutiques et ses ateliers. Ce lieu est aujourd'hui par lui même une réelle expérience artistique où les initiatives artistiques et culturelles sont très nombreuses.

Vous trouverez facilement des logements ou des brasseries caractéristiques parmi les anciennes ruines restaurées. Dépaysement assuré ! Pour toute info : www.bussana-vecchia.it

IMPERIA

La ville est née en 1923 par la volonté de Mussolini du rapprochement administratif de 11 communes dont les plus grandes étaient Oneglia et Porto Maurizio. Porto Maurizio, historiquement proche de Gênes, a une vocation touristique. Le centre, découpé en ellipses concentriques et accroché à la colline, a été conservé pratiquement intact. Les édifices sont disposés en rang sur deux tracés. On peut y voir des palais du XVIIe et du XVIIIe siècle aux façades austères et aux intérieurs fastueux.

Oneglia, quant à elle, ne peut renier ses origines piémontaises avec ses rues à arcades rectilignes. Autant dire que les deux villes d'origine n'ont jamais réussi à fusionner au sein de la nouvelle. L'architecture des quartiers du centre remonte au XIXe siècle et aux origines du développement économique de la ville, célèbre pour ses fabriques d'huile et de pâtes. Le port d'Imperia est l'escale principale de l'extrémité de la Ligurie occidentale.

Transports – Pratique

▶ **Voiture.** Depuis la A10, sortie Imperia Ouest pour Porto Maurizio et sortie Imperia Est pour Oneglia.

▶ **Train.** Liaisons régulières Imperia-Nice (1 heure 35 min), Imperia-Gênes (2 heures).

▶ **Bus.** Autogare Piazza Dante. Liaisons régulières avec toutes les villes de la commune. Travel Card : valable 7 jours, trajets illimités, en vente dans les tabacs et certains supermarchés.✆ 0184 59271 - www.rivieratrasporti.it

■ OFFICE DU TOURISME

Viale Matteoti, 37
✆ 0183 660140
www.turismoinliguria.it

Hébergement

■ ARCADIA MARINA

Via Fiume, 1
✆ 347 699900
www.arcadiamarina.it
20-40 € par personne (enfant 10 €).

Un Bed & Breakfast très accueillant avec 3 chambres sous les toits agréablement aménagées.

■**ROSSINI AL TEATRO**
Piazza Rossini, 14
✆ 0183 74000
Fax :0183 74001
www.hotel-rossini.it
info@hotel-rossini.it
Double 110-200 €. Offres spéciales last minute. Prêt de vélo, convention avec certains établissements balnéaires.
Situé sur l'emplacement de l'ancien théâtre Rossini, cet hôtel récent a su en conserver l'âme. Les chambres sont revêtues de parquet et très confortables. Personnel professionnel et très accueillant.

Restaurants

■**OSTERIA DELL'OLIO GROSSO**
Piazza Parrasio, 36
✆ 0183 60815
Repas 20-40 €. Fermé le mercredi.
Cet antique moulin à huile est devenu une auberge rustique, avec bancs d'église et tables de bois. Soupe à l'oignon, poisson grillé, filet au poivre vert.

■**PANE E VINO**
Via des Geneys, 52
✆ 0183 290044
Fermé mercredi et le week-end à midi.
Dissimulé sous un vieux porche, ce bar à vins propose une réserve de 600 crus mais aussi d'appétissants amuse-gueule, des charcuteries diverses, des fromages italiens et français.

Points d'intérêt

■**DUOMO**
De style néoclassique et de proportions volumineuses, il émerge au milieu des édifices.

■**MUSEO DELL'OLIVO**
Via Garessio, 13
c/o Oleificio F. lli Carli
✆ 0183 295762
Du lundi au samedi de 9h à 12h30 et de 15h à 18h30. Entrée libre.
Hommage historique à l'oléiculture, avec notamment de nombreux objets relatifs à la culture et à la pression de l'olive.

■**MUSEO NAVALE DEL PONENTE LIGURE**
Piazza Duomo, 11
✆ 0183 651541

Mercredi de 15h30 à 19h30, samedi de 16h30 à 19h30. En été, mercredi et samedi de 21h à 23h.
Exposition de reliques marines, d'estampes et de cartes géographiques.

■**OLIVETO SPERIMENTALE**
Salita Aicardi
Loc. Garbella
✆ 0183 704272,
320 4374467
Visite uniquement sur réservation.
Cette oliveraie expérimentale, ouverte à l'initiative de la chambre de commerce et de l'administration provinciale, expose une récolte de 54 variétés d'huiles d'olive méditerranéennes.

■**SAN GIOVANNI BATTISTA**
Collégiale baroque. L'intérieur et les trois nefs sont bordés de colonnes et de nombreuses coupoles. Les fresques sont superbes.

Shopping

■**FRATELLI CARLI**
Via Garessio, 11-13
✆ 0183 7080
www.oliocarli.it
Un nom historique dans la production d'huile et de produits alimentaires typiques.

CERVO

Accrochée au versant d'une montagne descendant à pic vers la mer, Cervo est une vieille ville médiévale aux rues parallèles, reliées par des ruelles et d'étroits escaliers qui descendent du château. Cervo a reçu le label des « Bourgs les plus beaux d'Italie » et l'on tombe aisément sous son charme. On aime ses toutes petites ruelles du centre, où la circulation des voitures est interdite, ses boutiques artisanales, ses placettes et surtout sa cathédrale majestueuse sur la piazza San Giovanni Battista dont les statues de la façade semblent régner sur la mer.

Transports – Pratique

▶ **Voiture.** Depuis la A10, sortie San Bartolomeo a Mare et poursuivre en direction Cervo.

▶ **Train.** Sur la ligne Gênes-Ventimille, la gare de Cervo-San Bartolomeo est très peu desservie ; descendre donc à Diano Marina et poursuivre pour Cervo (3 km) en bus ou en taxi.

■ **OFFICE DU TOURISME**
Piazza Santa Caterina, 2
Castello Clavesana ✆ 0183 408197
www.cervo.com
infocervo@visitrivieradeifiori.it
Du lundi au samedi de 10h à 12h30 et de 14h à 17h.

Hébergement – Restaurants

■ **CAMPING LINO**
✆ 0183 400087 – www.campinglino.it
info@campinglino.it
Emplacement 22-44 €, appartements 2 pièces (de 2 à 6 places) 40-70 €.
Situé face à la mer avec plage privée. Un camping aux infrastructures modestes mais confortables.

■ **SERAFINO**
Via Matteoti, 8 ✆ 0183 408185
www.daserafino.com – info@daserafino.com
Repas 40-60 €. Fermé le mardi.
Appartements 2 personnes 80-100€, 6 personnes 200-300€.
Da Serafino est probablement un des meilleurs restaurants de la côte. Sur une belle terrasse avec vue sur mer, vous aurez le choix entre le restaurant aux spécialités de poisson (goûtez aux spaghettis Serafino, aux fruits de mer simplement délicieux !) et le bar-gelateria pour une restauration rapide mais toujours aussi savoureuse. Serafino loue aussi 4 appartements très agréables dans le centre historique (rustiques, authentiques, spacieux avec une vue imprenable sur la côte). C'est sûrement une des meilleures adresses pour séjourner sur la Riviera des Fleurs.

Points d'intérêt

■ **CASTELLO CLAVESANA**
Il domine Cervo et constitue un exemple intéressant d'architecture civile et militaire du Moyen Age ligure (XIIIe siècle). L'édifice en pierre avec ses quatre tours d'angle fut transformé en oratoire dédié à sainte Catherine. Aujourd'hui, il héberge l'office du tourisme et le Musée ethnographique du Ponent Ligure.

■ **MUSEO ETNOGRAFICO DEL PONENTE LIGURE**
Piazza Santa Caterina, 2 ✆ 0183 408197
Du lundi au samedi de 9h à 12h et de 15h30 à 19h (16h30 en hiver). Entrée libre.
Situé dans les salles du château, le musée retrace les us et coutumes de la vie quotidienne dans la région au XIXe siècle, dans ses principales activités : agriculture, marinerie et artisanat.

■ **SAN GIOVANNI BATTISTA**
Eglise dite « aux coraux » parce que construite avec le produit de la pêche du corail. Entre le XVIIe et le XVIIIe siècle, les pêcheurs locaux plongeaient dans les eaux de la Sardaigne et de la Corse pour en ramener le précieux cnidaire. La chaire de marbre blanc du XVIe siècle est remarquable.

Manifestation

▶ **Festival international de la Musique de chambre.** Juillet-août. Un festival célèbre dans le monde entier depuis les années 1960. Très évocateurs, les concerts ont lieu sur la place de San Giovanni.

LIGURIE

■ LA RIVIERA DES PALMIERS ■

Les stations balnéaires se succèdent et se ressemblent : charmantes mais quelquefois enlaidies de résidences secondaires et d'édifices à l'architecture déplorable. Il y fait bon se prélasser sur la plage et déambuler dans les ruelles du centre-ville.
Aussi nous ne mentionnerons ici que les villes qui sortent du lot et nous semblent dignes d'un intérêt autre que balnéaire (www.inforiviera.it).

Transports

▶ **Voiture.** Toute la Riviera des Palmiers est parcourue par l'autoroute A10. La nationale Aurelia longe la côte.

▶ **Train.** Ligne Gênes-Ventimille. Liaisons quotidiennes avec Milan, Turin et Nice (www.trenitalia.it).

▶ **Bus.** La société Sar Autolinee Riviera relie toutes les autogares de la côte. Le trafic est constant et assez régulier. Attention : les horaires sont sujets à des changements saisonniers (www.sar-bus.com).

LAIGUEGLIA

Ce petit village très coloré n'est pas pour autant fantaisiste puisque les couleurs de ses façades permettaient à ses pêcheurs de se repérer.

Laigueglia est associé au commerce du corail, principale ressource économique aux XVIIe et XVIIIe siècles. De la plage, on aperçoit de majestueux palais anciens et les petites places où étaient déchargées les marchandises. Son centre piétonnier conserve son âme d'autrefois et en fait un village charmant.

Pratique

■ OFFICE DU TOURISME
Via Roma, 2 ✆ 0182 690059
www.laigueglia.net

Point d'intérêt

■ SAN MATTEO
Eglise baroque de la seconde moitié du XVIIIe siècle. Sur chacun des deux clochers, une croix est tournée dans la direction d'où soufflent le mistral et le suroît, afin de protéger les marins des tempêtes. L'intérieur, en forme de croix grecque, possède un crucifix d'Andrea de Ferrari et la *Pentecôte* de Castellino Castello.

Balade

En partant de Laigueglia, empruntez un sentier qui vous mènera d'abord parmi les maisons du bourg, ensuite entre la végétation de la colline jusqu'à Colla Micheri (30 min). Ce village pittoresque du Moyen Age a été entièrement rénové dans les années 1960 par l'ethnologue norvégien Thor Heyerdhal. De là, vous pourrez poursuivre en redescendant de l'autre côté de la colline vers Andora, par l'ancien parcours moyenâgeux. Vous croiserez plusieurs vestiges comme le Paraxo (ancien palais du XIe siècle), les églises de Saint-Jean et de Saint-Philippe, le pont et la fontaine d'époque romaine.

ALASSIO

Connue dans les années 1960 comme la ville des artistes et des dandys, Alassio a été redécouverte à la fin du XIXe siècle par les touristes anglais, comme un bon nombre d'autres villages et bourgs côtiers, devenus depuis des stations balnéaires. Aujourd'hui encore, ses villas et ses jardins évoquent l'élégante atmosphère des temps passés. En été, Alassio est très animée. Elle est réputée pour l'étendue de sa plage et la qualité de son sable fin.

Pratique

■ OFFICE DU TOURISME
Via Mazzini, 68 ✆ 0182 647027

Hébergement – Restaurants

■ PALMA
Via Cavour, 5 ✆ 0182 640314
Menu dégustation 65 €, 95 €.
Géré par la famille Viglietti depuis 1922, le Palma confirme sa réputation de halte gourmet pour les amateurs de haute gastronomie. Le repas est un véritable spectacle, au cours duquel défilent des plats d'une créativité assez exceptionnelle. Une cuisine qu'on pourrait qualifier de "métaphysique".

■ SAVOIA
Via Milano, 14 ✆ 0182 640277
Fax :0182 640125
www.hotelsavoia.it
Chambre double en pension complète 66-125 €. 10 % de réduction pour la demi-pension.
Très bien placé entre la mer et le Carrugio et ses commerces, l'hôtel Savoia offre des chambres agréables dotées de tout le confort. Restaurant donnant sur la plage privée, centre bien-être et solarium. Coup de cœur pour la vue sur la tour sarasine.

Manifestation

▶ **Élection de miss Muretto**. Fin août. Concours de beauté très célèbre en Italie, le long du Muretto depuis les années 1950.

Points d'intérêt

Le caractère typiquement ligure d'Alassio se remarque par le Budello, Via XX Settembre et Via V.Veneto. Il s'agit d'une longue ruelle très étroite parallèle à la mer, longée par des palais et des habitations populaires, certaines très anciennes. Ici se concentre l'ensemble des cafés et des boutiques artisanales.

■ IL MURETTO
Il s'agit du mur du petit jardin public qui, parsemé de céramiques, porte les signatures de nombreuses idoles du cinéma et de la chanson. L'idée émane du propriétaire d'un café qui décida d'y coller les carreaux de son établissement signés par les prestigieux artistes qu'il avait reçus. Le mur ne prétend pas concurrencer le parterre d'Hollywood, mais on y trouve tout de même de grands noms.

■ ISOLA GALLINARA
Depuis la plage d'Alassio, vous ne pouvez pas ne pas remarquer cette étrange île en forme de tortue. Il s'agit de la Gallinara,

appelée ainsi à cause des poules d'eau qui y nidifiaient dans l'Antiquité (*gallina* signifie « poule »). Au IVe siècle, elle fut le refuge monastique de saint Martin de Tours et plus tard l'emplacement d'un monastère bénédictin. Aujourd'hui, l'île est propriété privée (en vente d'ailleurs...), mais on peut toujours la contourner en bateau.

■ SANT'AMBROGIO

Eglise du XVe siècle érigée sur les restes d'un édifice plus ancien. Le portail en pierre noire de 1507 et le clocher du XIIe siècle sont des chefs-d'œuvre d'art religieux local.

Balades

Les collines au dos d'Alassio regorgent de sentiers de promenade, certaines parmi les plus intéressantes de la côte.

▶ **Promenade archéologique.** En parcourant le tracé de l'ancienne route romaine qui relie Alassio à Albenga, la Via Aurelia, vous croiserez la petite église de Capo Santa Croce (XIIe siècle) à pic sur la mer et d'autres vestiges d'époque impériale.

▶ **Solva.** Montez jusqu'à la fraction de Solva en haut sur la colline, où l'église de la Santissima Annunziata conserve une représentation du Jugement dernier en fresque du XVe siècle. Encore plus haut, le sanctuaire de la Madonna della Guardia du XIIIe siècle est rempli d'ex-voto de marins.

ALBENGA

L'antique et puissante Albium Ingaunum, capitale de la Ligurie, était l'un des centres les plus importants du Ponente. Elle fut conquise par les Romains en 181 av. J.-C., et au XIe siècle elle participa en tant que commune libre à la Ire Croisade. A partir de cette date, la ville commença à s'enrichir bien qu'elle dût se soumettre à Gênes en 1251.
Albenga possède aujourd'hui un des centres historiques les plus anciens d'Europe. Le développement du tourisme et de la production horticole (au dos de la ville s'étend la Piana, une plaine cultivable très fertile) sont les nouvelles sources d'enrichissement pour la ville.

Pratique

■ OFFICE DU TOURISME
Piazza del Popolo, 11
✆ 0182 558444

Hébergement – Restaurants

■ IL COLLETTO
Via Cavour, 34
Campochiesa
✆ 0182 21858, 335 260254
www.agriturismoilcolletto.it
ilcolletto@virgilio.it
Appartements (40, 65, 70, 90 m²) de 360 à 1 250 €, selon la taille et selon la saison.
Un agriturismo dans une belle propriété aménagée en appartements amples et confortables. Piscine et possibilité de balades à cheval. Vente de produits locaux.

■ OSTERIA DEI LEONI
Vico Averenna, 1 ✆ 0182 51937
Repas 40-60 €. Fermé le lundi et le dimanche midi.
Adresse historique de la ville, où l'on vous sert une bonne cuisine régionale, plutôt raffinée, spécialisée en plats de poisson. Bonne carte des vins. Attention, l'attente est parfois un peu longue.

■ SOLE MARE
Lungomare Colombo, 15
✆ 0182 51817 – Fax :0182 545212
www.albergosolemare.it
Simple 60-75 €, double 85-110 €.
28 chambres, dont certaines ont une terrasse sur la mer. Confortable.

Points d'intérêt

■ BATTISTERO
Ce vieil édifice ligure paléochrétien, de forme octogonale, se dresse à côté de la loggia del Palazzo Vecchio. A l'intérieur, on marche sur une belle mosaïque de style lombard du Ve siècle.

■ CIVICO MUSEO INGUANO
Piazza San Michele, 12
Palazzo Vecchio del Comune
✆ 0182 51215
Du mardi au dimanche de 10h à 12h et de 15h à 18h.
Le musée conserve des documents d'époque romaine et de l'Antiquité tardive. Le palais est également le siège de l'Istituto Internazionale di Studi Liguri. La visite comprend le baptistère et la montée à la Torre comunale, d'où on a une très belle vue d'ensemble sur Albenga.

■ MUSEO NAVALE ROMANO
Piazza San Michele, 12
Palazzo Perloso Cipolla ✆ 0182 51215

Du mardi au dimanche de 10h à 12h et de 15h à 18h. Tarif 3 €.
Expose les vestiges d'un chargement d'amphores à vin d'un navire du Iᵉʳ siècle. Le musée abrite le Centre expérimental d'archéologie sous-marine.

■ PIAZZA DEI LEONI
Entourée de maisons du Moyen Age et dominée par une tour à créneaux remontant à l'an 1300, la place est décorée de trois lions datant de la Renaissance.

■ SAN MICHELE
Construite sur une basilique paléochrétienne, l'église conserve une structure gothico-romane que n'a pas entamée sa rénovation. Le campanile de 1390 forme avec la tour de la mairie la trilogie des tours de la justice, du gouvernement et de la prière.

Shopping

▶ **Marché.** Tous les matins, fruits et légumes frais envahissent la piazza delle Erbe pour un marché haut en couleur.

Dans les environs

■ GROTTES DE TOIRANO
✆ 0182 98062
www.toiranogrotte.it
Voiture : A10 sortie Borghetto S. Spirito, poursuivre sur la provinciale vers Toirano (3 km).
Train : gare de Loano, bus pour Toirano.
De 9h30 à 12h30 et de 14h à 17h. En juillet et août 17h30, nocturne jeudi 21h. Tarif : 10 €, réduit 7 €.
Elles étaient déjà habitées durant la préhistoire. Il est tout à fait spectaculaire de pénétrer sous la montagne. Le parcours d'un kilomètre et demi vous mènera le long de méandres fantastiques aux noms curieux : le Couloir à 8, le Couloir des empreintes, l'antre de Cybèle. La plus belle des grottes est celle dite « de la Sorcière » qui, entre stalactites et stalagmites, garde de empreintes humaines. Dans la salle du Laghetto, une étendue d'eau limpide est habitée par une colonie de crustacés entièrement transparents, phénomène expliqué par l'absence totale de lumière.

BORGIO VEREZZI

Borgio Verezzi, commune unique depuis 1933, est partagée entre Borgio sur la côte et Verezzi dans l'arrière-pays. Celui-ci est accessible à pied depuis Borgio en grimpant les petites

routes qui tournent encore et encore... C'est l'un des plus pittoresques petits villages de la Riviera delle Palme, formé de quatre petits bourgs : Crosa, Poggio, Piazza et Roccaro. S'ils sont tous aussi charmants les uns que les autres, on conseillera de visiter Crosa (le plus élevé des quatre) et de redescendre sur Piazza pour y trouver un peu d'animation.

Sortir

■ TORRE DEI SASSETTI
Via Barilli, 12 ✆ 0196 10857
Une superbe terrasse d'où contempler la vue de la baie jusqu'à Andora, en sirotant un apéro au coucher du soleil ou bien un cocktail plus tard en soirée. Mojito et piña colada à tomber !

Manifestation

▶ **Festival de théâtre.** Juillet-août. Verezzi est surtout réputé pour sa saison théâtrale estivale. Les acteurs jouent dans le cadre de la place Sant'Agostino pour un spectacle dont la scène naturelle elle-même est captivante.

Point d'intérêt

■ GROTTES DE BORGIO VEREZZI
✆ 019 610650
www.grottediborgio.it
Du centre-ville suivre les indications.
Horaires des visites : 9h30, 10h30, 11h30, 15h, 16h, 17h (jusqu'à 20h en été).
Des grottes préhistoriques aux stalactites tricolores (blanches, jaunes et rouges !) et aux eaux transparentes et imperturbables.

FINALE LIGURE

Trois villages, Pia, Marina et Borg, que la récente expansion économique a soudés en une seule agglomération. Marina possède une promenade ombragée en bord de mer parmi les plus agréables de la côte. Quant à Borgo, vous y trouverez un des centres historiques parmi les mieux conservés de la région. La plage de Capo San Donato est si vaste et... publique en grande partie !

■ OFFICE DU TOURISME
Via San Pietro, 14
✆ 019 681019
finaleligure@inforiviera.it

▶ **Autre adresse :** Piazza Porta Testa, Finalborgo (ouverture saisonnière). ✆ 019 680954.

■ PERTI

Dans l'arrière pays, la fraction de Perti mérite le détour pour ses deux églises : Sant'Eusebio, de style baroque avec son beau clocher en voile et Nostra Signora di Loreto (XIVe siècle) avec cinq clochers et une architecture inspirée de la Capella Portinari de Sant'Eustorgio à Milan.

VARIGOTTI

C'est un village de pêcheurs à l'architecture typiquement méditerranéenne. Au XIVe siècle, la ville eut un port très actif qui fut ensablé par les Génois ennemis. Des vestiges des pontons en pierre sont encore visibles sous l'eau dans la baie des Sarrasins. A 10 minutes à pied de l'Aurelia, vous rejoindrez la petite église moyenâgeuse de San Lorenzo Vecchio, plantée sur un promontoire à pic sur la mer.

NOLI

L'antique et prospère république de Noli est aujourd'hui l'une des plus élégantes villes de toute la Riviera di Ponente. Noli est reconnaissable à ses 8 tours qui se profilent à l'horizon, souvenir des 72 tours érigées au XIIe siècle, époque où chaque famille qui avait fourni une galère à Gênes avait le droit de construire sa tour. Les Nolesi ont su bien préserver leur pays avec les portails en pierre, de belles habitations et les remparts qui montent jusqu'en haut de la colline. La côte aux blanches falaises calcaires qui plongent dans la mer offre un paysage fascinant.

■ SAN PARAGORIO

Cette église du XIe siècle est un des monuments les plus significatifs de la Ligurie. Trois absides tournent le dos à la mer, tandis que le portail roman regarde la colline. A l'intérieur, vous admirerez un crucifix en bois et un ambon romans, ainsi que des fresques du XIVe siècle.

SAVONA

Savona est le chef-lieu de la province. Ici, on a quitté les petits villages qui parcouraient la via Emilia jusqu'à présent, Savona est avant tout un centre commercial et industriel et ça se voit. Mais c'est surtout une importante escale maritime, comme en témoigne le volume du trafic supérieur à 15 millions de tonnes (principalement de pétrole et de charbon). Pourtant ce ne fut pas toujours le cas, puisqu'elle en perdit l'usufruit pendant plusieurs siècles. Traditionnellement opposée à Gênes, celle-ci triomphante détruisit son port en 1528, et ce n'est qu'avec Napoléon que son port fut rebâti et qu'elle put à nouveau en faire son principal atout.

Pratique

■ OFFICE DU TOURISME

Corso Italia, 157 ✆ 019 84 02321
savona@inforiviera.it
L' office du tourisme fournit une documentation exhaustive sur les villes de la côte et leur territoire. Demandez les prospectus.

Hébergement

■ ARISTON

Via Giordano, 11/r
✆ 019 805633
Fax :019 853271
www.hotelaristonsavona.it
info@hotelaristonsavona.it
Simple 40-55 €, double 60-100 €.
Hôtel simple sans prétention, mais propre et confortable. Certaines chambres ont vue sur mer. TV, minibar, coffre, parking. Convention avec l'établissement balnéaire adjacent.

Manifestation

▶ **Procession du Vendredi saint.** Tous les deux ans une procession emmène quinze remarquables sculptures anciennes en bois représentant les moments de la Passion, de la mort et résurrection du Christ à travers toute la ville.

Points d'intérêt

■ FORTEZZA DEL PRIAMAR

Corso Mazzini
✆ 019 822708
Forteresse construite en 1542. Elle abrite le Musée archéologique.

■ IL DUOMO

La cathédrale contient plusieurs œuvres d'art intéressantes. Sur la droite une "chapelle Sixtine" fut construite entre 1481 et 1483 à la demande du pape Sixte IV pour servir de mausolée à ses parents. Au XVIIIe siècle, elle fut restaurée en style rococo.

■ PALAZZO DEGLI ANZIANI

Cet ouvrage du XIVe siècle est l'un des rares édifices qui aient résisté au temps. Il en va de même des tours Corsi et Guarnieri, ainsi que du Brandale (XIIe siècle).

■ PALAZZO DELLA ROVERE

Œuvre inachevée de la Renaissance, elle fut entreprise par Sangallo, qui désirait l'inscrire dans l'environnement des maisons médiévales.

■ TORRE DI LEON PANCALDO

Elevée en souvenir du navigateur savenois, compagnon de Magellan.

■ VIA PALEOCAPA

L'artère principale de la ville est bordée d'arcades. Les rues parallèles qui mènent au port conservent des exemples de l'architecture civile médiévale.

ALBISSOLA MARINA

Outre sa vie nocturne des plus animées et festives, seule la céramique vous retiendra à Albissola. Un artisanat qui remonte au XVe siècle, à la même époque où les frères Conradi fondèrent en France la fabrique de Nevers. Le centre historique se trouve à côté du torrent Riobasco et s'étale le long de la mer.

Points d'intérêt

Promenez-vous dans les ruelles du centre parmi les boutiques des céramistes, ou bien profitez de la promenade en bord de mer, le Lungomare degli Artisti de 1963, pour admirer les pavés polychromes signés de peintres modernes (Sassu, Grippa, Capogrossi et Fontana).

■ MUSEO MANLIO TRUCCO

Corso Ferrari, 193
✆ 019 482741
Retrace l'histoire de la production céramique d'Albissola du XVe au XIXe siècle.

■ LA RIVIERA DU LEVANT

Transports

▶ **Voiture.** Autoroute A12 Gênes-La Spezia.

▶ **Train.** Ligne Gênes-La Spezia, liaisons réguilières.

CAMOGLI

Camogli se trouve dans une cuvette couverte d'oliviers et d'arbres fruitiers. C'est un ancien village de marins à l'extrémité occidentale du Golfo Paradiso. Les hommes, marins de père en fils, toujours en mer, laissaient pendant de longues périodes le village aux femmmes, d'où le nom Camogli (en dialecte *Ca de Muggé*, «la maison des femmes»). Les habitations, resserrées autour de l'ancien bourg, conservent la vieille structure des ports de pêche, avec leurs passages étroits, leurs escaliers, leurs arcades, leurs porches, leurs filets, et leurs chats qui dorment au soleil. C'est un des endroits les plus poétiques de la côte. Le soleil vient ici caresser les façades colorées des habitations dont la mer nous renvoie l'image. Il faut s'y arrêter. Il faut y rester. Il faut s'en inspirer.

Transports – Pratique

■ GOLFO PARADISO

Via Scalo, 2
✆ 0185 772091
www.golfoparadiso.it

Horaires variables selon la saison. Tarif à partir de 7 €.
Service de transport maritime touristique qui assure les liaisons entre Camogli et Recco, le promontoire de Portofino et les Cinque Terre. Vous pourrez ainsi profiter du paysage côtier depuis la mer. Une des meilleures façons de voyager dans la région.

■ OFFICE DU TOURISME

Via XX Settembre, 33
✆ 0185 771066
www.prolococamogli.it

Hébergement

■ LA CAMOGLIESE

Via Garibaldi, 55
✆ 0185 771402
Fax : 0185 774024
www.lacamogliese.it
info@lacamogliese.it
Simple 50-90 €, double 70-110 €.
Gestion familiale pour ce petit hôtel tranquille à deux pas de la mer. Chambres propres et confortables. L'hôtel est conventionné avec plusieurs établissements balnéaires et restaurants de Camogli.

■ CENOBIO DEI DOGI

Via N. Cuneo, 34
✆ 0185 7241
Fax : 0185 772796

www.cenobio.it
Simple 115-155 €, double 160-430 €.
Il Cenobio dei Dogi est le premier hôtel de grand standing ouvert à Camogli. Situé dans une villa XIXᵉ un peu à l'écart du village, c'est un endroit où tout est beau et calme. Une terrasse, une piscine et une plage privée contribuent à rendre le séjour des plus plaisants, ainsi qu'un élégant restaurant ouvert également au public.

Manifestations

▶ **Fête du poisson.** 2ᵉ dimanche de mai. En l'honneur de San Fortunato, patron des pêcheurs, sur le port, environ 2 tonnes de poissons sont frits dans une poêle et distribués à la foule.

▶ **Stella Maris.** 1ᵉʳ dimanche d'août. Une procession par bateau jusqu'à Punta Chiappa, en l'honneur de la Vierge. Le soir, les pêcheurs mettent à l'eau des milliers de bougies.

Point d'intérêt

■ SANTA MARIA ASSUNTA

Construite au XIIᵉ siècle, l'église a subi de nombreux remaniements. Sa façade néoclassique est décorée de doubles rangées de bandes d'encadrement ioniques. L'intérieur est décoré en style baroque.

RUTA

Nietsche séjourna à Ruta en 1886 et resta fasciné par cette terrasse naturelle regardant la baie de Camogli du haut de ses 269 m. Une poignée de maisons colorées s'accrochent aux pentes de la colline.
De l'église San Michele (XVIIᵉ siècle), vous pourrez emprunter un des nombreux sentiers de promenade dans le parc naturel de Portofino. Vous y découvrirez l'église Millénaire

(XIIIᵉ siècle), bel exemple de roman ligure, et le sanctuaire de la Madonna di Caravaggio (1833) à 650 m d'altitude. Le panorama est à couper le souffle !

SAN FRUTTUOSO

Minuscule bourg de pêcheurs, rejoignable uniquement par des sentiers rocheux ou par bateau, San Fruttuoso s'ouvre aux pieds du mont de Portofino, face à une petite plage de galets. L'endroit est enchanteur, encore plus hors saison quand la foule de vacanciers ne perturbe pas le calme et la beauté de ces lieux.

■ ABBAYE DE SAN FRUTTUOSO

L'abbaye bénédictine, construite en 711 et remaniée en 984, abrite un cloître sur deux niveaux, unique en son genre, ainsi que les tombes de la famille Doria.
La noble famille génoise obtint cette faveur en échange de son engagement financier auprès de la communauté religieuse. Cependant elle n'y enterra ses morts que de 1275 à 1305. Plus loin, une large tour quadrangulaire construite par Andrea Doria en 1550 avait la fonction de protéger le bourg contre les incursions des pirates turcs.

■ CHRIST DES ABYSSES

Le *Christ des abysses* est une statue en bronze, œuvre de Guido Galletti, posée à 17 m de profondeur à quelques mètres du rivage dans la baie de San Fruttuoso. L'imposant Christ aux bras ouverts, la face tournée vers la surface est le protecteur des morts en mer et de ceux qui dédient leur vie à la mer. Le dernier samedi de juillet, une procession nocturne aux flambeaux lui rend hommage.

La focaccia de Recco

Recco est une agglomération à quelques kilomètres de Camogli, sans intérêt particulier si ce n'est sa spécialité culinaire, célèbre dans l'Italie entière : la fougasse au fromage.
On raconte que les origines de ce pain à l'huile délicieusement garni de fromage coulant remontent à la IIIᵉ Croisade en 1189. C'était alors une nourriture substantielle pour les pèlerins partant en Terre sainte. Cuite sur une ardoise couverte, la *focaccia al formaggio* est désormais l'attraction du tourisme gastronomique choisi. La meilleure est sans doute produite par l'auberge-restaurant Da Ö Vittorio (Via Roma, 160 ✆ 0185 74029). Ce bistrot historique conserve, accrochées à ses murs, des photos de personnalités politiques et du cinéma venues à Recco déguster la focaccia.

PORTOFINO

Ses maisons aux façades pastel, son petit port et sa célèbre placette font de Portofino une des perles de la Méditerranée.

Depuis la moitié du XIXe siècle, Portus Delphini, comme l'appelait Pliniuis l'Ancien à cause de la forme de son promontoire, est devenu une des étapes les plus exclusives au monde, surtout grâce à sa capacité d'empêcher toute nouvelle construction depuis 50 ans.

De typiques maisons ligures entourent la baie sans plage, et dans le port sont amarrés yachts et voiliers de luxe. Boutiques, bars et restaurants glamour complètent le paysage.

Transports

Le tout petit centre de Portofino est interdit aux voitures. Un parking de 400 places est disponible, mais non seulement il est hors de prix (5 € de l'heure) mais aussi très souvent complet. Mieux vaut venir par bateau depuis Santa Margherita ou Camogli, ou par le bus 82 (toutes les 20 min, ticket 1 €) qui relie Santa Margherita, Paraggi et Portofino.

Pratique

Conseil aussi de Céline Bibi

■ **OFFICE DU TOURISME**
Via Roma, 35
℡ 0185 269024
iat.portofino@provincia.genova.it

Hébergement – Restaurants

■ **EDEN**
Via Dritto, 18
℡ 0185 269091
www.hoteledenportofino.com
Simple 80-160 €, double 140-280 €, triple 160-300 €.
Situé à 20 m du port, ce qui a ses avantages et ses inconvénients, notamment pour ceux qui ont un sommeil léger. Un peu vieillot, l'hôtel Eden reste cependant une des rares adresses à prix encore accessibles à Portofino.

■ **TRATTORIA TRIPOLI**
Piazza Martiri Olivetta, 49
℡ 0185 269011
Repas 20-40 €. Fermé le dimanche.
Parmi les prix très élevés des restaurants de Portofino, qui ne sont pas toujours à la hauteur, voilà un endroit où non seulement les prix sont abordables et la cuisine régionale est savoureuse, mais aussi où vous aurez l'occasion de croiser des Italiens et pas uniquement des touristes.

■ **U PIN**
Loc. Pino 2°
℡ 338 115372
Repas 30 €. Fermé d'octobre à mars.
Réservation obligatoire.
Un coin de paradis en dehors de la foule et du luxe ostentatoire. U Pin n'est qu'à 30 min

© AUTHOR'S IMAGE

Portofino

de marche du centre. En haut de la colline entourée de pins maritimes, Emanuela vous reçoit pour dîner ou pour dormir (U Pin est aussi agriturismo). La terrasse vue sur la baie est à couper le souffle, la cuisine aussi, et tout est simplement unique au monde.

Points d'intérêt

■ CASTELLO BROWN
✆ 334 5875878
www.castellobrown.com
En saison, du lundi au dimanche de 10h à 19h, les vendredi et samedi de 10h à 22h. Tarif : 6 €, réduit 4 €.
Anciennement forteresse San Giorgio, ses origines remontent au XVIe siècle. Sa fonction fut toujours celle d'une tour de guet militaire par sa position stratégique sur la baie. En 1870, le consul d'Angleterre Sir Brown acheta la propriété et en fit sa demeure privée. Aujourd'hui, elle accueille événements culturels et expositions.

■ SAN GIORGIO
Reconstruite en 1950 sur les ruines d'un édifice du XIIe siècle, l'église conserve les reliques du saint.

Shopping
Le long de la Calata Marconi et autour du port, toutes les grandes marques de luxe attendent une clientèle conforme aux lieux. Via Roma, la boulangerie Canale est réputée pour ses excellentes *focacce*.

Dans les environs
Sous l'église de San Giorgio, une petite route conduit en 15 min, entre oliviers et jardins, au phare qui s'accroche à la roche Punta del Capo.
Là, de mars à novembre et de 9h30 à 20h, vous attendent deux petites tables, quelques rafraîchissements et l'horizon à perte de vue...

PARAGGI
Le long de l'étroite route qui relie Portofino à Santa Margherita, dans une petite crique entre terre et mer se trouve la baie de Paraggi, anciennement port de pêcheurs et aujourd'hui localité balnéaire recherchée à la plage de sable fin. Ici se donne rendez-vous la jet-set de la côte, la journée aux Bagni Fiore (✆ 0185 284870) et le soir au dancing glamour le Carillon (✆ 0185 286721).

SAN MARGHERITA LIGURE
Une promenade de bord de mer élégante, ombragée de chênes verts et de palmiers, qui conduit de la piazza Vittorio Veneto jusqu'au port où se succèdent des yachts ancrés dans le port touristique, des hôtels et des propriétés de vacances. Derrière s'ouvre le village avec ses maisons décorées de fresques en trompe-l'œil. Santa, comme l'appellent les Italiens, est un lieu de séjour très fréquenté et des plus animés de la côte.

Transports

■ BUS ATP
Piazza Vittorio Veneto ✆ 0185 288834
La ligne 82 relie Santa Margherita à Portofino toutes les 20 minutes. La ligne 73 fait la liaison jusqu'à Camogli.

■ SERVICE MARITIME
✆ 0185 284670
www.traghettiportofino.it
Possibilité de se rendre facilement à Portofino et dans les autres localités de la côte en bateau, de Portofino jusqu'aux Cinque Terre, et même Gênes. Départ depuis la piazza Martiri della Liberta.

■ TAXI
✆ 0185 286508

Pratique

■ OFFICE DU TOURISME
Piazza Vittorio Veneto
✆ 0185 287485
iat.santamargheritaligure@provincia.genova.it

■ PARCO NATURALE REGIONALE DI PORTOFINO
Viale Rainusso, 1 ✆ 0185 289479
www.parcoportofino.it
L'Ente Parco s'occupe de la sauvegarde et de la promotion du parc régional du Promontoire de Portofino. Ici, on pourra vous fournir tous les renseignements relatifs aux promenades et aux randonnées. Le Parc propose également des itinéraires thématiques guidés très intéressants pour découvrir la région de façon originale.

Hébergement

■ AGRITURISMO ROBERTO GNOCCHI
Via Romana, 53
✆ 0185 283431, 333 6191898
www.villagnocchi.it

Accès voitures Via San Lorenzo, 29.
Simple 70-85 €, double 90-105 €.
Un petit coin de paradis entre les oliviers et les orangers, loin du chaos de la côte. Les chambres spacieuses et confortables sont dotées de tout le confort, et une belle terrasse où est servi le petit déjeuner offre une vue spectaculaire sur la baie et sur la colline.

■ CONTINENTAL
Via Pagana, 8
✆ 0185 286512
www.hotel-continental.it
continental@hotel-continental.it
Simple 105-145 €, double 64-107 €.
Superbement situé en bord de mer, entouré par un parc, le Continental offre un service excellent. Il est géré par la même famille depuis le début du XXe siècle. Les espaces sont frais et très lumineux, et l'hôtel dispose d'une plage privée, d'une salle de fitness et d'un centre bien-être.

■ JOLANDA
Via Costa, 6
✆ 0185 287512
Fax :0185 284763
www.hoteljolanda.it
info@hoteljolanda.it
Simple 68-98 €, double 104-164 €.
Excellent rapport qualité-prix pour cet hôtel en position centrale, à 100 m de la mer. Une décoration agréable, pour des chambres accueillantes et spacieuses. Jolie véranda et salle de fitness.

Restaurants

■ LA STALLA
Via G. Pino, 27
Fraz. Nozarego
✆ 0185 291438
Repas 60-80 €. Fermé le lundi et en novembre.
Ambiance élégante pour ce restaurant très aimé par les Italiens habitués des lieux. Très beau site sur la colline où déguster une excellente cuisine locale, à l'intérieur dans la salle au décor raffiné ou bien sur la terrasse panoramique donnant sur le golfe. Spécialité : risotto aux fruits de mer.

■ TRATTORIA DEI PESCATORI
Via Bottaro, 43
✆ 0185 246783
Repas 20-30 €. Fermé le mardi.
La plus ancienne brasserie de Santa Margherita, présente depuis 1910, a su résister aux établissements glamour installés dans les alentours. Un endroit simple et authentique où déguster une cuisine de mer qui varie selon les arrivages du marché.

Points d'intérêt

■ CHIESA DEI CAPPUCCINI
Edifiée en 1608, elle conserve un crucifix du XVe siècle et une sculpture d'art provençal du XVIIIe.

■ VILLA DURAZZO
Piazzale San Giacomo, 3
✆ 0185 293135
www.villadurazzo.it
Tous les jours de 9h à 13h et de 14h30 à 19h, en hiver de 14h à 17h. Tarif : 5,50 €, réduit 3 €.
Elégante villa érigée par les marquis génois Durazzo au XVIIe siècle, désireux d'une résidence d'été. Meublée fastueusement, elle conserve une belle collections d'objets d'art anciens. La Villa est entourée d'un parc où pins maritimes et plantes exotiques se cotoient.

Shopping

■ FRATELLI SEGHEZZO
Via Dogali, 25
✆ 0185 280803
Un épicerie de renom à Santa Margherita, étape obligée pour faire des réserves de pesto et de pâté aux olives. L'écrin est aussi beau que ce qu'il contient, avec ses boiseries et ses pavements en marbre d'époque.

SESTRI LEVANTE

Une très fine bande de terre prise entre deux golfes et un promontoire rocheux. Sa beauté a enchanté des écrivains célèbres, comme Andersen qui l'a décrite comme la « baie des fées ». Du Sestri d'autrefois, quand elle était une étape sur la route pour Padania, il reste quelques maisons dans le centre historique. A celles-ci se sont ajoutés des demeures élégantes et des hôtels de charme, si bien que le village est devenu un centre balnéaire à la mode.

Pratique

■ OFFICE DU TOURISME
Piazza Sant'Antonio, 10
✆ 0185 457011
www.sestri-levante.net

Du lundi au samedi de 9h30 à 12h30 et de 14h30 à 18h (fermeture à 17h30 en hiver), le dimanche de 15h à 18h.

Hébergement

■ DUE MARI
Vico del Coro, 18
Sestri Levante ✆ 0185 42695
Fax :0185 42698
www.duemarihotel.it – info@duemarihotel.it
Double 100-180 €.
Un antique palais s'ouvrant sur les deux golfes, d'où son nom de Due Mari (Deux Mers). Les salles du restaurant donnent sur un beau jardin intérieur. Les chambres meublées avec goût sont dotées de tout le confort. Un parking et une plage privée sont à la disposition des clients.

■ GRAND HÔTEL DEI CASTELLI
Via Penisola di Levante, 26
✆ 0185 487020
Fax :0185 44767
www.hoteldeicastelli.com
info@hoteldeicastelli.com
Simple 110-130 €, double 210-270 €.
Le financier Riccardo Gualino, désireux de se retirer des affaires vers 1920, construisit cette demeure de vacances fantastique, aujourd'hui transformée en hôtel de standing entouré par un parc enchanteur. Les trois châteaux se partagent 50 chambres au décor harmonieux et intime, et au restaurant gastronomique vous pourrez profiter d'une belle vue sur la mer.

■ SAMUELE RANCH
Via Fiume, 12
Castiglione Chiavarese
✆ 0185 408256, 333 9375850
www.samueleranch.com
20 € par personne, 40 € en B&B avec dîner et possibilité d'équitation.
A 10 km de la côte, Etta et son mari Alberto vous accueillent dans leur agriturismo dédié aux chevaux et à l'équitation, entouré par la végétation des collines de Sestri. Le logement est rustique mais plein de charme, et les balades à cheval sont passionnantes !

Restaurants

■ ASSEU
Via G.B. da Ponzerone, 2 ✆ 0185 42342
Repas 30-50 €.
L'excellente réputation de Asseu remonte aux années 1970. En bord de mer, à la sortie du tunnel qui mène de Sestri à la fraction de Riva Trigoso, vous admirerez de sa terrasse un des plus beaux couchers de soleil de la côte. Une cuisine de poisson selon arrivage du marché (goûtez aux antipasti de mer froids et chauds) et une bonne carte des vins participent à rendre le cadre des plus agréables. Pensez en réservant à demander une table en bord de terrasse pour pouvoir profiter d'une meilleure vue.

■ CONTE MAX
Via Lungomare Descalzo, 26
✆ 0185 41250
Repas 15-30 €.
Bien qu'un peu trop touristique, le Conte Max fait la meilleure pizza de Sestri, fine, croquante et filante. Elles sont cuites au feu de bois, et vous aurez le choix entre plus que 100 pizze différentes.

■ EL PESCADOR
Via P. Queirolo, 1
✆ 0185 42888
Repas 30-40 €. Fermé le mardi et lundi et mercredi midi.
Sur le port, un restaurant où triomphe une des meilleures cuisines de mer de la région : antipasti de poisson chauds et froids, dorade grillée, sauté de moules...

Points d'intérêt

Le charme de Sestri tient au fait que son agglomération se développe autour de deux baies, séparées par le promontoire des Castelli : la baie des Fées ou des Fables, vivante et animée par les nombreux établissements balnéaires, et la baie du Silence plus recueillie et romantique liée aux anciens rites de la pêche.

■ MUSEO GALLERIA RIZZI
Via Cappuccini, 4
✆ 0185 41300
De mai à septembre de 16h à 19h (de juin à septembre, le jeudi de 21h à 23h). Tarif : 3 €.
Collection de peintures, sculptures et objets d'art du XVIe au XIXe siècle. Parmi les toiles et les estampes, beaux exemples de peinture flamande et *La Mort d'Euridice* par Giulio Romano.

■ SAN PIETRO IN VINCOLI
Au cœur du vieux Sestri, l'édifice construit en 1640 était un couvent capucin. L'urbanisation progressive de la ville obligea les Capucins à abandonner l'église au clergé séculier et à s'installer dans un lieu plus tranquille sur la colline près de la baie du Silence.

■ SANTA MARIA DI NAZARETH

Erigée au XVIIe siècle, l'église présente un pronaos classique. A l'intérieur, elle conserve plusieurs toiles baroques et une belle pietà en bois. Au XVIIIe siècle, l'église fut élevée au rang de cathédrale.

Shopping

■ BAR CENTRALE

Corso Colombo, 43
Etape obligatoire pour des sorties nocturnes, vous y trouverez les meilleures glaces.

■ TOSI

Vecchio Caruggio, 124
La meilleure focaccia à l'huile de la côte.

Dans les environs

Deiva Marina

Deiva Marina est un village médiéval qui s'étale le long d'une plage tranquille de sable et de galets. L'église de Sant'Antonio Abate, construite en 1730, conserve des tableaux des XVIIIe et XIXe siècles et un orgue mécanique de la marque Agati de 1848.

Monte Castello

Une autre idée d'escapade à partir de Sestri Levanti : un sentier démarre de la via XXV Aprile et monte, entre pins et maquis, au couvent des Capucins. Il s'achève au monte Castello (265 m), qui domine la punta Manara.

LA SPEZIA

Napoléon a aussi écrit à propos du site : « *C'est le plus beau port de l'univers, sa rade est supérieure à celle de Toulon, sa défense est facile tant sur terre que par mer.* » De fait, si La Spezia est la plus grande base navale militaire italienne et un important port de marchandises, ce n'est pas un hasard. Au Moyen Age, La Spezia était un petit village (acheté et fortifié par les Fieschi) qui, en 1276, passa à la république de Gênes. La cité médiévale s'est développée au pied del Poggio et autour de la via del Prione. Les fortifications remontent aux XIVe et XVIIe siècles. La Spezia connut une véritable révolution urbaine et industrielle entre 1860 et 1865, avec le transfert dans son port de la marine militaire basée à Gênes et la construction de l'arsenal de Cavour. Elle conserve de cette époque une structure urbaine particulière, avec de longues rues ombragées. La ville moderne s'est développée à partir des années 1920, vers l'est et dans la plaine de Migliarina.

Transports

■ NAVIGAZIONE GOLFO DEI POETI

✆ 0187 732987
www.navigazionegolfodeipoeti.it
8 € aller-retour pour Portovenere, 15 € pour les Cinque Terre.
Nombreux départs en bateau depuis le port (passeggiata Morin) pour les villes les plus importantes du golfe. Départ quasiment toutes les heures entre 10h et 17h.

■ TAXIS

✆ 0187 523522

Pratique

■ ANTENNE CONSULAIRE

Via Sapri, 81
✆ 0187 770554

■ OFFICE DU TOURISME

Viale Italia, 5
✆ 0187 770900
www.aptcinqueterre.sp.it

■ POSTE

Piazza Verdi
✆ 0187 79621
Du lundi au samedi de 8h à 18h30.

Hébergement

■ B&B MARE E MONTI

Via Genova, 523
✆ 0187 717854, 339 1296569
www.mareemonti.it
Simple 20-40 €, double 40-80 €.
Ambiance familiale dans ce B&B entre mer et montagne, à l'entrée des Cinque Terre et à 5 min de la gare de La Spezia.

■ FIRENZE CONTINENTALE

Via Paleocapa, 7
✆ 0187 713210
Fax :0187 713200
www.hotelfirenzecontinentale.it
info@hotelfirenzecontinentale.it
Simple 66-102 €, double 74-150 €.
A deux pas de la gare et quelques centaines de mètres de la rue commerçante et piétonne la plus importante. Personnel accueillant et professionnel.

Restaurants

■ TAVERNA DI DONNA PAOLA

Via Sant'Agostino, 19
✆ 0187 751741

Repas 25-35 €.
Brasserie de quartier, romantique et charmante, dans le centre historique de La Spezia. Cuisine traditionnelle et savoureuse, surtout les plats de poisson et les pâtes. Essayez la *crudaiola*, pâtes avec de la tomate fraîche, de la ricotta et du jambon... délicieux !

■ TRATTORIA CARAN DI MALAVASI GIOVANNA
Via Genova, 1
✆ 0187 703777
20-30 €. Fermé le mardi et en novembre. Réservation obligatoire. 80/200 couverts. Jardins.
A l'extérieur, on trouve encore les bancs où s'asseyaient autrefois les charretiers pour se restaurer de saucisson et de vin. Spécialités : la *mesciua* (une soupe rustique) et de nombreuses variétés de poissons (anchois frais) et fruits de mer.

■ TRATTORIA DA DINO
Via Cadorna, 18
✆ 187 735435
Repas 20-30 €. Fermé lundi et dimanche soir.
Gestion familiale pour cette brasserie de quartier, qui sert une cuisine régionale copieuse et savoureuse. Bonne carte des vins.

Manifestations

▶ **Palio del Golfo/ Festa del Mare.** 1er dimanche d'août. Les embarcations représentent les 13 villages du bord de mer tentent de gagner la coupe. Un défilé précède la course qui se termine par un feu d'artifice.

▶ **San Giuseppe**. 19 mars. Saint Joseph est le saint patron de la ville. Un marché important attire 800 vendeurs ambulants le long du viale Mazzini et du viale Italia.

Points d'intérêt

■ ARSENALE DELLA MARINA MILITARE
✆ 0187 784695
Visites uniquement sur demande.
Erigé par volonté de Cavour entre 1860 et 1865, il occupe tout le secteur sud de la ville et constitue la principale base maritime de l'Alto Tirreno. A côté de témoignages d'archéologie industrielle, l'arsenal est un témoin important des secteurs d'avant-garde dans les activités navales.

■ MUSEO AMEDEO LIA
Via del Prione, 234 ✆ 0187 731100
Du mardi au dimanche de 10h à 18h. Tarif : 6 €, réduit 4 €. Billet cumulable 12 €, valable 72 heures pour les musées Lia, del Sigillo, del Castello, Ethnographique, Diocésain et le Centre d'art moderne et contemporain.
C'est une très riche collection privée qui est ici présentée dans un ancien couvent du XVIIe siècle. Donation d'Amadeo Lia, elle regroupe des objets d'art, des manuscrits enluminés et des peintures allant de l'Antiquité jusqu'au XVIIIe siècle.

■ MUSEO DEL CASTELLO
Via XXVII Marzo
✆ 0187 751142
Du mercredi au lundi, en hiver, de 9h30 à 12h30 et de 14h à 17h. En été, de 9h30 à 12h30 et de 17h à 20h. Tarif : 5 €, réduit 4 €. Billet jumelé avec le Museo A. Lia et le Museo del Sigillo 8 €. Il domine la cité médiévale. Bâti au XIIe siècle, en même temps que les remparts de Nicolo Fieschi, le château fut reconstruit en 1327. On lui ajouta un second rempart. L'édifice conserve sa forme originelle avec un bastion arrondi et des bastions d'angle du XVIIe siècle. Il renferme aujourd'hui le Musée archéologique.

■ MUSEO DEL SIGILLO
Via del Prione, 236
Palazzina delle Arti "L.R. Rosaia"
✆ 0187 778544
Le mardi de 16h à 19h, du mercredi au dimanche de 10h à 12h et de 16h à 19h. Tarif : 3,10 €.
La plus grande collection au monde de cachets, depuis l'Antiquité jusqu'à nos jours.

■ MUSEO TECNICO NAVALE
Viale Amendola, 1
✆ 0187 783016
En été de 8h30 à 18h30, en hiver de 10h15 à 15h45. Tarif : 1,55 €.
Situé près de l'arsenal de la Marine militaire, le musée est un des plus prestigieux au monde. On y admire une importante collection de figures de proue, d'armes, de reliques et de pièces essentielles à la compréhension de la navigation moderne.

■ SANTA MARIA ASSUNTA
Piazza Beverini
Construite en 1271, l'église fut plusieurs fois agrandie et rénovée. La façade est postérieure. L'intérieur conserve un vitrail d'Andrea Della Robbia.

LIGURIE

Shopping

Via del Prione, via Chiodo et corso Cavour sont les rues du shopping.

■ FOIRE AUX ANTIQUAIRES

Piazza del Mercato
1er dimanche du mois.

LERICI

Appelé la «perle du golfe», Lerici se situe dans une des plus belles baies de la Riviera du Levant. Riche de témoignages historiques et artistiques, la ville entretient sa réputation de centre balnéaire agréable et moderne. Le territoire a longtemps été une des étapes privilégiées par les artistes et par les écrivains célèbres. Ainsi c'est par le nom de golfe des Poètes que Lerici est le plus connue. C'est dans ses eaux d'ailleurs que le poète anglais Shelley se noya après un naufrage. L'ensemble du territoire autour de Lerici comprend à l'intérieur des terres des bourgs pittoresques reliés entre eux par des sentiers panoramiques. Le long de la côte, des petites criques rocheuses se dévoilent au visiteur, comme celle de Fiascherino accessible pour la baignade ou Tellaro qui est entre autres un petit joyau architectural.

Transports – Pratique

▶ **Parking.** Le centre historique est fermé à la circulation. Plusieurs parkings se trouvent vers San Terenzo et le long du Lungomare Biaggini, mais attention, en haute saison, ils sont souvent pleins.

▶ **Train.** Gare de La Spezia. Depuis la gare, bus "L" (✆ 0187 522511 - n° vert 800322322), trajet de 20 min.

▶ **Bateau.** Consorzio navigazione Golfo dei Poeti (✆ 0187 732987). Tour du golfe, Cinque Terre, Portovenere, Portofino.

■ OFFICE DU TOURISME

Via Biaggini
Loc. Venere Azzurra
✆ 0187 967346
www.comune.lerici.sp.it
En saison de 9h à 12h et de 15h à 17h.

Hébergement – Restaurants

■ DORIA PARK HOTEL

Via Doria, 2
✆ 0187 967124
Fax :0187 966459
www.doriaparkhotel.it
info@doriaparkhotel.it
Simple 75-150 €, double 105-170 €, triple 150-210 €. Parking. Service navette pour le centre-ville. Une adresse à Lerici que la famille Beghé s'applique à rendre unique. Légèrement en hauteur par rapport au port et à la piazza Garibaldi, le Doria Park Hotel entouré de verdure jouit d'une vue magnifique sur le golfe. Les chambres amples, au mobilier et tissus particulièrement bien choisis, sont pourvues de tout le confort. Le petit déjeuner, servi jusqu'à 12h, a été récompensé en tant que meilleur petit déjeuner hôtelier en Italie. Le restaurant I Doria propose un menu savoureux de grande qualité, avec comme spécialités les plats de poisson.

■ PAOLINO

Via Gerini, 50 ✆ 0187 967801
Repas 15-30 €. D'octobre à mai, fermé le mardi. De dehors, Paolino ne paie pas de mine. Il cache en réalité une agréable salle, aux tables soignées, peintures marines aux murs et musique jazzy en fond sonore. Une atmosphère à la fois chic et conviviale. Dans l'assiette, le meilleur de la mer. Rien à redire, avec en plus un service souriant et très attentionné.

■ SHELLEY

Lungomare Biaggini, 5
✆ 0187 968 204
Fax :0187 964271
www.hotelshelley.it
info@hotelshelley.it
Simple 80-120 €, double 130-170 €.
La vue depuis les chambres embrasse le golfe des Poètes. Cet hôtel confortable, adresse

historique à Lerici, offre une terrasse sur la mer et un centre de bien-être où l'on peut se laisser aller aux massages les plus relaxants. A deux pas du centre-ville et de l'embarcadère pour les excursions vers Portovenere et les Cinque Terre, l'hôtel Shelley constitue une halte de choix dans un cadre idyllique.

Manifestation

▶ **Noël sous-marin.** La nuit de Noël, à San Terenzo et à Tellaro, des plongeurs ressortent de l'eau en portant avec eux un Petit Jésus... Entre décoration et chorales, le spectacle est saisissant.

Points d'intérêt

■ CASTELLO

✆ 0187 969042

Du mardi au dimanche de 10h30 à 12h30 et de 14h30 à 18h. Horaires variables selon les saisons. Tarifs : 5 €, 3,50 €, majoration de 2 € si évènement spécial.

La construction du château en position stratégique sur la baie débute à l'époque des guerres entre les républiques marinières vers la fin du XIIe siècle. Les Pisans alors vainqueurs sur les Génois construisirent le premier noyau, renforcé ensuite par les Génois qui firent élever la tour pentagonale, le corps principal et les remparts. Une dernière intervention en 1555 lui donna son aspect définitif de forteresse militaire. Le château est aujourd'hui le siège du Musée géopaléontologique, créé suite à la découverte d'empreintes préhistoriques dans la région.

■ VILLA MAGNI

San Terenzo

Construite au XVIe siècle en tant que monastère pour les pères Barnabites, la Villa Magni est célèbre pour avoir été la demeure de Percy Shelley et de sa femme Mary d'avril à septembre 1822. Aujourd'hui, la villa est propriété privée et rarement ouverte au public.

Dans les environs

Barbazzano

Au-dessus de Fiascherino, vous pourrez apercevoir, au milieu des oliviers, les ruines du village de Barbazzano. Au XIIIe siècle, le bourg passa des Pisans aux Génois, jusqu'au XIVe siècle quand une épidémie de peste força les habitants à l'abandonner et à fonder Tellaro et Fiascherino sur la côte.

PORTOVENERE

A l'extrémité occidentale du golfe, à 12 km de La Spezia, Portovenere est l'une des perles de la Ligurie et une étape romantique des amoureux de la mer. Jusqu'au XVe siècle, ce fut la sentinelle de Gênes ainsi qu'une étape marchande. Les deux blocs d'édifices construits sur les flancs du Carruggio représentaient une double ceinture protectrice. Les *case torri* polychromes s'ouvrent sur la jetée Doria et sur le petit port.

Transports – Pratique

▶ **Train.** Gare de La Spezia. Bus à la sortie de la gare (20 min). ✆ 0187 522511.

▶ **Bateau.** Navigazione Golfo dei Poeti. ✆ 0187 967676. La Spezia-Cinque Terre-Portofino.

■ OFFICE DU TOURISME

Piazza Bastreri, 7
✆ 0187 790691
www.portovenere.it
De jeudi à mardi de 10h à 12h et de 16h à 20h. Fermé le mercredi.

■ PARCO NATURALE REGIONALE DI PORTOVENERE

Via Garibaldi, 9
✆ 0187 794823
www.parconaturaleportovenere.it
Le parc s'occupe de la sauvegarde et de la promotion du patrimoine artistique, culturel et environnemental de la région, reconnu patrimoine mondial de l'humanité par l'Unesco en 1997. Ici vous pourrez obtenir des informations détaillées sur les sentiers de randonnée et sur les sites de plongée les plus intéressants.

Hébergement – Restaurants

■ GENIO

Piazza Bastreri, 8
✆ 0187 790611
www.hotelgenioportovenere.it
info@hotelgenioportovenere.it
Simple 75-90 €, double 100-135 €.
Dans l'ancienne tour du port et dans une partie des remparts moyenâgeux, l'hôtel Genio a installé 7 chambres simples mais confortables, idéales pour de courts séjours. La véranda a aussi beaucoup de charme.

■ GRAND HÔTEL PORTOVENERE

Via Garibaldi, 5
✆ 0187 792610

Fax :0187 790661
www.portovenerehotel.it
Simple 85-139 €, double 117-275 €.
Ancien couvent du XIIIᵉ siècle, le Grand Hôtel
Portovenere est une belle structure 4-étoiles
dotée de tout le confort. A deux pas de l'embarcadère et des rues commerçantes, les
chambres côté mer ont une très belle vue
sur l'île Palmaria.

■ LOCANDA LORENA
Via Cavour, 4
Isola Palmaria
✆ 0187 792370
Fax :0187 766070
www.locandalorena.com
info@locandalorena.com
Repas 40-70 €.
Un petit coin de paradis en dehors du chaos
du port de Portovenere. On arrive à la Locanda
Lorena uniquement par le taxi boat du restaurant qui fait régulièrement des aller-retour. En
terrasse ou sous la véranda, cette auberge
de charme propose une cuisine de poisson
absolument divine. La fraîcheur des homards,
des coquillages et des poissons grillés vous
titille les papilles, au point que vous aurez
aussitôt envie de revenir.
La Locanda Lorena est aussi B&B, l'endroit
idéal pour se reposer au calme dans de jolies
chambres aux tons pastel.

Manifestations

▶ **San Venerio.** 13 septembre. Chaque année
à l'occasion des célébrations en souvenir
de l'ermite Venerio qui se retira sur l'île
du Tino, aujourd'hui zone militaire, l'île est
ouverte au public. Il est ainsi possible de
visiter les restes de l'abbaye et du cloître
romans.

▶ **Fête de la Madone blanche.** 17 août. On
raconte qu'un ancien parchemin décoloré,
à l'image de la Vierge à l'enfant, sauva
Portovenere de la peste et de la guerre au
XIIIᵉ siècle en reprenant miraculeusement
ses couleurs. Pour l'occasion, une immense
procession aux flambeaux est organisée,
ce qui donne de loin une vue de la ville
particuilèrement évocatrice.

Points d'intérêt

■ CASTELLO
*Du lundi au jeudi de 10h à 13h et de 14h à
17h, les vendredi, samedi et dimanche de 11h à
13h et de 14h à 18h.* Cette forteresse militaire
génoise, dont la première structure fut érigée

au XIIIᵉ siècle, fut remaniée par la suite au XVIᵉ
siècle. Après le passage de Napoléon en 1797,
elle fit office de prison politique.

■ GROTTA DELL'ARPAIA
Vous rejoindrez la grotte, appellée également
"grotte de Byron", en descendant l'escalier
rapide, à côté de San Pietro. Une inscription
rappelle que d'ici le poète anglais Lord Byron
plongea pour entreprendre un courageux tour
du golfe à la nage.

■ SAN LORENZO
Construit par les Génois au XIIᵉ siècle en tant
que basilique officielle, l'édifice fut érigé par
l'atelier du Magistri Antelami, grand architecte
de l'époque romane.
Il subit par la suite plusieurs remaniements qui
modifièrent quelque peu son unité romane. A
l'intérieur est conservée la représentation de
la Madone blanche, protectrice de la ville.

■ SAN PIETRO
Située sur un rocher protégé des assauts de
la mer, cette église aurait été construite par
saint Pierre lui-même, sur les ruines d'un
temple dédié à Vénus.

Shopping

■ BAJEICO
Via Cappellini, 70
✆ 0187 792179
Dans ce laboratoire du goût, Mamma Laura
travaille ses ingrédients, dont le *basejco*
(«basilic» en génois) sous les yeux gourmands
du public. Des dégustations sont organisées, mais à cause d'une foule toujours plus
nombreuse un distributeur automatique de
pesto (10 € le pot) a été installé à l'extérieur
de la boutique !

Dans les environs

Isola Palmaria
En face de Portovenere, l'île de la Palmaria
est très fréquentée en été pour la baignade
dans des eaux d'une transparence exceptionnelle. Vous pourrez en outre partir en
randonnée et visiter les nombreuses grottes
ainsi que les batteries militaires du XIXᵉ siècle.
Incontournable, le restaurant Locanda Lorena,
le meilleur du coin !

■ GRAZIE
Village à quelques kilomètres avant d'arriver
à Portovenere, Grazie se trouve dans une
petite crique très pittoresque. On y visite

le site archéologique de la villa romaine du Varignano, le couvent des Olivétains aux fresques du XIVᵉ siècle très bien conservées et le sanctuaire de Notre-Dame-des-Grâces de style gothique tardif.

SARZANA

Aux confins de la Ligurie et de la Toscane, la ville a toujours occupé une position stratégique, économique et politique importante. Le centre historique se situe le long de l'antique route Francigena, qui reliait Rome aux Flandres. Les palais les plus importants se trouvent sur cette artère.

Pratique

■ OFFICE DU TOURISME
Piazza San Giorgio
✆ 0187 620419
En été, du mardi au dimanche de 10h à 12h et de 17h à 20h.

Points d'intérêt

■ FORTEZZA FIRMAFEDE
Imposante forteresse militaire voulue par Laurent le Magnifique en 1487, quand la ville était sous domination des Médicis.

■ SAN FRANCESCO
L'église, bien rénovée, date du XIIIᵉ siècle. L'intérieur, à une seule nef, conserve d'importantes sculptures.

■ SANTA MARIA ASSUNTA
Cette cathédrale représente à elle seule un témoignage de plusieurs courants artistiques : un portail roman, un fronton gothique, des autels, plafonds et peintures baroques. La pièce maîtresse est cependant un crucifix peint sur bois de Mastro Guglielmo en 1138. Il s'agit du plus ancien crucifix sur bois au monde.

■ SANT 'ANDREA
Via dei Fondachi
L'antique église, baptistère et siège de la jurisprudence de la commune, a une façade avec un portail du XIVᵉ siècle.

Balade

A partir de la Porta Romana, la rue plantée de platanes suit l'ancien tracé de la via Aurelia. Il y a aussi la belle route panoramique de deux kilomètres qui monte à la forteresse de Sarzanello. De là, on a une vue admirable sur toute la plaine du fleuve Magra.

Manifestation

▶ **Soffitta in Strada** (le grenier dans la rue). Août. Véritable marché d'antiquités-brocante à travers les rues de la ville.

Shopping

Sarzana est célèbre pour les nombreuses boutiques d'artisanat et les ateliers de restauration d'antiquités et mobilier ancien.

■ GEMMI
Via Mazzini, 21
✆ 0187 620165
Pâtisserie, salon de thé, glacier, ce café fait partie des boutiques historiques de la ville. Il est situé dans un ancien palais avec une jolie terrasse avec loggia qui fait aussi restaurant. Ses spécialités sont les *spungate*, des pâtisseries à l'œuf et à la pâte d'amande.

■ LES CINQUE TERRE

Qui n'a jamais fermé les yeux pour s'évader et rêver de ce lieu insolite, poétique, romantique et authentique, où la mer d'un bleu profond vient se divertir sur les rochers, où la nature est brute, les maisons colorées, et l'air frais et parfumé ? Qui n'a jamais, sans le savoir, rêver des Cinque Terre ? Cet endroit si beau, si majestueux, si authentique, si peu propice à la vie moderne et mercantile qu'il fut peu à peu délaissé jusqu'à être répertorié parmi les cent sites de la planète en voie de disparition. C'est alors qu'avec courage, volonté et une détermination tout entière, ceux qui chérissent cette région ont rassemblé leurs forces pour redonner vie à ces lieux. Un travail colossal a alors été réalisé pour réhabiliter ces terres mais aussi un certain « savoir-faire ». Les hommes ont arraché à la montagne d'étroites bandes de terre afin d'y cultiver la vigne qui donne l'inimitable sciacchetrà. Tout autour, c'est un paysage où la beauté de la nature se marie à celle de l'œuvre humaine. Le parc national s'emploie, depuis lors, à préserver cette nature sans jamais la contredire et surtout à garder sous contrôle le développement touristique lié à la beauté des lieux.

Vignobles des Cinque Terre

Il gère ainsi ses propres structures d'accueil, son réseau ferroviaire, et sa production agricole afin d'assurer un développement modéré et en accord avec sa terre. Avec ses 3 500 ha, le parc est un paradis pour les marcheurs, qui seront ravis de fouler les sentiers qui serpentent au milieu des vignes, des oliviers et du vert maquis méditerranéen.

Monterosso, Vernazza, Corniglia, Manarola, Riomaggiore, ainsi sont nommées ces terres accrochées à une côte rocheuse et sauvage.

S'il fallait trouver un seul désavantage aux Cinque Terre, il faudrait souligner l'invasion massive des touristes en haute saison. L'intensification touristique, pourtant nécessaire à l'économie locale, a déjà apporté ses effets néfastes, notamment la pollution. Soyez particulièrement respectueux des règles de savoir-vivre dans le parc et si possible tentez d'organiser votre visite en dehors des mois d'été. Vous pourrez ainsi en profiter pleinement et en saisir toute la magie.

Transports

Littéralement suspendues aux falaises qui plongent dans la mer, les Cinque Terre sont quasi impraticables en voiture, y compris pour les résidents. Le train ou les transports maritimes sont les meilleurs moyens pour visiter la région. Les liaisons y sont constantes (toutes les heures) et régulières.

▶ **Parking.** Monterosso et Riomaggiore sont les seules des Cinque Terre à être partiellement accessibles en voiture. Dans le premier bourg, vous trouverez un parking surveillé, tandis qu'à Riomaggiore un espace pour se garer est disponible à l'entrée.

▶ **Train.** Ligne Gênes-La Spezia (*voir encadré « Cinque Terre Card »*).

▶ **Bateau.** Liaisons maritimes entre chacune des Cinque Terre, le golfe des Poètes et le promontoire de Portofino. ✆ 0187 732987 - www.navigazionegolfodeipoeti.it

■ TAXI
Monterosso
✆ 335 6165842/845

Pratique

■ PARCO NAZIONALE CINQUE TERRE
www.parconazionale5terre.it
www.cinqueterre.it
Fondé en 1999, le parc national des Cinque Terre est l'organisme clé qui a permis le progressif retour à la vie de ces terres, et surtout leur promotion à l'international. A travers une importante œuvre de requalification du territoire, l'objectif du parc, reconnu patrimoine de l'humanité par l'Unesco, est celui de promouvoir et de sauvegarder le paysage, la culture et les traditions locales. Tous les points d'information sont situés dans les gares des cinq bourgs. Ils pourront vous fournir toutes les informations nécessaires

à votre visite.

▶ **Riomaggiore.** ✆ 0187 920633
accoglienzariomaggiore@
parconazionalecinqueterre.it - Internet
Point.

▶ **Manarola.** ✆ 0187 760511
accoglienzamanarola@
parconazionalecinqueterre.it

▶ **Corniglia.** ✆ 0187 812523
accoglienzacorniglia@
parconazionalecinqueterre.it

▶ **Vernazza.** ✆ 0187 812533
accoglienzavernazza@
parconazionalecinqueterre.it

▶ **Monterosso.** ✆ 0187 817059
accoglienzamonterosso@
parconazionalecinqueterre.it

Hébergement

■ DA BARANIN
Via Rollandi, 29
Manarola
✆ 0187 920595
Fax :0187 762250
www.baranin.com
info@baranin.com
Double 70-110 €, +10 € avec vue sur mer.
Un B&B de charme entièrement rénové, dont
les chambres confortables et lumineuses se
partagent entre les deux bâtisses de l'ancien
logement rural au cœur de Manarola. Certaines
ont même une petite cuisine. Le petit déjeuner
est servi sur une ravissante petite terrasse
fleurie.

■ GIANNI FRANZI
Piazza G. Marconi, 5 – Vernazza

✆ 0187 821003
Fax :0187 812228
www.giannifranzi.it
*Simple à 45 € (sans salle de bains) et 70 €
(avec), double 65 € (sans salle de bains) et
de 80 à 100 € (avec).*
Eparpillées entre la via S. Giovanni Battista
et la via Guidoni, les chambres conservent
un parfum d'autrefois avec leurs couleurs
chaudes et leur mobilier régional typique. Un
endroit légèrement désuet, avec un zeste de
nostalgie qui s'inscrit à merveille dans l'environnement magique des Cinque Terre.

■ LUNA DI MARZO
Via Montello, 387
Volastra - Riomaggiore
✆ 0187 920530
www.albergolunadimarzo.com
info@albergolunadimarzo.com
*Depuis Manarola suivre les indications pour
Volastra. Le service de bus du parc y monte
en 15 min.
Double 100-120 €.*
La Luna di Marzo est l'endroit idéal pour
échapper à la foule en pleine saison quand
les Cinque Terre sont prises d'assaut. Avec
une vue magnifique sur la mer, perdu entre
les oliviers, ce petit hôtel sur la colline derrière
Manarola propose des chambres confortables
et modernes. Le petit déjeuner sur la terrasse
qui domine la baie sera un des meilleurs
moments de votre séjour.

■ OSTELLO CINQUETERRE
Via Riccobaldi, 21
Manarola
✆ 0187 920215
Fax :0187 920218

LIGURIE

Les sentiers du parc

Un dense réseau de sentiers relie entre elles les Cinque Terre. Le long de la côte ou
à l'intérieur des terres, ils constituent une des principales attractions de la région et
la meilleure façon pour faire connaissance avec le territoire. Plusieurs sentiers sont
de véritables routes de montagnes ; il faut donc s'y aventurer équipé et conscient de
ses propres capacités physiques. Les offices du tourisme vous fourniront des cartes
détaillées ainsi que le niveau de difficulté des parcours.

▶ **Sentier Azur.** Il relie les cinq bourgs par la côte, le long d'un parcours panoramique
de 12 km, dont la célèbre Via dell'Amore.

▶ **Sentier des Sanctuaires.** Il réunit tous les sanctuaires des Cinque Terre. Chaque
bourg est dominé et protégé par son sanctuaire dédié à la Vierge, auquel la population
est particulièrement dévouée. Certains sanctuaires offrent aussi un refuge et un point
de restauration pour les promeneurs (sanctuaire de Montenero et sanctuaire de Notre-
Dame-de-Soviore).

Cinque Terre Card

La Cinque Terre Card est une carte permettant l'accès à différents services à l'intérieur du parc. Valable 1, 2, 3 ou 7 jours, elle répond aux différentes exigences des visiteurs. Il existe trois types de cartes.

▶ **Cinque Terre Card.** Tarif 5-20€. Elle permet l'accès au service de bus écologiques du parc et aux ascenseurs publics, au sentier n° 2 (dont la Via dell'Amore), aux centres d'observation, au musée du Sciacchetrà de Manarola et au musée de la Mémoire de Riomaggiore, à l'ancien pressoir de Groppo et au centre de salaison des anchois à Monterosso a Mare, l'emprunt de vélos pour une durée de trois heures, une réduction sur certaines marchandises aux points de vente du parc.

▶ **Cinque Terre Card Treno.** Tarif 8,50-18,30€. Tous les avantages précédents auxquels s'ajoute la circulation illimitée entre les gares de La Spezia et de Levanto pendant toute la période de validité de la carte.

▶ **Cinque Terre Card Battello.** Tarif à partir de 19,50€. Tous les avantages précédents et l'emploi illimité des transports maritimes à l'intérieur de l'aire marine protégée des Cinque Terre, pendant toute la période de validité de la carte.

www.cinqueterre.net/ostello
info@ostello5terre.com
Couchage 20-23 €, chambre double 55-65 €, 4 lits 88-100 €. Réception de 7h à 13h et de 16h à minuit, en été de 17h à 1h.
Auberge de jeunesse propre et lumineuse, rigoureusement bio et très soucieuse de l'environnement. Un bon plan pour découvrir les Cinque Terre sans que l'argent ne devienne un problème.

■ **SANTUARIO DI MONTENERO**
✆ 0187 760528
Fax : 0187 762145
santuariomontenero@parconazionale-5terre.it
B&b 37 € par personne, repas 20 € hors boissons.
Le sanctuaire de Montenero est un lieu hors du temps. On n'y parvient qu'à pied par un sentier au dos de Riomaggiore. Ici, une dizaine de refuges éparpillés dans la pinède, rustiques mais équipés de salle de bains, petite cuisine et de 4 à 6 couchages, cotoient l'édifice religieux. La cuisine proposée par le point restauration du sanctuaire est en harmonie avec son entourage : authentique, saine et bio !

MONTEROSSO

Monterosso est la ville la plus étendue et la plus peuplée des Cinque Terre. Elle est dominée par les vestiges d'une forteresse et par ses remparts. Sa plage de sable, la plus étendue de la côte, en fait la localité la plus mondaine et la plus vivante des Cinque Terre, surtout pour l'animation nocturne.

■ SAN FRANCESCO
Cette église de l'ancien couvent des Capucins a été consacrée par l'évêque de Luni en 1623.

■ SAN GIOVANNI BATTISTA
Eglise paroissiale du XIXe siècle. De très beaux fonts baptismaux.

CORNIGLIA

Le village est accroché à un rocher à pic sur la mer, à la limite d'un vallon couvert de vignobles. On y accède par la Lardarina, une longue montée de 377 marches en brique ! Plus raffinée que les autres bourgs, la structure des immeubles présente souvent des décorations peintes. Au Moyen Age, Corniglia était en effet une des résidences de la noble famille génoise des Fieschi.

■ SAN PIETRO

Construite en 1334, sur les ruines d'une chapelle plus ancienne, l'église présente une façade simple et une rosace en marbre, œuvre des maîtres-compagnons Matteo et Pietro da Campilio.

MANAROLA

Construite dans un couloir naturel qui se termine par un promontoire rocheux, la ville fut fondée, à la fin du XIIᵉ siècle, par les habitants d'une vieille ville située à l'intérieur des terres, près de la côte. La structure du bourg se développe autour de l'allée principale de laquelle partent les étroits *carruggi*. Comme ses sœurs, Manarola est caractérisée par la présence des caractéristiques maisons tours.

Points d'intérêt

■ SAN LORENZO

Exemple caractéristique de gothique ligure, l'église présente un portail ogival du XIVᵉ siècle.

■ VIA DELL'AMORE

Ce célèbre sentier entièrement creusé dans la roche relie Manarola à Riomaggiore en surplombant la mer. Il date des années 1920-1930, à l'époque des travaux pour le chemin de fer, quand les ouvriers tracèrent de nouveaux sentiers loin des bourgs pour y installer des dépôts de poudre explosive. Baptisé Strada Nuova (Nouvelle Route), il acquit son nom d'une inscription sur une pierre problablement laissée par un jeune amoureux.

Manifestation

▶ **Crèche lumineuse.** Décembre-janvier. A l'occasion des fêtes de Noël, la colline de Manarola se recouvre des silhouettes lumineuses des personnages de la crèche. Un spectacle magnifique, surtout quand on l'observe depuis la mer.

RIOMAGGIORE

Une grappe de maisons rangées le long de la petite vallée, à l'embouchure de la mer. Niché dans les oliviers et les vignes, le petit port est délicieux. Le meilleur coup d'œil est celui que l'on a en arrivant par bateau.

■ SAN GIOVANNI BATTISTA

L'église du XIVᵉ siècle possède trois nefs séparées par des arcs ogivaux élégants. A l'intérieur, des tableaux de Domenico Fiasella et un crucifix en bois de Maragliano.

VERNAZZA

Jusqu'en 1209, Vernazza a appartenu à la république de Gênes. C'est l'unique port naturel entre Sestri Levante et La Spezia. Les maisons sont enchevêtrées les unes dans les autres. Les escaliers rejoignent la seule rue du village, qui longe le torrent Vernazzola.

■ SANTA MARGHERITA D'ANTIOCHIA

De style gothique ligure, elle est construite sur un rocher qui surplombe la mer. Belle vue sur le port et le village.

Les Cinque Terre

ÉMILIE-ROMAGNE

Castello Estense
à Ferrara

Émilie-Romagne

30 km

MER ADRIATIQUE

MER LIGURE

Golfe de Gênes

Parc National du Mont Falterona

Parc Naturel Alpi Apuane

Pesaro
Cattolica
Riccione
San Marino
Rimini
Bellaria
Cesenatico
Cervia
Igea Marina
Novafeltria
Bagno di Romagna
Campigna
Santa Sofia
Corniolo
Portico di Romagna
Civitella di Romagna
Rocca San Cassiano
Meldola
Modigliana
Tredozio
Marradi
Borgo San Lorenzo
FLORENCE
Prato
Castiglione dei Pepoli
Pistoia
Forlimpopoli
Forlì
Cesena
Castrocaro Terme
Faenza
Brisighella
Riolo Terme
Palazzuolo sul Senio
Passo della Raticosa
Monghidoro
Fontanelice
Imola
Ravenna
Capo di Garibaldi
Lido di Dante
Lido di Classe
Lido di Savio
Marina di Ravenna
Alfonsine
Bagnacavallo
Russi
Cotignola
Lugo
Bacucco
Lido di Volano
Lido di Nazioni
Lido di Pomposa
Lido di Scacchi
Porto Garibaldi
Volano
Isola della Donzella
Migliarino
Ostellato
Portomaggiore
Argenta
Campotto
Molinella
S. Martino in Argine
Budrio
Castel Guelfo di Bologna
Dugliolo
Minerbio
Castello d'Argile
Castel Maggiore
S. Lazzaro di Savena
Sasso Marconi
Vignola
Marzabotto
Verdeto
Vado
Paullo nel Frignano
Fanano
Sestola
Pievepelago
Montefiorino
Frassinoro
Serramazzoni
Fiorano Modenese
Scandiano
Sassuolo
Formigine
Maranello
Castelnovo ne' Monti
Lagrimone
Palanzano
Langhirano
Panocchia
Monticelli Terme
PARME
REGGIO Emilia
MODENE
BOLOGNE
Casalecchio di Reno
Sala Bolognese
Calderara di Reno
San Giovanni in Persiceto
Argelato
Cento
Pieve di Cento
Galeazza
Palata Pepoli
Bondeno
Mirabello
Concordia sulla Secchia
Novi di Modena
Carpi
Campagnola
Correggio
Fabbrico
Reggiolo
Guastalla
Sabbioneta
Novellara
Poggio Rusco
Quistello
Roncole Verdi
Busseto
Soragna
Fidenza
Salsomaggiore
Fiorenzuola d'Arda
Castell'Arquato
Lugagnano Val d'Arda
Carpaneto Piacentino
PIACENZA
Rottofreno
Rivergaro
Ponte dell'Olio
Bobbio
Pontremoli
Passo d. Cisa
Berceto
Fornovo di Taro
Fivizzano
Cornigliano
Ferrara
FERRARA
Rovigo
Adria
Cologna
Ro Ferrarese
Copparo
Codigoro
Comacchio
Valle Bertuzzi
Valli di Comacchio
Grande Bonifica Ferrarese
Polesine Parmense
Cadelbosco
Canaro
Malalbergo

A1 A13 A14 A15 A21 A22 A11 A12

Émilie-Romagne

A bien y réfléchir, l'Emilie-Romagne ressemble étrangement à une cour des dames, où se côtoient reines et princesses : Bologne, mûre, fière, parfois coléreuse, et assurément entière. Ferrare, d'une beauté foudroyante, tout à la fois élégante, mystérieuse et subtile. Parme, pure, insouciante, enjouée, surprenante et simplement charmante. Ravenne, sereine, apaisée par un héritage riche, presque distante mais toujours aussi souriante.

Si les autres dames de cette cour, moins avenantes, n'ont pas acquis ici de titre de noblesse, c'est seulement parce que, plus timides, elles ont choisi de ne dévoiler l'immense beauté de leur âme qu'à certains courtisans. Aussi, comme toutes les cours, l'Emilie-Romagne est tout simplement fascinante.

On se réfère souvent à cette région comme s'il s'agissait d'un territoire homogène cimenté par une histoire commune. En réalité il n'en est rien : les différences entre les communautés émiliennes et romagnoles sont fortes, à tel point qu'on avait même pensé à les séparer pour créer deux régions.

Cependant, on peut relever plusieurs points communs. Tout d'abord, la générosité et l'hospitalité de leurs habitants, ensuite, les richesses économiques et artistiques, et enfin la gastronomie, aussi riche, savoureuse et en accord avec les goûts simples de jadis.

L'Emilie, qui comprend, grosso modo, les régions de Piacenza, Parme, Reggio Emilia et Modène, est considérée depuis toujours comme une « terre de transit ». Les bergers, les marchands étrusques, les légions romaines et les hordes barbares traversèrent cette « Via Emilia » qui donna son nom à la province. Puis ce furent les innombrables croisades qui, après la traversée des Apennins, prenaient la route de la Méditerranée. Une route ancienne, qui date de 180 av. J.-C., toujours droite, sans détour, le long de laquelle se construisaient des villes à des distances stratégiques l'une de l'autre (à un jour de marche maximum). Cette configuration est restée inchangée pendant des siècles et a conditionné les constructions ferroviaires et autoroutières qui suivent en parallèle la droite ligne des centres habités. Tout autour, c'est la campagne émilienne, la plaine du Pô riche en terrains fertiles avec, en lisière, les collines qui jouent le rôle de « charnière » entre les terres agricoles et fluviales de la Romagne.

Ce territoire est depuis toujours une terre légendaire, avec un peuple bien enraciné et qui a toujours défendu jalousement ses singularités. Toutefois, les traditions populaires disparaissent maintenant une à une.

Parallèlement, on assiste à la multiplication des musées paysans et à de nombreuses tentatives de revalorisation du dialecte.

Itinéraire d'une semaine en Émilie-Romagne

Penser pouvoir saisir toute la richesse de l'Emilie-Romagne en quelques jours est utopique. Aussi le présent itinéraire ne saurait prétendre couvrir l'essentiel de la région.

▶ **Jours 1 et 2 : Bologne.** La culture avant tout : de musées en églises, Bologne est une source de connaissances qui ne se tarit jamais.

Les immanquables de l'Émilie-Romagne

▶ **S'imprégner** de la verve artistique de Parme, avec les œuvres d'artistes de renom comme le Corrège ou le Parmesan, mais aussi le théâtre Farnèse dont la construction tout en bois est un véritable chef-d'œuvre.

▶ **S'immerger** dans l'histoire de la dynastie des Este en parcourant Ferrare.

▶ **Admirer** les magnifiques mosaïques byzantines du VIe siècle de l'église Saint-Vital à Ravenne.

▶ **Visiter,** à pied, la belle Bologne, ville étudiante dynamique qui déborde de richesses artistiques.

▶ **Déguster** une pléiade de produits du terroir : la piadina, les tortellini, les tortelloni, la coppa, les salama da sugo, l'anguille... et tant d'autres. L'Emilie-Romagne est riche en saveurs, et chaque ville possède sa spécialité.

La gastronomie aussi et surtout : manger c'est aussi découvrir la ville dans ses plus pures traditions.

▶ **Jours 3 et 4 : Ferrare.** Deux journées sont bien nécessaires pour s'enrichir de toutes les splendeurs de la ville, à commencer par les nombreux palais des délices des Estensi, et leur château qui trône en plein cœur du centre historique.

▶ **Jour 5 : delta du Pô et l'inévitable « petite Venise » qu'est Comacchio.** On y mangera de l'anguille marinée évidemment, et on en profitera pour faire un tour en barque sur les marais à la découverte des maisons de pêcheurs.

▶ **Jour 6 : Ravenne.** Indissociable de ses mosaïques, Ravenne est une étape clé. Témoignage invraisemblable de l'époque byzantine, la ville regorge de merveilles, tels le complexe de San Vital et sa Basilica absolument époustouflante.

▶ **Jour 7 : Faenza et Brisighella.** Avant de repartir sur Bologne pour des questions évidentes de transport, on fera un petit crochet sur la route par Faenza, pour passer quelques heures au cœur de la... faïence ! Puis, à 15 km. de Faenza, on s'arrêtera à Brisighella, un pittoresque bourg médiéval au milieu des collines.

BOLOGNE

Au XIIIe siècle, pour résoudre un problème de surpopulation, Bologne eut largement recours à la solution du portique, ce qui donne à la ville son aspect actuel. Pour créer de nouveaux logements, on construisit sur les façades des maisons des avancées, soutenues par des poutres maîtresses, ce qui laissait le passage libre à la circulation et protégeait les gens des intempéries et du soleil. Très vite, Bologne s'est dotée de 43 km d'arcades, devenant ainsi la ville qui compte aujourd'hui le plus de portiques au monde. « Les arcades de Bologne », écrit, avec une pointe de malice, l'écrivain Luca Goldoni, « sont au moins aussi célèbres que les canaux de Venise ». Sans ces arcades, les Bolonais ne seraient pas aussi universellement connus comme flâneurs (*tiratardi*), noctambules et bons vivants. En réalité, ils y travaillent aussi, et sous ces arcades s'abritent les plus extraordinaires et les plus lumineux centres commerciaux qu'une ville moderne puisse offrir et des étudiants toujours plus nombreux (l'université de Bologne date de 1088 et c'est la plus vieille université d'Europe).

De l'étrusque Felsina et de la romaine Bolonia il reste peu ou rien. Son rôle majeur, la ville le joua au Moyen Age, lorsqu'elle fut une des premières à se déclarer commune autonome en s'opposant à Frédéric Barberousse et à Frédéric II. Les luttes qui s'ensuivirent la firent passer des seigneuries des Pepoli, des Visconti et des Bentivoglio aux mains de la papauté en 1506. Même sous la domination du cardinal Paleotti, Bologne continua d'avoir une influence culturelle et artistique extraordinaire. Elle s'affirma à cette époque comme le foyer de la plus importante école de peinture de la Contre-Réforme, avec des noms comme ceux de Carrache et Guido Reni. La musique s'y développa vers la fin du Moyen Age grâce à l'importante chapelle de S. Petronio. Au même moment, son université attirait les plus grands savants de l'époque et gagnait à la ville son surnom de « docte ».

L'ambiance intellectuelle favorisa la pénétration des idées des Lumières qui préfigurèrent la naissance, cent ans plus tard (en 1872), du premier groupe socialiste conduit par Andrea Costa, menant en 1892 à la fondation du Parti socialiste. Bastion de la gauche italienne, la ville est également surnommée « la rouge », comme sa couleur politique mais aussi en raison de la teinte caractéristique de ses façades.

Transports

Important nœud autoroutier et ferroviaire, Bologne se trouve à 220 km de Milan (A1), 120 km de Florence (A1) et 160 km de Venise (A13).

Avion

■ **AÉROPORT G. MARCONI**
✆ (051) 64 79 615
www.bologna-airport.it
Informations de 5h à minuit.
Vols quotidiens depuis Paris et Lyon. Pour rejoindre le centre-ville, aérobus (ligne BLQ), direction stazione FS. Navette toutes les 15-30 min environ, de 6h à 23h30. Prix du billet : 5 €.

Bus

■ **BUS INTRA-URBAINS A.T.C.**
Via Rizzoli, 1/d
✆ (051) 29 02 90
www.atc.bo.it
Billets : 1 €/1 heure, 3 €/1 jour, 8,50 €/le City Pass (10 voyages).

■ GARE ROUTIÈRE
Piazza XX Settembre, 6
A deux pas de la gare ferroviaire
✆ (051) 29 02 90
www.autostazionebo.it
Liaisons régulières avec la plupart des pays européens.

Taxi

■ C.A.T
✆ (051) 53 41 41
24h/24.

■ CO.TA.BO
✆ (051) 37 27 27
24h/24.

Train

■ GARE FERROVIAIRE
Piazza delle Medaglie d'Oro, 2
✆ (051) 25 83 059, (051) 25 82 354
Informations de 7h à 21h.
Liaisons fréquentes et régulières avec toutes les grandes villes italiennes. De France : train de nuit Artesia, un départ quotidien de Paris, en direction de Rome, via Bologne.

Pratique

La circulation dans le centre est interdite aux véhicules des non-résidents tous les jours de 7h à 20h sauf le samedi. De nombreux parkings sont présents près des boulevards périphériques (gratuits, desservis par les bus) et autour du centre historique (payants). Demandez la liste à l'office du tourisme. Les hôtels du centre délivrent à leurs clients des permis de stationnement temporaire.

Présence française

■ CONSULAT DE FRANCE
Via Guerrazzi, 1 ✆ (051) 23 75 75

Tourisme

▶ **www.itinerariolognia.it** - Site totalement dédié à la ville et à ses environs. Bons plans, parcours thématiques, gastronomiques, culturels ou bonnes adresses de Bologne by night.

■ GIROTP CITY TOUR
✆ (051) 290 290
Ticket à 10 € valable toute la journée.
Ce bus touristique fait le tour des principaux points d'intérêts de Bologne en 1 heure environ. Départ de la gare (Viale Pietramellara, 59), plusieurs arrêts dans le centre, possi-

Piazza Maggiore, fontaine de Neptune

bilité de descendre et d'attraper un autre bus plus tard.

■ OFFICE DU TOURISME
Piazza Maggiore, 1
✆ (051) 23 96 60/25 19 47
www.bolognaturismo.it
touristoffice@comune.bologna.it
Tous les jours de 9h à 19h.
Informations sur la ville, le programme culturel, les possibilités de logement et de restauration. A l'office de Piazza Maggiore, vous trouverez aussi une billetterie pour les bons plans.

▶ **Autre adresse :** Aéroport (tlj 9h-19h). Gare ferroviaire (lundi-samedi 9h-19h).

Poste et télécommunications

■ EASY INTERNET CAFÉ
Via Rizzoli, 9
Tlj de 9h à 23h. Tarifs variables. Heures creuses 1 €/h.

■ POSTA CENTRALE
Piazza Minghetti, 1 ✆ (051) 23 06 99
Du lundi au vendredi de 8h à 18h30, le samedi de 8h à 12h30.

Sécurité

Le caractère pittoresque de la ville ferait presque oublier qu'elle n'en reste pas moins une grande ville, où la prudence, notamment à des heures tardives dans certains quartiers, est de rigueur.

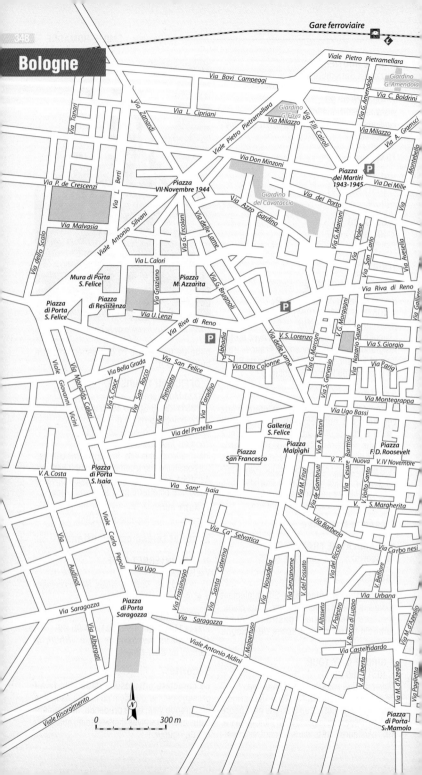

■ POLICE
Commissariat, Piazza Galileo, 7
✆ (051) 640 11 11

Utile

■ HÔPITAL SANT'ORSOLA
Via Giuseppe Massarenti, 9
✆ (051) 63 63 111

■ PHARMACIE
Piazza Maggiore, 6 ✆ (051) 23 96 90
24h/24 et 7j/7.

Orientation

Piazza Maggiore, piazza del Nettuno et piazza di porta Ravegnana constituent le cœur de Bologne. De piazza di Porta Ravegnana partent les artères historiques de la ville : via Zamboni, via San Vitale, Strada Maggiore, via Santo Stefano, via Castiglione, le long desquelles se trouvent les principaux points d'intérêt de Bologne.

Le centre est renfermé par les *viali*, des boulevards qui correspondent aux anciennes enceintes de la ville.

Hébergement

Bologne étant à la fois une ville très vivante et une cité au passé historique riche, les hôtels qui la composent sont tous à la hauteur. Il y en a pour tous les budgets et surtout pour tous les goûts.

Agriturismo

■ AGRITURISMO SAN GIULIANO
Via Galetta, 3.
La Mura San Carlo, San Lazzaro di Savena
✆ (051) 62 51 141
Fax : (051) 62 51 141
www.poderesangiuliano.it
De 80 à 130 € la chambre double. Fermé en janvier et en août. Solarium, restaurant. A 12 km du centre de Bologne.
Ici, la gastronomie biologique et diététique est reine. Pour s'en convaincre il suffit de tester le restaurant. Les cinq chambres aux couleurs différentes sont très confortables.

Bien et pas cher

■ AUBERGE DE JEUNESSE SAN SISTO
Via Viadagola, 14 et 5
✆ (051) 50 18 10
Fax : (051) 50 18 10
hostelbologna@hotmail.com
85 lits à partir de 16 €, petit déjeuner inclus.

Ouverte toute l'année 24h sur 24. Parking. Située à 6 km de la gare de Bologne. Bus 93 pour le centre-ville à 500 m (le soir prendre le bus 20 et 21B).

■ HOTEL EL GUERCINO
Via L. Serra, 7
✆ (051) 36 98 93
Fax : (051) 36 80 71
www.guercino.it
Chambre double à partir de 53 €. TV satellite et téléphone. Possibilité de garer sa voiture à l'intérieur (10 €) mais il y a peu d'élus sur les trois places de parking. Point Internet.
A 300 m de la gare et 10 min à pied du centre-ville, l'hôtel est agréable, les chambres y sont spacieuses et joliment décorées.

Confort ou charme

■ ALBERGO DELLE DRAPPERIE
Via delle Drapperie, 5
✆ (051) 22 39 55
Fax : (051) 23 87 32
www.albergodrapperie.com
Chambre double à partir de 75 €. Petit déjeuner à 5 €. TV satellitaire, téléphone, minibar, climatisation.
Petit hôtel de charme, récemment rénové, dans le pittoresque quartier du vieux marché de Bologne, à deux pas de la piazza Maggiore. Chambre très confortables, personnel professionnel.

■ B&B CRISTINA ROSSI
Via Porta di Castello, 6
✆ (051) 22 00 52
www.cristinarossi.it
Chambre double à 70 €. Point Internet. Parking à 10 € par nuit.
Dans ce bel appartement sur deux étages à deux pas de la piazza Maggiore vous vous sentirez comme chez vous. Chambres propres, très soignées, avec vue sur les deux tours, la fontaine du Nettuno ou sur la cour intérieure. Le petit déjeuner est servi dans un salon commun où il y a aussi une belle cheminée en maïolique.

■ HÔTEL BEST WESTERN RE ENZO
Via S. Croce, 26
✆ (051) 52 33 22
Fax : (051) 54 40 35
www.hotelreenzo.it
A partir de 69 € la chambre double avec petit déjeuner. TV satellite, téléphone, connexion Internet et air conditionné.

Voici une valeur sûre : des chambres confortables, un personnel très professionnel et une situation agréable, à 10 min de la piazza Maggiore.

Luxe

■ B&B TORRE PRENDIPARTE

Via Sant'Alo', 7
✆ (051) 58 90 23
www.prendiparte.it
350 € avec petit déjeuner, visite guidée de la tour et cocktail de bienvenue sur la terrasse.
Ce B&B de luxe offre au visiteur la possibilité unique de passer la nuit à l'intérieur d'une des tours médiévales de Bologne, dans le cœur de la ville. La torre Prendiparte dispose d'une suite superbe sur trois étages, idéale pour deux personnes, ou un couple avec enfants. Les visiteurs ont à leur disposition les 11 étages de la tour et peuvent bénéficier de services supplémentaires (dîner, concert privé, etc.).

■ GRAND HÔTEL BAGLIONI

Via Indipendenza, 8
✆ (051) 22 54 45
Fax : (051) 23 48 40
www.baglionihotels.com
A partir de 260 € pour une chambre double classique. Téléphone, TV, climatisation, réfrigérateur. Garages, restaurant. Interdit aux animaux.
Ce palazzo du XVIe siècle est l'hôtel-roi de la ville. Des salles ont été peintes par Carracci (le salon Europa, au 1er étage). A côté de la salle du déjeuner, il y a les restes d'une ancienne route romaine. Les chambres, néoclassiques, sont très belles. De nombreuses stars, comme Ava Gardner, Clark Gable et Humphrey Bogart y ont dormi. Très bon et très raffiné restaurant Carracci.

Restaurants

La renommée de Bologne commence à sa table. Ce n'est pas sans raison qu'on l'appelle aussi « la Grasse ». Sa légende gastronomique est liée aux tortellinis qui, comme tout le monde ne le sait pas, sont fils... du nombril de Vénus. D'après la légende du Tasse, La Secchia Rapita, Vénus, descendue sur terre avec Mars et Bacchus, vint loger dans une auberge. Le maître de céans, reluquant la déesse demi-nue, prit un bout de pâte fraîche que la servante était en train d'étirer et, l'enroulant autour de son doigt, se mit en devoir de modeler le nombril de Vénus. C'est ainsi que naquit le tortellino. Sa recette officielle est jalousement conservée à la chambre de commerce de Bologna, au palazzo della Mercanzia. Il semble difficile de visiter Bologne sans sacrifier quelque peu à sa tradition gloutonne. Et si vous cherchez la fameuse bolognaise, demander un *ragù*, c'est ainsi qu'on l'appelle ici.

Sur le pouce

Pour bien commencer la journée, on pourra prendre un bon café dans un des nombreux bars de Bologne. Situé Piazza Maggiore 1, sous les portiques du palazzo Re Enzo, le bar Giuseppe est le rendez-vous traditionnel des Bolonais dans le centre-ville. Piazza Galvani, le café Zanarini, élégant et raffiné, est le plus vieux de Bologne.

■ GELATERIA LA SORBETTERIA CASTIGLIONE

Via Castiglione, 44
✆ (051) 23 32 57
Du mardi au samedi de 8h30 à minuit, le dimanche de 9h30 à 23h30.
Régalez un moment de plaisir suprême à vos papilles gustatives. A goûter : Michelangelo, une crème d'amandes et amandes pralinés, Dolce Emma, ricotta et figues caramélisées, et Edoardo, une crème de mascarpone et pignons.

Bien et pas cher

On trouve dans la via Zamboni, la rue étudiante, de nombreux bars-restaurants à petits prix.

■ BOTTEGA DEL VINO OLINDO FACCIOLI

Via Altabella, 15/b ✆ (051) 22 31 71
Comptez entre 15 et 20 €. Fermé le dimanche, et entre le 15 juillet et le 15 août.
Cette osteria traditionnelle est ouverte depuis les lointaines années 1920. Le menu affiché à l'entrée change chaque jour. La cave est bonne, et pose un problème de choix embarrassant entre ses 410 étiquettes différentes.

■ TAMBURINI

Via Caprarie, 1
✆ (051) 23 47 26
Uniquement le midi. Fermé le dimanche. Epicerie/traiteur. Self-service. Assiette d'une personne entre 15 et 25 €. Boutique historique de Bologne, sa vitrine ouvre indéniablement l'appétit. On y trouve le meilleur de la cuisine bolognaise. Vous pouvez aussi y acheter des plats à emporter, de la charcuterie, du fromage, du vin, des pâtes fraîches, des conserves. Une adresse à ne pas manquer.

■ LA VECCHIA SCUOLA BOLOGNESE
Via Malvasia, 49
℡ (051) 649 15 76
www.lavecchiascuola.com
Uniquement sur réservation. 15-20 €.
Dans cet appartement non loin du centre, vous pouvez non seulement manger des tortellini, mais aussi apprendre à en faire ! On y organise des cours de cuisine bolognaise pour les professionnels, les amateurs et les touristes. La salle à manger est un petit restaurant. Pas de menu, seulement les plats du jour, tous issus de la meilleure tradition locale.

Bonnes tables

■ OSTERIA DE POETI
Via dè Poeti, 1
℡ (051) 23 61 66
www.osteriadepoeti.com
Fermé le lundi et de mi-juillet à mi-août. Sert jusqu'à 2h30 du matin. Le dimanche de 12h30 à 14h30. Environs 30 €.
Cave à vin de renom, et restaurant depuis le XVIIe siècle, le ton est donné dès que l'on franchit le seuil : on admire alors les nombreuses bouteilles qui s'offrent à nos yeux tout le temps de la descente des escaliers. On peut choisir à sa guise la salle voûtée avec accompagnement musical ou l'autre pièce plus petite et silencieuse. Le service est impeccable. On mange ici des mets locaux et régionaux tout autant que la fine fleur de la cuisine internationale. On peut également venir y prendre un verre de vin.

■ TRATTORIA DA GIANNI
Via Clavature, 18
℡ (051) 22 94 24
Fermé le dimanche soir et le lundi. De 20 à 40 €.
Un classique de la restauration bolonaise. Intime et accueillante, cette trattoria se trouve dans le centre-ville. On y respire un air de vieille Bologne. La cuisine est traditionnelle. Goûtez les *passatelli in brodo* et le *bollito misto*.

■ TRATTORIA DA VITO
Via Musolesi, 9
℡ (051) 34 98 09
Ouvert de 12h à 14h30 et de 19h30 à 00h30. Fermé le mercredi. Pour un repas complet comptez autour de 20 €.
Cette trattoria est une partie de l'histoire de Bologna. Depuis sa fondation à la fin des années 1950, très peu a changé. Décor rustique, atmosphère fort conviviale, grosses tables avec nappes à carrés blancs et rouges, cuisine rigoureusement traditionnelle. Rendez-vous des chanteurs de Bologne, on y rencontre souvent des gens qui passent leur soirée à jouer la guitare derrière un bon verre de vin rouge.

■ TRATTORIA DELLA SANTA
Via Urbana, 7/f
℡ (051) 33 04 15
Ouvert de 12h30 à 14h30 et de 19h45 à 22h30. Fermé le dimanche et le mois d'août. De 20 à 30 €.
A cinq minutes à pied du centre historique, La Santa est la trattoria bolognaise classique. Le décor est simple, le service rapide.

Luxe

■ RESTAURANT PAPPAGALLO
Piazza della Mercanzia, 3
℡ (051) 23 28 07
40/70 €. Fermé le dimanche, le lundi et le samedi soir en été. Réservation obligatoire.
Ce restaurant est considéré comme le temple de la gastronomie bolonaise. Son cadre de style Liberty se marie à merveille avec une cuisine qui « ensorcela » en son temps Albert Einstein. Les crespelle, les tortellini et les lasagnes sont véritablement fantastiques.

Sortir

A Bologne, le bistrot est très à la mode. On trouve près de 180 bistrots dans la ville, mais rares sont ceux qui répondent aux quatre critères de base : un vin excellent, des plats originaux et irrésistibles, un bon rapport qualité-prix et une bonne ambiance.

■ CANTINA BENTIVOGLIO
Via Mascarella, 4/B
℡ (051) 26 54 16
www.cantinabentivoglio.it
Tlj de 20h à 2h du matin.
Près de l'université, c'est le lieu de prédilection des étudiants. Tagliolini au jambon et toasts au fromage fondu agrémentent les soirées, du mardi au samedi, au son du jazz.

■ CHEZ BAKER JAZZ CLUB
Via Polese, 7/a
℡ (051) 22 37 95
www.chez-baker.it
De 12h à 15h et de 19h à 3h. Fermé le dimanche.
Dans ce jazz club, le plus célèbre de Bologne et, peut-être d'Italie, la bonne cuisine locale est associée à la musique jazz. Concerts des meilleurs jazzmen italiens et du monde. Un lieu historique de Bologne by night.

■ **OSTERIA DEL SOLE**

Vicolo Ranocchi, 1

Ouvert tous les jours sauf le dimanche de 8h à 14h et de 19h à 20h45.

Ce bistrot situé derrière l'Archiginnasio ouvre « vers le soir » et n'a pas le téléphone. Il a cent ans « certifiés », et possède une cohorte de bouteilles qui permettrait de soutenir un siège d'une durée presque aussi longue. On n'y mange rien, mais vous pouvez acheter chez les charcutiers à côté un peu de mortadella à grignoter.

Points d'intérêt

▶ **À ne pas manquer.** Piazza Maggiore, Santo Stefano, le due Torri, l'Archiginnasio, un tour par les ruelles du Mercato di Mezzo.

▶ **À noter.** La plupart des musées municipaux de Bologne sont gratuits.

■ **BASILICA SAN PETRONIO**

Piazza Maggiore

Tlj de 7h45 à 12h30 et de 15h à 18h.

Cette église dédiée au saint patron de la ville est une des plus belles créations de l'archi-tecture gothique italienne. Sa construction commença en 1390 par la façade qui donne sur la place, pour ne s'achever qu'en 1659. Challenge que s'étaient fixés les Bolonais, elle devait devenir la plus grande basilique du monde. Ne pouvant se restreindre à la perspective qu'il y ait à Bologne une basilique plus importante que l'église Saint-Pierre-de-Rome, le pape en décida autrement en offrant une nouvelle aile à l'université de Bologne, placée juste à côté de la basilique.

Un moyen détourné de bloquer l'étendue de sa construction. Les travaux ont alors duré des siècles et ce n'est qu'en 1953 qu'elle fut consacrée. A l'intérieur, on est fasciné par le procédé du méridien solaire établi en 1655 capable de donner l'heure. Dessiné sur le sol, ce calendrier solaire indique tous les 21 juin à 13h16 le solstice d'été bolonais lorsque le rayon de soleil remplit le corps du crabe. On y admire également les vingt-deux chapelles appartenant aux familles donatrices de l'époque et couvertes de fresques du Quattrocento. Au-dessus du grand autel se trouve l'orgue le plus ancien d'Italie.

Sur les traces de Giorgio Morandi

C'est l'un des plus grands peintres italiens de ce siècle (1890-1964), qui ne quitta jamais Bologne. « Les grands ne bougent pas », disent les Bolonais, en rappelant que Cézanne et Picasso ont, eux aussi, presque toujours vécu sur un même petit bout de terre. Morandi se trouvait bien à Bologne car tous deux se ressemblaient : ils avaient en commun une certaine réserve aristocratique et provinciale. Les places, les rues et les ruelles que Morandi parcourait chaque jour sont aujourd'hui encore les plus authentiques de Bologne et témoignent le mieux de l'extraordinaire équilibre de cette ville.

Le trajet que faisait Morandi pour aller de chez lui, au numéro 36 de la via Fondazza, jusqu'à l'Académie des beaux-arts, passe par ces rues que les Bolonais prennent lorsqu'ils désirent se promener à l'écart de la foule. Via Fondazza est une rue populaire remplie de boutiques d'artisans, à proximité de la casa Carducci. C'est la Bologne du début du XXe siècle avec son architecture en grande partie Liberty. A partir de la via Fondazza, la strada Maggiore conduit vers le centre, puis, une fois dépassées les décorations baroques du palazzo Ercolani, on rejoint le très beau portique des Servi adossé à l'église qui abrite la Madonna de Cimabue ainsi que des fresques de Vitale. Là ont lieu des concerts pour orgue de Bach.

En allant vers la piazza Aldrovandi, on traverse le marché si vivant de la Bologne de tous les jours, pour ensuite déboucher sur la via Giuseppe Petroni. Bienvenue dans la Bologne cultivée et magique du centre de la vie universitaire où le médiéval, le baroque et le XVIIIe siècle s'entrelacent étroitement. De là, on peut se diriger vers la piazza Verdi et, en longeant les arcades (XVe) des anciennes écuries du palazzo Bentivoglio, admirer la façade du Teatro Comunale. Enfin, on aboutit dans la rue des Beaux-Arts, juste à la hauteur de la fameuse Pinacoteca Nazionale, qui possède une des plus grandes collections d'Europe et que Morandi ne se lassait pas de visiter.

Bologne, ville d'eaux

Ville de la science appliquée, entre le XIIᵉ et le XVIᵉ siècle, Bologne s'équipe d'un réseau de canaux qui permettaient d'utiliser l'eau comme force motrice et de créer des machines destinées aux différentes manufactures dont la ville abondait. Asséchés ou recouverts, de ces canaux aujourd'hui il reste très peu. Via Piella, dans le centre, une petite fenêtre vous offre un "regard" sur le canale delle Moline. Maisons au fil de l'eau, petits balcons fleuris : on se croirait à Venise ! L'association Vitruvio organise des excursions à la découverte des voies d'eau de Bologne (Urban Rafting, descente dans les souterrains du torrent Aposa - www.vitruvio.emr.it). A ne pas manquer.

■ BASILICA SANTO STEFANO
Piazza Santo Stefano
De 9h à 12h30 et de 15h30 à 18h30. Le dimanche : 9h-13h et 15h30-19h.
Il s'agit non pas d'une seule église mais d'un ensemble de quatre églises (sur sept à l'origine) dans lesquelles résident encore de nos jours douze moines bénédictins. On y découvre : l'église du Crucifix du XIᵉ siècle, l'église du Calvaire ou du Saint-Sépulcre, de la même période et qui renferme le tombeau de saint Pétrone, l'église de la Trinité du XIIIᵉ siècle, et enfin, la plus ancienne, celle des saints Vitale et Agricola, donnant sur la place Santo Stefano. Chapelles, cryptes, cloîtres s'enchaînent dans une composition unique, dégageant une atmosphère d'une grande sérénité.

■ CHIESA DI SAN DOMENICO
Piazza San Domenico
De 9h30 à 12h30 et de 15h30 à 18h30. Samedi et dimanche jusqu'à 17h30.
Construite entre 1221 et 1233, par les pères dominicains, elle a gardé sa façade d'origine. L'intérieur conserve des témoignages artistiques d'une grande beauté. Dans la nef de droite, on pourra visiter la chapelle de Saint-Dominique, qui abrite le fameux tombeau du saint, un sarcophage orné de bas-reliefs que Nicolas Pisano débuta en 1267, repris ensuite au XVᵉ par Nicolo dell'Arca, et auquel Michel-Ange donna la touche finale. On pourra également admirer dans une des chapelles une œuvre de Filippino Lippi intitulée le *Mariage mystique de sainte Catherine.*

■ CHIESA SAN GIACOMO MAGGIORE
Piazza Rossini
De 8h à 12h et de 15h30 à 18h30.
Cette église gothique du XIIIᵉ siècle possède de nombreuses peintures Renaissance, notamment dans les chapelles Bentivoglio et Poggi, ainsi que dans l'oratoire Santa Cecilia, où l'on peut également admirer des fresques d'Amico Aspertini.

■ LE DUE TORRI
Via Rizzoli
Symbole de la ville et parmi les dernières tours des quelque quatre-vingt tours médiévales d'origine. La plus haute (97,60 m) est la torre degli Asinelli, bâtie dans les premières années du XIIᵉ s. De son sommet, qui est le point culminant de Bologne, se découvre un superbe panorama (de 9h à 18h en été et jusqu'à 17h en hiver ; entrée : 3 €).
Ceux qui ont du souffle et des jambes vigoureuses se trouveront nettement avantagés : il n'y a pas d'ascenseur et il faut escalader les 499 marches qui mènent à son sommet. A côté se trouve la torre Garisenda, haute de 48,16 m, mentionnée au «chant XXXI» de *L'Enfer* de Dante. Elle fut commandée par Filippo et Oddo Garisendi en 1109, mais s'effondra peu de temps après à cause d'un glissement de terrain. Il faut dire qu'elle penche sérieusement (3,22 m d'inclinaison).

■ MAMBO
Via don Minzoni, 14
✆ (051) 64 96 628
www.mambo-bologna.org
De mardi à dimanche de 10h à 18h. Le jeudi jusqu'à 22h. Fermé le lundi. 6 €.
Inauguré en 2007, il s'agit du plus grand musée italien d'art moderne et contemporain. Il occupe le bâtiment d'un ancien four à pain (1916). Vous y trouverez aussi une bibliothèque spécialisée en art contemporain, une librairie et un restaurant-cafétéria, trés fréquenté au moment de l'apéritif.

■ MUSEO CIVICO ARCHEOLOGICO
Via dell'Archiginnasio, 2
✆ (051) 27 57 211
www.comune.bologna.it/museoarcheologico
Du mardi au vendredi de 9h à 15h. Les samedi, dimanche et jours fériés : de 10h à 18h30. Fermé le lundi. Entrée libre.
Fondé en 1881, il est situé dans le palazzo Galvani, à côté de la basilique San Petronio. Collections préhistoriques, romaines, étrusques et égyptiennes.

■ MUSEO CIVICO MEDIEVALE

Via Manzoni, 4

✆ (051) 21 93 916/930

Du mardi au vendredi de 9h à 15h, les samedi, dimanche et fêtes de 10h à 18h30. Fermé le lundi. Entrée gratuite.

Abrité dans le beau palais Ghisilardi Fava, du XVe siècle, il renferme de nombreux objets d'art : bronzes, armes, reliquaires, ainsi que des tombes sculptées où reposent les professeurs qui enseignaient à l'époque à l'université de Bologne.

■ MUSEO GIORGIO MORANDI

Palazzo Comunale.

Piazza Maggiore, 6 ✆ (051) 21 93 294

www.museomorandi.it

Du mardi au vendredi de 9h à 18h30 et le samedi, dimanche et jours fériés de 10h à 18h30. Fermé le lundi. Entrée libre.

On y découvre plus de 254 œuvres du peintre bolonais, son atelier d'artiste ainsi que les fameuses bouteilles que Morandi peignait en les considérant comme un être à part entière. Vous pouvez visiter aussi la maison de Morandi, via Fondazza 36 (*mardi-dimanche de 11h à 16h, entrée libre*).

■ PALAZZO COMUNALE (OU PALAZZO D'ACCURSIO)

Cette construction de brique date du XIIIe s., alors que la tour de l'Horloge ne fut construite que deux siècles plus tard. D'aspect grandiose, elle est divisée en deux parties. Au centre, le portail dessiné par Galeazzo Alessi date de 1555. Sur le balcon, on a bien failli ne pas voir la statue du pape Grégoire XIII sauvée in extremis par les Bolonais du pillage des troupes de Napoléon en la revêtant de plusieurs accessoires permettant ainsi de le confondre avec le saint patron de la ville (san Petronio).

■ PALAZZO DEL PODESTÀ

Uniquement ouvert pour des expositions temporaires.

Ce palais datant du XIIIe siècle a été refait à la Renaissance. Le rez-de-chaussée à arcades est traversé par deux voies qui se croisent sous une grosse voûte. Sa façade Renaissance abrite aujourd'hui l'office du tourisme.

■ PIAZZA DEL NETTUNO

Cette place est aussi appelée piazza del Gigante (place du Géant) à cause de l'imposante statue de Neptune qui orne la fontaine. Réalisée par le Flamand Jean Boulogne (Giambologna) en 1563, pour embellir le centre de la ville. Sur la place se trouve aussi la Salle de la Bourse. Inaugurée en 2000, cette place du IIIe millénaire a longtemps cherché sa vocation. Passage piéton à l'époque romaine, jardin botanique en 1600, salle du commerce en 1860, puis salle de la bourse et enfin siège de la Caisse d'épargne, elle est aujourd'hui la bibliothèque et le centre multimédia de Bologne. A l'intérieur, la basilique et les vestiges d'un forum romains sont visibles à travers le sol en vitre.

■ PIAZZA MAGGIORE

C'est le lieu de vie de la ville par excellence et la fierté de ses habitants. C'est aussi l'endroit de la ville le plus riche en monuments. On y aperçoit le palazzo dei Banchi (des Banques), datant de 1568 et qui abritait autrefois les bureaux des banquiers, le palazzo dei Notai (des Notaires) du XIVe s., le Palais communal, le palazzo Re Enzo, le palazzo del Podesta et l'église de S. Petronio.

■ PINACOTECA NAZIONALE

Via Belle Arti, 56

✆ (051) 42 09 411

www.pinacotecabologna.it

Tlj, sauf le lundi, de 9h à 19h. 4 €.

Un musée extrêmement riche, une des plus importantes pinacothèques d'Italie du Nord. Importante collection de peintres bolonais du XIVe au XVIIe siècle. Parmi les œuvres les plus significatives : *San Giorgio e il Drago* (Saint Georges terrassant le dragon) de Vitale da Bologna, *L'Estasi di Santa Cecilia* (l'Extase de sainte Cécile) de Raphaël, le *Samsone Vittorioso* (Samson victorieux) et le *Ritratto della Madre* (Portrait de la mère), tous deux de Guido Reni.

■ UNIVERSITÉ DE BOLOGNE

L'université de Bologne, la plus ancienne d'Occident, date de 1088. Ainsi, dès le début du XIIe siècle, des étudiants de toutes les régions d'Europe affluent à Bologne pour y découvrir les études de droit civil romain et canonique. A cette époque, l'activité didactique était basée sur un rapport direct entre professeur et étudiant et par conséquent, les préceptes étaient dispensés aux domiciles des maîtres ou dans des locaux loués. Au XVIe siècle, le pape Pie IV décida de réorganiser le système d'enseignement à Bologne et proposa un édifice unique pour élèves et enseignants. Cette décision répondait également à l'exigence d'un contrôle plus efficace sur l'enseignement par l'autorité religieuse.

ÉMILIE-ROMAGNE

Ainsi, en 1561, malgré les protestations des habitants de Bologne, le pape consentit au lancement des travaux. Ce bâtiment, nommé l'Archiginnasio, sur la piazza Maggiore et ouvert aux visiteurs, a accueilli l'université jusqu'à l'arrivée de Napoléon en 1803. A l'intérieur, il y a un théâtre anatomique du XVIIe siècle, en bois de cèdre et de sapin, où l'on donnait les cours d'anatomie de la faculté de médecine et où l'on montrait aux étudiants la dissection des cadavres. Aujourd'hui, l'Archiginnasio est l'une des plus grandes bibliothèques du monde. Le quartier universitaire de Bologne occupe en gros la via Zamboni et les ruelles autour. Au n° 33, le siège central de l'université est installé depuis le XIXe siècle dans le palais Poggi. L'intérieur présente des fresques de Pellegrino Tibaldi et de Niccolo dell'Abate. La rue Zamboni est tapissée d'annonces de logements pour trouver des chambres au mois ou à la semaine. Pas loin, Piazza Verdi, le Théâtre municipal, construction du XVIIIe siècle d'Antonio Galli, dit « il Bibiena ». Le très bel intérieur fut décoré par De Busi et Samoggia.

Shopping

A Bologne et dans sa région, les magasins ferment le jeudi après-midi. Ville idéale pour faire quelques achats, elle présente au visiteur des tentations de toutes sortes. La rue tout indiquée pour les amateurs d'antiquités est la via d'Azeglio. Les montres de collection se trouvent chez Piretti (Galeria Cavour 7f). On trouve de superbes marionnettes dans l'atelier de Demetrio Prensini (via Vittorio Veneto, 12). Chez SoloSeta (Piazza Galileo 4), on peut acheter des soies de très haute qualité. La via Clavure, qui part de la piazza Maggiore, et la via Ugo Bassi sont idéales pour une petite flânerie au gré des boutiques qui les bordent.

Gastronomie

La gastronomie est reine à Bologne, avec le parmesan, la mortadelle et les jambons faits de main de maître. La charcuterie s'achète chez Tamburini (via Cipraie, 1), chez Simoni (Via Drapperie, 5/2a). Le parmesan d'origine contrôlée et nouvellement couvert de cire noire pour une meilleure conservation peut se trouver à La Baïta (via Peschiere Vecchie, 3), chez Brini (via Ugo Bassi, 19) et chez Verardi (via Persicetana Vecchia, 20/5). En guise de dessert, on peut tester le gâteau typique bolonais : le Certosino panspeziale (miel, noix, amandes pilées, fruits confits et plus encore).

On peut l'acheter chez Atti (Via Drapperie, 6), une boulangerie qui date du XIXe siècle. Bologna est célèbre aussi pour sa production de chocolat. Faites un tour chez Majani (via Carbonesi, 4) : fondé en 1796, c'est le plus ancien chocolatier de la ville !

Marché

■ MERCATO DI MEZZO
Via Drapperie, via Pescherie Vecchie, via degli Orefici, vicolo Ranocchi
Tous les matins.
C'est le marché le plus ancien, le plus pittoresque de Bologne et le plus aimé par ses habitants. Dans ces ruelles médiévales, derrière le Pavaglione, vous trouverez marchands de fruits et légumes, poissonniers, charcutiers et fromagers. Un triomphe de saveurs et de couleurs dans une atmosphère fort joviale.

Dans les environs

De la porte de Saragosse, poursuivez les arcades et, après un parcours ininterrompu de presque 3,8 km (666 arcades), vous arriverez au sanctuaire de la Vierge-Marie-de-Saint-Luc. Placé sur la colline de la Garde, ce sanctuaire représente un des symboles de la ville. L'église actuelle fut réalisée entre 1723 et 1757 et elle a remplacé l'église précédente du XVe siècle. Belle vue sur la ville et les Apennins. Le 4 octobre, une procession accompagne la Vierge jusqu'au centre-ville.

DOZZA

Comment ne pas succomber au charme de ce petit village posé sur la colline, considéré comme l'un des plus beaux d'Italie ? Dozza est notamment connu pour sa biennale de Peintres dans la rue, qui accueille de dix à douze artistes triés sur le volet et qui, accommodés d'un échafaud, s'amusent à peindre les murs de la ville. Aussi, se balader dans les deux ruelles de son centre-ville est un régal artistique.

▶ **Accès.** Par la via Emilia, direction Imola. Dozza est située à 25 km à l'est de Bologne. Pour plus d'informations, appeler la mairie au ✆ (0542) 678 116 – www.comune.dozza. bo.it

■ LA FORTERESSE ROCCA DI DOZZA
Fermé le lundi. Ouvert d'avril à octobre de 10h à 12h30 et de 15h à 18h30 et de novembre à mars de 10h à 12h30 et de 14h30 à 17h. Entrée : 5 €.

Construite en 1245 puis fortifiée en 1490, la forteresse est quasi intacte. Sa visite nous fait voyager au Moyen Age : cachots, oubliettes, et autres ruses pour tromper l'ennemi y sont dévoilés. De plus, du haut de la tour, on a une vue exceptionnelle sur le village et la vallée. Au dernier étage, on peut visiter la pinacothèque qui regroupe des œuvres contemporaines ainsi que les fresques murales du festival Muro dipinto.

■ ŒNOTHÈQUE D'ÉMILIE-ROMAGNE
✆ (0542) 67 80 89
www.enotecaemiliaromagna.it
Du mardi au vendredi de 9h30 à 13h et de 14h30 à 18h. Le samedi et le dimanche de 10h à 13h et de 15h à 18h. Fermé le lundi.
Ici, dans les sous-sols de la forteresse se cache, dans toute sa diversité, la production vinicole de l'Emilie-Romagne. Pas moins de 800 étiquettes différentes y sont exposées et ne demandent qu'à être dégustées. Plus que tout, le rapport qualité-prix est ici imbattable (comptez 10 € pour une dégustation accompagnée de douceurs locales).

■ RISTORANTE LE BISTROT
Via Valsellustra, 18
✆ (0542) 67 21 22
Fermé le mardi. De 12h à 15h et de 19h à 24h. 30-40 €.
Bon restaurant avec spécialités du terroir.

FERRARA

A Ferrara, il semblerait que les habitants soient nés avec deux roues à la place des pieds... Avec une proportion de trois vélos par habitant, la ville n'a pas usurpé son titre de capitale du vélo de l'Italie.
Ferrara est une ville peu fréquentée par les touristes, bien qu'elle soit sans doute l'une des plus belles de la région. La famille d'Este qui y régna de 1208 à 1598 a su transformer ce petit bourg au milieu d'un marécage géant en un foyer intellectuel et artistique attirant les plus grands artistes et esprits de la Renaissance italienne. Partout on respire l'atmosphère de la Renaissance : dans les couleurs des plafonds du château, dans les nombreux palais et églises monumentales, dans les cloîtres et les jardins. Ferrara combine la solide architecture de Florence et la mélancolie sensuelle de Venise, accentuée par la présence des brumes qui l'entourent pendant presque toute l'année. « *Ferrara est une ville réservée à quelques-uns* », écrivit le critique d'art Federico Zeri. « *Dès qu'on la voit la première fois, on*

a la sensation de l'avoir toujours connue. En réalité, on a seulement rêvé l'équilibre de sa géométrie urbaine, les dédales de ses ruelles anciennes, et les perspectives masquées par des rideaux de brume. »
Pour preuve, fait rarissime, la ville entière est reconnue comme patrimoine de l'humanité par l'Unesco.

Transports
Située dans la partie nord-orientale de la région, près du delta du Pô, Ferrara est à 55 km de Bologne et 117 km de Venise.

■ GARE FERROVIAIRE
Piazzale della stazione
✆ 89 20 21
Consigne ouverte tous les jours de 8h à 20h.
Nombreuses liaisons quotidiennes avec Ravenne (1 heure 15 min), Bologne (30-40 min) et Venise (1 heure 30 min environ).

■ GARE ROUTIÈRE ACFT
Via Rampari San Paolo
✆ (0532) 59 94 92
www.acft.it
Ouverte de 6h30 à 18h45.
Liaisons avec toutes les villes de la région et les principaux points d'intérêts de la province de Ferrara.

■ RADIO-TAXI FERRARA
✆ (0532) 90 09 00

Pratique
Le centre de Ferrara est interdit aux véhicules des non-résidents. Le parking Rampari San Paolo (Via Darsena) est gratuit.

■ HÔPITAL SANT'ANNA
Corso Giovecca, 203
✆ (0532) 23 61 11

■ INTERNET POINT TRE STELLE
Via della Luna, 19
✆ (0532) 24 20 00
Tlj de 9h à 22h.

■ OFFICE DU TOURISME
Castello Estense
✆ (0532) 29 93 03/20 93 70
www.ferrarraterraeacqua.it
Du lundi au samedi : 9h-13h et 14h-18h. Le dimanche : 9h30-13h et 14h à 17h.

■ PHARMACIE
Corso Giovecca, 125
✆ (0532) 20 94 93
24h/24

ÉMILIE-ROMAGNE

■ POLICE
Corso Ercole I d'Este, 26
℡ (0532) 294 311

■ POSTE CENTRALE
Viale Cavour, 27
℡ (0532) 29 72 11
Du lundi au vendredi : 8h30-18h30. Le samedi : 8h-12h30.

Hébergement

■ A CASA DA NONNA LUCIANA
Via Bagaro, 39
℡ (0532) 20 57 73
www.acasadanonnaluciana.it
70 € la chambre double avec salle de bains privée (55 € avec salle de bains partagée).
Cristina, Matteo, leurs deux bouts de chou et leur chien Rucola vous accueilleront avec le sourire dans ce B&B familial situé à proximité des principaux monuments du centre historique. Trois sympathiques chambres à thème (il Mare, le Valli, il Bosco), rénovées en 2005. Location de vélos (5 € la journée).

■ CASA DEGLI ARTISTI
Via Vittoria, 66
℡ (0532) 76 10 38
Comptez 50 € pour une chambre double sans salle de bains (60 € avec salle de bains). CB refusée.
Bien situé, bien tenu et de bon rapport qualité-prix. Petite cuisine équipée à disposition des clients.

■ DOLCEMELA
Via Sacca, 35
℡ (0532) 769624
www.dolcemela.it
Chambre double : 100 €. Climatisation, Internet, téléphone, TV, parking. Vélos à disposition des visiteurs.
Dans le cœur médiéval de la ville, B&B avec 6 chambres et 1 appartement familial. Petit déjeuner buffet avec gâteaux, biscuits et confitures maison. Accueil chaleureux.

■ HÔTEL ANNUNZIATA ET DÉPENDANCE PRISCIANI
Piazza Repubblica, 5
℡ (0532) 20 11 11
www.annunziata.it
120 € la chambre double. De 160 à 250 € pour les studios de la dépendance.
Ce petit hôtel offre tout le confort et l'accueil professionnel d'un grand hôtel de luxe. A 2 min de l'hôtel dans une petite ruelle du centre-ville, on a vraiment l'impression d'être « à la maison » dans chacun des six studios design avec mezzanine. Un hall commun, avec pouf, radio, machine à café et point Internet gratuit donne un cachet supplémentaire au lieu. Devant le castello Estense.

■ LOCANDA BORGO NUOVO
Via Cairoli, 29
℡ (0532) 21 11 00
Fax : (0532) 24 63 28
www.borgonuovo.com
De 75 à 100 €.
4 chambres et 2 appartements avec téléphone, TV, climatisation, réfrigérateur. Interdit aux animaux. Vélos mis à disposition gratuitement. Dans le centre historique, charmante maison d'hôtes privilégiant l'accueil et l'intimité. Petite cour intérieure.

Restaurants

■ ANTICA TRATTORIA VOLANO
Viale Volano, 20
℡ (0532) 76 14 21
www.anticatrattoriavolano.it
25 € environ.
Depuis presque deux siècles, cette trattoria est une des références de la cuisine locale. On y goûte des excellents *cappellacci alla zucca* ! Ambiance accueillante, service professionnel. Délicieux, les desserts maison.

■ OSTERIA AL BRINDISI
Via Adelardi, 11
℡ (0532) 20 91 42
Entre 20 et 40 € environ. Ouverte jusqu'à 1h du matin.
On dit que c'est la plus ancienne auberge du monde (1435), elle est même signalée dans le *Guinness des records*. S'attablèrent ici l'Arioste, le Tasse, Carducci, Cellini, Titien et même Copernic. Elle assure un service d'œnothèque avec plus de 600 étiquettes de vins italiens. A tout moment, on peut accompagner le vin de gratin de macaroni en abaisse salée, des toasts de *salama* et, sur réservation, de *cappellacci alla zucca*.

■ TRATTORIA PROVVIDENZA
Corso Ercole I d'Este, 92
℡ (0532) 20 51 87
www.laprovvidenza.com
30/40 €. Fermé le dimanche soir et le lundi et du 10 au 20 août. Réservation obligatoire.
Ce restaurant garde le même nom d'il y a un siècle quand il était une *osteria* avec jeu

de pétanque et que sa propriétaire s'appelait Providenza. Aujourd'hui, c'est un élégant restaurant de cuisine locale, situé près du palazzo dei Diamanti. Petit jardin très agréable.

Manifestations

▶ **Le premier samedi et le premier dimanche de chaque mois :** marché aux objets anciens et de collection sur la piazza del Municipio.

▶ **Mai :** Palio di San Giorgio. C'est la joute la plus ancienne d'Italie. Elle remonte à 1279, lorsqu'on fêta le seigneur de la ville, Azzo VII Novello d'Este, vainqueur de l'empereur du Saint Empire romain germanique à la bataille de Cassano d'Adda. Le poète l'Arioste la mentionne dans le "chant I" de l'*Orlando Furioso*. Le palio se dispute le dernier dimanche du mois de mai ou, en cas de mauvais temps, le premier dimanche de juin. Il se déroule sur la piazza Ariostea, en quatre courses opposant les huit quartiers de la ville. En plus du palio a lieu un défilé historique avec un millier de personnages en costumes ferrarais du XVe siècle. Informations ✆ (0532) 75 12 63 – www.paliodiferrara.it

▶ **Fin août :** Buskers Festival. Ce rassemblement international autour du musicien globe-trotter se déroule dans les rues et sur les places du centre historique. Informations : www.ferrarabuskers.com

Points d'intérêt

Bien que Ferrara soit un véritable joyau style Renaissance, elle garde de charmants coins médiévaux. On les trouve dans le quartier immédiatement au sud de la cathédrale, compris entre via San Romano, via Mazzini et via delle Volte, qui avec ses *volte* (passages couverts) est devenu le symbole de la ville. La Ferrara médiévale coïncide avec l'ancien ghetto juif, le plus important d'Italie. Un ensemble de trois synagogues (XVe) se trouve Via Mazzini, 95.

▶ **Il existe une carte de réduction pour les musées municipaux de la ville,** valable un an à partir de la date d'émission : 14 €, réduit 10 €. En vente au musée d'Art antique, au musée d'Art moderne et à la galerie d'Art moderne du palais de Diamants.

▶ **À ne pas manquer :** palazzo dei Diamanti, corso Ercole I d'Este, Cattedrale, palazzo Schifanoia, via delle Volte.

■ L'ADDIZIONE ERCULEA

Ferrara est concrètement divisée en deux parties. Au nord du viale Cavour et du corso Giovecca, on trouve ce qui est communément appelée l'Addizione Erculea puisqu'elle a été « rajoutée » à la fin du XVe siècle à la demande d'Hercule Ier. Le projet n'était pas une simple rénovation architecturale de la ville, mais bel et bien un projet urbanistique. On créa autour de deux axes (corso Ercole I d'Este et les corsi Porta Po, Biagio Rossetti et Porta di Mare) un nouveau quartier Renaissance. Au croisement des deux axes le Quadrivio degli Angeli avec ses beaux palais, dont le palazzo dei Diamanti. Ce projet répond également à une autre idée. Tracées à l'intérieur d'un carré représentant l'horoscope d'autrefois, les deux avenues correspondraient aux équinoxes et le palais des Diamants, à la position du soleil. Dans cette Addizione, tout a été pensé dans les moindres détails de façon scénographique, en tenant compte de la partie ancienne de la ville. Pour l'époque, l'idée n'était pas seulement novatrice, mais géniale, d'où le titre acquis par Ferrara de première ville moderne d'Europe.

■ CASA ROMEI

Via Savonarola, 30 ✆ (0532) 23 41 00 *Tlj sauf le lundi de 8h30 à 19h30. 3 €.* Belle maison du XVe siècle, somptueusement décorée, ayant appartenu à un riche marchand de Ferrara. Aujourd'hui elle regroupe différents objets et œuvres d'art qui ornaient autrefois les églises de la ville.

■ CASTELLO ESTENSE

Largo Castello, 1 ✆ (0532) 29 92 33 Fax : (0532) 29 92 79 www.castelloestense.it *De 9h30 à 17h30. Fermé le lundi. Entrée : 7 €. Entrée à la tour : 1 €.* La décision de construire ce château fut prise, en 1385, par Nicolas II, pour se protéger du soulèvement populaire lié à une forte pression fiscale, qui coïncidait avec une période de guerre, d'épidémie et de famine. Aussi un passage permettait à la cour d'évacuer le palais et de se réfugier directement au château lorsque le besoin s'en faisait sentir. Au cours des siècles, le château s'enrichit et devint alors une des résidences seigneuriales les plus fastueuses de la Renaissance. De la cour, on aperçoit l'escalier en colimaçon avec ses amples marches qui permettaient aux chevaux de se rendre à l'étage noble, pour que les femmes puissent les monter à l'aise depuis leurs appartements.

Palais municipal sur la Piazza della Cattedrale

Outre la cour du XVe siècle, on peut y visiter quelques salons peints par Bastianino et le Salone dei Giochi avec des fresques de Filippi. Dans les souterrains, on découvre les cachots d'Ugo et de Parisiana. Du haut de la tour des Lions, quand la brume n'est pas trop imposante, le panorama sur la ville vaut le détour.

■ CATTEDRALE

Piazza della Cattedrale
℅ (0532) 20 74 49
De 7h30 à 12h et de 15h à 18h30.
Elle fut érigée au XIIe siècle dans un style romano-gothique et consacrée en 1135. Elle est dédiée au saint patron de la ville, le chevalier George, vainqueur du Dragon d'eau, la représentation symbolique du Pô. D'intéressantes sculptures illustrant l'Ancien et le Nouveau Testament ornent l'entrée principale. Sur le flanc droit, s'élève le majestueux campanile en marbre, construit, entre 1451 et 1596, d'après le dessin de Léon Battista Alberti. A l'intérieur, le style baroque du XVIIIe siècle domine. On retrouve les œuvres de Guercino, de Francia et dans l'abside, le *Jugement dernier* de Bastianino (élève de Michel-Ange) qui aurait par vengeance sculpté le visage de sa fiancée parmi des condamnés, celle-ci n'ayant pas souhaité se marier avec lui ! A quelques pas de là, le musée de la cathédrale est abrité dans l'église San Romano.

■ PALAZZO COSTABILI (DIT DE LUDOVICO IL MORO)

Via XX Settembre, 124
℅ (0532) 66 299
De 9h à 14h. Fermé le lundi. 4 €.
C'est le chef-d'œuvre inachevé de Rossetti, qui en commença la construction pour l'ambassadeur d'Ercole I, à la cour du duc de Milan. Le palais possède une superbe cour et, au rez-de-chaussée, des fresques de grande valeur. L'étage noble abrite le Musée archéologique national (mêmes tarifs, horaires et coordonnées que le palais). Ce musée conserve des pièces provenant des nécropoles de Spina, ville gréco-étrusque de la période du VIe au IIIe siècle av. J.-C., qui avait disparu sous les eaux pendant plusieurs siècles.

■ PALAZZO DEI DIAMANTI E PINACOTECA NAZIONALE

Corso Ercole I d'Este, 21
℅ (0532) 20 58 44
C'est le siège de la Pinacothèque nationale. Ouvert tous les jours de 9h à 14h, le jeudi de 9h à 19h, le dimanche de 9h à 13h. Fermé le lundi. 4 €.
Ce palais est appelé ainsi à cause des 8 000 bossages de marbre sculptés en pointes de diamant qui ornent sa façade. Il fut commencé en 1493 et achevé pendant la seconde moitié du XVIe siècle. Il dut être restauré après avoir subi des destructions importantes lors de la Seconde Guerre mondiale. Dans la pinacothèque sont conservés des tableaux de la peinture ferraraise du XIIIe au XVIIIe siècle. On pourra y admirer, entre autres, un Christ de Mantegna, des œuvres de Benvenuto Tisi, dit « il Garofalo », célèbre peintre de Ferrara, un *Transito della Vergine* de Carpaccio. Au rez-de-chaussée se tient la Galleria d'Arte Moderna, qui présente régulièrement d'intéressantes expositions temporaires, tandis que sous les arcades de la pinacothèque se trouve la *Statua degli Archeologi* de Giorgio De Chirico.

■ PALAZZO SCHIFANOIA

Via Scandiana, 23
℅ (0532) 24 49 49
Tous les jours de 9h à 18h. Fermé le lundi. 5 €.
Le nom même de ce palais en dit long sur sa fonction première. Dérivé de *schivare la noia,*

littéralement « fuir l'ennui », le palais avait pour unique objet d'être le lieu des divertissements de la cour des Estensi. La première partie, commandée par Alberto V d'Este, date de 1385. Le remaniement le plus important est dû au duc Borso qui, entre 1465 et 1469, fit surélever l'édifice d'un étage. Ce qui fait de Schifanoia un monument exceptionnel est la décoration du salone dei Mesi (le salon des Mois), une extraordinaire série de fresques qui représentent un des aboutissements les plus importants non seulement de l'école de Ferrara mais aussi de l'entière Renaissance italienne.

Elle dénote aussi de l'importance de l'astrologie, dont les représentations se retrouvent dans la partie centrale de chaque mois, à une époque où l'on considérait que le destin des hommes et la volonté des dieux étaient écrits dans les étoiles. En outre, Pellegrino Pricianni, l'astrologue de la cour, a coordonné et supervisé la réalisation de cette salle. On notera également que tous les plafonds sont originaux (XVe), ce qui est plutôt rare. L'intérieur abrite le Museo Civico (*9h30-18h. Entrée : 4,20 €*).

■ **PIAZZA DEL MUNICIPIO**

Ancienne cour ouverte au peuple, on y découvre l'escalier du XVe siècle emprunté par la cour. Sur sa gauche, l'ancienne chapelle, la Capella Ducale (reconvertie aujourd'hui en théâtre), qui accueillait en son temps de nombreux chœurs et dont serait tirée l'expression chanter « a capella ».

Balades

Dans ses recoins, Ferrara offre aux visiteurs curieux qui la découvrent de surprenantes révélations. De la via delle Volte, au sud de la cathédrale, la plus ancienne de la ville, toute voûtée, qui nous replonge instantanément dans une époque médiévale, au corso della Giovecca, en faisant un détour par la via Carmalino, une des rues les plus typiques, ou encore par la rue Mazzini, rue principale du ghetto juif.

En empruntant l'avenue dite « des Anges », le corso Ercole, on atteint la porte des Anges (une des trois portes de la ville), qui vit le 28 janvier 1598 la sortie définitive de la famille Este. D'ici, on peut, à pied ou à vélo, soit longer les 9 km de remparts qui entourent Ferrara, soit rejoindre le parco Urbano G. Bassani, autrefois terrain de chasse des Este, qui constitue « l'addition verte » de la ville avec ses 1 200 ha de verdure et petits lacs.

Shopping

Les banquets des Estensi jouissaient d'une grande renommée en Italie et à l'étranger. On raconte que le cardinal Ippolito d'Este, le grand protecteur de l'Arioste, y est mort d'indigestion après un repas pantagruélique. Un des sommets de la gastronomie ferraraise est la *salama da sugo* (viande de porc séchée imbibée de vin), que l'on peut acheter chez Valerio Roncarati (via Fabbri, 76 ✆ 0532 76 39 17). Une autre bonne adresse pour de la charcuterie d'origine contrôlée est la Goloseria (via Garibaldi, 29 ✆ 0532 20 66 36). Le gâteau ferrarais le plus connu est le *pampepato*, que l'on déguste pendant les fêtes de Noël. Bas, rond et de couleur sombre, c'est un mélange de farine, d'amandes, de cacao et de fruits confits, recouvert de chocolat fondant. Il eut son moment de gloire en 1953, quand Staline en mangea. On le trouve au Caffè Europa (corso Giovecca), ou au bar Nazionale (corso Martiri della Libertà). Les cappellacci faits à la main, qui sont de grands tortellini farcis à la courge, peuvent s'acheter chez Toselli (via Bologna, 179 ✆ 0532 90 37 76 - fermé le lundi).

PARC NATUREL DU DELTA DU PÔ

A 60 km à l'est de Ferrara, compris entre l'embouchure du Pô et la ville de Ravenne, le parc comprend 52 000 ha riches en biodiversité animale et végétale. Cette grande étendue de terres humides, faite de dunes, de buissons et de forêt méditerranéenne, compte un parc terrestre, un fluvial et un côtier (www.parcodeltapo.it).

▶ **On peut parcourir le parc à vélo** suivant l'itinéraire cyclotouristique Destra Po, le long de la berge droite du Pô. 125 km de Stellata à Gorino. Location de vélos : Noleggio Bici, Via Mazzini, 10, Stellata ✆ 0532 896 338. En été, vous pouvez découvrir le delta du Pô et ses endroits les plus fascinants en bateau : Consorzio Navi del Delta ✆ 0533 81302 - 346 592 6555 - www.navideldelta.it.

Oasi di Campotto

A la portée de toutes les jambes, les parcours naturalistes du parco Oasi di Campotto permettent de faire d'intéressantes découvertes écologiques. L'*oasi* compte 1 600 ha de canaux et offre au visiteur le spectacle d'une nature foisonnante, pleine de vie, attirante et fascinante.

© AUTHOR'S IMAGE

Plaine du Pô

Trouvent ici refuge des animaux (belettes, renards, blaireaux, lièvres), des oiseaux aquatiques de différentes espèces (anatidés, rallidés, ardéidés), ainsi que des rapaces diurnes et nocturnes. Parmi la cannaie poussent de nombreuses plantes aquatiques et entre autres des nénuphars. Aux abords du parc, à côté d'Argenta, ne manquez pas de visiter la Pieve San Giorgio, l'église la plus ancienne de la province de Ferrara (VIe), et le temple de la Celletta, situé au bord du fleuve Pô et construit en 1606. Goûtez la cuisine locale (grenouilles de la vallée, frites ou en bouillon, les anguilles, le poisson-chat accompagné de polenta, etc.) à la Trattoria ai Cortili (Via Canne, 124, S. Maria Codifiume ✆ 0532 857 051).

▶ **Renseignements :** Museo delle Valli (Via Cardinala, 1, Campotto ✆ 0532 808 058. Horaires : 9h30-13h et 15h30-18h, fermé le lundi). On peut également y réserver des visites guidées et louer des vélos.

Bosco della Mesola

▶ **A quelques kilomètres de Mesola,** la réserve naturelle du Gran Bosco della Mesola avec se 1 058 ha est une immense forêt de plaine couverte de dunes et de chênes verts. L'accès au Bosco est gratuit et autorisé de mars à octobre, à pied ou à vélo sur environ 100 ha, le mardi, le vendredi, le samedi et les jours fériés, de 8h jusqu'à une heure avant le coucher du soleil. On peut aussi y accéder par canot. Pour obtenir des programmes détaillés sur les excursions, contactez les gardes forestiers du Bosco della Mesola

(✆ 0533 794 028). Avec de bonnes jumelles, on pourra observer des cerfs, des daims et de nombreux oiseaux sauvages. Possibilité de louer des vélos à l'entrée du Bosco.

▶ **Plus au sud, à Codigoro,** l'abbaye bénédictine de Pomposa datée du VIe siècle se dresse au-dessus des vallées asséchées. Une des plus belles abbayes du Nord de l'Italie. L'église préromane garde son pavement de mosaïques et un magnifique ensemble de fresques du XIVe siècle. A côté de l'église, un clocher roman de 48 m, bâti en 1068 (✆ 0533 719 152 - ouverte tous les jours de 8h30 à 19h, entrée : 5 €).

▶ **La vallée de l'embouchure du Volano,** située à quelques kilomètres, est un milieu naturel vraiment enchanteur. Cette petite réserve abrite dans ses roseaux des oiseaux rares. Le panorama que l'on découvre à partir des observatoires d'où l'on observe les oiseaux est constitué des vallées de Comacchio, une des régions marécageuses les plus importantes d'Europe.

▶ **Séparée de la mer par une langue de sable,** l'Oasi Faro di Gorino est un espace lagunaire de transition entre la terre ferme, les vallées et la mer. De Goro, descendez en longeant le bras homonyme du Pô jusqu'à un embarcadère où un petit bateau vous déposera sur l'île de l'Amour. Au milieu de roseaux et herbes palustres, dans une atmosphère envoûtante, vous trouverez le phare de Goro. L'ancienne maison du gardien à côté est un bon restaurant de poisson (La Lanterna ✆ 336 363 322 - fermé de décembre à février).

Comacchio

L'endroit est incroyablement romantique : de l'eau, des petits ponts, des barques et le tout, si minuscule au milieu des marais. On comprend que sa « grande sœur », Venise, en fut jalouse en son temps. La ville a en effet été détruite au XVIe siècle par Venise, qui voyait dans les riches commerçants de Comacchio et dans sa flotte une véritable épine plantée dans son flanc. On a donc dû tout reconstruire, pour retrouver l'authenticité de ce lieu intemporel où les clochers chantent pourtant tous en chœur à heure fixe…

Pratique

■ **OFFICE DE TOURISME**
Via Mazzini, 4 ✆ (0533) 31 41 54
http://comacchio.dev2.studiopleiadi.it/t
De mars à octobre, ouvert tous les jours de 9h à 12h30 et de 15h30 à 19h. Le reste de l'année, le vendredi, samedi et dimanche de 9h30 à 12h30 et 15h30 à 18h30.

▶ **SOS Moustiques.** Ceci est une mise en garde contre les moustiques nombreux et affamés qui rôdent autour des marais. Lotion antimoustique indispensable !

Hébergement – Restaurant

■ **LA COMACINA**
Via E. Fogli, 17/19 ✆ (0533) 31 15 47
Fax : (0533) 31 92 57
www.locandalacomacina.it
De 85 à 95 € en chambre double. Chambres avec TV et air conditionné. Restaurant.
Les chambres sont très confortables et récentes, toutes de jaune et de bleu vêtues. Et puis, comment ne pas aimer séjourner sur les rives et devoir s'arrêter devant une barque bleue pour trouver son chemin !

Manifestations

▶ **Avril :** Tous les ans, fin avril, se déroule la Foire internationale du birdwatching et du tourisme naturaliste. Il s'agit d'une foire professionnelle ouverte au public. Au programme, excursions guidées des sites naturels du parc du Delta du Pô, laboratoires didactiques pour écoles et familles avec enfants, ateliers théoriques et pratiques de la photographie, leçons de birdwatching, randonnées à vélo (http://www.podeltabirdfair.it).

▶ **Octobre :** les deux premiers week-ends d'octobre célèbrent la spécialité de la région, l'anguille. Mais en dehors de cela, c'est une fête gastronomique au sens large qui prend place dans le centre historique de la ville.

Points d'intérêt

Comacchio exporte les anguilles : une fois marinées et mises en boîte, elles s'envolent pour le nord de l'Europe. Sur place, en revanche, on les consomme fraîches, préparées en filets et cuites sur la braise. Les grandes lagunes saumâtres (plus de 10 000 ha) sont riches en poissons et en oiseaux. On peut accomplir un parcours d'intérêt à la fois historique et écologique en allant à pied ou en barque dans ce que l'on appelle le Museo delle Valli. C'est un ensemble de mamelons, de canaux, de végétation, d'oiseaux, avec des petites constructions pour la pêche (*casoni*), remises à neuf. Le Museo delle Valli se trouve à environ 10 km de Comacchio, en plein cœur du parc régional du Delta du Pô. On peut y faire un tour en bateau d'une heure et demie à la rencontre des hérons et des flamants roses, et à la découverte des anciennes maisons de pêcheurs reconverties en musée (départ de Comacchio-stazione Pesca Foce, de fin février à fin octobre, départ journalier à 9h-11h-15h-17h. Entrée : 11 € par personne ✆ 340 253 4267). Quelques enjambées supplémentaires vous amènent à la péninsule voisine de Boscoforte où nidifient de nombreuses espèces rares.

Le littoral ferrarais : lidi nord

Le littoral ferrarais, avec ses sept *lidi* (lidos), offre de nombreuses possibilités à ceux qui désirent passer des vacances reposantes dans un lieu naturel insolite. Il s'y exerce une sorte de quiétude que nous renvoie une nature généreuse et harmonieuse. Ici, les petites habitations sont basses et blanches, le bleu des marécages est intense et profond, les plages de sable fin sont encore un peu sauvages et les cigales enjouées ne cessent de chanter. De tous les *lidi*, Lido de Spina est le plus résidentiel, Lido de Volano et son imposante pinède le plus nature et Lido Nazioni le plus animé. Une bonne adresse où goûter de l'excellent poisson : Ristorante Europa (viale dei Mille, Porto Garibaldi ✆ 0533 327 362, fermé le vendredi).

RAVENNE

A l'époque romaine, voulant exploiter une situation géographique idéale pour les échanges commerciaux avec ses voies fluviales et lagunaires qui pénétraient à l'intérieur des terres, Auguste fit construire le port de Classe, aujourd'hui ensablé, où il fit équiper une flotte. L'empereur Claude l'entoura de murailles, tandis qu'en 402 Honorius déplaça le siège impérial de Milan à Ravenne. Ici commença sa période de gloire : de 493 à 526, la ville accueillit la cour de Théodoric, roi des Goths. Un véritable quartier goth vit le jour dans la partie est de la ville. Le palais impérial fut embelli et devint le siège du roi. Ravenne resplendit d'art et de culture. Le christianisme aryen des Goths insuffla à la création artistique une extraordinaire vitalité. Ravenne atteignit son apogée sous Justinien, qui, vers la moitié du VIe siècle, l'élut capitale de l'Italie byzantine. C'est à ce moment qu'apparut le chef-d'œuvre architectural de San Vitale ainsi que le meilleur de l'art byzantin (surtout à caractère religieux). De cet univers, il reste aujourd'hui de magnifiques églises, dont la basilique Sant'Apollinare Nuovo, et, à l'extérieur des murailles, le stupéfiant mausolée royal. Subsistent aussi les marbres et les statues échappés aux razzias de Charlemagne qui fit transférer au musée d'Aquisgrana d'innombrables objets d'époque romaine et paléochrétienne.

Transports

Située sur le côté adriatique, sous le Delta du Pô, Ravenna se trouve à 76 km de Bologne et 55 km de Rimini. Elle est reliée à l'autoroute du Soleil (A14) par en embranchement (A14dir) à la hauteur de Imola. La route Romea (SS309) mène jusqu'à Venise (160 km).

■ BUS ATM
A la gare ferroviaire
℗ (0544) 68 99 00 (bus urbains), (0544) 35 404 (bus extraurbains)
Bureau ouvert du lundi au samedi de 6h30 à 19h30 et le dimanche de 7h30 à 19h30.
Liaisons extraurbaines pour les lidos et quelques villes italiennes. Ticket sur bus urbain : 1 €.

■ GARE
Piazzale Farini, 13
℗ (0544) 89 20 21
Ravenne se trouve sur les lignes Ferrara-Ravenna-Rimini, Bologna-Castelbolognese-Ravenna et Faenza-Ravenna. Nombreuses liaisons par jour.

Pratique

Le centre historique est petit et fermé à la circulation des voitures. La mairie met à disposition des touristes des vélos jaunes, gratuits et présents en différents points du centre. Pour les louer, adressez-vous à l'office du tourisme.

■ HÔPITAL SANTA MARIA DELLE CROCI
Viale Randi, 5
℗ (0544) 28 54 50

■ OFFICE DU TOURISME
Via Salara, 8
℗ (0544) 35 404/755
www.turismo.ravenna.it
Tlj de 8h30 à 19h (de 10h à 18h les dimanches et pendant les vacances). En basse saison de 8h30 à 18h.

■ PHARMACIE DE GARDE
Via Fiume Abbandonato, 124
℗ (0244) 40 25 14

■ POINT INTERNET – EXPERT PHOTO
Via M. d'Azeglio Massimo, 3/D
℗ (0544) 30 371
Du lundi au vendredi, de 9h à 13h et de 15h30 à 19h30, et le samedi matin. Pour 2 € de l'heure, les ordinateurs près du studio sont à votre disposition.

■ POSTE
Piazza Garibaldi, 1 ℗ (0544) 24 33 11
Du lundi au vendredi de 8h30 à 18h30, le samedi jusqu'à 12h30.

Hébergement

■ ALBERGO CAPPELLO
Via IV Novembre, 41℗ (0544) 21 98 13
Fax : (0544) 21 98 14
www.albergocapello.it
130 € la chambre double standard. Chambre avec TV satellite, air conditionné, téléphone, minibar. Accès Internet gratuit.
De grand standing, cette magnifique demeure de type vénitien du XVIIe siècle a seulement sept chambres, mais toutes différentes. Ce petit hôtel en plein cœur du centre-ville est très agréable. L'accueil est professionnel et chaleureux et les services nombreux. Ambiance très cosy.

■ B&B CASA MASOLI
Via Girolamo Rossi, 22
℗ 335 609 94 71, 339 544 84 05
www.casamasoli.it
Chambre double à 70€, petit déjeuner inclus.

Climatisation, télévision, Wi-Fi.
Les chambres à disposition des hôtes sont au troisième étage de cette belle demeure du XVIIIe siècle, située dans le centre historique. Meublées d'ancien, elles offrent une vue superbe sur les toits et les clochers de la ville. Une chambre a l'accès direct à la cour intérieure. Excellent rapport qualité-prix.

■ HÔTEL RAVENNA
Via Maroncelli Pietro, 12
℗ (0544) 21 22 04
Fax : (0544) 21 20 77
www.hotelravenna.ra.it
De 65 à 90 € en chambre double. Chambre avec TV et téléphone. Parking privé.
De confort simple mais correct, l'hôtel est situé à deux pas de la gare.

■ OSTELLO PER LA GIOVENTU DANTE
Via Aurelio Nicolodi, 12
℗ (0544) 42 11 64
Fax : (0544) 42 11 64
Lit de 16 à 22 €. Ouvert du 01/03 au 15/11. Réservation obligatoire. Restaurant, parking, service de laverie, point Internet, location de vélos. A 1 km de la gare de Ravenne. Bus 1, 11 ou 70 juste en face de la gare.

Restaurants

■ ENOTECA CA' DE VEN
Via Corrado Ricci, 24
℗ (0544) 30 163
Tlj de 11h à 14h30 et de 18h à 22h30. Fermé le lundi. De 10 à 25 €.
Installée dans la bâtisse datée de 1542 d'une ancienne pharmacie dont on a conservé les hautes étagères en bois, cette Ca' de Ven, qui signifie en italien *casa del vino* (maison du vin), nous propose une exquise *piadina* (compter 4 €) accompagnée d'un verre de bon vin romagnole.

■ LOCANDA DEL MELARANCIO
Via Mentana, 33
℗ (0544) 21 52 58
www.locandadelmelarancio.it
Fermé le mercredi. Entre 15 et 30 €.
On y mange sur des tabourets le long du bar au rez-de-chaussée ou, de manière plus coûteuse, dans la salle de restaurant chic du premier étage. La cuisine est régionale, typique et savoureuse.

■ RISTORANTE MARCHESINI
Via Mazzini, 2/6
℗ (0544) 21 23 09
www.ristorantimarchesini.com
Ouvert uniquement de 12h30 à 14h30. Entre 20 et 30 €.
Une des meilleures adresses de la ville. Au rez-de-chaussée, on achète les produits du terroir et, en attendant de les cuisiner soi-même, on file au premier étage pour les déguster délicieusement préparés par le chef.

Manifestations

▶ **Le troisième week-end de chaque mois,** entre la piazza Garibaldi et la via Gordini, se tient le marché aux Antiquités.

▶ **Juin-juillet :** Ravenna Festival. C'est l'événement majeur de la ville. Pendant près de deux mois, musique lyrique, classique, opéra et ballets se produisent dans le cadre enchanteur des nombreux musées de la ville (www.ravennafestival.org).

▶ **Septembre :** commémoration traditionnelle de la mort de Dante Alighieri, avec le don de l'huile des collines toscanes sur sa tombe, accompagnée de nombreux hommages au poète.

Points d'intérêt

A ne pas manquer : le mausolée de Galla Placidia, le baptistère néonien, les basiliques de Sant'Apollinare Nuovo, San Vitale et Sant'Apollinare in Classe.

▶ **Bon à savoir.** Billet cumulatif à 8,50 € pour la basilica di San Vitale, le mausoleo di Galla Placidia, le baptistère néonien, et la basilica Sant'Apollinare Nuovo. Dans les billetteries des musées, on peut louer des audioguides à 3,50 €.

■ LA BASILICA DI SAN VITALE
Via Flandrini Benedetto
℗ (0544) 54 16 88
Tlj de 9h à 17h30.
Cette basilique à la forme octogonale fut érigée en 525 et consacrée en 548 sous l'empereur Justinien. C'est un exemple parfait de l'art paléochrétien. L'intérieur est d'une surprenante beauté grâce, en particulier, à de superbes mosaïques aux couleurs flamboyantes, dans un excellent état de conservation. La basilique fait partie des monuments les plus importants de l'art paléochrétien en Italie.

■ BASILICA DI S. APOLLINARE IN CLASSE
Via Romea sud
Classe (5 km de Ravenne)
℗ (0544) 47 35 69

Le littoral de Ravenna : lidi sud

De Ravenne, vous pouvez rejoindre les nombreuses localités balnéaires sur la côte pour des vacances sous le signe du relax et de l'activité sportive. Elégante et paisible, idéale pour les familles, Marina Romea offre un accès direct à la verdoyante pinède de San Vitale avec ses lagunes d'eau saumâtre débouchant dans la mer, éparpillées de *padelloni*, les cabanes de pêcheurs typiques du coin. De Porto Corsini, en été, partent les ferries pour la Croatie (www.emiliaromagnalines.it). Marina di Ravenna avec ses étendues de sable blanc est la localité le plus à la mode du littoral : dans les nombreux *bagni* (établissements balnéaires), la movida est assurée sur la plage ! Entouré par la pinède de Classe et près de l'estuaire du fleuve Bevano, Lido di Dante est le lido plus nature. Milano Marittima est plus élégant et raffiné. Enfin, avec ses salines et sa majestueuse tour de l'Horloge, Cervia aussi vaut le détour. Régalez-vous à la Trattoria la Cubana (Via Molo Dalmazia, 37, Marina di Ravenna ✆ 0544 530 231). Excellente, la friture de poisson, également à emporter et à manger sur la plage !

Bus 4-44 en face de la gare. Tlj de 8h30 à 19h30. Entrée : 3 €.
Erigée dans la première moitié du VIe siècle, le campanile date, quant à lui, du Xe siècle. Située sur la route de Rimini, la basilique est l'unique vestige de la ville de Classe, l'ancien port de Ravenne. Cette basilique est superbe, et ce serait vraiment dommage de ne pas la visiter. A sa gauche, on verra la pinède qui inspira Dante et Byron.

■ BASILICA SANT'APOLLINARE NUOVO
Via di Roma
✆ (0544) 54 16 88
Tlj de 9h30 à 17h30.
Par la beauté de ses mosaïques, cette église rivalise avec San Vitale. Elle fut construite au début du VIe siècle par l'empereur Théodoric. Les superbes mosaïques visibles sur la partie inférieure des nefs représentent une procession de martyrs allant à la rencontre de Jésus.

■ BATTISTERO DEGLI ARIANI
Vicolo degli Ariani
✆ (0544) 54 37 11
Tlj de 8h30 à 16h30. Entrée gratuite.
Ancien lieu de culte des Aryens (une hérésie qui affirmait que la nature du Christ n'était pas complètement divine). Construit sous Théodoric au VIe siècle, le baptistère a une forme octogonale avec absidioles. Comme les autres monuments, il présente de très belles mosaïques, notamment le baptême du Christ dans sa coupole.

■ BATTISTERO NEONIANO (DEGLI ORTODOSSI)
Piazza Duomo
✆ (0544) 54 16 88
Tlj de 9h30 à 17h30.
Construit au VIe siècle, il tient son nom de l'évêque Néone qui l'orna de superbes mosaïques aux accents dorés. A côté, la cathédrale (XVIIIe) possède un clocher des X-XIe siècle et un ambon du VIe siècle.

■ MAUSOLEO DI GALLA PLACIDIA
Via Fiandrini
✆ (0544) 54 16 88
Tlj de 9h à 17h30.
C'est un genre de chapelle à croix latine que fit construire l'impératrice Théodora pour abriter son sépulcre. L'intérieur conserve de splendides mosaïques, les plus anciennes de Ravenne. Le mausolée doit son nom à l'impératrice Galla Placidia, fille de Théodose Ier, qui y fut enterrée un certain temps.

■ MUSEO ARCIVESCOVILE
Piazza Arcivescovado
✆ (0544) 54 16 55
Tlj de 9h30 à 17h30.
Situé au 1er étage de l'ancien palazzo dell'Arcivescovado, ce musée possède la célèbre *cattedra di Maximien* (chaire de Maximien), œuvre d'artistes alexandrins du VIe siècle, ainsi qu'une des plus importantes sculptures sur ivoire de tous les temps. A l'intérieur, la chapelle Arcivescovile présente de superbes mosaïques du VIe siècle.

■ MUSEO D'ARTE DELLA CITTA
Via di Roma, 13
✆ (0544) 48 23 56
Mercredi et samedi de 9h à 13h30. Mardi, jeudi, vendredi de 9h à 13h30 et 15h à 18h. Dimanche de 15h à 19h. Entrée libre.
La pinacothèque se trouve dans la logetta Lombardesca, qui donne sur l'ancien monastère des Canonici Lateranensi. Elle

conserve des peintures de l'école émilienne, toscane et vénitienne, du XIVe au XVIe siècle. A voir en particulier, une Crucifixion de Lorenzo Monaco et, parmi les sculptures, la fameuse statue funéraire de Guidarello Guidarelli, réalisée en 1525 par Tullio Lombardo.

■ MUSEO NAZIONALE
Via Fiandrini
℡ (0544) 54 37 11
Tlj de 8h30 à 19h30. Fermé le lundi. Entrée : 4 €. Il est installé dans le vieux monastère bénédictin, à côté de la basilique de San Vitale. Il conserve des pièces de l'époque romaine et paléochrétienne.

■ TOMBA DI DANTE ALIGHIERI
Via Dante Alighieri, 9
℡ (0544) 33 66 2
Tlj de 10h à 18h30. Entrée libre.
Le plus grand poète italien arriva à Ravenne en 1317 et mourut en 1321. La structure actuelle remonte à 1780 ; elle abrite l'ancienne tombe sur laquelle Pietro Lombardo sculpta, en 1483, l'effigie du poète.

FAENZA

Située à 31 km de Ravenne et 50 km de Bologne, Faenza est la patrie de la céramique, dont on regroupe les différentes variétés sous le terme de *maiolica* : cet art a rendu Faenza fameuse depuis des siècles, à tel point qu'en français *maiolica* se traduit par "faïence". Mais Faenza n'est pas uniquement la céramique. Les imposantes piazza del Popolo et piazza delle Erbe, expression de la division entre les pouvoirs religieux et communal typique de la Renaissance ; le Duomo de fin XVe siècle ; la fontaine monumentale (XVIIe) ; le palazzo Milzetti, chef-d'oeuvre de l'architecture néoclassique italienne ; la piazza Nenni avec le théâtre néoclassique Masini, et enfin les élégants palais qui donnent sur les rues du centre : une balade dans le centre-ville nous emmène au pays des petites merveilles. Pour un goûter gourmand, passez à la pâtisserie Fiorentini (Corso Mazzini, 163a), une institution dans la ville !

▌ **Les ateliers de céramique** se trouvent dans le centre historique. Demandez la liste à l'office du tourisme.
On signale en particulier l'atelier de Mirta Morigi, céramique contemporaine (Via Barbavara, 19/4 - ℡ 0546 29940).

▌ **Faites un détour au petit bourg d'Oriolo dei Fichi**, à 8 km de Faenza. Sur les collines se dresse la belle Torre di Oriolo (XVe), ce qui reste du château des Manfredi, seigneurs de Faenza. Le paysage tout autour est magnifique. La Torre est située sur la route du sangiovese. Arrêtez-vous à l'Azienda Agricola Montepiano (Via San Mamante, 126 - ℡ 0546 642 075) où, outre boire un verre de bon vin, vous pourrez aussi manger de l'excellente cuisine maison dans une ambiance très familiale (sur réservation).

Pratique

■ OFFICE DU TOURISME
Voltone Molinella, 2 ℡ (0546) 25 231
Fax : (0546) 25 231
www.prolocofaenza.it

Hébergement

■ AGRITURISMO LA SABBIONA
Via di Oriolo, 10
www.lasabbiona.it ℡ (0546) 64 21 42
De 32 à 38 € par personne, petit déjeuner inclus. Piscine, climatisation, vélos.
Situé sur une colline aux portes de Faenza, cet agriturismo permet de profiter du calme de la campagne sans renoncer à la possibilité de visiter les centres artistiques de la province. Chambres doubles et mini-appartements tout confort, rénovés dans le respect des traditions rurales. Sur réservation, dîner à base de plats typiques.

Manifestations

▌ **Le 5 janvier** a lieu sur la piazza del Popolo, la célèbre sagra, la Notte del Biso, une manifestation populaire avec dégustation de vin cuit et des spécialités gastronomiques. A minuit, on sacrifie le Niballo dans les flammes du bûcher. La fête s'achève sur ce geste symbolique, destiné à porter chance pour la nouvelle année à toutes les personnes présentes.

▌ **Le 4e dimanche de juin :** le Palio del Niballo. Les participants des différents quartiers, en costumes de cavaliers du Moyen Age, se mesurent dans un jeu d'adresse consistant à toucher avec une lance un petit disque fixé sur le bras d'un pantin maure, appelé Niballo. Informations au Comitato del Palio del Niballo, corso Garibaldi, 2 ℡ (0546) 663 445.

▌ **De juin à septembre** se déroule au palais des Expositions, un salon international de la céramique d'art. Informations : Ente Ceramica Faenza, corso Mazzini, 92 ℡ (0546) 621 145.

Point d'intérêt

■ MUSEO DELLE CERAMICHE
Viale Baccarini, 19
✆ (0546) 69 73 11
www.micfaenza.org
Entrée : 6 €. D'avril à octobre, de 9h30 à 19h. De novembre à mars, de 9h30 à 13h30 et de vendredi à dimanche de 9h30 à 17h30. Fermé le lundi.
Le musée expose des céramiques de toutes les époques et de tous les pays. Depuis les faïences de la Renaissance italienne jusqu'aux céramiques précolombiennes, certaines remontant à la préhistoire et d'autres récentes, œuvres de Chagall, Léger, Matisse, Picasso et Rouault.

Dans les environs
100 km séparent Faenza de Florence. On peut les parcourir en empruntant la Faentina (SS302), la route panoramique qui, suivant le cours du fleuve Lamone, traverse les Apennins et ses pittoresques villages de montagne. L'importance et la beauté de cette route sont valorisées par la « 100 km del Passatore » (le Passatore était le surnom d'un célèbre bandit romagnole de la moitié du XIXe siècle, une sorte de Robin Hood local), une compétition internationale de course à pied qui a lieu le dernier week-end de mai. Départ de Florence, arrivée sur la place principale de Faenza où les participants sont accueillis par vino sangiovese, piadina et musique à volonté !

BRISIGHELLA
Situé sur un colline à 15 km de Faenza, ce charmant bourg médiéval vaut absolument le détour. Il s'étend aux pieds de trois pignons rocheux sur lesquels se dressent ses monuments principaux : la Rocca (IVe), remarquable exemple d'art militaire du Moyen Age ; le sanctuaire du Monticino (XVIIe) ; la Torre dell'Orologio (XIIIe), d'où l'on jouit d'une vue époustouflante sur le village et les calanques.
Brisighella compte une des rares rues « au deuxième étage » d'Italie : l'ancienne via del Borgo, dite aussi via degli Asini car autrefois elle était parcourue par les caravanes des ânes en direction des crayères. Proche du centre, sur la route vers Fognano, se trouve la superbe Pieve Tho, une église du IXe siècle de style romanique. Arrêtez-vous chez Carletto (via Baccarini, 26), ses glaces sont mémorables.

■ OFFICE DU TOURISME
✆ 0546 81 166
www.brisighella.org

■ OSTERIA DEL GUERCINORO
Piazza Marconi, 7
Brislghella
(0546) 80 464
30 € environ. Fermé le mardi. A midi, ouvert uniquement le dimanche et les jours de fête.
Hôte et véritable artisan du goût, Franco vous guidera à la découverte des saveurs raffinées d'une cuisine simple qui met en valeur la qualité des ingrédients utilisés, tous provenant de petits producteurs locaux. Spécialités du coin, produits du terroir et plats saisonniers. Endroit de charme, salle voûtée avec pierres apparentes. A ne pas manquer.

RIMINI ET SA RÉGION
On entend souvent parler de Rimini comme de la destination branchée et pailletée de l'Italie, il faut entendre par là l'étendue que forme Rimini avec les localités voisines. On trouve au sud de Rimini les localités les plus chic : en tête Riccione, Cattolica et Misano Adriaco. Si Riccione accueille une population jeune, plutôt festive et somme toute huppée, Cattolica est plus familiale, son style épuré, neuf et délibérément blanc lui donne un cachet particulier. Au nord de Rimini (Viserbella, Viserba, Bellaria…), le faste s'est éteint, les prix sont plus abordables, la population nettement plus familiale. Rimini, quant à elle, fidèle à sa position centrale, mélange ces deux tendances.
Par ailleurs, si l'image la plus répandue de ce coin de l'Adriatique est celle d'un gigantesque supermarché de vacances, elle ne tient pas compte de la réalité historique de la ville même de Rimini dont les origines remontent à l'Antiquité. La naissance de Rimini date de 268 av. J.-C., quand les Romains décident d'implanter là une colonie afin de contrôler la plaine du Pô. Ce rôle de « gardien » s'accroît avec le temps, comme le montrent les grands édifices publics de l'époque d'Auguste. Le témoignage le plus important de cette période est l'arc érigé en 27 av. J.-C. en l'honneur de l'empereur. Rimini ne retrouva un faste semblable qu'au moment de la Renaissance, sous la seigneurie de Sigismondo Malatesta. De grands artistes se mettent alors au service du prince : il y eut Filippo Brunelleschi, Piero della Francesca, Agostino di Duccio et Leon Battista Alberti. A présent, la renommée de

Rimini est liée au phénomène touristique qui en a fait la plage la plus fréquentée d'Italie. Pourtant, c'est un processus qui a des origines lointaines car ce fut le comte Ruggero Baldini qui fit construire, en 1843, le premier établissement balnéaire. Vingt ans plus tard apparurent les premières villas aristocratiques et le majestueux hôtel Kursaal de style néoclassique.

Enfin, en 1912, un plan de programmation minutieux fixa le destin des 12 km de littoral allant de Rimini à Riccione. Ce fut la consécration de Rimini en tant que ville de loisirs.

Transports

Rimini se trouve à 120 km de Bologne, 230 km de Milan, 120 km d'Ancône.

■ AEROPORTO INTERNAZIONALE FEDERICO FELLINI
Via Flaminia, 409
Rimini Miramare
✆ (0541) 71 57 11
www.riminiairport.com
Liaisons vers Tirana, Monaco, Londres, Moscou, etc.

■ BUS TRAM
Via C. A. Dalla Chiesa
✆ (0541) 30 05 53
www.amrimini.it
Bus urbains et interurbains.

■ GARE
Piazzale C. Battisti, 7
✆ (0541) 89 20 21
Nombreuses liaisons vers Milan (3 heures), Bologne (1 heure-1 heure 30 min), Ancône (1 heure 30 min).

■ TAXI
✆ (0541) 50 020

Pratique

■ OFFICE DU TOURISME
Piazzale Fellini, 3
✆ (0541) 56 902
www.riminiturismo.it
Du lundi au samedi de 8h30 à 18h.
On trouve aussi un point informatique à l'intérieur de la gare.

Hébergement

On trouvera aisément de quoi se loger parmi les milliers d'infrastructures que compte la côte. La plupart des hôtels en bord de mer sont extrêmement bruyants avec un rapport qualité-prix pas toujours à la hauteur. En revanche dans l'arrière-pays, on peut trouver des lieux de séjours charmants et souvent plus abordables. Pour autant, l'infrastructure hôtelière est diversifiée et pour toutes les bourses.

N'hésitez pas à vous renseigner auprès de l'APT (✆ 0541 430 111), qui vous orientera selon vos besoins.

■ AGRITURISMO LE MERIDIANE
Via Pietrarubbia, 76
✆ 339 69 13 405
www.agriturismolemeridiane.it
45 € par personne avec petit déjeuner.
À 5km du centre de Rimini, cet agriturismo vous permet de profiter de la ville et de ses plages tout en séjournant dans un paisible cadre rural. Possibilité d'excursion en vélo le long du fleuve Marecchia.

■ AGRITURISMO PALAZZO MARCOSANTI
A Poggio Berni
via Ripa Bianca, 441
✆ (0541) 62 95 22
www.palazzomarcosanti.it
Studio mansardé à 124 €. A 15 km au sud-ouest de la côte (Rimini).
Une immense forteresse avec une vue panoramique unique. Splendide région à découvrir à vélo.

■ CAMPING ITALIA
Via Toscanelli, 112
Viserba
✆ (0541) 73 28 82
10 € par personne. Ouvert de fin mai à mi-septembre. Laverie gratuite, bar, plage privée avec parasol.
À 1,5 km au nord de Rimini. Il s'agit d'un camping plutôt simple, mais l'essentiel y est, et notamment des coins ombragés pour les tentes et la mer à quelques mètres. Les mobil-homes sont tout neufs, spacieux et équipés avec l'air conditionné.

Sortir

Trouver la bonne discothèque parmi la centaine que comptent Rimini et ses alentours n'est pas chose facile. Pour une clientèle sélecte mais aussi très festive, on peut tester la Villa delle Rose (Misano Adriatico). Le Cocorico et le Peter Pan de Riccione sont souvent mentionnés comme les meilleures discothèques de la côte. Une ligne de bus Blue Line dessert toute la nuit les discothèques les plus en vogue (✆ 0541 74 35 94).

Points d'intérêt

■ ARCO DI AUGUSTO

Piazzale Giulio Cesare

Le plus ancien des arcs romains. Il fut construit en 27 av. J.-C. en l'honneur d'Auguste, qui avait relié la via Flaminia à la via Emilia.

■ CASTEL SIGISMONDO

Au bout de la piazza Malatesta

Il fut réalisé en 1446, d'après les dessins de Sigismondo, qui profita des conseils de Brunelleschi. Il n'en subsiste que des vestiges restaurés.

■ PIAZZA CAVOUR

Le centre historique de la ville. On y voit la statue du pape Paul V et une fontaine du XVIe siècle, bordée par le palazzo del Podestà, le Palazzo Comunale et le palazzo dell'Arengo. Celui-ci date de 1204 et conserve dans son salon de l'étage supérieur des fresques du XIVe et XVIe siècle.

■ TEMPIO MALATESTIANO

Via IV Novembre, 35℡ (0541) 51 130
Du lundi au samedi : 8h30-12h30 et 15h30-19h, le dimanche : 9h-13h et 15h30-19h.
C'est un des plus beaux monuments Renaissance, le plus important de la ville. Il date du XIIe siècle, mais fut rénové entre 1447 et 1460, selon la volonté de Sigismondo Malatesta, qui y est enterré (sa tombe est sur la droite). La façade est l'œuvre d'Alberti. A noter, la fresque qui recouvre la partie droite de la chapelle, la plus proche de l'autel, est attribuée à Piero della Francesca.

VERUCCHIO

Verucchio fait partie de ces petits bouts de vie dans lesquels il fait bon s'arrêter quelques heures pour goûter à la tranquillité, écouter le chant des cigales, grimper les petites rues pavées, et profiter de la vue sur le versant. On fait le tour du centre en empruntant un chemin pavé et l'on tombe sur le Musée archéologique et ses trésors du IXe au VIIe siècle av. J.-C. et sur la Rocca Malatestiana (℡ 0541 670 222 - www.prolocoverucchio.it - Ouvert d'avril à fin septembre de 9h30 à 12h30 et 14h30 à 19h30, d'octobre à fin mars, le samedi de 9h30 à 13h et 14h30 à 18h30, dimanche et jours fériés de 10h à 13h et 14h30 à 18h. Entrée : 5,50 €. Entrée du château : 4,50 €).

SAN ARCANGELO

A 10 km de Rimini, avec sa forteresse du XVe siècle, son église paroissiale, son réseau d'anciens souterrains et son centre historique fort bien conservé, San Arcangelo est un des villages les plus pittoresques de la côte. Renseignez-vous à l'office du tourisme (℡ 0541 624270 - www.santarcangelodiromagna.info). Début juillet, la ville héberge un célèbre festival international de théâtre (www.santarcangelofestival.com).

■ RISTORANTE LAZAROUN

Via del Platano, 21 ℡ (0541) 62 44 17
www.lazaroun.it
Réservation conseillée. Fermé le jeudi. Menu maison à partir de 30 € boisson comprise.

Campagne d'Émilie-Romagne

En plein cœur du petit bourg médiéval, les salles sont voûtées, la cuisine excellente, les pâtes préparées par la mamma... Et l'on peut même visiter sur demande les grottes qui sont adjacentes au restaurant.

SAN MARINO

Lorsque l'on arrive à San Marino, le ton est donné : les mots « Terre de liberté » sont inscrits à l'entrée du pays. Et du haut de la colline, dans le centre historique, les yeux rivés sur le paysage alentour, ce goût de liberté se fait sentir. De là, on domine tout, les toits orange de la ville juste en dessous de nous, mais aussi les vallées à perte de vue. San Marino est accrochée sur les pentes du mont Titano, et c'est la plus ancienne république d'Europe.

Elle aurait été fondée en 301 par Marino, un tailleur de pierre de l'île dalmate de Rab, fuyant les persécutions de Dioclétien. L'indépendance de cette république minuscule (61 km²) fut reconnue par Napoléon, puis confirmée par le congrès de Vienne. Elle frappe sa monnaie, émet des timbres et décerne ses propres décorations. Son économie pleine de vitalité la fait surnommer la « Vaduz » romagnole. Du centre historique on assiste, entre autres, au folklore de la relève de la garde, sur la place de la Liberté (de 8h30 à 18h30 en été et le week-end en hiver), et l'on peut se faire prendre en photo avec ces jolis « soldats de plomb » en veste verte et pantalon rouge. Les trois torre della Cesta, Guaita et Montale, le palazzo pubblico et la chiesa San Francesco sont les monuments les plus importants de la ville.

C'est ici que se déroulent les défilés du 1er avril et du 1er octobre à l'issue desquels on nomme les capitaines régents. En contrebas, dans la ville, on peut aller jeter un œil au musée des Curiosités qui ne manquera pas de nous étonner (salita alla Rocca, 26 - Ouvert tous les jours de 10h à 17h30. Entrée : 7 €). Le logement y est particulièrement cher, tout comme les restaurants. Aussi vaut-il mieux n'y passer qu'une journée. Un service d'autobus quotidien assure la liaison entre Rimini et le petit Etat distant de seulement 13 km.

Pratique

A 20 km de Rimini. On rejoint San Marino par l'autoroute A14, sortie Rimini Sud, puis SS72.

■ **OFFICE DU TOURISME**
Contrada Omagnano, 20
✆ (0549) 88 29 14
www.visitsanmarino.com
Tlj de 8h30 à 18h30.
Pour atteindre le centre historique, il faut emprunter le funiculaire : toutes les 15 min de 7h50 à 19h. 4,50 € aller-retour.

Shopping

Amateurs de lunettes, parfums, ou fumeurs inconditionnels, les produits sont ici détaxés...

PARC NATIONAL DES FORÊTS CASENTINESI

Dans cette réserve de plus de 36 000 ha dans l'Apennin romagnole, on trouve les bois et les forêts parmi les plus vastes et les mieux préservés d'Italie. La présence millénaire de l'homme y a laissé sa trace : bourgs pittoresques, chemins muletiers et les imposants sanctuaires de Camaldoli et La Verna, dans la partie toscane du parc. 250 km de sentiers bien marqués et de nombreux refuges de montagne permettent de faire des excursions pendant toute l'année. Le parc est à environ 55 km au sud de Forli. On peut y accéder de Forli par la route SS67 direction Castrocaro, puis Portico-San Benedetto in Alpe. Renseignements : www.parcoforestecasentinesi.it

▶ **Acquacheta.** De San Benedetto in Alpe, un sentier mène jusqu'aux chutes de l'Acquacheta à travers un parcours de rochers, forêts et prés verdoyants. Chantées par Dante dans le « XVI chant » de *L'Enfer*, elles forment une tombée de 70 m. A San Benedetto, le restaurant Acquacheta vous séduira par ses saveurs et ses portions copieuses : cuisine à base de pâtes maison, cèpes, truffes, viande de chevreuil, sanglier, outre de superbes steaks. A côté de San Benedetto, ne manquez pas de visiter le charmant bourg médiéval de Portico.

▶ **Ridracoli.** De Santa Sofia, rejoignez le petit bourg de Ridracoli : trois maisons en pierre, un palais du XVIIIe siècle, reconverti en hôtel de charme, avec se ‾‾‾ un pont en dos d ╲ de Ridracoli, form ╲ Bidente et Rio Cell ╲ la Romagne entièr ╲ en bateau électriqu ╲ pêche sportive.

Du barrage, empruntez le sentier qui mène au refuge de Ca' di Sopra, entouré de pâturages. De là, vous pouvez poursuivre jusqu'aux vieilles maisons en pierre de Seghettina.

▶ **Tredozio et valle del Tramazzo.** Après avoir visité le village de Tredozio, dirigez-vous vers le lac de Ponte. Ici, empruntez le sentier n° 8 pour découvrir la vallée du torrent Tramazzo. On y trouvera un énorme hêtre âgé de 400 ans. De Tredozio, vous pouvez aussi vous rendre à Lutirano et ici emprunter le sentier à la hauteur de Ponte della Valle qui vous mènera jusqu'au magnifique sanctuaire de Gamogna (XIe).

MODÈNE

Il y a toujours eu une grande rivalité entre Modène et Bologne. C'est une brouille vieille de plusieurs siècles qui sépare ces deux villes. Cet antagonisme se nourrit d'épisodes aussi grotesques que celui de la Secchia Rapita (le seau enlevé). Conservé aujourd'hui sous haute sécurité à la mairie (on peut aller le voir), ce seau fut l'objet d'une longue querelle. Souhaitant porter à son comble l'humiliation des Bolonais, les soldats de Modène ont réussi en 1325 à entrer dans la ville et y voler un seau, signe que les Bolonais n'étaient même pas capables de protéger un simple seau !
Si dans l'esprit de tous, Modène est associée à une industrie automobile des plus prestigieuses, avec Ferrari, Maserati, Lamborghini, De Tomaso, la ville n'en reste pas moins proche de ses origines montagnardes, natures et vraies. Elle affiche avec fierté le plus haut pourcentage d'espaces verts par citoyen de la région avec cinq parcs dans la ville. Son centre historique est plein de charme avec notamment la bataille colorée que se livrent les façades et les volets marron et bleu de ses bâtiments.
Longtemps moyenâgeuse, la ville ne connut qu'à partir de 1598, avec l'arrivée de la famille Este, un renouveau incroyable.

Transports

Modène se trouve à 50km à l'ouest de Bologne (30 min), le long de la A1.

■ COTAMO RADIO TAXI
✆ (059) 37 42 42

■ GARE
Piazza Dante Alighieri, 6/c
✆ (059) 89 20 21

Bureau d'information ouvert de 7h à 21h. Liaisons directes toutes les 30 min avec Bologne (30min) où de nombreux changements se font pour toute l'Italie.

■ GARE ROUTIÈRE BUS ATCM
Via Bacchini, 1
✆ 800 111 101
www.atcm.mo.it

Pratique

Le centre de Modène est interdit aux véhicules non autorisés. On peut se garer dans les parkings gratuits à côté du parc Novi Sad.

■ MODENATUR
Via Scudari, 10
✆ (059) 22 00 22
www.modenatur.it
Du mardi au vendredi de 9h à 13h et de 14h30 à 18h30 et le lundi de 14h30 à 18h30. Fermé les lundi matin, samedi, dimanche et jours fériés.

■ OFFICE DU TOURISME
Piazza Grande, 14
✆ (059) 20 32 660
http://turismo.comune.modena.it
iatmo@comune.modena.it
Ouvert tous les jours, sauf dimanche après-midi et lundi matin, de 9h à 13h et de 15h à 18h. Dimanche de 9h30 à 12h30.

■ PHARMACIE DE GARDE
Farmacia del Pozzo, via Emilia Est, 416
✆ (059) 36 00 91
Tlj de 8h à 20h.

Hébergement

Les hôtels de Modène sont à la fois chers et peu nombreux. Il vaut mieux dormir dans les villes voisines, comme Carpi, Spilamberto ou Mirandola.

■ HÔTEL CANALGRANDE
Corso Canalgrande, 6
✆ (059) 21 71 60, (059) 22 16 74
www.canalgrandehotel.it
Entre 132 et 200 €. Chambres avec téléphone, TV, climatisation, réfrigérateur. Garage, restaurant (entre 35 et 50 €).
En plein centre-ville, un hôtel à l'architecture néoclassique qui ne manque pas de charme, entouré d'un grand parc.

■ HÔTEL CASTELLO
Via Pica, 321
✆ (059) 36 10 33
www.hotelcastello-mo.it

De 77 à 115 € en chambre double avec un copieux petit déjeuner. Chambres avec air conditionné, TV satellite, téléphone, minibar. Parking, laverie, point Internet gratuit. Grand jardin avec une agréable terrasse.
A 10 min du centre-ville, l'endroit est vraiment paisible. Dans cette demeure du XVIII siècle avec sa jolie tour, les chambres sont spacieuses et l'accueil est à la fois professionnel et sympathique.

Restaurants

■ HOSTARIA LA FRASCA
Via San Paolo, 51 ✆ (059) 21 62 71
Fermé le mercredi. 30-35 €.
Cette petite hosteria dans le centre historique vaut une visite non seulement pour sa cuisine locale appétissante et copieuse, mais aussi et surtout pour son atmosphère familiale. Ada, propriétaire, chef et serveuse, entretient ses clients avec son extravagance et sa gaieté.

■ HOSTERIA GIUSTI
Via Farini, 75 ✆ (059) 22 25 33
35 € environ. Fermé le dimanche et le lundi soir. Fermé du 1er juillet au 31 août et en décembre. Située au cœur de la ville, cette trattoria occupe les locaux de l'ancien abattoir de la salumeria éponyme, ouverte depuis près de quatre siècles. Aux murs, les jambons et les *culatelli* accueillent le client de façon prometteuse. On y sert des plats traditionnels de la région, comme le risotto aux haricots borlotti, les tortellini de chapon en bouillon, la luganeghe au vinaigre balsamique.

■ RISTORANTE ANTICA TRATTORIA CERVETTA
Via Cervetta, 7
✆ (059) 22 05 00
Repas complet à 30 € environ.
Située à 50 m du Duomo, cette trattoria est une des références de la cuisine locale. On y mange bien dans une ambiance informelle.

Manifestations

▶ **Le 31 janvier :** fête de San Geminiano, patron de la ville, avec foire et corrida dans les rues du centre historique.

▶ **Le quatrième samedi et dimanche de chaque mois,** foire aux antiquités sur la Piazza Grande.

▶ **Juillet :** Festival international de la Fanfare militaire. Les rues de Modène se font la résonance acoustique de centaines de soldats en uniformes du monde entier

qui y défilent tambour battant ! Parades et concerts de grande qualité sont donnés pour l'occasion.

▶ **Avril-mai :** Modène terre de moteurs (Terra di Motori) – www.modenaterradimotori.com – Voitures anciennes et contemporaines se côtoient dans le centre historique. Une exposition d'une très grande ampleur.

Points d'intérêt

Dans la région de Modène, le marbre n'était pas chose courante, aussi les principaux monuments de la ville sont-ils vêtus et décorés soit de terre cuite, soit d'une belle imitation du marbre obtenu avec la terre de Carpi.

▶ **Billet cumulatif** à 6 € pour la galerie Estense, les musei Civici et du Duomo. Valable 2 jours.

■ LE DUOMO
De 7h à 12h30 et de 15h30 à 19h. 3 €.
C'est le principal monument de la ville et il abrite les reliques de San Geminiano. La pose de la première pierre remonte à 1099, mais il ne fut réellement achevé qu'en 1323. Sur la façade de Lanfranco recouverte de marbre blanc, on découvre de nombreuses représentations de la création. Petite curiosité, sur la façade nord, une représentation de la légende du roi Arthur porte à la réflexion, car il est historiquement difficile de comprendre comment cette légende a pu à l'époque s'exporter jusqu'à Modène. A côté se dresse la Ghirlandina, une tour du XIII siècle haute de 87 m, symbole de la ville (*ouverte du début avril à la fin octobre, fermée le mois d'août. Horaires : 9h30-12h30, 15h-19h, sauf le samedi*).

■ PALAZZO DEI MUSEI
Viale Vittorio Veneto, 5
✆ (059) 20 66 65
La galerie est ouverte du mardi au dimanche de 8h30 à 19h30. Entrée : 4 €. La bibliothèque est ouverte du lundi au samedi de 9h à 13h, entrée gratuite. Ce palais, qui avait à l'origine pour fonction d'héberger les nécessiteux de la ville, regroupe aujourd'hui tous les musées de la ville. Construit en 1753 il abrite la galerie et la bibliothèque Estense, ainsi que le Musée civique archéologique. La galerie présente des œuvres de l'école émilienne et vénète du XIV au XVII siècle. On pourra y admirer le *Saint Antoine de Padoue* de Cosmè Tura ainsi que des œuvres du Greco et de Vélasquez. Quant à la bibliothèque, elle contient des livres d'enluminures italiens, dont la fameuse Bible de Borso d'Este.

ÉMILIE-ROMAGNE

■ PALAZZO DUCALE

Piazza Roma

L'ancien palais royal des Este fut construit à partir de 1634, et il est, depuis la fin de la Seconde Guerre mondiale, le siège de l'Académie militaire. Aujourd'hui encore, le troisième samedi du mois de mai s'y tient le bal des débutantes pour les cadets de l'Académie militaire. Des visites guidées dévoilant des salons somptueux sont organisées de 10h à 11h. Réservation obligatoire auprès de l'office du tourisme ou Modenatur.

Loisirs

Nombre de producteurs de vinaigre balsamique ouvrent gratuitement leur porte aux curieux qui voudraient en savoir plus sur le sujet et surtout s'en délecter. Pour ce faire, il suffit de se rendre à l'office du tourisme qui organisera votre visite ou vous donnera la liste des producteurs susceptibles de vous recevoir. Denrée rare et précieuse, on achète l'*aceto balsamico tradizionale di Modena* à partir de 70 € pour celui de 25 ans d'âge et 40 € pour le celui de 12 ans.

■ AZIENDA AGRICOLA GALLI

Via Albareto, 452

✆ (059) 25 10 94

A 10 min du centre-ville.

Si elle ne parle pas français et bredouille l'anglais, la propriétaire des lieux sait cependant fort bien se faire comprendre. Elle vous fera faire le tour de sa toute petite production dont seulement 600 bouteilles sont extraites chaque année, et tester son vinaigre avec du parmesan et quelques douceurs préparées sur le pouce. Eduquée aux joies du vinaigre balsamique par sa belle-mère, elle prend aujourd'hui un vrai plaisir à le produire modestement. Un plaisir qu'elle aime faire partager.

Dans les environs

■ MUSÉE DU VINAIGRE BALSAMIQUE

Villa communale Fabriano

Via Roncati, 28. Spilamberto

✆ (059) 78 16 14

De 9h30 à 13h et et de 15h à 19h (à environ 12 km de Modène). Entrée : 2 €, avec dégustation 4 € (le dimanche matin ou sur réservation).

Très ludique, on y retrouve l'ambiance de l'intérieur d'un tonneau, mais surtout on y comprend toute la richesse de ce produit.

■ MUSÉE FERRARI

Via Dino Ferrari, 43, Maranello

✆ (0536) 94 32 04

Tlj de 9h30 à 19h de mai à septembre. Et jusqu'à 18h le reste de l'année. Entrée : 13 €. A peine arrivé, le ton est donné avec l'inscription des récents et nombreux titres de Champion du monde de l'écurie. A l'intérieur : des moteurs, des pièces mécaniques, les anciens et nouveaux modèles de la marque, des bandes démo à la gloire de Ferrari, le bureau reconstitué de son initiateur Enzo... la caverne d'Ali Baba pour les passionnés, juste beaucoup de rouge pour les non-initiés.

SASSUOLO

■ PALAZZO DUCALE

Piazzale della Rosa,

A 15 km au sud-ouest de Modène. Entrée : 4 €. Ouvert uniquement les week-ends, d'avril à octobre. Le samedi de 15h à 18h et le dimanche de 10h à 13h et de 15h à 18h.

Les fresques de ce palais sont une véritable petite merveille. Il suffit de pénétrer au cœur de la galerie Bacchus, « fresquée » par Jean Boulanger, pour s'en convaincre. Les corps dans l'effort sont d'un réalisme saisissant. Dans la plupart des salles tout est faussement majestueux grâce au trompe-l'œil qui les décore. On comprendra ou non le choix d'associer l'Art nouveau à un ensemble si authentique, imposant de grands monochromes colorés au milieu des fresques du XVIIe siècle. La cohabitation peut en effet surprendre.

CARPI

A 20 km au nord de Modène on rejoint Carpi en empruntant l'A 22 en direction de Brennero, ou la N 413. Cette ville de 60 000 habitants, gouvernée par la famille Pio du XIVe au XVIe siècle, vaut vraiment le détour. Sa place des Martyrs, longue de plus de 200 m, et bordée d'arcades, son palazzo Pio avec sa chapelle, sa cour intérieure et ses appartements qui constituent un modèle du genre, ou encore sa cathédrale de l'Assomption datée du XVIe siècle, confèrent à cette ville de style Renaissance un attrait tout particulier.

NONANTOLA

Sur la rive droite du Panaro, à 10 km au nord de Modène. Ce village est célèbre par son abbaye, fondée, dit-on, en 751, par Anselme, duc du Frioul, qui avait abandonné la vie de cour pour se consacrer à la méditation. L'intérieur de l'abbaye laisse apercevoir des détails architecturaux inhabituels ainsi que deux chefs-d'œuvre oubliés : le polyptyque de Michele Lamberti et la sculpture sur marbre blanc de Giacomo Silla de Longhi.

PIEVEPELAGO ET LE LAGO SANTO (LAC SAINT)

Lieu enchanteur situé aux confins de la Toscane, à 1 500 m d'altitude. Pour éviter tout problème, il serait bon de téléphoner au Rifugio Giovo (✆ 0536 71 556 – www.rifugiogiovo.it – ouvert tous les jours), qui mettra une Jeep à votre disposition pour vous conduire sur place. Le refuge Giovo vous offrira de confortables chambres, ce qui ne gâchera en rien cet endroit déjà extraordinaire.

PARME

Lorsque l'on pénètre au cœur de Parme, on est envahi par une sensation étrange, comme si rien ne pouvait tenter de perturber la tranquillité qui y règne. Non pas que l'on s'y sente dans un autre temps, le monde qui s'y trouve y est bien contemporain, mais l'on s'y sent coupé de tout. Comme happé par un monde à part qui se suffit à lui-même.

Plus que tout, jamais un melting-pot générationnel n'aura cohabité avec autant d'harmonie. On y aime ainsi sa qualité de vie et, si autrefois les sénateurs romains venaient y vieillir, aujourd'hui ce sont les artistes et les personnalités italiennes qui y possèdent une résidence secondaire sans pour autant avoir modifié l'authenticité de la ville. Tite-Live signale que Parme naquit en 183 av. J.-C., le long de la via Emilia. Elle connut, en tant que duché indépendant, trois siècles de splendeur avec les Farnèse, les Bourbons et Marie-Louise de Habsbourg. Ils donnèrent à la ville une dimension européenne qu'elle garde encore de nos jours.

Transports

Parma se trouve à 100 km à l'ouest de Bologne, à 125 km de Milan, et à 210 km de Gênes.

◼ AÉROPORT
✆ (0521) 95 15
www.parma-airport.it
A 5 km au nord de la ville. Une navette de l'aéroport vous conduit au centre-ville de Parme. Liaisons vers quelques villes italiennes, Londres et Tirana.

◼ BUS TEP
Via Taro, 12A
Point d'information et billetterie : Punto Tep, Piazza Ghiaia, 41
✆ (0521) 28 26 57, 800 977 966 (n° vert)
www.tep.pr.it
Du lundi au samedi de 7h45 à 19h10.

◼ GARE
Piazzale C.A dalla Chiesa
✆ (0521) 78 39 60
A deux pas du centre-ville. Nombreuses liaisons directes avec Milan (1 heure 30 min de trajet), Modène (30 min) et Bologne (1 heure).

Pratique

Trouver une place de parking dans le centre historique est très compliqué. On peut laisser la voiture dans le parking Toschi (viale Toschi, 2g) devant le palazzo Pilotta.

◼ CONSULAT DE FRANCE
Via Carducci, 24
✆ (0521) 23 78 40

◼ INFORMAGIOVANI
Via Melloni, 1/b ✆ (0521) 21 87 49
Ouvert les lundi, mardi, vendredi et samedi de 9h à 13h et de 15h à 19h, le mercredi de 9h à 13h et le jeudi de 9h à 19h.
Situé à côté de l'office du tourisme, le bureau Informagiovani permet de consulter Internet gratuitement (possibilité de réserver 1 heure au maximum), de recueillir des informations sur les auberges de jeunesse, le logement, les petits boulots, etc.

◼ OFFICE DU TOURISME
Via Melloni, 1A
✆ (0521) 21 88 89/55
www.turismo.comune.parma.it
Du lundi au vendredi de 9h à 13h et de 15h à 18h.
L'office du tourisme propose de riches documentations sur la ville et la province. On peut y consulter la liste des guides touristiques de la ville. La ville est tellement riche d'histoire que la parcourir avec un guide français est un plus qu'il ne faut pas hésiter à s'offrir si l'on peut se le permettre.

◼ PARMA PUNTO BICI
Viale Toschi, 2 ✆ (0521) 28 19 79
Tlj de 9h à 13h et de 15h à 19h. Besoin d'une pièce d'identité. 70 centimes l'heure ou 90 centimes pour un vélo électrique.
Possibilité de louer des bicyclettes traditionnelles ou électriques.

■ **POSTE CENTRALE**

Via Melloni, 1 ✆ (0522) 22 24 11
Du lundi au samedi de 8h à 18h30 et le dimanche jusqu'à 12h30.

Hébergement

Ville d'art et de grande gastronomie, Parme dispose de nombreux logements en son sein. Pas toujours donnés, ils ont tendance à augmenter leurs tarifs régulièrement, surtout dans les périodes les plus touristiques. Le mieux est de réserver à l'avance car les différences de prix peuvent être assez importantes.

■ **ALBERGO LEON D'ORO**

Viale Fratti, 4a ✆ (0521) 77 31 82
www.leondoroparma.com
Entre 65 et 80 € pour une chambre double. Réservation obligatoire. Restaurant (autour de 20 €, fermé en août).
Bon rapport qualité-prix.

■ **B&B AL CENTRO STORICO**

Via Madre Adorni, 16
✆ (0521) 23 12 08
www.centrostorico.aparma.eu
75 € la chambre double. TV, Internet Wi-Fi. Cartes bancaires réfusées.
Les propriétaires de cette élégante villa entourée de végétation méditerranéenne vous accueilleront dans leur B&B familial, silencieux, à quelques minutes à pied du centre historique. Délicieux gâteaux maison.

■ **HÔTEL VERDI**

Viale Pasini, 18 ✆ (0521) 29 35 39
Fax : (0521) 29 35 59
www.hotelverdi.it
De 110 à 220 € pour une chambre double. Chambres avec téléphone, TV, climatisation, réfrigérateur. Restaurant (autour de 40 €), parking. Interdit aux animaux.
Un hôtel agréable, au décor Liberty, non loin du palais ducal et de ses jardins.

Ils ont marqué la ville

▶ **La dynastie Farnèse.** C'est l'avènement du pape Paul III, membre de la famille Farnèse, qui marqua le début de leur règne sur les duchés de Parme et de Plaisance. Le pape les offrit en effet à son fils en 1545. A l'origine de nombreux palais de la région et du majestueux théâtre Farnèse, leur règne qui s'imposa jusqu'en 1731 a considérablement marqué la ville de Parme.

▶ **Marie-Louise de Habsbourg-Lorraine,** seconde femme de Napoléon, et par conséquent impératrice française. A la fin du XVIIIe siècle, Parme devint un département de l'Empire français et c'est en dédommagement qu'elle reçut le duché de Parme à la mort de son époux en 1815. Considérée comme la « gentille » duchesse pour son dévouement à la ville et à son peuple, c'est à elle que l'on doit, entre autres, la construction d'un théâtre public : le théâtre Reggio, ou encore l'ouverture au public du jardin ducal.

▶ **Giuseppe Verdi (1813-1901).** Originaire de la région et par conséquent, fierté inégalée de celle-ci, le musicien y a laissé une empreinte indémodable. Avec, entre autres, ses vingt-six opéras, Verdi s'est imposé de son vivant comme le plus grand musicien italien de son époque. Un itinéraire permet de partir sur ses traces : de Roconle, où il naquit, à Bussetto, où il passa la plus grande partie de sa vie, le parcours retrace pièce par pièce la vie du maestro.

▶ **Il Correggio (1489-1534).** Le Corrège, en version française, est un des plus illustres peintres italiens du XVIe siècle. Inspiré par Michel-Ange et Raphaël lors de son séjour à Rome, il manie surtout le clair-obscur. C'est à Parme qu'il développa tout son art à partir de 1519 avec la décoration de la chambre du monastère de San Paolo. Son chef-d'œuvre reste la coupole de la cathédrale avec sa mise en image vertigineuse de l'Assomption de la Vierge.

▶ **Il Parmigiano (1503 1540).** De son vrai nom Francesco Mazzola, le Parmesan est un des maîtres incontestés du maniérisme. Elève du Corrège, il donne vie à ses personnages, défiant parfois les lois préétablies de la perspective et des proportions. Le Parmesan commença et termina sa carrière à Parme. Entre-temps il exerça son art à Rome et à Bologne. L'ampleur de son talent se retrouve notamment dans les fresques de l'église San Giovanni et Santa Maria la Steccata.

■ ROOM & BREAKFAST LA PILOTTA

V. Garibaldi, 31

✆ (0521) 28 14 15 – www.lapilotta.it

Chambre double à 80 €. Climatisateur, Internet. Ancien palais dans le centre-ville avec vue sur la piazza della Pace. Chambres grandes, lumineuses, très soignées.

Restaurants

La gastronomie de Parme est renommée surtout pour son parmigiano reggiano et le jambon de Parme, généralement accompagnés par des bons vins Doc.

■ ENOTECA FONTANA

Strada Farini, 24

✆ (0521) 28 60 37

De 9h à 15h et de 17h30 à 22h. Fermé lundi et dimanche. Autour de 10 €.

Un incontournable de la restauration rapide de Parme. Grandes tables en bois, service rapide, atmosphère gaie, bruyante. Vous pouvez goûter des panini avec la charcuterie locale (le *principe al culatello* est délicieux), ou bien tortellini, tagliatelle, cotolette alla milanese. Vaste choix de vins.

■ HOSTARIA TRE VILLE

Via Benedetta, 99/a ✆ (0521) 27 25 24

Compter de 30 à 50 €. Ouvert tous les jours. Surtout, avant toute chose, bien repérer le chemin avant de se lancer à l'assaut du Tre Ville, perdu dans la banlieue nord de Parme. On vient dans cet ancien hôtel de poste reconverti pour sa cuisine savoureuse, à la fois traditionnelle et recherchée. Dans les assiettes, le meilleur de la cuisine parmesane, des charcuteries exquises, un *risotto radicchio rosso i fontina* parfait et des tortelli à se damner, tout comme les plats à base de canard (*anatra*)… Une adresse qui vaut le détour !

■ RISTORANTE COCCHI

Viale Antonio Gramsci, 16

✆ (0521) 98 19 90

25-35 €. Célèbre rendez-vous des gourmets de Parme, ce restaurant à gestion familiale vous étonnera avec ses mets de la cuisine locale. A goûter : *savarin di riso*, *tortelli d'erbette*, *bolliti misti.* Service très professionnel, cuisine excellente.

■ TRATTORIA ANTICHI SAPORI

Via Montanara, 318

Gaione ✆ (0521) 64 81 65

www.cucinaparmigiana.it

Fermé le mardi et en août. Menu à 30 €.

Situé dans la maison de campagne qui autrefois appartenait au musicien Nicolo Paganini, aux portes de Parme, ce restaurant vous propose des plats traditionnels dans une ambiance rustique. Une adresse à ne pas manquer.

Manifestations

▶ **San Giovanni.** Le 23 juin au soir. La tradition veut que l'on mange des tortelli et fasse la fête en attendant la rosée. La rosée de la nuit de San Giovanni est un remède contre toutes les maladies. C'est aussi cette nuit-là que l'on recueille les uniques noisettes qui serviront à faire la fameuse liqueur de noisette : nocino !

▶ **Festival de l'Architecture.** Se renseigner à l'office du tourisme pour le programme (www. festivalarchitettura.it).

Points d'intérêt

Le centre est assez petit. Les monuments principaux se concentrent à l'est du torrent Parma.

▶ **À ne pas manquer :** la Cattedrale et le Battistero, la Galleria Nazionale, la Camera di San Paolo.

■ BATTISTERO

De 9h à 12h30 et de 15h à 18h45. Entrée : 5 €. Extrêmement précieux, le baptistère, dont la construction débuta en 1196, est revêtu en marbre rose de Vérone. Sa forme octogonale est tout à fait particulière. A l'époque, le nombre 8 symbolisait le nouveau jour, la nouvelle vie. Autrement dit, la résurrection grâce au baptême. Benedetto Antelami en est encore une fois à l'origine en tant qu'architecte et sculpteur. Par ailleurs on notera que la décoration extérieure est directement liée avec l'intérieur, ainsi les lunettes intérieures illustrent la suite de celles de l'extérieur.

■ LA CAMERA DI SAN PAOLO (CHAMBRE DU CORRÈGE)

Couvent de San Paolo

Strada Melloni Macedonio, 3a

✆ (0521) 23 36 17

De mardi à dimanche de 8h30 à 13h30. Entrée : 2 €.

C'était la salle à manger de l'appartement de l'abbesse Giovanna da Piacenza du couvent de Saint-Paul. Elle est décorée, entre autres, par des fresques de Correggio datées de 1519.

■ CATTEDRALE

✆ (0521) 23 58 86

De 9h à 12h30 de 15h à 19h. Messe tous les jours à 11h. Construite en 1106, c'est une des plus grandes réalisations d'art roman du XIIe siècle.

Sur la façade, les mois de l'année de mars à février, de gauche à droite, représentent les travaux de l'agriculture. Datée de 1120, cette réalisation est un précieux témoignage de l'époque moyenâgeuse. L'intérieur du Duomo abrite deux chefs-d'œuvre. L'admirable fresque l'*Assunzione della Vergine* (*Assomption de la Sainte Vierge*) par il Correggio, qui décore la coupole. Il s'agit là de sa dernière œuvre réalisée à Parme, entre 1526 et 1530, quasi scandaleuse et presque détruite à l'époque en raison de ses corps nus. Il Correggio, révolutionnaire, aurait pris un malin plaisir à y dissimuler quelques « surprises » invisibles à l'œil nu depuis le sol et notamment quatre violettes sur la balustrade. L'œuvre moyenâgeuse en relief et en marbre de Vérone signée et daté (ce qui est totalement inédit pour l'époque) de Benedetto Antelami datant 1178 est elle aussi tout à fait somptueuse. Ne pas hésiter à monter sur les galeries en empruntant l'échelle.

■ CHIESA E MONASTERO DI SAN GIOVANNI EVANGELISTA
Piazzale S.Giovanni, 1 ℰ (0521) 23 53 11
De 8h30 à 11h45 et de 15h à 17h30.
Située derrière le Duomo, l'église conserve d'importantes fresques du Correggio (de 1520) et dans l'aile gauche quelques œuvres du Parmesan. Un monastère, daté du Xe siècle, avec trois cloîtres jouxte cette église, derrière laquelle on trouvera la fameuse pharmacie évangéliste de San Giovanni, ouverte par les Bénédictins en 1201. Elle ferma en 1881. Depuis, elle a été restaurée et rouverte en 1951.

■ CHIESA SANTA MARIA DELLA STECCATA
Piazza della Steccata, 9
De 9h à 12h et de 15h à 18h.
Construite entre 1521 et 1539, l'église est une petite merveille de fresques. On y retrouve, dans l'arche du presbytère, la *Parabole des dix vierges* du Parmigianino. Dans la crypte trônent les tombeaux de la famille Farnèse et de quelques Bourbons et notamment celui du second mari de Marie-Louise, Adam Neipperg, qui gouverna Parme pendant quelques années.

■ GALLERIA NAZIONALE
Piazzale della Pilotta
De 9h à 13h30, fermée le lundi. Entrée : 6 €.
Le billet donne droit aussi à l'entrée du théâtre Farnèse. Il s'agit du parcours A à l'intérieur du théâtre Farnèse et, d'ailleurs, on passe par ses coulisses pour y arriver. Elle rassemble des collections de peintures de Parme du XVe au XVIIIe siècle, avec des œuvres du Corrège et du Parmesan, mais également une ébauche de Léonard de Vinci et du Greco.

■ MUSEO GLAUCO LOMBARDI
Strada Garibaldi, 15 ℰ (0251) 23 37 27
www.museolombardi.it
Du mardi au samedi de 9h30 à 15h30. Dimanches et jours fériés de 9h à 18h30 (juillet et août de 9h à 13h30). Entrée : 4 €.
Situé à Palazzo della Riserva, le musée conserve d'importantes reliques de la période des Bourbons, mais il est surtout dédié à l'impératrice Marie-Louise d'Autriche. On y trouve tout ce qui a pu appartenir au couple impérial : mobilier, habits de cérémonies, bijoux, et des portraits de famille.

■ PALAZZO ET GIARDINO DUCALE
Du lundi au samedi, de 9h à 12h. 3 €.
Il fut construit en 1564 par Ottavio Farnese. C'est aujourd'hui le siège de la gendarmerie.

■ PALLAZZO DELLA PILOTTA
Piazza della Pilotta, 5 ℰ (0521) 23 33 09
Le musée archéologique est ouvert du mardi au samedi de 9h à 14h. Entrée : 2 €.
Construit pour les services de la cour, à la fin du XVIe siècle, à la fois pour y abriter leurs appartements mais aussi nombre des institutions de la ville. Aujourd'hui, on y trouve le teatro Farnese, la Galleria Nazionale, la Biblioteca Palatina et le Museo Archeologico. Le musée archéologique contient des vestiges préromains et romains trouvés dans la région de Parme.

■ PONTE DI MEZZO
A la fin de corso Mazzini, ce pont du XIIIe siècle, reconstruit dans les années 1930, relie le centre historique à l'Oltretorrente. Son passage souterrain abrite les vestiges du pont romain.

■ TEATRO FARNESE
Palazzo della Pilotta
Du mardi au dimanche de 8h30 à 13h30. Entrée : 2 €. Erigé entre 1618 et 1619, c'est le prototype du théâtre baroque à l'italienne. Les peintures, les colonnes, les statues, tout y est en trompe l'œil. Presque entièrement détruit en 1944 par les bombardements, il est aujourd'hui restauré. Il est entièrement en bois et il n'avait pour autre fonction à cette époque que de montrer la puissance de la famille Farnèse. De 1619 à 1631, il ne fut en effet utilisé que neuf fois. Dans une ville qui ne comptait alors que 20 000 habitants, le théâtre pouvait en accueillir 4 000. Absolument grandiose et unique en son genre, il est tout simplement impressionnant. Surtout lorsqu'on

pense qu'à l'époque de véritables batailles navales y étaient reproduites grâce à un système d'évacuation de l'eau inédit.

■ TEATRO REGIO
Strada Garibaldi, 16a
✆ (0521) 03 93 93 (pour les visites),
(0521) 03 93 99 (billetterie du théâtre)
www.teatroregioparma.org
Ouvert au public uniquement de mardi à samedi, de 10h30 à 12h. Entrée : 2 €.
Il fut bâti au début du XIXe siècle grâce à Marie-Louise d'Autriche, qui souhaitait la création d'un théâtre public. Sa façade est néoclassique, et à l'intérieur on trouve un superbe rideau représentant *Le Triomphe de Minerve* de Giovan Battista Borghesi. Ses fauteuils rouge vif, ses dorures, son lustre, ses lumières qui crépitent invitent aux rêves les plus fous en tenue d'époque

Shopping

■ GELATERIA K2
Strada Cairoli
Près de l'église San Giovanni.
Leurs glaces sont incontestablement les meilleures de la ville !

■ MERCATO
Piazza della Ghiaia
Du lundi au samedi de 7h à 13h et le samedi après-midi de 16h à 19h30.
Marché historique de Parme, il existe depuis le Moyen Age. Ici le rapport qualité-prix ne laisse pas indifférent. On trouve sur cette même place des babioles à petit prix.

CHÂTEAUX DU DUCHÉ DE PARME ET DE PLAISANCE

Eparpillés dans le territoire des provinces de Parme et Plaisance, depuis 500 ans, ces 22 châteaux médiévaux se détachent comme sentinelles sur les verts paysages de la plaine du Pô et des Appenins. Leurs enceintes et leurs salons fastueux évoquent les amours et les guerres des familles aristocrates auxquelles ils doivent leur construction, comme les Rossi, Sforza, Farnese, Borbone, etc. La route des Châteaux permet d'associer les visites culturelles avec la dégustation de produits régionaux de très haut niveau (vin, parmesan et charcuterie).

Transports

Colorno est à 18km au nord de Parme par la SP343R. Fontanellato est à 21km à l'ouest de Parme sur la SS9. Torrechiara est à 18km

au sud de Parme en direction de Langhirano. Bardi est à 72km au sud-ouest de Parme. Pour y aller : A15 en direction de La Spezia jusqu'à Fornovo di Taro, ensuite SP28.

Pratique

Pour 2 €, la Card del Ducato, valable 1 an, offre une réduction de 1 € sur les entrées et s'achète aux billetteries des châteaux. Elle donne également droit à une réduction du 10 % dans certains restaurants et hôtels (www.castellidelducato.it).

Hébergement

■ CA' D'ALFIERI
Località Predario, 29
Bardi ✆ (0525) 77 174, 347 8927775
www.cadalfieri.it/
De 35 à 50 € par personne, inclus le petit déjeuner. Dîner sur réservation à 25 €.
Situé dans la Val Ceno, à 10min de Bardi, ce charmant agriturismo domine la vallée et son torrent. Dans cette ancienne maison de paysans de la moitié du XIXe siècle dominent la pierre et le bois dans le respect de la nature et de l'aspect originel de la maison. Chambres rustiques, de style rural d'antan, extrêmement confortables et accueillantes. Excellents petit déjeuner et dîner rigoureusement à base d'ingrédients produits sur place. Un endroit de rêve, à ne pas manquer.

Restaurant

■ IL MASTICABRODO
Strada provinciale per Torrechiara, 45a
Pilastro ✆ (0521) 63 91 10
www.masticabrodo.com
Fermé le dimanche soir et le lundi. Réservation conseillée. 30 € environ. Les propriétaires de ce restaurant ont la capacité de transformer leurs clients en amis. Atmosphère chaleureuse, la cuisine donne sur la salle. Excellente cuisine locale, plats simples et généreux, portions abondantes. Un endroit délicieux.

Points d'intérêt

■ BARDI
✆ (0525) 71 626 – www.diasprorosso.com
Pour les horaires de visite, consultez le site de la forteresse. Entrée : 5,50 €. Située sur un contrefort à la confluence des torrents Ceno et Noveglia dans les Apennins, la forteresse de Bardi est un exemple extraordinaire d'architecture militaire médiévale, reconvertie en résidence noble en 1500. Depuis 1250, il fut la propriété de la famille Landi, ensuite des Farnèse.

La forteresse domine la Val Ceno, une vallée riche en charmants bourgs de montagne, sources, torrents et superbes paysages. Destination inconnue au tourisme de masse, c'est l'idéal pour faire du trekking et se relaxer au milieu d'une nature non contaminée.

■ REGGIA DI COLORNO

Colorno ✆ (0521) 31 25 45

Visites guidées uniquement. Ouverte tous les jours sauf le lundi, et de décembre à février seulement le week-end. Entrée : 6,50 €.
De style versaillais, cette résidence a vu se succéder les Bourbons, puis au XIXe siècle Marie-Louise d'Autriche s'y installa. Les jardins ont été dessinés par l'architecte français Ennemond Petitot. C'est également le siège de l'Alma, l'Ecole internationale de cuisine italienne, et on peut y faire de glorieux stages de cuisine. A 4 km de Parme, sur la route pour Colorno, vous pouvez visiter la chartreuse de Parme qui inspira Stendhal. Construite en 1265, elle est actuellement occupée par un centre carcéral de réinsertion. On peut la visiter en s'adressant directement à la direction carcérale.

■ ROCCA SAN VITALE DI FONTANELLATO

Piazza Matteotti, 1
www.fontanellato.org (0521) 82 32 20
D'avril à octobre de 9h30 à 11h30 et de 15h à 18h. De novembre à mars de 9h30 à 11h30 et de 15h à 17h, fermé le lundi. Entrée : 7 €.
Cette forteresse (fin XIVe siècle) surgit au centre du bourg, entourée par un large fossé en eau. Ce fut la propriété de la famille Sanvitale jusqu'en 1948. La salle de Diane et Actéon décorée par le Parmigianino en 1524 est un des chefs-d'œuvre du maniérisme italien. Par un curieux jeu de prismes, de la Camera Ottica, on peut encore jeter un coup d'œil aux ruelles du centre sans être vu.

■ TORRECHIARA

Borgo del Castello - località Torrechiara
Langhirano
✆ (0521) 35 50 09 (office de tourisme)
Fermé le lundi. Ouvert tous les jours de 9h à 17h, en août jusqu'à 15h. Entrée : 3 €.
Cette forteresse fut bâtie à la moitié du XVe siècle par Pier Maria Rossi pour son aimée, Bianca Pellegrini. La rigueur de son aspect extérieur, expression de sa vocation militaire, contraste avec le raffinement de l'intérieur. La Camera d'Oro conserve un cycle de fresques de Benedetto Bembo qui célèbrent à la fois l'amour entre Bianca et Pier Maria et la puissance du clan à travers la représentation des châteaux des Rossi. Dans les ruelles à côté de la forteresse, à la Cantina del Borgo on produit du vin local ; vous pouvez y déguster de l'excellent barbera.

BUSSETO

Verdi eut avec Busseto, située à 37 km de Parme, un rapport privilégié. Il y trouva à la fois son mécène, son protecteur et son futur beau-père en la personne d'Antonio Barezzi, un grossiste en alcools et en denrées coloniales, passionné de musique. Quand Verdi partit s'inscrire au Conservatoire de Milan, et après qu'il fut recalé parce qu'il « n'avait pas les qualités suffisantes », les amis de Busseto le ramenèrent au pays et, avec leurs propres deniers, lui payèrent des cours privés. Plus tard, quand ces mêmes amis apprirent que Verdi était sur le point d'accepter un poste d'organiste à Monza, ils le firent revenir quasiment de force. Busseto est un véritable musée consacré à Verdi. On y visite le théâtre Verdi, situé dans la Rocca (1250) et inauguré en 1868 (4 €) et la Casa Barezzi (4 €), la maison de son « père adoptif » où il passa les plus heureuses années de sa vie et rencontra sa future femme. La Casa Natale est à Roncole, à 2 km de Busseto (4 €). A Sant'Agata di Villanova se trouve Villa Verdi (www.villaverdi.org - 8 €), la résidence où il habita presque 50 ans avec sa deuxième femme, Giuseppina Strepponi. A voir absolument. Tous les sites sont fermés le lundi. Leurs horaires sont variables en fonction des saisons. Renseignez-vous à l'office de tourisme. La meilleure période pour se rendre à Busseto est le mois de juin, quand se déroule le Concours international des voix verdiennes.

Transports – Pratique

Busseto se trouve à 40 km au nord-ouest de Parme. Autoroute A1, puis route SP12 en direction de Busseto-Soragna.

▶ **Pass Verdi.** Visites des trois lieux principaux : maison natale, maison Barezzi et théâtre Verdi pour 8,50 € par personne.

■ OFFICE DU TOURISME

Piazza Giuseppe Verdi, 10 ✆ (0524) 92 487
www.bussetolive.com

PIACENZA

« *Il faudrait avoir le courage d'y arriver en barque, en remontant le Pô* », écrit Enzo Biagi. On pourrait voir alors, dans la brume matinale, le petit ange du Duomo (XII-XIIIe) flotter en plein ciel. Ville agricole, Piacenza ne manque pas d'attraits de toutes sortes. Il y a la piazza dei Cavalli, dominée par le superbe bâtiment du Gotico, l'ancien hôtel de ville (XIIIe), avec deux statues équestres des Farnèse. Mais aussi le palazzo Farnese, une énorme construction inachevé (fin XVe) qui aujourd'hui abrite les musées municipaux, et le palazzo Scotti di Sarmato, d'une architecture allègre du XVIIIe siècle, et des jardins intérieurs très bien conservés. A la Galleria d'Arte Moderna Ricci-Oddi, on pourra admirer la peinture italienne du romantisme au XXe siècle. A l'atelier de Diego et Giorgio Gobbi (via Mazzini, 145), on fera connaissance avec la facture des orgues d'église ou électroniques. Cependant, si l'on a l'esprit tourné vers la gastronomie, on s'y laissera tenter par de succulentes pancette et autres jambons fumés. Enfin, on peut faire un repas un peu particulier, entre les murs d'un château, à Rivalta, à quelques kilomètres de Plaisance. Le restaurant est tenu par d'anciens bouchers qui connaissent leur métier. Les viandes et les charcuteries sont excellentes !

■ **OFFICE DU TOURISME**
Piazza Cavalli, 7
✆ (0523) 32 93 24
www.comune.piacenza.it
Ouvert de 9h à 13 et de 15h à 18h. D'avril à septembre, le dimanche et le lundi : ouvert uniquement le matin. D'octobre à mars, fermé dimanche et lundi.

REGGIO EMILIA

C'est ici, comme l'indique la bannière tricolore sous les arcades du Palazzo Comunale, que flotta pour la première fois, en 1797, l'étendard vert, blanc et rouge, devenu le drapeau national de l'Italie. Prospère centre industriel et commercial, Reggio Emilia appartint à la famille d'Este de 1409 à 1776. Sur l'élégante piazza Prampolini, cœur culturel, politique et religieux de la ville, se situent le baptistère romain, l'hôtel de ville avec la tour du Bordello (XVIe), et le duomo, érigé au IXe siècle, mais refait au XIIIe siècle. En face du palazzo Ducale, sur le corso Garibaldi, on trouve la belle église sanctuaire de Madonna della Ghiara. L'intérieur, grandiose, en forme de croix grecque, est richement décoré de fresques de l'école bolonaise (XVIIe), avec sur l'autel un Christ en croix de Guerchin.

■ **OFFICE DU TOURISME**
Via Farini, 1a ✆ (0522) 45 11 52
Tlj de 8h30 à 13h et de 14h30 à 18h. Dimanche de 9h à 12h.

COLLINES DE CANOSSA

C'est à Canossa qu'en 1077 l'empereur Henri IV attendit pendant trois jours devant le château, dans le froid glacé du mois de janvier, le pardon du pape Grégoire VII. Les environs témoignent encore de la splendeur que fit régner ici la comtesse Mathilde, grande fervente de l'Eglise. De cette époque demeurent les beaux vestiges du château de Canossa (ouvert tous les jours, sauf le lundi), la splendide forteresse de Rossena bien conservée (privée mais ouverte au public) ainsi que le château, lui aussi en bon état, dans le village de Quattro Castella, parmi les vallées verdoyantes des Apennins. C'est ici que, le dernier dimanche de mai, se déroule chaque année le célèbre défilé en costumes d'époque retraçant le couronnement de Mathilde, vice-reine d'Italie. Renseignements : ✆ 0522 877 104 - www.castellodicanossa.it

▸ **Entre les bourgs de Montecavallo et Quattro Castella,** un agréable détour œnologique passe par la ferme de Venturini Baldini (✆ 0522 888 150) qui produit un lambrusco de grande qualité.

GUASTALLA

Première commune libre d'Emilie. Entre 1539 et 1746, elle fut le siège de la principauté des Gonzague, qui la restructurèrent selon la théorie de la « cité idéale ». Le palazzo Ducale commandé par Ferrante I, le Duomo, entièrement refait au XIXe siècle, les arcades de la via Garibaldi et l'antique synagogue sont à découvrir. Par ailleurs, la digue sur le Pô, aménagée à la fin du XVIIe siècle, constitue une agréable promenade.

GUALTIERI

A 3 km de Guastalla se trouve Gualtieri qui, en 1567, devint la capitale du marquisat de Cornelio Bentivoglio. Les plans de la ville furent dessinés par le célèbre urbaniste Giambattista Aleotta, dit l'Argenta, qui, inspiré par l'espace théâtral, fit ressembler la piazza Bentivoglio à une grande scène. Sont à voir aussi le volumineux palazzo Bentivoglio en brique de terre cuite du XVIe siècle, avec ses salons décorés de fresques (le plus beau est la sala dei Giganti, « le salon des Géants »), ainsi que la torre Civica, donnant sur la piazza Bentivoglio.

ÉMILIE-ROMAGNE

FLORENECE ET LA TOSCANE

La Tour de Pise

© CALI - ICONOTEC

Florence

Si Florence est célèbre à travers le monde, ce n'est pas pour rien. Elle est une ville totalement et définitivement à part. Un peu hors du monde et certainement hors du temps. Et il vaut mieux se préparer intellectuellement et culturellement pour ne pas passer à côté de l'essentiel. Même les personnes les plus désintéressées par l'art finissent par y prendre goût. C'est probablement là que la capitale toscane tient sa force principale.

Les pragmatiques viennent se souvenir des réussites de Nicolas Machiavel et de la prise de tous les pouvoirs réalisée par une ambitieuse et impitoyable famille de banquiers : les Médicis. Et tous ont une manière différente d'aborder la ville et de l'aimer. Certes, les ruelles sont parfois bondées et les files d'attente devant les musées sont bien longues sous la chaleur. Peut-être est-ce pourquoi Alexandre Dumas la préférait de nuit. Mais d'autres n'y verront rien à redire.

C'est en son sein que naquit au XX\ :superscript:`e` siècle ce mal depuis lors connu sous le nom « Syndrôme de Stendhal ». Plus forte que la Morbidezza vénitienne, l'émotion ressentie par l'écrivain français au XIX\ :superscript:`e` siècle devant ce foisonnement de chefs-d'œuvre et de beautés provoque des vertiges et même des malaises plus graves. Le cou doit s'y faire, Florence se regarde de haut en bas. Le mieux est d'éviter l'accumulation de visites, en préférant la découverte des musées et églises le matin, et de faire promenades, excursions dans les environs et shopping l'après-midi.

Histoire

D'abord étrusque, puis romaine, l'antique « Florentia » s'est historiquement affirmée après l'an mille, suite aux désastreuses dominations des Ostrogoths, des Goths, et des Lombards, avec l'avènement de la réalité communale. C'est à cette période que remontent les premières œuvres romanes, avec l'implantation du baptistère et la façade de San Miniato.

Au Moyen Age, Florence conquiert la campagne environnante. En revanche, à l'intérieur de la ville, les familles, dont le pouvoir se mesure aux dizaines de tours édifiées, s'épuisent en luttes intestines. La querelle entre les deux

Les immanquables de Florence

▌ **Le cœur de Florence.** De la Piazza della Signoria bordée, entre autres, par le Palazzo Vecchio et la Galerie des Offices, à la Piazza Giovanni et son Duomo, impossible de fermer les yeux devant l'abondance des délices artistiques. Il faut prendre le temps de s'imprégner de son passé si riche sur le plan culturel. Impossible de venir en Toscane, sans passer par les ruelles qui composent le quartier San Giovanni, au cœur de la capitale toscane, berceau de tant d'innovations artistiques.

▌ **L'Oltrarno.** Une balade dans le quartier de Santo Spirito s'impose, pour partir à la découverte de la richesse culturelle qui le recouvre, mais aussi pour apprécier le savoir-faire toscan en matière d'artisanat et de mode. Ou comment découvrir Florence, de l'autre côté du fleuve…

▌ **Les hauteurs de Florence.** Outre la classique balade le long de l'Arno, les Florentins aiment se retrouver en fin de journée sur la place Michelangelo qui domine la ville depuis l'autre côté du fleuve. Un point de chute pour les amoureux, mais aussi pour toutes les personnes désirant se lier d'amitié avec les locaux.

principaux partis – les guelfes, fidèles au pape, et les gibelins, qui soutenaient les intérêts impériaux et laïcs – prend fin avec la victoire des premiers et l'exil des seconds (dont le poète Dante Alighieri, auteur de la Divine Comédie et père de la langue italienne). Le gouvernement de la seigneurie et des prieurés est instauré. Florence, ville de commerçants et de banquiers, est alors quasiment assurée de devenir le plus riche centre européen.

Mais les désordres ne sont pas finis. Les guelfes se divisent en « blancs » et « noirs » et, au milieu du XIVe siècle, éclate la crise des Ciompi (une famille florentine), durement réprimée dans le sang. Entre 1384 et 1421, Florence conquiert Arezzo, Montepulciano, Pise, Cortona et Livourne, donnant naissance à l'Empire florentin.

C'est l'époque des Médicis (1434-1492). D'abord avec Cosme, puis avec Laurent le Magnifique. La Renaissance florentine prend forme et vie. Dans la ville, les plus grands artistes italiens œuvrent dans un climat de prospérité économique et de stabilité politique – mis à part « le Complot des fous » qui coûta la vie à Giuliano de Medici, assassiné en 1478.

En 1494, deux ans après la mort de Laurent le Magnifique, Charles VIII de France fait son entrée à Florence, chasse les Médicis et instaure un nouveau gouvernement inspiré par Savonarole, prieur dominicain de l'église de San Marco qui finira sur le bûcher, accusé d'hérésie.

Ce n'est qu'en 1737 que Florence reviendra aux Médicis lorsque, avec l'extinction de la caste, le grand-duc de Toscane entre dans la maison autrichienne des Lorena. Léopold et sa lignée règneront sur la ville jusqu'aux insurrections de 1848, si l'on excepte, bien entendu, les quinze années d'occupation napoléonienne (1799-1814). En 1860, Florence est annexée au royaume d'Italie et en devient même la capitale de 1865 à 1871.

■ TRANSPORTS

Avion

■ AÉROPORT AMERIGO VESPUCCI
Via del Termine, 11
✆ (055) 30 515
www.aeroporto.firenze.it
A 7 km de Florence. L'aéroport de Florence accueille des vols nationaux et internationaux. Un bureau d'information touristique est ouvert tous les jours de 8h30 à 20h30. Il se trouve sur la gauche, à la sortie de la salle aménagée pour récupérer les bagages.

De l'aéroport au centre-ville

▌ **Bus.** Des navettes circulent de 6h à 23h30. Il faut environ 25 minutes pour rejoindre le centre de Florence depuis l'aéroport. La navette dépose alors les visiteurs au niveau de la gare Santa Maria Novella, au nord du centre-ville. Compter 5 € pour un ticket. La navette est opérée par la compagnie ATAF (✆ 800 42 45 00). L'arrêt de bus se trouve à droite, en sortant du hall de l'aéroport.

Prévoir un départ toutes les 30 minutes jusqu'à 20h30, puis toutes les heures, jusqu'à 23h30. Dans le sens inverse, le premier bus ATAF quitte le centre Florence à 5h30. Il faut aller le chercher au coeur de la station de bus de la compagnie SITA, située sur le côté ouest de la Piazza della Stazione.

▮ **Taxi.** Plusieurs compagnies de taxi opèrent à l'aéroport. Compter 20 € pour rejoindre le centre-ville en semaine, 22 € le week-end et 23 € en soirée ou la nuit. Deux numéros à retenir pour des réservations : (055) 4390 ou (055) 437 77 41.

Train

■ **GARE CAMPO DI MARTE**
n°12 Via Mannelli
Piazza Stazione
✆ (199) 30 30 60
Bureau des renseignements ouvert tous les jours de 7h à 21h.
Ce n'est pas la plus importante gare de Florence, mais c'est ici qu'arrivent les trains en provenance de Paris. Toutes les dix minutes, une liaison avec la gare centrale de Santa Maria Novella (SMN) est assurée. Compter 1,40 €, pour rejoindre le centre de Florence et la gare Santa Maria Novella en train. Les bus Ataf 12 et 13 desservent la gare Campo di Marte. Campo di Marte est située à l'est du quartier de Santa Croce.

■ **GARE SANTA MARIA NOVELLA**
✆ 89 20 21
Vente de billets jusqu'à 22h15. Bureau des renseignements ouvert tous les jours de 7h00 à 21h.
Départs, arrivées, horaires, localisation des stations. Informations utiles sur le site de la gare ferroviaire Santa Maria Novella, ainsi que sur le site de la compagnie ferroviaire (www.trenitalia.com). Un réseau très dense de bus permet depuis la gare de circuler dans l'ensemble des quartiers, mais aussi dans les villes environnantes, ainsi que dans d'autres régions.

▮ **Consigne ouverte tous les jours** de 4h30 à 1h30.

Bus

Bus urbains

■ **ATAF**
Gare routière - Piazza della Stazione
Bureau - Viale dei Mille 115

✆ 800 424 500
www.ataf.net
Ouvert tous les jours de 7h à 15h.
Délivre des plans de bus. Possibilité également d'acheter les tickets dans les kiosques à journaux et surtout dans les bureaux de tabac. A noter qu'il est impossible d'acheter un ticket une fois monté à bord des bus à 2 €. Compter 1,20 € valable pour 70 minutes de trajet, si acheté au préalable. ATAF, aux bus orange, est la compagnie publique qui gère les lignes d'autobus à l'intérieur de la ville de Florence. Ticket d'une journée : 5 €, 3 jours : 12 €.
Du centre-ville, il est possible de rejoindre n'importe quel secteur de Florence et même au-delà pour certaines lignes. Les billets doivent être compostés à l'intérieur du bus, dès la montée. De nuit, de 21h à 6h, les billets peuvent être achetés directement dans le bus auprès du chauffeur, au prix de 2,50 €.

Bus extra-urbains

▮ **Excursions en autobus en Toscane.** Le service de transport offert par les compagnies Lazzi (www.lazzibus.it), Cap (www.capautolinee.it) et Sita (www.sitabus.it) permet de se rendre dans toutes les villes de Toscane en autobus. Toutes les infos pratiques se trouvent sur leur site internet. Il est également possible de faire des réservations de dernière minute auprès des bureaux ou par téléphone.

Taxis

Les taxis sont très nombreux à Florence et les stations sont réparties un peu partout. Ils répondront aussi aux numéros suivants ✆ (055) 4390, ou (055) 4242, ou (055) 4798. Comme différentes compagnies gèrent le parc de taxis florentins, les tarifs peuvent varier. Il est bien entendu conseillé de lire attentivement les informations sur le prix des courses affiché à l'intérieur des taxis. Si tout se passe bien, les prix sont calculés sur la base suivante :

▮ **Prix de départ :** 2,64 €

▮ **Prix de départ course de nuit (de 22h à 6h) :** 5,70 €

▮ **Prix de départ dimanche et jours de fêtes :** 4,48 €

▮ **Bagages (maximum 4 bagages) :** 0,62 € par bagage.

Les dépenses supplémentaires en plus du prix de la course dépendent de la destination et des suppléments.

Vélos et scooters

■ ALINARI
n°85r Via Guelfa
✆ (055) 28 05 00

www.alinarirental.com
info@alinarirental.com
Location de bicyclettes et de scooters.
Compter 55 € la journée pour un scooter,
12 € pour un vélo, et 7 € pour 5 heures.

■ PRATIQUE

Présence francophone

■ CONSULAT DE FRANCE
n°2 Piazza Ognissanti
✆ (055) 230 25 56
Fax : (055) 230 25 51
consul.honoraire-florence@diplomatie.
gouv.fr
*Ouvert du lundi au vendredi de 9h à 13h et
de 14h à 17h.*
A noter que les horaires d'ouverture l'après-
midi ne sont valables que sur rendez-vous.

Tourisme

■ OFFICE DU TOURISME
n°16 Via A. Manzoni
✆ (055) 233 20
www.firenzeturismo.it
Ouvert du lundi au vendredi de 9h à 13h.
Il s'agit de l'adresse principale de l'office de
tourisme de Florence. Excentrée du centre-
ville, elle propose le plus gros volume d'informations sur la ville et sa région. Deux autres
adresses, moins formelles, sont également
à retenir.

▶ Via Cavour, 1r
✆ (055) 29 08 32
Cette adresse est la plus empruntée par la
population touristique de Florence. Personnel
multilingue. Le bureau est ouvert du lundi au
samedi de 8h30 à 18h30, et le dimanche de
8h30 à 13h30.

▶ Aéroport
✆ (055) 31 58 74

▶ Office de la maire
n°4 Piazza Stazione
www.comune.fi.it turismo3@comune.fi.it
✆ (055) 21 22 45
*Ouvert du lundi au samedi de 8h30 à 19h, et le
dimanche de 8h30 à 14h. Situé à une centaine
au nord de la gare Santa Maria Novella.*

■ SUNNY TUSCANY
n°7 Via Giambologna
✆ (335) 802 03 04
www.sunnytuscany.com

info@sunnytuscany.com
L'agence compte des guides touristiques
parlant français dans leur réseau.

Poste et télécommunications

■ POSTE
n°3 Via Pelliceria
✆ (055) 273 64 81
*Ouverte du lundi au vendredi de 8h15 à 19h,
et le samedi de 8h15 à 13h30. Fermée le
dimanche.*
D'autres bureaux de poste se trouvent aux
adresses suivantes :

▶ **n°40 Piazza Libertà.** ✆ (055) 55 33 01

▶ **n°71 Via Camilo Cavour.** ✆ (055) 46
35 01

▶ **Galerie des Offices.** ✆ (055) 28 47 09.
Egalement ouverte le dimanche.

Internet
Ce ne sont pas les cafés internet qui manquent
à Florence. Pour les voyageurs qui auront
besoin de se connecter à plusieurs reprises
et depuis des endroits différents au cours
de leur séjour, il est conseillé de se rendre
dans les points Internet Train. Cette agence
propose une carte personnelle facilement
rechargeable et qui permet de se connecter
depuis n'importe quel poste de la chaîne à
Florence, ou ailleurs dans le pays. Compter
3 € pour une heure de connexion seule ou
15 € pour dix heures. A noter qu'il est impératif
de se présenter dans un cybercafé avec une
pièce d'identité.

■ CARUSO JAZZ CAFE'
n°14/16r Via Lambertesca
✆ (055) 28 19 40
www.carusojazzcafe.com
*Ouvert de lundi à samedi de 9h30 à 15h30 et
de 18h à minuit. Fermé le dimanche.*
Il s'agit probablement du cybercafé le plus
branché de la capitale toscane. Plus qu'un
simple point de connexion internet, le Carusso
est un vrai bar avec une programmation de
concerts très intéressante.

■ INTERNET TRAIN
n°30r Borgo S. Jacopo
✆ (055) 265 79 35
Ouvert tous les jours de 10h à 20h.

Banques

Ouvertes en règle générale du lundi au vendredi de 8h30 à 13h20 et de 14h35 à 15h35, et le samedi de 8h20 à 11h20. Service de change et distributeur. Il y en a partout à Florence.

Sécurité

■ CARABINIERI
✆ 112

■ POLICE MUNICIPALE
✆ (055) 328 33 33

■ POMPIERS (VIGILI DEL FUOCO)
✆ 115

Santé

■ FARMACIA COMUNALE
Stazione Santa Maria Novella
✆ (055) 28 94 35
A l'intérieur de la gare. Également ouverte 24h/24.

■ HOPITAL SANTA MARIA NUOVA
n°1 Piazza S. Maria Nuova
✆ (055) 275 81
Pour s'y rendre en bus, possibilité de prendre les lignes 1, 6, 7, 10, 11, 14, 17 et 23.

■ URGENCE MEDICALE
✆ 118

■ QUARTIERS

Le centre de Florence est divisé en six quartiers distincts, même si leurs limites ne sont pas clairement définies. À noter que si les Florentins mentionnent six zones différentes aujourd'hui, le cœur de la ville n'en compte historiquement que quatre. Le plus connu et le plus visité est celui de San Giovanni. S'y trouve la fameuse coupole et de très nombreux sites culturels. Le quartier de Santa Maria Novella est articulé autour de la gare centrale de Florence. Celui de Santa Croce abrite la basilique du même nom, demeure éternelle de génies italiens. C'est également dans cette zone que les Florentins aiment faire la fête si tôt la nuit tombée. Autre quartier très prisé des locaux : l'Oltrarno. S'y trouve le célèbre Palazzo Pitti, d'excellents restaurants et de très bons bars pour prendre l'apéritif.

■ HÉBERGEMENT

Quartier San Giovanni

■ HOTEL BRETAGNA
n°6 Lungarno Corsini
✆ (055) 28 96 18
Fax : (055) 28 96 19
www.hotelbretagna.net
info@hotelbretagna.net
Chambre simple sans salle de bains de 30 à 50 €, et de 35 à 90 € avec salle de bains. Chambre double standard de 59 à 115 €, et jusqu'à 149 € pour les supérieures. Connexion wi-fi gratuite dans les zones suivantes : réception, petit déjeuner et salon.
Il s'agit sans doute de l'un des tous meilleurs rapport-qualité prix du quartier. Situé dans le palais de la famille Gianfigliazzi, les salons aux hauts plafonds monumentaux et les escaliers méritent l'arrêt. Voir au coucher et au réveil couler l'Arno de sa fenêtre, apporte aussi un plaisir certain. La petite table posée sur la terrasse qui se trouve au bout du hall de la réception semble surplomber le fleuve pour des têtes-à-têtes éternels. La plupart des chambres rénovées sont spacieuses et décorées par le mobilier d'époque typiquement florentin. Pour les rendre encore plus accueillantes, certaines sont dotées de baignoire à hydromassage. Sa position stratégique, à deux pas du Ponte Vecchio et de la Piazza della Signoria, est un atout supplémentaire.

■ HOTEL MAXIM
n°11 Via dei Calzaiuoli
✆ (055) 21 74 74
Fax : (055) 28 37 29
www.hotelmaximfirenze.it
reservation@hotelmaximfirenze.it
Compter de 45 à 80 € pour la chambre simple, de 70 à 94 € pour la double, de 90 à 125 €

In Piazza Della Signoria
Residenza d'Epoca, Bed & Breakfast

Une fenêtre sur la Renaissance

Via dei Magazzini, 2 - 50122 Florence · tel : 055 2399546 · Fax : 055 2676616
www.inpiazzadellasignoria.com · mail : info@inpiazzadellasignoria.com

la triple, de 100 à 138 € la quadruple. Pour les clients Petit Futé : wi-fi gratuit.

En plein cœur de la ville, au deuxième étage d'un immeuble du XIXe siècle, tout près des musées, des boutiques élégantes, des restaurants les plus typiques, l'Hôtel Maxim assure à ses clients un accueil cordial. Le personnel connaît suffisament bien la ville pour tous renseignements, conseils et assistance éventuels. L'hôtel possède 31 chambres. Celles donnant sur la cour sont très calmes. Il existe également une salle pour déposer ses bagages et un service parking dans un garage conventionné. Si la décoration des chambres est restée celle des années 1970 correspondant à un 2-étoiles, la très haute qualité du confort fonctionnel et le soin sont un luxe au cœur de Florence !

■ IN PIAZZA DELLA SIGNORIA

n°2 Via dei Magazzini
✆ (055) 239 95 46
Fax : (055) 267 66 16
info@inpiazzadellasignoria.com
www.inpiazzadellasignoria.com

Chambres doubles de 160 à 250 €, petit déjeuner inclus. Chambres triples et appartements pour 4 personnes.

Ce Bed & Breakfast occupe un immeuble entier, dont les fenêtres s'ouvrent sur la plus belle place de Florence : la Piazza della Signoria et ses Offices. Au rez-de-chaussée, l'impressionnante galerie de portraits, représentant la famille actuelle en costume d'époque Renaissance, frappe le visiteur. Le matin, prenez votre petit déjeuner dans l'ancienne salle de banquet, sur l'énorme table de bois ovale qui accueille au moins 15 personnes. Chaque chambre est meublée avec goût, grâce au mariage savant des tissus, des tapis d'Orient, du mobilier de style et des fresques du XVe et XVIe siècles, découvertes lors de leur restauration. L'évocation du passé s'allie à la présence du confort moderne : wi-fi, TV satellite, internet, coffre-fort, climatisation... Ambiance feutrée et, en même temps, familiale et discrète, dans un Palais du XIVe siècle qu'Alessandro et Sonia Pini ont su restaurer avec art et passion. Alessandro, le skipper, propose des tours en bateau de Castiglioncello à la Cala dei Medici.

Quartier Santa Maria Novella

■ ALBERGO MERLINI

n°56 Via Faenza
✆ (055) 21 28 48
Fax : (055) 28 39 39
www.hotelmerlini.it
info@hotelmerlini.it

Compter entre 35 et 70 € pour une simple, et entre 55 et 85 € pour une double, sans salle de bains. Prévoir 20 € de plus pour avoir une salle de bains privée.

Agréable et propre, lumineux et clair. Certaines chambres ont vue sur le Duomo. Très bon rapport qualité-prix et accueil agréable. L'essentiel du mobilier est en bois. Le carrelage ou le parquet permettent de maintenir les chambres très propres. Une bonne adresse, surtout pour ceux qui ne sont pas dérangés par le fait de partager une salle de bains.

■ CASA HOWARD

n°18 Via della Scala
✆ (06) 699 245 55
www.casahoward.com
concierge@casahoward.it

Chambre double à partir de 120 € et jusqu'à 250 €, en fonction de la chambre choisie et de la saison.

Casa Howard refuse d'être rangée dans la case « hôtel ». A l'arrivée, on appuie sur l'interphone, comme on sonnerait chez un ami.

L'ascenseur nous élève alors au 1er étage d'une maison entièrement restaurée en 2005. Les ouvriers ont préservé sols (parquet, carrelage d'exception) et plafonds (moulures, boiseries, fresques) et changé le reste. Chaque chambre est décorée différemment et porte un nom. Chacun y trouve son compte. Les enfants se détendront dans la « play room », avec des jouets et un petit mur d'escalade. Les fans de littérature choisiront la « library room » cernée de bouquins et aménagée avec un secrétaire, les amateurs d'horizons lointains investiront la « camel room » ou « l'oriental room », et ceux qui hésitent iront à la chambre cachée... Toutes les pièces sont décorées avec soin, souvent dans des couleurs chaudes, les matériaux employés sont de haute qualité, et toutes sont équipées de la climatisation, de leur salle de bains privée, d'internet... Une adresse unique, différente, intelligente et inoubliable pour tous ceux qui auront eu la chance de pouvoir réserver.

■ OSTELLO ARCHI ROSSI
n°94r Via Faenza
✆ (055) 29 08 04
Fax : (055) 230 26 01
www.hostelarchirossi.com
info@hostelarchirossi.com
Il faut compter 18 € minimum par personne et par nuit. Un hôtel sympa et rustique pour les backpackers et les djeun's qui ne viennent pas à Florence pour dormir tôt. La maison organise même des visites guidées gratuites de la ville. La salle sécurisée permet de laisser ses sacs toute la journée et de partir léger visiter Florence. Archi Rossi propose également tout un tas de services, comme une connexion à internet, et amadoue le client à l'aide de pizzas... Une adresse étonnante et amusante à la fois, un peu à l'image du hall d'entrée, recouvert de fresques modernes, voire très modernes, et de fausses statues.

■ ROSSO 23
23 Piazza Santa Maria Novella
✆ (055) 277 30 01
www.hotelrosso23.com
info@hotelrosso23.com
Compter de 66 € la chambre double en basse saison, et jusqu'à 160 € lors des grands événements qui remplissent la ville. Tout neuf, tout beau, le Rosso 23 est le tout dernier-né des hôtels « chicos » de la piazza Santa Maria Novella. L'établissement dispose de 42 chambres, aménagées dans un décor très moderne, où le rouge et le gris dominent

la palette des couleurs. La disposition des chambres a bien été pensée pour optimiser l'espace si rare dans le cœur de Florence. La salle de bains est parfaitement équipée, même si une petite étagère ou un meuble pour poser sa trousse de toilettes, n'aurait pas été de trop. L'ambiance se veut exagérément moderne avec un écran plat diffusant des flammes en guise de feu de cheminée dans le salon du 1er étage. Seuls les rideaux, et leur aspect un peu obsolète, évoque le riche passé de la cité. La salle de petit déjeuner complétée d'une cour intérieure est très agréable et le premier repas de la journée est très complet.

Quartier San Lorenzo

■ HOTEL GUELFA
n°28 Via Guelfa
✆ (055) 21 58 82 –Fax : (055) 21 60 06
www.hotelguelfa.com
info@hotelguelfa.com
Chambre simple à partir de 35 €, double entre 45 et 105 €, triple de 65 à 125 €. Petit déjeuner inclus. Compter 10 à 15 € de moins pour les chambres sans salle de bains. A deux pas du marché très animé de San Lorenzo, de la Chapelle des Médicis, du Dôme, et à proximité de la gare Santa Maria Novella, cet hôtel à gestion familiale propose un confort simple et confortable dans une atmosphère détendue et conviviale. Solution de parking proposé par l'hôtel, ce qui est un avantage, à cause de l'étroitesse des rues.

■ HOTEL LA FORTEZZA
n°95 Viale Milton
✆ (055) 463 91 01
Fax : (055) 46 39 13 88
www.lafortezzahotel.it
info@lafortezzahotel.it
De 70 à 150 € la chambre double et de 55 à 90 € la simple. Cette antique villa complètement rénovée, à deux pas de la « Fortezza di Bazzo » et à 5 minutes à pied du centre-ville, est le choix idéal pour qui veut s'accorder des vacances reposantes ou un séjour d'affaires près du centre de Florence. Et à un prix très correct ! Le style architectural toscan de la Renaissance qui caractérise la façade et les pièces communes de l'hôtel contraste agréablement avec le style moderne des chambres, ornementées avec goût et élégance. Le lieu est tranquille, loin des bruits de la circulation et du chaos urbain. L'hôtel est bien desservi par les transports publics et dispose également d'un parking privé pour la clientèle motorisée... un luxe à Florence !

Quartier Santa Annunziata

■ HOTEL MORANDI ALLA CROCETTA

n°50 Via Laura ✆ (055) 234 47 47
Fax : (055) 248 09 54
www.hotelmorandi.it
welcome@hotelmorandi.it
*Chambre simple de 70 à 140 €, la double
de 110 à 220 €, la triple de 130 à 295 €. PC
dans le hall et wifi dans toutes les chambres.
Garage privé.*
Situé dans le centre historique, tout près
du Musée Archéologique et à deux pas de
l'Accademia, cet hôtel réserve une très bonne
surprise : c'est un ancien couvent complètement réaménagé qui a su valoriser le riche
passé de celui-ci. Une chambre conserve en
tant qu'ex-chapelle, les fresques qui représentent sœur « Domenica del Paradiso », anti-
Savonarola, dont le buste porte la *« crocetta »*,
petite croix rouge. Les dix chambres ainsi
que la réception, sont toutes meublées en
style Liberty, XVIIe et XVIIIe (tapis, tableaux).
Quelques chambres possèdent une petite
véranda extérieure arborée. D'autres offrent
leurs affiches originales de la Florence d'antan,
ou les broderies authentiques des sœurs
cloitrées qui vécurent dans ces lieux !

Quartier Santa Croce

■ HOTEL RIVER

n°18 Lungarno della Zecca Vecchia
✆ (055) 234 35 29
Fax : (055) 234 35 31
www.hotelriver.com
info@hotelriver.com
*Chambre double de 110 à 220 €, avec le
petit déjeuner.*
Entre les quais de l'Arno et Santa Croce,
un 3-étoiles récemment restauré et décoré
sur quatre étages. L'hôtel est pourvu d'un
grand ascenseur afin de faciliter l'accès aux
personnes à mobilité réduite. La terrasse
commune à l'étage domine la rivière qui
traverse Florence. Les couchers de soleil à cet
endroit sont particulièrement impressionnants.
Les chambres sont dans l'ensemble assez
spacieuses, et le parquet flottant au sol permet
de maintenir des pièces très propres.

■ HOTEL SANTA CROCE

n°3 Via dei Bentaccordi
✆ (055) 21 70 00
Fax : (055) 267 86 04
www.hotelsantacroce.it
info@hotelsantacroce.it

*Chambre simple de 70 à 90 € et double de
90 à 140 €, petit déjeuner compris.*
Construit sur un ancien amphithéâtre romain,
très proche de la magnifique basilique de
Santa Croce, l'hôtel ne paie pas de mine,
c'est vrai. Le bâtiment est plutôt agréable
mais l'entrée avec son néon n'attire guère.
Pourtant l'intérieur est soigné et impeccable.
La situation plaide pour cette adresse qui ne
peut guère décevoir. Le prix reste un peu élevé,
au regard de ce qu'on peut obtenir pour ce
prix dans le centre de Florence.

Quartier Santo Spirito

■ HOTEL LA SCALETTA

n°13 Via Guicciardini
✆ (055) 28 30 28
Fax : (055) 28 30 13
www.hotellascaletta.it
info@hotellascaletta.it
*Chambre simple de 60 à 110 € et double de
89 à 150 €.*
Des chambres ravissantes et fraîches, une
terrasse d'été, un service impeccable…
L'ensemble jouit d'une bonne situation dans
un quartier à la fois calme et offrant beaucoup
de cafés et de possibilités de sorties. Il s'agit
tout simplement de l'une des toutes meilleures
adresses de la zone dans cette catégorie. Les
chambres ont l'avantage d'être grandes. La
construction sur les hauteurs du quartier
permet de profiter d'un panorama charmant
depuis de nombreuses pièces. A cela, il faut
ajouter la gentillesse du personnel.

© PICSORTALIA.COM

FLORENCE ET LA TOSCANE

Statue du jardin Boboli

■ RESTAURANTS ■

Florence possède certaines des meilleures tables d'Italie, même s'il faut se méfier des plats servis dans le centre. L'affluence touristique n'a pas eu que des effets positifs sur la gastronomie locale ! Une fois qu'on cherche à sortir du traditionnel plat de pâtes ou de la pizza, la note monte vite. D'un quartier à l'autre, les prix ne varient pas forcément. C'est d'ailleurs autour des coins les plus touristiques que se trouvent les menus les moins chers, mais pas forcément les meilleurs…

Quartier San Giovanni

■ CANTINETTA DEI VERRAZZANO
n°18-20r Via dei Tavolini
✆ (055) 26 85 90
Compter un minimum de 12 €. Ouvert de 8h à 21h du lundi au samedi.
Que l'on désire flatter ses papilles de sucré ou de salé, c'est l'une des meilleures adresses rustiques et incontestablement l'endroit où l'on peut déguster de merveilleuses pâtisseries, de succulents sandwichs accompagnés d'un verre de vin au comptoir ou dans une petite salle élégante. Il faut cependant être patient car il y a toujours foule. A ne pas rater, le minuscule et délicieux *panino al tartufo bianco* ! Le restaurant appartient à un riche propriétaire terrien qui possède également le château du même nom.

■ TRATTORIA ANTICO FATTORE
n°1/3r Via Lambertesca
✆ (055) 28 89 75
Fax : (055) 28 33 41
www.anticofattore.it
anticofattore@interfree.it
Compter un minimum de 25 €. Fermé le dimanche.
Bien situé dans le centre-ville entre le Ponte Vecchio et la piazza della Signoria, considérée comme la plus vieille trattoria de la ville, ce restaurant appartient à la tradition florentine. On y mange et on y discute toscan. Apprécié de Montale et de Quasimodo, il accueille tous les ans au mois de mars le prix scientifique sur l'huile d'olive et le vin ; très bon signe quant à la qualité de la cuisine de cette institution de Florence.
Venir y manger fait partie intégrante de la visite de la ville. On y déguste les meilleures spécialités toscanes : les fameuses *rigaglie alla salvia* et ses *involtini* de viande et d'ar-

tichaut, la fameuse *trippa* et la *bistecca alla fiorentina*, sans oublier les viandes traditionnelles comme le sanglier ou le chevreuil, le tout accompagné d'une grande variété de vins de qualité. Le menu change deux fois l'an pour privilégier les produits de saison.

Quartier Santa Maria Novella

■ SOSTANZA
n°25r Via della Porcellana
✆ (055) 21 26 91
Compter 15 € minimum à la carte et plus avec le vin. Fermé le samedi, le dimanche et les jours fériés.
Conçu en 1869 comme un restaurant populaire, il a fini par attirer une clientèle plus élégante, sans pour autant changer d'ambiance. Cuisine « toscanissime », honorée dans le passé par d'illustres hôtes tels que Chagall, Steinbeck, Pound… Le midi, il attire une clientèle d'habitués avec beaucoup de salariés qui travaillent dans le quartier. Attention, ce restaurant n'est ouvert que durant les heures de repas.

Quartier San Lorenzo

Autour du marché San Lorenzo (près de la basilique San Lorenzo), plusieurs restaurants sont ouverts en semaine. On y mange dans le vacarme et la bonne humeur, de façon originale et agréable. De plus, les prix y sont raisonnables. Une bonne manière de se mêler au quotidien des Florentins, même si la zone reste très fréquentée par les étrangers.

Quartier Santissima Annunziata

■ RISTORANTE ACCADEMIA
n°7r Piazza San Marco
✆ (055) 21 73 43
Fax : (055) 21 73 43
www.ristoranteaccademia.it
informazioni@ristoranteaccademia.it
Compter aux alentours de 15 € au déjeuner et 25 € pour le dîner. Ouvert de 12 à 15h et le soir de 19 à 23h.
Idéalement situé à quelques pas du musée de l'Accademia, ce restaurant est un pur moment de bonheur gastronomique. Attention ! Le restaurant a une devanture très discrète, ce qui le rend encore plus authentique. Il se trouve

juste à côté de l'arrêt de bus de la place. Ces dix dernières années, les frères Gianni et Aldo ont créé une atmosphère conviviale et sans prétention qui satisfait une clientèle locale et internationale. Les « chefs » et leur équipe dynamique savent toujours faire apprécier une vraie cuisine toscane, même si l'adresse est essentiellement touristique ! Belle carte de vins.

Quartier Santa Croce

Autour du marché Sant Ambrogio situé sur la piazza Ghiberti, se trouve un grand nombre de bonnes adresses locales et, pour la plupart, bon marché.

■ ANTICA TRATTORIA IL BARRINO

71/r Vlia Giobetti
✆ (055) 66 05 65
www.ilbarrinofirenze.it
ilbarrino.firenze@alice.it
A partir de 20 € sans le vin. Fermé le lundi.
Une belle adresse pour découvrir le charme et l'atmosphère d'une authentique trattoria florentine. L'établissement est situé à la fin de la rue Borgo alla Croce, une des plus traditionnelles de Florence surnommée par ses habitants « la rue des Cent Boutiques ». A emprunter avant d'arriver à « il Barrino » où un accueil chaleureux du propriétaire vous attend. La décoration y est soignée (voir la salle des miroirs !) et chaque objet a son importance. Les recettes sont exclusivement toscanes avec comme point fort la *bistecca alla fiorentina* et la friture de viande et de verdure, le tout accompagné de produits exclusivement frais de la campagne avoisinante. Le menu fait la part belle aux produits de saison et au fait maison (pain, pâtes, confitures...).

■ IL CIBREO

n°118r Via dei Macci
✆ (055) 234 11 00
Compter plus de 50 €. Fermé le dimanche, le lundi, du jour de l'an à l'Epiphanie, et en août. Réservation obligatoire. 50 couverts. Terrasse aménagée, climatisation.
Ce restaurant a été jusqu'à servir d'exemple au Japon ! Même si la maîtresse de maison est partie voler sous d'autres cieux, la famille Picchi réussit toujours avec une série d'inventions culinaires, à faire oublier les classiques hors-d'œuvre italiens. Le pain fait maison est à se damner ! Fabio a la dégaine de l'artiste et entretient sa « légende » gastronomique depuis une trentaine d'années. Pour les moins fortunés, Cibreo a également prévu un restau-

rant à l'angle de la même rue (compter 20 € le repas) ainsi qu'un bar surtout fréquenté au déjeuner (fermé le dimanche et le lundi). Il faut dire qu'on n'y plaisante pas avec la qualité des produits. Rarement, il est possible de manger des plats aussi frais dans un restaurant.

Quartiers Santo Spirito et San Frediano

■ IL CHICCO DI CAFFE

n°18 Via della Chiesa
A partir de 10 €. Ouvert du lundi au samedi sur l'heure du déjeuner. Souvent fermé en août.
Le coup de cœur de la rédaction. Ce petit restaurant pourrait être le lieu idéal pour tourner un film sur la culture populaire toscane d'aujourd'hui. On y parle fort, on s'assoie là où il reste de la place et surtout on vient y manger le repas préparé par Lola, une grand-mère qui a passé toute sa vie à Florence. Et chacun de ses clients semble être choyé comme un petit enfant. Jeunes cadres dynamiques, employés du bâtiment et artistes s'y côtoient. Et en plus, la nourriture servie est excellente et à moindre prix. Preuve que la maison n'est pas un restaurant pour touristes, elle est fermée en août.

■ GOLDEN VIEW OPEN BAR

n°54/56r Via dei Bardi
✆ (055) 21 45 02
Fax : (055) 21 45 02
www.goldenviewopenbar.com
Compter entre 10 et 35 € sans le vin, pizza à 8 €. Ouvert tous les jours de 12h à 2h du matin.
L'un des grands classiques de Florence dans la rubrique restaurant. Voici un lieu qui promet une belle soirée ! Ici, il est possible de boire, de manger et d'écouter de la musique live tout en admirant les couleurs du Ponte Vecchio. Sur l'arrière, une terrasse donne directement sur le fleuve et donc sur le plus fameux pont de la ville. Le menu ne cesse de s'étoffer d'année en année.
Open bar, musique jazz en live, cantine, restaurant, cave à vins, le Golden View Open Bar a de quoi satisfaire tous les goûts ! Sauf peut-être ceux de qui n'aiment pas les sentiers battus. Côté table, la carte est un éventail de saveurs méditerranéennes : de la cuisine simple à raffinée, il est bon de savoir que tout est fait maison. Depuis 2008, une cafétéria a été ajoutée à côté du restaurant proposant de nombreuses pâtisseries et des pizzas.

FLORENCE ET LA TOSCANE

▬ SORTIR

Florence, ville de places et de ruelles, se vit surtout en plein air. Bars, pâtisseries, cafés, marchands de glaces et autres lieux de restauration jalonnent les itinéraires quotidiens, de jour comme de nuit, et font partie du patrimoine de chaque Florentin. Comme dans toutes les villes et bourgades d'Italie, la capitale toscane peut compter sur son lot d'adresses pour se sacrifier à la « cérémonie » de l'apéritif. Il serait dommage de ne pas profiter des formules proposées dans le centre de Florence pour goûter un (ou plusieurs) bon (s) verre (s) de vin. Souvent, pour quelques centimes de plus, il est accompagné d'une tartine de pâté ou de jambon de pays. C'est aussi l'heure idéale pour se mêler à la population locale. Pour aller plus loin et chercher les bonnes informations sur les spectacles et autres soirées, il est conseillé de se procurer le magazine mensuel *Firenze Spettacolo* (1,80 € - www.firenzespettacolo.it) ou le gratuit *The Florentine* en anglais (www.theflorentine. net), disponible dans les offices de tourisme notamment.

Pâtisseries – Glaciers

Pas toujours évident de trouver le bon compromis entre le prix et la qualité, surtout à Florence, où certains glaciers n'hésitent pas à gonfler leur prix, profitant de leur emplacement à proximité d'une curiosité culturelle de taille. C'est, par exemple, le cas du Caffé Maioli, à la sortie du Ponte Vecchio, qui propose une boule à 5 €, et un résultat pas plus concluant que cela.Pour une bonne glace, se diriger vers la piazza Santa Croce, chez Vivoli (fermé le lundi et en août), dans via Isola delle Stinche, 7 (donnant sur la via Ghibellina). C'est l'un des glaciers les plus appréciés du pays. Peu de chichis, mais beaucoup de vraies glaces (avec produits frais). Il s'agit d'une entreprise familiale à l'œuvre depuis 1930.

▬ ROBIGLIO
n°112r Via dei Servi
✆ (055) 21 27 84
Ouvert de 7h30 à 20h, tous les jours. Quartier de Santissima Annunziata.
La pâtisserie la plus chic, et la plus fameuse de la ville depuis 1928. De nombreuses spécialités locales à son actif comme la *torta campagnola*.

Bars et « enoteca »

Chercher un bar où se sacrifier au rite national du cappuccino et croissant est l'une des manières les plus agréables de se familiariser avec la ville. En soirée, le quartier San Giovanni demeure très animé et toujours aussi international. Pour lier connaissance avec des Italiens et faire la fête jusqu'au bout de la nuit, il est préférable de déambuler dans les rues autour de la place de Santa Croce. En été, des bars en plein air voient également le jour le long de l'Arno, côté Oltrarno, à hauteur du Lungarno Benvenuto Cellini, et en allant vers le Ponte Alle Grazie.

San Giovanni

▶ **Rivoire, sur la place della Signoria** et à la terrasse toujours très pleine, est installé depuis 1882 (ouvert de 8h à minuit et demi en été, fermé le lundi en hiver). Café, pâtisserie,

Le Top Ten des monuments à visiter à Florence

▶ **1 -** Duomo Santa Maria del Fiore et son Campanile.

▶ **2 -** Galleria degli Uffizi (Galerie des Offices).

▶ **3 -** Ponte Vecchio.

▶ **4 -** Musée et église de San Marco.

▶ **5 -** Galleria dell'Accademia (Galerie de l'Académie).

▶ **6 -** Chapelle San Miniato al Monte.

▶ **7 -** Basilique de Santa Croce.

▶ **8 -** Maison de Dante (Casa di Dante).

▶ **9 -** Chapelle des Médicis.

▶ **10 -** Synagogue.

Duomo de nuit (cathédrale Santa Maria del Fiore)

salon de thé très chic et infatigable « usine » à chocolats, plus particulièrement les succulents *alla panna* (avec crème).

▶ **Les magnifiques cafés d'antan sont situés piazza della Repubblica.** Côte à côte, Paskowski, Gilli et Giubbe Rosse, célèbre café littéraire des années 1930 (André Gide y est passé). Chacun possède une terrasse sur la place, et le Paszkowski y fait l'animation avec un groupe de musiciens le soir… un peu kitsch mais on en profite pour y goûter une pâtisserie ou une glace maison. Les salons du Gilli (www.gilli.it), un des plus vieux cafés de Florence datant de 1733, sont particulièrement splendides, avec leurs boiseries et lustres vénitiens de Murano… Il est conseillé de se laisser tenter par les petites tartelettes, chocolats et autres confiseries en dégustant un capuccino, ou le soir un apéro chic sur la terrasse. Giubbe Rosse (www.giubberosse.it) est ouvert tous les jours de 8h à 22h : excellentes pâtisseries… qui n'auraient, paraît-il, pas laissé Lénine indifférent…

■ **EBY'S BAR**
n°5r Via dell'Oriuolo
Ouvert du lundi au samedi de 10h à 3h.
Eby's bar est en train de devenir l'un des meilleurs endroits à Florence pour apprécier un jus de fruits bien frais. La serveuse le prépare toujours devant ses clients au comptoir. Il est également possible de venir déjeuner à midi à Eby's en choisissant des snacks sud-américains comme des burritos ou des quesadillas. Pour le reste, il s'agit d'un café tout ce qu'il y a de plus normal, sauf que le soir, les débats s'animent.

Santa Croce

Le quartier de Santa Croce est la zone la plus fréquentée par les Florentins pour aller boire un verre et faire la fête. Bar-lounge moderne, café concert, points de rassemblement, pubs anglais comme le rustique William (via Magliabechi, 9r), à l'atmosphère bruyante mais joyeuse et avec un happy-hour de 18h à 20h… il y en a pour tous les goûts.

■ **REX CAFFE**
n°25r Via Fiesolana ✆ (055) 248 03 31
Ouvert jusqu'à 2h.
Dans ce bar à cocktails très branchés, il est facile de trouver son mélange favori. A l'occasion, un groupe de musiciens anime les lieux sous le regard perplexe de l'éléphant gonflable perché au plafond. La programmation est assez éclectique. Des artistes aux étudiants, en passant par une poignée de gens chic, la foule est très mélangée. Martini à savourer sous la lumière crue du bar, au milieu, ou alors il faudra se retirer pour boire une bière tranquillement assis à l'une des tables métallique. Le Rex organise en ses murs de nombreuses expositions de photos tout au long de l'année.

Santo Spirito

L'Oltrarno offre encore une fois de bonnes surprises pour ceux qui veulent bien s'y aventurer. Par exemple, le Pub Hemingway (piazza Piattellina, 9r ✆ (055) 28 47 81 - www.hemingway.fi.it - Fermé le lundi) propose une grande variété de boissons (thés, chocolats, cocktails, cafés, alcools, jus de fruits, soda…), des pâtisseries, des brunchs, etc.

CAFFE LA TORRE

n°65r Lungarno B. Cellini

✆ (335) 777 04 89

Ouvert du mercredi au dimanche à partir de la fin de l'après-midi.

Souvent plein en fin de journée, la Torre a su séduire la jeunesse de Florence.

Décoration moderne, cocktails à profusion… De temps à autres, la maison organise des apéros à thème en fin d'après-midi. Endroit branché ou tendance, c'est selon, le bar se lie parfois avec des organisations locales pour organiser des défilés de mode sur la Piazza Poggi située à proximité.

Discothèque

YAB

n°5r Via dei Sasseti

✆ (055) 21 51 60 – www.yab.it

Entrée libre. Ouvert en fin de semaine et fermé en été. C'est l'une des boîtes à la mode à Florence. Pour combien de temps encore ? La « tendance » et les problèmes de drogue semblent rendre la vie bien difficile aux boîtes de nuit florentine. Tous les soirs, un thème différent anime les débats et fait bouger les fêtards sur une grande piste de danse. Musique assez éclectique, comme la clientèle aux âges différents.

■ POINTS D'INTÉRÊT

Quartier San Giovanni

■ LE BAPTISTÈRE

Piazza S. Giovanni

✆ (055) 230 28 85

Entrée : 4 €. Ouvert de 12h à 19h du lundi au vendredi avec une extension jusqu'à 23h le jeudi et vendredi en été. Le 1er samedi du mois et tous les dimanches de 8h30 à 14h.

Il faut impérativement pénétrer à l'intérieur même si la plupart des visiteurs ne s'attardent que sur ses portes bien connues. La coupole y est somptueuse. Tout comme la cathédrale, il subit au fil des siècles réfections, reconstructions et nouvelles consécrations de sorte que San Giovanni devint la cathédrale de la ville lorsque Santa Reparata fut agrandie (en 897 et de 1059 à 1128). L'église Saint-Jean-Baptiste perd son statut de cathédrale en 1128 et devient un baptistère. Il faut se souvenir que les non-baptisés n'avaient alors pas le droit d'entrer dans les églises. Le sacrement, chose extrêmement sérieuse, administré deux fois dans l'année, attirait d'ailleurs une foule considérable.

Les deux églises, liées l'une à l'autre depuis leur origine, constituent aujourd'hui un seul et unique centre de culte. Certains services religieux commencent dans le baptistère et finissent dans le Duomo.

Dès qu'on pense au baptistère, on pense à ses portes qui l'ont rendu si célèbre à travers le monde. Faites de bronze, elles sont ornées de bas-reliefs. La première, celle qui est sur le côté sud, fut réalisée par Andrea Pisano entre 1330 et 1338. La plus connue d'entre-elle, est probablement celle du Paradis côté

est, réalisée par Lorenzo Ghiberti, suite à la commande de la Guilde des Lainiers en 1425. Recouverte de bronze doré, elle compte dix bas-reliefs (79,5 cm de côté) relatant des épisodes de l'*Ancien Testament*. Les observateurs y découvriront dans les encadrements, des statuettes de patriarches (Isaac, Joseph, Moïse, Josué…) et plus subtilement les portraits d'artistes contemporains. D'ailleurs Lorenzo Ghiberti n'a pas hésité à y placer le sien. Cette porte marque un tournant dans l'histoire des bas-reliefs.

■ LE CAMPANILE

Piazza Duomo

✆ (055) 230 28 85

Entrée : 6 €. Ouvert du lundi au dimanche de 8h30 à 19h30. Prévoir de monter 463 marches ! A droite de la façade du Duomo s'érige à 85 mètres de hauteur le Campanile. Conçu par Giotto, il ne fut qu'en partie réalisé par lui durant les trois dernières années de sa vie (1334-1337). Giotto ne put exécuter que le registre sculpté inférieur de l'édifice. Il est composé de sept panneaux hexagonaux sur les cotés ouest, sud et est, représentant la marche de l'homme vers la perfection (le chiffre 7 en est le symbole biblique).

Andrea Pisano et enfin Francesco Talenti le terminèrent en y ajoutant une terrasse originale. On peut également observer sur la place un petit musée et la Loggia del Bigallo, siège d'une institution d'époque médiévale qui venait en aide aux personnes nécessiteuses et où les pauvres pouvaient laisser leurs bébés à l'abri. En face, à l'angle de la via Calzaioli, le palais de l'Archiconférie de la Miséricorde

La coupole

Entrée : 8 €. Ouvert du lundi au vendredi de 8h30 à 19h et le samedi de 8h30 à 17h40. Fermé le dimanche. L'accès à la coupole se fait par le flanc gauche de la cathédrale. Compter 463 marches à gravir ! Elément caractéristique de l'architecture romaine, la coupole de la cathédrale Santa Maria del Fiore illustre la volonté de Florence d'être la nouvelle Rome, en même temps qu'elle symbolisera la domination de la ville sur la Toscane. Le chantier de la coupole sera financé par l'Art de la laine, corporation gérée par la construction de la cathédrale. Flirtant avec les limites de l'architecture (41,50 mètres de diamètre) le chantier est une véritable prouesse technique puisqu'il fallut que Filippo Brunelleschi invente de nouvelles méthodes de construction. Ses particularités sont nombreuses : un double toit (la coupole externe protège la coupole interne des variations atmosphériques, et les deux coupoles sont reliées par des branches), un poids de 27 000 tonnes, des voûtes décorées par Giorgio Vasari (1511-1574) et Federico Zuccari (c. 1540-1609) d'une fresque représentant le *Jugement dernier*.

(XVe), compagnie étroitement liée à l'origine à celle du palais Bigallo, avoisine le palais dei Canonici (1826) avec des statues d'Arnolfo Di Cambio et de Brunelleschi réalisées par Pampaloni (1830).

Près de la porte nord se dresse la colonne de San Zanobi, érigée en 1384. Il se dit qu'un orme mort fleurit au passage du cercueil du saint évêque (mort en 429) lorsque son corps fut transféré, au IXe siècle, de San Lorenzo à la cathédrale de Santa Reperata. Enfin, à l'arrière ouest du baptistère se trouve le palais Arcivescovile lui aussi plusieurs fois reconstruit sur des restes de monuments anciens. L'édifice actuel date du XVIe siècle. Dans la cour se trouvent des restes de San Salvatore al Vescovo, petite église de 1032 et reconstruite en 1221, dont la façade romane à marqueterie en marbre est encore visible sur la place de l'Ollio située à l'arrière.

■ CATHÉDRALE SANTA MARIA DEL FIORE

Piazza Duomo

℗ (055) 230 28 85

Entrée libre pour le temple principal, 3 € pour la crypte. Ouvert le lundi, mardi, mercredi et vendredi de 10h à 17h, le jeudi de 10h à 16h45, le samedi de 10h à 16h45 (15h30 pour le 1er samedi du mois) et le dimanche de 13h30 à 16h45.

La cathédrale (ou *Duomo*) et le baptistère de Florence s'érigent tous deux sur une grande aire rectangulaire que constituent deux places distinctes, mais communiquant entre elles. Santa Maria del Fiore est la troisième plus grande cathédrale du monde après Saint-Pierre à Rome et Saint-Paul à Londres. Elle est aussi communément appelée « *Cattedrale* ». La basilique actuelle est en fait la quatrième reconstruction du temple original.La première

étape de cet édifice gigantesque bâti sur la rive droite de l'Arno est entreprise par l'architecte florentin Arnolfo Di Cambio en 1296, et poursuivie jusqu'en 1434 par ses successeurs d'après un plan modifié. De très nombreux architectes, parmi lesquels Giotto Andrea Orcagna, Talenti et Ghini, ont participé à ce gigantesque chantier qui en tout, a duré près de 140 ans.La cathédrale est couronnée par la coupole révolutionnaire de Filippo Brunelleschi, véritable symbole de la Renaissance. De forme octogonale, elle culmine à 115 mètres et fut construite entre 1420 et 1436. Le nom que porte cet immense lieu de culte, Santa Maria del Fiore (Sainte-Marie-de-la-Fleur), fait référence à la madone de Florence ainsi qu'au lys des armes florentines.

© AUTHOR'S IMAGE

Duomo San Maria del Fiore

D'une longueur de 153 mètres, soit 23 mètres de plus que Notre-Dame-de-Paris, et d'une largeur de 38 mètres, elle défie les limites architecturales de l'époque.l'abondance des statues de la façade extérieure, construite à la fin du XIXᵉ a permis de mettre notamment à contribution Donatello, Nanni Di Banco et Domenico Ghirlandaio, tandis que la réalisation des 44 vitraux a été confiée à Lorenzo Ghiberti. L'intérieur est orné de fresques de Paolo Uccello et de Andrea Del Castagno. Seule la partie inférieure de la façade dessinée par Arnolfo Di Cambio fut terminée à la Renaissance. Jugée totalement dépassée, elle sera démontée en 1587. Elle ne sera remplacée qu'en 1871, année au cours de laquelle sera adopté le projet d'inspiration néogothique dessiné par Emilio De Fabris.

■ **GALERIE DES OFFICES (GALLERIA DEGLI UFFIZI)**
n°6 Loggiato degli Uffizi
Réservations et informations
℘ (055) 238 86 51
Entrée : 10 €. Fermée le lundi. Ouvert du mardi au dimanche de 8h15 à 18h50, et jusqu'à 21h le mardi de juillet à septembre. Pour éviter de faire trop longtemps la queue en été, il faut penser à réserver !
Le palais des Offices, dessiné par Giorgio Vasari pour Cosimo Ier en 1560, prend son nom de sa destination première : l'administration de la ville de Florence (Uffizi). Seulement un petit nombre de musées au monde peut offrir des collections aussi importantes et complètes que les Offices. Les œuvres sont exposées par ordre chronologique, le long des deux ailes, dans les 45 salles du musée. Le premier étage est consacré au cabinet des dessins et estampes. Certaines collections sont présentées en expositions temporaires pour des raisons de conservation et de place. Elles sont composées d'environ 100 000 pièces !

▶ **La salle 1** présente la collection d'antiquités de Cosimo Iᵉʳ. En commençant avec les premiers artistes byzantins comme Cimabue et Duccio Di Buoninsegna, le musée illustre l'évolution de l'histoire de la peinture en partant des chefs-d'œuvre de Giotto et d'autres artistes mineurs de Florence et de Sienne, jusqu'à l'extraordinaire Adoration des Mages de Gentile Da Fabriano.
Puis, la collection continue avec les tableaux de la Renaissance d'artistes comme Masaccio, Paolo Uccello, Filippo Lippi et Piero Della Francesca. Une attention spéciale est consacrée à Botticelli dont les peintures La

Naissance de Vénus et *Le Printemps* sont de renommée mondiale. Le XVIᵉ siècle est représenté par Michel-Ange, Léonard de Vinci, Raphaël, les peintres toscans du style maniériste (comme Pontormo) et l'école vénitienne avec les œuvres immortelles de Titien, du Tintoret et de Véronèse.

▶ **Au second étage, les niches de la loggia,** ajoutées au XIXᵉ siècle, abritent des sculptures en marbre représentant d'éminents Florentins et Toscans (Dante, Laurent le Magnifique, Léonard, Galileo Galilei...). Le couloir (Corridoio Vasariano) qui traverse le palais, reliant le palazzo Vecchio au palazzo Pitti, n'est visitable que sur réservation (se renseigner à l'office du tourisme car les conditions sont très variables), ou lors de la visite de certaines expositions. Lorsque vous visiterez le musée, prenez le temps d'admirer les plafonds ornés de grotesques attribués à A. Allori (XVIᵉ siècle) et de trompe-l'œil.

▶ **Dans les salles 2 et 3,** est principalement exposée de la peinture italienne des XIIIᵉ et XIVᵉ siècles, avec des chefs-d'œuvre de Cimabue, Duccio, Giotto et Simone Martini. Les salles consacrées à la Renaissance commencent au premier étage. Dans la salle 7 se trouvent des œuvres de Masolino, Masaccio, Beato Angelico, Piero Della Francesca, Paolo Uccello (la Bataille de San Romano).

▶ **Salle 8.** Elle est consacrée à une partie de l'œuvre de Filippo Lippi.

▶ **Dans la salle 9,** les œuvres des frères Pollaiolo côtoient les peintures de jeunesse de Botticelli, et permettent de se préparer à la découverte des éblouissants chefs-d'œuvre dans les salles 10 à 14 : *Le Printemps, La Naissance de Vénus, l'Adoration des Mages* et la méconnue mais fascinante *Calomnie d'Appelle.* Dans la même salle : le *Trittico Portinari* du Flamand Hugo Van der Goes.

▶ **La salle 15 présente des œuvres de jeunesse de Léonard de Vinci** dans lesquelles se font ressentir l'influence de ses maîtres : *L'Annonciation* et la très mystique et énigmatique *Adoration des Mages* inachevée.

▶ **Salle 16,** cartes géographiques.

▶ **La salle 17,** dite « salle de l'Hermaphrodite » présente la copie de la célèbre sculpture hellénistique éponyme. Dans la *Tribune* (salle 18), réalisée pour François Iᵉʳ en 1584 sur un dessin de Buontalenti, on peut admirer le magnifique portrait de Lucrezia Panciatichi par Bronzino, celui de Laurent de Médicis par Vasari, peint plusieurs années après la mort du modèle, et la Vénus des Médicis, copie romaine du IVe siècle av. J.-C., qui compta au nombre des « emprunts » de Napoléon.

▶ **La salle 19 est consacrée à la peinture ombrienne,** représentée par quelques œuvres admirables de Luca Signorelli (La Sainte Famille et la Vierge à l'Enfant et figures allégoriques qui inspira Michel Ange pour son Tondo Doni), le Pérugin, Lorenzo Di Credi et Piero Di Cosimo.

▶ **Salle 20 : Dürer.** Cette salle didactique montre les influences importantes et les échanges artistiques entre l'école florentine et les écoles du Nord (techniques, recherches stylistiques) alors que la salle 21 présente le savoir-faire de l'école vénitienne représentée par Bellini, Giorgione et Carpaccio. On remarquera ici aussi les apports florentins (sfumato, traitement des figures).

▶ **Salle 22 :** écoles du Nord avec Hans Memling, Hans Holbein le Jeune qui nous montrent là encore le rayonnement du style florentin (gamme chromatique, architecture).

▶ **Salle 23 :** Corrège et Mantegna.

▶ **Salle 24 :** dite « des Miniatures ».

▶ **Salle 25 :** peinture florentine, dont le Tondo Doni de Michel-Ange.

▶ **Salle 26 :** Andrea del Sarto et Raphaël.

▶ **Salle 27.** Place au maniérisme, incarné par les œuvres de Pontormo et Rosso Fiorentino, alors que dans la salle 28 on retrouve l'influence chromatique florentine dans les œuvres vénitiennes de Titien couronnées par la Vénus d'Urbino. La salle 29 rend hommage au Parmesan. Remarquons en particulier la Madone au long cou, l'une des figures les plus emblématiques du maniérisme.

▶ **La salle 32 est consacré au Tintoret,** la 41 à Rubens et Van Dyck, la 44 à Rembrandt, alors que la salle 45 présente des travaux de Tiepolo, Canaletto, Goya et Chardin.

■ **PALAZZO VECCHIO**
Piazza della Signoria
℗ (055) 276 82 24
Entrée : 6 €. Ouvert tous les jours de 9h à 19h, sauf le jeudi (9h-14h). Lorsqu'il y a trop de monde à l'entrée de la Piazza della Signoria, il est conseillé de passer par l'entrée moins connues sur la via Gondi qui longe le palais sur l'un de ses côtés.

Erigé entre la fin du XIIIe et le début du XIVe siècle sur le projet d'Arnolfo Di Cambio, le palais fut agrandi aux XVe et XVIe siècles. Siège de la Seigneurie, le palais hébergea temporairement les Médicis à l'époque de Cosimo Ier jusqu'à leur déménagement au palazzo Pitti. Le palazzo della Signoria prit à cette époque le nom de « Vecchio » et Vasari y travailla. La visite permet d'admirer la richesses des pièces, les fresques au plafond et surtout l'incroyable salle des Cinq-Cents. Cette dernière, s'étendant sur près de 1 000 m², a accouché de nombreuses réunions du Conseil de la République, ordonnées par Savanarole. Les peintures sur les murs, assurées par des artistes issus des ateliers de Michel-Ange, comptent les batailles contre Pise et Sienne. La décoration fut, elle, assurée par Vasari. Impressionnant et somptueux à la fois !

■ **PIAZZA DELLA SIGNORIA**
C'est l'endroit le plus important de Florence depuis des siècles, en particulier d'un point de vue politique. Sur la place se dresse le palazzo Vecchio (Vieux Palais, dit aussi de la Seigneurie), l'un des plus beaux exemples d'architecture publique médiévale (1299-1314), dont se détachent les 94 mètres de la tour d'Arnolfo (vue sur la ville, avec accès à la salle dei Gigli). Devant le palazzo, les symboles de la République libre de Florence avertissent les visiteurs. Ici, la ville est puissante. Le Marzocco, le lion de Donatello, symbolise la puissance et la liberté de la commune. S'y détachent aussi la Judith, elle aussi de Donatello et la copie du formidable David, de Michel-Ange. A l'opposé, Hercule de Baccio Bandinelli et surtout le Neptune d'Ammanati, représentent eux aussi la puissance des Médicis. Devant tant de certitudes et de défis accumulés par la commune, ne pas oublier, en évitant les passants qui la piétinent sans la remarquer, de méditer sur la plaque commémorative matérialisant l'emplacement du bûcher des vanités, dressé en 1497 par le frère dominicain Girolamo Savonarole. Il y fit brûler l'ensemble des livres qu'il jugeait indignes de lecture et, ironie du sort, il y fut lui-même réduit en cendres l'année suivante.

Quartier Santa Maria Novella

La place Santa Maria Novella, endroit magique, présage du reste de la visite quand on arrive à Florence par le train. A deux pas de la gare, animée de jour comme de nuit, elle constitue un petit espace de calme où s'asseoir, où retrouver ses amis avant de parcourir des kilomètres et des kilomètres à la découverte de la ville.

Fontaine de Neptune, piazza della Signoria

Deux obélisques, travaillés par Giovanni Da Bologna, sont érigés là depuis 1608. Lors des courses organisées en l'honneur des Médicis, les chevaux y faisaient demi-tour. Face à l'église, les dix arcades de la loggia di San Paolo surmontées de médaillons d'Andrea Della Robbia forment un ensemble harmonieux. La famille Vespucci habitait dans ce quartier populaire, et c'est aussi là que naquit (borgo Ognissanti, 28) Botticelli. Il y travailla (via della Vigna Nuova puis via Porcellana) et y mourut.

■ CHIOSTRI MONUMENTALI DI SANTA MARIA NOVELLA
n°8 Piazza Santa Novella
℃ (055) 28 21 87
Ouvert du lundi au jeudi, et le samedi de 9h à 17h. Fermé le vendredi et le dimanche.
L'architecture est de Capellone degli Spagnoli et les fresques de Paolo Uccello. Le rare reliquaire du *Titre de la Croix* (XIIIe-XIVe siècles), le reliquaire de saint Dominique (XVe-XVIe siècles), et la tapisserie de saint Thomas de Canterbury (XVIe siècle) en sont les œuvres principales.

■ ÉGLISE DE SANTA MARIA NOVELLA
Piazza Santa Maria Novella
℃ (055) 21 92 57
Entrée : 2,50 €. Ouverte de 9h à 17h du lundi au jeudi et le samedi ; le vendredi, dimanche et fêtes à partir de 13h.
Commencée en 1246 et achevée en 1360,
cette église dominicaine possède un style architectonique. Elle marie avec bonheur le gothique florentin et le style cistercien. La façade parfaite de cette église, créée par Léon Battista Alberti (1456), peut facilement tromper les visiteurs en leur paraissant une église Renaissance. Les fresques et les peintures à l'intérieur et dans les chapelles offrent un voyage excitant à travers la peinture florentine, de Cimabue au maniérisme du XVIe siècle, comprenant les artistes Orcagna, Masaccio et Ghirlandaio. A noter que la fresque de la *Trinità de Masaccio* (1425) est sans doute la première grande œuvre qui applique les principes de la perspective linéaire et crée un effet de profondeur saisissant.

■ ÉGLISE OGNISANTI
Piazza de Ognissanti
Entrée libre. Ouvert de 7h à 12h30 et de 16h à 20h du lundi au samedi et uniquement l'après-midi le dimanche. Le monastère et l'église de « Tous les saints » furent reconstruits par les Franciscains. Elle fut transformée au XVIIIe siècle dans un style baroque. Voir dans le bas-côté droit au-dessus du deuxième autel une fresque de Ghirlandaio représentant une Vierge de miséricorde qui abrite de son manteau les membres de la famille Vespucci. Elle date de 1470, on peut voir un jeune homme en habit rouge, entre la madone et un vieillard. Il représente Amerigo Vespucci, et entre les 3e et 4e chapelles, une magnifique fresque de saint Augustin, signée par Botticelli.

Cette fresque représente saint Augustin à qui apparaît saint Jérôme. Ce dernier est peint dans la fresque de Ghirlandaio qui lui fait face.

Quartier San Lorenzo

De la place du Dôme (Duomo), emprunter le borgo San Lorenzo pour arriver au cœur de ce que fut le quartier des Médicis, et qui, aujourd'hui, est toujours un quartier très vivant, avec son marché bariolé de cuirs et de vêtements à l'ombre de l'église San Lorenzo, la plus ancienne de la ville. Véritable lieu d'expérimentation sociale, c'est aussi l'un des endroits les plus traditionnels, avec les magnifiques chapelles Médicis, la bibliothèque San Lorenzo. C'est aussi un quartier commerçant et cosmopolite : les marchés et les échoppes sont principalement tenus par des Iraniens, des Somaliens et des Chinois.

Quartier Santissima Annunziata

■ ÉGLISE SANTISSIMA ANNUNZIATA
Piazza SS Annunziata
✆ (055) 26 61 81
Entrée libre. Ouvert tous les jours de 7h30 à 12h30 et de 16h à 18h30.
L'église est érigée sur l'oratoire de l'ordre des Servites de Marie (Servi di Maria), fondé par sept jeunes moines à qui Marie serait apparue en 1235. Ils fondèrent ensuite, comme ultime renoncement au monde, le monastère de Monte Senario en haut de Fiesole. Michelozzo édifia le premier cloître au milieu du XVe siècle. Le corps principal de l'église, commencé en 1440 par Michelozzo et Pagno Portigiani, fut ensuite modifié par Alberti, qui créa la puissante tribune que l'on peut voir sur le côté droit. A partir de la sobre façade sur la place, ornée des armes du pape Léon X de Médicis et des fresques du jeune Pontormo, on accède à trois cadres différents : à droite, la chapelle dei Puccio de San Sebastiano, à gauche le vaste cloître des Morts décoré des fresques d'Andrea Del Sarto (Madonna del Sacco), au centre le premier cloître, ou Chiostrino dei Voti, entièrement orné des fresques des maîtres de la peinture florentine maniériste du début du XVIe siècle : Rosso Fiorentini, Pontormo, Franciabigio et Andrea Del Sarto qui, avec la Naissance de la Vierge, peignit le plus fidèle portrait de sa femme Lucrezia del Fede, malheureusement infidèle selon Vasari.
L'intérieur du monument, dessiné par Alberti, mais recouvert plus tard d'une fastueuse décoration baroque, se compose d'une seule nef couverte d'une large coupole. Le remarquable plafond baroque est de Giambelli d'après un dessin de Volterrano (XVIIe siècle). De nombreuses œuvres d'art sont conservées dans les chapelles latérales. Il s'agit de fresques d'Andrea Del Castagno, une Assomption de Perugino, une Résurrection de Bronzino, des sculptures de Giambologna et dans le transept, une Déposition en marbre de Baccio Bandinelli dont on peut voir l'autoportrait dans le visage de Nicodemo. Sur la gauche se présente à nous un petit temple en marbre dessiné par Michelozzo (1448-1461) en l'honneur de la fresque de l'*Annonciation*, aujourd'hui très vénérée et exposée aux fidèles le 25 mars de chaque année, jour de l'Annonciation (jour de l'an florentin pendant plusieurs siècles).

▶ ***Naissance de la Vierge.*** Selon la légende, l'artiste anonyme du XIVe siècle qui l'a exécuté s'endormit après avoir réalisé l'ange mais son sommeil fut troublé par la crainte de ne pas pouvoir peindre une Vierge de meilleure qualité que l'ange déjà peint par lui. A son réveil, il eut la surprise de trouver la fresque complétée par une main surnaturelle. Les vertus miraculeuses attribuées depuis à la peinture par la tradition populaire font que les jeunes épouses se rendent à l'église Annunziata tout de suite après leur cérémonie de mariage afin d'offrir à la Vierge du petit temple leur bouquet de fleurs. Dans la nef gauche de la chapelle, il est possible d'admirer, outre les œuvres déjà citées, le Père éternel de saint Jérôme et la Trinité d'Andrea Del Castagno qui interpréta là, avec une violence sévère, la leçon en perspective de Masaccio al Carmine.

■ GALERIE DE L'HOPITAL DES INNOCENTS (OSPEDALE DEGLI INNOCENTI)
n°12 Piazza S.S. Annunziata
✆ (055) 203 73 08
Entrée : 4 €. Ouverte de 8h30 à 19h tous les jours sauf le dimanche de 8h30 à 14h.
Créé en 1419 pour guérir et élever les enfants orphelins ou abandonnés et leur fournir un travail, l'« hôpital » fut fondé au temps de la République par les riches entrepreneurs de la corporation de la laine. Première institution de ce genre en Europe, il est dorénavant un exemple d'architecture harmonieuse et rationnelle, faite pour les soins et le repos. Sur le côté gauche du portique, on peut voir une inscription sur la petite fenêtre fermée, ornée de deux petits amours.

Celle-ci rappelle la soi-disant « roue » qui fonctionna jusqu'en 1875, où les mères abandonnaient les nouveau-nés qu'elles ne désiraient pas ou bien les enfants qu'elles ne pouvaient élever. Encore aujourd'hui, le nom « des Innocents », dans tous les sens du terme, renvoie à cette origine. Du joli vestibule central, on accède à la loge au-dessus du portique (autrefois la salle de séjour des enfants). Entre les arcades on note les médaillons en céramique de Lucca Della Robbia, représentant des enfants emmaillotés : c'est le symbole de l'hôpital.

▶ **Le petit musée présente des œuvres d'art** acquises au fil des siècles à travers des legs ou donations, la majeure partie ayant toutefois été éparpillée au XIXe siècle. Celles qui restent comme celles de Luca Della Robbia, de Sandro Botticelli, de Piero Di Cosimo méritent un tel musée. On peut également admirer la belle Adoration des bergers de Domenico Ghirlandaio, maître de Michel-Ange (1488), sur laquelle l'artiste a représenté, comme à son habitude, une série de portraits historiques parmi la foule entourant les enfants tels des marchands des Arte della Seta, garçons de salle et bienfaiteurs de l'hôpital.

▶ **Sur la piazza SS. Annunziata**, parcourant la courte via dei Fibbiai, on trouve la rotonde de Santa Maria degli Angeli (1433), œuvre de Brunelleschi restée inachevée, et découverte au début du XXe siècle. La galerie se trouve dans un édifice commandé en 1419 à Brunelleschi par la corporation des artisans de la laine et de la soie, destinée à recueillir les enfants abandonnés, leur offrir une instruction et leur apprendre un métier. On remarquera également, entre les arcades, les médaillons de Della Robbia représentant des enfants emmaillotés.

■ **MUSEE DE L'ACADEMIE (GALLERIA DELLA ACADEMIA)**
n°60 Via Ricasoli
✆ (055) 238 86 09
Entrée : 10 €. Fermé tous les lundis. Ouvert du mardi au dimanche de 8h15 à 18h50, et jusqu'à 21h le mardi. En été, il est vivement conseillé de réserver un billet ou de venir très tôt pour éviter parfois jusqu'à 3h de queue. L'Académie dispose de tableaux importants qui représentent quatre siècles de l'école toscane et parmi lesquels on trouve aussi des œuvres de Botticelli et Pérugin. La galerie est renommée pour ses statues très connues de Michel-Ange comme celle de

saint Matthieu qui n'a jamais été achevée, la *Pietà de Palestrina* ou les quatre esclaves que l'artiste a sculptés pour le mausolée de Jules II. D'ailleurs, le musée est célèbre dans le monde entier, car il abrite la statue du David, dont la beauté impérissable est devenue le symbole de Florence.

■ **MUSEO DI SAN MARCO**
n°1 Piazza San Marco
✆ (055) 238 86 08
Entrée : 4 €. Ouvert du mardi au vendredi et le dimanche de 8h15 à 13h50 ; le samedi de 8h15 à 16h50 ; et les 1er, 3e et 5e lundis de chaque mois de 8h15 à 13h50. Ce site exceptionnel est un ancien couvent dominicain ouvert au public depuis 1869. Consacré en 1443, il a accueilli des personnalités aussi marquantes que Fra Angelico, Girolamo Savonarola, Fra Bartolomeo… et fut agrandi par Cosme de Médicis. Hébergé dans le couvent du XVe siècle, œuvre de Michelozzo di Bartolomeo, l'architecte préféré de Cosme le Vieux de Médicis, le musée rend hommage à Beato Angelico (dit Fra Angelico) qui durant son séjour en ce lieu, a peint des fresques de nombreuses cellules. La merveilleuse *Annonciation* de Fra Angelico y est exposée, ainsi que d'autres œuvres lui appartenant et provenant d'églises et institutions religieuses florentines. Voir aussi, en particulier, la grandiose et touchante *Crucifixion* à l'intérieur de la salle capitulaire qui est de grande valeur. Parmi les pièces du premier étage, outre les cellules peintes par Fra Angelico et l'appartement du prieur, qui fut habité par Savonarole, il faut relever la salle à trois nefs de la bibliothèque, considérée comme étant le chef-d'œuvre de Michelozzo, avec le palais Médicis. Elle est d'un très grand intérêt architectural et historique. C'est ici que fut arrêté en 1498 Girolamo Savonarola.

Quartier de Santa Croce

Santa Croce dessine l'est du centre historique. Malgré les profondes transformations que connaît la ville depuis quelques décennies, ce quartier est resté très populaire et le lieu d'habitat de familles florentines établies depuis des générations. Centre de rassemblement des grandes manifestations syndicales, c'est aussi là que naissent les idylles de la ville autour de la table du grand restaurant florentin Il Cibreo. C'est aussi dans ce quartier que Renzo Piano a redessiné l'ancienne prison (Murate) afin d'en faire, sous la pression de grandes manifestations populaires, des habitations à loyers modérés.

■ BASILIQUE SANTA CROCE

Piazza Santa Croce
℘ (055) 246 61 05
Entrée : 5 €, inclut l'entrée au musée également. Ouvert du lundi au samedi de 9h30 à 17h30 et le dimanche de 13h à 17h30.
Considérée comme le Panthéon des grands Italiens, elle abrite de grands génies. Michel-Ange, Galilée, Alfieri, Machiavel, Foscolo, Rossini et d'autres y ont leurs tombes. L'édifice est aussi un important exemple d'art gothique, décoré par les fresques de Giotto et celles de ses successeurs. Les sculptures de style Renaissance de Donatello, Rossellino, Desiderio et d'autres rendent l'atmosphère unique. Aujourd'hui encore, elle est la plus grande des églises franciscaines du monde. Son édification à Florence débuta en 1294 sur les plans d'Arnolfo Di Cambio. Construite aux frais du peuple et de la République florentine, elle s'éleva sur les fondations d'une petite église bâtie en 1252 par les frères, peu de temps après la mort de saint François, hors des murs de la ville. Les restes de l'ancien édifice ne purent être localisés qu'en 1966 quand, à la suite des inondations qui envahirent et dévastèrent la ville, une partie du pavement de l'église actuelle s'effondra. Dès son origine, l'histoire de Santa Croce est très intimement liée à l'histoire même de Florence. Au cours des sept siècles qui se sont écoulé depuis sa fondation, elle a constamment fait l'objet de remaniements et de nouveaux projets de modernisation, acquérant ainsi au fur et à mesure de nouvelles connotations symboliques. Les évolutions furent légion : de sa nature primaire d'église franciscaine jusqu'au rôle de « municipe » religieux pour les grandes familles et les corporations de la Florence médicéenne, de laboratoire et d'atelier artistique – humaniste tout d'abord puis Renaissance – jusqu'au centre théologique, de Panthéon des gloires italiennes jusqu'à muer en un lieu de référence, au XIXe siècle, de l'histoire politique de l'Italie pré et post-unitaire. Panthéon des génies florentins, Santa Croce est aussi l'un des symboles les plus prestigieux de la ville. La basilique était un lieu de rencontre privilégié pour les plus grands artistes, théologiens, religieux, hommes de lettres, humanistes et hommes politiques, comme elle le fut pour les puissantes familles qui, dans le bonheur comme dans l'adversité, participèrent à la création de l'identité de la Florence de la fin du Moyen Âge et de la Renaissance. Son couvent offrit l'hospitalité à des personnages célèbres de l'histoire de l'église, saint Bonaventure, saint Antoine de Padoue, saint Bernardin de Sienne ou encore saint Louis d'Anjou, évêque de Toulouse. Elle fut aussi un lieu de repos et d'accueil pour plusieurs papes : Sixte IV, Eugène IV, Léon X et Clément XIV. Avec son architecture gothique imposante, ses merveilleuses fresques, les retables d'autel, les précieux vitraux, les nombreuses sculptures, cette église représente l'une des pages les plus importantes de l'histoire de l'art florentin dès le XIIIe siècle.

© FOTOTECA ENIT

Église Santa Maria del Carmine

■ MUSEE FIRENZE COM'ERA

n°24 Via dell'Oriuolo
☏ (055) 261 65 45
Entrée : 2,70 €. Ouvert le lundi, mardi et mercredi de 9h à 14h, et le samedi jusqu'à 19h, ainsi que le 1er dimanche du mois de 9h à 14h. Fermé le jeudi, vendredi, dimanche et parfois le mercredi en été.

A travers les peintures, les gravures et les maquettes, le musée permet de mieux appréhender le développement de Florence, de la Renaissance à la fin du XIXᵉ siècle. A côté des grandes reproductions du fameux plan intitulé Pianta della Catena datant de 1470, on trouve le plan suivant : Pianta topografica de Stefano Bonsignori (1594) constituant le premier relevé réalisé scientifiquement. La série des douze fameuses Lunette di Giusto di Utens (1599) offre un important témoignage de ce qu'étaient les villas des Médicis à la fin du XVIᵉ siècle. Le XVIIIᵉ siècle est illustré par de belles vues de Zocchi, alors que dans la section du XIXᵉ siècle, se détachent particulièrement les images du Mercato Vecchio et du Ghetto Ebraico (ghetto juif) avant sa destruction. Une nouvelle section née à l'occasion de la foire intitulée Alle origini di Firenze (Aux origines de Florence) illustre l'évolution de la région de Florence à l'époque romaine. Très instructif et complet.

Quartier Santo Spirito

Au sud-est de la ville, le quartier Santo Spirito est celui de tous les mélanges. Profondément habité par l'esprit anarchiste des années 1990, on y rencontre la très grande majorité des étudiants en arts de la ville, mais aussi régulièrement des stars.

Les marchés, ceux thématiques des trois derniers dimanches (antiquité ou bio) de chaque mois et celui du mardi sont l'occasion de découvrir les petits producteurs du cru. Il faut également se rendre à différentes heures du jour au bar Cabiria sur la piazza Santo Spirito pour observer l'activité humaine environnante. L'activité est plus agréable qu'il n'y paraît.

■ ÉGLISE SANTO SPIRITO

Piazza Santo Spirito
☏ (055) 21 00 30
Entrée gratuite. Ouverte du jeudi au mardi de 9h30 à 12h30 et de 16h à 17h3à et juste l'après-midi le dimanche. Fermée le mercredi.

L'église des Augustins de Santo Spirito, telle qu'elle est visible aujourd'hui, s'est quelque peu éloignée du plan initial que Filippo Brunelleschi avait dressé. Ses successeurs ont changé le projet d'origine. Malgré tout, cet édifice est considéré comme l'un des exemples les plus parfaits d'églises Renaissance. A l'intérieur elle ne se distingue pas seulement par son élégance et sa fonctionnalité, mais elle abrite aussi un grand nombre de chefs-d'œuvre d'art florentin de style Renaissance.

■ LA GALERIE PALATINE (GALLERIA PALATINA)

Piazza Pitti
☏ (055) 238 86 14
Entrée : 9 € pour la galerie palatine ou 12 € avec en plus la galerie d'art moderne. Ouverte du mardi au dimanche de 8h15 à 18h50, fermée le lundi. La billetterie ferme à 18h. Fermée les 1er janvier, 1er mai et le 25 décembre.

La Galerie contient de prodigieuses œuvres de la Renaissance. Parmi le millier de tableaux exposés, ceux de Raphaël et du Titien méritent beaucoup d'attention ! Les autres grands maîtres italiens sont également exposés : Botticelli, Le Pérugin, Véronèse, Le Caravage ou encore le Tintoret. A noter que les tableaux sont encore, à quelques exceptions près, aux mêmes emplacements que ceux choisis par les Médicis. Les appartements royaux sont au 1er étage. S'y trouve le mobilier d'époque ainsi que de luxueuses tapisseries. On y découvre aussi la Vénus de Canova, des œuvres de Rubens, Andrea del Sarto, Vélasquez, Caravage, Van Dyck, Beccafumi et Bronzino, le musée des Argents (entrée 2 €, ouvert de 8h15 à 13h50), avec des trésors (dont une superbe collection de vases antiques) ayant appartenu aux Médicis et aux Lorena. La galerie d'Art moderne (entrée 6 €, mêmes horaires) au 2ᵉ étage, offre une belle vue sur la ville et propose des peintures des Macchiaioli dans les salles XXIII et XXV.

■ LE JARDIN BARDINI

n°4 Costa San Giorgio
☏ (055) 263 85 99
Entrée : 7 € ou pass à 10 € pour accéder également au jardin Boboli. Ouvert du lundi au dimanche (sauf le 1er et dernier lundi du mois), de 8h15 à 18h30 en avril, mai, septembre et octobre ; de 8h15 à 19h30 de juin à août ; de 8h15 à 17h30 en mars, de 8h15 à 16h30 de novembre à février. Fermé le 1er janvier, 1er mai et 25 décembre. Partout, le jardin Boboli représente Florence. Partout, il est vanté pour sa beauté… pourtant, le jardin Bardini mérite tout autant d'attention et pour de nombreuses raisons. D'abord parce qu'il

est bien mieux entretenu. Certes plus petit, il n'a rien à envier à Boboli en termes de panorama et autres vues imprenables sur Florence. Les variétés de fleurs et de plantes y sont très nombreuses. On y aperçoit tous les principaux monuments de la ville, dont la bibliothèque qui abrite quelques six millions d'ouvrages. Bien moins fréquenté que les autres jardins de la ville, il est plus facile d'y trouver un petit coin d'intimité. Il est possible de sa rafaraîchir à la terrasse d'un café qui domine le jardin, offrant donc une très belle vue sur Florence.

■ LE JARDIN BOBOLI (GIARDINO DI BOBOLI)

℅ (055) 265 18 38

Entrée : 7 € ou 10 € pour avoir accès également aux jardins Bardini. Ouvert du lundi au dimanche (sauf le 1er et dernier lundi du mois), de 8h15 à 18h30 en avril, mai, septembre et octobre ; de 8h15 à 19h30 de juin à août ; de 8h15 à 17h30 en mars, de 8h15 à 16h30 de novembre à février. Fermé le 1er janvier, 1er mai et 25 décembre.

Adjacents au palais Pitti et au fort du Belvédère, les jardins appartiennent au cercle fermé des parcs à accueillir au moins 800 000 visiteurs par an. Sur un plan historique, pour la valeur des paysages qu'ils offrent comme pour la collection de sculptures, allant de l'Antiquité romaine au XVIIe siècle, il est facile de comprendre pourquoi ils exercent un tel attrait. Sous l'inspiration des propriétaires du palais Pitti, les Médicis puis les Habsbourg et enfin la maison de Savoie, différents agencements modelèrent le jardin. Le style Renaissance est ainsi clairement identifiable à proximité du palais. Les allées recouvertes de gravillons, des plans d'eau et des fontaines avec des nénuphars, des petits temples et des grottes intègrent une vision maniériste. La petite grotte de Madame, et la Grande Grotte, commencées par Vasari, et achevées par Ammanati et Buotalenti entre 1583 et 1593 en constituent

un exemple parfait avec leurs jeux d'eau et leurs effets de végétation luxuriante. La première de ces grottes fut même couverte de fresques destinées à créer l'illusion d'une grotte naturelle dans laquelle les bergers se réfugiaient pour se défendre des bêtes sauvages. Elle abritait aussi *Les Prisonniers* de Michel-Ange (aujourd'hui remplacés par une copie). Dans ce jardin, les statues et les fabriques, comme la Kaffehaus (XVIIe siècle), illustrent aussi un style orientalisant. Aussi, tout en haut, se trouve un petit musée de la porcelaine.

■ PIAZZALE MICHELANGELO

Cette place offre une vue panoramique sur Florence et les Apennins. Construite en 1875 pour le 400e anniversaire de Michel-Ange, elle est bordée d'une loggia qui devait initialement être un musée en l'honneur du génie toscan. C'est aujourd'hui un fameux restaurant du génie culinaire régional.

■ LE PONTE VECCHIO

Accessible en permanence. Comme Venise a son pont du Rialto, Florence a son Ponte Vecchio. Construit en 996 et remanié en 1345, il abritait à l'origine des étals de bouchers et des tanneurs par souci d'hygiène, afin de profiter de l'écoulement dans l'Arno. Les boutiques furent ensuite utilisées pour l'orfèvrerie. L'ouvrage d'une portée principale de 30 mètres est bordé de bijouteries, dont les arrière-boutiques se prolongent au-delà des bords du pont, soutenues par des appuis appelés « sporti ». Le couloir de Vasariano (corridoio Vasariano), qui surplombe l'une des rangées de boutiques, permettait aux Médicis de quitter le palazzo Vecchio et l'Uffizi pour rejoindre le palais Pitti, sans se mêler à la population parfois agitée. Ces derniers, ne supportant plus l'odeur des échoppes de bouchers et tripiers qui occupaient le pont, demandèrent qu'elles soient remplacées par des joailliers.

■ SHOPPING

La plupart des boutiques restent ouvertes le lundi. Pour un shopping de mode et de luxe, outre la via Tornabuoni, la via de Calzaiunoli, la via de Cerretani, la via Roma et la via Calimala sont parfaites. De même, de l'autre côté de l'Arno, la via Guicciardini et le borgo San Jacopo. Le Ponte Vecchio abonde en bijouteries.

Artisanat

■ SCUOLA DEL CUOIO

n°16 Piazza Santa Croce ℅ (055) 24 45 33 www.scuoladelcuoio.com

Ouvert du lundi au samedi de 10h à 18h.

On peut accéder par la sacristie de l'église Santa Croce à l'école, ou plus simplement en passant par l'entrée située au n°5 de la Via San Giuseppe. Une partie du monastère est en effet consacrée au travail traditionnel du cuir. On peut assister aux différentes étapes de fabrication d'objets variés, et même voir les apprentis à l'ouvrage. Les prix sont élevés, mais on peut être assuré de la qualité unique de son achat.

Marchés

Florence regorge de places et de ruelles animées par différents types de marchés : alimentaires, artisanaux, animaliers ou encore d'antiquités. C'est un vrai plaisir de circuler dans cette animation, au milieu des odeurs de cuir et des couleurs multiples.

▶ **Pour le cuir (une des spécialités de la ville),** vêtements et autres souvenirs… il est bon de faire son shopping entre l'église San Lorenzo et le Mercato Centrale.

■ MARCHE DE SAN LORENZO
Ouvert tous les jours de 8h à 20h, sauf le dimanche. Ouvert certains dimanches l'été. Sur les rues dell'Ariento ou Canto de' Nelli, le long de la basilique de San Lorenzo.
L'un des deux « marchés pour touristes » de la ville avec le Mercato Centrale. Immense, il est en permanence animé. La qualité n'est pas forcément toujours très bonne, notamment pour les « souvenirs » (papiers florentins, reproductions, cuir…), mais on y trouve incontestablement de bonnes affaires.

■ MERCATO CENTRALE
Piazza del Mercato Centrale
Ouvert tous les matins de 7h à 14h sauf le dimanche et les jours de fête. En hiver, il est ouvert le samedi et les jours qui précèdent les jours de fête. Voici le meilleur marché alimentaire de la ville. Une petite promenade permet de découvrir tout ce qu'il propose et de rapidement se rendre compte de la variété des produits du terroir. Dans le fond (côté via Sant'Antonino), quelques restaurants servent des plats frais à des prix très abordables. Inauguré en 1874 à l'occasion d'une foire internationale agricole qui se tenait à Florence, il avait été bâti pour répondre à la demande croissante de la population en biens alimentaires. La structure, plus de 130 ans après, reste impressionnante.

■ MERCATO DELLE PULCI (MARCHE AUX PUCES)
Piazza dei Ciompi
Ouvert de 9h à 13h et de 15h à 19h30, même si certains restent ouverts à l'heure du déjeuner. Le dernier dimanche de chaque mois, les étals des marchands s'étendent jusque dans les rues avoisinantes. Quatre-vingts exposants en provenance de toute la Toscane s'y donnent rendez-vous et proposent des petites pièces d'antiquités ou de collection. On y trouve des curiosités et des raretés. L'endroit est agréable et un bouquiniste sympathique tient commerce tout près.

■ MERCATO NUOVO
Piazza di Mercato Nuovo
Également appelée Loggia del Porcellino. Ouvert du lundi au samedi de 9h30 à 18h, et même le dimanche en été.
Abrité sous de somptueuses arcades datant du XVIe siècle, ce marché abrite aujourd'hui des articles de cuir et des souvenirs. Il se situe sous la loggia del Porcellino (loge du cochon), symbolisée par la statue du sanglier qui se tient sur le flanc sud de la structure (via Calimaruzza).
La toucher et glisser une pièce dans la bouche de la bête porte bonheur ! Jadis, les marchands y vendaient des produits de luxe, comme de la soie ou des objets précieux. Les plus observateurs se rendront compte que toutes les niches situées sur les piliers d'encoignure ne sont pas habitées d'une statue. Des architectes avaient prévu d'y placer des représentations de personnes célèbres à Florence. Mais seulement trois statues furent finalement achevées au cours du XVIIIe siècle.

Outlets, les marques à bas prix

Les environs de Florence sont connus de tous les Toscans pour les magasins d'usine qui se regroupent en véritables centres commerciaux. Toutes les plus grandes marques italiennes de prêt-à-porter s'y trouvent et sont donc exposées à des prix imbattables. Voici quelques adresses.

■ THE MALL
n°8 Via Europa – Leccio
✆ (055) 865 77 75
Ouvert tous les jours de 10h à 19h.
A 18 km à l'est de Florence. Le centre le plus apprécié des Italiens. Parmi les marques présentes : Gucci, Armani, CK, Coccinelle, D&G, Energy, Diesel, Benetton, Salvatore Ferragamo, Hugo Boss, Emilio Pucci, Ungaro, Burberry… Il est possible de s'y rendre en bus.

Les environs de Florence

FIESOLE

A ne surtout pas oublier lors de votre séjour ! Le petit village de Fiesole domine Florence et offre un panorama somptueux sur la vallée de l'Arno et sur les merveilles architecturales de la ville. De l'autre côté, la vue sur les vertes collines du nord de la Toscane n'est pas non plus sans déplaire. Fiesole, facilement accessible en transports en commun depuis le centre de Florence, abrite un cloître splendide, ainsi que de magnifiques villas patriciennes de la région. Certains jours, quelques-unes ouvrent les portes de leurs jardins afin d'offrir un aperçu de ce que peut être le paradis. Enfin, pour ceux qui disposent de peu de temps en Toscane, Fiesole donne une bonne idée de ce à quoi peut ressembler un village toscan. De très agréables promenades peuvent être réalisées depuis la place centrale. Il suffit de suivre les indications. Chaque deuxième dimanche du mois (excepté en juillet et août) se tient le marché « Fiesole antiquaire », dans la cour de l'ancien séminaire, via San Francesco.

Transports

▶ **Pour s'y rendre de Florence** (ainsi que dans l'autre sens, depuis Fiesole), prendre le bus n° 7 de la compagnie ATAF, à la gare Piazza Santa Maria Novella ou encore sur la Piazza San Marco. De 7h à 21h, toutes les 10 minutes jusqu'à 9h, puis toutes les 20 minutes. Compter 2,40 € pour l'aller-retour.

Pratique

■ **OFFICE DU TOURISME**
n°3/5 Via Portigiani
☎ (055) 597 83 73
Fax : (055) 59 88 22
info.turismo@comune.fiesole.fi.it
Du 1er mars au 31 octobre, ouvert du lundi au vendredi de 9h30 à 18h30, et le week-end de 10h à 13h et de 14h à 18h. Horaires plus restreints en hiver.
Il est possible d'y acheter un billet cumulatif pour les différents musées de la ville : musée archéologiques, le musée Bandini et la chapelle San Jacopo.

Hébergement

■ **PENSIONE BENCISTA**
n°4 Via Benedetto da Maiano
☎ (055) 59 163
www.bencista.com – info@bencista.com
Compter de 143 à 250 € pour une chambre double, petit déjeuner compris. Ouvert de mars à novembre, fermé le reste de l'année.
Des villas qui dominent la campagne Toscane, il y en a des dizaines. Mais de grandes maisons qui dominent Florence comme peut le faire la Bencista, tout en étant ouvert au public, il y en a beaucoup moins. La construction de cette grande bâtisse installée à l'entrée de Fiesole et plantée au milieu d'un parc de 3 ha, commence dès le XIVe siècle. Au XVIe siècle, un proche des Médicis la récupère pour en faire sa résidence principale. Ce n'est qu'à partir de 1927 qu'elle devient un hôtel, après que de riches familles y ont successivement habité. Elle abrite aujourd'hui 40 chambres comblées de beaux meubles anciens. Il suffit d'ouvrir les grandes fenêtres et les volets qui les protègent des forts rayons du soleil pour faire face à un panorama exceptionnel. Et les parties communes ne sont pas sans séduire. Outre la terrasse qui ouvre une vue formidable sur Florence, il est agréable de profiter des nombreux petits salons ou du petit jardin installé quelques mètres plus bas.

Points d'intérêt

■ **ABBAYE FIESOLANA (BADIA FIESOLANA)**
n°9 Via Badia dei Roccettini
San Domenico ☎ (055) 591 55
Entrée libre. Dans les environs de Fiesole. Automne et hiver : ouvert du lundi au vendredi de 9h à 17h. Printemps et été : ouvert du lundi au vendredi de 9h à 18h. Le samedi ouvert de 9h à 12h, et de 10h30 à 12h30 le dimanche. La badia Fiesolana, abbaye du XVe siècle, possède une très belle façade romane, malheureusement inachevée qui date du XIe siècle, tandis que l'intérieur, d'un dépouillement radical que seul vient animer la pietra serena, est caractéristique de la première Renaissance.

Ancienne résidence des évêques de Fiesole, c'est l'édifice religieux le plus important des environs de Florence qui, dit-on, se dresse à l'endroit où saint Romulus fut martyrisé.

■ CATTEDRALE DI SAN ROMOLO
n°1 Piazza della Cattedrale
✆ (055) 59 95 66
www.cattedralefiesole.it
Entrée libre. Ouverte tous les jours de 8h à 12h et de 15h à 17h, et jusqu'à 18h en été et au printemps.
Construction romane du XIe siècle, modifiée aux XIIIe et XVe siècles. A l'intérieur, se trouvent des œuvres de Della Robbia, Bicci di Lorenzo et Mino da Fiesole, ainsi qu'une chapelle ornée de fresques de Cosimo Roselli (XVe siècle).

■ THEATRE ROMAIN
Via Duprè
Entrée : 12 €. Ouvert tous les jours de 10h à 18h, sauf le mardi.
Le théâtre remonte à l'époque impériale et conserve la *cavea* qui compte 3 000 places. On y voit également des thermes, un temple romain et des remparts étrusques.

VINCI

Un séjour culturel en Toscane ne saurait se dispenser d'une étape, brève, à Vinci. Quelques heures suffisent pour voir l'essentiel, mais il faut au moins saisir l'opportunité de découvrir le berceau du grand génie.

Transports – Pratique

Train

▶ **Pour s'y rendre en train,** sur la ligne Florence-Pise, descendre à Empoli, d'où partent des bus toutes les demi-heures pour Vinci.

Voiture

▶ **En voiture,** prendre l'A1 sortie Firenze-Signa, puis prendre la voie rapide en direction de Pise, sortie Empoli Est, puis suivre Vinci. Vinci est à 35 km de Florence.

■ OFFICE DU TOURISME
n°11 Via della Torre ✆ (0571) 56 80 12
Fax : (0571) 56 79 30
www.comune.vinci.fi.it
terredelrinascimento@comune.vinci.fi.it
Ouvert tous les jours de mars à octobre de 10h à 19h, et le reste de l'année du lundi au vendredi de 10h à 15h et le samedi et dimanche de 10h à 18h.

Points d'intérêt

■ IL MUSEO LEONARDIANO DI VINCI
Palazzina Uzielli e Castello dei Conti Guidi
✆ (0571) 93 32 51
Fax : (0571) 56 79 30
www.museoleonardiano.it
museo@comune.vinci.fi.it
Entrée : 4,50 €. Ouvert de 9h30 à 18h en hiver et jusqu'à 19h de mars à octobre. Fondé en 1953, à l'occasion des festivités pour le 500e anniversaire de la naissance de Léonard, le musée expose sur trois niveaux la vie du génie et les modèles des machines dont les plans et projets sont parvenus jusqu'à nous.

PRATO

Longtemps satellite industriel de Florence, Prato est devenue province depuis un récent décret. La ville possède une tradition textile millénaire et d'intéressants monuments.

Transports – Pratique

▶ **Par le train,** ligne Florence-Bologne ou Florence-Lucca. Descendre à Prato Centrale.

▶ **En voiture,** A11 Florence-Pise Nord. Egalement Bus CAP et Lazzi depuis Florence ou Pistoia.

■ OFFICE DU TOURISME
n°8 Piazza Duomo ✆ (0574) 351 41
www.pratoturismo.it
apt@pratoturismo.it

Points d'intérêt

■ CATHEDRALE (DUOMO)
Piazza del Duomo
Ouverte tous les jours.
C'est l'une des plus belles églises de Toscane, de style roman avec des retouches gothiques successives et un habillage de marbre blanc et vert issu du Prato. A l'intérieur, on peut admirer des fresques de Filippo Lippi et de Paolo Uccello.

■ EGLISE DE SANTA MARIA DELLE CARCERI
Piazza Santa Maria delle Carceri
✆ (0574) 279 33
Chef-d'œuvre de Giuliano da Sangallo (1485), elle date de la première période de la Renaissance. Le plan de l'église se distingue par sa forme en croix grecque, typique de l'époque. A voir, l'autel principal aussi réalisé

Vinci

par Sangallo. Il abrite la somptueuse fresque de la Madonna delle Carceri.

■ MUSEO CIVICO

Palazzo Pretorio
Piazza del Comune ✆ (0574) 183 61
Entrée : 4 €. Ouvert tous les jours du mercredi au lundi de 9h à 13h et l'après-midi, les vendredis et samedis uniquement de 15h à 18h.
Palais médiéval dans lequel sont exposées des œuvres de Taddeo Gaddi et Filippo Lippi.

PISTOIA

Située à 37 km au nord de Florence, cette ville tranquille de 86 000 habitants est une place forte de l'industrie du cuir et des tissus. Il faut ainsi passer outre ses faubourgs industriels avant de pouvoir goûter au charme médiéval de la vieille ville, qui demeure préservée des circuits du tourisme de masse.

■ CATHÉDRALE DE SAN ZENO

Piazza del Duomo
✆ (0573) 36 92 77
Entrée : 4 €. Ouvert du lundi au vendredi de 8h à 12h30 et de 15h30 à 19h et le week-end de 10h à 12h30 et de 15h à 17h30.
Sa construction débute en 923. Elle comporte de nombreuses peintures et sculptures, parmi lesquelles une surprenante pierre tombale représentant de manière réaliste l'évêque Donato de Médicis sur son lit de mort. Au titre des objets étonnants, on pourra également relever un autel en argent massif. Dans la crypte, on découvrira les restes d'une villa

romaine et deux plaques en marbre sculpté, de la fin du XVIe siècle et représentant *le baiser de Judas, la Visitation et la Cène.*

■ OFFICE DU TOURISME

Piazza del Duomo ✆ (0573) 216 22
Fax : (0573) 343 27
pistoia@pistoia.turismo.toscana.it
Possède un poste Internet. Compter 5 € pour une heure de connexion. Il est installé au sein du palais des Vescovi.

■ PALAIS COMMUNAL

Piazza Duomo
Edifié par la magistrature des Anciens au XIIIe siècle, il arbore sur la façade le blason des Médicis surmonté par la tête en marbre du roi de Majorque battu par le capitaine de Pistoia pendant la guerre des Baléares (1113-1115). Il comporte en son sein la Sala Maggiore, lieu d'invitation de personnalités internationales, mais également le conseil communal, autrefois conseil des Anciens, lequel réunissait les grandes familles de la ville ainsi que le podestat, administrateur de la cité.

■ PLACE DU DOME

C'est l'une des plus belles places d'Italie. Elle possède un charme tout médiéval et concentre tous les pouvoirs, comme il était d'usage au Moyen Age. C'est ainsi le lieu du pouvoir communal (au palais communal), du pouvoir de l'Eglise (à la cathédrale de San Zeno), du pouvoir de l'Etat (à la préfecture), du pouvoir judiciaire (au palais de justice) et du pouvoir financier (au palais de la Monte dei Paschi di Siena).

Le cœur toscan

LE CHIANTI

Le Chianti est une « denominazione di Origine Protetta », mais correspond à une zone beaucoup plus grande que la région nommée Chianti. C'est pourquoi, mieux vaut parler de trois Chianti : le Chianti géographique, le Chianti vinicole et, enfin, le Chianti classique, qui en résume toute l'âme et la vitalité. La production du vin Chianti classico fonctionne avec plus de 800 fermes vinicoles particulièrement actives.

IMPRUNETA

Première étape de l'itinéraire du Chianti, Impruneta offre un panorama tout simplement splendide de la campagne toscane.

■ BASILIQUE DE SANTA MARIA ALL'IMPRUNETA

n°28 Piazza Buondelmonti
✆ (055) 203 64 08
Datant du XIe siècle, remaniée depuis, elle possède des œuvres de Luca Della Robbia (tabernacle en terre cuite) et de Jean de Bologne.

SAN CASCIANO IN VAL DI PESA

Ville principale de la vallée di Pesa, à 17 km de Florence, San Casciano abrite la chiesa della Misericordia, où sont conservés le Crucifix de Simone Martini, ainsi que des œuvres d'Ugolino da Siena et de Giovanni Balduccio. Au départ de Florence, on s'y rend par l'autoroute ou par Impruneta en passant par la localité d'Il Ferrone.

■ SANTA MARIA DEL GESU

Via Lucardesi
L'église fait partie intégrante du principal musée de la ville. On peut y voir une collection d'art religieux, unique en son genre. Notamment la *Madone à l'Enfant* datant de 1319 et une œuvre précoce du peintre de la Renaissance Ambrogio Lorenzetti.

DE SAN CASCIANO À GREVE IN CHIANTI

Peu avant Greve, s'offrent deux déviations possibles : l'une pour le castello di Vicchiomaggio (à Greti di Greve in Chianti), entièrement transformé en ferme-villa ; l'autre pour le castello di Verrazzano (où naquit Giovanni da Verrazzano, qui découvrit la baie d'Hudson à New York) avec le domaine vinicole Castello di Verrazzano, datant de presque mille ans ! (Au n°12 Via San Martino in Valle ✆ (055) 85 42 43 - www.verrazzano.com). Dégustation des plus fameux vins locaux, à ne manquer sous aucun prétexte.

GREVE IN CHIANTI

En reprenant la route principale, Greve in Chianti se dégage tel un beau centre agricole sur la rivière du même nom, et capitale du Chianti Classico. Petit village du cœur toscan, il ne présente guère d'autre intérêt que le vin. Et ce n'est déjà pas si mal. A bien y regarder, le village ressemble à une foire permanente à la spécialité du coin : le chianti classico. Un musée consacré au sujet vient même d'ouvrir

---

Les immanquables du cœur toscan

▶ **Le Chianti.** Un voyage en Toscane ne serait pas complet sans une excursion au cœur du Chianti et de son savoir-faire artisanal en matière de vin et de charcuterie. Les caves attendent les visiteurs, tout comme les petits villages perdus dans la magnifique campagne qui s'étend entre Florence et Sienne.

▶ **Sienne.** Ce n'est pas sans raison que le visiteur dit souvent préférer Sienne à Florence. Plongée en permanence dans une lumière d'ocre blond, la ville s'abandonne toute entière à la quiétude, tel un véritable art de vivre. De passage en juillet (le 2) et en août (le 16), il ne faut surtout pas manquer le Palio delle Contrade, cette spectaculaire course de chevaux qui voit s'affronter les différents quartiers de la ville.

Un vin identitaire

Le plus italien des vins rouges provient d'un mariage entre le raisin noir du sangiovese et du Canaiolo et le raisin blanc du Malvasia et du Trebbiano. L'essence du chianti, c'est le sangiovese. L'appelation DOCG (Dénomination d'origine contrôlée et garantie) offre un meilleur produit sélectionné avec, bien sûr, une réduction de la production et une augmentation conséquente du prix. C'est ainsi qu'il existe la distinction entre les vins de table, fermentés dans des tonneaux d'acier inoxydables, et les vins de réserve vieillis dans des tonneaux de bois. Dans les frontières du territoire du chianti se fabriquent également d'autres vins, tels le célèbre di Montalcino, le carmignano, le pomino et le blanc galestro.

ses portes. Les boutiques sont légion, de la plus petite à la plus grande. Le samedi, le village change cependant de visage, lorsque le marché envahit la place principale, la piazza Matteotti.

■ LA CANTINETTA DI RIGNANA

n°13 Via Rignana
Rignana
✆ (055) 85 26 01
www.lacantinettadirignana.it
Fermé le mardi. Le restaurant est situé au cœur de la commune de Rignana, à quelques minutes seulement en voiture, au sud de Greve in Chianti.
La maison compose uniquement avec des produits du terroir. Il faut dire qu'elle aurait tort de se priver, elle qui est située en plein cœur de la campagne toscane. La carte propose notamment de délicieux pâtés préparés maison, du sanglier et du lapin. Pour manger, deux options : soit la salle rustique, soit la terrasse qui donne sur la campagne.

RADDA IN CHIANTI

Radda in Chianti est un bourg médiéval typique à 49 km de Florence et 32 km de Sienne. Aussi typique que le palais de Podestà, où est né l'emblème du Gallo Nero, dont l'acte notarial fut signé en 1924 dans la propriété de Vignale, aujourd'hui siège du centre d'études d'histoire du Chianti et important musée œnologique de la région.

Pratique

■ OFFICE DU TOURISME

n°1 Piazza Ferrucci
✆ (0577) 73 84 94
Fax : (0577) 73 84 94
Ouvert en été de 10h à 13h et de 15h30 à 19h30 et le dimanche matin seulement.

Excellent accueil, très compétent et qui renseigne de manière très utile sur la visite des vignobles de la région.

■ CASTELLO DI VOLPAIA

Des deux routes menant à Panzano, il faut prendre celle qui monte au château de Volpaia, un bourg fortifié du XIᵉ siècle. Transformés, les anciens souterrains du château et de la commanderie de San Eufrosino (XVᵉ siècle) accueillent aujourd'hui des expositions d'art et des manifestations culturelles.

■ BADIA A COLTIBUONO

Cette ancienne abbaye vaut le détour, tant pour son architecture que pour son vin. Située à 600 mètres d'altitude, sur la ligne qui sépare le Chianti du Valdarno, l'abbaye est dédiée à San Lorenzo di Coltibuono.
Elle fut bâtie en 1049 par Firidolfi, selon un plan à croix latine. C'est l'une des plus heureuses réalisations romanes du Chianti.

▶ **Du très bon vin est en vente dans la Tenuta di Coltibuono, près de l'abbaye.** En vente et en dégustation, la grappa locale. Elle est excellente. Pour la visite des très vieilles caves logées dans l'ancienne aile du cloître, téléphoner au (0577) 74 94 98 ou au 74 93 00. Tous les produits de la ferme (vin, grappa, miel, olives, vin saint) sont également en vente à l'osteria.

GAIOLE IN CHIANTI

A 61 km de Florence et 30 km de Sienne. Lieu d'échanges et de marchés depuis le Moyen Age, Gaiole conserve aujourd'hui encore cette activité. Le marché s'y tient chaque deuxième lundi du mois, accompagné de fêtes populaires entre juin et septembre.

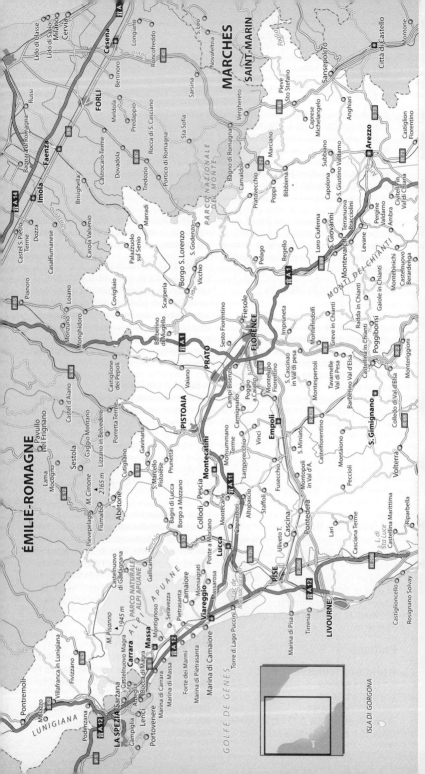

413

La Toscane

Légende:
- Autoroutes
- Routes importantes
- Routes régionales
- Routes secondaires
- Voie ferrée
- Limites de région
- Limites de province

0   20 km

OMBRIE

LATIUM

SIENNE

Grosseto

Piombino

Viterbo

MER TYRRHÉNIENNE

ARCHIPEL TOSCAN

Golfo di Follonica

METALLIFÈRES

Cortona · Umbertide · Castel Rigone · Magione · Passignano s. Trasimeno · Lac Trasimeno · Panicale · Montegabbione · Piegaro · Piano della Chiana · Marciano d. Chiana · Rapolano Terme · Sinalunga · Trequanda · Torrita di Siena · Montepulciano · Montefollonico · Chiusi · Città della Pieve · Paciano · Orvieto · Baschi · Montecchio · Soriano nel Cimino · Vallerano · Lac de Vico · Vitorchiano · Lac de Corbara

Acciano · Monteroni d'Arbia · S. Giovanni d'Asso · Asciano · Pienza · Chianciano Terme · Sarteano · Cetona · Radicofani · Bagni S. Filippo · M. Amiata 1738 m · Piancastagnaio · Bolsena · Gradoli · Lac de Bolsena · Marta · Grotte di Castro · Ischia di Castro · Canino · Tuscania · Vescovado · Buonconvento · S. Quirico d'Orcia · Castiglione d'Orcia · Campiglia d'orcia · Sta Fiora · Sorano · Sovana · Pitigliano · Pamece · Capalbio · Gradol · Marta

Montalcino · Monticiano · Civitella Marittima · Campagnático · Seggiano · Arcidosso · Castel d. Piano · Sempronian · Poggio Murella · Saturnia · Montemerano · Manciano · Sovani · Scansano · Magliano in Toscana · Fonteblanda · Albinia · Albinia · Orbetello · Port Ercole

Sovicille · Casole d'Elsa · Radicondoli · Montieri · Monterotondo · Massa Marittima · Roccastrada · Gavorrano · Scarlino · Punta Ala · Castiglione della Pescaia · Marina di Grosseto · Ista d'Ombrone · Laguna di Orbetello · Porto Sto Stefano · Giglio Porto · ISLA DEL GIGLIO · ISLA DI GIANNUTRI

Cecina · Montescudaio · Guardistallo · Bibbona · Pomarance · Castagneto Carducci · Le Cornate 1060 m · Sassetta · Suvereto · Venturina · Follonica · Montieri · Marina di Cecina · Marina di Bibbona · S. Vincenzo

Portoferraio · Rio Marina · Rio nell'Elba · Capoliveri · Marciana Marina · Marciana · LM. Capanne 1018 m · Marina di Campo · ISLA DI CAPRAIA · ISLA PIANOSA · ISLA DI MONTECRISTO · ISLA DEL GIGLIO

■ SIENNE ET SA RÉGION ■

SIENNE

Selon la légende, la ville fut fondée par Senio et Aschio, fils de Remus et neveux de Romulus, premier roi de Rome. Ils fuyaient la ville pour échapper à la fureur de leur oncle, sur deux chevaux donnés par Apollon et Diane, l'un blanc, l'autre noir. Elle fut très longtemps la rivale militaire, économique et artistique de Florence. Comptant aujourd'hui 64 000 habitants, elle a certes perdu de sa superbe face à la capitale de la région, mais dans le cœur du voyageur, la rivalité demeure. Aux XIIIᵉ et XIVᵉ siècles, Sienne devint la florissante et impériale forteresse du gibelinisme, contrastant ainsi avec la Florence des Guelfes et la Rome papale. La période de sa plus grande prospérité se situe après la bataille de Montaperti (1260), qui signa la défaite de Florence. C'est de cette époque que datent les plus beaux édifices de la ville.

Juchée sur ses trois collines, Sienne apparaît comme un joyau roux au cœur de la verdure. Ville d'art et de culture, livrée au tourisme, elle a cependant su garder son identité traditionnelle. Sienne possède l'une des plus brillantes universités d'Italie et un passé complexe et riche tandis que les autochtones ont également élevé leur identité au rang de culture. La beauté de la ville, son charme envoûtant sont indéniablement liés à cet attachement des Siennois à leur terre, sans doute issu en partie de la rivalité séculaire avec Florence. La ville est en effet parsemée de symboles évoquant sa puissance et son passé. Ainsi, les divisions en « contrades » ont encore aujourd'hui une signification fondamentale pour les Siennois qui considèrent leur appartenance à l'une de ces dix-sept « villes dans la ville » avec autant d'orgueil que leur appartenance à Sienne elle-même. Cette fierté se manifeste particulièrement lors des Palio.

Transports

Sienne se visite à pied, de gré ou de force ! La circulation est réservée aux résidents, mais c'est, de toute façon, la meilleure manière de découvrir les merveilleuses surprises de la ville, les panoramas fantastiques qui apparaissent çà et là, d'une colline à l'autre.

■ GARE
Piazza Fratelli Rosselli
✆ (0577) 28 01 15, (0577) 20 74 13

Guichets ouverts tous les jours de 6h30 à 21h. Consigne 24h/24. Possibilité de se connecter sur www.trenitalia.it pour obtenir les horaires et les prix des trajets.

La gare est situé à 3 kilomètres au nord de la ville, ce qui signifie qu'il peut-être plus pratique de prendre le bus pour arriver à proximité du centre. Des arrêts à Sienne sont prévu sur les lignes Milan-Rome, Rome-Sienne, Florence-Sienne, Grosseto-Sienne, Arezzo-Sienne, Pérouse-Sienne ou encore Campiglia, Follonica-Sienne.

■ RADIO-TAXI
✆ (0577) 492 22

■ TRAIN
Piazza Gramsci
✆ (0577) 20 42 46
www.trainspa.it

De nombreux allers-retours avec Florence sont effectués tous les jours (plus d'une trentaine). Compter entre 1h30 et 2h pour effectuer le trajet selon le bus choisi. A Florence, les bus partent de la gare de la compagnie SITA, située sur la piazza della Stazione, devant la gare de Santa Maria Novella.

Pratique

■ OFFICE DU TOURISME
n°56 Piazza del Campo
✆ (0577) 28 05 51
Fax : (0577) 27 06 76
www.terresiena.it
Ouvert du lundi au samedi de 9h à 19h, et le dimanche jusqu'à 15h.
En saison, ils sont souvent débordés (le personnel aide à trouver un logement aux cas désespérés !), aussi faut-il s'armer de patience…

Banques

Nombreux distributeurs via Banchi di Sopra et dans le centre de la ville.

Hébergement

■ ALBERGO TRE DONZELLE
n°5 Via Donzelle
✆ (0577) 28 03 58
Fax : (0577) 22 39 33
http://tredonzelle.carbonmade.com
info@tredonzelle.com
Chambre simple à 38 €, double à 49 €, sans

Rue de Sienne

salle de bains, 60 € avec. Petit déjeuner non inclus. Ferme à 1h du matin.

Cette auberge de jeunesse est dotée d'un certain charme, et le fait de compter seulement 20 chambres lui confère une atmosphère intime. Au cœur d'un édifice de 1750, elle propose des chambres correctes, au mobilier très basique. La couleur de la peinture au mur dans certaines pièces ne sera pas sans sauter aux yeux des clients. La situation très centrale de cette adresse est un grand plus. A ce prix là, difficile de faire mieux. L'adresse est très connue, alors en haute saison, la réservation est impérative.

■ HOTEL ARCOBALENO
n°32-40 Via Fiorentina
℡ (0577) 27 10 92
Fax : (0577) 27 14 23
www.hotelarcobaleno.com
info@hotelarcobaleno.com
Chambre simple de 65 à 130 €, double de 75 à 160 €, avec petit déjeuner buffet. Lit supplémentaire 15 €. Possibilité de demi-pension à 18 € par personne, boissons non comprises.
Les salles de bains ont été entièrement rénovées durant l'hiver 2008/2009. Réalisé à l'intérieur d'une ancienne villa du XIXe siècle, l'hôtel Arcobaleno se situe aux portes de Sienne. Il possède un parking privé permettant d'avoir toute l'indépendance nécessaire pour visiter tant le centre-ville que les campagnes et collines toscanes environnantes. L'accueil y est chaleureux et souriant, le personnel toujours

disponible. Les propriétaires n'ont rien laissé au hasard dans la décoration intérieure. Le mobilier classique se marie harmonieusement au reste de la chambre : parquet, papier peint, rideaux et couvre-lits assortis.

■ HOTEL SANTA CATERINA
Via Piccolomini, 7
℡ (0577) 22 11 05
Fax : (0577) 27 10 87
www.hscsiena.it
info@hscsiena.it
De 75 à 125 € pour une chambre simple, de 98 à 185 € pour une double en fonction de la saison. Chambres avec téléphone, climatisation, réfrigérateur, TV, salle de bains, internet pour 3 € l'heure, parking, ascenseur.
Idéalement situé au pied de la Porta Romana au sud de la ville, sur l'ancienne via Francigena en retrait du flux touristique, l'hôtel Santa Caterina demeure année après année l'une des bonnes adresses de la ville. Ses 22 chambres ont su garder la forme originelle des pièces qui composaient cette ancienne bâtisse patricienne du XVIIIe siècle. Tant mieux, les petites cheminées ou la hauteur sous plafond étant des atouts notables. Il faut savoir que les chambres du premier étage sont recouvertes d'un parquet en bois, alors que les sols du second sont faits en pierre rouge. Une mention particulière est à donner au petit jardin situé sur l'arrière et qui offre une vue remarquable sur la campagne environnante. Y prendre son petit déjeuner le matin est un véritable privilège.

L'hôtel se charge également d'assurer une place de parking à ses clients, un vrai luxe en soit à Sienne.

■ OSTELLO PER LA GIOVENTU GUIDORICCIO

n°89 Via Fiorentina
Stellino
✆ (0577) 522 12
Fax : (0577) 805 01 04
info@ostellosiena.it
100 lits à environ 18 € par personne, petit déjeuner inclus. Fermée de 9h à 15h (16h30 le dimanche et jours fériés) et ouverte jusqu'à 23h30 le soir. Bar et restaurant ouvert d'avril à septembre (8 à 10 € le repas).
Le centre est desservi par le bus n°15. Il est fortement conseillé de réserver à l'avance.

Restaurants

Un conseil : table à réserver... surtout pendant la période du Palio.

Bien et pas cher

■ IL BANDIERINO

n°66 Piazza il Campo
✆ (0577) 28 22 17
Compter un minimum de 20 € à la carte, ou menu valable midi et soir à 15 €.
Sans doute le restaurant le plus abordable de la place la plus fréquentée de Sienne. Cuisine traditionnelle et délicieuse. On y décline l'incontournable trio gastronomique régional : *cinghiale, porcini, tartufo*... Le service est aimable, et cadre familial bien que l'endroit soit plus fréquenté par les touristes que par des locaux. Il serait dommage de ne pas passer un agréable moment à cette adresse !

■ OSTERIA NUMERO 1

Via Pantaneto, 32
✆ (0577) 22 12 50
Compter 6 € pour une pizza, 4 € les 100 g. de viande de bœuf.
Si le restaurant ne se distingue en rien par sa décoration, il se manifeste par ses plats copieux. La calzone, par exemple, est probablement plus grande que dans n'importe quel autre restaurant de la ville.

Bonnes tables

■ DA RENZO

n°14 Via delle Terme
✆ (0577) 28 92 96
www.ristorantedarenzo.com
info@ristorantedarenzo.com

Premier plat à 7-9 €, deuxième plat à 12-17 €. Fermé le mercredi midi et le jeudi, et ouvert le reste du temps de 12h à 15h, et de 18h à 22h.
Quel potentiel ! Seule sur la très calme place Independenza, et pourtant pas si loin de la Piazza del Campo, cette adresse offre une belle terrasse. L'ambiance se veut très internationale, même si au menu, la gastronomie toscane est à l'honneur. Hormis la lenteur du service, les plats sont corrects, notamment les mets de viande.

■ GALLO NERO

n°65 Via del Porrione
✆ (0577) 28 43 56
www.gallonero.it
Compter entre 20 et 35 € à la carte ou menu à 19 et 25 €. Ouvert tous les jours de 12h à 15h et de 19h à 23h.
La salle de restaurant toute seule mériterait presque une visite. La pièce au sous-sol est un ancien garde-manger datant du XIIIe siècle, lorsque les marchands de viande la conservaient sous le sel. Aujourd'hui, la salle est magnifiquement aménagée avec ses vitraux. La carte permet également un beau tour d'horizon des spécialités de la région.

■ OSTERIA LE LOGGE

n°33 Via del Porrione
✆ (0577) 480 13
Compter 25 € et plus. Menu traditionnel aux environs de 40 €.
Ce n'est pas un hasard si les locaux aiment y retourner. Cuisine toscane revue et corrigée à la siennoise, servie avec de très bons vins. Ambiance typique et excellents plats dans un très beau décor. Les amateurs de fromage devraient être fascinés par les *raviolis ripieni di pecorino e menta*, qui sont en fait remplis de fromage de chèvre chaud. Aussi, les *taglierini al tartufo* font partie de ces plats qu'il faut essayer pour avoir une bonne perception de ce que ce restaurant peut offrir de mieux avec des ingrédients simples.

Points d'intérêt

La ville s'étend sur trois crêtes de collines appelées terzi (tiers), divisées elles-mêmes en contrade (quartiers).

Le terzo San Martino

Il s'étend vers l'est à partir de la piazza del Campo.

■ MUSEO CIVICO

Palazzo Comunale

Piazza del Campo
℡ (0577) 22 62 30
Entrée : 7,50 €, 6,50 € avec une réservation. Ouvert du 1er novembre au 15 mars de 10h à 18h et de 10h à 19h le reste de l'année. Pass à 12 € pour visiter la tour del Mangia et le museo civico.

Il présente une collection importante de tableaux du XIVe au XVIIIe siècle. Les principales salles à visiter sont celles de la Mappemonde (« sala del Mappamondo ») et celle de la Paix (sala della Pace). La première abrite la *Maestà*, œuvre splendide et merveilleusement conservée de Simone Martini, ainsi que le siège du château de Montemassi par Guidoriccio da Fogliano, autre exemple majeur du gothique toscan, dont l'attribution à Simone Martini fut récemment contestée. Dans la seconde, on trouve les magnifiques et très fameuses fresques de l'*Allégorie du bon et du mauvais gouvernement* d'Ambrogio Lorenzetti qu'il faut attentivement contempler, afin de se perdre dans l'iconographie riche et érudite, mêlant histoire, religion, tradition et mythologie et d'en percevoir toute la complexité.

■ PALAZZO PICCOLOMINI

n°52 Via Banchi di Sotto
℡ (0578) 74 83 92
Entrée : 7,50 €. Ouvert du mardi au dimanche en hiver de 10h à 16h30, et jusqu'à 18h30 en été. Fermé le lundi.

Ce beau palais Renaissance du XVe siècle présente un style florentin arrivé à maturité. Sur la Piazza PIO II, il abrite le musée des Archives de l'Etat (Museo dell'Archivio di Stato, ouvert de 8h à 14h). Parmi les œuvres exposées, se distingue en particulier la collection de Biccherne, petits tableaux sur bois réalisés par de grands artistes du XIIIe au XVIIe siècle, et qui servaient à l'origine de couverture au registre des impôts.

■ PIAZZA DEL CAMPO

Centre historique de la ville et point de référence quel que soit l'itinéraire choisi, le Campo, comme l'appellent les Siennois, offre une extraordinaire perspective. Cette place, l'une des plus belles d'Italie, a été réalisée, selon un dessin original, en forme de coquille renversée qui suit la forme naturelle du terrain, divisée en neuf parties. Lors du Palio (le 2 juillet et le 16 août), elle est entièrement recouverte de sable. Autour de cette place, sont érigés le palazzo Sansedoni du XIIIe, le palazzo d'Elci et le palazzo Pubblico (ou Comunale), construit entre 1284 et 1310,

Pass Duomo

Un pass de visite à 10 € existe et permet d'avoir accès à la cathédrale, au musée dell'Opera, au baptistère et à la crypte. Un bon deal quand on sait que le total de ses 4 visites s'élève à 16 €. On peut se procurer ce pass au guichet de l'un de ces quatre points d'intérêt.

qui abrite le Museo Civico. Ils offrent tous leur superbe façade, formant un ensemble d'une rare beauté.

■ TORRE DEL MANGIA

Piazza del Campo
℡ (0577) 22 62 30
Entrée : 7 €. Ouverte de 10h à 19h en saison, et ferme à 16h en hiver. Dans l'aile gauche du palais public

Il ne faut pas avoir peur. Il s'agit juste de gravir les cinq cent trois marches ! Elles sont hautes, étroites et lisses et permettent de parvenir au sommet de cette tour de 102 mètres de haut. Elles conduisent à un splendide panorama sur la ville, à couper le souffle, si ce n'est déjà fait par l'ascension ! Derrière la place, dans le couvent San Vigilio, se trouve l'université, l'une des plus vieilles d'Europe.

Le terzo di Città

C'est le quartier le plus ancien de Sienne.

■ BAPTISTERE DE SAN GIOVANNI

Piazza S. Giovanni
Entrée : 3 €. Ouvert en saison de 9h à 20h, et sinon de 10h à 17h de novembre à février.
Cet édifice de style gothique (1317-1382), chef d'œuvre de Jacopo Della Quercia, conserve des œuvres des illustres de Donatello (à qui l'on doit les six anges de bronze), Turino di Sano, Giovanni di Turino et Lorenzo Ghiberti. Il marie subtilement la profusion gothique à la sobriété humaniste de la Renaissance.

■ CATHEDRALE (DUOMO)

Piazza del Duomo
Entrée : 3 €. Le même billet permet d'accéder à la bibliothèque Piccolomini. Ouverte tous les jours de 10h30 à 18h30 de novembre à février, jusqu'à 19h30 de mars à mai, jusqu'à 20h de juin à août et de nouveau 19h30 en septembre et octobre. Véritable livre de pierre, c'est l'une des plus belles créations de l'art romano-gothique italien, dont la construction a duré presque deux siècles (XIIe et XIVe).

Campanile et Duomo de Sienne

La majeure partie de sa façade est l'œuvre de Giovanni Pisano, même si le bas-relief qui orne la porte du Pardon est dû à Donatello (l'original se trouve au musée de l'Œuvre). Des rayures blanches et noires caractérisent son campanile, de structure romane. A l'intérieur, le pavement en marbre de couleur, finement travaillé et découpé en 56 scènes sacrées et profanes, est exceptionnel. Il n'est malheureusement pas possible de les voir toutes en même temps car une partie est recouverte afin de mieux les préserver, mais une fois par an, le pavement est révélé dans son intégralité. La finesse de l'ensemble est d'une finesse impressionnante.

Dans le transept droit, on peut voir une chapelle baroque attribuée à Bernini, tandis que le transept gauche abrite la chaire de Nicolas Pisano, merveille de la sculpture gothique italienne, ainsi que des œuvres de Donatello. S'y trouve également le *Saint Paul* de Michel-Ange (1502) qui est sans doute un autoportrait. Il ne faut en aucun cas rater la bibliothèque.

Pour les mélomanes, c'est ici, en voyant la coupole étoilée, que Richard Wagner eut la révélation de son Parsifal, dernier chef-d'œuvre du maître allemand. Les décors des scènes du Graal s'en inspirèrent lors de la création à Bayreuth.

■ MUSEE DE L'ŒUVRE DU DOME
Piazza del Duomo
Entrée : 6 €. Ouvert tous les jours de 9h à 19h de mars à mai, jusqu'à 20h de juin à août, de nouveau jusqu'à 19h en septembre et octobre, et jusqu'à 17h de novembre à février.
L'accès se fait par la nef droite du Duomo Nuovo. Le bâtiment qui l'abrite résulte d'un projet d'agrandissement de la cathédrale qui n'a jamais abouti. En haut de sa tour, il est possible d'admirer la superbe vue sur la campagne siennoise. Sur trois étages, le musée expose dix statues de Nicola Pisano, la célèbre *Maestà* de Duccio, véritable chef-d'œuvre aux influences byzantines, le *Beato Agostino Novello* de Simone Martini, et de nombreux autres chefs-d'œuvre de l'école siennoise. Bref, encore un musée très intéressant à ne pas manquer !

■ PIAZZA DEL DUOMO
Elle est entourée par le palais de l'archevêché, du XVIIIe siècle, le palais du Gouverneur des Médicis et la superbe, splendide, magnifique (les mots manquent…) cathédrale.

■ PINACOTHEQUE NATIONALE
n°29 Via San Pietro
℡ (0577) 28 61 43
Entrée : 4 €. Ouverte le lundi de 9h à 13h, et de 10h à 18h les autres jours (ferme à 13h15 le dimanche et les jours fériés).
Sa collection présente un large panorama de toute la peinture siennoise du XIIe au XVIIe siècle, avec des œuvres de Simone Martini, dont sa célèbre *Vierge à l'Enfant*, Duccio di Buoninsegna, Pietro Lorenzetti, Beccafumi, Pinturicchio, et quelques autres…

Le terzo di Camollia

■ BASILIQUE SAN DOMENICO
Piazza San Domenico
Imposant édifice gothique. Outre les reliques de la sainte de la ville (la tête et un pouce) devant lesquelles on peut librement se recueillir mais qui constituent un spectacle morbide, on peut admirer les fresques de Sodoma, le portrait de la sainte peint par son contemporain et ami Andrea Vanni vers 1380, une *Crucifixion* de Salimbeni, entre autres. C'est un lieu paisible qui invite à se recueillir.

■ EGLISE SAN MICHELE AL MONTE DI SAN DONATO
Elle possède une *pietà* en bois de Vacchietta, mais on y va surtout pour admirer la jolie place dell'Abbadia.

Il Palio di Siena

Considéré par les touristes de passage comme une simple fête traditionnelle, c'est, en réalité, le moment où la ville se révèle à tous, dans une effervescence euphorique et solennelle. Le Palio est une course de chevaux, qui a lieu deux fois par an (le 2 juillet et le 16 août) sur le circuit de la piazza del Campo revêtue, pour l'occasion, d'un manteau de tuf. Les dix à dix-sept groupes qui participent au Palio (dix courent en juillet et sept en août) sont constitués par les habitants des dix-sept contrade qui s'affrontent.

Ces quartiers ont chacun leurs costumes avec les couleurs qui les caractérisent, mais également leur symbole fétiche, souvent un animal (ver à soie, porc-épic, dragon, licorne, tour, girafe, chouette, aigle, oie, mouton, louve, coquille, tortue, rhinocéros, escargot, panthère). Les chevaux sont tirés au sort quatre jours avant le Palio et bénis à l'église le jour de la course. La course peut être très violente, car tous les coups sont permis pour gagner. Le cheval peut même gagner sans son cavalier !

Cette manifestation est fascinante, moins pour les deux minutes frénétiques durant lesquelles les chevaux accomplissent trois tours de la place, au milieu des hurlements de la foule, que par le rituel des préparatifs qui l'accompagne. Traditionnellement, un étendard est réalisé par un artiste en honneur de la *contrada* victorieuse (Palio vient de *palium*, étendard en soie qui représentait la Vierge). Chaque *contrada* possède son musée des victoires. Pour les visiter, le plus simple reste de contacter l'office de tourisme pour organiser une visite. Un dîner gigantesque a lieu dans le quartier vainqueur. Le cheval gagnant fait, lui aussi, partie de la fête. Il faut, bien sûr, réserver très tôt pour obtenir une place dans les tribunes, afin d'assister à la manifestation dans de bonnes conditions. Le mieux est d'écrire à l'office du tourisme au moins six mois à l'avance et de prévoir également un hébergement. Il est également possible d'assister aux essais qui ont lieu avant les courses (les trois jours précédents)

■ **SANCTUAIRE DE LA MAISON DE SAINTE-CATHERINE**
Via Santa Caterina
Ouvert tous les jours de 9h à 12h30 et de 15h à 18h. C'est l'ancienne maison de Caterina Banincasa, mystique siennoise qui naquit en 1347 et fut proclamée, en 1939, patronne d'Italie par le pape Pie XII. Par un atrium en *loggia*, on accède à l'église du Crucifix, qui conserve le crucifix devant lequel la sainte aurait reçu les stigmates. Outre cette église, le sanctuaire comprend également l'oratoire supérieur, où l'on peut admirer une peinture sur bois de Bernardino Fungai.

MONTERIGGIONI

Ce charmant village, fortifié de murs médiévaux demeurés intacts, est surmonté de 14 donjons carrés. A 14 kilomètres de Sienne et avec ses 59 habitants, c'est un avant-goût de la campagne siennoise, riche de nombreuses et grandes surprises, tant du point de vue de l'architecture que du paysage. Voir notamment sa très belle abbaye cistercienne. Au pied de la ville, se trouve un parking gratuit pour se garer. Plus haut, il faudra payer. Compter 1,50 € par personne pour marcher sur les remparts.

VOLTERRA

Lieu magique entre tous, Volterra (12 000 habitants) qui surplombe du haut de ses 550 mètres toute la vallée de Cecina (jusqu'à la mer) est une porte pour contempler l'ensemble des strates historiques de ce qui constitue aujourd'hui la culture florentine. La ville, par la formidable richesse de son patrimoine culturel, possède un aspect artistique unique. Traverser à pied ce village revient ainsi à circuler dans les méandres du temps : les murs antiques de la ville, l'imposante porta all Arco, le Necropolis de Marmini, sont les témoins de la période étrusque. A celle-ci se superpose la période romaine à travers le théâtre de Vallebona puis les murs du XIIe siècle et le dessin urbain avec des rues étroites et la disposition des palais, tours et églises introduits à l'héritage médiéval avant que des témoignages de la Renaissance ne surgissent.

Transports

Train

▶ **Gare à Saline di Volterra,** à 9 km. Ensuite, la liaison se fait avec des bus affrétés par l'office du tourisme.

Renseignements sur les trains ✆ (0588) 86 150. Pour rejoindre Volterra en train depuis Florence ou Sienne, il faudra faire une escale à Cecina.

Bus

■ **TERMINAL DE BUS**
Piazza della Libertà
En provenance de Florence, Sienne, San Gimignano, Pise, Massa Marittima.

Pratique

■ OFFICE DU TOURISME
n°20 Piazza dei Priori
✆ (0588) 87 257
Fax : (0588) 87 257
www.volterratur.it
ufficioturistico@volterratur.it
Ouvert d'avril à octobre de 9h à 13h et de 14h à 19h, et de novembre à mars de 10h à 13h et de 14h à 18h.
Outre les informations classiques, l'office de tourisme tient à sa disposition un réseau de guides multilingues pour découvrir la ville.

Hébergement

■ ALBERGO ETRURIA
n°32 Via Matteotti
✆ (0588) 87 377
Fax : (0588) 92 784
www.albergoetruria.it
info@albergoetruria.it
Compter de 60 à 70 € pour une chambre simple et de 80 à 90 € pour une chambre double, petit déjeuner inclus.
Un hôtel de 21 chambres bien situé qui propose des chambres propres et grandes (avec téléphone, télévision) à des prix corrects. Décoration soft, avec des pièces peu claires, dans un ton ocre. Le meilleur rapport qualité-prix de la ville. Au cœur de Volterra, l'hôtel est installé dans un immeuble du XVIIIe siècle. Sur l'arrière, l'établissement jouit d'un joli petit jardin, bien agréable pour observer la campagne environnante.

■ HOTEL SAN LINO
n°26 Via San Lino
✆ (0588) 85 250
Fax : (0588) 80 620
www.hotelsanlino.com
info@hotelsanlino.com
Compter de 50 à 55 € pour une simple standard et de 85 à 90 € pour une double

standard, petit déjeuner inclus. 44 chambres avec téléphone, télévision, climatisation, réfrigérateur ; garage, accès handicapés, jardin, piscine, restaurant.
Cet hôtel, installé dans un ancien couvent du XIVe siècle, allie tradition, modernité et confort. Les parties communes sont très agréables, comme le jardin avec sa piscine. Chaque chambre est décorée différemment. Au client de savoir s'il préfère du mobilier en bois ou en métal.

■ OSTELLO CHIOSCO DELLE MONACHE
Borgo S. Lazzaro
Località San Girolamo
✆ (0588) 86 613, (0588) 80 050
Fax : (0588) 92 986
www.ostellovolterra.it
info@ostellovolterra.it
Compter de 15 à 17 € par lit en dortoir, de 50 à 60 € pour une chambre double, 20 € par personne, petit déjeuner compris. Réception ouverte de 7h à 10h et de 17h à 22h30.
Il s'agit incontestablement de l'une des plus belles auberges de jeunesse d'Italie. Installée dans un ancien monastère, elle compte 23 chambres de taille différente, certaines pouvant accueillir jusqu'à sept personnes. Le hall n'a presque rien à envier aux meilleurs hôtels de la région. Une belle surprise.

Restaurants

■ OMBRA DELLA SERA
n°70 Via Gramsci
✆ (0588) 85 274
De 20 à 50 € environ. Fermé le lundi et d'octobre à février. 30 à 40 couverts et terrasse.
L'adresse est sympathique et sert une bonne cuisine. Pour un repas intime, c'est ici qu'il faut se rendre. C'est le nom de restaurant qui vient à la bouche en premier lorsqu'il s'agit de demander aux habitants de Volterra quelle est la meilleure adresse de la ville. Une fois servi, il est facile de comprendre pourquoi. Les plats sont bien fournis, et paradoxalement légers. Le signe d'une bonne cuisine.

Points d'intérêt

Un billet cumulatif à 8 € permet de visiter le musée étrusque, la pinacothèque et celui de l'art sacré. Le billet est à obtenir auprès de l'office de tourisme.

■ ACROPOLE ÉTRUSQUE

Via di Castello

Entrée : 3 €. De la mi-mars au 1er novembre, ouvert de 10h30 à 17h30, et de 10h à 16h le reste de l'année.

Il faut prendre la direction du parc Enrico Fiumi pour arriver à l'acropole. Il n'en reste aujourd'hui bien entendu que des ruines, mais il est amusant d'imaginer les anciens temples étrusques.

■ CATHÉDRALE

Ouvert du lundi au jeudi, sauf sur l'heure du midi. Fermeture à 17h.

Située derrière le Palazzo dei Priori, cette construction romane des XIIe-XIIIe siècles comporte notamment une déposition en bois polychrome du XIIIe siècle, un ciboire en albâtre de Mino da Fiesole, au-dessus de l'autel principal, ainsi que des fresques de Benozzo Gozzoli. Le Duomo est aussi connu sous le nom de cathédrale Santa Maria Assunta.

■ MUSÉE ÉTRUSQUE MARIO GUARNACCI

Via Don Minzoni, 15

℡ (0588) 86 347

Ouvert du 16 mars au 2 novembre de 9h à 19h, et de 8h30 à 13h45 le reste de l'année. Entrée payante.

Constituée originellement par le fonds du collectionneur Mario Guarnacci (XVIIIe siècle), la collection du musée a fait la renommée de Volterra par sa splendeur et sa valeur culturelle et artistique. Les pièces exposées vont de la préhistoire à l'époque romaine impériale, et ont été mises au jour lors des fouilles archéologiques effectuées dans la région (notamment dans le parc archéologique Enrico Fiumi, où se trouvent encore des vestiges de l'acropole étrusco-romaine). On remarquera principalement la collection de « bucchero », céramique noire typiquement étrusque, les bronzes admirables, les urnes cinéraires en tuf, albâtre et terre cuite. Le plus fascinant objet est la sculpture représentant un jeune garçon, datant du IIIe siècle av. J.-C., baptisée par Gabriele d'Annunzio « l'Ombra della Sera » car son corps étiré (caractéristique des sculptures votives étrusques) évoque l'ombre d'une silhouette au coucher du soleil. Impossible de ne rien éprouver devant cette fabuleuse tension entre les racines de la terre et le ciel.

■ PINACOTHÈQUE (ET MUSEO CIVICO)

Via dei Sarti, 1

Palazzo Solaini ℡ (0588) 87 580

Entrée : 4 €. Ouverte de 9h à 19h tous les jours de mi-mars au 1er novembre, et de 8h30 à 13h45 le reste de l'année.

Œuvres de Ghirlandaio, de Luca Signorelli, et la plus remarquable étant la *Déposition de croix* de Rosso Fiorentino (1520). Dans la même rue, au numéro 41 se trouve le palais Viti, du XVIe siècle, qui a servi de décor au film de Visconti *Sandra*.

Vignes à San Gimignano

■ THEATRE ROMAIN

Porta Fiorentina

Entrée : 3 €. De la mi-mars au 1er novembre, ouvert de 10h30 à 17h30, et de 10h à 16h le reste de l'année. Situé hors des murs de la ville, le théâtre date de l'époque d'Auguste (Ier siècle apr. J.-C.). Il est l'un des mieux conservés d'Italie. Des thermes ont été mis au jour à proximité du théâtre.

SAN GIMIGNANO

Sur la route, la silhouette du village surgit de manière surprenante. Cachées longtemps par les nombreuses collines qui les entourent, ses nombreuses tours caractéristiques se détachent brutalement sur le ciel et constituent alors un véritable choc. D'ailleurs, de très nombreuses voitures s'arrêtent sur le bord de la route, les conducteurs prenant une pause afin de se remplir les yeux et, aussi, de prendre quelques belles photos ! A 38 kilomètres de Sienne et 56 km de Florence, ce village possède une place à part dans l'architecture mondiale. Le dessin, sur le ciel, de ses longues tours permet sans doute une forme de survivance de l'atmosphère de la Toscane d'autrefois. Pour vraiment s'en imprégner, il faut prendre son temps, se promener dans ses ruelles, longues et étroites, qui suivent le dessin de la colline. Il faut encore observer la variété des architectures en pierre de taille et en brique.

Malheureusement, cette perle de la Toscane de 7 000 habitants est adulée, à juste titre, par les touristes de tous horizons. C'est un peu le Mont Saint-Michel du coin et il y a de quoi s'énerver lorsqu'on découvre des boutiques qui vendent des épées de samouraïs ou des articles qui n'ont rien à voir avec la Toscane. La ville est donc très commerciale et les parkings à l'extérieur de la place témoignent du nombre de visiteurs. Les flots humains se déversent donc de manière régulière et certains endroits sont souvent pris d'assaut. C'est bien pourquoi il faut prendre son temps afin de bénéficier d'un moment de calme. Autre conséquence de ce succès, l'hébergement y est en conséquence plutôt cher !

Transports

■ TRAIN

☎ (0577) 93 64 62

De Florence ou de Sienne, prendre un train pour Poggibonsi, la correspondance pour San Gimignano est assurée par des bus des compagnies Tra-In et SITA, en une demi-heure. C'est le meilleur choix, les parkings de la ville, même le plus important – Porta San Giovanni – sont très rapidement complets.

Pratique

■ OFFICE DU TOURISME

Piazza del Duomo, 1
☎ (0577) 94 00 08
www.sangimignano.com
Ouvert tous les jours de 9h à 13h et de 15h à 19h (de novembre à mars, le matin aux mêmes horaires et de 14h à 18h). Possibilité de changer de l'argent et d'acheter des billets de bus.

Hébergement

■ HOTEL SOVESTRO

Loc. Sovestro, 63 ☎ (0577) 94 31 53
Fax : (0577) 94 30 89
www.hotelsovestro.com
info@hotelsovestro.com
Compter de 90 à 130 € la chambre double, en fonction de la saison, avec le petit déjeuner inclus. A 5 minutes en voiture du centre-ville. Sur les pentes des collines qui mènent à San Gimignano, est implantée l'une des plus agréables adresses du cœur toscan. Dressé sur le terrain d'une ancienne ferme, dont le bâtiment le plus authentique sert aujourd'hui de salle de restaurant, l'hôtel Sovestro est la garantie de passer un bon séjour. Les chambres sont spacieuses et parfaitement équipées (vaste salle de bains, téléphone, wi-fi, climatisation, TV satellite). Certaines disposent même d'une petite terrasse ou d'un balcon. Les deux piscines possédant chacun un cadre et un caractère différent, feront le bonheur de ceux qui y plongent, pour se détendre et se rafraîchir. A cela, il faut ajouter les sourires du personnel, toujours à l'écoute et efficace, sans oublier le surprenant et très bon restaurant Da Pode.

■ PODERE IL CAGGIOLINO

Località Piccchena
Castel San Gimignano ☎ (0577) 95 31 90
Fax : (0577) 95 31 90
www.caggiolino.com
caggiolino@gmx.net
Compter entre 32,50 et 37,50 €, en fonction de la saison. Certes à 11 km du centre, mais l'adresse est réellement attractive pour son prix et la qualité du service. Excellent bed & breakfast.

Duomo et Palais du Peuple de San Gimignano

Restaurants

■ IL PINO

n°4/8 Via Cellolese
☎ (0577) 94 04 15, (0577) 94 22 25
www.ristoranteilpino.it
locanda@ristoranteilpino.it
Compter un minimum de 20 €. Fermé le jeudi toute la journée, et le vendredi midi. Ouvert le reste du temps de 12h à 14h, et de 19h à 21h30.
Très bons plats régionaux. Les spécialités aux truffes sont à goûter ! Bon accueil attentif. Il faut dire que la maison a de l'expérience. Elle tourne depuis 1929. C'est l'adresse historique de la ville. Il s'agit d'une entreprise familiale, où le chef en place est toujours le fils du chef précédent. Le mélange de pâtes et de poisson est un régal.

■ RESTAURANT LE TERRAZZE

Piazza della Cisterna, 24
☎ (0577) 94 03 28
Compter 25 €. Fermé le mardi, ainsi que le mercredi à l'heure du déjeuner.
Réputé dans toute la région pour son excellente cuisine toscane, le Terrazze n'est autre que le restaurant de l'hôtel Cisterna. Certaines tables offrent une vue imprenable sur la ville. La salle est divisée en deux parties, dont l'une est appelée la « Loge rustique », à cause de son style avec ses poutres de bois.

MONTALCINO

A 41 km de Sienne. Superbement située sur une colline d'oliviers, entre les vallées de l'Ombrone et de l'Asso, c'est la patrie du fameux brunello di Montalcino, excellent vin que l'on peut goûter dans de beaux chais dissimulés dans une grotte qui domine la ville, et procure un merveilleux isolement. Le centre urbain est né vers le Xe siècle, mais ce n'est qu'au cours du XIIIe qu'il a revêtu son aspect actuel.

■ ENOTECA LA FORTEZZA

Piazzale Fortezza
☎ (0577) 84 92 11
www.enotecalafortezza.com
info@enotecalafortezza.com
Ouvert tous les jours de 9h à 20h en été et de 9h à 18h en été.
Se trouve à la forteresse, comme son nom l'indique. Outre de bons jambons et fromages toscans, s'y trouvent les spécialités locales comme le merveilleux brunello ! Parfait pour caler un creux et partir à la découverte des saveurs régionales. Et on en repart toujours avec quelques bouteilles.

■ MUSEE CIVIQUE ET DIOCESIEN D'ART SACRE

n°21 Via Ricasoli
☎ (0577) 84 60 14
Entrée : 4,50 €. Ouvert d'avril à octobre du mardi au dimanche de 10h à 13h et de 16h à 17h30, et le reste de l'année du mardi au dimanche de 10h à 13h et de 14h à 17h30.
Ce musée est installé au cœur d'un bâtiment datant du XIIIe siècle. Il appartenait à l'ordre augustin. Quel cadre pour accueillir une formidable collection d'objets sacrés, notamment en bois, débarqués ici en provenance de différentes églises de la région. A voir, en priorité, le *Couronnement de la Vierge* par Bartolo di Fredi (XIVe siècle).

■ OFFICE DU TOURISME

n°8 Costa del Municipio
Fax : (0577) 84 93 31
www.prolocomontalcino.it
Du 1er mai au 30 septembre, ouvert de 10h à 13h et de 14h30 à 18h30. Les autres mois, ouvert de 10h à 13h et de 15h à 19h. Fermé le lundi. Renseignements et vente de billets de bus.

■ ROCCA (FORTERESSE)

☎ (0577) 84 92 11
Fermée le lundi. Entrée gratuite. Visite des remparts et des tours : 3 €. Ouvert en principe de 9h à 13h et de 14h30 à 20h (18h hors saison).
On y voit l'étendard de Sienne peint par Sodoma. Une vue imprenable sur les alentours.

La Toscane du Nord

Les terres de Toscane sont parmi les plus belles d'Italie, romantiques et bucoliques par essence. Aux visiteurs de passage, elles sont un écrin de rêve aux monuments et villages découverts tandis que pour ceux qui veulent en profiter plus longuement et savourer tout ce que la nature de la région a à offrir, un réseau important d'agriturismo (tourisme vert) existe (www.agriturismo.regione.toscana.it, www.agriturismo.net/toscane/agritourisme).

PISE

Siège de la prestigieuse université fondée à la Renaissance par Laurent de Médicis, Pise, dans le cœur des voyageurs, penche. Sa tour penche à ce point qu'il fallut engager des travaux très importants afin de consolider et d'empêcher que l'inclinaison ne devienne pire encore. Car, oui, tout ramène à cette particularité : la tour penchée. Pourtant, il y a bien plus à voir dans la ville que la tour seule. Ancienne république indépendante dès le IXe siècle, Pise était alors l'égale de Gênes et de Venise et elle contribua à préserver le bassin méditerranéen de la domination musulmane. C'est au XIIe et au XIIIe siècle que le commerce portuaire de la cité fut florissant et que sa puissance maritime atteignit son apogée.

Transports

Pise est à 110 km d'Arezzo, 80 km de Florence, 20 km de Livourne, 100 km de Piombino, 310 km de Milan et 550 km de Naples.

Avion

■ AEROPORTO G. GALILEI
✆ (050) 84 93 00
www.pisa-airport.com
A 3 km au sud de Pise.
L'aéroport le plus important de Toscane, avant même celui de Florence. Vols à destinations de tous les principaux aéroports du pays et d'Europe. La compagnie low-cost Easyjet a choisi Pise plutôt que Florence. Des bus avec la Compagnie pisane de transport (CPT) relient l'aéroport au centre-ville toutes les 20 minutes. A noter qu'à l'aéroport, un bureau de l'office de tourisme de Pise est ouvert tous les jours de midi à 22h. Compter 6 à 10 € pour gagner le centre de Pise en voiture.

Train

■ GARE
Piazza della Stazione
✆ (050) 413 85
Vente de billets et renseignements de 7h à 20h30. Bureau de change ouvert tous les jours de 9h à 12h et de 15h à 19h. Consigne ouverte 24h/24.
Pise est très bien desservi par le rail. Des trains partent toutes les 30 minutes pour Florence (1h30 de trajet) et toutes les heures pour Rome (3h de trajet). Possibilité également de rejoindre facilement Sienne. Pour rejoindre le centre de Pise depuis la gare en empruntant les bus urbains CPT.

Bus

■ CPT
Piazza S. Antonio ✆ (800) 012 773
www.cpt.pisa.it
Compter 1 € le ticket pour circuler dans Pise.
Cette compagnie locale permet de rejoindre de nombreuses villes le long de la côte, comme Livourne. Possibilité également de gagner Volterra. C'est aussi elle qui assure le trafic urbain à Pise.

Taxis

■ RADIO-TAXI
✆ (050) 54 16 00

Vélos et scooters

■ ECOVOYAGER
n°41 Via U. della Faggiola
✆ (050) 56 18 39
www.ecovoyager.it – info@ecovoyager.it
Ouvert tous les jours de 9h15 à 21h15. Visiter Pise en deux-roues, c'est possible. Cette agence est également présente en été devant le musée dell'Opera del Duomo. Si le garage est fermé, un petit coup de fil suffira, les loueurs ne sont jamais très loin !

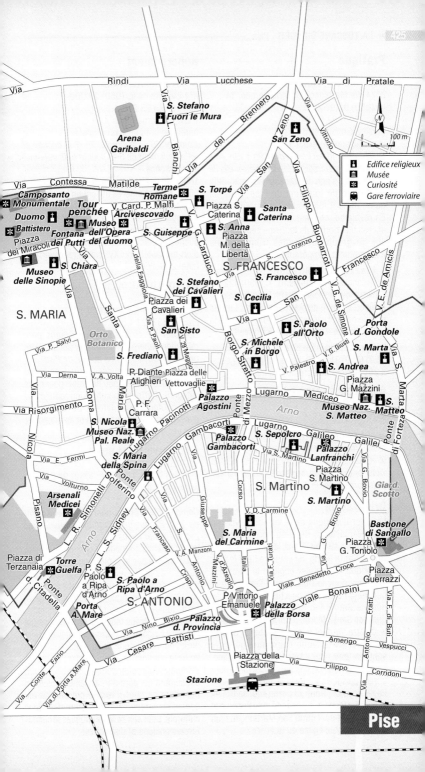

Via Rindi   Via Lucchese   Via di Pratale

Via   Via   del   Brennero   Via   Zeno   Via Vittorio

S. Stefano Fuori le Mura

Arena Garibaldi

Via Bianchi

San Zeno

Via Contessa Matilde

Terme Romane

S. Torpé

Piazza S. Caterina

Santa Caterina

Via Filippo Buonarroti

Via S. Zeno

Camposanto Monumentale

Tour penchée

Duomo
Battistero
Piazza dei Miracoli

V. Card. P. Malfi

Arcivescovado

Museo dell'Opera del duomo

Fontana dei Putti

S. Guiseppe

S. Anna
Piazza M. della Libertà

Via G. Carducci   Via S. Lorenzo

S. FRANCESCO

Via Francesco

S. Chiara

Museo delle Sinopie

V. della Faggiola

S. Stefano dei Cavalieri

S. Cecilia

S. Francesco

V. E. de Amicis

S. MARIA

Via Santa Maria

Orto Botanico

Piazza dei Cavalieri

San Sisto

Via V. P. Paoli

Via S. Maria

V. G. de Simone

Via S.

S. Paolo all'Orto

Porta d. Gondole

Via Marta

Via P. Salvi

S. Frediano

Via S. Maggio

Borgo Stretto

S. Michele in Borgo

V. G. Giusti

S. Marta

Via Derna

V. A. Volta

P. Diante
Piazza delle Alighieri   Vettovaglie

V. Palestro

S. Andrea

Piazza G. Mazzini

Via

Via Roma

P. F. Carrara

Palazzo Agostini

Lugarno   Mediceo

Museo Naz. S. Matteo

S. Matteo

Via Risorgimento

Via Maria

S. Nicola

Museo Naz. Pal. Reale

Lugarno Pacinotti

Arno

Lugarno   Galileo

Palazzo Sepolcro

Galilei

Via Nicola

Via E. Fermi

S. Maria della Spina

Ponte Solferino

Lugarno Gambacorti

Palazzo Gambacorti

Via S. Martino

S. Sepolcro

Palazzo Lanfranchi

Ponte di Mezzo

Piazza S. Martino

Ponte alla Fortezza

Giard. Scotto

Via Volturno

Arsenali Medicei

L. R. Simonelli

Ponte

Via
Francesco

Corso

S. Martino

V. D. Carmine

S. Martino

Via G. Bovio

Via S. Bruno

Bastione di Sangallo

Arno

L. S. Sidney

Via

S. Maria del Carmine

V. A. Manzoni

V. d'Azeglio

Piazza G. Toniolo

Piazza di Terzanaia

Torre Guelfa

P. S. Paolo a Ripa d'Arno

S. Paolo a Ripa d'Arno

S. ANTONIO

Via Nino Bixio

P. Vittorio Emanuele

Palazzo d. Provincia

Palazzo della Borsa

Viale Bonaini

Viale Benedetto Croce

Piazza Guerrazzi

Ponte d. Citadella

Porta A. Mare

Via Crispi

Via Antonio

Via Italia

Via F. Turati

Via Cesare Battisti

Piazza della Stazione

Via Amerigo   Vespucci

Via F. di Buti

Via Conte. Fazio

Via di Porta a Mare

Stazione

Via Filippo   Via Corridoni

Légende
- 🕆 Edifice religieux
- 🏛 Musée
- ✳ Curiosité
- 🚆 Gare ferroviaire

N   100 m

Pise

Pratique

■ OFFICE DE TOURISME
n°24 Via Matteucci, Galleria Gerace, 14
✆ (050) 92 97 77
Fax : (050) 92 97 64
info@pisaunicaterra.it
www.pisaunicaterra.it
Ouvert du lundi au vendredi de 9h à 13h, plus les mardis, mercredis et jeudis après-midis de 15h à 17h. Il s'agit des bureaux administratifs de l'office de tourisme de Pise. c'est ici qu'on obtient les meilleures informations. En revanche, ce n'est pas l'adresse la plus accessible. L'office de tourisme peut compter sur un groupe de guides francophones extrêmement compétents.

▶ **Piazza dei Miracoli** (n°8 Piazza Arcivescovado exactement). ✆ (050) 422 91. Ouverte tous les jours de 10h à 19h en saison, et jusqu'à 17h30 de novembre à avril. La plus proche de la place des Miracles, et donc de la tour penchée. La plus facile à trouver.

▶ **Gare de Pise** (n°16 Piazza Vittorio Emanuele II). ✆ (050) 91 03 50. Une toute petite agence, à 200 mètres au nord de la gare.

■ OSPEDALE SANTA CHIARA
n°67 Via Roma
✆ (050) 99 21 11

■ POSTE CENTRALE
n°7/9 Piazza Vittorio Emanuele II
✆ (050) 51 95 14
Ouverte du lundi au vendredi de 8h15 à 19h et le samedi de 8h15 à 13h30.

Orientation

Le cœur historique de la ville est divisé en quatre quartiers, deux au nord du fleuve Arno, deux au sud. Dans la partie nord, se trouve Santa Maria qui est le secteur le plus historique. Ce dernier englobe la place des Miracles, donc le Duomo et la fameuse tour penchée. Le second quartier du « nord » se nomme San Francesco. Plus à l'est que le quartier Santa Maria, il abrite, entre autres, le théâtre Verdi et le musée national de San Marco. Au sud de l'Arno, deux autres quartiers sont à retenir : Sant'Antonio et San Martino. Le premier est l'un des plus importants pour la ville, puisque s'y érigent la mairie et le siège de la province. Dans sa partie sud, se trouve la gare ferroviaire. Le second quartier au sud de l'Arno est dénommé San Martino, du nom de la principale église du quartier.

Hébergement

■ HOTEL AMALFITANA
n°44 Via Roma ✆ (050) 29 000
Fax : (050) 25 218
www.hotelamalfitana.it
hotelamalfitanapisa@hotmail.it
Compter 60 € la simple, 75 € la double, et un supplément de 6 € pour le petit déjeuner par personne.
Très bien entretenu et à côté de la tour, cet hôtel de 21 chambres offrent un bon rapport qualité-prix, d'autant que les chambres sont climatisées. Alors il est vivement conseillé de réserver à l'avance lors des périodes de pointe… L'établissement est installé au coeur d'un monastère du XVe siècle reconverti en hôtel 2-étoiles.

■ OSTELLO SANTA LUCE
n°1 Via della Chiesa
Santa Luce ✆ (393) 901 67 57
Fax : (0587) 21 17 12
Compter 18 € par personne, sans petit déjeuner. Auberge de jeunesse. Compter une quinzaine de kilomètres au sud de Pise.
Cette auberge de jeunesse très bien tenue réserve des dortoirs peu habituels pour cette catégorie. Certains chambres jouissent d'une belle hauteur sous plafond. Ce dernier est d'ailleurs décoré de fresques et de moulures. Des vélos sont à la location.

■ ROYAL VICTORIA HOTEL
n°12 Lungarno Pacinotti
✆ (050) 94 01 11 – Fax : (050) 94 01 80
www.royalvictoria.it
mail@royalvictoria.it
Compter 80 € la chambre simple et à partir de 100 € pour une chambre double, avec petit déjeuner inclus.
Voici l'adresse au meilleur cachet de la ville. Situé dans la partie la plus ancienne de Pise, au bord du fleuve Arno et juste à côté de la place Garibaldi, cet établissement a été fondé en 1837 par Pasquale Piegaja. A l'origine, cette auberge s'appelait Royal de la Victoire, mais les nombreux touristes britanniques qui venaient y séjourner finirent par convaincre la direction de l'époque de la rebaptiser Royal Victoria, en hommage notamment à la reine Victoria, alors contemporaine. L'établissement est aujourd'hui géré par la même famille qui maintient ce chef-d'œuvre classé comme édifice historique par le ministère des Biens culturels, pour ses caractéristiques architecturales uniques et distinctives.

Les fondations de la tour principale de l'hôtel remontent au Xe siècle. Le petit coup d'œil aux différents salons et au mobilier ancien vaut le détour. A observer aussi, la cabine téléphonique d'époque qui permet d'appeler le monde entier.

Restaurants

■ ANTICA TRATTORIA IL CAMPANO

n°19 Via Cavalca
✆ (050) 58 05 85
De 20 à 30 €.
Une adresse idéale car on pourrait s'attarder sur le cadre à la fois pittoresque et recherché, sur l'ambiance chaleureuse et l'accueil charmant. Ce restaurant possède toutes ces qualités, mais c'est celle de sa cuisine qui en fait une adresse à ne pas manquer. Des recettes typiques, des produits excellents, une carte variée qui s'adapte à tous les goûts… à des prix raisonnables. Pourquoi bouder son plaisir ? Le Tagliere del Re qui propose un assortiment de 12 « *antipasti* » et qui se partage à deux, est toujours un succès.

■ IL BISTROT

n°18A Piazza Chiara Gambacorti
✆ (050) 263 60
Compter 20 € et davantage. Ouvert tous les jours sauf le mardi soir, et le samedi midi et le dimanche midi. De 40 à 50 couverts.
A l'abri du flux incessant des touristes qui débarque continuellement à Pise, le Bistrot profite d'une place peu connue pour proposer une terrasse agréable, car calme. La décoration interne se veut généreusement moderne, avec un accent prononcé pour le jazz. Les desserts n'apparaissent pas à la carte, car ils changent en permanence, la maison se réservant le droit de proposer quelques surprises.

■ PIZZERIA IL MONTINO

n°1 Vicolo del Monte
✆ (050) 59 86 95

Compter un minimum de 10 €. Fermé le dimanche et en août.
Les meilleures pizzas de la ville ! Possibilité de les déguster à table ou de les emporter pour manger sur le pouce, ou encore de s'asseoir dans la jolie petite ruelle qui sert de terrasse. Un endroit chaleureux, populaire et un accueil d'une rare gentillesse, qui font de ce lieu, le rendez-vous des citadins de tous les âges.

■ VINERIA DELLE VETTOVAGLIE

n°13 Piazza delle Vettovaglie
✆ (050) 382 04 33
Compter 10 €. Fermé le dimanche.
Une adresse en or ! Pour ceux qui ont un budget réduit mais pas seulement… la vivante et animée (des musiciens parfois les soirs d'été) place delle Vettovaglie, rendez-vous de la jeunesse estudiantine, a du charme et pratique des prix dérisoires. On s'y restaure sur de grandes tables en bois à partager. Un menu unique qui change tous les jours : salades, minestre, torta alla ricotta, poisson, lasagnes aux épinards… Le tout fait maison par un groupe de jeunes extrêmement sympathiques et dynamiques.

Sortir

Avec ses 45 000 étudiants, Pise est une ville dont la vie nocturne est plutôt animée, plus souvent hors saison que pendant l'été. Pour boire un verre à l'heure de l'apéro ou la nuit venue, aucune hésitation : rendez-vous piazza delle Vettovaglie, lieu de rassemblement de la jeunesse pisane et étrangère, étudiants ou artistes bohèmes, musiciens (jeunes groupes amateurs de jazz…) qui animent ce lieu chaleureux où a lieu le marché le matin. S'installer par exemple à la terrasse du Bar delle Vettovaglie et profiter des petits « *antipasti* » offerts gracieusement par la maison. Le samedi soir, de nombreuses buvettes pour boire ou manger sur le pouce s'y improvisent et d'autres groupes de musiciens viennent enfiévrer la place !

Un pass pour la place des Miracles

Plusieurs combinaisons permettent d'économiser un peu d'argent. Chaque entrée pour le musée de l'œuvre de la Cathédrale (museo dell'Opera del Duomo), le baptistère, le cimetière monumental et le musée de Sinopie, tous situés sur la place des Miracles, coûte 5 euros. Or si l'on achète le pass « deux entrées », on peut choisir 2 de ces 4 points d'intérêts pour 6 euros. Le pass « quatre entrées » coûte lui 8,50 €, alors qu'il faudrait payer 20 € en payant à chaque fois. Une bonne économie. En revanche, aucun pass n'inclut l'accès à la tour penchée… Le pass peut être obtenu auprès de chacun des guichets concernés.

Les anecdotes du Duomo

Au niveau de la porte principale en bronze, un petit lézard doré se dégage très nettement. Cette partie de la porte ne s'est pas autant laissée oxyder que le reste pour une raison simple : la toucher porte chance. Chaque année, les nombreux étudiants de Pise viennent la caresser peu avant les examens. Au moment de la toucher, ils pensent à la note finale qu'ils désirent recevoir. Ils reculent alors de cent pas, avant de filer à la mer inscrire leur note sur le sable. Qui a dit que les Italiens n'étaient pas superstitieux ? Une autre anecdote concerne les griffes du diable. Sur la cinquième colonne de la façade ouest de la cathédrale, à l'extérieur, les ouvriers du Duomo ont taillardé la pierre de dizaines de traits. Les Pisans disent qu'il est impossible d'en compter le nombre exact, car les griffes du diable seraient venues s'y ajouter.

Musique latino, cubaine, tsigane... Un restaurant, le Jackson Pollock, s'y est installé, dans une ambiance alternative. Il propose des plats de pâtes à 6 € et des desserts à 3 €.

Points d'intérêt

Comme s'il était besoin de le rappeler, Pise ne se résume pas à sa tour penchée. Loin de là ! Des balades improvisées dans le centre et le long du fleuve sont à tenter pour partir à la découverte d'une cité fascinante, dont la gloire passée se lit très facilement sur les magnifiques édifices du centre. Par exemple, il est intéressant de retrouver la rue très colorée de Santa Apollonia avec ses trois églises, ou la rue Sette Volte où se détachent les premiers remparts de la ville. Il ne faudra pas non plus s'étonner de voir les caves à vin des habitations sur le toit des maisons. La raison en est simple. Il suffit de creuser peu profond pour trouver de l'eau...

■ BAPTISTERE

Piazza dei Miracoli
℮ (050) 56 05 47
Entrée : 5 €.
Ouvert de novembre à février de 10h à 17h, début mars de 9h à 18h et jusqu'à 19h à partir du 14, puis du 21 mars au 30 septembre de 8h à 20h, et en octobre de 9h à 19h. Idéal pour commencer la visite

de la place des Miracles. Sa construction débute en 1153, 90 ans après celle de la cathédrale. Sa solide forme au plan circulaire et sa décoration raffinée en marbre, mêlant les styles roman-pisan et gothique pour les étages supérieurs, sont impressionnants. La griffe du diable y est présente pour rappeler le passage de la lumière aux ténèbres. L'intérieur, étonnamment sobre, comporte la belle chaire de Nicolà Pisano, symbolisant les prémices du gothique italien. De forme octogonale, elle fut construite en 1260 et surprend par son emplacement. Détachée des murs, elle cherche à occuper l'espace. Il faut la lire de la base vers le sommet en suivant le sens des trois lions qui tournent ensemble. Evocation de la jeunesse, pour finir vers la mort au sommet, dominé par l'aigle qui témoigne du lien étroit entre la religion et le monde politique. Un gardien fait apprécier l'acoustique du bâtiment environ tous les quarts d'heure en été et toutes les demi-heures en hiver. A ne pas manquer.

■ CAMPANILE, TOUR PENCHÉE

Piazza dei Miracoli ℮ (050) 56 05 47
www.opapisa.it
Entrée 15 €. Ouverte d'avril à septembre tous les jours de 8h30 à 20h30, de novembre à février de 9h30 à 17h, et en mars et octobre de 9h à 19h. A signaler également les visites nocturnes du 14 juin au 15 septembre jusqu'à 23h.

© LEROY, ARTHUR - ICONOTEC

Campanile dit « tour penchée »

© CIALI - I-IONZOTEC

La Tour de Pise

La tour est également appelée *torre pendente* (tour penchée) par les Italiens. Datant de 1173, elle fut commencée par Bonanno Pisano. Située à droite du Dôme, c'est LE symbole de la ville. Elle est plus connue pour son inclinaison (qui augmente d'un millimètre par an) que pour l'élégance de son architecture, mais c'est pourtant une belle construction romane qui renferme sept cloches. Les projets pour tenter d'éviter qu'elle ne s'écroule se succèdent… Les mauvaises langues disent que les autorités pisanes font tout pour qu'elle reste penchée afin d'attirer le public. Les plus courageux tenteront l'ascension vertigineuse qui donne l'impression de tanguer, avec un sentiment paradoxal de puissance et de fragilité mêlées. La vue est superbe et terriblement vertigineuse. Pour les amateurs de sensations fortes, c'est une expérience (culturelle) à faire !

■ CAMPOSANTO MONUMENTALE
Piazza dei Miracoli
✆ (050) 56 05 47
Entrée : 5 €. Ouvert de novembre à février de 10h à 17h, début mars de 9h à 18h et jusqu'à 19h à partir du 14, puis du 21 mars au 30 septembre de 8h à 20h, et en octobre de 9h à 19h.
Souvent oublié par les visiteurs de la place des Miracles, le cimetière renferme lui aussi son lot de symboles. Le 27 juillet 1944, alors que la guerre touche à sa fin, une grenade heurte le toit. Un incendie se déclare et le plomb de la charpente s'incruste à jamais dans le sol en marbre des pierres tombales. Les arcades semblent jouer avec le vent, comme si les architectes avaient voulu permettre aux esprits de venir visiter le lieu de temps à autres. Des fresques datant du XIVe siècle, régulièrement restaurées, ornent les murs de ce cimetière construit en 1278. A ne pas manquer, dans la chapelle Ammanatti, les fresques du Trionfo della Morte, réalisées au XIVe siècle par un anonyme et qui inspirèrent à Liszt sa composition *Totentanz*, ainsi que, au fond de la salle, *le cycle de l'Antico Testamento* de Benozzo Gozzoli.

■ LE DUOMO
Piazza dei Miracoli
✆ (050) 56 18 20
Entrée : 2 €. Ouvert de novembre à février de 10h à 13h et de 15h à 17h, du 1er au 13 mars de 10h à 18h, puis jusqu'à 19h jusqu'au 21, puis du 22 mars au 30 septembre de 8h à 20h, et en octobre de 10h à 19h. Ce chef-d'œuvre de style roman-pisan, commencé en 1063, est resté une référence pour l'architecture toscane des périodes suivantes. Sa façade est ornée de quatre ordres de loges et l'intérieur abrite des œuvres de Giovanni Pisano (dont la très belle chaire du XIVe siècle). Cette dernière est le principal chef-d'œuvre de l'endroit. Construite entre 1300 et 1311, elle explique elle-même les différentes phases de sa construction. Certains de ses panneaux proposent une véritable photo de l'activité régnant sur la place à l'époque. La précision de la sculpture, le volume des personnages et la représentation du massacre des innocents font de cette chaire une œuvre extrêmement vivante.

Le contraste est alors singulier lorsqu'on penche la tête vers la droite, pour apercevoir la dernière création adoptée par la cathédrale : un autel moderne, réalisé pour le Jubilé 2000. Sur les murs, des toiles racontent le rapport des Pisans à la religion durant le Moyen Age, sous le symbole doré des Médicis qui trône au plafond. Voir aussi la Madone placée sous les orgues, comme symbole de la protection de la ville.

■ MUSEO NAZIONALE DE SAN MATTEO

Piazza San Matteo in Soarta
✆ (050) 54 18 65
Entrée : 5 €. Ouvert du mardi au vendredi de 8h30 à 19h et le week-end de 8h30 à 13h. Fermé le lundi.
Ce musée, aménagé dans une partie du couvent des Bénédictines de Saint-Mathieu, présente de précieuses collections de sculptures de Giovanni Pisano, Arnolfo di Cambio et Andrea Pisano, ainsi que des peintures de l'école toscane (XIIe-XVIe siècles), de Simone Martini (polyptyque), Gentile da Fabriano, Masaccio, Benozzo Gozzoli, Domenico Ghirlandaio, Fra Angelico et Guido Reni. On remarquera également une curiosité typique de la région : les bassins en céramique. Les croisés ramenèrent d'Orient ces bassins dont ils admirèrent la beauté. Ils servirent d'ornements pour les façades des églises. Puis des ateliers se spécialisèrent dans la reproduction de ces objets, toujours à vocation exclusivement décorative.

■ PIAZZA DEL DUOMO OU PIAZZA DEI MIRACOLI

L'espace scénographique le plus imposant de l'architecture romane italienne. Une ville dans la ville, dominée par le marbre blanc des quatre célèbres monuments et par le vert du pré qui les entoure. Le campo ou piazza del Duomo offre une dimension ouverte quasiment métaphysique, qui contraste avec l'habituel espace clos des places publiques traditionnelles. Le mot « miracles » est associé à cet espace selon la volonté de la ville de Pise de montrer sa richesse. On y trouve le *museo del sinopie*, la tour penchée, la cathédrale, le baptistère, le cimentière monumental, le et le *museo dell'Opera del duomo*. De quoi largement remplir une journée de visite.

SAN MINIATO

Typique petite ville toscane, aux constructions rouges, San Miniato a un charme médiéval épargné et un art de vivre exceptionnel. Faisant face à la vallée de l'Arno, à 42 km de Pise, son aspect actuel remonte à la restructuration opérée au XVIIIe siècle.

■ CATHÉDRALE

Piazza Duomo
La cathédrale date du XIIIe siècle. Outre les splendides fresques de l'intérieur, on remarquera les bassins en céramique incrustés dans la façade.

■ TRAIN

La ligne Florence-Pise compte un arrêt à San Miniato. Le bus (ligne 320) assure la liaison avec le centre historique, environ à 3 km.

LUCCA

Dès l'entrée dans la ville, on perd la notion du temps. Lucca, la seule ville parmi les villes-Etats de la Toscane à avoir gardé son indépendance, a préservé de façon parfaite la dimension urbaine du XVIe siècle, grâce à son enceinte de murs. Fondée par les Etrusques, romaine au IIe siècle av. J.-C., la cité s'autoproclame commune libre en 1119, gouvernée par une république oligarchique de 1369 à 1799, date à laquelle Napoléon la donna comme principauté à sa sœur Elisa, en 1802.

Transports

Train

■ GARE

Piazza Ricasoli
✆ (0583) 46 70 13
Les bureaux sont ouverts de 5h30 à 20h30, tous les jours.
A noter : les trains des lignes Florence-Viareggio et Pise-Aulla marquent un arrêt à Lucca.

Bus

Toutes les compagnies de bus partent depuis la Piazza Verdi, dont Lazzi et VaiBus (www. vaibus.it). Sont desservies avec cette dernière les villes de Pise, Pistoia, Montecatini, Prato et Florence.

■ LAZZI

Piazzale Verdi (Autostazione Lazzi)
✆ (0583) 58 78 97
Ouvert du lundi au samedi de 6h à 20h et le dimanche de 8h à 20h.
A destination des grandes villes de Toscane et d'Italie.

Taxi

■ RADIO TAXI
℡ (0583) 33 34 34

Vélo

Comme dans beaucoup de villes en Italie, le vélo occupe une place majeure à Lucca. Depuis plusieurs années, la mairie, via l'office de tourisme, met des vélos à disposition des touristes. Le bureau situé sur la Piazzale Verdi se charge de les distribuer. Il faut compter 8 € pour 5 heures, 12 € pour la journée complète. Deux boutiques de location-réparation se situent sur la Piazza S. Maria del Borgo (vélos, tandems, vélos d'enfants mais pas de deux-roues à moteur).

■ CICLI POLI
n°32 Piazza Santa Maria
℡ (0583) 49 37 87
www.biciclettepoli.com
Compter 12,50 € pour une journée.

Pratique

■ APT OFFICE DU TOURISME
n°35 Piazza Santa Maria
℡ (0583) 91 99 31
www.luccaturismo.it
Ouvert en principe en été de 9h à 20h. Possibilité de change de 9h à 13h et de 15h à 19h du lundi au samedi.
Ce bureau est très efficace pour donner et confirmer des horaires de bus. Vélos à la location également disponibles.

▶ **Autre adresse :** Un autre bureau est également accessible sur la Piazzale G. Verdi :
℡ (0583) 44 29 44.

Hébergement

■ OSTELLO SAN FREDIANO
n°12 Via della Cavallerizza
℡ (0583) 46 99 57
Fax : (0583) 46 10 07
www.ostellolucca.it
info@ostellolucca.it
Compter 18 € le lit en dortoir et chambre privée à partir de 55 €. 3 € pour le petit déjeuner, 11 € pour le déjeuner ou le dîner.
Il n'abrite pas moins de 140 lits et offre la meilleure option d'hébergement à de tout petits prix. Ambiance bon enfant, et rencontres assurées avec les voyageurs qui cherchent les bonnes adresses comme celle-là. Les chambres sont abritées dans un ancien cloître

situé derrière la piazza Frediano. Idéal pour les personnes non motorisées. A noter également, le grand avantage du restaurant, dont le menu change tous les jours et qui propose un repas complet et des assiettes bien fournies.

■ PICCOLO HOTEL PUCCINI
n°9 Via di Poggio
℡ (0583) 554 21
Fax : (0583) 534 87
www.hotelpuccini.com
info@hotelpuccini.com
Compter 70 € maximum pour une simple et 95 € maximum pour une double. 14 chambres avec téléphone, télévision par satellite, internet, ventilateur, petit coffre-fort.
Au cœur du centre historique de Lucca, à deux pas de la Piazza San Michele et de sa magnifique église, l'hôtel Puccini, ancien immeuble entièrement réalisé en brique rouge, est idéal pour découvrir cette splendide ville. Sa modeste capacité (14 chambres) rend ce lieu silencieux et convivial où la rumeur urbaine n'importune pas les hôtes. Il est conseillé de réserver l'une des chambres s'ouvrant sur la petite ruelle « via di Poggio », bénéficiant d'une agréable vue sur la place et le clocher de l'église « San Michele ». Toutes les salles de bains ont été rénovées. Les chambres au mobilier simple ont gardé un aspect toscan chaleureux, notamment grâce à la décoration murale et à la hauteur des plafonds. Les voyageurs en voiture peuvent accéder à l'hôtel et utiliser un parking public à raison de 6 €/jour.

Restaurants

■ BUCA DI SAN ANTONIO
n°3 Via della Cervia
℡ (0583) 55 881
Fax : (0583) 31 21 99
www.bucadisantantonio.com
Compter 25 € et plus, sans vin. Fermé le lundi et le dimanche soir.
Un des lieux de restauration historiques d'Italie, tout simplement. Pour ceux qui cherche la meilleure table de la ville, pas besoin d'aller plus loin. Les produits sont d'une fraîcheur imbattable, comme la pâte, qui tous les jours est préparée dans la cuisine. Les produits locaux sont à l'honneur, et au moment de passer la commande, difficile de faire son choix. Il n'y a qu'à se laisser guider par le serveur qui ne manquera pas d'indiquer quel est le plat qui correspond le mieux à la saison. Réservation conseillée en été.

■ **FONTANINI**

n°19 Via Calderia

✆ (0583) 44 02 67

Compter entre 8 et 17 €. Ouvert tous les jours de 11h à 23h de mars à novembre. Fermé du 8 décembre au 10 janvier.

Le Fontanini fait office de vraie cantine avec ses tables alignées à l'intérieur. Le restaurant dispose cependant d'une terrasse forte agréable sur la place de San Salvatore. Côté menu, on trouve de tout, et à tous les prix. Le plus économique et le plus avantageux, consiste probablement à prendre un plat bien garni de pâtes autour de 7 €. L'escalope de veau part pour 9 €.

■ **OSTERIA MIRANDA**

n°27 Via dei Carrozzieri

✆ (0583) 95 27 31

Compter un minimum de 15 €. Ouvert tous les jours, mais uniquement le soir.

Envie d'un peu de quiétude ? Alors pourquoi ne pas essayer cette adresse, dont la terrasse est coincée entre une vieille maison et les remparts de la ville. Les patrons ont mis l'accent sur la décoration, avec du mobilier et des objets anciens, le tout éclairé par des bougies qui ne semblent jamais s'éteindre. Côté cuisine, on retrouve les grands classiques de la gastronomie toscane, avec d'excellentes pâtes, plutôt fraîches et de très bon vins. Une adresse intimiste.

Sortir

Le soir venu, la jeunesse de Lucca se retrouve principalement le long de la rue Vittorio Veneto et sur la place Vittorio Emanuele. Pour se détendre et savourer une glace, direction l'une des terrasses de la piazza Napoleone, ou encore sur l'agréable terrasse à l'ombre des arbres du Gino's Bar, piazza XX Settembre, petite place accolée à la piazza Napoleone. Pour ce qui est des bars et des boîtes de nuit, tout le monde se donne rendez-vous sur la côte, à Pisa, Marina di Pisa, voire à Viareggio.

■ **REWINE BAR**

n°6 Via Calderia

✆ (0583) 05 01 24

Ouvert tous les jours sauf le dimanche.

En fin de journée, à l'heure de l'apéritif, le bar ne désemplit jamais. Qu'on soit de Lucca ou d'ailleurs, c'est l'heure de la dégustation. Il faut dire que les rangées de bouteilles au dessus des têtes des clients ont de quoi impressionner. Le bar est facile à repérer. C'est le plus animé de la rue, avec une décoration moderne. La musique s'échappe souvent des quatre murs de l'établissement pour attirer l'attention. De nombreuses formules existent, dont celle à 10 € qui mélange vin, salami et fromages. La maison compte plus de 300 étiquettes.

Points d'intérêt

■ **BASILIQUE SAN FREDIANO**

Piazza San Frediano ✆ (0583) 49 36 27

Ouverte tous les jours de 9h à 12h et de 15h à 17h, et jusqu'à 18h en hiver.

Cette église du XIIe siècle, d'un beau style roman lucquois, présente un magnifique décor de mosaïques du XIIIe dans la partie supérieure de sa façade. Son intérieur, humble au premier abord, cache quelques trésors, dont les fonts baptismaux, le polyptyque en marbre, qui recouvre l'autel de Jacopo Della Quercia, et une Annonciation en terre cuite d'Andrea Della Robbia… A voir aussi, l'impressionnante momie de Santa Zita, sainte patronne de la ville !

■ **CATHEDRALE DE SAN MARTINO (DUOMO)**

Entrée libre, sauf pendant les célébrations. Du 15 mars au 2 novembre : ouvert du lundi au vendredi de 9h30 à 17h45, le samedi de 9h30 à 18h45 et le dimanche de 9h30 à 10h45 et de 12h à 18h. Le reste de l'année, ouvert du lundi au vendredi de 9h30 à 16h45, le samedi de 9h30 à 8h45, et le dimanche de 9h30 à 10h45 et de 12h à 17h.

Construit au XIe siècle, avec une façade asymétrique, puis remanié en 1204 avec un rajout de trois galeries à colonnades, le Dôme est, avec la piazza San Martino, le centre culturel de la ville. Des bas-reliefs du XIIIe siècle décorent l'extérieur de la cathédrale, dont une Déposition de croix de Nicola Pisano. A l'intérieur, on peut admirer la splendide tombe d'Ilaria del Caretto, chef-d'œuvre du XIIIe siècle de Jacopo Della Quercia, le retable de la Vierge et les saints de Ghirlandaio, dans la sacristie, ainsi qu'une très belle Cène du Tintoret, dans la troisième chapelle à droite. Sur le bas-côté gauche, le Tempietto abrite le Volto Santo. L'histoire raconte que ce crucifix fut sculpté juste après le calvaire du Christ et qu'il montre donc son véritable visage. Les villes de Lucca et de Luni se disputèrent le précieux objet, mais ce fut finalement Lucca qui en hérita. Depuis, on fête cet événement tous les 13 septembre.

■ MAISON DE PUCCINI

n°9 Corte S. Lorenzo

℗ (0583) 58 40 28

Entrée payante. Ouverte en principe de 10h à 13h et de 15h à 18h. Fermée le lundi au printemps. En été, ouverte de 10h à 18h. Fermée en janvier et février.

Non loin de la Piazza San Michele, se trouve la maison natale de Puccini, le célèbre compositeur de *La Bohème* et de *Madame Butterfly*. Reconstitution d'époque de la maison de l'enfant et gloire de Lucca. Nombreuses archives : lettres, photos, ainsi que le piano avec lequel le maître composa son ultime chef-d'œuvre inachevé, *Turandot*.

■ PIAZZA ANFITEATRO

Aussi appelée Piazza del mercato. Voici une place comme il n'en existe pas ailleurs. C'est l'une des plus impressionnantes de Toscane. Elle est entourée de multiples édifices médiévaux qui traversent le temps sans difficulté dans l'enferment dans un ovale quasi parfait. Une lumière ocre blond l'inonde en journée. Le soir, elle se laisse éclairer par les lumières de terrasses de restaurant. Elle doit son nom à l'amphithéâtre romain qui s'y trouvait au IIe et Ier siècle av. J.-C. Les ruines de celui-ci ont servi de base aux nouvelles constructions. Tout près, la via Fillungo, belle artère commerçante de Lucca qui borde la place, invite à un lèche-vitrines haut de gamme.

■ PIAZZA SAN MICHELE

Cette belle place, centre naturel de Lucca, fut édifiée à l'emplacement du forum romain. Elle est bordée par le palazzo Pretorio ou palais du Podestat, de 1492, ainsi que par l'église San Michele in Foro, superbe exemple de l'architecture pisano-lucquoise, avec sa façade ornée de *loggie* (galeries) aux riches décors. Il fait bon venir s'y détendre autour d'un café ou de l'apéritif.

MONTECATINI

Ville de thermes par excellence, Montecatini et ses proches environs jouissent de six sites prestigieux. A 27 km à l'est de Lucca, s'y trouvent les établissements des Leopoldine et du Tettucio, qui datent du XVIIIe siècle.

■ EGLISE SAINT-JEAN ET SAINT-PHILIPPE

Montecatini Val di Nievole

Construite en 1296 à côté de la forteresse Castelnuovo, elle vit s'ajouter à sa construction quelques années plus tard un couvent.

Ce dernier abrite aujourd'hui un hôpital. À quelques pas, se trouve également l'oratoire de saint Sébastien. Sa restauration du XVIIe siècle vit de nombreux ajouts décoratifs tendance baroque.

■ EGLISE SAN PIETRO

Via Rocca

Entrée libre. Ouverte en principe tous les jours de 8h à 18h. La construction de l'église Saint-Pierre remonte au XIe siècle. Mais elle fut grandement rénovée un siècle plus tard. Son apparence actuelle est due à l'architecte A. Zannoni qui en modifia la structure au cours de la deuxième moitié du XVIIIe siècle. À noter à l'intérieur les statues de Saint Antoine et de Saint Joseph (XVIIIe), la peinture de Santi di Tito de Sainte Barbara (1595) ou encore le crucifix en bois du XIVe siècle.

■ FUNICULAIRE

n°22 Viale Diaz (Montecatini Terme)

Stazione a Valle

Compter 6,50 € l'aller-retour, 3,50 € le trajet simple. Au retour, la station est situé sur la Via Vittorio Veneto (Montecatini Alto).

En principe, un trajet toutes les 30 minutes de 9h30 le matin à minuit, avec une pause à l'heure du déjeuner entre 13h et 14h30.

AREZZO

C'est ici que Guido d'Arezzo (inventeur de la notation musicale), Pétrarque, l'Arétin, ou encore Vasari virent le jour ! C'est aussi ici que Roberto Benigni a choisi de poser ses caméras afin d'utiliser la place principale pour son film *La Vie est belle*. Ce choix ne tient pas du hasard mais de la recherche d'un endroit qui puisse ressembler au bonheur et à la nostalgie. Arezzo s'est essentiellement développée autour d'un noyau central où se concentre une bonne partie de son histoire. D'une structure assez complexe, la ville exige du temps pour explorer tous ses aspects. Au premier abord, c'est une ville modernisée ceinte de murailles médiévales. Or la richesse de la ville va au-delà des apparences.

Transports

■ BUS

Piazza della Repubblica

Une compagnie embarque et débarque ses passagers au niveau de la gare. Il s'agit de SITA (joignable au (0575) 74 98 18 - www.sitabus.it). Elle assure la liaison entre Arezzo et de très nombreuses villes, telles Anghiari, Città di Castello et, bien entendu, Florence.

FLORENCE ET LA TOSCANE

Piazza Grande, cœur de la ville d'Arezzo

■ GARE

Piazza della Repubblica
www.trenitalia.it
Trains fréquents pour Florence (compter 1 heure de trajet, et une trentaine de départs par jour). Casiers self-service pour laisser ses bagages. La gare est située au sud-ouest du centre-ville. Possibilité également de rejoindre facilement Orvieto et Pérouse.

Pratique

■ OFFICE DU TOURISME

n°28 Piazza della Repubblica
✆ (0575) 37 76 78 – www.apt.arezzo.it
info@arezzo.turismo.toscana.it
Du lundi au vendredi de 9h à 13h et de 16h à 18h, et le samedi de 9h30 à 13h.

Hébergement

En matière d'hébergement, Arezzo n'offre pas un grand choix. Les hôtels sont globalement bien plus froids que le reste de la ville et il est très difficile de trouver de la place lors des manifestations. On conseillera d'aller plutôt dormir dans les environs.

■ LA TOSCANA

n°56 Viale Perennio ✆ (0575) 216 92
Fax : (0575) 37 22 91
Compter 50 € la chambre double avec télévision et salle de bains, en haute saison. Pour le prix, il s'agit probablement de l'une des meilleures adresses d'Arezzo. Les chambres ne sont pas sensationnelles, loin de là, mais elles sont propres et, à ce prix, en Italie, il est difficile d'être exigeant. Bien entretenue, avec parking et même jardin !

Restaurants

■ ANTICA OSTERIA L'AGANIA

n°10 Via Mazzini
✆ (0575) 29 53 81
www.agania.com – info@agania.com
Compter 20 € à la carte. Fermée le lundi.
Sympathique trattoria qui sert une authentique cuisine à base de champignons et de truffes. La carte des desserts est elle aussi très intéressante, que ce soit pour son très bon tiramisu ou pour la tarta della nonna.

■ LA BUCA DI SAN FRANCESCO

n°1 Via San Francesco
✆ (0575) 232 71
www.bucadisanfrancesco.it
Compter 35 € à la carte. Fermé le lundi soir, le mardi, et en juillet.
Atmosphère agréable dans un décor Renaissance et une cuisine pleine de saveurs. L'adresse est vivement recommandée par les gens du coin. La carte est toujours très bien fournie et permet de faire un tour de la gastronomie locale.

Points d'intérêt

■ BASILIQUE DE SAN FRANCESCO

Piazza San Francesco
✆ (0575) 206 30
Ouverte de 9h à 19h (le samedi jusqu'à 18h), et dimanche et fêtes (de 13h à 18h).
Belle et sobre basilique dont le plan date du XIIIe siècle et la façade du siècle suivant. Le clocher est du XVIe. A l'intérieur, outre la rosace de la façade réalisée par un moine berrichon nommé Guillaume de Marcillat,

il faut voir l'un des chefs-d'œuvre de la peinture de la Renaissance italienne, la *Leggenda della Vera Croce*, fresques peintes par Piero Della Francesca entre 1453 et 1464. Le choix des couleurs, la conception de la perspective, les détails stylistiques en font une œuvre révolutionnaire d'une infinie richesse.

Les fresques ont été magnifiquement restaurées. Il est possible de les admirer par petits groupes, pendant une demi-heure maximum. Il est conseillé de réserver (www.pierodella-francesca.it, si la réservation en ligne veut bien fonctionner à nouveau...) – compter 5 € le billet. A ne pas oublier pour autant, les fresques de Spinello Arentino (XVe siècle) dans la chapelle Guasconi.

■ LA CATHEDRALE (DUOMO)

Piazza Duomo
✆ (0575) 239 91
Entrée libre.
Commencée en style gothique au XIIIe siècle, la construction du dôme ne s'est achevée que trois siècles plus tard. Dominant la ville, cet imposant édifice à trois nefs possède de très beaux vitraux du moine berrichon Guillaume de Marcillat. Se trouve également, à l'intérieur, la fresque de Marie-Madeleine par Piero Della Francesca, ainsi que le tombeau de l'évêque Guido Tarlati, du XIVe siècle.

■ EGLISE DE SANTA MARIA DELLA PIEVE

n°7 Corso Italia
✆ (0575) 226 29
Le meilleur exemple d'église romane en Toscane, entièrement construite en grès, pendant la seconde moitié du XIIe siècle, avec une façade dotée d'arcades aveugles du XIIIe siècle. Cette dernière est une pure merveille avec ses innombrables sculptures qui surplombent la porte principale. A l'intérieur, la structure de l'édifice est en bois. A droite, le campanile delle Cento Buche (clocher des Cent Trous, devenu le symbole de la ville) est orné de quarante fenêtres géminées. L'intérieur, étonnant de sobriété, conserve le célèbre Politico de Pietro Lorenzetti, beau polyptyque du XIVe siècle.

■ MAISON DE PETRARQUE

n°28 Via dell'Orto
✆ (0575) 247 00
Entrée gratuite. Ouvert de 10h à 12h et de 15h à 17h. Visite sur demande.
Elle expose de nombreux manuscrits d'époque.

C'est un lieu de rencontre des chercheurs, et de séminaires. Pour tous renseignements sur l'état de la recherche : www.accademiape-trarca.it. Face à la maison, on peut voir le puits de Tofano rendu célèbre par Boccace qui en fit le « personnage » central de la septième journée du *Décaméron*.

■ MAISON DE VASARI

n°55 Via XX Settembre
✆ (0575) 40 90 50
Entrée 3 €. Ouvert de 8h30 à 19h30 (13h30 le dimanche et les jours fériés). Fermé le mardi. Il faut sonner à la porte...
Construite de 1540 à 1548 par l'artiste lui-même, cette belle maison est, au-delà d'un exemple représentatif du maniérisme toscan, une part intime de la vie de l'artiste. Les peintures sont plus qu'une décoration : elles constituent un véritable témoignage de sa pensée et de ses recherches.

■ PIAZZA GRANDE (OU PIAZZA VASARI)

C'est le cœur de la vieille ville, et c'est ici que se déroulent la Giostra del Saracino (tournoi du Sarrasin) ainsi que la Foire aux antiquités, le 1er samedi et le 1er dimanche de chaque mois. S'y trouvent des monuments aussi divers que l'abside de l'église de Santa Maria, le palazzo del Tribunale, le palazzo di Fraternità, mêlant les styles gothique et Renaissance, ainsi que le loggiato del Vasari. Tous délimitent cette place en forme de trapèze à la base inclinée. Au centre se dresse la fontaine publique du XVIe siècle.

Cathédrale d'Arezzo

La Toscane du Sud

■ LA CÔTE ÉTRUSQUE

La côte étrusque telle que la considèrent les Italiens aujourd'hui s'étend de Livourne, d'où les voyageurs embarquent pour la Corse ou la Sardaigne, à Piombino, passage quasi obligé pour rejoindre les îles de la côte de l'Argentario, plus au sud. Si les empreintes de la civilisation étrusque ont marqué à jamais l'ensemble du territoire toscan, elles se font très présentes tout le long du littoral.

La « Costa degli Etruschi » est une grande porte vers l'Occident, une ouverture faite de vent, de mer, de soleil, de maquis méditerranéen. Des tours, des rochers et des châteaux se dressent sur les collines qui descendent vers la côte, là où se rencontrent la terre et la mer. Les quelque 100 km qui séparent Livourne de Piombino représentent un voyage riche en décors naturels, d'oasis protégées, de bourgs médiévaux, de pinèdes côtières aux eaux marines poissonneuses et régulièrement fréquentées par les dauphins et les marsouins.

LIVOURNE

C'est à Livourne que commence le voyage fabuleux initiatique à travers la civilisation étrusque et la culture de ce territoire. Ville aux profondes racines plurielthniques où les immigrés et les juifs jouissaient déjà des mêmes droits que les habitants de la ville, deux siècles avant la Révolution française, Livourne n'a cessé au cours des siècles de marquer sa différence.

Transports

Train

■ **GARE**
Piazza Manin
✆ (0586) 89 95 62

Bateau

Bateaux pour la Corse, la Sardaigne, Gorgona et Capraia :

■ **CORSICA FERRIES**
Nuova Stazione Marittima Calata Carrara
✆ (0586) 88 13 80
www.corsicaferries.com
Cette compagnie propose des traversées de Livourne à Bastia (4h), ainsi qu'à Golfo Aranci en Sardaigne (5 à 9h en fonction du ferry choisi).

■ **TOREMAR**
Porto Mediceo
✆ (0586) 89 61 13

Les immanquables de la Toscane du Sud

▶ **Île d'Elbe.** Encore mystérieuse, Elba offre une autre approche de la Toscane, entre le passé métallifère de ce bout de terre et la forte activité touristique qui s'y développe aujourd'hui. Nombreux sites de plongée, eau transparente et gastronomie liée à la mer au programme.

▶ **La côte étrusque.** C'est parti pour la découverte de la civilisation étrusque au travers des nombreux sites préservés qui se trouvent le long du littoral comme à Populonia. La meilleure solution pour ce faire est probablement de participer à la multitude de fêtes villageoises qui se déroule tout au long de l'année, et tout particulièrement en été.

▶ **La Maremme.** Faune et flore atypiques attendent les visiteurs qui veulent bien s'aventurer dans ses anciens marécages apprivoisés par l'homme au cours du temps. La zone est parsemée des villages les plus surprenants d'Italie comme Pitigliano, dont le bourg entier semble sortir de la pierre, à plus de 300 mètres d'altitude.

www.toremar.it
Cette compagnie propose des traversées de Livourne à Carpaia (3h). Compter aux alentours de 11 €.

Pratique

◼ OFFICE DU TOURISME
n°6 Piazza Cavour
✆ (0586) 20 46 11
www.costadeglietruschi.it
info@costadeglietruschi.it
Ouvert du lundi au vendredi de 9h à 17h, et le samedi de 9h à 13h.

Hébergement

◼ AUBERGE DE JEUNESSE VILLA MORAZZANA
n°110 Via Curiel
✆ (0586) 50 00 76
Fax : (0586) 54 24 26
www.villamorazzana.it
info@villamorazzana.it
Dortoir : 22 € le lit. Compter de 40 à 60 € la chambre double avec petit déjeuner dans l'hôtel. Belle auberge avec un espace vert très agréable. Un peu excentrée à 2 km du centre malheureusement (prendre le bus n°3 de la piazza Grande). Elle est équipée de deux dortoirs, de cinq chambres qualifiées de familiales comptant de quatre à six lits. La maison abrite également douze chambres de plus, à des prix plus élevées, que la direction estime être la partie « hôtel » de l'auberge de jeunesse.

Restaurants

Le dimanche, tous les restaurants du centre-ville sont fermés à l'exception du McDonald situé sur la piazza Grande. Il faut donc se rabattre le long de la côte. La spécialité de Livourne est le cacciucco, soupe savoureuse à base de poissons et de mollusques : poulpe, calamar, rouget, et le risotto au noir de sépia. D'autres spécialités sont à remarquer : le sanglier cuisiné de plusieurs façons, les pappardelle au lièvre, les tortelli, les soupes du terroir assaisonnées à l'huile d'olive et surtout une carte de vins prestigieux.

◼ L'ANCORA
n°10 Scali delle Ancore
✆ (0586) 88 14 01
Fermé le mardi. Compter de 25 à 40 € à la carte. C'est l'une des meilleures tables de la ville. Salle agréable. Spécialités de la mer évidemment. Un régal !

Points d'intérêt

◼ EGLISE DEI SANTI PIETRO E PAOLO
Piazza dei Santi Pietro e Paolo
Cette église a été construite en 1832 sur les plans de Luigi Cambray-Digny, pour satisfaire le souhait des habitants des nouveaux quartiers de Livourne de disposer de leur propre église. A noter, la connotation Renaissance à l'entrée avec les colonnes qui supportent le plafond.

◼ FORTEZZA VECCHIA
Fortifiée par les Médicis au XVIe siècle, elle est l'un des rares monuments de la ville qui méritent le détour.

◼ MUSEO CIVICO GIOVANNI FATTORI
n°26 Via San Jacopo in Acquaviva
✆ (0586) 80 80 01
Entrée payante. Fermé le lundi. Ouvert du mardi au dimanche de 10h à 13 et de 16h à 19h.
Livourne est le berceau des Macchiaioli, un groupe de peintres du XIXe siècle qui annonçaient l'impressionnisme. Giovanni Fattori était le principal animateur du mouvement. Sur les toiles des Macchiaioli, les paysages de la costa degli Etruschi revivent par les couchers de soleil, les marinas ou les scènes de la vie agreste.

MONTENERO ALTO

Petit village perché sur les hauteurs de Livourne, Montenero possède tout le charme des villages toscans. Le calme en plus. Etrangement épargné par le flot de touristes qui inonde la Toscane en été, rien ne semble pouvoir ébranler la quiétude de cette bourgade. Un funiculaire gai et coloré assure le trajet entre le bourg et ses hauteurs. Premier départ à 7h30 et fermeture à 19h30 (environ 2 € l'aller).

◼ HOTEL LA VEDETTA
n°5 Via della Lecceta
✆ (0586) 57 99 57
Fax : (0586) 57 99 69
www.hotellavedetta.it
info@hotellavedetta.it
Compter entre 65 et 98 € pour une chambre simple et entre 90 et 154 € pour une double. TV, minibar, parking.
Habité depuis les années 1700 par une riche famille italienne, l'établissement s'est transformé au fil du temps en hôtel. Les premiers propriétaires avaient décidé de l'appeler La Vedette, compte tenu du panorama exceptionnel dont il jouit.

Et c'est vrai qu'une fois arrivé au sommet de la butte, on a du mal à détacher son regard de la vue imprenable qui permet de parcourir d'un coup d'œil toute la vallée environnante de Livourne. Très bien tenu, l'établissement ne se distingue par aucun autre aspect particulier. Les standards de confort d'un hôtel trois étoiles sont partout respectés. La terrasse du restaurant, ombragée, est également très agréable. Dormir sur le toit de la vallée l'est tout autant.

PIOMBINO

L'entrée dans Piombino rappelle la dure condition des mineurs du début du XXe siècle avec ses immeubles noircis et austères. Cependant, la vieille ville possède un charme propre. C'est un bourg médiéval qui s'élance vers la mer depuis l'esplanade Bovio. Autrefois principauté des Appiani, Piombino était gouverné au début du XIXe siècle par Elisa Bonaparte, la sœur de Napoléon. Le caractère fortifié de Piombino ne manque pas d'éléments pour confirmer l'existence d'une cité médiévale tournée vers la guerre avec son donjon (torrione), son pivellino et son

Palazzo Nuovo du XVIIe siècle. Aujourd'hui les 35 000 habitants qui peuplent la commune sont de plus en plus tournés vers le tourisme, au détriment de l'activité minière. Piombino est le meilleur point d'embarquement pour l'île d'Elbe.

■ **HOTEL CENTRALE**
n°2 Piazza Verdi ✆ (0565) 22 01 88
Fax : (0565) 22 02 20
www.hotel-centrale.net
info@hotel-centrale.net
Compter 110 € pour une chambre simple, 165 € pour une double en semaine, et 45 € par personne en simple ou en double le week-end. TV, climatisation, minibar, parking…
Situation idéale au cœur du centre historique, propre, spacieux, cet hôtel compte de nombreux atouts pour garantir un bon séjour, même si la décoration est un peu vieillotte. Malgré tout, la rénovation en 2006 des quarante et une chambres participe à la recommandation de cette adresse. Pour ce prix, la décoration des chambres aurait peut-être pu être plus originale.

■ L'ÎLE D'ELBE

La légende veut que la Vénus de la mer Tyrrhénienne, au moment d'émerger des eaux pour embrasser l'horizon, perdit 7 perles de son collier. Elles tombèrent dans la mer et donnèrent naissance aux îles de l'archipel toscan : Gorgona, Capria, Elba, Pianosa, Montecristo, Giglio et Giannutri. Silencieuses et retirées, elles méritent le voyage en toute saison. L'île d'Elbe est la plus grande et offre beaucoup plus de variétés. Elle est reliée au continent grâce à d'excellents services maritimes depuis Piombino. En une heure de traversée, la plus grande île de l'archipel toscan (223 km^2) est gagnée. Originellement reliée à la Corse, elle est surtout connue comme lieu d'exil de Napoléon, qui resta du 3 mai 1814 au 26 février 1815 dans la villa des Moulins. Très touristique et infréquentable entre le 15 juillet et le 15 août, l'île s'avère plus agréable hors saison, avec ses beaux paysages. Petites criques magistrales en perspective.

PORTOFERRAIO

La plus grande page de l'histoire de Portoferraio, 11 000 âmes aujourd'hui, fut probablement écrite par un Français :

Napoléon. Il décida de s'y installer en 1814 dans la résidence des Moulins.
Portoferraio doit son nom au fer qui a très longtemps été la ressource principale de l'île, désormais dévouée au tourisme. Durant la présence de Napoléon sur l'île, les infrastructures nécessaires à une meilleure exportation de la matière première sont mises en place. Cette activité grouillante autour du minerai s'essoufflera 150 ans plus tard, au début des années 1970, alors que la dernière mine a fermé ses portes en 1981.

Transports

■ **BUS ATL**
n°20 Viale Elba
www.atl.livorno.it
Les bus desservent régulièrement toutes les localités de l'île. Six lignes régulières en ville, et trois autres à l'extérieur : la 116 (Portoferraio - Marciana M.ma - Pomonte - Marina di Campo - Portoferraio con dir. S.Ilario), la 117 (Portoferraio - Porto Azzurro - Rio Elba - Rio Marina - Cavo con direzione Capoliveri) et la 118 (Portoferraio - Bagnaia - Lacona).

Portoferraio

■ **MOBY LINE**
n°1 Viale Ninci ✆ (0565) 91 41 33
www.mobylines.it
*Compter environ 15 départs entre 6h30 et
20h30 en été et 8 en hiver depuis Portoferraio
pour Piombino, 1h de trajet et de 7 à 11 € la
traversée par passager. Possibilité d'embarquer
sa voiture (de 26 à 30 € avec conducteur).
Les tarifs varient en haute saison.*

■ **TOREMAR**
n°44 Calata Italia
✆ (0565) 96 01 31
www.toremar.it
*Compter entre 20 et 35 € pour un conducteur
et sa voiture en fonction de la saison, et entre
6 et 8 € par passager. Piombino - Portoferraio
(1h) : 8 traversées par jour en hiver, la
première à 5h10, la dernière à 20h30. De 18 à
20 traversées par jour le reste de l'année, la
première à 5h10, la dernière à 21h.*

Pratique

■ **OFFICE DU TOURISME**
n°26 Calata Italia
✆ (0565) 91 46 71
*Ouvert en été du lundi au dimanche de 9h
à 19h, et de 9h à 17h du lundi au samedi,
en hiver.*

Hébergement

■ **HOTEL FABRICIA**
A Magazzini (à 9 km de Portoferraio)
✆ (0565) 93 31 81

Fax : (0565) 93 31 85
www.hotelfabricia.com
info@hotelfabricia.com
*De 76 à 175 € par personne en demi-
pension, en fonction de la chambre choisie
et de la saison. Ouvert d'avril à septembre.
76 chambres avec téléphone, télévision,
climatisation. Parc, parking, plage privée,
piscine, tennis, salle de gym.*
Hôtel moderne et confortable, dans la verdure
et les oliviers. Pour ce tarif, les chambres ne
sont pas forcément au niveau. Le carrelage
au sol et la décoration des pièces n'apportent
pas de chaleur à l'ensemble. La propreté
est en revanche impeccable et le cadre de
l'hôtel agréable.

■ **VILLA OTTONE**
Località Ottone
✆ (0565) 93 30 42
Fax : (0565) 93 32 57
www.villaottone.com
hotel@villaottone.com
*Pour une double, compter entre 100 et 450 €
par personne en demi-pension en fonction de
la saison et de la chambre choisie. Piscine,
salle de gym, TV, tennis, salons, plage privée...
Ouvert de la mi-avril à la mi-octobre.*
Quelle adresse ! La Villa Ottone mérite
amplement ses 5-étoiles. Installée face à
la mer, cette belle villa du XVIIIe siècle est
entourée d'un beau parc aménagé avec
beaucoup de goût. Il suffit d'y pénétrer pour
entrer dans une autre dimension, hors du
temps.

FLORENCE ET LA TOSCANE

Que ce soit au niveau des jardins ou de la terrasse qui fait face à la mer, place à la délectation. Chaque coucher de soleil offre une variante de couleurs admirables, au son du pianiste. Une fois la chambre gagnée, le confort est au rendez-vous. Le restaurant de l'hôtel propose une cuisine savoureuse et très saine, d'autant plus appréciable que la terrasse sous les arbres se prête parfaitement à la dégustation. La présentation des plats est soignée et la carte des vins bien fournie. C'est l'occasion d'essayer un vin de l'île d'Elbe. Un sommelier francophone est présent chaque soir pour conseiller les clients. Le lendemain, il sera temps d'explorer le centre de soins : SPA, hammam, chant des oiseaux, massages, bains, tout y est pour se détendre. Difficile de trouver des points négatifs...

Restaurant

■ CAFFE ROMA
n°5 Piazza Cavour
✆ (0565) 96 32 83
Sandwichs à partir de 4,50 €. Ouvert tous les jours. Au client de choisir le cadre qui lui convient le mieux en fonction de son humeur du jour. Ce café possède deux terrasses, l'une donnant sur la digue, l'autre sur la place. Possibilité de se restaurer avec des sandwichs.

Points d'intérêt

■ ÉGLISE DE LA REVERENDA MISERICORDIA
Edifiée en 1677 par les ouvriers de la confrérie homonyme, elle conserve encore aujourd'hui un signe fort du passage de Napoléon sur l'île. A l'intérieur, un masque de bronze représente l'empereur. S'y trouve également le corps de san Cristino, martyre et patron de la ville.

■ MUSÉE NAPOLÉON OU VILLA NAPOLEONICA DI SAN MARTINO
A 6 km sur la route pour Manciana
✆ (0565) 91 58 46
Entrée : 3 €. Ouvert en principe du lundi au samedi de 9h à 19h, et le dimanche de 9h à 13h. Villa d'été où vécut Napoléon durant son exil de dix mois sur l'île d'Elbe. A signaler, mais sans plus.

PORTO AZZURRO

Si l'histoire de ce port est déjà ancienne, son nom, lui, est beaucoup plus récent. En 1947, les administrateurs de l'île autorisent la ville à s'appeler désormais Porto Azzurro au lieu de Porto Longone, du même nom que le pénitencier qui s'y trouve. Lové dans le golfe Mola, il fait face à la plus large baie de l'île. Toujours tourné vers la pêche, ce port de 3 500 habitants doit en partie sa survie économique à la forte activité touristique qui s'y agite l'été. Une petite escapade à Capoliveri, ce magique village agrippé à un promontoire quelques kilomètres plus au sud, vaut le détour.

■ HOTEL BELMARE
n°21 Banchina IV Novembre
✆ (0565) 95 012
Fax : (0565) 92 10 77
www.elba-hotelbelmare.it
info@elba-hotelbelmare.it
Compter entre 40 et 75 € par personne, en fonction de la chambre choisie et de la saison.
Idéalement située sur la promenade le long du bord de mer, cette adresse répond à tous les critères de confort. Parmi les 27 chambres, le mieux est de choisir celles qui sont dotées d'une vue dégagée sur la marina. Bien sûr, il faudra lâcher quelques euros de plus. Toujours plus sympathique que de regarder la colline de l'autre côté. Le propriétaire des lieux, fan de VTT, connaît tous les itinéraires à vélo de l'île. Parfois il accompagne même ses clients...

MARCIANA MARINA

Située à un peu plus de 20 km à l'est de Portoferraio, elle profite de sa large ouverture sur la mer pour proposer aujourd'hui de nombreuses activités liées à l'eau. Marciana se révèle être l'un des plus agréables lieux de promenade de l'île. Sur les flancs du mont Capanna, elle est le point de départ pour les amateurs de trekkings. Il est par exemple possible de rallier le sommet du mont Capanna (1 019 m) à pied (ou en téléphérique). Le panorama y est superbe.

Hébergement – Restaurants

■ HOTEL CASA LUPI
n°18 Viale Amedeo
✆ (0565) 991 43
Environ 48 € la simple et 70 € la chambre double, plus 6 € pour le petit déjeuner.
Bien tenu, agréable et de bon rapport qualité-prix. Joli jardin. La structure de l'hôtel ressemble à une grande maison particulière, très bien fleurie.

Les plus belles plages

Attention, à l'évocation du sable blanc et d'une eau transparente, les yeux s'écarquillent. Certaines plages sont magnifiques, mais deux choses sont à retenir pour ne pas être déçu d'avoir fait le voyage. La première, c'est qu'elles sont généralement toutes petites. Et deuxièmement, du 15 juillet jusqu'à la fin août, elles sont bondées. Il faut donc s'y rendre tôt le matin (entre 7h et 9h) pour pouvoir les apprécier.

■ LA BIODOLA

A 6,5 km à l'ouest de Portoferraio. Incontestablement l'une des plus belles plages de l'île. Elle s'étend sur près de 600 mètres. Assez peuplée fin juillet-début août, voire infréquentable le week-end à cette période.

■ MARINA DI CAMPO

Située sur la côte sud de l'île, il s'agit probablement de la plus large de toutes les plages mentionnées ci-dessus. Et heureusement, car, en été, elle est rapidement prise d'assaut par la jeunesse branchée en vacances. Elle n'en demeure pas moins magnifique, avec son sable fin de carte postale.

■ SANTA ANDREA

Petit bourg situé à 8 km à l'ouest de Marciana Marina. Bien que la côte soit principalement rocheuse sur cette partie de l'île, de petites ouvertures laissent place à quelques mètres carrés de sable. La transparence de l'eau mérite de toute manière le détour.

■ SPARTAIA

A 8,5 km à l'ouest de Portoferraio, juste à côté de Procchio. Plage de sable blanc et eau turquoise. Assez fréquentée en été.

■ RESTAURANT PUBLIUS

n°11 Piazza del Castagneto
Poggio
✆ (0565) 99 208
Fax : (0565) 90 41 74
www.ristorantepublius.it
info@ristorantepublius.it
Compter 45 € et plus. Fermé le lundi et du 15 octobre à Pâques. Réservation obligatoire. 90 couverts.

Le simple fait d'avoir le privilège de déjeuner ou de diner dans un endroit aussi bien situé mérite le déplacement. Quelle vue sur la région ! La bonne réputation de cette adresse concernant son accueil se vérifie rapidement. La qualité et le soin du service suivent. Les amateurs de poissons apprécieront les prouesses culinaires de la maison. Le restaurant est situé à 3 kilomètres de Marciana Marina, dans l'intérieur des terres.

■ LA MAREMME

L'histoire n'a pas été tendre avec cette terre, qui une fois les gloires étrusques et romaines terminées, est tombée dans l'oubli, à cause de l'insalubrité de son environnement aux étendues marécageuses, et baptisée autrefois « Maremma Amara » (Maremme amère). La Maremme est délimitée au nord par Follonica et ses collines métallifères, au sud par l'Orbetello et l'oasis de Burano, à l'est par le mont Amiata et à l'ouest par la mer. C'est seulement après de longues années d'assainissement du territoire, grâce à l'intervention des Lorena, que cette terre a retrouvé prestige et intérêt.

C'est même à cause de ce retard, qu'elle a conservé les caractéristiques maintenant les plus appréciées par les touristes : une mer propre et sauvage, une nature extraordinairement fertile et généreuse, des villages accrochés aux flancs des collines et tant de vestiges archéologiques encore objets de découvertes.

La façon de vivre qui ramène aux traditions d'autrefois, où le temps coule à un rythme différent, contraste totalement avec la vie urbanisée des grandes villes du nord de la Toscane.

Aujourd'hui, ses oasis et parcs naturels protégés sont les habitats privilégiés de centaines d'espèces animales aquatiques et terrestres, territoire au milieu duquel l'homme a su s'intégrer et y développer lui aussi un espace de vie, grâce à une agriculture saine et abondante. Le tourisme culturel n'en est que plus riche : musées, parc archéologique, eaux thermales, sentiers de trekking, équitation, bicyclette, festivals et fêtes gastronomiques.

GROSSETO

Située à 12 km du littoral et à 141 km au sud de Florence, Grosseto est la principale ville de la Maremme, avec ses 78 000 habitants. A travers le temps, de nombreux auteurs et historiens ont parlé d'elle, mais souvent avec des appellations différentes comme Grossetum au milieu du XIIᵉ siècle, Crassetum ou encore Rosetum. Moins ancienne que ses grandes voisines de la région, Grosseto serait véritablement née durant le haut Moyen Age, même si des traces du passage de la civilisation étrusque sont encore perceptibles aujourd'hui. Grosseto demeure une étape de tourisme urbain plus agréable que les autres.

Pratique

■ **AGENCE POUR LE TOURISME DE LA MAREMME**
Viale Monterosa, 206
✆ (0564) 46 26 11
info@lamaremma.info
Ouverte du lundi au vendredi en saison de 9h30 à 12h30 et de 15h à 18h.
L'agence de tourisme la plus complète en matière de documentation sur la région. Un seul inconvénient, elle est située en dehors du centre historique.

■ **APT GROSSETO**
n°1 Corso Carducci
✆ (0564) 48 82 08
Ouvert de juin à octobre, du lundi au samedi de 9h à 13h et de 16h à 19h. Fermé le dimanche, et le reste de l'année. Le point d'informations touristiques à retenir dans le centre de Grosseto. En été, le bureau offre toutes les informations nécessaires pour organiser des visites de la ville, mais aussi de la région.

Hébergement

Il n'existe malheureusement pas d'auberge de jeunesse à Grosseto sur laquelle se replier pour trouver une chambre à moindre prix.

■ **FATTORIA LA PRINCIPINA**
n°465 Via San Rocco
Principina Terra ✆ (0564) 441 41
Fax : (0564) 40 03 75
www.fattorialaprincipina.it
info@fattorialaprincipina.it
A 6 km de Grosseto. Compter entre 55 et 90 € par personne pour une chambre d'hôtel avec le petit déjeuner inclus, et appartement de 470 à 2 065 € en fonction de la taille et de la saison. Salle de gym, jacuzzi, deux piscines, TV, minibar, climatisation, restaurant…
Plus qu'un hôtel ou un centre de vacances, la Principina est une véritable attraction. Sur 150 hectares, outre les 194 chambres spacieuses, l'établissement étend ses richesses. Incontestablement lié à la terre, il met en avant son savoir-faire agricole, lui conférant au passage un certain cachet. Outre les chevaux qui gambadent, on peut même y apercevoir… des autruches. L'exploitation assure également une grosse production fruitière, avec ses pastèques, ses melons, ses pêches, ses abricots et bien sûr, son raisin. On apprécie d'autant plus l'endroit que le personnel est multilingue et habite la région depuis plusieurs années. Tous se font un plaisir de proposer à leurs clients des itinéraires de balade. Il est également possible d'y louer des vélos pour rejoindre la mer qui n'est plus qu'à 2 km.

■ **GRAN HOTEL BASTIANI**
n°64 Piazza Gioberti
✆ (0564) 42 00 47
Fax : (0564) 293 21
www.hotelbastiani.com
info@hotelbastiani.com
Chambre double à partir de 90 €. Parking, TV, climatisation, minibar.
Mis à part le fait que certaines des 48 chambres de l'hôtel sont un peu sombres, difficile de faire mieux à Grosseto. Idéalement installé dans une construction du début des années 1800 en plein cœur du centre-ville, et à une minute à pied seulement de la place principale, le Bastiani fait office de référence. Décoration soignée dans les tons beiges, voire raffinée, buffet au petit déjeuner extrêmement complet et varié, et la quiétude sont les principaux atouts de cette adresse.

Restaurant

■ **VINERIA DA ROMOLO**
n°3 Via Vinzaglio
✆ (0564) 275 51

Compter entre 12 et 25 €. Fermé le mardi.
Ouvert de mercredi à lundi, de 9h à 2h.
En principe ouvert toute l'année, mais la maison prend ses vacances de temps en temps ! Plus qu'un restaurant, cette *vineria* est un véritable musée. D'abord parce qu'il est possible d'y trouver tous les produits régionaux possibles et imaginables, et parce qu'ensuite le propriétaire des lieux, Romolo, y expose ses souvenirs de voyage à travers le monde. Dans une ambiance plus que rustique – l'odeur du feu de cheminée aidant – il faut essayer la soupe de la Maremme, les viandes à la braise et les différents salamis. La maison propose même de la bière artisanale. Côté vin, la spécialité du coin, le morelino di Scansano s'impose. En journée, dégustation de vin possible. Une excellente adresse.

Points d'intérêt

■ CASSERO SENESE
Piazza Paccarini
✆ (0564) 272 90
Il fut édifié en 1344, là où se dressait autrefois une porte d'entrée de la ville. Il témoigne de l'imposante domination de Sienne sur Grosseto. Ses murs sont en permanence ouverts, mais il est préférable d'y passer le matin ou de le rejoindre en fin d'après-midi, pour profiter des différentes activités culturelles qui s'y tiennent. En août, des séances de cinéma en plein air gratuites y sont organisées.

■ CATHEDRALE
n°5 Piazza Duomo
✆ (0564) 224 78
Incontestablement le monument le plus connu et le plus visité de la ville. Venu de Sienne, l'architecte Sozzo Rustichini en commença les travaux au XIIIe siècle, sur les fondations de l'église Santa Maria Asunta. L'édifice mit alors deux siècles pour se dresser, les luttes intestinales avec Sienne ralentissant en permanence l'avancée de l'œuvre. Sa façade de style roman qui alterne marbre blanc et marbre noir doit beaucoup à ses restaurations datant de la première moitié du XIXe siècle. A l'intérieur, la cathédrale abrite, entre autres, la superbe *Madonna delle Grazie* (1470) de Matteo di Giovanni.

■ MURS DES MEDICIS
En 1574, François Ier de Médicis ordonne la création d'une nouvelle muraille pour remplacer l'ancienne dont les travaux avaient débuté au XIIe siècle. Baldassarre Lanci en assure les plans, et l'objectif premier est de protéger la partie sud de la ville. Les travaux s'achèvent près de vingt ans après. La Porta Nuova au nord de la ville, et la porta Reale à l'opposé étaient les deux principales entrées de la cité.

■ MUSEE D'ARCHEOLOGIE ET D'ART DE MAREMME
n°3 Piazza Paccarini
✆ (0564) 48 87 50
Entrée : 5 €.
Ouvert tous les jours sauf le lundi, de 9h à 13h et de 16h à 19h30.
Particulièrement intéressant pour toutes les personnes qui souhaitent en savoir plus sur le site de Roselle. Le musée parcourt le passé, de la préhistoire au Moyen Age. Roselle est une toute petite fraction de Grosseto, mais fut longtemps la principale partie de la ville. Fondée sous l'ère étrusque, elle domine une colline lui assurant ainsi une position difficilement prenable par l'ennemi. Sa chute remonte à 294 av. J.-C. lorsque l'Empire romain s'en empara, pour la garder sous sa domination pendant huit siècles. Roselle perdit toute importance en 1138, lorsque le diocèse de la région déménagea dans la moderne Grosseto.

CASTIGLIONE DELLA PESCAIA

Tranquille en hiver, très à la mode en été, Castiglione della Pescaia change radicalement au cours des saisons. C'est en période estivale que son port et ses plages fourmillent de vacanciers. Au milieu de ce brouhaha s'élèvent, silencieux, le bourg ancien et son palazzo Centurioni, du XVe siècle, qui appartenait à la République de Pise et eut comme fondateurs les familles Della Gherardesca, Gualani et Lanfranchi. Dès 1447, c'est Alphonse d'Aragone, roi de Naples, qui décide de son élargissement. Puis successivement le château passe aux mains des Siennois, puis aux Florentins, Espagnols et Français jusqu'à ce qu'en 1559 Cosme Ier décide d'acquérir l'Ile del Giglio, l'ancien bourg et son palazzo. Ce dernier devient alors le palais de justice pendant tout le règne des Médicis. C'est après la réforme des Lorena, qu'il fut abandonné et vendu. Il abrite actuellement régulièrement des expositions de peintures et de photographies.

Transports

Une compagnie à signaler pour des croisières et autres sorties en mer afin de découvrir les îles de l'Argentario.

■ BLU NAVY

n°136 Via Emilia
à Grosseto
✆ (392) 940 04 32
(0564) 38 47 07
www.blunavycrociere.com
info@blunavy.com
Les bureaux principaux sont à Grosseto, mais il est possible d'acheter ses billets directement au niveau de l'embarcadère.

Point d'intérêt

■ CASA ROSSA

SS 322 - Ponte Giorgini
✆ (348) 82 62 128
Entrée : 5 €. Ouvert de septembre à mai du jeudi au dimanche de 13h à 19h, et en juin, juillet, août, du mardi au dimanche de 16h à 22h. Excursions en barque à partir de 17h.
L'opportunité ici donnée est de comprendre comment, pendant des décennies et des décennies, l'homme s'est battu contre les marécages. Construite par l'ingénieur jésuite Leonardo Ximenes en 1767, la Casa Rossa avait pour objectif de devenir l'instrument principal de l'assainissement du marais de Castiglione. L'exploitation devait assurer la séparation entre l'eau douce et l'eau salée afin d'éviter la propagation de la malaria. Au premier étage, se trouvent toujours aujourd'hui les appareils qui servaient à ce travail, alors qu'au niveau supérieur se situe le centre multimédia de documentation du marais. Les éléments d'observation mis à disposition du public permettent de découvrir l'écosystème avoisinant.

SATURNIA

« Comme c'est joli Saturnia », « il faut aller à Saturnia »… au moment d'évoquer ce petit village, les Toscans sont plutôt du genre à s'enflammer.
Et c'est vrai qu'il y a de quoi passer de bons moments. Connue depuis l'époque romaine pour ses eaux thermales à 37,5° C, Saturnia garde encore quelques ruines de son établissement de bains, jadis si renommé. Elle offre le plaisir de pouvoir, même pendant l'hiver, prendre un bain chaud en pleine nature.

Le soir, l'expérience ne manque pas de charme non plus. Outre le massage formidable que garantissent ses cascades, on peut prendre des bains d'argile. Les eaux sont directement accessibles et, bien sûr, gratuites. Au printemps, le nombre d'êtres humains au mètre carré monte, avant de grimper drastiquement en été. En août, c'est l'enfer.

■ HOTEL SATURNIA

n°4 Via Mazzini
✆ (0564) 60 10 07
Fax : (0564) 60 15 58
www.hotel-saturnia.it
info@hotel-saturnia.it
Compter entre 45 et 55 € pour une simple et entre 65 et 85 € pour une double.
Située dans le bourg, cette adresse est l'une des rares alternatives de la commune en matière d'hébergement, surtout à un prix aussi intéressant. La soif spéculative ne semble pas avoir gagné le petit couple de retraités qui tient les lieux. Il faut dire que la maison ne compte que deux étoiles, mais en mériterait sûrement une de plus, tant les chambres sont confortables. L'accueil y est remarquable et les chambres sont très bien tenues.

■ OFFICE DE TOURSIME

n°4 Via G. Mazzini
Ouvert du lundi au samedi de 10h20 à 13h et de 15h à 19h. Fermé le dimanche.

■ THERMES PUBLICS

Entrée libre. A l'entrée de Saturnia. L'endroit est presque infréquentable en été à cause de l'affluence. Il y a tellement de monde dans l'eau qu'on ose à peine se mouiller. Très agréable le reste de l'année.

PITIGLIANO

L'approche seule de ce bourg suffit à comprendre pourquoi le monde entier est en admiration devant les villages toscans. Quel miracle !
A seulement 313 mètres au-dessus du niveau de la mer, Pitigliano semble s'élever irrésistiblement vers les cieux. De plus près encore, l'impression d'ensemble paraît irréelle. La ville entière semble vouloir s'extirper du « *tufo* » - le tuf, la roche qui compose son sol. En arrivant de Manciano, l'effet est époustouflant. Amateurs de musées et dévoreurs de monuments ne trouveront cependant sûrement pas leur compte à Pitigliano. Hormis le palais Orsini et la synagogue, les points de chute

culturels ne sont pas légion. Reste qu'avec ses 4 000 habitants, ses ruelles qui débouchent sur le vide, la quiétude qui y règne (même en été) et la particularité de sa configuration urbaine médiévale, le village invite inéluctablement les voyageurs à s'y arrêter au moins le temps d'un après-midi. Créée par les Orsini au XIVe siècle, Pitigliano fut restructurée au XVe siècle par Antonio da Sangallo il Giovane pour mieux assurer la défense de ses habitants.

■ BUS RAMA

Via Santa Chiara
✆ (0564) 61 60 40
www.ramamobilita.it
De nombreux villages desservis en dehors de Pitigliano, avec par exemple un départ pour Sienne le matin à 5h50.
Diverses destinations dans la région.

■ CASA DEI CARRAI

n°68b Viale San Francesco
✆ (0564) 477 32 42
www.lacasadeicarrai.com
cinzia.tag@libero.it
Compter de 20 à 30 € pour une chambre simple et de 35 à 60 € la nuit pour une chambre double.
Difficile de trouver un hôtel à ce prix en Toscane, alors dans un village aussi fréquenté en été que Pitigliano... L'hôtel est situé légèrement à l'extérieur de la ville, sur sa face nord. Pratique et relativement confortable pour son prix, d'autant qu'il est doté d'un petit jardin. Accueil agréable.

■ IL CASTELLO

n°92 Piazza della Repubblica
✆ (0564) 61 70 61
www.ilcastelloristorante.com

Compter un minimum de 15 €. Ouvert toute la journée.
Ce bar-restaurant se fait un plaisir de faire découvrir toutes les spécialités de la région, aussi bien dans l'assiette que dans les verres. Le restaurant a récemment garni ses étagères de produits régionaux à emporter. Des dégustations de vins locaux sont également proposées.

■ OFFICE DU TOURISME

n°51 Piazza Garibaldi
✆ (0564) 61 71 11
www.pitigliano.net
infopitigliano@lamaremma.info
Ouvert du mardi au dimanche en été de 9h à 13 et de 16h à 19h, et en hiver de 9h à 13h et de 15h à 18h. Toujours fermé le lundi.
Demander à suivre la visite Pitigliano Underground, pour une découverte originale de la ville.

SORANO

Avec autant de villages « exploités touristiquement » dans les alentours (Pitigliano, Saturnia...), Sorano est souvent oublié des grands itinéraires estivaux. Tant mieux ! Le village surgit lui aussi sur une petite bosse de tuf, surplombant la vallée du Lente. Son centre historique est splendide, fermé au sud et au nord par les forteresses Orsini et Leopoldini. A voir, l'église Collegiata de San Nicola di Bari, du XIIe siècle, et le palazzetto des Orsini, avec un portail du XVe siècle. Une belle balade qui occupera au moins une demi-journée. Dans les environs de Sorano s'étend la nécropole étrusque de San Rocco, avec des tombes à chambres et à colombages.

■ L'INTÉRIEUR DES TERRES ■

CHIANCIANO TERME

Cette ville thermale parmi les plus fréquentées d'Italie (on y soigne les maladies du foie) mérite qu'on s'y arrête, tant pour son environnement campagnard que pour son village médiéval, relié à la partie plus moderne de l'agglomération par la viale della Libertà. De là, il est vivement conseillé de visiter Sarteano (à 7,5 km) et Cetona (à 16 km), centres agricoles d'origine étrusque, sur le mont Sarteano. L'endroit, prisé par de nombreux intellectuels, est devenu à la mode dans les années 1980.

■ AGRITURISMO PALAZZO BANDINO

n°3 Via Stiglianesi
✆ (0578) 611 99
Compter entre 45 et 65 € la double.
A deux pas des célèbres thermes, cette demeure du XVIIIe siècle, restaurée avec soin et aux équipements modernes, propose un séjour rural mais confortable. L'établissement est équipé d'une belle piscine. La maison respecte parfaitement l'esprit des constructions toscanes de campagne.

MONTEPULCIANO

Fondée selon la légende par Porsenna, le roi d'Etrurie, au sommet d'une colline, Montepulciano est un centre artistique qui porte surtout des empreintes de la Renaissance. A 65 km de Sienne et à 119 km de Florence, Montepulciano devint au XVIe siècle, sous la conduite architecturale d'Antonio da Sangallo il Vecchio, un prototype de « ville idéale ». Elle offre une vue superbe sur toute la campagne environnante, ponctuée de vignes auxquelles on doit l'excellent vin noble (*vino nobile*) de Montepulciano. La piazza Grande, centre monumental de la ville, est bordée de somptueux palais. Un magnifique panorama est offert sur toute la campagne toscane depuis la tour crénelée du palazzo Comunale.

Pratique

■ OFFICE DE TOURISME
n°7 Piazza Grande
℃ (0578) 71 74 84
www.stradavinonobile.it
info@stradavinonobile.it
Ouvert en principe du mardi au dimanche de 9h à 12h30 et de 15h à 20h.
Plus qu'un office de tourisme, ce bureau est un point stratégique pour les amateurs de vin qui voudront en savoir plus sur les crus de la région. Des expositions sur le vin y sont mêmes régulièrement organisées. Il abrite également une boutique proposant des verres, des bouteilles des objets propres aux œnologues. L'office de tourisme peut organiser des itinéraires vinicoles sur mesures.

Hébergement

■ BORGO TRE ROSE
n°5 Via I Palazzi
Localité de Valiano di Montepulciano
℃ (0578) 724 91
Fax : (0578) 72 42 27
www.borgotrerose.it
borgotrerose@angelini.it
Compter de 99 à 170 € la chambre double et de 130 à 190 € pour l'appartement. TV satellite, piscine, air conditionné, minibar et coffre-fort.
Sillonner la région tout en restant au même endroit. C'est l'exploit que réalise ce superbe agritourisme, planté au milieu de la vigne et des collines ordonnées de Toscane. La structure est exceptionnelle, respectant la tradition de la terre. Le Borgo Tre Rose se

poserait en candidat évident du meilleur agritourisme du secteur, surtout que son prix reste raisonnable par rapport à d'autres adresses. La terrasse du petit déjeuner est idéalement orientée vers l'est pour apprécier le lever du soleil et commencer la journée en douceur. Ouvert il y a maintenant dix ans, le site est en quête permanente de nouvelles activités ludiques pour que la clientèle s'imprègne au mieux des spécialités de la région. Des cours de peinture sur porcelaine et poterie, ou de cuisine, sont ainsi donnés. Comme tout agritourisme qui se respecte, le Borgo Tre Rose possède un lien étroit avec la production vinicole et ses quatre sites d'exploitation.

Restaurant

■ OSTERIA DELL'ACQUACHETA
n°22 Via del Teatro
℃ (0578) 71 70 86
www.acquacheta.eu – info@acquacheta.eu
Compter de 15 à 25 €. Fermé le mardi. Réservation uniquement par téléphone.
Un cadre authentique de trattoria typique et familiale. Une bonne table réputée de Montepulciano, qui fait découvrir quelques spécialités de la région. A conseiller tout particulièrement aux amateurs de viande. Accueil chaleureux.

Points d'intérêt

■ CATHEDRALE
La façade de cette grande construction Renaissance flanquée d'un campanile du XVe siècle ne fut jamais achevée. A l'intérieur, la simplicité du lieu contraste avec ses grandioses dimensions. On y verra un triptyque de l'*Assomption*, de Taddeo di Bartolo (au-dessus de l'autel), la statue de Bartolomeo Aragazzi par Michelozzo, ainsi qu'une *Vierge à l'Enfant* de Sano di Pietro.

■ MUSEE MUNICIPAL (MUSEO CIVICO)
Palazzo Neri-Orselli
n°10 Via Ricci
℃ (0578) 71 73 00
Entrée : 4 €. Ouvert en principe de 10h30 à 12h30 et de 16h à 18h30, avec une journée continue en été. Fermé le lundi.
Ce palais Renaissance présente plus de 200 peintures d'artistes tels que Margaritone d'Arezzo, Bicci di Lorenzo, Sodoma, Paris Bordone, ainsi que des pièces d'orfèvrerie et des terres cuites d'Andrea Della Robbia. Dans sa section archéologique, il revient également sur la période étrusque.

OMBRIE ET MARCHES

Campagne ombrienne
© AUTHOR'S IMAGE

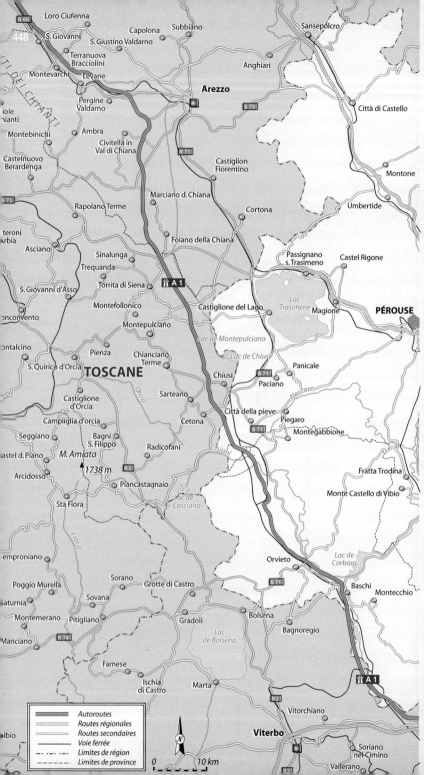

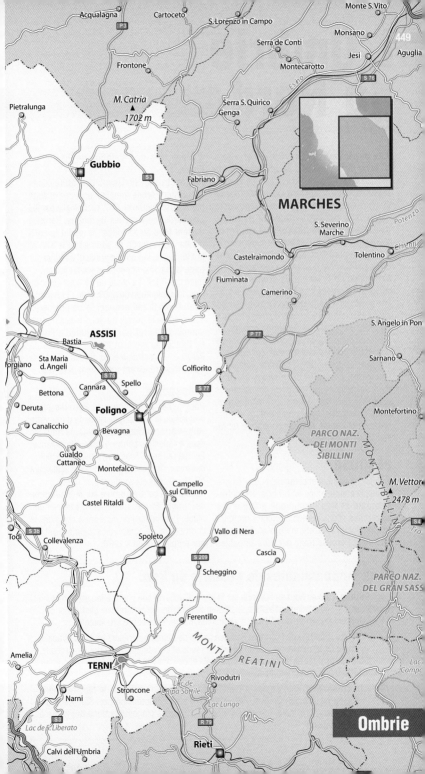

Acqualagna
Cartoceto
S. Lorenzo in Campo
Monte S. Vito
Monsano
Serra de Conti
Jesi
Aguglia
Frontone
Montecarotto
S 76
Esino
Serra S. Quirico
Genga
M. Catria
1702 m
Pietralunga
Fabriano
MARCHES
Gubbio
Potenza
S. Severino Marche
S 3
Chienti
Castelraimondo
Tolentino
Fiuminata
Camerino
S. Angelo in Pon
Assisi
Bastia
P 77
Sarnano
Forgiano
Sta Maria d. Angeli
S 3
Colfiorito
Cannara
Spello
Bettona
S 77
Montefortino
Deruta
Foligno
Canalicchio
Bevagna
PARCO NAZ. DEI MONTI SIBILLINI
Gualdo Cattaneo
Montefalco
M. Vettor
Castel Ritaldi
Campello sul Clitunno
2478 m
MONTI SIBILLINI
S 4
Todi
S 3b
Vallo di Nera
Collevalenza
Spoleto
Tro
Cascia
S 209
Scheggino
PARCO NAZ. DEL GRAN SASS
Ferentillo
MONTI
REATINI
Amelia
TERNI
Lac Campo
Narni
Stroncone
Rivodutri
Lac de Ripa Sottile
Lac Lungo
Lac de S. Liberato
R 79
Calvi dell'Umbria
RIETI

Ombrie

L'Ombrie du Nord

Tous les habitants de l'Ombrie le disent : « nous n'avons rien à envier à la Toscane ». Si la Renaissance n'a pas vu le jour à Pérouse, mais bien à Florence, il faut bien reconnaître que ce territoire enclavé possède de très nombreuses cartes pour passer un excellent séjour. La qualité des services proposés en matière de tourisme y est dans l'ensemble supérieure et à des prix souvent plus intéressants. L'Ombrie d'aujourd'hui offre un mariage saisissant entre la tradition de la terre et la richesse de ses villages. La quiétude qui lui va si bien en fait une destination à privilégier pour tous ceux qui souhaitent connaître le sens du mot « repos ». Au cœur de l'Italie et reconnue comme en étant son poumon vert, l'Ombrie a toujours été une étape obligée des armées qui ont agité l'histoire. Cette dernière a façonné pléthore de bourgades, protégées de remparts et autres murs médiévaux, sur les flancs du massif des Apennins. Si le temps les a, en grande partie, happés, leurs vestiges confèrent un charme propre à la région. Chaque commune recèle son lot de surprises.

PÉROUSE

Architecturalement et culturellement, Pérouse écrase la concurrence en Ombrie. Très internationale et très dynamique grâce à ses universités (dont la plus ancienne remonte au XIIIe siècle) et aux nombreux étudiants qui l'animent, Pérouse reste des plus agréables à visiter, loin de l'agitation de Pise ou de Florence.

Centre étrusque florissant, puis attirée dans la puissante orbite romaine, occupée ensuite par les Ostrogoths en 557, reconquise par les Lombards, puis par les Byzantins, Pérouse devient libre au XIe siècle et rejoint le parti guelfe. Son apogée se situe entre le XIVe et le XVIe siècle, lorsqu'elle parvient à régner sur toute la région ombrienne grâce au gouvernement des Priori. La chute de Pérouse coïncide avec la domination du pouvoir de l'Etat pontifical. Paolo III fait occuper la commune en 1538, après la guerre du Sel. La ville restera soumise à l'Etat pontifical jusqu'à l'unité de l'Italie, au moment des « massacres de Pérouse », lors desquels les gardes suisses de Paolo IX se rendirent tristement célèbres.

Transports

Pour pénétrer au cœur de Pérouse étant motorisés, le plus simple reste de garer votre voiture aux parkings Pellini et Cupa (tous les deux à l'ouest du centre-ville) ou Partigiani et Europa (au sud). Tous sont situés à l'extérieur des murs. Des places gratuites sont également offertes à ceux qui voudront bien marcher pour rejoindre le centre comme sur la Via Andrea da Perugia. En été, impossible d'y trouver une place. Pour aider les visiteurs à rejoindre le centre-ville, de nombreux escalators ont été mis en place depuis 1980.

Les immanquables de l'Ombrie du Nord

▷ **Gubbio.** Tout en haut de l'Ombrie sur la carte, Gubbio et son charme fou attendent les visiteurs. La ville a tellement à offrir, aussi bien du point de vue culturel que gastronomique. Bien moins fréquentée que Pérouse, donc plus intime, elle mérite une escale.

▷ **Pérouse.** Capitale de l'Ombrie, Pérouse cache de nombreux trésors architecturaux. Il est agréable de se perdre dans le dédale de ses rues et les vestiges de l'époque étrusque. Il est bon de profiter de ses nombreux festivals et de l'activité grouillante de ses soirées aussi tôt les étudiants revenus après l'été.

▷ **Lac Trasimène.** Que se soit à Castiglione del Lago ou à Tuoro, le lac Trasimène est la carte mystère de l'Ombrie. Peu profond, il a un caractère propre. Sur ses eaux, sur son île Maggiore, dans les villes autours ou sur ses plages, les bons moments à passer sont légion.

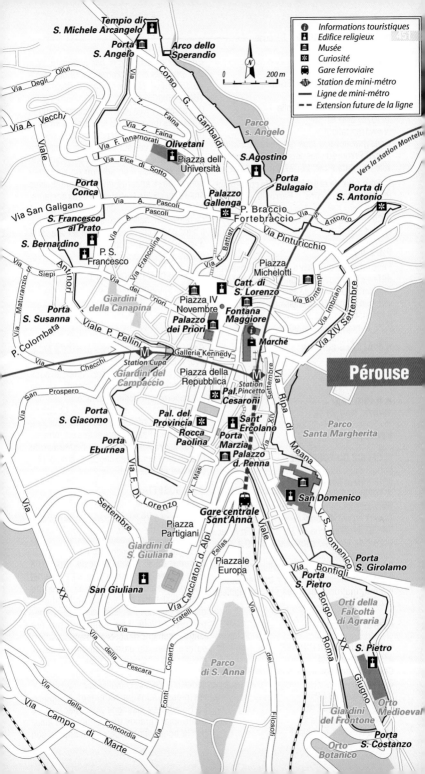

Train

■ **STAZIONE DI FONTIVEGGE**
Piazza Vittorio Veneto
La principale gare de la ville
✆ (075) 500 61 86
www.trenitalia.it
*Consigne ouverte tous les jours de 6h20 à
20h20.* Prendre un bus pour rejoindre le centre-
ville en hauteur : n° 26, 27, 28, 29…

▶ **Pour plus de renseignements** concernant
le trafic ferroviaire : Ferrovia Centrale
Umbra
(FCU) au 16a Piazzale Bellucci
www.fcu.it

Parkings

Peut-être plus qu'ailleurs, il est extrêmement
difficile de trouver une place où se garer à
proximité du centre de Pérouse. Il est donc
vivement conseillé de choisir un parking. Bon
à savoir, 60 minutes coûtent 1 €, deux heures
2,25 € et 24 heures 8,90 €.

■ **PIAZZALE EUROPA**
Piazzale Europa

Taxis

■ **RADIO TAXI**
✆ (075) 500 48 88

Pratique

■ **OFFICE DU TOURISME**
Loggia dei Lanari
n°18 Piazza Matteoti
✆ (075) 573 64 58
www.perugia.umbria2000.it
*Ouvert en été du lundi au samedi de 8h30 à
18h30, le dimanche de 9h à 13h. En hiver,
ouvert du lundi au samedi de 15h30 à 18h,
fermé le dimanche.*
Pérouse étant la principale ville d'Ombrie,
il est possible également d'y trouver toutes
les informations possibles et imaginables
sur la région.

Hébergement

■ **AUBERGE DE JEUNESSE**
n°13 Via Bontempi
Centro Internazionale di Accoglienza per la
Gioventù.
✆ (075) 572 28 80
Fax : (075) 573 94 49
www.ostello.perugia.it
ostello@ostello.perugia.it

*Compter de 15 à 17 € par personne, plus
2 € pour les draps. Fermé du 15 décembre
au 15 janvier. Ouvert de 7h30 à 9h30 et de
16h à 23h30.*
Une adresse rêvée pour les étudiants et autres
voyageurs désargentés, située dans un beau
palais (palais Borgia-Mandolini, XVIIIe siècle),
centrale avec vue sur la ville et la campagne
environnante. L'établissement dispose d'une
grande terrasse d'où admirer un très beau
panorama. L'auberge offre chambres avec
quatre ou six lits (séparés en deux secteurs,
masculin et féminin), douche, cuisine, salle
de télévision, salle de réunion, bibliothèque.
Il n'est pas nécessaire de présenter une carte
d'adhérent. Il suffit de fournir un document
d'identité valide pour l'Italie.

■ **ETRUSCAN CHOCOHOTEL**
n°134 Via Campo di Marte
✆ (075) 583 73 14
Fax : (075) 583 73 14
www.chocohotel.it
etruscan@chocohotel.it
*De 54 à 73 € pour une simple et de 88 à 140 €
pour une double.*
A 200 mètres du centre, une adresse
étonnante, voire unique au monde. L'hôtel
est entièrement dédié au chocolat, une ode
culinaire où tout ramène à ce délice. La piscine
est cependant remplie d'eau et le décor joue
sur les frises. Beau, propre et très confortable.
Il faut apprécier le repas du restaurant de
l'hôtel, entièrement en chocolat (entrée, plat
principal et dessert) !

■ **LA ROSETTA**
n°19 Piazza Italia
✆ (075) 572 08 41
Fax : (075) 572 08 41
www.perugiaonline.com/larosetta
larosetta@perugiaonline.com
*Compter 85 € la simple et de 130 à 168
€ la double, tout confort, accès à internet
gratuit.* Idéalement située au cœur du
centre historique de Pérouse, cette adresse
garantit l'un des meilleurs rapports qualité-
prix de la ville. Les chambres ont été
soigneusement décorées pour un confort
optimal, avec du parquet au sol, de beaux
meubles et du carrelage un peu excentrique
en cadeau dans la salle de bain. Sèche-
cheveux, minibar, climatisation, télévision…
les pièces sont parfaitement équipées.
La Rosetta se distingue aussi par la taille
relativement grande de ses pièces et aussi
par la bonne ambiance qui émane de son

personnel multilingue. On apprécie également le restaurant, aéré et très soigné. La terrasse au cœur de la cour est splendide en soirée, quand les bougies illuminent chaque table. Les lasagnes aux truffes ne laisseront personne indifférent. Ouverte dès 1922, cette adresse a parfaitement su garder la structure originelle de l'établissement tout en répondant aux premiers critères internationaux de confort hôtelier. Une belle réussite.

Restaurants

■ AL MANGIAR BENE

n°21 Via della luna
✆ (075) 573 10 47
www.almangiarbene.com
almangiarbene@hotmail.it
Menu gastronomique très complet à 65 €, mais plats plus abordables à partir de 7 €. Fermé le dimanche.

Cette « Trattoria – Pizzeria » se revendique « filière biologique courte ». Un projet réussi, puisque les produits frais viennent directement de producteurs agricoles locaux, privilégiant les fermes « bio », sans passer par des intermédiaires. La provenance de chaque produit est détaillée dans le menu afin de « redonner » une identité aux aliments consommés.

Une bataille saine menée par toute l'équipe de David, le chef cuistot. Le bon rapport qualité-prix agrémente la bonne note de cette adresse. La cuisine servie se veut régionale et italienne. Joli cadre et accueil chaleureux. Réservation conseillée.

■ ALTROMONDO

n°11 Via Caporali
✆ (075) 572 61 51
Fax : (075) 572 32 21
Compter de 20 à 25 €. Ouvert le midi de 12h à 14h et le soir de 19h à 22h. Fermé le dimanche. 80 couverts. Climatisation.

Voici l'une des adresses à la mode au sein de la population locale. Et les repas s'y font plutôt en famille. Altromondo propose tout ce qui se fait de meilleur en matière de cuisine régionale. Avec une préférence là encore, pour les truffes. A la carte, des plats de poisson sont également disponibles.

■ DAL MI COCCO

n°12 Corso Garibaldi
✆ (075) 573 25 11
Menu unique à 13 €, mais sans la boisson. Fermé le lundi. Réservation conseillée.

L'adresse est idéale pour les très gros mangeurs à petit budget. La maison propose une douzaine de plats qui varient selon les jours de la semaine (diverses pâtes, *secondi piatti* et autres *contorni* en un repas très rustique). Le patron veille souvent à ce que ces clients se débrouillent pour manger un peu de tout. Ce dernier est des plus pittoresques. Passionné par son métier, il réserve toujours un merveilleux accueil à ses clients. En prime, il offre souvent un Cocco à chaque repas… L'endroit est fréquenté par pas mal d'étudiants, étant donné son très bon rapport qualité-prix.

Vallo di Nera dans les environs de Pérouse

© AUTHOR'S IMAGE

■ IL PADRINO
n°5 Via Baldeschi
℃ (075) 572 27 39
www.ristoranteilpadrino.it
Compter 30 € à la carte, avec un menu à 18 €.
Mieux vaut réserver, la capacité du restaurant n'étant pas très grande.
Ouvert uniquement le soir, du lundi au samedi de 19h à 22h30.
Ce n'est pas parce que Pérouse est loin des côtes, que le poisson ne peut pas y être savamment cuisiné. Mieux, coincé à mi-distance entre l'Adriatique et la Méditerranée, la ville propose des assiettes des plus complètes en matière de fruits de mer. Et pour les savourer, Il Padrino reste l'une des références en matière de poisson à Pérouse. Côté viande, la maison se défend également, notamment au niveau de l'agneau. Et comment ne pas mentionner la superbe salle du restaurant, lui même installé au coeur d'un édifice datant du XVe siècle. Si une table est disponible, il est agréable de manger sur la petite terrasse, à l'arrière.

Sortir

Principale ville d'Ombrie, Pérouse propose généralement une forte activité nocturne. Les différents clubs et bars de la ville se relaient dans l'organisation de soirées. Pour prendre un verre, outre le corso Vannucci qui est toujours bien rempli, de nombreuses terrasses aux ambiances diverses et variées animent l'arrière de la cathédrale comme sur la piazza Danti. Pour se tenir au courant des soirées, il est pratique d'acheter « viva Perugia », mensuel en vente dans tous les kiosques pour 1 €. A noter également que les jeunes aiment beaucoup prendre une bière et s'installer sur les marches de la Piazza IV Novembre, pour discuter, chanter et tout simplement passer un bon moment.

■ THE MERLIN PUB
n°19 Via del Forno
Happy-hour de 17h à 20h.
A deux pas du corso Vannucci. Pub à l'ambiance détendue et étudiante.

Points d'intérêt

■ BASILIQUE SAN PIETRO
n°74 Borgo XX Giugno
℃ (075) 337 53
Entrée libre. Ouverte tous les matins du lundi au vendredi de 9h à 13h, et les après-midi de mardi et jeudi de 15h30 à 18h30.

A l'extrémité du borgo XX Giugno, près de la porte San Costanzo, c'est un exemplaire rarissime d'église de l'an mille dont la structure d'origine est encore bien conservée. A l'extérieur, on peut admirer le campanile à flèche et la cour du XVIIe siècle, tandis que l'intérieur à trois nefs et à colonnes antiques abrite d'importantes peintures de Perugino, de Guido Reni et du Guercino. L'église recèle de véritables trésors artistiques qui auraient très bien pu se trouver dans un musée. Recréé depuis quelques années d'après le savoir-faire des Bénédictines, le verger accolé à l'église est également superbe.

■ FONTANA MAGGIORE
Située au milieu de la piazza IV Novembre, cette splendide fontaine médiévale du XIIIe siècle, œuvre de Giovanni et Nicola Pisano, est l'un des symboles de la ville. Ses 50 bords inférieurs décorés de bas-reliefs (victimes d'une série d'actes de vandalisme, ils sont maintenant protégés par des barrières) représentent les douze signes du zodiaque et quelques scènes bibliques. *Les Trois Grâces*, réalisées par Giovanni Pisano, se dressent dans la vasque supérieure en bronze, ainsi que 24 panneaux polis, tous séparés par des statuettes évoquant des saints ou des personnages de l'histoire. A quelques pas de la fontaine, se tient un puits, profond de 47 mètres.

■ GALLERIA NAZIONALE DELL'UMBRIA
n°19 Corso Vannucci ℃ (075) 5721 009
Fax : (075) 5721 009
www.gallerianazionaleumbria.it
Entrée : 6, 50 €. Ouverte tous les jours de 8h30 à 19h30, et fermée les lundis, le 1er janvier, le 1er mai et le 25 décembre. A noter que les billets sont à retirer au rez-de-chaussée dans la boutique du musée, alors que l'entrée de la première salle se situe au 3e étage du bâtiment.
Sur près de 4 000 m², cette galerie expose la plus grande collection de peintures d'Ombrie, du XIIe au XVIIIe siècle. Parmi les innombrables chefs-d'œuvre, on peut distinguer les œuvres de Duccio, de Fra Angelico (*Vierge à l'Enfant avec des anges et des saints*), de Piero Della Francesca (*Vierge à l'Enfant entourée de saints*) et du Perugino (*Adoration des Mages* et une pietà). Outre des toiles, la galerie exhibe aussi des sculptures, des céramiques, des broderies et des bijoux.

■ MUSEO ARCHEOLOGICO NAZIONALE DELL'UMBRIA

n°10 Piazza Giordano Bruno
✆ (075) 572 71 41
www.archeopg.arti.beniculturali.it
Entrée : 4 €. Ouvert de 8h30 à 19h30, et le lundi à partir de 10h.

Le musée occupe un ancien couvent dominicain sur le corso Cavour, à gauche de l'église de San Domenico. Il comprend une section consacrée aux différentes périodes de la préhistoire. Mais la partie présentant des pièces étrusques et romaines constitue le point culminant de la visite. Les pièces exposées proviennent en grande partie de fouilles du XIXe siècle entreprises dans différentes nécropoles de la région.

■ PALAZZO DEI PRIORI

Piazza IV Novembre et corso Vanucci
Toujours sur la même place, le palazzo dei Priori (ou Comunale) est considéré comme l'un des plus beaux hôtels de ville italiens. Sa construction débuta en 1293, suivie de nombreux remaniements pendant les trois siècles suivants. Quand l'Etat pontifical était au pouvoir, le palais subit des transformations architecturales d'un goût douteux. Elles disparurent lors des restaurations de l'après-guerre. Sa structure est une figure exemplaire de la conception communale : solidité des lignes, fenêtres trilobées et rangées de créneaux guelfes ornant la partie supérieure. L'escalier qui donne sur la place est un ajout datant de 1902. Au-dessus du portail, on peut admirer les sculptures en bronze représentant le griffon et le lion (symboles respectifs de la ville et du parti Guelfe). Il ne s'agit pas des originaux, ces derniers ayant été retirés puis exposés dans la salle du conseil municipal à l'intérieur du palais. On accède au Salone dei Notari, décoré de peintures du XIIIe siècle, par un porche à trois arcades du XIVe, mais il ne faut pas manquer d'aller voir la façade qui donne sur le corso Vannucci.

▶ **Le palazzo dei Priori abrite également la Galleria nazionale dell'Umbria** ainsi que le collegio del Cambio, la Sala di Notari ou de la Mercanzia (entrée corso Vannucci), construit en 1452-1457 pour des changeurs de monnaie et des banquiers. A voir absolument, dans la sala dell'Udienza couverte de fresques aux motifs mythologiques et sacrés, les chefs-d'œuvre de Pietro Vannucci, dit Il Perugino, et de ses élèves (dont Raphaël), parmi lesquels le fameux *Autoportrait* (sans concession) de l'artiste.

■ PIAZZA ITALIA

Située au bout du corso Vannucci, la place est entourée par divers édifices intéressants : la rocca Paolina (construite au XVIe siècle sur les décombres de la casa dei Baglioni), dessinée par Antonio da Sangallo le Jeune sur une commande de Paolo III ; le palazzo del Governo et les jardins Carducci, principal espace vert de la ville. Ces derniers sont dédiés à Giosue Carducci, qui trouva là l'inspiration de son poème *Il Canto dell'Amore*. Ils jardins offrent une vue splendide sur les environs.

■ PIAZZA IV NOVEMBRE

Avec ces formes irrégulières, cette place est immanquable dès lors qu'on pénètre le centre médiéval de Pérouse. Elle se veut le centre artistique de la ville. Entourant la Fontana maggiore, elle est cernée par les plus importants monuments de la ville, parmi lesquels : le Palazzo arcivescovile, la cathédrale de San Lorenzo et le palazzo dei Priori.

LAC TRASIMÈNE

Les contours des îles la Maggiore, la Minore et la Polvese forment le doux horizon qui sert de toile de fond aux bourgs anciens et aux villages de pêcheurs. Souvent ce ne sont que quelques maisons accrochées sur un rocher qui surplombent le lac. Ailleurs, c'est une campagne cultivée, de vieilles fermes et de belles routes secondaires qui traversent des vallées et des bois, des étendues d'oliviers et des champs de blé.

Le Trasimène est un territoire frontalier, à la fois ombrien et toscan, puisque ses rives touchent la province arétine du Val di Chiana. Le périmètre du lac est de 54 km alors que sa surface recouvre 128 km². Sa profondeur est modeste puisqu'elle peine à approcher les six mètres en temps normal. Un lent vagabondage sur le lac est conseillé, autour et au-delà, où, guidé par l'instinct, d'authentiques découvertes sont envisageables.

▶ **Itinéraire**. Départ de Pérouse. Après une vingtaine de kilomètres, on arrive à la première localité, Magione, pour faire ensuite le tour du lac par de très belles routes panoramiques et, enfin, revenir à Pérouse. Le parcours est parsemé de villages typiques de pêcheurs et de routes de campagne conduisant à des chefs-d'œuvre artistiques romanesques isolés dans des coins de verdure.

Nous conseillons d'aller directement au cœur du Trasimène, en se dirigeant vers les lieux les moins connus, ceux où s'exercent encore les métiers qui ont fait l'histoire du lac : l'agriculture, l'artisanat et la pêche. Et de survoler rapidement les endroits les plus célèbres de la région. On arrive au lac en prenant la SS 75 bis.

Juste avant le Trasimène, le sanctuaire de la Madonna delle Fontanelle (XVe siècle) et le château de l'ordre de Malte avec sa tour lombarde, situés sur la commune de Magione, méritent le détour. Sur les hauteurs, se trouve le tout petit bourg de Montecolognola, qui pour son caractère retiré, mérite le détour. Après Magione, si peu de temps se dégage, il est intéressant de filer à San Feliciano, un bourg où se maintient l'antique tradition des pêcheurs du Trasimène. Un petit détail pratique : il faut penser au répulsif contre les moustiques.

Le parc régional du Trasimène a été inauguré en 1995 et s'étend sur 13 200 hectares. La faune et la flore s'y caractérisent bien évidemment par leur aspect lacustre. Le lac jouit d'un écosystème particulier notamment au niveau des rives qui longent San Savino, domicile de grandes cannaies et de plantes hydrophytes (qui développent leur appareil végétatif dans l'eau). Des milliers de foulques (canards) investissent les lieux en hiver, alors qu'au retour des beaux jours, des grèbes s'y retrouvent pour nidifier, tout comme des faucons pêcheurs, des hérons ou encore des butors nains ou des aigrettes.

ÎLE MAGGIORE

Un service de bateaux la relie quotidiennement à partir de Passignano et de Tuoro. Ce village de pêcheurs très ancien compte à l'heure actuelle une quarantaine de personnes. Les plus hautes collines atteignent 800 mètres d'altitude. C'est l'île la plus belle du lac, avec ses maisons du XVe siècle et ses deux églises, celle de San Salvatore, romane, et celle de San Michele Arcangelo, datant du XIVe siècle.

Le village se développe en longueur de part et d'autre du corso, d'où débouchent les *rimbocchi*, d'étroites ruelles qui mènent au lac. Son artisanat de dentelle brodée est une tradition qui date du XIXe siècle. On peut encore rencontrer sur le corso de vieilles femmes qui travaillent sur de précieux petits mouchoirs ou des foulards. Il faut éviter de visiter l'île en été. Parfois, jusqu'à 8 000 visiteurs s'y rendent dans la même journée.

GUBBIO

Avec Gubbio, on atteint la quintessence de la cité médiévale ombrienne. Gubbio vaut par l'unicité de son ensemble. Son histoire est particulièrement ancienne et se confond avec celle des plus anciennes populations de l'Ombrie.

Avec ses bâtiments de couleur ocre, ses tours et ses palais disposés sur les pentes du mont Ugino, la ville présente des aspects contrastés. Ainsi les piétons observeront que cinq rues parallèles possèdent différents niveaux sur la pente de la montagne et sont liées entre elles par des ruelles et de petits escaliers. La structure des édifices est surtout romane, avec des arcs ogivaux.

Transports

■ **GARE ROUTIERE**
Piazza dei 40 Martiri
www.apmperugia.it
Des bus de la compagnie APM arrivent et partent régulièrement tous les jours de Gubbio pour rejoindre Pérouse ou Citta di Castello. Possibilité d'acheter les billets sur la Piazza dei 40 Martiri auprès d'un kiosque à journaux.

Ascenceur

De nombreux ascenseurs publics sont accessibles sur les hauteurs de Gubbio pour éviter d'avoir à grimper des centaines de marches. Des panneaux les indiquent. Ils sont généralement gratuits et ouverts entre 9h et 18h en hiver et 19h en été.

Pratique

■ **OFFICE DU TOURISME**
n°15 Via della Republica
✆ (075) 92 20 693
Fax : (075) 92 73 409
info@iat.gubbio.pg.it
Ouvert du lundi au samedi de 8h30 à 13h45 et de 15h00 à 18h00, et le dimanche de 9h à 12h30 et de 15h à 18h.

Retrouvez le sommaire en début de guide

Outre de très pratiques informations sur la ville, l'office de tourisme propose également des guides audios en italien ou en anglais, avec des commentaires appropriés sur l'histoire de la cité et ses monuments (3€).

Hébergement

■ HOTEL GROTTA DELL'ANGELO
n°47 Via Gioia ✆ (075) 927 17 47
Fax : (075) 927 34 38
www.grottadellangelo.it
info@grottadellangelo.it
Fermé du 8 janvier au 8 février. Compter de 35 à 40 € la simple et de 50 à 60 € la double, et 5 € par personne pour le petit déjeuner.
Il s'agit d'un petit hôtel indépendant de 20 chambres équipées d'un téléphone et d'une télévision. Ouverte depuis 1954, cette adresse a su garder son caractère familial, la troisième génération gérant aujourd'hui les lieux. Si les chambres manquent peut-être un peu d'espace, la propreté et le confort sont irréprochables. Un excellent compromis entre un petit prix et un bon séjour.

Restaurants

■ GROTTA DELL'ANGELO
n°47 Via Gioia
✆ (075) 927 17 47
www.grottadellangelo.it
info@grottadellangelo.it
Menu de 16 à 20 €. Fermé le mardi et du 8 janvier au 8 février.
Un grand restaurant à l'ambiance médiévale, avec une pergola et une terrasse pour l'été. Cette cuisine régionale attire beaucoup. La cuisson de certains plats se fait dans une grande cheminée traditionnelle, visible par tous les clients. L'adresse est tenue par la petite fille de la première propriétaire qui ouvrit les lieux en 1954.

■ SNACK BAR DEL PONTE
n°16 Via dei Consoli
Compter quelques euros seulement. Ouvert de 6h30 à 2h.
Le porte monnaie tire grise mine chaque fois qu'il s'agit d'aller au restaurant. Pourquoi ne pas faire des économies ce soir ? Voici un petit bar essentiellement fréquenté par des locaux et qui sert des snacks à n'importe quelle heure de la journée. La *bruschetta* est des mieux fournies. Sinon, il est toujours possible de se satisfaire d'un hamburger ou d'un hot-dog, le tout accompagné de frites, bien sûr. Possibilité « d'emporter ».

■ LA TAVERNA DEL LUPO
n°21 Via Ansidei
✆ (075) 927 43 68
Fax : (075) 927 12 69
mencarelli@mencarelligroupe.com
Compter 25 € pour le menu. Fermé le lundi, et en janvier. Réservation obligatoire.
Dans un cadre agréable, un restaurant réputé offrant une cuisine traditionnelle (le faisan !) et une bonne cave. Il s'agit de l'adresse chic de la ville.

Points d'intérêt

■ CATHÉDRALE
Via Federico de Montefeltro
Il s'agit d'une construction du XIIe siècle, de bonne facture, qui frappe surtout par la finesse et la douceur du dessin de la façade, ainsi que par la largeur de l'espace réservé à la rosace.

■ MONTE IGNANO
On y accède par le téléphérique, de 8h30 à 19h30 l'été. Compter 5 € l'aller-retour.
Il s'agit du sommet qui domine Gubbio. De là haut, on a une vue magnifique sur la ville et la campagne qui l'entoure. A visiter, le monastère et la basilique Sant'Ubaldo. La balade à faire lorsqu'on vient à Gubbio.

■ PALAZZO DEI CONSOLI
Piazza della Signoria
Entrée payante. Ouvert en semaine de 10h à 13h et de 14h à 17h (15h à 18h en été).
Elégant, sur un beau site, c'est l'un des meilleurs exemples d'édifice public italien (1322-1337) avec ses créneaux médiévaux et sa tourelle. Immanquable et massif, il domine la ville. A l'intérieur, la pinacothèque communale présente des œuvres de l'école eugubine (XVe), tandis que le musée du Palazzo rassemble des marbres romains et médiévaux, ainsi que des plaques en bronze comportant des inscriptions religieuses.

■ PALAZZO DUCALE
Via Federico de Montefeltro
Entrée payante. Ouvert de 8h30 à 19h (18h30 le dimanche), et jusqu'à minuit le samedi.
Commandé par la famille des Montefeltro en 1476, il s'inspire du fameux palazzo ducale d'Urbino. Son intérêt réside surtout dans sa cour en arcades et à colonnes. Diverses expositions y sont organisées. La cour intérieure, jadis espace public, est somptueuse. De temps à autres, des passages souterrains sont ouverts aux visiteurs.

L'Ombrie du Sud

ASSISE

Difficile de ne pas en repartir comblé, même lorsque les attentes s'avèrent longues. Car la ville a conservé un aspect profondément médiéval, par ses édifices et son tissu urbain. Le plan d'ensemble de la ville romaine fut presque entièrement revu lors des reconstructions du Moyen Age. Une fascinante succession de terrasses scande la montée vers le sommet de la colline où se dresse Assise. Ainsi une structure défensive très impressionnante marque le cœur ancien de la ville auquel on accède par huit portes fortifiées et qui permettent de découvrir deux palais : la Rocca Maggiore, reconstruite en 1367 et la Rocca Minore. Des milliers de pèlerins et de touristes visitent la ville chaque année afin de mieux approcher la révélation de saint François et tous découvrent des édifices religieux dédiés à d'autres saints.

Entre le XIe et le XIVe siècle, Assise vécut sa plus grande période de gloire. Les bénédictins qui s'y étaient installés commencèrent à édifier de nombreux monastères. En 1206, un jeune homme d'Assise, Francesco di Pietro di Bernardone, abandonne la vie laïque pour fonder un nouvel ordre, le franciscanisme, où la pauvreté devient la première valeur chrétienne. Il obtient des moines bénédictins une petite chapelle dans le fond de la vallée. Deux années après sa mort, survenue en 1226, Francesco est canonisé, et l'on commence à construire la basilique qui lui sera consacrée.

En 1253 mourait l'autre grand personnage de l'histoire d'Assise, Sainte Claire, disciple de saint François et fondatrice de l'ordre des Clarisses. On lui consacra aussi une église, dont la crypte conserve son corps depuis 1260. A cette époque, Assise connaît un grand essor architectural d'ouvrages religieux et civils. Giotto et ses élèves participent les premiers à la décoration de la basilique, Pietro Lorenzetti, Stefano Fiorentino et Simone Martini leur succèdent. Le tourisme de masse a tendance à transformer le centre historique en ville-musée. Elle a été durement touchée par le tremblement de terre qui a ravagé la région en 1997, et détruit en partie la basilique.

Transports

Train

■ GARE

A Santa Maria degli Angeli

✆ (075) 804 02 72 – www.trenitalia.it

Consigne ouverte de 6h30 à 18h30 (3 € pour deux heures). Les billets de train peuvent également être achetés en ville auprès de certaines agences de voyage. Compter 3h pour rejoindre Florence, 2h38 pour Rome, 20 minutes pour Pérouse, 35 minutes pour Spoleto et 1h15 pour Todi.

Bus

De nombreuses compagnies de bus desservent Assise. Beaucoup partent de la Porta San Pietro. Pour la compagnie régionale APM,

---

Les immanquables de l'Ombrie du Sud

▶ **La Valnérina.** Située au sud-est de l'Ombrie, cette zone recèle des trésors gastronomiques reconnus à travers le monde, avec ses truffes, ses fromages, sa charcuterie, le goût de ses huiles qui y sont produits. Norcia en constitue le point névralgique, au cœur d'une campagne luxuriante.

▶ **Assise.** Dotée d'un patrimoine architectural et historique exceptionnel, Assise est une étape inévitable en Ombrie. Essentielle pour comprendre l'impact de la Papauté sur la région, la ville est un véritable musée à ciel ouvert.

▶ **Le calme.** Aussi étonnant que cela puisse paraître, on se rend en Ombrie pour profiter de son calme. Immanquable, la quiétude y est un art de vivre. Et l'Ombrie sait l'offrir.

La rocca Maggiore sur les hauteurs de la ville

il faut acheter son billet dans un bureau de tabac, un kiosque à journaux ou dans le bus mais avec une majoration. Il faut faire de même pour la compagnie SIT, alors que pour Lazzi, il faut l'acheter dans le bus.

La ligne C des bus urbains, permet de relier la gare d'Assise au centre historique, 4 km plus haut. Ils marchent de 5h35 à 23h.

■ BUS APM
Terminal piazza Matteotti
✆ (800) 51 21 41
www.apmperugia.it
Pour rejoindre n'importe quelle destination en Ombrie. Des bus de ville font également la liaison toutes les 30 min de la place Garibaldi à 4 km du centre historique, là où se trouve la basilique Santa Maria degli Angeli, à la place Matteotti, sur la haute-ville.

Pratique

■ OFFICE DE TOURISME
n°22 Piazza del Comune
✆ (075) 81 25 34
Fax : (075) 81 37 27
www.assisi.umbria2000.it
Ouvert du lundi au samedi de 8h à 14h (samedi matin de 9h à 13h) et de 15h à 18h, et jusqu'à 18h30 en été. Dimanches et jours fériés de 10h à 13h.

Hébergement

Outre les formules d'hébergement traditionnelles comme une nuit à l'hôtel ou le camping, il est possible à Assise de trouver de nombreux établissements religieux qui accueillent les âmes perdues en mal de spiritualité (se renseigner auprès de l'office du tourisme). Il est impératif de réserver entre Pâques et la fin du mois d'août.

■ DELLA PACE
n°177 Via di Valecchie ✆ (075) 81 67 67
www.assisihostel.com
info@assisihostel.com
Compter 16 € par personne, 18 € pour avoir une salle de bain privée. Petit déjeuner inclus. Bar, restaurant, téléphone.
Le concept de cette auberge, très interculturelle, est de promouvoir la paix par le voyage. Située en marge du centre-ville, cette très belle bâtisse offre un joli panorama sur la campagne ombrienne. Chambres très bien tenues. A 1,5 km de la gare de Santa Maria degli Angeli et avec des bus à 500 mètres, elle reste assez facilement accessible pour les *backpackers*. La réception n'est pas des mieux organisées. Il est donc conseillé d'appeler pour confirmer sa réservation.

■ HOTEL SAN RUFINO
n°7 Via Porta Perlici
✆ (075) 81 28 03

OMBRIE ET MARCHES

Fax : (075) 81 28 03
www.hotelsanrufino.it
info@hotelsanrufino.it
*Compter entre 49 et 55 € pour une double
sans petit déjeuner, selon la chambre choisie.
Ajouter 5 € par personne pour le petit déjeuner.
Téléphone, TV.*
Ce petit hôtel 2-étoiles discret, simple et
propre, tenu par la même direction que l'hôtel
Duomo, dans une rue calme, est l'endroit idéal
ou poser ses valises pour une nuit ou deux
le temps de découvrir Assise. Il faut grimper
pour s'y rendre, mais on est à deux pas du
chemin qui conduit à la rocca Maggiore, le
plus beau panorama sur la ville. L'accueil est
véritablement très sympathique et attentionné.
Une bonne adresse qui permet un séjour au
calme en période touristique.

Restaurant

■ MEDIO EVO
n°4 Via Arco del Priori
✆ (075) 81 30 68
www.ristorantemedioevoassisi.it
info@ristorantemedioevoassisi.it
*Compter un minimum de 20 €. Fermé le lundi,
en janvier et en juillet. De 80 à 120 couverts.
Climatisation.*
Là aussi, il s'agit de l'une des meilleures tables
de la ville. La maison fait très attention aux
choses et aux plats simples. Le risotto aux

truffes, par exemple, est délicieux. Menus bon
marché proposés le midi en été.

Points d'intérêt

■ BASILIQUE SAINT-FRANÇOIS
Piazza S. Francesco
✆ (075) 81 90 01
www.sanfrancescoassisi.org
*Ouverte tous les jours de 8h30 à 18h45. La
basilique inférieure ouvre de 6h à 18h, et
jusqu'à 18h45 en été. Fermée aux touristes
pendant les cérémonies religieuses (évacués
manu militari pour ceux qui osent s'y glisser...).
Guides audio disponibles à l'entrée de la partie
inférieure, sous les arcades.*
Cette splendide église est d'une richesse artistique et visuelle telle qu'elle en devient presque
indécente si l'on pense à l'esprit de pauvreté
prêché par saint François. La première pierre
fut posée le 17 juillet 1228, deux ans après la
mort du saint, et la consécration de l'église
eut lieu en 1253. L'ordre franciscain protesta
devant cette glorification en opposition avec
les préceptes de saint François. Elia, vicaire de
l'ordre, trouva la solution sous la forme d'une
double église : la partie inférieure, construite
autour de la sainte crypte, commémore la
tempérance du saint, tandis que la partie
supérieure est destinée à la célébration des
offices. Cette partie de la basilique, de style
gothique français, surprend et ravit par la

Dans la campagne environnante

lumière qui inonde le plafond bleu turquoise et par les peintures murales de Giotto (1296) qui illustrent les épisodes de la vie de saint François. Le tremblement de terre de 1997 a malheureusement détruit une partie de ses fresques.

En tant qu'homme œcuménique, saint François considérait tous les hommes de la terre comme des frères. La tradition raconte qu'il priait les croisades non pas de conquérir de nouveau chrétiens, mais de proclamer l'amour du Christ. Cette caractéristique est dépeinte dans la fresque *Rencontre avec le sultan* de Giotto, qui repose dans la partie supérieure de la basilique.

La partie inférieure présente un espace plus austère et beaucoup moins lumineux, de style gothico-roman. Elle est dominée par le tombeau de pierre contenant la dépouille du saint. Les transepts s'ornent de superbes fresques de Pietro Lorenzetti, Giotto et Simone Martini.

Au-dessus de l'autel central, se trouve la partie du travail de Giotto consacrée aux diverses prédications qui permet ainsi de suivre la vie de pauvreté et de chasteté de saint François. Bien sûr, la basilique fait partie des immanquables lors d'une visite à Assise. Mais l'ambiance particulièrement bruyante des lieux, sa conversion en un véritable musée avec ses gardiens et ses explications données par des guides à haute voix dérangent.

■ DUOMO, CATTEDRALE DI SAN RUFINO

Piazza San Rufino
✆ (075) 81 22 83
Ouvert en hiver de 7h à 12h30 et de 14h30 à 18h, et jusqu'à 19h en été.

Sa construction commence au XIIᵉ siècle, sur commande de l'évêque Ugone, à l'endroit où, disait-on, était enseveli saint Rufino, patron de la ville. L'église d'alors, supplantée par cette cathédrale construite à partir de 1140 et consacrée en 1228, est toujours visible dans la crypte inférieure correspondant à la première travée de la structure actuelle. Malheureusement, l'intérieur du Duomo a perdu son caractère roman d'origine depuis les rénovations du XVIᵉ siècle et les pesantes décorations du XIXᵉ. A noter, la façade « a capanna » et le campanile construit sur une citerne romaine.

■ MUSEE DU TRESOR DE LA BASILIQUE

Piazza San Francesco
✆ (075) 81 90 01

Entrée libre. Ouvert d'avril à octobre, sauf le dimanche de 9h30 à 17h. Fermé pendant les fêtes religieuses. Le reste de l'année, des visites peuvent être effectuées sur rendez-vous. Structure moderne conservant une *Madonna con Bambino (Vierge à l'Enfant)* en ivoire, des œuvres en verre de Murano du XVIIᵉ siècle et des fragments de la sainte Croix.

■ MUSEE ET FORUM ROMAIN

n°2 Via Portica
✆ (075) 815 50 77
Entrée : 3 €. Ouvert de 10h30 à 13h et de 14h à 17h de novembre à février, et de 10h à 13h et de 14h à 18h de mars à octobre (ouverture jusqu'à 19h en juillet et en août).

A l'intérieur du musée, on peut observer des vestiges étrusques et romains. Quant au forum, il se situe sous la Place de la Commune. Il conserve encore aujourd'hui l'ancien pavage romain, et témoigne ainsi de leurs avance en matière d'ingénierie civile sur les autres civilisations. On y observe également le soubassement du Temple de Minerve et la plateforme du tribunal.

■ PIAZZA DEL COMUNE

C'est le centre historique de la ville. Son origine médiévale est visible. Egalement sur cette place, le palazzo dei Priori de 1337 (c'est aujourd'hui la mairie), abritant la Pinacoteca Comunale au premier étage. Il est possible d'y visiter le palazzo del Capitano del Popolo et sa tour crénelée, le temple de Minerve d'époque romaine, transformé en église.

■ PINACOTECA COMUNALE

Palazzo Vallemani
n°10 Via San Francesco
✆ (075) 815 52 34
Entré : 3 €. Ouverte de 10h à 13h et de 14h à 18h (Ouverture à 10h30 en hiver et fermeture à 17h).

Elle mérite d'être visitée, notamment pour les fresques sauvées d'édifices détruits et les œuvres de Pinturicchio, Dono Doni et la *Maestà* de Giotto.

■ ROCCA MAGGIORE

Piazza della Libertà Comunali
✆ (075) 815 52 34
Entrée : 5 €.

Malgré des travaux presque permanents, elle est cependant ouverte au public de 10h à la tombée du jour.

Elle surplombe majestueusement la ville. Il faut s'armer d'un peu de courage par les grosses chaleurs en empruntant la via Porta puis les escaliers et le chemin qui y mènent. Si le panorama qui est proposé vaut les efforts consentis pour effectuer la balade et rejoindre la forteresse, la Rocca Maggiore en elle-même ne présente que peu d'intérêt. Il s'agit d'un ancien couvent franciscain (quelques fresques de l'école de Giotto), construit au XIVe siècle sur une forteresse de l'empereur Frédéric Barberousse.

Dans les environs

■ BASILIQUE SANTA MARIA DEGLI ANGELI
✆ (075) 805 11
A 5 km d'Assise, sur la Porziuncola. Ouverte tous les jours de 6h15 à 12h50 et de 14h30 à 19h30, et jusqu'à 21h15 le samedi.
Il s'agit de l'un des plus beaux sanctuaires italiens, où saint François se retirait pour méditer. L'ordre franciscain vit le jour ici. L'église dans sa forme actuelle, surmontée d'une belle coupole, fut construite entre 1569 et 1679. A l'intérieur, se trouve la chapelle de la Porziuncola et la chapelle de Saint-François, située à l'endroit même où il mourut. A voir, la statue du saint par Andrea Della Robbia.

TREVI

Descendante de la Trebiae romaine, Trevi est pleine d'attraits, tant par sa situation en surplomb de la vallée que par ses monuments médiévaux. Au premier rang de ceux-ci, on trouve, bien sûr, l'église de San Emiliano (Xe), qui se distingue par son autel et sa façade Renaissance, et celle de San Francesco (XIIIe) par ses fresques. On verra également avec intérêt le palazzo Comunale et la pinacoteca pour les amateurs d'art médiéval.

SPOLETO

Petit ville perdue au milieu de l'Ombrie et de ses versants, Spoleto n'a aucun mal à se faire une place sur la scène nationale. La ville ne cesse de briller. Déjà au Ier siècle av. J.-C., Cicéron, avait fait le choix d'y vivre. Son histoire, empreinte d'agitation, peut se lire en arpentant les rues de la cité. Après la chute de la Maison lombarde et l'accession au pouvoir des Francs, puis le démembrement de l'Empire carolingien,

les ducs de Spoleto cherchèrent même à conquérir la couronne impériale. Le projet échoua à cause de l'intervention de Frédéric Barberousse, qui, détruisit la ville en 1155. Disputée entre l'Empire et l'Eglise, Spoleto fut admise dans l'Etat de l'Eglise en 1247. Après de longues années de luttes entre Guelfes et Gibelins, la ville fut pacifiée par le cardinal Albornoz et elle devint un centre relativement important. De la richesse de son passé, Spoleto tire probablement l'énergie qui lui permet aujourd'hui de s'affirmer comme l'une des cités les plus actives du nord de l'Italie sur le plan culturel.

Transports

■ TRAIN
Piazzale Polvani
✆ (0743) 485 16
www.trenitalia.it
Consigne ouverte de 6h30 à 23h.
La gare est éloignée du centre historique. Il faut alors prendre le bus Circolare vers la piazza della Libertà, qui passe tous les quarts d'heure. La gare est située sur la ligne Roma-Ancona.

Pratique

■ OFFICE DU TOURISME
n°7 Piazza della Libertà
✆ (0743) 21 86 20
Fax : (0743) 21 86 41
info@iat.spoleto.pg.it
Ouvert en principe tous les jours de 9h à 13h et de 16h à 19h, samedi et dimanche de 10h à 13h (en hiver, l'office ouvre et ferme une heure plus tôt l'après-midi).
Il existe un autre bureau pour des réservations diverses, le Con Spoleto (✆/Fax : (0743) 22 07 73 ou sur www.conspoleto.com). Le site de la ville : www.comune.spoleto.pg.it

Hébergement

■ HOTEL GATTAPONE
n°6 Via del Ponte
✆ (0743) 22 34 47
Fax : (0743) 22 34 48
www.hotelgattapone.it
info@hotelgattapone.it
Compter entre 90 et 110 € pour une chambre simple et de 120 à 140 € la double, avec le petit déjeuner. 13 chambres avec téléphone, télévision, réfrigérateur, climatisation. On est accueilli avec chaleur

dans cet établissement élégant, qui a opté pour un ameublement moderne. Sa situation particulière (il est accroché à une falaise) garantit une vue superbe sur le ponte delle Torri.

■ IL PANCIOLLE

n°4 Via Duomo

℡ (0743) 456 77

7 chambres de 40 à 65 €, 2-étoiles, avec télévision, réfrigérateur. Restaurant, bar, animaux acceptés.

Adresse très bien tenue, au service impeccable et, qui plus est, centrale et bon marché.

Restaurants

■ LA LANTERNA

n°6 Via della Trattoria

℡ (0743) 498 15

Menus de 12 à 22 €.

Fermé le mardi à midi et le mercredi. 65 couverts.

Dans le centre de Spoleto, une adresse agréable où il est bon de savourer le *pollo ai porcini*. Un vrai régal ! De plus le service est efficace et fort sympathique. L'adresse est donc idéale pour découvrir ce que la cuisine de l'Ombrie a de mieux à proposer.

■ OSTERIA DELL'ENOTECA

n°7 Via A. Saffi

℡ (0743) 22 04 84

www.osteriadellenoteca.com

info@osteriadellenoteca.com

Menu à 16 €. Ouvert tous les jours de 11h45 à 13h45 et de 19h à 21h30, fermé le mardi.

Pour un menu à ce prix-là, et même si les assiettes ne sont pas très fournies, la maison permet d'obtenir un bon aperçu de la cuisine locale à moindre coût. Il inclut même un verre de vin. Le cadre est d'autant plus appréciable, que l'architecture de la salle du restaurant est typique de Spoleto, avec ses arches en pierre. La direction qui tient à la traçabilité des produits proposés va même jusqu'à inclure la cuisine au sein de la salle du restaurant. L'occasion de demander au chef de cuire sa viande un peu plus si elle ne l'est pas suffisamment.

Points d'intérêt

■ ARCO DI DRUSO

Dans la rue du même nom.

Cet arc est tout ce qui reste d'un temple romain bâti en pierre de travertin. Il marquait autrefois l'entrée du Forum romain.

■ CATHÉDRALE DE SANTA MARIA ASUNTA

Piazza Duomo

℡ (0743) 443 07

Entrée libre. Ouverte en principe de 8h30 à 12h30 et de 15h30 à 19h (17h en hiver).

C'est le plus important monument de la ville, de style roman. Il fut construit au XIIe siècle. Sa lumineuse façade dominée par l'impressionnante mosaïque de Solsterno est précédée d'un portique et d'un campanile aux lignes nettes d'origine Renaissance. Il se dresse de façon majestueuse au bout d'un grand escalier, sur la piazza del Teatro Melisso. Sa restauration récente permet de mieux apprécier les tons blanc et rose du marbre. L'intérieur, à trois nefs, a été maladroitement retouché au XVIIe siècle. On peut y admirer une *Madonna e i Santi* (*Vierge entourée de saints*) de Pinturicchio, un buste de Bernini et, surtout, les superbes fresques de l'abside, *Il Presepio* (*La Nativité*), l'*Annunciazione*, *Il Transito di Maria* et l'*Incoronazione*, chefs-d'œuvre de Filippo Lippi, qui fut enterré ici dans le transept de droite.

■ EGLISE S. GREGORIO MAGGIORE

Piazza Garibaldi

Eglise romane du XIIe siècle. On appréciera en particulier l'effet scénique créé par le portique du XVIe siècle qui la précède et le grand campanile qui semble la protéger.

■ IL PONTE DELLE TORRI

Majestueuse construction d'époque médiévale (XIVe siècle) qui fascina Goethe, probablement bâtie sur les restes d'un ancien pont romain. Haut de 80 mètres, fort de dix arches, le pont est seulement praticable à pied. Il relie la Rocca, la forteresse qui domine Spolète, à Monteluco, en franchissant le cours d'eau Tessino. Au milieu du pont se trouve une fenêtre (loggia) à partir de laquelle, dit-on, les amoureux déçus se jetaient dans le vide.

■ MUSEO ARCHEOLOGICO NAZIONALE

Piazza della Libertà

℡ (0743) 22 32 77

Entrée : 2 €.

Ouvert du lundi au samedi de 8h30 à 19h30.

Le musée comprend également le théâtre romain, remis au goût du jour à la fin du XIXe siècle. Il est d'ailleurs utilisé pour le festival des Deux Mondes.

■ **ROCCA ALBORNOZIANA**
Piazza Campello
© (0743) 22 30 55
Entrée : 5 €. Ouvert de 11h à 20h et les week-ends jusqu'à 21h. Du 15 mars au 31 mai de 10h à 12h et de 15h à 19h, et le week-end sans interruption.
Ce palais-forteresse surplombe toute la ville de Spoleto. Il fut construit au XIVᵉ siècle, sur commande des papes qui attendaient de retourner en Avignon. Lucrèce Borgia en fut l'un des hôtes illustres, avant qu'il ne devienne une prison jusqu'en 1982, lieu de villégiature de certains mafieux et de celui qui tenta d'assassiner le pape Jean-Paul II, le Turc Ali Agça.

LAC DE PIEDILUCO ET CASCADE DELLE MARMORE

On s'y rend en prenant la nationale 3 (la Cassia) puis, 29 km plus loin à gauche, la nationale 79. On appréciera le lac et les cascades pour le spectacle naturel qu'ils offrent et pour l'oasis de verdure qui les entoure. Le tour du lac fait 17 km. Les chutes ont été créées en 271 av. J.-C. par les Romains.
Possibilité de les contempler depuis plusieurs belvédères auxquels on accède par un escalier qui monte jusqu'aux bois de San Liberatore. Ce sont trois chutes d'une hauteur totale de 165 mètres, alimentées par les eaux du fleuve Velino qui se jette dans la Nera. La cascade est illuminée le soir. La perspective en est d'autant plus belle, qu'elle semble s'extirper de l'abondante végétation avoisinante.

TERNI

La zone de Terni était habitée dès la préhistoire (*voir le «Musée archéologique du palazzo Mazzancolli»*), mais la ville s'est surtout développée à partir du XIIIᵉ siècle, grâce à sa position privilégiée entre Florence et les Abruzzes. Après le commerce, vint l'industrie, favorisée notamment par une énergie hydroélectrique aisément disponible. C'est cet aspect moderne qui caractérise aujourd'hui la ville, aspect dû en partie à la Seconde Guerre mondiale qui fit disparaître sous les bombes la quasi-totalité des vieux monuments. Le résultat n'est pas vraiment enthousiasmant, mais on a tout de même sauvé quelques vieilles pierres. Terni est située à 230 km de Florence, 80 km de Pérouse et 105 km de Rome.

NARNI

Avec ses 20 000 habitants, Narni domine les gorges de la rivière Nera, ce qui lui confère déjà un charme certain. La ville conserve en outre quelques vestiges intéressants, notamment du Moyen Age. C'est le cas du château (XIVᵉ) encore solidement installé au sommet de la colline, du palazzo Podestà (XIIIᵉ) et de ses œuvres d'art, à l'extérieur (bas-reliefs) comme à l'intérieur (peintures) ou encore, de l'incontournable Duomo (XIIᵉ). Pour remonter plus loin dans le temps, il faut aller admirer les restes du pont d'Auguste qui date, comme son nom l'indique, de l'empire romain.

TODI

En 1991, elle a été déclarée « la ville la plus agréable à vivre », à la suite d'une étude du scientifique américain Richard S. Levine, qui a trouvé ici le juste équilibre entre la ville et la campagne. Cette étude a eu des répercussions dans les médias et a porté Todi sur le devant de la scène, y compris au point de vue touristique.

Transports – Pratique

■ **GARE**
Ferrovia Centrale Umbria (privée)
A 4 km du centre. Prendre le bus B pour s'y rendre.

■ **OFFICE DU TOURISME**
Piazza Umberto I © (075) 894 54 16
www.todi.umbria2000.it
info@iat.todi.pg.it
Ouvert du lundi au samedi de 9h à 13h et de 16h à 19h. Le dimanche, ouvert de 9h30 à 12h30. En hiver, le bureau est fermé le samedi après-midi.

Restaurant

■ **CAVOUR**
n°23 Via Cavour
© (075) 894 37 30
Compter de 10 à 15 €. Fermé le mercredi et en janvier. Simple et familial, la cuisine y est très bonne. Le meilleur rapport qualité-prix de la ville. Accueil aimable et chaleureux. Sert aussi des pizzas.

Points d'intérêt

■ **CATHÉDRALE**
Le Duomo, commencé au XIIᵉ siècle et retouché entre le XIIIᵉ et le XVIᵉ, présente une belle

façade et un intérieur refait de forme romane qui abrite un remarquable *Giudizio Universale* (*Jugement dernier*) du XVIe siècle.

PIAZZA DEL POPOLO

Entourée par le palazzo del Capitano, le palazzo del Popolo et le palazzo dei Priori des XIIIe et XIVe siècles, elle présente l'harmonie parfaite des places médiévales.

LE TEMPIO DELLA CONSOLAZIONE

C'est la première vision qui frappe le visiteur à l'approche de Todi. Situé à l'écart, en dehors des remparts de la ville, suspendu au-dessus d'une campagne colorée, le temple offre un romantique et merveilleux spectacle. Attribué à Bramante, qui en dessina le plan (plusieurs artistes y travaillèrent pendant tout le XVIe siècle), c'est l'un des principaux ouvrages de la Renaissance en Ombrie. A partir de l'église de San Fortunato, sur la droite, très belle vue sur le tempio della Consolazione et la vallée du Tibre.

ORVIETO

D'origine étrusque, Orvieto est l'une des plus belles villes d'Italie ! Elle apparaît au voyageur dans toute sa splendeur, dominant un paysage de vignobles à perte de vue. Il ne faut pas se rendre dans la ville en voiture, mais savourer l'ascension en funiculaire… Chaque recoin d'Orvieto recèle de trésors : des incomparables fresques de Luca Signorelli aux vestiges étrusques, en passant par les ruelles et les grottes, l'émerveillement est au rendez-vous.

Transports

BUS ATC

n°10 Piazza Cahen
✆ (0763) 419 21
De l'arrivée du funiculaire, ils déposent les voyageurs dans le centre-ville, piazza del Duomo notamment.

FUNICULAIRE

Piazza Cahen
0,95 € le ticket. Marche du lundi au samedi de 7h20 à 20h30 et le dimanche de 8h à 20h30.
Le funiculaire part toutes les dix minutes en semaine du bas de la colline, et toutes les 15 minutes le dimanche, pour rejoindre la piazza Cahen. Au pied du funiculaire, se trouve un parking pratique pour garer sa voiture.

GARE

Strada della Stazione
www.trenitalia.it
Ouverte de 5h55 à 20h, dimanche et jours fériés à partir de 6h45.
Au pied du rocher d'Orvieto, à 4 km du centre. Prendre le bus n° 1 ou, mieux encore, le funiculaire pour rejoindre la vieille ville (funiculaire toutes les 10 minutes).

Pratique

OFFICE DU TOURISME

n°24 Piazza del Duomo
✆ (0763) 34 17 72
Fax : (0763) 34 44 33
www.comune.orvieto.tr.it
Ouvert du lundi au vendredi de 8h15 à 14h et de 16h à 19h, le samedi et le dimanche de 10h à 13h et de 16h à 19h. De 10h à 12h et de 16h à 18h le dimanche et les jours fériés.
Juste en face du Duomo. Accueil admirable : le personnel est très disponible et très bien informé sur la ville et la région.

▶ **Autre adresse :** Piazza Cahen (ouvert d'avril à octobre).

Hébergement

HOTEL DUOMO

n°7 Vicolo di Maurizio
✆ (0763) 34 18 87
Fax : (0763) 39 49 73
www.orvietohotelduomo.com
hotelduomo@tiscalinet.it
A partir de 70 € et jusqu'à 90 € la chambre double pour les classiques, avec petit déjeuner. Ascenseur. 18 chambres avec salle de bains privée, climatisation, télévision, garage, prise connexion internet.
Chaque chambre est différente et jouit d'une belle vue sur la ville. Chacune compte une sculpture en bois. Le client lui profite d'un excellent rapport qualité-prix. Parce que l'hôtel est placé à deux pas du Duomo, chaque détail semble rappeler la cathédrale : les peintures et gravures qui décorent le hall et la salle de restaurant, chaque chambre porte le nom d'un artiste qui a travaillé à la construction du Duomo. Dans le hall, on peut aprécier des travaux de l'un des plus grands artistes contemporains d'Italie, d'Ombrie en tous cas, Livio Orazio Valentini, disparu en 2008.

ISTITUTO SAN SALVATORE

n°1 Via del Popolo
✆ (0763) 34 29 10

istitutosansalvatore@tiscali.it
Compter à partir de 48 € la chambre double, et 35 € pour une simple. Ascenseur. Ferme à 22h pour empêcher les fêtards de se laisser aller à la luxure… bien que la vie nocturne peu palpitante de la ville n'y pousse guère.
Excellent accueil pour l'une des rares adresses bon marché d'Orvieto. Il est donc fortement conseillé de réserver par mail. Une terrasse permet de jouir d'un point de vue exceptionnel sur la ville et les collines environnantes. Le cadre est magnifique : décoration agréable et jardin dans lequel il fait bon se reposer. Une précieuse adresse !

Restaurants

■ GROTTE DEL FUNARO
n°41 Via Ripa di Serancia
✆ (0763) 34 32 76
www.grottedelfunaro.it
info@grottedelfunaro.it
A partir de 15 €, menu dégustation de poisson à 32 €. Fermé le lundi hors saison. De 100 à 150 couverts. Situé dans une ancienne et magnifique grotte de tuffeau impressionnante, avec un agréable piano-bar. A l'extérieur, une terrasse sur l'une des plus exquises places de la ville. Excellente cave et spécialités d'Ombrie ainsi que des pizzas au feu de bois. L'une des meilleures adresses de la ville, mais malheureusement le service laisse à désirer…

Points d'intérêt

■ CATHÉDRALE
n°26 Piazza Duomo
✆ (0763) 34 35 92
www.opsm.it – opsm@opsm.it
Ouvert tous les jours de 7h30 à 12h45, puis de 14h30 à 17h30 et jusqu'à 19h30 en été. Accès payant pour visiter la nouvelle chapelle de San Brizio, et les Palazzi Papali ed ex chiesa di Sant'Agostino.
C'est un chef-d'œuvre du gothique italien, avec une superbe façade marquée par la belle rosace d'Andrea Orcagna. Paul Bourget l'évoque quand il écrit : « *Orvieto existe ne serait-ce que pour cette page du missel écrite dans le marbre, pour cette gigantesque miniature, pour cette façade exaltée par les mosaïques et les lambris.* » L'église fut construite en 1290, pour célébrer le miracle de Bolsena : la transsubstantiation du corps et du sang du Christ dans l'hostie. Le Siennois Lorenzo Mainati fut le maître d'œuvre de la transformation gothique de l'église en 1305. A l'intérieur, où la structure romane d'origine est visible, on peut admirer la Madonna de Gentile da Fabriano et, dans la cappella nuova, des fresques de Fra Angelico et la remarquable série du *Jugement dernier*, le chef-d'œuvre de Luca Signorelli (1499-1504). Dans l'autel, un tabernacle garde le reliquaire du miracle contenant le corporal taché de sang (visible seulement les jours de Pâques et du Corpus Domini).

■ PALAZZO DEI PAPI
Piazza del Duomo
Entrée : 6,50 €. Fermé le mardi sauf en été. Ouvert de 9h30 à 13h et de 15h00 à 18h00 ; et en journée continue l'été avec une fermeture à 19h. C'est l'un des deux beaux palais papaux qui dominent la piazza del Duomo. Bonifacio VIII le fit construire en 1256, et il abrite aujourd'hui le museo dell'Opera del Duomo (avec des œuvres de Simone Martini, Luca Signorelli et Andrea Pisano).

■ POZZO DI SAN PATRIZIO
Viale Sangallo
✆ (0763) 34 37 68
Entrée : 4,50 €. Accès par la piazza Cahen. Ouvert tous les jours d'avril à octobre de 9h à 18h45 et jusqu'à 19h45 de mai à août, et de de 10h à 16h45 le reste de l'année.
Autre monument symbole de la ville, curiosité architecturale plutôt que chef-d'œuvre. Le pape Clément VII, qui avait trouvé refuge à Orvieto après la mise à sac (sacco) de Rome en 1527, commanda ce puits à Antonio da Sangallo pour fournir la ville en eau. Il plonge jusqu'à 60 mètres de profondeur. Sa particularité réside dans les deux escaliers en spirale, dotés de 70 fenêtres, et qui descendent sans se rencontrer (248 marches chacun), se faisant face à l'intérieur du puits.

Marches

Cette région est une vraie boîte magique. A son étendue rectangulaire et à son million et demi d'habitants, la nature a donné ce qu'elle a de meilleur : la mer, la plaine, des collines et des montagnes rudes et sauvages.

Son nom, qui remonte au haut Moyen Age, fait référence aux terres qui étaient dominées par les markgraven, les marquis qui gouvernaient pour le compte des empereurs allemands ayant repoussé les Lombards au sud et les Byzantins au nord.

La région n'offre pas véritablement un ensemble de paysages fascinants, mais un patrimoine riche en valeurs humaines, sociales et culturelles, qui sont toutes à découvrir. Ainsi, dans des centaines de villes, petites et grandes, les foires, les sagre (les fêtes), la gastronomie et les traditions témoignent d'un trésor, fruit d'une culture antique qui a su s'adapter aux exigences de la civilisation urbaine.

ANCÔNE

Ancône a été dans le passé le seul port naturel de l'Adriatique entre Venise et le cap Gargano. Aujourd'hui encore, c'est le port d'attache le plus fréquenté par ceux qui veulent s'embarquer pour la Grèce ou pour les rives de l'ex-Yougoslavie. Pour souligner l'importance de son port, l'empereur romain Trajan fit construire par Apollodore de Damas, en 155 apr. J.-C., un arc élégant, qui se dresse sur les quais au milieu des navires et des touristes sur le départ. Cité commerçante, Ancône fait le lien entre l'Occident et l'Orient. C'est une ville qui se projette « naturellement » vers le Levant en raison de sa situation géographique. Elle accueille depuis toujours d'importantes minorités ethniques confirmant par là même son caractère cosmopolite. Insérée dans un amphithéâtre naturel, délimitée par trois collines, Ancône offre au visiteur des points de vue suggestifs et la possibilité de faire de belles promenades dans la vieille ville. Des ruelles colorées montent du port vers l'église de San Ciriaco, érigée sur la colline Guasco et dédiée au saint venu d'Orient. Dans le centre en revanche, on peut aller de la via Pizzeccolli au palazzo Bosdari (XVIe siècle), en traversant tout le cœur de la vieille ville.

Ancône devint la première enclave grecque en territoire italique et gallique. Elle fut ensuite une cité romaine puis, enfin, un des ports de la Pentapole maritime (avec Rimini, Pesaro, Fano et Senigallia) où faisaient escale les navires byzantins qui se rendaient à Ravenne. En 1532, la ville perdit son autonomie municipale, passa sous contrôle pontifical et se transforma en une cité militaire avec une lourde infrastructure d'enceintes et de fortifications, visibles encore aujourd'hui. Il fallut attendre le XVIIIe siècle pour voir Ancône renaître grâce au mécénat du pape Clément XII, qui fit prolonger l'ancien môle de Trajan en faisant bâtir le môle Vanvitelliana (ou Lazzaretto), une superbe construction entourée d'un canal. Entre 1797 et 1815, Napoléon interrompit le gouvernement pontifical, qui reprit jusqu'en 1860, et la réunification italienne.

Pratique

■ **OFFICE DU TOURISME**
50, Via della Loggia
✆ (071) 35 89 91

Les immanquables des Marches

▶ **Admirer** la cité ducale d'Urbino depuis le Parco della Resistenza, avant de plonger dans l'atmosphère Renaissance de ses ruelles pavées.

▶ **Déguster,** dans une trattoria ou un agritourisme, les goûteuses spécialités de la région, qui mettent en avant la charcuterie, les fromages, ou encore la truffe…

▶ **Plonger** dans les eaux bleues de l'Adriatique, depuis les plages de Fiorenzuola, ou mêler belles pierres et sable chaud dans les douces villes de Pesaro et Fano.

▶ **Découvrir** la monumentale forteresse de San Leo, perchée sur son piton rocheux.

▶ **S'installer,** pour une fin d'après-midi, sur la Piazza del Popolo, à Ascoli Piceno, et admirer la beauté du lieu.

www.turismo.marche.it
Ouvert le lundi de 9h à 13h, et de 9h à 18h du mardi au samedi.

■ PHARMACIE CENTRALE
1, Corso Mazzini
✆ (071) 20 27 46

■ POSTE
Largo XXIV Maggio
De 8h à 18h30 du lundi au vendredi et le samedi de 8h à 12h30.

Hébergement

Ancône est une ville de passage qui n'a pas encore beaucoup développé ses infrastructures touristiques, comparativement à d'autres villes italiennes. Les hôtels peuvent se trouver facilement, mais leur style et leur accueil s'adressent plus aux hommes d'affaires qu'aux touristes.

■ AGRITURISMO IL RUSTICO DEL CONERO
A Varano
197/199, Via Buranico
✆ (071) 28 61 821
www.rusticodelconero.it
6 chambres doubles et 5 appartements. Chambres autour de 50 € par personne, tout comme pour les appartements. Ouvert de juin à mi-octobre. Sur la côte.
Ferme équestre où sont proposés cours d'équitation et balades dans des environs qui méritent d'être visités...

■ GRAND HÔTEL PALACE
24, Lungomare Vanvitelli
✆ (071) 20 18 13
Fax : (071) 20 74 832
www.hotelancona.it
palace.ancona@libero.it

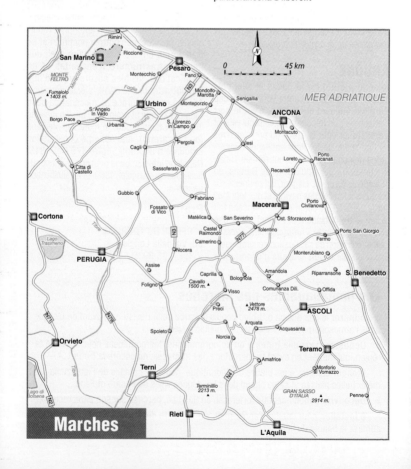

MARCHE

L'ITALIE EN UNE REGION

REGIONE MARCHE

www.turismo.marche.it

Entre 100 et 200 € la chambre double. Fermé de Noël à l'Epiphanie. 41 chambres avec téléphone, TV, climatisation, réfrigérateur. Luxueux hôtel installé dans un palais du XVIIe siècle.

■ **OSTELLO DELLA GIOVENTU**
7, Via Lamaticci
✆ (071) 42 257
Fax : (071) 42 257
Ouvert toute l'année, fermé de 11h à 18h30 et de minuit à 6h30. 56 lits, avec des chambres de 4 à 6 places, étage distinct pour filles et garçons. 18 € sans petit déjeuner.
Bien entretenu, accueil en italien, anglais et français.

Restaurants

■ **OSTERIA TEATRO STRABACCO**
2/2a, Via Oberdan
✆ (071) 56 748
www.strabacco.it
Autour de 25 €. Fermé le lundi et quelques jours en mai.
Ambiance sympathique d'artistes, d'intellectuels et de grands buveurs. Le vin est servi à peine tiré du tonneau. Le restaurant propose un choix de plats très diversifié, à base de poisson, comme les spaghettis au crabe et à la bottarga, ou les oreillettes aux aubergines aux saveurs du jardin. Avec le pain, il est conseillé de demander les *cresce*, de tendres feuilletés à base de légumes. Le mercredi et le vendredi, on mange en musique.

■ **TRATTORIA LA CANTINETA**
1c, Via Gramsci Antonio
✆ (071) 20 11 07
www.cantineta.it
Ouvert du mardi au dimanche de 12h à 15h et de 19h30 à 23h. Environ 15 €. A côté de la piazza del Plebiscito.
Les plats, spécialités de fruits de mer et poissons préparés selon la mode locale, sont bons.

Sortir

Ancône n'est pas une ville mondaine. Le soir, le point idéal d'observation est situé sur la piazza Plebiscito. Assis à la terrasse d'un café, on regarde défiler les passants... comme dans un typique café parisien !

■ **LO FARO**
208, Via Isonzo
✆ (071) 35 692
Inégalable pâtisserie sicilienne.

Points d'intérêt

L'élégante piazza Plebiscito (appelée aussi piazza del Papa) est le fief des galeries d'art. Pendant l'été, des spectacles populaires se déroulent sur la place. Le corso Mazzini (appelé aussi corso Vecchio), quant à lui, accueille une longue file d'étals où l'artisanat original et coloré incite, au milieu d'innombrables fleurs séchées qui embaument, à des achats insolites.

■ **L'ARC DE TRAJAN**
Sur le port, il fut érigé en l'honneur de l'empereur Trajan pour célébrer sa seconde expédition en Dacie.

■ **CATTEDRALE SAN CIRIACO**
7, Piazza del Duomo
www.diocesi.ancona.it
Entrée libre. Ouverte tous les jours de 9h à 12h et de 15h à 19h (18h en hiver).
C'est une des plus belles églises des Marches, construite entre le XIe et le XIIe siècle et dédiée au saint qui fut torturé avec du plomb en fusion. Elle marie des formes romanes à des influences byzantines, tandis que son portail du XIIIe siècle est orné de reliefs gothiques.

■ **CHIESA DI SAN DOMENICO**
Piazza del Plebiscito
Entrée libre. Ouverte de 7h15 à 12h30 et de 14h à 19h.
Un spectaculaire perron à deux rampes permet d'accéder à ce monument du XVIIIe siècle qui abrite deux formidables peintures : une *Crucifixion* de Titien et une *Annonciation* du Guerchin.

■ **LE MÔLE VANVITELLIANA OU LAZZARETTO**
2, Banchina di Chio
✆ (071) 22 25 019
Se reflétant dans l'eau du port, il est relié à la terre ferme par des ponts. Il fut construit en 1773 par l'architecte Luigi Vanvitelli, à la demande du pape Clément XII, pour servir de forteresse à la garnison pontificale. Ce lieu organise de nombreuses expositions et manifestations artistiques.

■ **MUSÉE ARCHÉOLOGIQUE DES MARCHES**
6, Via Ferretti
✆ (071) 20 26 02
www.archeomarche.it/musarch.htm
Entrée : 4 €. Ouvert de mardi à dimanche de 8h30 à 19h30. Fermé le lundi. Dans ce bâtiment du XVIe siècle sont conservées

des pièces archéologiques du Paléolithique à l'époque romaine en passant par les civilisations étrusques et grecques. Juste à côté, des ruines romaines attendent d'être vues.

■ MUSEO SAN CIRIACO
9, Piazza del Duomo
✆ (071) 52 688
Ouvert de 16h à 18h et sur rendez-vous en hiver. Un don est demandé à l'entrée.
Le musée expose le sarcophage de Gorgonius, très bel exemple d'art chrétien de l'époque romaine, au IVe siècle. D'autres pièces sont présentées, datées des époques paléochrétiennes et médiévales.

■ PINACOTECA CIVICA FRANCESCO PODESTI
17, Via Ciriaco Pizzecolli
✆ (071) 22 25 041
Entrée : 4 €. Ouverte de mardi à vendredi de 9h à 19h, le samedi de 8h30 à 18h30, le dimanche de 15h à 19h et le lundi de 9h à 13h.
Le musée présente une collection de peintures italiennes allant des primitifs à quelques modernes, comprenant notamment des œuvres du Guerchin, Lorenzo Lotto et Titien.

Dans les environs

■ PARCO NATURALE DEL MONTE CONERO
✆ (071) 93 31 161
www.parks.it/parco.conero
Seul cap existant entre l'Istria et le Gargano, dans les Pouilles, le monte Conero est à moins de 10 km d'Ancône en suivant la route d'un littoral aux paysages époustouflants. Il faut visiter le fortino Napoleonico, auquel on accède, si l'on suit les indications en jaune, par une petite route tortueuse. Le fort a été transformé en hôtel en 1982.

LA ROUTE DU VERDICCHIO

Comme il est bon de partir à la découverte de ce petit vin blanc qui accompagne à merveille le poisson frais de l'Adriatique. Apprécié aussi par le roi des Goths, Alaric, qui avant d'assiéger Rome en rafla une grande quantité. La zone de production commence à Senigallia, endroit idéal pour remplir également son panier de fruits et de poissons au marché journalier, dans un surprenant cadre néoclassique, un véritable forum entouré de trente colonnes doriques. La capitale du verdicchio est Corinaldo, à 20 km de Senigallia. Avant

Corinaldo se trouve le couvent de Santa Maria delle Grazie.
L'itinéraire passe aussi par le village médiéval de San Lorenzo in Campo. A voir, dans le palazzo della Rovere, un musée archéologique et, chose peu courante, un musée ethnographique africain (se renseigner auprès du syndicat d'initiative).

MACERATA

Le peintre Luigi Bartolini a écrit que Macerata était « une ville absolument tranquille. Une ville prolifique, avec des campagnes entretenues comme des jardins botaniques ou des potagers ». Et en vérité, bien qu'elle soit peu distante de la côte, Macerata n'a pas du tout l'allure tapageuse qu'ont la plupart des autres villes de l'Adriatique. La ville a été reconstruite sur les ruines du vieux centre romain Helvia Recina.
La structure de la ville est typique : une place autour de laquelle s'organisent le palais nobiliaire, la cathédrale, les portiques... Puis, suivant un système de cercles concentriques, viennent les boutiques des artisans, les maisons des ouvriers et, aussitôt après les murailles, le bourg habité par les ouvriers agricoles.

Pratique

■ HÔPITAL CIVIL
Via Santa Lucia
✆ (0733) 25 71

■ OFFICE DU TOURISME IAT
12, Piazza della Libertà
✆ (0733) 23 48 07
Fax : (0733) 23 44 87
www.regione.marche.it
Ouvert du lundi au samedi de 9h à 13h et de 15h à 18h. Un autre point d'information se trouve sur la piazza Mazzini au n° 12.

■ POSTE
44, Via Gramsci
Ouverte du lundi au vendredi de 8h à 18h30, et le samedi de 8h à 13h30.

Hébergement – Restaurant

■ ALBERGO ARENA
16, Vicolo Sferisterio
✆ (0733) 23 09 31
Fax : (0733) 23 60 59
www.albergoarena.com
info@albergoarena.com

27 chambres. Chambres doubles de 55 à 85 €, petit déjeuner inclus.
Dans le cœur historique de la ville, l'hôtel possède des chambres simples mais confortables.

■ RISTORANTE DA SECONDO
26, Via Pescheria Vecchia
℡ (0733) 26 09 12
Compter un minimum de 35 € pour un repas complet. Fermé le lundi et pendant la seconde moitié d'août. Réservation obligatoire. Jardin, climatisation.
C'est le restaurant le plus connu de Macerata, fréquenté par les divas de passage comme l'attestent les photographies qui ornent les murs. Sa cuisine est à la hauteur de sa renommée : olives farcies, agnolotti de viande aux cèpes, pâtes nature et aux truffes, jarret de veau aux champignons, rouelle de veau *in rosa* et purée de pommes de terre.

Points d'intérêt

■ DUOMO
Piazza San Vicenzo Strambi
℡ (0733) 26 03 30
Cette église du VIIIe siècle possède un campanile du XVe siècle.

■ LA LOGGIA DES MARCHANDS
Une construction extrêmement élégante de la Renaissance qui fut édifiée par Cassiano da Fabriano.

■ PALAZZO DEL COMUNE
Il se trouve piazza della Libertà, tout comme la plupart des richesses culturelles de Macerata. Dans le hall et dans la cour, on peut voir des statues et des pierres commémoratives d'époque romaine provenant des habitations antiques d'Helvia Recina.

■ PALAZZO RICCI
1, Via Ricci
℡ (0733) 24 72 00, (0733) 26 14 87
www.palazzoricci.it
Entrée libre. Ouvert tous les jours de 10h à 13h et de 16h à 20h.
Le palazzo Ricci, une demeure aristocratique du XVIe siècle, conserve une collection de peintures italiennes du XXe siècle avec Giorgio, De Chirico, Gino Severini, et bien d'autres.

■ PINACOTECA MUSEO DELLA CARROZZA
2, Piazza Vittorio Veneto
℡ (0733) 25 63 61
Entrée libre. Ouvert tous les jours de 9h à

13h et de 16h à 19h30. Fermé le lundi matin.
Le premier musée abrite une collection de peintures italiennes de la Renaissance tandis que le second expose des voitures à cheval et des carrosses datant du XVIIIe au XXe siècle.

■ SANTUARIO DELLA MADONNA DELLA MISERICORDIA
Donne sur la même place que le Duomo. L'intérieur est l'œuvre de l'architecte Luigi Vanvitelli.

■ LE SFERISTERIO
Piazza Mazzini
Un bâtiment datant de 1820 où l'on pratiquait le jeu de paume, célébré par le poème de Giacomo Leopardi : *A un vainqueur au jeu de paume*. C'est aujourd'hui un théâtre en plein air, consacré au chant lyrique et à la musique symphonique.

RECANATI

Patrie de Giacomo Leopardi (1798-1837), la ville, située à 21 km au nord-est de Macerata, fut le cadre d'inspiration de ce poète. La Casa Leopardi est demeurée inchangée : les portraits de ses aïeux sur les murs, ses livres, ses premiers vers. La période la plus propice pour venir à Recanati est la fin juin. On évitera ainsi le déferlement des groupes scolaires en visite culturelle.

■ CASA LEOPARDI
Via Leopardi, 14
℡ (071) 75 73 380
www.giacomoleopardi.it
Entrée pour la bibliothèque : 4 €. Ouvert tous les jours de 9h à 18h en été et de 9h30 à 12h30 et de 14h30 à 17h30 en hiver.
Cette maison-musée raconte toute la vie du grand poète récanatais, de sa table de travail encore encombrée de livres à sa grande bibliothèque contenant plus de 20 000 volumes.

■ MUSEO E PINACOTECA COMUNALE
Via Colloredo Meis
℡ (071) 75 70 410
Ouverture tous les jours de 10h à 22h en juillet et août. Fermé le lundi le reste de l'année. Ouverture de 9h à 13h et de 15h à 18h en septembre, de 10h à 13h et de 15h à 18h de novembre à mars, de 10h à 13h et de 16h à 19h d'avril à juin. Entrée libre.
La collection guide le visiteur à travers les âges depuis la section archéologique jusqu'à la galerie d'art moderne et contemporain. La

section Renaissance comprend notamment quatre peintures de Lorenzo Lotto (1480-1556).

TOLENTINO

C'est dans cette ville que fut signée, en 1791, la paix entre Napoléon Bonaparte et le pape Pie VI.

■ BASILICA SAN NICOLA

✆ (0733) 97 63 11

www.sannicoladatolentino.it

A l'intérieur, une chapelle gothique rassemble la plus belle série de fresques de l'école de Rimini du Trecento. Devant la basilique, on peut admirer un beau portail du XVe siècle en marbre d'Istres, réalisé par Nanni Bartolo, et un plafond en bois doré de Filippo da Firenze, datant de 1600.

▶ **À voir aussi :** le cloître, le musée des Céramiques et le musée de l'Opéra où sont conservés d'inestimables ouvrages en argent et en bois.

PESARO

C'est la ville du musicien Gioacchino Rossini, qui y naquit en 1792 (mort à Paris en 1868). C'est aussi une splendide station balnéaire qui doit l'extrême douceur de son climat aux collines vertes et rondes qui la dominent.

La ville antique tient en un quadrilatère qu'il est agréable de traverser à pied. Dans le centre de la ville, on trouve les « perles » de Pesaro : le Palazzo Ducale, le Duomo, le Museo Civico, et la piazza del Popolo embellie par la fontaine dei Tritoni du XVIIe siècle. En août a lieu le grand rendez-vous de musique lyrique Rossini Opera Festival, l'un des plus importants d'Italie, où se produisent des chefs d'orchestre et des interprètes de renommée internationale.

Pratique

■ OFFICE DU TOURISME PESARO URBINO TURISMO

41, Via Rossini

✆ (0721) 35 95 01

www.turismo.pesarourbino.it

Ouvert toute l'année du lundi au samedi de 9h30 à 13h et de 16h à 19h.

Accueil avec le sourire (et même en français !), et tout un tas de conseils utiles et de brochures sur la ville et la province.

Hébergement

■ AGRITURISMO LA LOCANDA DEL GELSO

A Cartoceto

12, Fraz. Lucrezia Via Morola

✆ (0721) 87 70 20

www.lalocandadelgelso.it

info@lalocandadelgelso.it

Chambres doubles avec petit déjeuner 25-28 €, demi-pension 40-44 €. Fermé en février. 15 km au sud-ouest de la côte (Fano). Des vacances semi-campagnardes pour profiter de la plage (à 15 min) et goûter aux plaisirs citadins de Fano, Urbino et Pesaro, ou découvrir les environs à vélo.

■ HÔTEL VITTORIA

2, Piazzale della Libertà

✆ (0721) 34 343

Fax : (0721) 65 204

www.viphotels.it – vittoria@viphotels.it

Chambres doubles à partir de 116 €, et jusqu'à 304 €. 9 suites et 18 chambres insonorisées et tout confort.

Fièrement posé face à la mer, à deux pas du centre-ville, l'hôtel Vittoria est un oasis de luxe qui a accueilli les plus grands, de Pirandello à Pavarotti, en passant par Sting ou la famille Agnelli. Piscine, sauna, petite salle de gym, tout est là pour le confort, le tout dans une demeure de prestige, où le personnel ne laisse rien au hasard.

Restaurants

■ OSTERIA LA GUERCIA

33, Via Baviera

✆ (0721) 33 463

www.osterialaguercia.it

Compter de 20 à 30 €. Fermé les dimanche et jours fériés. A l'angle de la piazza del Popolo.

Logée dans un édifice romain, encore orné de fresques, cette osteria est une bulle de tranquillité en plein cœur du centre historique. Les spécialités des Marches sont récitées avec talent. L'huile d'olive de Cartoceto, véritable nectar produit dans la région, souligne à merveille les *antipasti*. La soupe aux *maltagliati*, pois et *vongole* est à essayer : une explosion de saveurs !

Points d'intérêt

■ CASA ROSSINI

34, Via Rossini

✆ (0721) 38 73 57

OMBRIE ET MARCHES

Entrée : 4 € et 3 € pour les moins de 25 ans.
Du 15 septembre au 30 juin, ouvert le mardi et mercredi de 9h30 à 12h30, et du jeudi au dimanche de 9h30 à 12h30 et de 16h à 19h. Mêmes horaires en été, mais nocturne jusqu'à 22h le jeudi.
Située à côté de la cathédrale, elle conserve des affiches, des portraits et des revues de presse du grand compositeur.

■ CHIESETTA DEL NOME DI DIO
Dans le centre historique de la ville, derrière le palazzo Mazza. On y trouve de nombreuses peintures et des décorations du XVIIe siècle.

■ MUSEI CIVICI
29, Piazza Toschi Mosca
✆ (0721) 38 75 41
www.museicivicipesaro.it
Entrée : 7 € et 4 € pour les moins de 25 ans. Ouvert du 1er juillet à la mi-septembre le mardi et le mercredi de 9h30 à 12h30, le jeudi de 9h30 à 12h30 et de 16h à 22h, et du vendredi au dimanche de 9h30 à 12h30 et de 16h à 19h. Le reste de l'année, ouvert le mardi et le mercredi de 9h30 à 12h30, et du jeudi au dimanche de 9h30 à 12h30 et de 16h à 19h. Toujours fermé le lundi.
Ces musées municipaux, installés dans les salons du palazzo Toschi-Mosca, comportent deux sections. La première est la pinacothèque, avec des toiles du XVIIe siècle. La seconde est consacrée au musée de la céramique.

■ MUSEO ARCHEOLOGICO OLIVERIANO
Palazzo Almerici
97, Via Mazza
✆ (0721) 33 344
Entrée libre. Ouvert du lundi au samedi de 16h à 19h, du 1er juillet au 15 septembre, et de 9h30 à 12h30 sur demande, de la mi-septembre à fin juin.
Il expose de nombreux objets fort intéressants provenant d'une nécropole de l'âge du fer, découverte à Novilara, à proximité de Pesaro.

■ PALAZZO DUCALE
Le plus grand monument de la ville se trouve sur la très centrale piazza del Popolo. Construit pour Alessandro Sforza dans la seconde moitié du XVe siècle, il fut restauré au siècle suivant par les Della Rovere, la famille régnante du moment, après un incendie.

FIORENZUOLA DI FOCARA

Fiorenzuola di Focara est un endroit magique. Au cœur du parc Monte San Bertolo, le petit village médiéval se dresse sur un éperon rocheux. Un point de vue saisissant sur la côte surgit alors. Mais le plaisir ne s'arrête pas là. En contrebas d'un chemin escarpé se dessine une plage de rêve, à l'abri des constructions modernes qui défigurent parfois la côte. Certes, il faut avoir le courage de remonter la pente une fois la baignade terminée, mais ce lieu unique vaut bien quelques efforts…

FANO

À l'instar de Pesaro, la ville de Fano conjugue à merveille le cachet d'une ville d'art aux plaisirs d'une station balnéaire très hospitalière. La structure urbaine de la ville, marquée par les imposants remparts d'Auguste, est liée à la Rome antique, Fano étant un débouché important sur l'Adriatique. Au fil des siècles, la ville s'est enrichie de nombreux monuments de grande valeur, notamment sous l'impulsion de la riche famille Malatesta. Aujourd'hui, il fait bon flâner dans les ruelles du centre historique, d'où se dégage une belle atmosphère, à la fois chic et douce, en particulier le deuxième week-end de chaque mois, où une brocante géante anime le cœur de Fano.
Côté plage, la grande fierté locale vient de la qualité de l'eau, labellisée par le pavillon bleu d'Europe mais aussi par les « trois voiles » décernées par l'association environnementale italienne Legambiente. Deux plages sont divisées par le port de la ville : à l'ouest, une belle étendue de sable fin ; à l'est, la *sassonia*, une belle plage de galets.

■ OFFICE DU TOURISME
10, Via Cesare Battisti
✆ (0721) 80 35 34
Fax : (0721) 82 42 92
Ouvert du lundi au samedi de 9h à 13h et de 15h à 18h. Les dimanche et jours fériés, ouverture de 9h à 13h.

URBINO

C'est une des cités magiques de la Renaissance italienne, « le laboratoire de l'utopie », dit d'elle l'écrivain Paolo Volponi. Urbino connut un développement extraordinaire à partir du XIIe siècle, avec la famille des Montefeltro. Son apogée fut atteint sous le règne de Federico di Montefeltro (1444-1482), un humaniste éclairé qui en fit un des foyers de la Renaissance du XVe siècle. Le Palazzo Ducale, œuvre de l'architecte Luciano Laurana, est un édifice extraordinaire à l'achèvement duquel ont collaboré les artistes les plus fameux de leur époque, comme Piero della Francesca, Paolo Ucello ou Sandro Botticelli. En 1483 naissait à Urbino Raffaello Sanzio, le grand Raphaël. Federico, mort sans descendance, Urbino mit son dynamisme culturel en sommeil alors qu'elle tombait sous influence papale. Entrée dans les Etats du pape en 1632, elle n'en sortit qu'en 1860. Urbino, qui est aussi une ville universitaire réputée, est entrée sur la Liste du patrimoine mondial de l'humanité de l'Unesco.

Pratique

■ OFFICE DU TOURISME
Rampa di Francesco di Giorgio
Borgo Mercatale
✆ (0722) 26 31
www.urbinoculturaturismo.it
Ouvert du lundi au samedi de 9h à 13h et de 15h à 19h en été. En hiver, ouvert de 8h30 à 13h30.

■ PHARMACIE
9, Piazza della Republica
✆ (0722) 32 98 29

Hébergement

■ ALBERGO ITALIA
32, Corso Garibaldi ✆ (0722) 27 01
Fax : (0722) 32 26 64
www.albergo-italia-urbino.it
info@albergo-italia-urbino.it
Chambre simple à partir de 47 €, chambre double à partir de 70 €. Salle de bains privée et petit déjeuner inclus. Fermé en septembre. TV, climatisation, coffre-fort, minibar, jardin en terrasse.
L'hôtel est situé dans le cœur historique d'Urbino. Accueil souriant.

■ HÔTEL BONCONTE
28, Via delle Mura
✆ (0722) 24 63
Fax : (0722) 47 82
www.viphotels.it
bonconte@viphotels.it
Chambres doubles avec salle de bains de 79 à 135 €. 25 chambres. Parc, garages, restaurant.
L'hôtel est des plus confortables, avec une vue imprenable sur les collines des Marches. Prix en conséquence.

■ UNIVERSITA DI URBINO
2, Via Saffi
L'université peut aider les jeunes à trouver des hébergements chez l'habitant, en agriturismo ou en appartement (www.uniurb.it). Des cours (payants) de langue et civilisation italienne sont donnés en août.

Restaurants

■ AGRITURISMO CA'ANDREANA
2, Via Ca' Andreana
✆ (0722) 32 78 45
www.caandreana.it
info@caandreana.it
Repas de 30 à 75 € environ. Ouvert seulement le soir du mardi au dimanche. Réservation obligatoire. Prix de l'agritourisme : de 40 à 49 € par personne en chambre double, de 60 à 75 € en demi-pension (4 nuits au minimum).
Il faut suivre un petit chemin caillouteux pour atteindre la ravissante bâtisse de la Ca' Andreana, comme posée par magie au milieu de la verdoyante nature des abords d'Urbino. Sympathique et bucolique agritourisme (avec piscine), l'adresse vaut aussi le déplacement pour sa cuisine raffinée, où chaque plat sonne juste. Rien que les *antipasti misti* (avec *bruschette* et charcuterie locales) sont un bonheur pour les yeux et les papilles.

■ RISTORANTE DA FRANCO SELF-SERVICE
1, Via del Poggio
✆ (0722) 24 92
Compter 10 € environ. Fermé le dimanche.
Formule pratique et économique, et une cuisine très correcte.

■ RISTORANTE VECCHIA URBINO
3/5, Via dei Vasari
✆ (0722) 44 47
www.vecchiaurbino.it
De 35 à 45 €. Fermé le mardi en basse saison. Réservation obligatoire. En plein centre historique.
C'est l'un des rares établissements où l'on peut déguster la bonne cuisine d'Urbino. Truffes et gibier en automne, calamars en sauce en hiver, et *spaghetti alla chitarra* arrosées de verdicchio le reste de l'année.

■ TRATTORIA DEL LEONE
5, Via Cesare Battisti
✆ (0722) 32 98 94
www.latrattoriadelleone.it
De 20 à 40 €. Ouvert tous les soirs, plus les samedi et dimanche midi.

Ce petit local voûté est toujours bondé. Logique, pour des prix très corrects, il propose le meilleur de la cuisine locale. Des produits frais mis au service de spécialités goûteuses telles que les raviolis aux épinards et à la *casciotta* d'Urbino. Le tout servi avec le sourire. Une adresse en or, à ne manquer sous aucun prétexte !

Points d'intérêt

La vieille ville est encore entièrement ceinturée par ses murailles. A l'intérieur, le piéton est davantage souverain que la voiture, qui est interdite, sauf pour les résidents.

■ CASA DI RAFFAELLO

57, Via Raffaello
✆ (0722) 32 01 05
Entrée : 3 € et 1 € tarif réduit. Ouverte du lundi au samedi de 9h à 13h et de 15h à 19h, de 10h à 13h le dimanche. En janvier et février, le lundi de 9h à 13h.
Dans ce bâtiment du XVe siècle est présentée la pièce où est né et où a grandi le peintre. A l'étage, une fresque d'une Vierge à l'enfant pourrait être une de ses premières œuvres.

■ DUOMO

Piazza Duca Federico
Ouvert de 7h30 à 13h et de 14h à 19h.
La façade date du XIXe siècle, de style néoclassique. A l'intérieur, une *Ultima Cena* de Barocci et une *Vierge allaitant* d'Andrea da Bologna.

■ FORTERESSE D'ALBORNOZ

En suivant l'avenue Buozzi, agréablement ombragée, on arrive à cette forteresse construite au XIVe siècle.

■ PALAZZO DUCALE

Piazza Duca Federico
✆ (0722) 32 26 25
Ouvert tous les jours de 8h30 à 19h15 et le lundi de 8h30 à 14h. Entrée à 4 € et 2 € en tarif réduit.
Achevé en 1482. Son architecture palatiale est une des plus anciennes de la Renaissance, avec ses loggias en forme d'arc de triomphe et flanquées de deux tours, sa magnifique cour intérieure et son escalier monumental, l'un des tout premiers du genre. Le palais comprend en outre la Galleria Nazionale delle Marche, le Museo Archeologico, le museo della Ceramica et les *sotterranei* (souterrains). La collection comprend de beaux chefs-d'œuvre de la Renaissance, notamment de Piero della Francesca, dont une célèbre *Flagellation*.

Dans les environs

■ TENUTA SAN SETTIMIO

274 Frazione Palazzo
60 011 Arcevia (AN) ✆ 0731 9905
Fax : 0731 9912
www.sansettimio.it – info@sansettimio.it
Ouverture saisonnière du 01/04 au 30/09. Chambre à partir de 75 à 120 € par personne, petit déjeuner compris, et appartements à partir de 900 € à 2 300 € la semaine. Possibilité de demi-pension ou pension complète. 25 solutions de logements différents, tous réalisés à l'intérieur d'anciennes fermes typiques de la campagne marchesiana, distribués sur une vaste propriété de 400 hectares, dans un contexte naturel très suggestif et encore préservé de l'activité humaine. La Tenuta San Settimio est central : 20 km de la route du Verdicchio, 30 km de la mer, 60 km d'Urbino et d'Ancône. Chaque logement est caractérisé par l'histoire de ses murs dont l'élégance et le confort sont dignes des grandes prestations hôtelières. Le restaurant offre une cuisine traditionnelle à base de produits du terroir conjuguée aux nouvelles tendances créatives. La propriétaire Francesca Romana, désireuse de rendre le séjour de ses hôtes inoubliable, a créé une série d'activités pour découvrir toute la richesse de la merveilleuse campagne environnante. Il y en a pour tous les goûts : excursions tout terrain (4x4 ou quad) accompagnées de leçons de maîtrise du véhicule, promenades à cheval avec possibilité de leçons d'équitation, parcours aventure, tennis… sans oublier son excellent centre Spa : piscine, sauna, bains turcs, massages ou hydromassages, solarium et tout autres types de traitements… en bref un petit paradis au cœur d'une région qui reste à découvrir.

URBANIA

Urbania est une localité inoubliable. En 207 av. J.-C., dans la plaine qui lui fait face, les Romains mirent en déroute les Carthaginois conduits par Asdrubale. La ville connut son heure de gloire au moment de la Renaissance, quand les seigneurs de Montefeltro venaient s'y reposer. Le Palazzo Ducale, construit au XIIIe siècle par les Brancaleoni, fut restructuré par Francesco di Giorgio Martini. La coupure entre Moyen Age et Renaissance est saisissante : d'un côté, une forteresse farouche et, de l'autre, le luxe princier d'un palais ouvert sur le monde.

SPA RESORT SPORT

TENUTA
SAN SETTIMIO

Tenuta San Settimio - 60 011 Palazzo di Arcevia (AN)
Tél : +39 0731 9905 - Fax. +39 0731 9912 - info@sansettimio.it – www.sansettimio.it

Point d'intérêt

■ MUSEO CIVICO E PINACOTECA

23, Corso Vittorio Emanuele

✆ (0722) 31 31 51

www.marcheweb.com/museourbania

Entrée : 4 € et 2,50 € en tarif réduit. Ouverts de 10h à 12h30 et de 15h à 18h30.

On peut y admirer des gravures et des dessins de grands artistes, comme Bramante, Ghiberti, Pollaiolo, Gerolamo Genga. Une section est consacrée à la célèbre école de céramique du XVIe siècle où travaillaient des maîtres en maïolique comme Niccolo Pellipario.

Dans les environs

Furlo

La gorge du Furlo, très impressionnante, mérite le détour. Cette étrange galerie, longue de 38 m et haute de 6 m a été creusée en 76 apr. J.-C. pour permettre le passage de la via Flaminia. Des architectes modernes en ont parlé comme d'une sorte de petite Corinthe.

Acqualagna et Sant'Angelo in Vado

A Acqualagna se tient, de septembre à mars, sur la place Enrico Mattei, le marché des truffes blanches, où sont vendus les deux tiers de la production nationale. Le moment idéal est la première semaine de novembre, lors de la fête nationale du précieux tubercule. Ainsi, après Acqualagna, faire un saut d'une trentaine de kilomètres jusqu'à Sant'Angelo in Vado, autre localité célèbre pour ses truffes.

Borgo Pace

L'étape finale de ce petit itinéraire est Borgo Pace, à quelques kilomètres de Bocca Trabaria (1 044 m d'altitude). Borgo Pace était un relais pour la diligence qui reliait la Toscane à Pesaro. C'est par ces routes que transitaient les grands artistes toscans lorsqu'ils se rendaient à la cour d'Urbino. *« Ce sont des lieux, note l'écrivain Paolo Volponi, à partir desquels notre pays s'est transformé […]. Par ici passa une Italie ouverte à de nouvelles visions et à de nouveaux espaces. »*

SAN LEO

La forteresse de San Leo, accrochée à un imposant rocher à pic, est un endroit à couper le souffle. Machiavel déjà s'émerveillait de ce promontoire fortifié. A l'ombre du château (8 € l'entrée), le village perché de San Leo abrite bien des trésors, dont une église du IXe siècle, Santa Maria Assunta, et une cathédrale romane au clocher austère.

GRADARA

Capitale del Medioevo (capitale du Moyen Age) : la ville a fait de cette dénomination une marque déposée… Pourquoi pas, tant l'atmosphère qui règne dans ce village crénelé, fièrement dressé sur un coteau face à la mer, nous fait plonger dans l'histoire. L'imposante forteresse fut la résidence de la famille Malatesta qui avait la manie des créneaux, avant de passer aux mains des puissants Sforza qui améliorèrent le lieu en une véritable demeure de luxe. Lucrèce Borgia y vécut pendant trois ans, après son mariage avec Giovanni Sforza (1493). La forteresse, aujourd'hui propriété de l'Etat italien, renferme dans ses remparts des œuvres de premier ordre telles qu'une splendide Vierge de Giovanni Santi (le père de Raphaël).

ASCOLI PICENO

Point stratégique sur la route de Rome, Ascoli a sans cesse été l'enjeu de luttes. Envahie, mise à sac et reconstruite, elle ne renonça jamais à son amour pour la liberté. Ascoli, ville rebelle, se révolta contre les Romains, les Lombards, l'empereur Frédéric, le gouvernement pontifical et enfin contre les nazis, ce qui lui valut la médaille d'or de la valeur.

Juchée sur un plateau, entre les fleuves Tronto et Castellano, Ascoli a admirablement réussi à conserver son centre historique dont le style remonte au Moyen Age et à la Renaissance. Si Ascoli Piceno n'est pas aussi connue que d'autres villes d'Italie, son patrimoine n'en est pas moins aussi riche. Une cité à découvrir.

Pratique

■ OFFICE DU TOURISME

1, Piazza del Popolo

✆ (0736) 25 30 45

Fax : (0736) 25 23 91

Ouvert de 9h à 12h30 et de 15h à 18h30 du lundi au vendredi, uniquement en matinée le samedi.

Hébergement

■ VILLA CICCHI

137, Via Salaria Superiore

✆ (0736) 25 22 72

www.villacicchi.it – info@villacicchi.it

Chambres de 50 à 300 €, en fonction de la saison et de la pièce choisie. Ouvert tous les jours. A 30 km de la côte (San Benedetto del Tronto).

Salaisons

Une maison du XVIᵉ siècle au mobilier d'époque, avec seulement six chambres. Superbe ! Terrasse, ping-pong, cours de chant, activités aux champs, crèche et piscine. Un bon accueil pour des vacances actives ou tranquilles.

Restaurant

◼ IL GALLO D'ORO
54, Corso Vittorio Emanuele
✆ (0736) 25 35 20
Compter aux alentours de 25 € à la carte. Fermé le lundi et du 6 au 20 août. Réservation obligatoire. Climatisation.
On y sert tous les plats traditionnels d'Ascoli, comme les ravioli alla ricotta, roquette et pignons, les maltagliati aux langoustines, les tagliatelle à l'agneau et différentes grillades de viandes accompagnées de champignons et truffes de montagne.

Points d'intérêt

◼ ÉGLISE DE SANTA MARIA INTER VINAS
C'est une construction du XIIᵉ et du XIIIᵉ siècle, avec un beau campanile à fenêtres doubles.

◼ FORTE MALATESTA
Ce fort, érigé par Galeotto Malatesta en 1349, est situé près du ponte di Cecco.

◼ IL DUOMO
Piazza Arringo
✆ (0736) 25 97 74
Ouverte de 7h à 12h30 et de 16h à 20h.
Sa façade, inachevée, est l'œuvre de Cola dell'Amatrice. A l'intérieur, on peut découvrir un grand polyptyque de Crivelli, un tabernacle de Vasari et un parement en argent du XIVᵉ siècle, composé de 27 tableaux représentant la vie du Christ. La crypte comporte des mosaïques.

◼ LA LOGGIA DEI MERCANTI
Adossée à l'église San Francisco, elle a été construite en 1513. Son grand portail gothique est surmonté d'un monument en l'honneur du pape Jules II.

◼ MUSEO ARCHEOLOGICO
Piazza Arringo
✆ (0736) 29 82 13
Ouvert du mardi au dimanche, de 8h30 à 19h30. Entrée libre.
Il expose des pièces préhistoriques, italiques et romaines.

◼ PIAZZA DEL POPOLO
C'est le meilleur « salon » d'Ascoli. Les façades qui l'entourent sont de petits immeubles de la Renaissance et du Moyen Age.

◼ LA PINACOTECA CIVICA
Piazza San Tommaso
✆ (0736) 29 82 13
Entrée : 8 €. Ouverte de 10h à 19h tous les jours du 16 mars au 30 septembre, et du 1ᵉʳ octobre au 15 mars de 10h à 17h du lundi au vendredi et jusqu'à 19h le week-end. Elle est installée dans le Palazzo Comunale (hôtel de ville) du XVIIᵉ siècle. La collection est riche de quelque 400 œuvres dont des peintures de Titien et Crivelli, ainsi que des Flamands avec Van Dyck et Rembrandt (une eau-forte).

ORGANISER SON SÉJOUR

Au carnaval de Venise
© AUTHOR'S IMAGE

Pense futé

ARGENT

Monnaie et subdivisions

Comme la plupart des pays appartenant à l'Union européenne, la monnaie de l'Italie est désormais l'euro. L'accueil offert par les Italiens à la nouvelle devise européenne n'a pas été des meilleurs. Certains ont même proposé d'éliminer les centimes qui n'existaient plus en Italie depuis les années 1960. De grands débats se sont ouverts à ce propos dans les médias italiens, et les commerçants ont été montrés du doigt. Ceux-ci auraient profité de la situation de confusion et transformé les prix en euros sans réellement effectuer de conversion. La situation s'est apaisée, mais l'euro demeure malgré tout très impopulaire, tenu responsable de la crise économique. L'affichage des prix se fait en euros, mais il vous arrivera parfois, en discutant avec les autochtones, d'entendre les prix en lires.

Coût de la vie – Budget

Depuis le passage à l'euro, les prix ont donc beaucoup augmenté en Italie. Certains Italiens prétendent même que les prix de certains produits ont presque doublé. La situation est évidemment pire dans les grandes villes et près des sites touristiques renommés. Cependant, hormis les belles chambres d'hôtel, plus nombreuses qu'en France et qui semblent un peu plus chères, le coût de la vie est, à qualité égale, moins élevé qu'en France.

Hébergement

Les variations dépendent de la haute et basse saison. Plusieurs hôtels pratiquent des forfaits week-end très intéressants. Insistez pour les connaître.
Tarifs courants pour une chambre double avec salle de bains :

▶ **1-étoile :** entre 50 et 70 €.

▶ **2-étoiles :** entre 70 et 95 €.

▶ **3-étoiles :** entre 95 et 130 €.

▶ **4-étoiles :** entre 130 et 150 €.

▶ **5-étoiles :** entre 150 et 260 €.

Musées

Généralement, l'entrée varie entre 5 et 8 €. Des réductions sont prévues pour les moins de 18 ans, les plus de 65 ans et les étudiants.

Restaurants

La classification est rigoureuse dans toutes les catégories, trattoria ou ristorante : antipasti (les hors-d'œuvre, les entrées), primo piatto (premier plat, les pâtes, le riz), secondo piatto (viande, poisson), contorni (légumes) et dolci (desserts). De plus, les restaurateurs italiens sont obligés par la loi à délivrer soit un ticket (scontrino), dans les bars et les cafés, soit une facture (ricevuta fiscale) dans les restaurants.

▶ **Un repas correct,** dans un cadre « normal », revient à 15 €.

▶ **Un repas cher,** dans un endroit d'avant-garde, à 60 €.

▶ **Un repas somptueux,** dans un des quelques grands de la cuisine italienne des principales villes du Nord, peut atteindre 100 €.

Comme on le voit, les prix dans la restauration ont eux aussi flambé ces dernières années.

Services

Les restaurants et les hôtels italiens ont pris le pli du reste de l'Europe et les tarifs sont le plus souvent nets. Mais vous aurez parfois la (mauvaise) surprise de découvrir un supplément pour le service, de 10 à 15 %. Aussi, bien que théoriquement banni, un supplément pour le pain et les couverts (pane e coperto) est parfois demandé. Son prix varie, selon le restaurant, de 1,50 à 3 € en moyenne.

Sortir

▶ **Entre 0,80 et 1 €** pour un café au comptoir.

▶ **Entre 3 et 6 €** pour une bière.

▶ **Environ 6 €** pour un cocktail.

▶ **Entre 7 et 13 €** pour une consommation en discothèque.

▶ **Entre 15 et 25 €** pour une entrée en discothèque (première consommation incluse).

Banques

Les banques pratiquent généralement les horaires suivants : du lundi au vendredi de 8h30 à 13h et de 15h à 16h (l'ouverture de l'après-midi peut varier d'un quart d'heure).

Elles sont fermées habituellement le samedi et le dimanche mais certaines, particulièrement dans les grandes villes, ouvrent le samedi matin.

Moyens de paiement

À privilégier

Si vous disposez d'une Carte bleue Visa®, vous n'avez nul besoin d'emporter des sommes importantes en liquide ou même des chèques de voyage (Traveller's Cheques ou eurochèques). En Italie du Nord, il y a des distributeurs partout, et vous en trouverez toujours un, avec l'enseigne CartaSi, c'est-à-dire affilié Visa®, qui vous procurera de l'argent. Toutefois, vérifiez que le logo figure bien sur le distributeur, le réseau le plus important, Bancomat, ne permettant pas le retrait avec une carte Visa®. Enfin, nous vous signalons également que si vous payez par Carte bleue, vous aurez seulement à signer le ticket de traitement sans taper votre code, ce qui rend la transaction évidemment moins sécurisée.

Cash

Si vous payez par carte bancaire ou retirez des espèces dans un pays de la zone euro, les frais bancaires seront les mêmes que ceux qui s'appliquent en France.

▶ **Le transfert d'argent.** Avec ce système, on peut envoyer et recevoir de l'argent de n'importe où dans le monde en quelques minutes. Le principe est simple : un de vos proches se rend dans un point MoneyGram® ou Western Union® (poste, banque, stationservice, épicerie…), il donne votre nom et verse une somme à son interlocuteur. De votre côté de la planète, vous vous rendez dans un point de la même filiale. Sur simple présentation d'une pièce d'identité avec photo et de la référence du transfert, on vous remettra aussitôt l'argent.

Carte de crédit

Avant votre départ, pensez à vérifier avec votre conseiller bancaire la limitation de votre plafond de paiement et de retrait. Demandez, si besoin est, une autorisation exceptionnelle pour la période de votre voyage.

▶ **En cas de perte ou de vol de votre carte de paiement,** appelez le serveur vocal du groupement des cartes bancaires Visa®, EuroCard® et MasterCard® au ✆ (00 33) 892 705 705 ou (00 33) 836 690 880. Il est accessible 7j/7 et 24h/24. Si vous connaissez le numéro de votre carte bancaire, l'opposition est immédiate et confirmée. Dans le cas contraire, l'opposition est enregistrée mais vous devez confirmer l'annulation à votre banque par fax ou lettre recommandée.

▶ **En cas de dysfonctionnement de votre carte de paiement** ou si vous avez atteint votre plafond de retrait, vous pouvez bénéficier d'un cash advance. Proposé dans la plupart des grandes banques, ce service permet de retirer du liquide sur simple présentation de votre carte au guichet d'un établissement bancaire, que ce soit le vôtre ou non. On vous demandera souvent une pièce d'identité. En général, le plafond du cash advance est identique à celui des retraits, et les deux se cumulent (si votre plafond est fixé à 500 €, vous pouvez retirer 1 000 € : 500 € au distributeur, 500 € en cash advance). Quant au coût de l'opération, c'est celui d'un retrait à l'étranger.

Traveller's Cheques

Ce sont des chèques prépayés émis par une banque, valables partout, et qui permettent d'obtenir des espèces dans un établissement bancaire ou de payer directement ses achats auprès de très nombreux lieux affiliés (boutiques, hôtels, restaurants…). Ils sont valables à vie. Leur avantage principal est l'inviolabilité : un système de double signature (la deuxième étant faite par vous devant le commerçant) empêche toute utilisation frauduleuse. A la fin de votre séjour, s'il vous reste des Traveller's Cheques, vous pourrez les changer contre des euros ou les restituer à votre banque qui les imputera à votre compte courant. A noter que le paiement par chèque classique est rarement possible à l'étranger. Lorsque c'est le cas, l'utilisation est compliquée et très coûteuse.

Pourboire, marchandage et taxes

Pourboire

Les pourboires ne sont pas obligatoires, mais sont toujours appréciés, surtout lorsqu'ils viennent de touristes français dont la réputation de radins est légendaire en Italie. Nous vous conseillons de laisser un pourboire d'environ 5 à 10 % du montant de votre consommation.

Marchandage

En Italie du Nord, on ne marchande pas plus qu'en France. Il serait d'ailleurs mal perçu par un commerçant local de voir le vacancier français jouer à négocier à tout bout de champ. Néanmoins, en basse saison, il est parfois possible de s'arranger pour obtenir quelque ristourne, en particulier sur un séjour prolongé dans une auberge.

Mais, là aussi, les vieilles pratiques ont fait long feu. Vous trouverez sur les sites Web des hôtels des offres spéciales, souvent très avantageuses, pour les périodes d'activité touristique ralentie. N'hésitez pas à en profiter !

Taxe

Les prix de vente incluent généralement la T.V.A. (IVA : imposta sul valore aggiunto). Elle varie par rapport aux produits achetés et les voyageurs non européens ont la possibilité de la recouper : mode, 16 % ; autres produits et services, 19 %.

Duty Free

Lorsque vous vous rendez dans un pays membre de l'Union européenne, vous ne pouvez bénéficier du Duty Free (achats exonérés de taxes).

ASSURANCES

Simples touristes, étudiants, expatriés ou professionnels, il est possible de s'assurer selon ses besoins et pour une durée correspondant à son séjour. De la simple couverture temporaire s'adressant aux baroudeurs occasionnels à la garantie annuelle, très avantageuse pour les grands voyageurs, chacun pourra trouver le bon compromis. A condition toutefois de savoir lire entre les lignes.

Choisir son assureur

Voyagistes, assureurs, secteur bancaire et même employeurs : les prestataires sont aujourd'hui très nombreux et la qualité des produits proposés varie considérablement d'une enseigne à une autre. Pour bénéficier de la meilleure protection au prix le plus attractif, demandez des devis et faites jouer la concurrence. Quelques sites Internet peuvent être utiles dans ces démarches comme celui de la Fédération française des sociétés d'assurances (www.ffsa.fr), qui saura vous aiguiller selon vos besoins, ou le portail de l'Administration française (www.service-public. fr) pour toute question relative aux démarches à entreprendre.

Voyagistes

Ils ont développé leurs propres gammes d'assurances et ne manqueront pas de vous les proposer. Le premier avantage est celui de la simplicité. Pas besoin de courir après une police d'assurance. L'offre est faite pour s'adapter à la destination choisie et prend normalement en compte toutes les spécificités de celle-ci. Mais ces formules sont habituellement plus onéreuses que les prestations équivalentes proposées par des assureurs privés. C'est pourquoi il est plus judicieux de faire appel à son apériteur habituel si l'on dispose de temps et que l'on recherche le meilleur prix.

Assureurs

Les contrats souscrits à l'année comme l'assurance responsabilité civile couvrent parfois les risques liés au voyage. Il est important de connaître la portée de cette protection qui vous évitera peut-être d'avoir à souscrire un nouvel engagement. Dans le cas contraire, des produits spécifiques pourront vous être proposés à un coût généralement moindre. Les mutuelles couvrent également quelques risques liés au voyage. Il en est ainsi de certaines couvertures maladie qui incluent une protection concernant par exemple tout ce qui touche à des prestations médicales.

Employeurs

C'est une piste largement méconnue mais qui peut s'avérer payante. Les plus généreux accordent en effet à leurs employés quelques garanties applicables à l'étranger. Pensez à vérifier votre contrat de travail ou la convention collective en vigueur dans votre entreprise. Certains avantages non négligeables peuvent s'y cacher.

Cartes bancaires

Moyen de paiement privilégié par les Français, la carte bancaire permet également à ses détenteurs de bénéficier d'une assurance plus ou moins étendue. Visa®, MasterCard®, American Express®, toutes incluent une couverture spécifique qui varie selon le modèle de carte possédé. Responsabilité civile à l'étranger, aide juridique, avance des fonds, remboursement des frais médicaux : les prestations couvrent aussi bien les volets assurance (garanties contractuelles) qu'assistance (aide technique, juridique, etc.).

ORGANISER SON SÉJOUR

Les cartes bancaires haut de gamme de type Gold® ou Visa Premier® permettent aisément de se passer d'assurance complémentaire. Ces services attachés à la carte peuvent donc se révéler d'un grand secours, l'étendue des prestations ne dépendant que de l'abonnement choisi. Il est néanmoins impératif de vérifier la liste des pays couverts, tous ne donnant pas droit aux mêmes prestations. De plus, certaines cartes bancaires assurent non seulement leurs titulaires mais aussi leurs proches parents lorsqu'ils voyagent ensemble, voire séparément. Pensez cependant à vérifier la date de validité de votre carte car l'expiration de celle-ci vous laisserait sans recours.

▶ **Précision utile :** beaucoup pensent qu'il est nécessaire de régler son billet d'avion à l'aide de sa carte bancaire pour bénéficier de l'ensemble de ces avantages. Cette règle ne s'applique en fait qu'à la garantie annulation du billet de transport – si elle est prévue au contrat – et ne concerne que l'assurance, en aucun cas l'assistance. Les autres services, indépendants les uns des autres, ne nécessitent pas de répondre à cette condition afin de pouvoir être actionnés.

Choisir ses prestations

Garantie annulation

Elle reste l'une des prestations les plus utiles et offre la possibilité à un voyageur défaillant d'annuler tout ou partie de son voyage pour l'une des raisons mentionnées au contrat. Ce type de garantie peut couvrir toute sorte d'annulation : billet d'avion, séjour, location… Cela évite ainsi d'avoir à pâtir d'un événement imprévu en devant régler des pénalités bien souvent exorbitantes. Le remboursement est la plupart du temps conditionné à la survenance d'une maladie ou d'un accident grave, au décès du voyageur ayant contracté l'assurance ou à celui d'un membre de sa famille. L'attestation d'un médecin assermenté doit alors être fournie. Elle s'étend également à d'autres cas comme un licenciement économique, des dommages graves à son habitation ou son véhicule, ou encore à un refus de visa des autorités locales. Moyennant une surtaxe, il est également possible d'élargir sa couverture à d'autres motifs comme la modification de ses congés ou des examens de rattrapage. Les prix pouvant atteindre 5 % du montant global du séjour, il est donc important de bien vérifier les conditions de mise en œuvre qui peuvent réserver quelques surprises. Dernier conseil : s'assurer que l'indemnité prévue en cas d'annulation couvre bien l'intégralité du coût du voyage.

Assurance bagages
Voir la partie « Bagages ».

Assurance maladie
Voir la partie « Santé ».

Autres services

Les prestataires proposent la plupart du temps des formules dites « complètes » et y intègrent des services tels que des assurances contre le vol ou une assistance juridique et technique. Mais il est parfois recommandé de souscrire à des offres plus spécifiques afin d'être paré contre toute éventualité. L'assurance contre le vol en est un bon exemple. Les plafonds pour ce type d'incident se révèlent généralement trop faibles pour couvrir les biens perdus et les franchises peuvent finir par vous décourager. Pour tout ce qui est matériel photo ou vidéo, il peut donc être intéressant de choisir une couverture spécifique garantissant un remboursement à hauteur des frais engagés.

▬ BAGAGES ▬

Que mettre dans ses bagages ?

Préférez des vêtements sobres et pratiques pour la journée et les visites, et quelques pièces plus coquettes pour sortir le soir, car, comme l'on dit en Italie, *« anche l'occhio vuole la sua parte »* (littéralement : « l'œil aussi veut sa part »). N'oubliez pas d'emmener un parapluie au printemps et en automne, car le climat est parfois pluvieux, et mettez en été dans votre valise de belles lunettes de soleil à porter au premier rayon si vous voulez vous adapter aux mœurs locales.

Réglementation des bagages

Bagages en soute

Généralement, 20 à 23 kg de bagages sont autorisés en soute pour la classe économique et 30 à 40 kg pour la première classe et la classe affaires.

Partez en vacances
en toute **sécurité**
& **petit futé**

AXA ASSISTANCE

Vous proposent une assistance rapatriement pendant votre voyage

Premier réseau mondial d'assistance, AXA Assistance intervient 24 h/24 et 7 jours sur 7 n'importe où dans le monde.

Résumé indicatif des garanties d'assistance aux personnes

▸ Rapatriement médical

▸ Visite d'un membre de la famille (en cas d'hospitalisation supérieure à 6 jours)

▸ Retour (en cas de décès d'un proche ou en cas d'hospitalisation supérieure à 6 jours)

▸ En cas de décès (rapatriements du corps et des bénéficiaires accompagnants)

▸ Conseils médicaux 24 heures sur 24

▸ Envoi de médicaments introuvables sur place

▸ Transmission de message urgent

▸ Etc.

Frais médicaux .... 15 250 € zone 2 / 152 500 € zone 3 - Franchise : 46 €

Avance de caution pénale .... 15 250 €

Frais d'avocat .... 3 050 €

Tarifs 2010 (en € TTC, TVA incluse 19,60)

Tarif par personne	zones 1 et 2	zones 3
16 jours	17 €	35 €
32 jours	29 €	58 €
61 jours	44 €	87 €
90 jours	55 €	101 €

Zone 1 : France, Andorre, Monaco
Zone 2 : Albanie, Allemagne, Autriche, Belgique, Bosnie-Herzégovine, Bulgarie, Chypre, Croatie, Danemark, Espagne, Estonie, Finlande, FYROM (ex. Macédoine), Grèce, Hongrie, Italie, Irlande, Islande, Israël, Lettonie, Liechtenstein, Luxembourg, Malte, Maroc, Moldavie, Monténégro, Norvège, Pays-Bas, Pologne, Portugal, République Islamique d'Iran, Roumanie, République Tchèque, Royaume-Uni, Serbie, Suède, Suisse, Tunisie, Turquie, Ukraine, République Slovaque, Slovénie
Zone 3 : Monde entier

Demande d'adhésion

A nous retourner dûment remplie, ainsi que votre chèque de règlement à l'adresse suivante :

AXA ASSISTANCE FRANCE
6, rue André Gide
92320 Chatillon

Convention
n° 5000177*99

Adresse du souscripteur en France ....
....

Nom et prénom des bénéficiaires

1re personne ....

2e personne ....

3e personne ....

4e personne ....

5e personne ....

Durée   ○ 16 jours   ○ 32 jours   ○ 61 jours   ○ 90 jours

Date de départ ....

Date de retour ....

Destination   ○ Zones 1 et 2   ○ Zones 3

Prime .... x nb de personnes = ... € TTC

Fait le .... à .... **Signature**

Nous pouvons également vous proposer des contrats d'assistance à l'année ainsi que des garanties d'annulation, responsabilité civile, individuelle accidents et bagages.

Contactez nous !

Pour toute information et souscription

Téléphonez au 01 55 92 19 04
du lundi au vendredi de 9h à 18h

SA au capital de 26 840 000 euros - 311 338 339 RCS Nanterre
Siret 311 338 339 000 55 - N° Intracommunautaire FR 89 311 338 339 - Code APE 660 E

EN CAS DE PROBLÈMES,
QUI SUIVRA NOS TRACES
À L'AUTRE BOUT DU MONDE ?
AXA ASSISTANCE
VOUS PROPOSE DES SOLUTIONS
PARTOUT DANS LE MONDE

www.axa-assistance.fr
Tél : 01 55 92 41 50

Une prise en charge de A à Z, 7 jours sur 7 et 24h sur 24.

Nul n'est à l'abri d'un accident lorsqu'il voyage !

Spécialiste de l'assistance d'urgence, nous sommes à vos côtés 24h sur 24 et 7 jours sur 7 dans les domaines de l'assistance aux personnes partout dans le monde et de la santé.

Choisir AXA Assistance c'est pouvoir compter sur un partenaire capable de mobiliser ses forces et ses réseaux pour gérer les situations d'urgence avec le maximum d'efficacité et de psychologie.

AXA
ASSISTANCE

Si vous prenez une des compagnies low-cost, sachez qu'elles font souvent payer un supplément pour chaque bagage enregistré.

Bagages à main

En classe éco, un bagage à main et un accessoire (sac à main, ordinateur portable) sont autorisés, le tout ne devant pas dépasser les 12 kg ni les 115 cm de dimension. En première et en classe affaires, deux bagages sont autorisés en cabine.

Les liquides et gels sont désormais interdits : seuls les tubes et flacons de 100 ml maximum sont tolérés, et ce dans un sac en plastique transparent fermé (dimension 20 cm x 20 cm). Seules exceptions à la règle : les aliments pour bébé et médicaments accompagnés de leur ordonnance. Enfin, si vous souhaitez ramener des denrées typiquement françaises sur votre lieu de villégiature, sachez que les fromages à pâte molle et les bouteilles achetées hors du Duty Free ne sont pas acceptés en cabine.

▶ **Pour un complément d'informations,** contactez directement la compagnie aérienne concernée.

Excédent de bagages

Lorsqu'on en vient à parler d'excédent de bagages, les compagnies aériennes sont assez strictes. Elles vous laisseront souvent tranquille pour 1 ou 2 kg de trop, mais passé cette marge, le couperet tombe, et il tombe sévèrement : 30 € par kilo supplémentaire sur un vol long-courrier chez Air France, 120 € par bagage supplémentaire chez British Airways, 100 € chez American Airlines.

A noter que les compagnies pratiquent parfois des remises de 20 à 30 % si vous réglez votre excédent de bagages sur leur site Web avant de vous rendre à l'aéroport. Si le coût demeure trop important, il vous reste la possibilité d'acheminer une partie de vos biens par voie postale.

Perte/vol de bagages

En moyenne, 16 passagers sur 1 000 ne trouvent pas leurs bagages sur le tapis à l'arrivée. Si vous faites partie de ces malchanceux, rendez-vous au comptoir de votre compagnie pour déclarer l'absence de vos bagages.

Pour que votre demande soit recevable, vous devez réagir dans les 21 jours suivant la perte. La compagnie vous remettra un formulaire qu'il faudra renvoyer en lettre recommandée avec accusé de réception à son service clientèle ou litiges bagages. Vous récupérerez le plus souvent vos valises au bout de quelques jours. Dans tous les cas, la compagnie est seule responsable et devra vous indemniser si vous ne revoyez pas la couleur de vos biens (ou si certains biens manquent à l'intérieur de votre bagage). Le plafond de remboursement est fixé à 20 € par kilo ou à une indemnisation forfaitaire de 1 200 €. Si vous considérez que la valeur de vos affaires dépasse ces plafonds, il est fortement conseillé de le préciser à votre compagnie au moment de l'enregistrement (le plafond sera augmenté moyennant finance) ou de souscrire à une assurance bagages. A noter que les bagages à main sont sous votre responsabilité et non sous celle de la compagnie.

Matériel de voyage

■ **DELSEY**
www.delsey.com
La deuxième marque mondiale dans le domaine du bagage, présente dans plus de 100 pays, avec 6 000 points de vente.

■ **INUKA**
www.inuka.com
Ce site vous permet de commander en ligne tous les produits nécessaires à votre voyage, du matériel de survie à celui d'observation en passant par les gourdes ou la nourriture lyophilisée.

■ **SAMSONITE**
www.samsonite.com
Leader mondial de l'univers des solutions de voyage. Les produits sont distribués sous les marques Samsonite, Samsonite Black Label, American Tourister, Lacoste et Timberland.

■ **TREKKING**
www.trekking.fr
Trekking propose dans son catalogue tout ce dont le voyageur a besoin : trousses de voyage, ceintures multipoches, sacs à dos, sacoches, étuis… Une mine d'objets de qualité pour voyager futé et dans les meilleures conditions.

■ **AU VIEUX CAMPEUR**
www.au-vieux-campeur.fr
Fondé en 1941, Au Vieux Campeur est la référence incontournable lorsqu'il s'agit d'articles de sport et loisirs.

Vous êtes photographe amateur ou professionnel ?

Safari : un système exclusif pour soulager vos cervicales du poids de votre appareil photo.

Safari est le système de portage idéal pour le reportage, la photo sportive, les safaris photo ...

Ref : 12312

Médaille d'or au Salon des Inventions de Genève 2009

Les pickpockets courent les rues ...
... pas les bonnes idées !

Voyagez en toute sécurité, protégez-vous contre la perte, le vol et les fouilles indiscrètes :
Adoptez la ceinture multipoches TREKKING.

Poche interne (billets, devises ...)

Téléphone, lunettes ...

Monnaie, tickets

Boucle de réglage en longueur.
Taille unique 75 à 125 cm

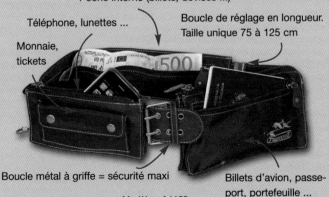

Boucle métal à griffe = sécurité maxi

Modèle ref 1150

Billets d'avion, passe-port, portefeuille ...

www.trekking.fr

■ DÉCALAGE HORAIRE

L'Italie appartient au même fuseau horaire que la France, la Belgique et la Suisse. En avril, on avance d'une heure, et fin octobre, on rétrograde d'une heure. Horaires d'ouverture

■ ÉLECTRICITÉ, POIDS ET MESURES

Électricité

L'Italie est branchée sur 220 volts comme le reste de l'Europe continentale.

Poids

On utilise en Italie les mêmes unités de poids qu'en Europe.

■ FORMALITÉS, VISA ET DOUANE

▶ **Citoyens de l'Union européenne et citoyens suisses.** Pour un séjour inférieur à trois mois : carte d'identité ou passeport périmé depuis moins de cinq ans. Au-delà des trois mois, il faut se faire délivrer par la Questura (préfecture) le permesso di soggiorno (carte de séjour) qui sera valable pour une période de cinq ans.

▶ **Citoyens canadiens.** Pour un séjour inférieur à trois mois : passeport en cours de validité. Pas de visa. Au-delà de trois mois, demandez un visa à l'ambassade ou au consulat italien le plus proche ou faites-vous délivrer sur place par la Questura une prolongation de trois mois (rarement délivrée).

▶ **Perte ou vol des documents d'identité.** Vous devez déclarer la perte à la police italienne et vous rendre ensuite à votre consulat avec l'attestation que l'on vous aura délivrée.

▶ **Attention** aux conditions d'entrée pour vos animaux de compagnie. Renseignez-vous avant votre départ pour savoir comment ils pourront vous accompagner. Sachez qu'en Italie les animaux domestiques sont acceptés par certains hôtels (renseignez-vous), mais interdits dans les taxis, les bus et les restaurants… Pour en savoir plus, vous pouvez consulter les fiches pays de l'Ecole vétérinaire de Maison Alfort : www.vet-alfort.fr/ressources/anivoyage

▶ **Conseil futé :** avant de partir, pensez à photocopier tous les documents que vous emportez avec vous. Vous emporterez un exemplaire de chaque document et laisserez l'autre à quelqu'un en France. En cas de perte ou de vol, les démarches de renouvellement

seront ainsi beaucoup plus simples auprès des autorités consulaires.

Obtention du passeport

Tous les passeports délivrés en France sont désormais biométriques. Ils comportent votre photo, vos empreintes digitales et une puce sécurisée. Pour l'obtenir, rendez-vous en mairie muni d'un timbre fiscal, d'un justificatif de domicile, d'une pièce d'identité, d'un extrait d'acte de naissance et de deux photos d'identité. Le passeport est délivré sous trois semaines environ. Il est valable dix ans. Attention, il n'est plus possible d'inscrire les enfants sur le passeport de leurs parents : ils doivent disposer d'un passeport personnel (valable cinq ans).

Douane

Si vous voyagez avec 7 600 € de devises ou plus, vous devez impérativement le signaler à la douane. En dehors de ce cas, vous n'avez rien à déclarer lors de votre retour en France. Vous êtes autorisé à acheter pour vos besoins personnels des biens dans un autre

Tabac	Cigarettes (cartouches)	5
	Tabac à fumer (g)	1000
	Cigares (unités)	200
Alcool (litres)	Vin	90
	Bière	110
	Produits intermédiaires (- 22°)	20
	Boissons spiritueuses (+ 22°)	10

Etat membre de l'Union européenne sans limitation de quantité ou de valeur. Seules exceptions : tabac et alcool pour l'achat desquels, au-delà des franchises indiquées, vous devez acquitter les droits de douane et la T.V.A. Les franchises ne sont pas cumulatives. Cela signifie que si vous choisissez de ramener du tabac, vous pouvez acheter 200 cigarettes ou 50 cigares, mais pas les deux. Idem pour l'alcool. Contactez la douane pour en savoir plus.

■ **LES DOUANES**
✆ 0 811 20 44 44
(coût d'un appel local depuis un poste fixe)
www.douane.gouv.fr
dg-bic@douane.finances.gouv.fr

■ HORAIRES D'OUVERTURE ET JOURS FÉRIÉS

Horaires d'ouverture

Les Italiens sont des mélomanes, mais pas des métronomes. Il existe pourtant des règles élémentaires pour comprendre les horaires. Tout d'abord, même au nord, le moment de la sieste est sacré, et il est rare de trouver un commerce, une banque ou un musée ouverts entre 13h et 15h30.

Outre cette pause quotidienne, les Italiens commencent en général à travailler vers 9h-9h30 dans la matinée, pour finir un peu plus tard dans la soirée, vers 19h30-20h. Les commerces sont donc généralement ouverts de 9h à 13h, puis de 15h30 à 19h30, et fermés le dimanche. Les bureaux de poste et les administrations sont ouverts seulement le matin jusqu'à 13h ou 14h. Enfin, les banques ouvrent le matin et généralement une heure ou deux dans l'après-midi (de 15h à 16h ou 17h).

Jours fériés

Les jours fériés sont à peu près les mêmes qu'en France (surtout pour les fêtes religieuses) :

▶ **1er janvier :** jour de l'an (Capodanno).

▶ **6 janvier :** Epiphanie (Befana ou Epifania). La Befana est traditionnellement une vieille dame qui distribue des cadeaux plaisants aux enfants sages (bonbons et sucreries) et des cadeaux moins agréables aux enfants turbulents (autrefois du charbon, mais aujourd'hui c'est plutôt du charbon en sucre) en se déplaçant avec son balai volant. On suspend une chaussette (d'habitude déjà en vente en commerce) au rebord du lit ou sur la cheminée et on attend la nuit. Le matin suivant, c'est la fête.

▶ **Pâques (Pasqua) :** on offre des œufs en chocolat portant une surprise à l'intérieur.

▶ **Lundi de Pâques (Pasquetta ou Lunedì di Pasqua) :** traditionnellement, on fait un pique-nique.

▶ **25 avril :** fête nationale (Festa della Liberazione), depuis la Seconde Guerre mondiale.

▶ **1er mai :** fête du Travail (Festa del Lavoro).

▶ **15 août :** Assomption (Ferragosto).

▶ **1er novembre :** Toussaint (Ognissanti).

▶ **8 décembre :** Immaculée Conception (Immacolata Concezione).

▶ **25 décembre :** Noël (Natale).

▶ **26 décembre :** Santo Stefano.

▶ **Du 24 décembre au 2 janvier,** l'activité tourne au ralenti en Italie. Plusieurs services peuvent être fermés.

▶ **Chaque ville célèbre aussi son saint patron :** Venise (saint Marc, 25 avril), Florence, Gênes et Turin (saint Jean-Baptiste, 24 juin), Bologne (saint Pétrone, 4 octobre), Milan (saint Ambroise, 7 décembre).

▶ **On trouve, particulièrement en juillet et en août,** sur la devanture de moult établissements, l'inscription « chiuso per ferie », qui signifie « fermé pour congés ». En effet, on ne se soucie pas vraiment des périodes de grandes migrations touristiques pour ajuster ses vacances. Les patrons de bar, de gelateria, de trattoria ou de restaurant prennent leurs congés quand bon leur semble, l'été étant bien sûr la période la plus propice pour les voyages.

ORGANISER SON SÉJOUR

■ INTERNET

Dans les grandes villes, il existe de nombreuses stations Internet où vous pourrez surfer, ouvrir votre boîte aux lettres et envoyer vos messages.

▶ **Vous pouvez consulter les sites** www. netcafeguide.com ou www.cybercaptive.com pour connaître le cybercafé le plus proche de votre lieu d'hébergement.

■ LANGUES PARLÉES

L'italien est une des langues latines les plus mélodieuses. La grande particularité de l'italien réside dans la variété des dialectes. Récemment encore, on en comptait plus de 1 500. L'unité de la péninsule ne s'étant pas faite avant le XIXe siècle, chaque région a longtemps gardé sa spécificité linguistique. Les régions septentrionales conservent ainsi des particularismes linguistiques très forts. Un Piémontais comprend avec difficulté un Vénitien…

En Ligurie, le dialecte utilisé est un mélange d'italien, de français et d'occitan : tout un programme ! Certaines régions, en raison de leur position géographique, sont même bilingues. Par exemple, la population du Val-d'Aoste parle couramment français, et dans le Trentin-Haut-Adige, l'allemand est fréquemment utilisé. Vous aurez tout le loisir de vous en rendre compte en vous promenant dans ces régions. Cependant, même si, en 1860, l'italien ne pouvait être parlé que par 1 % de la population, on ne peut plus en dire autant à l'heure actuelle. Avec l'uniformisation de l'enseignement, la télévision, la radio, les dialectes perdent peu à peu de leur importance.

Mais rassurez-vous ! Le français est resté enseigné à l'école pendant longtemps : c'est pourquoi vous rencontrerez toujours quelqu'un avec qui vous pourrez communiquer dans votre langue natale. La présence fréquente de touristes en Italie fait aussi de l'anglais une langue généralement comprise par tous.

Apprendre la langue

En France

Les centres culturels italiens proposent une multitude d'activités (théâtre, voyages, cinéma, etc.) en vue de promouvoir la culture italienne en France.

■ ASSOCIATION DANTE ALIGHIERI

12 bis, rue Sédillot - 75007 Paris
✆ 01 47 05 16 26

Dispense des cours d'italien, organise des conférences, des expositions, des concerts, des pièces de théâtre, des retransmissions de films du cinéma italien et beaucoup d'autres activités.

En Italie

Pour les écoles enseignant l'italien aux étrangers sur place, renseignez-vous auprès des mairies et offices du tourisme.

Auto-apprentissage

Il existe différents moyens d'apprendre quelques bases de la langue et l'offre pour l'auto-apprentissage peut se faire sur différents supports : CD, cassettes vidéo, cahiers d'exercices ou même directement sur Internet.

■ LA MÉTHODE ASSIMIL

Boutique Assimil
11, rue des Pyramides, 75001 Paris
✆ 01 42 60 40 66 – www.assimil.com
Cette méthode se décompose en deux phases. Durant la première, vous écoutez, lisez et répétez à haute voix des phrases simples pendant 20 à 30 minutes chaque jour. Durant la seconde, à partir de la cinquantième leçon, en plus des exercices habituels, vous traduisez la leçon.

■ LA MÉTHODE TELL ME MORE ONLINE

www.tellmemore-online.com
Sur ce site Internet, votre niveau est d'abord évalué et des objectifs sont fixés en conséquence. Ensuite, vous vous plongez parmi les 10 000 exercices et 2 000 heures de cours proposés. Enfin, votre niveau final est certifié selon les principaux tests de langues.

■ LA MÉTHODE POLYGLOT

www.polyglot-learn-language.com
Ce site propose à des personnes désireuses d'apprendre une langue d'entrer en contact avec d'autres dont c'est la langue maternelle. Une manière conviviale de s'initier à la langue et d'échanger.

■ PHOTOS

Quelques conseils pour prendre de belles photos de voyage

▶ **Vous prendrez les meilleures photos** tôt le matin ou aux dernières heures de la journée. Un ciel bleu de midi ne correspond pas aux conditions optimales : la lumière est souvent trop verticale et trop blanche. En outre, une météo capricieuse offre souvent des atmosphères singulières, des sujets inhabituels et, par conséquent, des clichés plus intéressants.

▶ **Prenez votre temps.** Promenez-vous jusqu'à découvrir le point de vue idéal pour prendre votre photo. Multipliez les essais : changez les angles, la composition, l'objectif… Vous avez réussi à cadrer un beau paysage, mais il manque un petit quelque chose ? Attendez que quelqu'un passe dans le champ ! Tous les grands photographes vous le diront : pour obtenir un bon cliché, il faut en prendre plusieurs.

▶ **Appliquez la règle des tiers :** divisez mentalement votre image en trois parties horizontales et verticales égales. Les points forts de votre photo doivent se trouver à l'intersection de ces lignes imaginaires. En effet, si on cadre son sujet au centre de l'image, la photo devient plate, car cela provoque une symétrie trop monotone. Pour un portrait, il faut donc placer les yeux sur un point fort et non au centre. Essayez aussi de laisser de l'espace dans le sens du regard.

▶ **Un coup d'œil aux cartes postales** et un livre de photos sur la région vous donnera des idées de prises de vue. A savoir : les tons jaunes, orange, rouges et les volumes focalisent l'attention ; ils donnent une sensation de proximité à l'observateur. Les tons plus froids, comme le vert ou le bleu, créent de leur côté une impression d'éloignement.

Photo sous-marine et protection des intempéries

Eau, sable, pluie poussière : en voyage, votre appareil est mis à rude épreuve. Vous pouvez le protéger en achetant une housse de pluie (50 € environ) ou une pochette étanche (à partir de 10 €).
En vinyle ou PVC, ce type de pochette permet même d'effectuer des clichés sous-marins jusqu'à 3 ou 5 m selon les modèles. Vous en trouverez notamment chez Nautistore ou Pearl. fr. Dans le cas où vous n'auriez pas pensé à vous munir de ce genre d'accessoire avant le départ, un bon vieux sac plastique assurera une protection minimale.

▶ **À noter :** si votre appareil a été mouillé, n'essayez surtout pas de l'utiliser pour voir s'il fonctionne, c'est le meilleur moyen de l'endommager réellement. Laissez-le sécher 48 heures à l'air libre, boîtier ouvert.

Développer/gérer/partager

Plusieurs sites proposent de stocker vos photos et de les partager directement en ligne avec vos proches.

■ FLICKR

www.flickr.com
Sur Flickr, vous pouvez créer des albums photo, retoucher vos clichés et les classer par mots-clés tout en déterminant s'ils seront visibles par tous ou uniquement par vos proches. Petit plus du site : vous avez la possibilité d'effectuer des recherches par lieux et ainsi découvrir votre destination à travers les prises de vue d'autres internautes. D'autant plus intéressant que nombre de photographes professionnels utilisent Flickr.

■ FOTOLIA

http://fr.fotolia.com
Fotolia est une banque d'images. Le principe est simple : vous téléchargez vos photos sur le site pour les vendre à qui voudra. Le prix d'achat de base est fixé à 0,83 € et peut monter jusqu'à 8,30 € par cliché. Pas de quoi payer vos prochaines vacances donc, mais peut-être assez pour réduire la note de vos tirages !

■ PHOTOWEB

www.photoweb.fr
Photoweb est un laboratoire photo en ligne. Vous pouvez y télécharger vos photos pour commander des tirages ou simplement créer un album virtuel. Le site conçoit aussi tout un tas d'objets à partir de vos clichés : tapis de souris, livres, posters, faire-part, agendas, tabliers, cartes postales… Les prix sont très compétitifs et les travaux de qualité.

ORGANISER SON SÉJOUR

■ POSTE

La poste italienne a la réputation d'être un peu lente. Disons plutôt que les délais d'acheminement peuvent être un peu aléatoires, mais que, comme en France, le courrier finit toujours par arriver. Que l'on se rassure cependant : une carte postale d'Italie pour la France met moins d'une semaine pour parvenir à son destinataire.

Les horaires des bureaux de poste sont semblables aux horaires français avec une prédilection pour l'ouverture matinale seulement, souvent jusqu'à 13h ou 14h.

▶ **Les timbres (francobolli)** pour une lettre ou une carte postale coûtent 0,62 € pour l'Union européenne, Italie incluse, et 0,80 € pour les autres pays. Ils sont vendus dans les bureaux de poste et les bureaux de tabac (sale e tabacchi) que l'on reconnaît à leur enseigne en forme de T. Certaines boutiques de souvenirs et des hôtels en vendent également.

▶ **Pour recevoir du courrier** pendant votre voyage en Italie, vous pouvez demander un envoi « fermo posta » (« poste restante » ; le courrier est gardé au bureau de la poste italienne dont vous avez précisé l'adresse jusqu'à votre passage). Pour les envois en urgence, la poste italienne propose le service dit de « posta celere », mais le prix est élevé et les délais ne sont pas garantis.

■ QUAND PARTIR ?

Le climat italien, beaucoup plus doux que celui de la France, fait de l'Italie une destination toujours très agréable. Cependant, il semble beaucoup plus judicieux d'éviter les hordes de touristes qui envahissent la Péninsule en juillet et août. Florence et Venise perdent alors beaucoup de leur charme, et les réservations d'hôtels sont alors obligatoires. Par ailleurs, les Italiens prennent eux aussi leurs vacances en août : les villes se vident et les magasins ferment…

▶ **Le climat de l'Italie du Nord est un climat continental,** c'est-à-dire que l'hiver est assez froid et humide, et l'été chaud et également humide. En janvier, la température moyenne est de 2 °C à Milan et à Venise ; en été, elle est de 27 °C. Pourtant, les vallées alpines et les alentours du lac Majeur ont un climat local très doux, qui permet la culture viticole.

▶ **L'Italie péninsulaire jouit, elle, d'un climat méditerranéen,** doux en hiver et très chaud et sec en été. Ainsi, Gênes a une température moyenne en hiver qui tourne autour de 9 °C.

Les saisons les plus agréables restent le printemps et l'automne, où l'on profite du beau temps et des sites sans ployer sous la chaleur ou pester contre la pluie. Pour connaître le temps qu'il fait sur place, vous pouvez vous rendre sur le site www.meteo-consult.com – Vous y trouverez les prévisions météorologiques pour le monde entier.

Les manifestations

Voir la rubrique « Festivités » dans la partie « Découverte ».

■ SANTÉ

Peu de risques – pas plus qu'en France – de contamination spéciale ou de carence dans l'aide d'urgence. Les secours sont fort bien organisés, et le téléphone mobile fonctionne bien partout, ce qui permet une alerte rapide en cas de problème. Comme ailleurs, prévoyez une petite trousse à pharmacie comprenant notamment des produits anti-moustiques. Les problèmes fréquents demeurent les insolations et les infections oculaires provoquées par la non-utilisation de lunettes de soleil. Vous pouvez d'ores et déjà vous munir, avant de partir, du nécessaire pour parer à toutes ces éventualités. Enfin, soyez prudent vis-à-vis des maladies du siècle. Aucun vaccin particulier n'est requis pour se rendre en Italie. Vérifiez toutefois si vos vaccins (DT Polio, etc.) sont à jour.

Pour vous informer de l'état sanitaire du pays et recevoir des conseils, n'hésitez pas à consulter votre médecin. Vous pouvez aussi vous adresser à la Société de médecine des voyages du centre médical de l'Institut Pasteur au ✆ 01 40 61 38 46 (www.pasteur.fr/sante/cmed/voy/listpays.html) ou vous rendre sur le site du Cimed (www.cimed.org), du ministère des Affaires étrangères à la rubrique « Conseils aux voyageurs » (www.diplomatie.gouv.fr/voyageurs) ou de l'Institut national de veille sanitaire (www.invs.sante.fr).

En cas de maladie

Contacter le consulat français. Il se chargera de vous aider, de vous accompagner et vous fournira la liste des médecins francophones. En cas de problème grave, c'est aussi lui qui prévient la famille et qui décide du rapatriement. Pour connaître les urgences et établissements aux standards internationaux : consulter les sites www.cimed.org, www.diplomatie.gouv.fr et www.pasteur.fr

Adresses et numéros utiles

Urgences

Certaines villes italiennes proposent un service spécifique pour les touristes appelé « Guardia Turistica ». De 20h à 8h du matin, le samedi après-midi et les jours fériés, vous pouvez appeler la Guardia Turistica qui n'intervient qu'en cas d'urgence grave. Le consulat est alors averti et prévient la famille proche qui décide ou non du rapatriement. Partout dans l'Union européenne, le 112 est le numéro d'appel d'urgence pour contacter une ambulance, les pompiers ou la police. Ce numéro est gratuit, qu'il soit composé sur un téléphone fixe, un portable ou depuis une cabine téléphonique. Le 112 est accessible 24h/24.

■ **URGENCES**
✆ 118

Hôpitaux

■ **BOLOGNE**
Policlinico Sant'Orsola-Malpighi
Via Pietro Albertoni, 15 ✆ (051) 63 63 111

■ **FLORENCE**
Ospedale di Santa Maria Nuova
Piazza S. Maria Nuova ✆ (055) 27 581

■ **MILAN**
Ospedale San Carlo Borromeo Via Pio II, 3
✆ (02) 40 22 24 35

■ **PARME**
Ospedale Azienda Ospedaliera di Parma
Via Gramsci, 14 ✆ (0521) 99 11 11

■ **TURIN**
Ospedale San Giovanni Battista Molinette
Corso Bramante, 88 ✆ (011) 63 35 51

■ **VENISE**
Ospedale Civile Di Venezia
Campo Santi Giovanni e Paolo
✆ (041) 52 94 111

Assurance et assistance médicales

Depuis 2006, la carte européenne d'assurance maladie remplace les multiples formulaires E111, E126 et autres. Cette carte permet la prise en charge des frais médicaux dans les mêmes conditions que pour les assurés du pays d'accueil. Il faut la demander au moins deux semaines avant le départ à votre caisse d'assurance maladie. La carte est valable un an et est personnelle : chaque enfant doit aussi avoir la sienne. Si les délais sont trop courts, il vous sera délivré un certificat provisoire de remplacement. Cette carte fonctionne dans tous les pays membres de l'Union européenne mais aussi en l'Islande, au Lichtenstein, en Suisse et en Norvège. Il vous suffit de la présenter chez le médecin, le pharmacien et dans les hôpitaux du service public : soit vous serez dispensé de l'avance des frais médicaux, soit vous serez remboursé sur place par l'organisme de Sécurité sociale du pays. Plus d'informations :

■ **CENTRE DES LIAISONS EUROPÉENNES ET INTERNATIONALES DE LA SÉCURITÉ SOCIALE**
11 rue de la tour des Dames
75436 Paris cedex 09 ✆ 01 45 26 33 41
Fax : 01 49 95 06 50 www.cleiss.fr ou www.ameli.fr

Rapatriement sanitaire par les opérateurs de cartes bancaires

Si vous possédez une carte bancaire Visa®, EuroCard® MasterCard®, vous bénéficiez automatiquement d'une assurance médicale et d'une assistance rapatriement sanitaire valables pour tout déplacement à l'étranger de moins de 90 jours (le paiement de votre voyage avec la carte n'est pas nécessaire pour être couvert, la simple détention d'une carte valide vous assure une couverture). Renseignez-vous auprès de votre banque.

Et vérifiez attentivement le montant global de la couverture et des franchises ainsi que les conditions de prise en charge et les clauses d'exclusion. Si vous n'êtes pas couvert par l'une de ces cartes, n'oubliez surtout pas de souscrire une assistance médicale avant de partir.

Numéros d'urgence et d'assistance

■ **CARTE BLEUE VISA®**
✆ 01 41 85 88 81

(33 1 41 85 88 81 depuis l'étranger) ou le numéro indiqué au dos de votre carte
www.europ-cartes.com

■ **EUROCARD® - MASTERCARD®**
✆ 01 45 16 65 65
(33 1 45 16 65 65 depuis l'étranger)
ou le numéro indiqué au dos de votre carte
www.mastercard.com/fr

■ SÉCURITÉ ET ACCESSIBILITÉ

Dangers potentiels

Ni plus ni moins qu'en France, vous n'avez intérêt à vous balader avec votre sac ouvert en bandoulière, surtout dans les bus qui desservent les lieux les plus touristiques. Le soir, pas plus qu'en France ou en Allemagne, vous n'arpenterez sans une toute petite appréhension les rues désertes des quartiers louches. Mais ailleurs, au milieu de la foule, de ces gens qui s'amusent et qui sont si contents de sortir tous les soirs (on déambule facilement jusqu'à minuit et au-delà), vous ne vous sentirez vraiment pas menacé.

La police

En Italie, il y a trois types de police : la Polizia di Stato (police nationale) à laquelle s'ajoute, avec le même rôle, les carabinieri, un corps existant depuis plus de 150 ans. Les vigili sont les agents de la police municipale dont la fonction est la gestion de la circulation urbaine et les petites affaires courantes. En tant que touriste, vous aurez généralement affaire à la Polizia (l'agent s'appelle « poliziotto ») ou aux carabinieri (un agent est un « carabiniere »).

■ **CARABINIERI**
✆ 112

■ **POLIZIA (PREMIERS SECOURS)**
✆ 113

■ **POMPIERS**
✆ 115

■ **SECOURS ROUTIER**
✆ 116

■ **URGENCES MÉDICALES**
✆ 118

Pour connaître les dernières informations sur la sécurité sur place, consultez la rubrique « Conseils aux voyageurs » du site du ministère des Affaires étrangères : www.diplomatie.gouv.fr/voyageurs. Sachez cependant que le site dresse une liste exhaustive des dangers potentiels et que cela donne parfois une image un peu alarmiste de la situation réelle du pays.

Voyager avec des enfants

L'Italie du Nord est, sans conteste, une destination qui convient particulièrement au voyage avec des enfants. Les centres historiques, piétons et homogènes, se prêtent à la balade à pied pour les petits et constituent une piste de choix pour une visite à poussette. Parcs nationaux et châteaux forts, qui émaillent le territoire, sont autant de découvertes passionnantes pour les voyageurs en culottes courtes. Côté culture, la majorité des musées proposent des tarifs réduits pour les enfants (et la gratuité pour les tout petits). Des pass famille sont aussi disponibles dans certaines grandes villes, pour profiter des transports et des visites sans trop peser sur le budget. En ce qui concerne l'hébergement, revenant souvent cher dans les hôtels des grandes villes, on conseillera la location d'appartement ou encore le choix d'un agritourisme. Ces derniers proposent souvent l'ajout d'un lit supplémentaire pour quelques euros par nuit.

Voyageur handicapé

Les progrès récents, mais isolés, ne changent pas la donne : les structures touristiques italiennes sont encore trop peu accessibles aux personnes handicapées. Seuls les musées les plus modernes (et les plus riches) offrent ascenseurs et rampes d'accès. Aussi, une loi oblige les hôtels construits après 1990 de proposer une chambre adaptée aux touristes handicapés. Dans la réalité, peu d'établissements sont aux normes. Il faut donc se renseigner à l'avance par mail ou téléphone. Le site www.accessibleitaly.com est une mine d'information sur l'accessibilité des lieux de visite. Il propose aussi l'organisation de vacances pour les voyageurs handicapés. Sur le site www.coinsociale.it, vous trouverez également des informations sur les facilités pour les personnes à mobilité réduite. A noter, des initiatives locales, comme des taxis spécialisés à Bologne ou Florence. Sur le Web, le site de la mairie de Turin propose quatre itinéraires aux personnes à mobilités réduite (www.comune.torino.it/itidisab). Si vous présentez un handicap physique ou mental ou que vous partez en vacances avec une personne dans cette situation, différents organismes et associations s'adressent à vous.

Pour le conseil et l'accompagnement

■ **HANDI VOYAGES**
12, rue du Singe, 58000 Nevers
✆ 0 872 32 90 91 ou 06 80 41 45 00
www.handi-voyages.tk
handi.voyages@free.fr
Cette association assure l'aide aux personnes à mobilité réduite dans l'organisation de leurs voyages individuels ou en petits groupes. Elle propose un service d'aide à la recherche d'informations sur l'accessibilité mais aussi la mise en relation avec des volontaires compagnons de voyage. En outre, dans le cadre de l'opération « Des fauteuils en Afrique », Handi Voyages récupère du matériel pour personne à mobilité réduite et le distribue en Afrique.

Pour des séjours spécifiquement adaptés

■ **A.C.T.I.S. VOYAGES**
www.actis-voyages.fr

■ **AILLEURS ET AUTREMENT**
www.ailleursetautrement.fr

■ **ASSOCIATION DES PARALYSÉS DE FRANCE**
www.apf.asso.fr

■ **COMPTOIR DES VOYAGES**
www.comptoir.fr

■ **ÉVÉNEMENTS ET VOYAGES**
www.evenements-et-voyages.com

■ **GLOBE-TROTTER CLUB**
www.globetrotterclub.com

■ **NOUVELLES ÉVASIONS VACANCES**
www.vacances-neva.com

■ **OLÉ VACANCES**
www.olevacances.org

Femme seule

Aucune contre-indication particulière pour la voyageuse qui souhaite arpenter l'Italie du Nord en solitaire. La population, féminine et masculine, est généralement très accueillante. Les principaux périls se résument bien souvent en quelques compliments fleuris, voire un sifflet macho… Mais l'enquiquinant mâle ose rarement aller plus loin. En cas de difficulté, vous trouverez facilement de l'aide auprès des carabiniers ou de la population locale.

Homosexualité

En dépit de déclarations violemment homophobes de certains responsables de la Ligue du Nord ou des réprobations vaticanes, l'acceptation de l'homosexualité fait son chemin en Italie. Et en particulier au nord du pays. Beaucoup de lieux à la mode sont ouvertement gay-friendly et, grâce à des publications ou sites spécialisés, il est facile de trouver des bars, des boîtes ou encore des plages pour faire des rencontres sympathiques. La principale association gay du pays, Arcigay, est un bon point de repère. Vous pouvez consulter leur site Internet (www.arcigay.it), mais aussi les sites locaux. Ils proposent tout un tas d'adresses et de bons plans. Citons ainsi www.arcigaymilano.org (à Milan) et www.gaytoscana.it (à Florence).

▬ TÉLÉPHONE ▬

▶ **Pour appeler d'Italie vers la France,** composez le + 33 suivi du numéro de votre correspondant sans le 0.

▶ **Pour appeler de France vers l'Italie,** composez le 00 39 + indicatif de la ville toujours précédé du 0 + n° du correspondant (ce dernier peut comprendre jusqu'à 11 chiffres).

▶ **Pour téléphoner vers un téléphone mobile :**

00 39 + indicatif du mobile (généralement composé par 333, 339, 348, mais d'autres indicatifs existent) jamais précédé du 0 (ex. : 00 33 + 339) + n° du correspondant (ce dernier peut comprendre de 6 à 11 chiffres).

Renseignements

▌ **Pour les renseignements internationaux depuis la France,** composez le ✆ 33 12. Pour téléphoner facilement de l'étranger vers la France et dans certains cas vers d'autres pays, le service France Direct de France Télécom propose des numéros d'accès direct.

▌ **Vous pouvez utiliser les renseignements sur Internet :** www.paginegialle.it (les Pages jaunes italiennes) et www.paginebianche.it (Pages blanches).

Utiliser son téléphone mobile

Si vous souhaitez garder votre forfait français, il faudra avant de partir, activer l'option internationale (généralement gratuite) en appelant le service clients de votre opérateur. Pas d'angoisse pour les accros du telefonino (portable) : ça passe ! Quel que soit votre réseau, il est adapté à l'Italie. De plus, la plupart des opérateurs français ont désormais des accords avec les compagnies italiennes et vous permettent d'accéder à votre messagerie téléphonique et à tous les services de votre compagnie depuis l'Italie. Le réseau local est parfait dans les grandes villes, mais il est moyen dans les petites agglomérations reculées.

Qui paie quoi ?

La règle est la même chez tous les opérateurs. Lorsque vous utilisez votre téléphone français à l'étranger, vous payez la communication, que vous émettiez l'appel ou que vous le receviez. Dans le cas d'un appel reçu, votre correspondant paie lui aussi, mais seulement le prix d'une communication locale. Tous les appels passés depuis ou vers l'étranger sont hors forfait, y compris ceux vers la boîte vocale.

Cabines et cartes prépayées

▌ **Le telefono a scatti** (unités téléphoniques). Rare mais parfois présent dans les bars et les bureaux de poste des petites villes.

▌ **La cabina telefonica** (cabine téléphonique). Présente généralement partout dans les grandes villes. Dans les centres d'appel, on vous fera remplir un formulaire et parfois on vous demandera une caution.

Malheureusement, vous ne pourrez pas utiliser vos pièces de monnaie, car dans les grandes villes les téléphones à pièces ont presque tous été remplacés par les téléphones à carte. Il faudra donc que vous vous procuriez des cartes ou schede telefoniche (singulier : carta/ scheda telefonica). Elles sont vendues dans les bureaux de tabac (sale e tabacchi), les bureaux des transports en commun, les kiosques à journaux et les centres d'appels publics.

▌ **Il existe 3 types de cartes téléphoniques :** environ 2,50 €, 5 €, 10 € et 7,70 €.

▌ **Vous pouvez également vous procurer** avant de partir une carte d'appel France Télécom qui vous permet de débiter l'appel directement sur votre facture en France (info au ✆ 0 800 202 202).

▌ **Certaines cartes à code d'autres compagnies** présentent parfois des prix plus intéressants pour l'étranger. De plus, vous pouvez utiliser sur de rares postes téléphoniques votre carte de crédit, mais le système est presque inconnu en Italie.

Skype et MSN

Pas besoin de combiné mais d'un ordinateur et d'une connexion Internet pour téléphoner avec Skype ou MSN. Les deux personnes cherchant à entrer en contact doivent avoir téléchargé l'un de ces deux logiciels gratuits. L'utilisation est ensuite très simple : un micro, un casque et une Webcam si vous en avez une, et vous pouvez discuter pendant des heures sans payer un centime (connexion Internet exceptée).

TARIFS DES DIFFÉRENTS OPÉRATEURS			
	Bouygues	**Orange (HT)**	**SFR**	**SFR Vodafone**
Appel émis	0,55 €/min.	0,49 €/min.	0,55 €/min.	1 € + 0,37 €/min.
Appel reçu	0,26 €/min.	0,24 €/min.	0,26 €/min.	1 € par appel (jusqu'à 20 min.).
SMS	0,30 € – réception gratuite	0,29 € – réception gratuite	0,30 € – réception gratuite	0,30 € – réception gratuite

Ne laissez plus vos écrits dans un tiroir...
Envoyez-nous votre manuscrit !

S'informer

À VOIR, À LIRE

Bibliographie

▷ **Butor (Michel)**, *La Modification*, Editions de Minuit, 1980.

▷ **Calvino (Italo)**, *Contes italiens*, Gallimard, 1995.

▷ **Chateaubriand (François-René de)**, *Voyage en Italie,* La Bibliothèque des Arts, 1995.

▷ **Fernandez (Dominique)**, *Le Voyage d'Italie*, Plon, 1998.

▷ **Gautier (Théophile)**, *Italia : voyage en Italie*, La Boîte à Documents, 1997.

▷ **Giono (Jean)**, *Voyage en Italie,* Gallimard, coll. « Folio », 1979.

▷ **Goethe**, *Voyage en Italie,* Christian de Bartillat, 2003.

▷ **James (Henry)**, *Heures italiennes,* La Différence, 1990.

▷ **Kokelberg (Jean)**, *Toscane : Florence, Pise, Sienne,* La Renaissance du Livre, 2003.

▷ **Levi (Carlo)**, *Le Christ s'est arrêté à Eboli,* Gallimard, coll. « Folio », 1979.

▷ **Montaigne (Michel de)**, *Journal de voyage en Italie*, Livre de Poche, LGF, 1974.

▷ **Morante (Elsa)**, *La Storia*, deux volumes, Gallimard, 1987.

▷ **Moravia (Alberto)**, *Les Indifférents* (1929), *L'Ennui* (1960), *Le Conformiste, Le Voyage à Rome* (1989), Flammarion.

▷ **Pasolini (Pier Paolo)**, *Une vie violente*, 10/18, 1998.

▷ **Pirandello (Luigi)**, *Les Vieux et les jeunes*, Denoël, coll. « Arc en ciel », 1998.

▷ **Sade**, *Voyage d'Italie*, Fayard, 1995.

▷ **Staël (Madame de)**, *Corinne ou l'Italie*, Gallimard, coll. « Folio », 1985.

▷ **Stendhal**, *Voyage en Italie*, Gallimard, coll. « Folio », 1997. Chroniques italiennes, Flammarion, 1993.

Essais

Si vous souhaitez approfondir la situation politique de l'Italie, voici quelques ouvrages récents :

▷ **Balcet (Giovanni)**, *L'Economie de l'Italie*, Paris, La Découverte, 1995.

▷ **Bocca (Giorgio)**, *L'Enfer : enquête au pays de la mafia*, Paris, Payot, 1993.

▷ **Imposimato (Ferdinando)**, *Un juge en Italie. Pouvoir, corruption, terrorisme : les dossiers noirs de la mafia*, Bernard de Fallois Editeur, 2000.

▷ **Procacci (Giuliano)**, *Histoire des Italiens*, Fayard, 1998.

▷ **Raffone (Paolo)**, *L'Italie en marche, Chroniques et témoignages*, Marabout, coll. « Le Monde Poche », 1998.

▷ **Teissier (Bruno)**, *Géopolitique de l'Italie*, Bruxelles, Complexe, 1996.

Beaux livres et livres sur l'art

▷ **Chastel (André)**, *Renaissance italienne 1460-1500*, Gallimard, 1999.

▷ **Fortini Brown (Patricia)**, *La Renaissance à Venise*, Flammarion, coll. « Tout l'art », 1997.

▷ **Steer (John)**, *La Peinture vénitienne*, Thames and Hudson, 1990.

▷ **Turner (Richard)**, *La Renaissance à Florence*, Flammarion, coll. « Tout l'art », 1997.

LIBRAIRIES

Le voyage commence souvent bien calé dans son fauteuil, un récit de voyage ou un guide touristique à la main. Nous vous proposons ici une liste de librairies spécialisées qui devraient satisfaire votre appétit de guides, romans et autres manuels pour partir à la découverte du monde.

Paris

▪ **ITINÉRAIRES,
LA LIBRAIRIE DU VOYAGE**
60, rue Saint-Honoré (1er)
✆ 01 42 36 12 63 – Fax : 01 42 33 92 00
www.itineraires.com

M° Les Halles. Ouvert du lundi au samedi de 10h à 19h. Logée dans un bâtiment classé des Halles, cette librairie riche d'un catalogue de 15 000 titres dispose d'un ravissant patio. Dédié à « la connaissance des pays étrangers et des voyages », elle propose pour chaque destination quelques titres essentiels de la littérature ainsi que les guides de voyage existants, des livres de recettes, des précis de conversation, des études historiques… La librairie organise aussi régulièrement des expositions de photos.

▪ LIBRAIRIE ULYSSE

26, rue Saint-Louis-en-l'Île (4e)
℡ 01 43 25 17 35
www.ulysse.fr
M° Pont-Marie.
Ouvert du mardi au vendredi de 14h à 20h. Ne soyez pas rebuté par l'apparent fouillis de cette librairie : les bouquins s'y entassent jusqu'au plafond, mais la maîtresse des lieux sait exactement où trouver ce qu'on lui demande. La boutique propose plus de 20 000 ouvrages (romans, beaux livres, guides, récits de voyage, cartes, revues) neufs et anciens sur tous les pays. Un service de recherche de titres épuisés est à la disposition des clients.

▪ LIBRAIRIE EYROLLES PRATIQUE

63, boulevard Saint-Germain (5e)
℡ 01 46 34 82 75
www.eyrolles.com
M° Maubert-Mutualité ou Cluny-la-Sorbonne et R.E.R. Saint-Michel. Ouvert de 9h30 à 19h30. Consacrée à la vie pratique, cette boutique se présente sur deux niveaux dont un entièrement dédié au tourisme. Voyageurs du monde, bienvenue au « paradis eyrollien ». Vous trouverez tout pour préparer votre escapade : cartes, guides, plans… Il ne vous reste plus qu'à prendre vos billets.

▪ LIBRAIRIE L'HARMATTAN

16 et 21, rue des Écoles (5e)
℡ 01 40 46 79 10 et 01 46 34 13 71
www.editions-harmattan.fr
M° Maubert-Mutualité.
Ouvert du lundi au samedi de 10h à 12h30 et de 13h30 à 19h. Se consacrant essentiellement au continent africain, cette librairie propose toutefois de nombreux ouvrages sur l'Asie, l'Océanie, les pays de l'Est, le monde arabe et l'Amérique latine. Vous y trouverez littérature et études, dans des domaines aussi divers que la sociologie, l'anthropologie, l'analyse politique ou encore l'histoire.

▪ AU VIEUX CAMPEUR

2, rue de Latran (5e)
À Paris, Quartier latin : 26 boutiques autour du 48, rue des Ecoles (5e)
℡ 01 53 10 48 48
www.au-vieux-campeur.fr
M° Maubert-Mutualité ou Cardinal-Lemoine. Ouvert du lundi au samedi : lundi, mardi, mercredi et vendredi de 11h à 19h30, samedi de 10h à 19h30, nocturne le jeudi jusqu'à 21h. Les magasins Au Vieux Campeur disposent d'une librairie dédiée au tourisme sportif. Vous y trouverez guides, cartes, beaux livres, revues et un petit choix de vidéos principalement axés sur la France. Le premier étage met à l'honneur le sport, les exploits et découvertes. Vous pourrez vous y documenter sur l'escalade, le V.T.T., la plongée sous-marine, la randonnée, la voile, le ski… Commande possible par Internet.

▪ LIBRAIRIE LA GÉOGRAPHIE

184, boulevard Saint-Germain (6e)
℡ 01 45 48 03 82
www.librairie-la-geographie.com
M° Saint-Germain ou Rue-du-Bac. Ouvert du lundi au samedi de 10h à 19h. Il y en a pour tous les goûts dans cette librairie gérée par deux amoureux du voyage. Aux ouvrages couvrant les sujets de la Société de géographie s'ajoutent des récits de voyage et d'aventures, des guides touristiques, des écrits géopolitiques, des cartes, etc. Voici un endroit convivial où l'on découvre et discute… Et ça ne s'arrête pas là : le site Internet et son blog fourmillent d'informations sur l'actualité du monde.

▪ ESPACE IGN

107, rue de La Boétie (8e)
℡ 01 43 98 80 00 / 0 820 20 73 74
www.ign.fr
M° Franklin-D.-Roosevelt. Ouvert du mardi au vendredi de 11h à 19h, le samedi de 11h à 18h30 et le lundi de midi à 18h30. Vous trouverez dans cette belle librairie sur deux niveaux pléthore de cartes (on n'est pas à l'Institut géographique national pour rien), guides de toutes éditions, beaux livres, méthodes de langues en version poche, ouvrages sur la météo, mappemondes, conseils pour les voyages… Les enfants ont droit à un coin rien que pour eux avec des ouvrages sur la nature, les animaux, les civilisations, etc. Quant aux amateurs d'ancien, ils pourront se procurer des reproductions de cartes datant pour certaines du XVIIe siècle.

■ **LIBRAIRIE MARITIME OUTREMER**
55, avenue de la Grande-Armée (16e)
℡ 01 45 00 17 99 – Fax : 01 45 00 10 02
www.librairie-outremer.com
*M° Argentine. Ouvert du lundi au samedi de
10h à 19h.* La librairie de la rue Jacob a rallié
les locaux de la boutique avenue de la Grande-
Armée. Des ouvrages sur l'architecture navale,
des manuels de navigation, des ouvrages de
droit marin, les codes Vagnon, les cartes du
Service hydrographique et océanique de la
marine, des précis de mécanique pour les
bateaux, des récits et romans sur la mer,
des livres d'histoire de la marine… tout est
là. Cette librairie constitue la référence dans
ce domaine. Son catalogue est disponible sur
Internet et en format papier à la boutique.

Bordeaux

■ **LATITUDE VOYAGE**
13, rue du Parlement-Saint-Pierre
℡ 05 56 44 12 48
www.latitudevoyage.fr
Latitude Voyage possède de nombreux guides
culturels, touristiques, de randonnée mais
également des cartes, beaux livres et de la
littérature de voyage. Si vous hésitez devant
les rayons, sachez que la librairie présente
ses coups de cœur sur son site Internet. Vous
pouvez aussi acheter vos livres en ligne (1 €
de frais de port par exemplaire). Latitude
Voyage accueille régulièrement des expositions
et organise des soirées littéraires.

■ **LIBRAIRIE DE VOYAGEURS DU MONDE**
28, rue Mably
℡ 05 57 14 01 45 – www.vdm.com
Ouvert du mardi au samedi de 11h à 19h.
Tout comme ses homologues de Paris ou
Marseille, la librairie propose un vaste choix
de guides en français et anglais, de cartes
géographiques et atlas, de récits de voyage et
d'ouvrages thématiques. Également pour les
voyageurs en herbe : des atlas, des albums
et des romans d'aventures.

■ **LA ROSE DES VENTS**
40, rue Sainte-Colombe
℡ /Fax : 05 56 79 73 27
rdvents@hotmail.com
*Ouvert du lundi au samedi de 10h à 12h30 et
de 14h à 19h.* Ouvrages littéraires et guides de
nature garnissent les étagères de cette librairie
aux côtés de cartes et guides touristiques. Le
futur aventurier pourra consulter gratuitement
des revues spécialisées. Lieu convivial, La
Rose des Vents propose tous les jeudis soir

des rencontres et conférences autour du
voyage. Cette librairie fait maintenant partie
du groupe Géothèque (également à Tours
et Nantes).

Brest

■ **LIBRAIRIE DES VOYAGEURS**
14, rue Boussingault
℡ 02 98 33 61 72 - Fax : 02 98 33 61 73
www.georama.fr
Ouvert du lundi au samedi de 9h30 à 19h.
Repère incontestable de tous les voyageurs
en partance, cette librairie propose guides,
cartes, atlas, mappemonde, littérature et récit
de voyage… Pour les bambins globetrotteur,
des jeux pédagogiques sont disponibles.

Caen

■ **HÉMISPHÈRES**
15, rue des Croisiers
℡ 02 31 86 67 26 – Fax : 02 31 38 72 70
www.librairie-hemispheres.blogspot.com
*Ouvert du mardi au samedi de 9h à 19h sans
interruption.* Dans cette librairie dédiée au
voyage, les livres sont classés par pays :
guides, plans de villes, littérature étrangère,
ethnologie, cartes et topoguides pour la
randonnée. Les rayons portent aussi un beau
choix de livres illustrés et comprennent un
rayon musique. Le premier étage allie littérature et gastronomie et des expositions de
photos y sont régulièrement proposées.

Clermont Ferrand

■ **LA BOUTIQUE MICHELIN**
2, place de la Victoire
℡ 04 73 90 20 50
www.michelin-boutique.com
*Ouvert du mardi au samedi de 10h à 13h
et de 14h à 19h, le lundi après-midi l'été.*
Vous trouverez dans cette boutique toute
la production Michelin, des guides verts (en
français, anglais ou allemand) aux guides
rouges en passant par les cartes France et
étranger. Egalement bagagerie, articles de
sport, vaisselles et tout le nécessaire pour vos
voyages (du triangle au contrôleur de pression)
et de nombreux produits dérivés.

Grenoble

■ **LIBRAIRIE DE VOYAGEURS DU MONDE**
16, boulevard Gambetta
℡ 04 76 85 95 97 – www.vdm.com
Ouvert du mardi au samedi de 11h à 19h.

Tout comme ses homologues de Paris ou Marseille, la librairie propose un vaste choix de guides en français et anglais, de cartes géographiques et atlas, de récits de voyage et d'ouvrages thématiques... Également pour les voyageurs en herbe : des atlas, des albums et des romans d'aventures.

Lille

◾ AUTOUR DU MONDE
15, rue Saint-Jacques
℅/Fax : 03 20 78 19 33
www.autourdumonde-lille.com
Ouvert du mardi au samedi de midi à 19h.
Ouverte en 2006, cette librairie située au cœur du vieux Lille est tenue par un ancien professionnel du tourisme qui se fera un plaisir de vous conseiller. Romans, carnets de voyage, guides, cartes IGN, livres jeunesse, jeux et affiches remplissent les rayons de cette boutique. Pour s'y retrouver, c'est facile : les ouvrages sont rangés par continents, puis selon les quatre points cardinaux. Vous partez en Islande ? Rendez-vous au nord-ouest du magasin. Possibilité de commande sur le site de la librairie.

◾ LIBRAIRIE DE VOYAGEURS DU MONDE
147, boulevard de la Liberté
℅ 03 20 06 76 30
Fax : 03 20 06 76 31
www.vdm.com
Ouvert du lundi au samedi de 10h à 19h. La librairie de Voyageurs du Monde lilloise est située dans le centre-ville. Elle compte pas moins de 14 000 références, livres et cartes, uniquement consacrées à la découverte de tous les pays du monde, de l'Albanie au Zimbabwe en passant par la Chine.

Lyon

◾ RACONTE-MOI LA TERRE
Librairie restaurant wifi bar
14, rue du Plat (2ᵉ)
℅ 04 78 92 60 20
Fax : 04 78 92 60 21
www.racontemoilaterre.com
Ouvert le lundi de midi à 19h30, du mardi au samedi de 10h à 11h30 et de 14h30 à 19h30, nocturne le mercredi jusqu'à 22h. Restaurant « exotique », cette librairie s'ouvre sur le monde des voyages. Les vendeurs vous conseillent et vous emmènent jusqu'à l'ouvrage qui vous convient. Ethnographes, juniors, baroudeurs, Raconte-moi la Terre propose de quoi satisfaire tous les genres de voyageurs.

◾ AU VIEUX CAMPEUR
Préfecture-université : 9 boutiques autour du 43, cours de la Liberté (3ᵉ)
www.au-vieux-campeur.fr
Ouvert du mardi au vendredi de 11h à 19h30, le samedi de 10h à 19h et le lundi de 11h à 19h. Les magasins Au Vieux Campeur disposent d'une librairie dédiée au tourisme sportif. Vous y trouverez guides, cartes, beaux livres, revues et un petit choix de vidéos principalement axés sur la France. Commande possible par Internet.

Marseille

◾ LIBRAIRIE DE LA BOURSE – MAISON FREZET
8, rue Paradis (1ᵉʳ) ℅ 04 91 33 63 06
Ouvert le lundi de 14h à 19h et du mardi au samedi de 8h45 à 12h15 et de 13h45 à 19h. Cette librairie fondée en 1876 propose plans, cartes et guides touristiques du monde entier. Terre, mer, montagne ou campagne, tous les environnements se trouvent parmi les centaines d'ouvrages proposés. Si jamais l'idée vous tente de partir à l'aventure, rien ne vous empêche de vérifier votre thème astral ou de vous faire tirer les cartes avec tout le matériel ésotérique et astrologique également disponible.

◾ LIBRAIRIE MARITIME OUTREMER
26, quai Rive-Neuve (1ᵉʳ)
℅ 04 91 54 79 40 – Fax : 04 91 54 79 49
www.librairie-maritime.com
Ouvert du mardi au vendredi de 9h à 12h30 et de 14h à 18h30, le samedi de 10h à 12h30 et de 15h à 18h30. Que vous ayez le pied marin ou non, cette librairie vous ravira tant elle regorge d'ouvrages sur la mer. Ici, les histoires sont envoûtantes, les images incroyables... De quoi se mettre à rêver sans même avoir jeté l'ancre !

◾ LIBRAIRIE DE VOYAGEURS DU MONDE
25, rue Fort-Notre-Dame (1ᵉʳ)
℅ 04 96 17 89 26 – Fax : 04 96 17 89 18
www.vdm.com
Ouvert le lundi de midi à 19h et du mardi au samedi de 10h à 19h sans interruption. Sur le même site sont regroupés les bureaux des conseillers Voyageurs du Monde et ceux de Terres d'Aventure. La librairie détient plus de 5 000 références : romans, ouvrages thématiques sur l'histoire, spiritualité, cuisine, reportages, cartes géographiques, atlas, guides (en français et en anglais). L'espace propose également une sélection d'accessoires incontournables : moustiquaires, bagages...

▨ AU VIEUX CAMPEUR

255, avenue du Prado
✆ 04 91 16 30 30
Fax : 04 91 16 30 59
www.au-vieux-campeur.fr
Ouvert du mardi au vendredi de 10h30 à 19h30, le samedi de 10h à 19h et le lundi de 10h30 à 19h. Les magasins Au Vieux Campeur disposent d'une librairie dédiée au tourisme sportif. Vous y trouverez guides, cartes, beaux livres, revues et un petit choix de vidéos principalement axés sur la France.

Montpellier

▨ LES CINQ CONTINENTS

20, rue Jacques-Cœur
✆ 04 67 66 46 70
Fax : 04 67 66 46 73
Ouvert le lundi de 13h à 19h et de 10h à 19h du mardi au samedi. Les libraires globe-trotters de cette boutique vous aideront à faire le bon choix parmi les nombreux ouvrages des cinq continents. Récits de voyage, guides touristiques, livres d'art, cartes géographiques et autres livres de cuisine ou musicaux vous permettront de mieux connaître divers pays du monde et régions de France. Régulièrement, la librairie organise des rencontres et animations (programme trimestriel disponible sur place).

Nantes

▨ LA GÉOTHÈQUE

10, place du Pilori
✆ 02 40 47 40 68 – Fax : 02 40 47 66 70
geotheque-nantes@geotheque.com
Ouvert le lundi de 14h à 19h et du mardi au samedi de 10h à 19h. Vous trouverez des centaines de magazines, guides spécialisés et plus de 2 000 cartes IGN à la Géothèque. Une bonne adresse pour savoir où l'on va et, en voyageur averti, faire le point avant le départ.

▨ LIBRAIRIE DE VOYAGEURS DU MONDE

1-3, rue des Bons-Français
✆ 02 40 20 64 39
www.vdm.com
Ouvert du mardi au samedi de 11h à 19h. Tout comme ses homologues de Paris ou Marseille, la librairie propose un vaste choix de guides en français et anglais, de cartes géographiques et atlas, de récits de voyage et d'ouvrages thématiques. Également pour les voyageurs en herbe : des atlas, des albums et des romans d'aventures.

Nice

▨ LIBRAIRIE DE VOYAGEURS DU MONDE

4, rue du Maréchal-Joffre
✆ 04 97 03 64 65 – Fax : 04 97 03 64 60
www.vdm.com
Ouvert de 10h à 19h du lundi au samedi. Les librairies de Voyageurs du Monde travaillent en partenariat avec plusieurs instituts géographiques à travers le monde et également quelques éditeurs privés. Elles proposent tous les ouvrages utiles pour devenir un voyageur averti !

Rennes

▨ ARIANE

20, rue du Capitaine-Alfred-Dreyfus
✆ 02 99 79 68 47 – Fax : 02 99 78 27 59
www.librairie-voyage.com
Ouvert tous les jours de 9h30 à 12h30 et de 14h à 19h, fermé le lundi matin. En France, en Europe, à l'autre bout du monde, plutôt montagne ou résolument mer, forêts luxuriantes ou déserts arides… quelle que soit votre envie, chez Ariane, vous trouverez de quoi vous documenter avant de partir. De la boussole aux cartes routières et marines, en passant par les guides de voyage, plans et articles de trekking, vous ne repartirez certainement pas sans avoir trouvé votre bonheur.

Strasbourg

▨ GEORAMA

20, rue du Fossé-des-Tanneurs
✆ 03 88 75 01 95 – Fax : 03 88 75 01 26
Ouvert du lundi au samedi de 9h30 à 18h45, fermé le lundi matin. Le lieu est dédié au voyage et les guides touristiques voisinent avec les cartes routières et les plans de villes. Des accessoires indispensables au voyage (sacs à dos, boussoles) peuplent aussi les rayons de cette singulière boutique. Notez également la présence (et la vente) de fascinants globes lumineux et de cartes en relief.

▨ AU VIEUX CAMPEUR

32, rue du 22-Novembre
www.au-vieux-campeur.fr
Ouvert du mardi au vendredi de 11h à 19h30, le samedi de 10h à 19h et le lundi de 11h à 19h. Les magasins Au Vieux Campeur disposent d'une librairie dédiée au tourisme sportif. Vous y trouverez guides, cartes, beaux livres, revues et un petit choix de vidéos principalement axés sur la France.

Toulouse

◼ LIBRAIRIE PRESSE DE BAYARD

60, rue Bayard
✆ 05 61 62 82 10
Fax : 05 61 62 85 54
Ouvert du lundi au vendredi de 8h à 12h30 et de 14h à 19h, le samedi de 9h à 12h30 et de 14h à 17h. Cette librairie propose toutes sortes de cartes IGN (disponibles aussi en CD-ROM), topoguides, guides touristiques, cartes du monde entier et plans de villes (France et étranger). Cette surface de vente – la plus importante de Toulouse consacrée au voyage – possède également un rayon consacré à la navigation aérienne et maritime, aux cartes marines et un fonds important de guides Petit Futé !

◼ OMBRES BLANCHES

48-50, rue Gambetta
et 5-7, rue des Gestes
✆ 05 34 45 53 33
Fax : 05 61 23 03 08
www.ombres-blanches.com
Ouvert du lundi au samedi de 10h à 19h. Cette librairie est la petite sœur de la grande Ombres Blanches d'à côté. Dans cet espace spécialisé dans les voyages et le tourisme, vous trouverez beaux livres, récits de voyage, cartes de rando et de montagne, livres de photos… Le voyage avant même d'avoir quitté sa ville !

◼ AU VIEUX CAMPEUR

23, rue de Sienne, Labège-Innopole
www.au-vieux-campeur.fr
Ouvert du mardi au vendredi de 11h à 19h30, le samedi de 10h à 19h et le lundi de 11h à 19h. Les magasins Au Vieux Campeur disposent d'une librairie dédiée au tourisme sportif. Vous y trouverez guides, cartes, beaux livres, revues et un petit choix de vidéos principalement axés sur la France.

Tours

◼ LA GÉOTHÈQUE, LE MASQUE ET LA PLUME

14, rue Néricault-Destouches
✆ 02 47 05 23 56
Fax : 02 47 20 01 31
geotheque-tours@geotheque.com
Ouvert du mardi au samedi de 10h à 12h30 et de 14h à 19h. Totalement destinée aux globe-trotters, cette librairie possède une très large gamme de guides et de cartes pour parcourir le monde. Et que les navigateurs des airs ou des mers sautent sur l'occasion : la librairie leur propose aussi des cartes, manuels, CD-ROM et GPS.

Belgique

◼ LIBRAIRIE ANTICYCLONE DES AÇORES

34, rue Fossé-aux-Loups, 1000 Bruxelles
✆ (02) 217 52 46
On va dans cette librairie située près de la Bourse pour ses guides et ses beaux livres mais surtout pour son large choix cartographique. Cartes topographiques, de randonnée, cyclotouristiques, plans de villes, cartes et atlas routiers, globes terrestres : vous ne vous lasserez pas de vous perdre dans les rayons de l'Anticyclone des Açores.

◼ LIBRAIRIE PEUPLES ET CONTINENTS

17-19, Galerie Ravenstein, 1000 Bruxelles
✆ (02) 511 27 75
Fax : (02) 514 57 20
www.peuplesetcontinents.com
Ouvert du mardi au vendredi de 9h à 18h et le samedi de 10h à 18h. Cette librairie indépendante propose guides de voyage et de randonnée, cartes routières, plans de villes, lexiques de conversation, guides d'identification botanique, atlas animaliers. Parmi plus de 5 000 titres, vous trouverez aussi des livres d'art sur les civilisations, des récits de voyage, historique, d'ethnologie, d'anthropologie et des beaux livres sur tous les pays du monde. Le tout en français, néerlandais ou anglais.

Québec

◼ LIBRAIRIE ULYSSE

4176, rue Saint-Denis et 560, rue Président-Kennedy, Montréal
✆ (514) 843 9447 / (514) 843 7222
La librairie des guides éponymes. Vous y trouverez près de 10 000 cartes et guides Ulysse en français et en anglais.

Suisse

◼ LIBRAIRIE LE VENT DES ROUTES

50, rue des Bains, 1205 Genève
✆ (022) 800 33 81 – www.vdr.ch
Le Vent des Routes réunit sous le même toit une librairie, une agence de voyages et un café-restaurant. Vous y trouverez guides, cartes, romans, idées de voyage et des libraires très disponibles qui vous feront part de leurs livres coup de cœur.

CARNET D'ADRESSES

Rappel : le rôle principal de l'ambassade est de s'occuper des relations entre les Etats, tandis que la section consulaire est responsable de sa communauté de ressortissants. Ainsi, pour tout problème concernant les papiers d'identité, la santé, le vote, la justice ou l'emploi, il faut s'adresser à la section consulaire de son pays. En cas de perte ou de vol de papiers d'identité, le consulat délivre un laissez-passer pour permettre uniquement le retour dans le pays d'origine, par le chemin le plus court. Il faut, bien entendu, avoir préalablement déclaré la perte ou le vol auprès des autorités locales.

L'Italie en France

Représentations officielles

▪ AMBASSADE D'ITALIE EN FRANCE
51, rue de Varenne - 75007 Paris
✆ 01 49 54 03 00 – Fax : 01 49 54 04 10
www.italian-embassy.org.ae/
Ouvert du lundi au vendredi de 9h à 13h et de 14h à 17h.

▪ CONSULAT GENERAL D'ITALIE EN FRANCE
5, boulevard Emile-Augier - 75016 Paris
✆ 01 44 30 47 00 – Fax : 01 45 25 87 50
www.consparigi.esteri.it

▪ DÉLÉGATION PERMANENTE DE L'ITALIE AUPRÈS DE L'UNESCO
Maison de l'UNESCO
Bureaux M3.22
1, rue Miollis
75732 Paris Cedex 15 ✆ 01 45 68 31 41
www.unesco.org/delegates/italy/eng

Culture

▪ CENTRE DE LANGUE ET DE CULTURE ITALIENNES
4, rue des Prêtres-Saint-Séverin
75005 Paris ✆ 01 40 46 82 52
www.centreculturelitalien.com/

▪ INSTITUT CULTUREL ITALIEN
50, rue de Varenne - 75007 Paris
✆ 01 44 39 49 39 – Fax : 01 42 22 37 88
Ouvert au public le matin du lundi au vendredi de 10h à 13h et l'après-midi à l'adresse suivante du lundi au vendredi de 15h à 18h : 73, rue de Grenelle - 75007 Paris.

▪ GRENOBLE
47, avenue Alsace-Lorraine
38000 Grenoble
✆ 04 76 46 09 38 – Fax : 04 76 85 32 91

▪ LILLE
C/o Consolato d'Italia
2, rue d'Isly - 59045 Lille
(Section détachée de l'Institut culturel italien de Paris)
✆ 03 20 93 32 95 – Fax : 03 20 08 98 58

▪ LYON
45, rue de la Bourse - 69002 Lyon
✆ 04 78 42 13 84 – Fax : 04 78 37 17 51

▪ MARSEILLE
6, rue Fernand-Pauriol - 13005 Marseille
✆ 04 91 48 51 94 – Fax : 04 91 92 67 90

▪ STRASBOURG
7, rue Schweighaeuser - 67000 Strasbourg
✆ 03 88 45 54 00 – Fax : 03 88 41 14 39

▪ MUSEE DU LOUVRE
Entrée principale par la pyramide du Louvre
75001 Paris
✆ 01 40 20 50 50 – www.louvre.fr
M° Palais-Royal. Ouvert tous les jours, sauf le mardi, de 9h à 18h (jusqu'à 21h45 le mercredi et le vendredi). En guise d'apéritif ou de révision nostalgique (selon que l'on s'apprête à partir en Italie ou qu'on en soit déjà revenu), on ne manquera pas de visiter les salles du Louvre consacrées aux arts italien et romain. S'il est évident que le fonds est moins riche qu'en Italie, il n'en constitue pas moins un excellent florilège de la production artistique transalpine.

Restaurants

Les restaurants italiens sont légions en France. Que ce soit à Paris ou en province, il y a presque toujours un italien dans votre quartier !

Tourisme

▪ OFFICE NATIONAL ITALIEN DU TOURISME (ENIT)
23, rue de la Paix - 75002 Paris
✆ 01 42 66 66 68 – Fax : 01 47 42 19 74
www.enit.it
Ouvert au public du lundi au vendredi de 9h à 17h.

Représente en France les divers offices du tourisme d'Italie.

ESPACE VALLEE D'AOSTE

14, rue des Capucines
75002 Paris
✆ 01 44 50 13 50
Fax : 01 44 50 13 55
www.espacevda.com/vda.php
Ouvert du lundi au vendredi de 9h30 à 17h.

La France en Italie

Représentations officielles

AMBASSADE DE FRANCE

Piazza Farnese, 67 - 00186 Roma
✆ (00 39) 06 68 60 11
Fax : (00 39) 06 68 60 14 60
www.ambafrance-it.org

CONSULAT GENERAL
DE FRANCE A MILAN

Via Mangili, 1
20121 Milano (entrée du public)
et Via della Moscova, 12
20121 Milano (adresse postale)
✆ (00 39) 02 65 59 141
Fax : (00 39) 02 65 59 13 44
www.ambafrance-it.org

A TURIN

Le consulat de Turin gère également les démarches pour les ressortissants présents à Gêne.
Via Roma, 366 - 10121 Turin
✆ (00 39) 011 57 32 311
Fax : (00 39) 011 56 19 529
www.ambafrance-it.org

Économie

CHAMBRE DE COMMERCE
ET D'INDUSTRIE

Via Leone XIII, 10 – 20145 Milano
✆ (00 39) 02 72 53 71
www.chambre.it

Culture

ALLIANCES FRANÇAISES

▶ **Aoste**
19, rue de la Porte-Prétorienne
11100 Aoste ✆ (0039) 0165 42 331
Fax : (0039) 0165 23 1278
www.alliancefr.it

▶ **Bologne**
Maison française de Bologne
Via de Marchi, 4 - 40123 Bologne
✆ (0039) 051 33 28 28
Fax : (0039) 051 33 28 50
www.france-bologna.it

▶ **Gênes**
Via Garibaldi, 20 - 16124 Gênes
✆ (0039) 010 247 63 36/38
Fax : (0039) 010 247 63 95

▶ **Venise**
San Marco, 4939 - 30124 Venise
✆ (0039) 0415 22 7079
Fax : (0039) 0415 21 0250
www.acif-alliancefr-ve.com

▶ **Vérone**
Via Pellicciai, 17 - 37121 Vérone
✆ (0039) 0455 95 801
Fax : (0039) 0455 95 801
www.alliancefrancaise-vr.it

▬ MÉDIAS

Presse

COURRIER INTERNATIONAL

www.courrierinternational.com
Hebdomadaire regroupant les meilleurs articles de la presse internationale en version française.

GEO

www.geo.fr
Le mensuel accorde une large place aux reportages photographiques. Il propose aussi des articles et actualités, l'ensemble étant désormais imprimé sur du papier provenant de forêts gérées durablement.

GRANDS REPORTAGES

www.grands-reportages.com
Le magazine de l'aventure et du voyage propose des dossiers, reportages photo et articles divers sur les peuples, civilisations, paysages et monuments. Chaque sujet est complété par un important volet pratique pour préparer son voyage.

PETIT FUTÉ MAG

www.petitfute.com
Notre journal bimestriel vous offre une foule de conseils pratiques pour vos voyages, des interviews, un agenda, le courrier des lecteurs… Le complément parfait à votre guide !

AU-DELÀ DE L'INFORMATION

Retrouvez FRANCE 24
sur le câble, le satellite,
l'ADSL, les mobiles et
en direct sur FRANCE24.com

L'ACTUALITÉ INTERNATIONALE 24H/24
INTERNATIONAL NEWS 24/7
قناة الأخبار الدولية **24** ساعة

JE CROIS EN TOI

COLLECTE NATIONALE

BP455 PARIS 7

www.secours-catholique.org

✠ **Secours Catholique**
Réseau mondial **Caritas**

Être près de ceux qui sont loin de tout

RANDOS-BALADES

www.randosbalades.fr

Magazine mensuel sur les randonnées en France et à l'étranger. L'approche est thématique (sentiers du littoral, itinéraires sauvages, thèmes culturels…) et la publication est riche en actualités, trucs et astuces, tests matériels, fiches topographiques et, bien sûr, en guides de randonnée.

TERRE SAUVAGE

www.terre-sauvage.com

Ce mensuel est spécialisé dans la faune et la flore sauvages. Au sommaire : des aventures dans le sillage des expéditions scientifiques, la découverte des écosystèmes, des enquêtes sur la protection de l'environnement ou encore des rubriques plus pratiques avec, par exemple, des conseils photo.

ULYSSE

www.ulyssemag.com

Ce magazine culturel du voyage est édité par *Courrier International*. Huit numéros par an pour découvrir le monde, avec une large place accordée à la photographie.

Radio

RADIO FRANCE INTERNATIONALE

www.rfi.fr – 89 FM à Paris

Pour vous tenir au courant de l'actualité du monde partout sur la planète.

Télévision

ESCALES

www.escalestv.fr

Cette chaîne consacrée aux documentaires s'intéresse aux voyages et au tourisme, en France et à l'étranger. Ils se déclinent sous différentes thématiques, comme la nature, les animaux, la culture et la gastronomie.

FRANCE 24

www.france24.com

Chaîne d'information en continu, France 24 apporte 24h/24 et 7j/7, un regard nouveau à l'actualité internationale. Diffusée en 3 langues (français, anglais, arabe) dans plus de 160 pays, la chaîne est également disponible sur Internet et le mobile sur www.france24.com, pour vous accompagner tout au long de vos voyages.

LIBERTY TV

www.libertytv.com

Cette chaîne non cryptée propose des reportages sur le monde entier et un journal sur le tourisme toutes les heures. La « télé des

vacances » met aussi en avant des offres de voyages et promotions touristiques toutes les 15 minutes.

PLANÈTE

www.planete.tm.fr

Depuis presque 20 ans, Planète propose de découvrir le monde, ses origines, son fonctionnement et son probable devenir avec une grille de programmation documentaire éclectique : civilisation, histoire, société, investigation, reportages animaliers, faits divers, etc.

TV5 MONDE

www.tv5.org

La chaîne de télévision internationale francophone. Diffuse des émissions de ses partenaires nationaux (France Télévisions, RTBF, TSR et CTQC) et ses propres programmes.

USHUAÏA TV

www.ushuaiatv.fr

La chaîne découlant du magazine éponyme a un slogan clair : « Mieux comprendre la nature pour mieux la respecter ». Elle se veut télévision du développement durable et de la protection de la planète et propose nombre de documentaires, reportages et enquêtes.

VOYAGE

www.voyage.fr

Terres méconnues ou inconnues, grands espaces et mégapoles, lieux incontournables ou insolites, cultures et nouvelles tendances : Voyage TV vous propose d'explorer le monde dans toute sa richesse à l'aide de documentaires ou en compagnie de guides éclairés.

L'Italie sur Internet

Sites institutionnels

www.beniculturali.it

Site du ministère de la Culture. Mise à jour du calendrier culturel.

www.enit.it

Le site de l'institution italienne de promotion touristique. Surtout des informations pratiques, liste de tous les offices de tourisme italien.

www.france-italia.it

C'est le site de tous les organes de représentation française en Italie.

Sites culturels

www.autosital.com

C'est le portail des voitures italiennes. Les différentes marques et leurs actualités sont traitées, les coordonnées des concessionnaires de voitures italiennes en France y figurent. Photos et liens nombreux.

▪ www.italianculture.net

Site de la culture italienne, en de nombreuses langues dont en français. Une brève synthèse illustre chaque pan de la culture italienne, de la musique à la cuisine en passant par le design.

▪ www.museionline.com

Très pratique, ce site extrêmement bien fait regroupe tous les musées de l'Italie péninsulaire et insulaire. Cliquez sur la région de votre choix, ou bien effectuez une recherche par thème (sciences, histoire, arts, etc.), la liste complète des musées correspondants et leurs coordonnées s'affichera.

▪ www.radici-press.net

Une revue d'actualité en ligne, culture et civilisation italiennes : des articles sur la presse, les chaînes TV et les radios italiennes, la littérature, la musique et le sport du Bel Paese, des itinéraires futés pour découvrir le charme d'Italie… de quoi se faire une culture !

Informations touristiques générales

▪ http://meteo.france2.fr/italie.html

Site pour consulter la météo de toute l'Italie, les prévisions sont faites trois jours à l'avance.

▪ www.initaly.com

Une foule d'informations sur l'Italie en anglais. C'est un vrai guide en ligne écrit par des personnes ayant vécu sur place. Chaque région, chaque ville fait l'objet d'un long développement : description, activités à faire dans le coin, types d'hébergement, transports, etc. Un site référence, exhaustif. En anglais.

▪ www.italie1.com

Un portail associatif sur l'Italie avec nombre de liens, surtout des informations pratiques et un agenda culturel. Fonctionne par région.

▪ www.touristie.com

Un site pour découvrir l'Italie avec des informations très hétéroclites (pratiques et culturelles) et beaucoup de liens.

▪ www.trenitalia.it

Site des chemins de fer d'Italie. Où trouver tous les trains, les tarifs et les horaires pour se déplacer dans la péninsule. Site en italien ou en anglais.

Hébergement

▪ www.bed-and-breakfast.it

C'est le site qui regroupe tous les Bed and Breakfast en Italie. Recherche par région. Coordonnées des établissements ou liens vers sites Web.

▪ www.hotelme.it

Centrale des hôtels italiens pour lesquels on peut faire une réservation en ligne. Recherche par type d'hôtel : business, vacances, puis type de vacances (mer, montagne, etc).

Tourisme vert

▪ www.agriturismo.com

Un descriptif de chaque région (milieu naturel, types de culture, activités), accompagné de la liste illustrée et des coordonnées des établissements d'agritourisme présents dans celle-ci. Site en italien, anglais ou allemand.

▪ www.agriturist.com

C'est le site de l'Agriturist : Association nationale d'agritourisme, pour l'environnement et le territoire. Recherche des établissements par province. Une liste apparaît avec photos et les services proposés (restaurant, bicyclette, camping, etc.), sur le côté.

© AUTHOR'S IMAGE

Ponte Vecchio, Florence

Comment partir ?

▪ PARTIR EN VOYAGE ORGANISÉ

L'Italie du nord offre de nombreuses possibilités de voyages grâce à son passé historique et la richesse de sa nature et de sa culture. Il est donc possible grâce aux voyagistes de s'offrir des séjours culturels et spirituels, des randonnées, des voyages de noces romantiques, mais aussi une pause balnéaire. L'offre est large avec des circuits sur mesure, libres, en famille, entre amis, entre ados, mais aussi la simple location d'hébergement, de l'appartement à la villa. Les thématiques sont nombreuses : gastronomie, séjours événementiels pour aller supporter son équipe de football favorite ou découvrir un festival ou une biennale, séjour en voiture vrombissante. Les séjours et les circuits sont aussi nombreux que les offres : à partir de 110 € pour un séjour court en autocar dans les grandes villes, 600 € pour une croisière à Venise de 5 jours, 700 € pour une randonnée VTT de 7 jours, 700 à 2 000 € pour un circuit de 8 jours et 3 000 € pour un séjour luxe de 5 jours.

Annuaire des voyagistes

Les spécialistes

▪ ALLIBERT
37, boulevard Beaumarchais - 75003 Paris
✆ 0 825 090 190 – Fax : 01 44 59 35 36
www.allibert-trekking.com
Créateur de voyages depuis 25 ans, Allibert propose plus de 600 itinéraires à travers 90 pays. Du désert à la haute montagne, le tour-opérateur propose de nombreux circuits de différents niveaux de marche pour satisfaire chacun avec possibilité d'extension. Pour l'Italie, des programmes « Marche et découverte » et « Randonnée » sont disponibles : « Lumières de Toscane » (6 jours), « Sentiers de Toscane en liberté » (6 jours), « Les Cinque Terre en liberté » (6 jours) ou encore « Les grands lacs » (7 jours).

▪ ARTS ET VIE
251, rue de Vaugirard - 75015 Paris
✆ 01 40 43 20 21 – Fax : 01 40 43 20 29
www.artsvie.asso.fr
Depuis plus de 50 ans, Arts et Vie, association culturelle de voyages et de loisirs, développe un tourisme ouvert au savoir et au bonheur de la découverte. L'esprit des voyages culturels Arts et Vie s'inscrit dans une tradition associative et tous les voyages sont animés et conduits par des accompagnateurs passionnés et formés par l'association. Pour l'Italie du Nord, Arts et Vie propose plusieurs circuits : « Les lacs italiens et les Dolomites », « Toscane : Pise et Sienne » ou encore « Padou et la Vénétie ».

▪ ATC ROUTES DU MONDE
25, boulevard de Vaugirard - 75015 Paris
✆ 01 56 54 04 34 ou 35
Fax : 01 56 54 04 36
www.atc-routesdumonde.com
Cette association de tourisme dispose d'une offre large et variée sur les plus grandes destinations françaises et étrangères : voyages individuels, circuits tout compris, week-ends, séjours balnéaires, résidences et gîtes. ATC propose un circuit « Carnaval de Venise », 4 jours et 3 nuits, avec départ de Paris en train, visites et deux après-midi libres, ou encore « Les lacs italiens et les Dolomites » en 8 jours et 7 nuits (départ en train de Paris) ; en 10 jours et 9 nuits la formule permet aussi de découvrir Venise (départ en autocar de la Nièvre).

▪ AUTREMENT L'ITALIE
76, boulevard Saint-Michel - 75006 Paris
✆ 01 44 41 69 95 – Fax : 01 44 07 21 80
www.autrement-italie.fr
Spécialisée depuis plus de 20 ans sur les voyages à destination de l'Italie, l'équipe d'Autrement l'Italie met un large panel de séjours à disposition, et l'internaute n'aura qu'à faire son choix parmi les propositions de formules (autotours, excursions, voyages de noces, location d'hébergements…) et de thèmes (l'Italie en voiture de sport, week-end authentique ou sportif, initiation à la cuisine italienne, soirée à l'opéra…). Découvrez notamment avec ce tour-opérateur Venise, Florence, Sienne et la Toscane.
Il est aussi possible de composer son séjour en bénéficiant d'un contact personnalisé.

▪ BRAVO VOYAGES
5, rue de Hanovre - 75002 Paris
✆ 01 45 35 43 00 – Fax : 01 45 35 65 33
www.bravovoyages.fr

Spécialiste du voyage en Italie, Sicile et Sardaigne, Bravo Voyages propose tous les types de formules en Italie du Nord. Séjours en club, sélection d'hôtels, locations à travers tout le pays, week-ends, circuits et autotours : l'offre est très large et permet au voyageur de choisir la région qui le tente. En ligne, des promotions sont régulièrement mises à jour, et il est aussi possible de consulter ou commander directement les brochures.

▨ CASA D'ARNO

36, rue de la Roquette - 75011 Paris
✆ 01 44 64 86 00
Fax : 01 44 64 05 84
www.casadarno.com
Toute l'Italie est chez Casa d'Arno. L'agence propose diverses formules d'hébergement à Venise et Florence : location d'appartements, manoirs, B&B, chambres d'hôtes, maisons individuelles, maisons en bord de mer, cours de cuisine et voyages sur mesure.

▨ CHAMINA VOYAGES

Naussac, BP 5 - 48500 Langogne
✆ 04 66 69 00 44
Fax : 04 66 69 06 09
www.chamina-voyages.com
Chamina Voyages, spécialiste de la randonnée, propose diverses formules : les voyages avec accompagnateurs pour être en sécurité et ne s'occuper de rien ; la gamme de randonnée liberté « Carnet de Route », pour les plus indépendants souhaitant partir en famille ou entre amis, tout en bénéficiant d'une logistique fiable et organisée ; et enfin, le sur mesure. Le niveau de difficulté, le type d'hébergement, les thèmes et le portage sont également des critères de choix déterminants pour choisir une randonnée adaptée. En Italie, le voyageur partira à la découverte entre autres des Cinque Terre, Florence et la Toscane, les Alpes dolomitiques ou encore des grands lacs.

▨ COMPTOIR D'ITALIE

344, rue Saint-Jacques - 75005 Paris
✆ 0 892 237 037
Fax : 01 53 10 21 71 – www.comptoir.fr
Comptoir des Voyages a comme concept de vendre une destination animée par de vrais spécialistes originaires ou ayant vécu dans le pays. Les comptoirs ont chacun leur spécificité, mais sont tous spécialisés sur le voyage en individuel à la carte. Week-ends à petits prix et courts séjours sont proposés en Italie du Nord, ainsi que des séjours en famille et itinéraires individuels en Toscane, Florence, Bologne, Milan et Turin…

▨ CONNECTIONS

✆ + 32 (0)70 23 33 13
www.connections.be
Connections est présent dans toute la Belgique avec 26 agences et propose des vols de dernière minute, des forfaits, des city trips, des formules spécialement destinées aux étudiants… Pour l'Italie du Nord, diverses prestations disponibles : vols, hébergements dans plusieurs villes, mais également location de véhicules.

▨ COULEUR VOYAGES

12, quai du Maréchal-Joffre - 69002 Lyon
✆ 04 72 40 50 60 – Fax : 04 72 40 50 61
www.groupecouleur.com
Couleur Voyages est spécialisé dans l'organisation de séjours événementiels pour aller supporter votre équipe de football, de rugby ou encore de basket favorite ou votre joueur de tennis. L'offre pour l'Italie est surtout concentrée sur les rencontres du championnat de football. Couleur Voyages organise des week-ends comprenant le transports, l'hébergement et les places pour les matchs des plus grandes équipes du Calcio : l'Inter, le Milan AC, la Juventus de Turin et la Fiorentina…

▨ CROISIÈRES DE FRANCE

8, rue du Dahomey - 75011 Paris
✆ 0 811 70 1234
www.cdfcroisieresdefrance.fr
CDF Croisières de France est une société française créée en août 2007. Elle est la filiale française du groupe international Royal Caribbean Cruises Ltd.
Avec le Bleu de France, un navire à taille humaine de 374 cabines, inspiré par la décoration et l'art de vivre « à la française », CDF Croisières de France propose des croisières en Méditerranée de 8 jours au départ de Marseille avec escales à Naples, Rome, Livourne, Florence en poursuivant sa route à Tunis et Barcelone.

▨ DONATELLO

140, rue du Faubourg-Saint-Honoré
75008 Paris ✆ 0 826 10 20 05
Fax : 01 45 61 24 81 – www.donatello.tm.fr
Toute la programmation Donatello est basée sur des formules de voyages qui permettent à chacun de définir et de réaliser « son propre voyage » en toute liberté. En Italie du Nord, l'offre est très large, notamment pour les courts séjours : il est possible de partir en week-end avec des offres Venise, Vérone, Turin, Milan. Les forfaits comprennent généralement l'hôtel (sélection de 2- à

5-étoiles), le petit déjeuner et le transport (avion ou train).

▨ FRANTOUR SUISSE

3, place Cornavin - Case postale 2991 - 1211 Genève 2 ✆ + 41 (0)22 906 41 00
Fax : + 41 (0)22 732 02 54
www.frantour.ch
Frantour est spécialiste de la France et de l'Italie. Des forfaits courte escapade, avec une vaste gamme de prestations à combiner (transports, hébergements, visites, etc.), sont donc disponibles avec une large couverture de l'Italie. Deux formules : « Ville » pour la visite d'une destination précise avec les transports et « Vacances » pour visiter une région plus en profondeur. Egalement des offres spéciales et de dernière minute.

▨ GOLF ÉVASIONS

7, rue Ruhmkorff - 75017 Paris
✆ 01 45 72 19 88 – Fax : 01 45 72 19 91
www.golfevasions.com
Ce tour-opérateur est spécialisé dans le golf et vous propose un séjour (7 jours et 6 nuits) sur les rives du lac de Garde pour assouvir votre passion et découvrir les greens près de Milan. Vous serez logé au Grand Hôtel Gardone Riviera 5-étoiles de 170 chambres non loin des greens de Gardagolf de Soiano (27-trous), du Golf Club Arzaga (18-trous) et du golf de Bogliaco (18-trous).

▨ GRAND ANGLE

Zone artisanale - 38112 Méaudre
✆ 04 76 95 23 00 – Fax : 04 76 95 24 78
www.grandangle.fr
Spécialiste de la randonnée, du trek et du raid, Grand Angle propose toutes sortes de randonnées : en famille, à pied, à cheval, à VTT, accompagnées ou en liberté. Le tour-opérateur réalise aussi de grands voyages sur mesure, selon les envies et les goûts des voyageurs. Dans sa gamme « Voyages et randos guidées », Grand Angle propose divers voyages en Italie, de 7 à 15 jours couvrant un grand nombre de régions du nord au sud : les Cinque Terre, Toscane, Sienne, Florence ou encore le Chianti…

▨ ICTUS VOYAGES

18, rue Gounod - 92210 Saint-Cloud
✆ 01 41 12 04 80 (du lundi au vendredi de 9h30 à 18h30) – www.ictusvoyages.com
Ictus est spécialisé dans le voyage culturel et spirituel. Il propose un voyage à Turin de 3 jours et 2 nuits au mois d'avril pour partir découvrir le saint suaire qui n'a pas été exposé au public depuis l'année 2000.

▨ IMAGES DU MONDE

14, rue Lahire - 75013 Paris
(sur rendez-vous exclusivement)
✆ 01 44 24 87 88
Fax : 01 45 86 27 73 www.images-du-monde.com
Tour-opérateur depuis plus de 15 ans spécialisé sur l'Amérique latine, une partie des Caraïbes, l'Italie et l'Espagne, Images du Monde est un professionnel du voyage sur mesure pour tous les budgets, proposant toute une gamme de produits, du vol sec aux prestations les plus sophistiquées. Images du Monde consacre également un catalogue dédié à la location.

▨ INTERMEDES

60, rue La Boétie - 75008 Paris
✆ 01 45 61 90 90 – Fax : 01 45 61 90 09
www.intermedes.com
Intermèdes propose des voyages d'exception et des circuits culturels sur des thèmes très variés de 5 à 9 jours en Italie du Nord (« Croisière sur le Pô de Venise à Vérone », « Villas et jardins de Toscane », « Le festival de Vérone ») : architecture, histoire de l'art, événements musicaux. Intermèdes est à la fois tour-opérateur et agence de voyages. Les voyages proposés sont accompagnés de conférenciers, historiens ou historiens d'art. Chaque séjour se fait en groupe volontairement restreint, vous permettant de rencontrer d'autres amateurs d'art ou d'histoire. Egalement des voyages sur mesure.

▨ ITALOWCOST

✆ 0 892 160 960 - www.italowcost.com
Italowcost propose des week-ends à bas prix à Venise (3 ou 4 nuits). Les forfaits peuvent être agrémentés de package excursions. Les forfaits comprennent généralement : vol direct, transfert aéroport-hôtel-aéroport, hôtellerie. Les formules d'excursions vous font bénéficier d'environ 20 % de réduction par rapport aux prix pratiqués sur place et vous donnent un accès prioritaire aux nombreux musées et sites de la Ville éternelle, évitant de nombreuses heures de file d'attente.

▨ LA BICYCLETTE VERTE / GROUPE RESPIRE

36, route de Saint-Hilaire - 79210 Arçais
✆ 05 49 35 42 56/69 14 68
Fax : 05 49 35 42 55
www.bicyclette-verte.com
La Bicyclette Verte organise des circuits et des séjours en France, Italie, Espagne, Pays-Bas, Danemark, Autriche, Irlande, Ecosse, Allemagne.

Le circuit proposé en Italie « Italie - Vallées des Dolomites, Venise » dure 8 jours et permettra d'apprécier les paysages préalpins et de passer par des villages et des villes typiques de l'Italie pour arriver jusqu'à Venise. Egalement un circuit au départ de la Vénétie sur 8 jours, en Toscane sur 8 jours et dans le Piémont en 5 jours. Vos bagages sont transportés, vous n'avez qu'à admirer le paysage !

■ NOMADE AVENTURE / ARGANE
40, rue de la Montagne-Sainte-Geneviève 75005 Paris ✆ 0 825 701 702 (0,15 € TTC/min.) – Fax : 01 43 54 76 12
www.nomade-aventure.com
L'originalité de Nomade Aventure réside dans le fait que quasiment tous les voyages sont accompagnés d'un guide local francophone à même de faire partager à un groupe de voyageurs la culture et les valeurs du pays visité. Vous pouvez choisir votre voyage selon plusieurs critères : séjour tranquille, dynamique, sportif, en famille, libre, entre amis. En Italie, vous pourrez aller à la découverte du nord du pays grâce à des circuits au cœur des régions montagneuses comme le circuit « Cinque Terre, dolce Liguria » (7 jours et 6 nuits) qui vous emmènera visiter les villages italiens typiques de Monterosso al Mare, Vernazza, Manarola, Corniglia et Riomaggiore.

■ NOSYLIS
13, rue de Caumartin 75009 Paris
✆ 0 892 68 73 00 – Fax : 01 53 30 73 01
www.nosylis.com
Nosylis est spécialisé dans le voyage haut de gamme et le séjour à la carte. Le voyageur est hébergé dans un hôtel de luxe et pourra participer à de nombreuses activités : soins du corps, centre de fitness, piscine, snorkeling, catamaran... Le tour-opérateur propose un large choix d'offres à destination de l'Italie avec ses gammes « City Break », « Côté Plages » et « Découvertes ».

■ PARTIR EN EUROPE
45, rue Lesdiguières 38000 Grenoble
✆ 04 76 47 19 18 – Fax : 04 76 47 19 14
www.partireneurope.com
Partir en Europe, anciennement New East, est spécialiste des séjours en Europe et propose depuis 16 ans des formules économiques avec transport en autocar ou avion, logement, petit déjeuner, accompagnateur et parfois même des visites. Leur force réside dans les logements simples et économiques, situés essentiellement en centre-ville ou avec accès direct aux transports en commun, et dans la présence d'un coordinateur pour veiller au bon déroulement du séjour tout en gardant une totale liberté. Economique et pratique. Il permet aussi des voyages spécialement organisés pour les concerts et festivals.

■ SALAUN HOLIDAYS
38, rue de Quimper - 29590 Pont-de-Buis
✆ 02 98 73 05 77 – Fax : 02 98 73 16 16
www.salaun-holidays.com
Salaun Holidays propose des séjours, des circuits, des vols, des voyages en groupe. En Italie, Salaun Holidays vous offre le circuit un « Grand tour d'Italie » en pension complète avec un panorama complet du pays de Venise, Milan et la région des grands lacs à Rome, Pompéi, Capri et le golfe de Naples. Salaun Holidays vous invite à un séjour en 8 jours « Rimini, la perle de l'Adriatique ». Départ en autocar depuis votre région direction Turin et Rimini. Découverte de San Marin, Venise, Ravenne, Florence. Combinaison de matinées et de journées libres avec excursions et visites. Egalement de nombreux séjours en 7, 8 et 9 jours pour découvrir Milan, Venise, Pise, la Toscane...

■ TAMERA
26, rue du Bœuf - 69005 Lyon
✆ 04 78 37 88 88 – Fax : 04 78 92 99 70
www.tamera.fr
A pied, à dos de yack ou d'éléphant ou bien en 4x4 ou en pirogue, ce spécialiste des voyages d'aventure propose des circuits à travers le monde entier. En Italie, Tamera propose plusieurs circuits et invite le voyageur à découvrir, entre autres, le mont Blanc en combiné avec la France et la Suisse en 7 ou 11 jours, le programme « Tour du mont Rose » et un parcours « Dolomites fantastiques ».

■ TEE OFF TRAVEL
L'Orée des Mas - Avenue du Golf - 34670 Baillargues ✆ 04 99 52 22 00/02/03/06
Fax : 04 67 15 02 50 - www.teetravel.com
Spécialiste des séjours golf, Tee off Travel propose de séjourner en 5-étoiles à 30 km au nord-est de Florence en plein cœur de la Toscane et tout près de la ville fortifiée de Scarperia, au Poggio dei Medici Golf & Resort, qui est sur le parcours de Poggio dei Medici. Un autre séjour est proposé sur le lac de Côme, au Castello Di Casiglio, un 5-étoiles situé dans un château du XIIe siècle entièrement rénové dans la région de Brianza, à seulement 8 km de Côme. Trois terrains se trouvent à proximité.

■ TERRA DIVA
29, rue des Boulangers - 75005 Paris
✆ 01 44 07 10 12 – Fax : 01 44 07 11 00

www.terradiva.fr
Terra Diva propose un circuit sur 5 jours intitulé « Nouvel an à Florence ». Vous trouverez également un autotour de 7 jours à la découverte des merveilles de l'Ombrie.

■ TERRES D'AVENTURE

30, rue Saint-Augustin - 75002 Paris
✆ 0 825 700 825 – Fax : 01 43 25 69 37
www.terdav.com
Terres d'Aventure propose des voyages en petits groupes de 10 à 15 personnes accompagnés d'un professionnel du tourisme. Au choix, séjour raquettes, voyages à pied, séjours haute montagne, randonnées liberté, voyages découverte, en famille... Le panel est très large et le spécialiste de la randonnée propose de quoi satisfaire tous les voyageurs, y compris ceux que la marche ne passionne pas, grâce à des balades plus tranquilles alliées aux visites culturelles. L'Italie n'a pas de secrets pour ce tour-opérateur qui propose des escapades dans toutes les régions : « Les Dolomites – terre de contraste » en raquette 7 jours, « Via Ferrata dans les Dolomites » en 6 jours, « Toscane pour les amateurs d'art » en 10 jours, le nouveau circuit « Patrimoine de Toscane » en 7 jours...

■ TERRES DE CHARME ET ILES DU MONDE

19, avenue Franklin-Roosevelt 75008 Paris
✆ 01 55 42 74 10 – Fax : 01 56 24 49 77
www.terresdecharme.com
Terres de Charme et Iles du Monde ont fusionné : le premier apporte à cette nouvelle entité son exigence, des adresses de qualité et des voyages étudiés ; le second apporte quant à lui sa connaissance des îles et de la mer, des spots de plongée et de pêche, et de belles plages... En Italie, plusieurs séjours sont proposés : les Pouilles en 8 jours, les lacs Lombards en 4 jours, l'Ombrie en 4 jours, la Toscane en 4 jours et Venise en 5 jours.

■ TRANSEUROPE / CITYTRIPS

5-7, place de la Gare - 59800 Lille Cedex
✆ 03 28 36 54 80 – www.transeurope.com
Spécialiste des séjours citadins, Transeurope propose une sélection d'hôtels dans de nombreuses régions d'Italie et s'occupe de vos réservations de train ou du transport aérien avec des compagnies différentes au choix. Transeurope peut aussi se charger de trouver les billets pour un concert, une comédie musicale ou pour une exposition importante. Tous les éléments sont donc à disposition pour un séjour entièrement sur mesure.

■ TRAVEL.CH

✆ + 41 (0)44 200 26 26 – www.travel.ch
Avec ses nombreux partenaires, l'agence de voyages en ligne Travel.ch propose toutes sortes de prestations : vols (au départ de Zurich, Bâle, Genève et Berne), hébergements, location de voitures, séjours balnéaires (au départ de Mulhouse, Zurich, Bâle et Genève) et offres de dernière minute sont notamment proposés. Un grand nombre d'hôtels et d'appartements de vacances ont été sélectionnés en Italie : à chacun de choisir son hébergement, selon la ville désirée, sa catégorie, son emplacement ou encore sa situation par rapport aux monuments incontournables.

■ VÉLORIZONS - LE MONDE À VÉLO

Longifan - 38530 Chapareillan
✆ 04 76 45 99 29
Fax : 04 76 45 27 28 www.velorizons.com
Vélorizons propose des séjours sportifs en 7 jours en Italie du Nord et se charge de tout : réservation des billets d'avion, de l'hébergement, le transport de vos bagages, des itinéraires... En VTT, il vous est proposé le circuit « Sienne et joyaux de Toscane » selon deux niveaux différents. A vous de choisir le vôtre pour apprécier au mieux votre séjour. L'hébergement se fait en refuge et à l'hôtel. En vélo de route : « Lumières de Toscane », proposé en trois niveaux, hébergement en gîte agritourisme ; « Le tour des Dolomites », deux niveaux différents et hébergement en gîte.

■ V.O. ITALIA

1, rue Condorcet - 75009 Paris
✆ 01 42 80 22 83 – www.vo-italia.com
V.O. Italia est une agence de voyages spécialisée dans une Italie « à l'italienne ». V.O. propose des voyages sur mesure et thématiques pour une découverte selon ses envies. L'équipe, italienne et basée à Paris, personnalise le voyage selon les goûts, rythme et contraintes de chacun. Les voyages à thème proposés sont répertoriés en sept univers : l'Italie verte et bleue, historique, gourmande, spirituelle, mélomane, géniale et raffinée. Egalement des voyages « prêts-à-partir ».

■ VACANCES BLEUES

11 bis, rue Delambre - 75014 Paris
✆ 01 56 54 21 32
www.vacancesbleues.com
Chaîne hôtelière de loisirs, Vacances Bleues s'adresse essentiellement aux familles et propose une offre diversifiée de produits : hôtels-clubs, villages-clubs, séjours à l'étranger, circuits et croisières, tourisme

solidaire, avec plus de 120 destinations en France et à l'étranger. A destination de l'Italie du Nord, vous trouverez notamment un séjour en Toscane.

■ VOY'AILES / TOURISME FRANÇAIS

69, rue Aurélien-Cronnier - 60230 Chambly
✆ 01 34 70 40 89 - www.voyailes.fr
Voy'ailes est une agence de voyages privée et familiale proposant un choix de circuits et de séjours très variés, allant des voyages organisés aux voyages à la carte. En Italie, l'équipe propose de découvrir un circuit haut de gamme de 5 à 8 jours à Venise en train de luxe avec notamment une nuit à bord de l'Orient Express.

■ VOYAGENBUS.COM

45, rue Lesdiguières - 38000 Grenoble
✆ 04 76 43 30 81 (du lundi au vendredi de 9h à 18h30) – voyagenbus.com
Voyagenbus.com, spécialiste de la destination, propose des voyages en autocar grand tourisme à destination des grandes villes italiennes, des départs plusieurs fois par semaine pour Venise et Florence depuis Paris, Lyon, Marseille et des grandes villes françaises. Au programme également, des formules nouvel an, le carnaval de Venise, la biennale d'art contemporain de Venise, des circuits « Venise-Florence-Rome », « Venise-Vérone » toute l'année. Formules avec hébergement au choix (de l'hostel à l'hôtel 3-étoiles) et petits déjeuners à tarifs économiques. Séjours sur mesure et à tarifs préférentiels pour les groupes, collèges, lycées, étudiants, associations et comités d'entreprises.

■ VOYAGES 4A / INTERCARS TRAVEL

8, rue des Lisses - 64100 Bayonne
✆ 05 59 23 90 37 – Fax : 05 59 64 85 31
www.voyages4a.com
Spécialisé dans les déplacements en autocar à tarifs économiques, Voyages 4A parcourt les plus grandes villes européennes, notamment de l'Italie avec des séjours et courts séjours (4 ou 6 jours) à Florence et Venise. Egalement spécialisé dans les voyages à thème, Voyages 4A propose entre autres des formules week-end. Départs depuis Paris et de nombreuses villes de France comme Dijon, Grenoble, Lyon, Nancy, Strasbourg, Avignon, Béziers, Marseille, Nîmes, Toulouse…

■ ZIG ZAG

54, rue de Dunkerque - 75009 Paris
✆ 01 42 85 13 93 ou 01 42 85 13 18
Fax : 01 45 26 32 85
www.zigzag-randonnees.com

Zig Zag, des années de randonnée et un grand nombre de pays traversés, est le spécialiste des treks et des voyages d'aventure. Zig Zag propose plusieurs séjours en Italie du Nord : « Toscane, couleurs d'Italie » en 7 ou 10 jours ; « Ombrie, sur les pas de saint François d'Assise » en 7 jours ; « Venise et la Vénétie »…

Les revendeurs généralistes

■ CARLSON WAGONLIT VOYAGES

✆ 0 826 828 824 – www.cwtvoyages.fr
C'est l'agence de voyages virtuelle de la société Carlson Wagonlit. Le site propose plus d'un million de tarifs négociés au départ de l'Europe. La recherche est bien guidée et plutôt efficace. A noter, une catégorie exclusivement réservée aux départs de province et une rubrique de location de voitures reliée, au choix, au site d'Avis, d'Europcar ou de Holiday Autos.

■ EXPEDIA FRANCE

✆ 0 892 301 300 – www.expedia.fr
Expedia est le site français du n°1 mondial du voyage en ligne. Un large choix de 500 compagnies aériennes, 105 000 hôtels, plus de 5 000 stations de prise en charge pour la location de voitures et la possibilité de réserver parmi 5 000 activités sur votre lieu de vacances. Cette approche sur mesure du voyage est enrichie par une offre très complète comprenant prix réduits, séjours tout compris, départs à la dernière minute…

■ GO VOYAGES

14, rue de Cléry, 75002 Paris
www.govoyages.com
✆ 0 899 651 951 (billets)
✆ 0 899 651 851
(hôtels, week-ends et location de voitures)
✆ 0 899 650 242 (séjours/forfaits)
✆ 0 899 650 246 (séjours Best Go)
✆ 0 899 650 243 (locations/ski)
✆ 0 899 650 244 (croisières)
✆ 0 899 650 245 (thalasso)
✆ 0 899 654 657 (circuits)
Go Voyages offre un comparateur qui vous permettra de trouver les meilleurs prix des vols secs (charters et réguliers) au départ et à destination des plus grandes villes. Possibilité également d'acheter des packages sur mesure « vol + hôtel » permettant de réserver simultanément et en temps réel un billet d'avion et une chambre d'hôtel. Grand choix de promotions sur tous les produits, y compris la location de voitures. La réservation est simple et rapide.

▨ LAST MINUTE/ DEGRIFTOUR / TRAVELPRICE
✆ 0 899 78 5000

✆ 04 66 92 30 29 – www.lastminute.fr

Des vols secs à prix négociés, dégriffés ou publics sont disponibles sur Last Minute. On y trouve également des week-ends, des séjours, de la location de voitures... Mais Last Minute est surtout le spécialiste des offres de dernière minute pour voyager à petits prix. Que ce soit pour un week-end ou une semaine, une croisière ou simplement un vol, des promos sont proposées et renouvelées très régulièrement.

▨ OPODO
✆ 0 899 653 656

www.opodo.fr

Opodo vous permet de réserver au meilleur prix en comparant les vols de plus de 500 compagnies aériennes, les chambres d'hôtel parmi plus de 45 000 établissements et les locations de voitures partout dans le monde. Vous pouvez également y trouver des locations saisonnières ou des milliers de séjours tout prêts ou sur mesure. Opodo a été classé meilleur site de voyages par le banc d'essai Challenge Qualité – l'*Echo touristique* en 2004. Des conseillers voyage vous répondent 7j/7 au ✆ 0 899 653 656 (0,34 €/min., de 8h à 23h du lundi au vendredi, de 9h à 19h le samedi et de 11h à 19h le dimanche).

▨ PROMOVACANCES
✆ 0 899 654 850

www.promovacances.com

Promovacances propose de nombreux séjours touristiques, des week-ends, locations, hôtels à prix réduits ainsi qu'un très large choix de billets d'avion à tarifs négociés sur vols charters et réguliers. Vous y trouverez également des promotions de dernière minute, les bons plans du jour et des informations pratiques pour préparer votre voyage (pays, santé, formalités, aéroports, voyagistes, compagnies aériennes.)

▨ THOMAS COOK
✆ 0 826 826 777 (0,15 €/min.)

www.thomascook.fr

Tout un éventail de produits pour composer son voyage : billets d'avion, location de voitures, chambres d'hôtel... Thomas Cook propose aussi des séjours dans ses villages-vacances et les « 24h de folies » : une journée de promos exceptionnelles tous les vendredis. Leurs conseillers vous donneront des conseils utiles sur les diverses prestations des voyagistes.

▨ VIVACANCES
✆ 0 899 653 654 (1,35 €/appel et 0,34 €/min.) – www.vivacances.fr

Vivacances est une agence de voyages en ligne créée en 2002 et rachetée en 2005 par Opodo, leader du voyage en ligne. Vous trouverez un catalogue de destinations soleil, farniente, sport ou aventure extrêmement riche : vols secs, séjours, week-ends, circuits, locations... Les prix sont négociés sur des milliers de destinations et des centaines de compagnies aériennes. Vous pourrez aussi effectuer vos réservations d'hôtels et vos locations de voitures à des tarifs avantageux. Le site propose des offres exclusives sans cesse renouvelées : à visiter régulièrement.

Les sites comparateurs

▨ EASYVOYAGE
www.easyvoyage.com

Le concept de Easyvoyage.com peut se résumer en trois mots : s'informer, comparer et réserver. Des infos pratiques sur quelque 255 destinations en ligne (saisonnalité, visa, agenda...) vous permettent de penser plus efficacement votre voyage. Après avoir choisi votre destination de départ selon votre profil (famille, budget...), Easyvoyage.com vous offre la possibilité d'interroger plusieurs sites à la fois concernant les vols, les séjours ou les circuits. Enfin grâce à ce méta-moteur performant, vous pouvez réserver directement sur plusieurs bases de réservation (Lastminute, Go Voyages, Directours, Anyway... et bien d'autres).

▨ KELKOO
www.kelkoo.com

Ce site vous offre la possibilité de comparer les tarifs de vos vacances. Vols secs, hôtels, séjours, campings, circuits, croisières, ferries, locations, thalassos : vous trouverez les prix des nombreux voyagistes et pourrez y accéder en ligne grâce à Kelkoo.

▨ PRIX DES VOYAGES
www.prixdesvoyages.com

Ce site est un comparateur de prix de voyages, permettant aux internautes d'avoir une vue d'ensemble sur les diverses offres de séjours proposées par des partenaires selon plusieurs critères (nombre de nuits, catégories d'hôtel, prix, etc.). Les internautes souhaitant avoir plus d'informations ou réserver un produit sont ensuite mis en relation avec le site du partenaire commercialisant la prestation. Sur Prix des Voyages, vous trouverez des billets d'avion, des hôtels et des séjours.

■ **SPRICE**

www.sprice.com

Un jeune site qui gagne à être connu. Vous pourrez y comparer vols secs, séjours, hôtels, locations de voitures ou biens immobiliers, thalassos et croisières.

Le site débusque aussi les meilleures promos du Web parmi une cinquantaine de sites de voyages. Un site très ergonomique qui vous évitera bien des heures de recherches fastidieuses.

■ **VOYAGER MOINS CHER**

www.voyagermoinscher.com

Ce site référence les offres de près de 100 agences de voyages et tour-opérateurs parmi les plus réputés du marché et donne ainsi accès à un large choix de voyages, de vols, de forfaits « vol + hôtel », de locations, etc. Il est également possible d'affiner sa recherche grâce au classement par thèmes : thalasso, randonnée, plongée, All Inclusive, voyages en famille, voyages de rêve, golf ou encore départs de province.

■ PARTIR SEUL

En avion

Il vous sera très aisé de trouver des vols pour vous rendre chez nos voisins italiens. Les compagnies aériennes régulières et low-cost proposent plusieurs départs quotidiens directs pour les villes italiennes.

A noter que la variation de prix dépend de la compagnie empruntée, mais, surtout, du délai de réservation. Pour obtenir les meilleurs tarifs en haute saison, achetez vos billets six mois à l'avance. Pour ce qui est des périodes moins courues, un délai beaucoup plus court ne devrait pas vous empêcher de décrocher un prix intéressant.

Départs de Paris pour Milan

Haute saison (juillet et août)	De 80 € à 450 €.
Basse saison	De 80 € à 500 €.

Départs de Paris pour Turin

Haute saison (juillet et août)	De 180 € à 350 €.
Basse saison	De 180 € à 350 €.

Départs de Paris pour Venise

Haute saison (juillet et août)	De 80 € à 600 €.
Basse saison	De 150 € à 520 €.

Compagnies aériennes

■ **AIR FRANCE**

✆ 36 54

(0,34 €/min. à partir d'un poste fixe)

www.airfrance.fr

Air France propose de très nombreux vols quotidiens et directs au départ de Paris.

◗ **Vers Milan :** Air France propose plusieurs vols quotidiens directs vers l'aéroport de Malpensa à Milan. Certains atterrissent à Linate. Départs tous les jours de CDG à 7h15, 7h45, 9h35, 13h20, 15h55, 16h, 18h25 et 21h. Arrivées respectives à 8h45 (à Linate), 9h15, 11h05, 14h50, 17h25 (à Linate), 17h30, 19h55 et 22h30. Comptez 1 heure 30 de vol.

◗ **Vers Turin :** départs quotidiens à 7h35, 9h55 (sauf le samedi), 13h10, 16h05 et 20h40. Arrivées respectives à 9h, 11h20, 14h35, 17h30 et 22h05.

◗ **Vers Venise :** départs tous les jours de CDG à 7h20, 9h50, 12h35, 15h30, 18h15 et 21h15. Arrivées respectives à 9h, 11h30, 14h15, 17h10, 19h55 et 22h55. Comptez 2 heures de vol.

Certaines liaisons sont assurées en partenariat avec la compagnie Alitalia et les villes les plus importantes sont aussi desservies en vols directs au départ de province.

■ **ALITALIA**

31-33, rue Mogador

75009 Paris

✆ 0 820 315 315 ou 01 44 94 44 20

Fax : 01 44 94 44 80

www.alitalia.fr

Les vols sont effectués en partage de code avec Air France.

◗ **Vers Venise :** 1 heure 40 de vol. Le lundi et mardi, départs à 7h20, 15h30, 18h15 et 21h15. Arrivées respectives à 9h, 17h20, 19h55 et 22h55. Le mercredi, jeudi, vendredi, départs à 7h20, 9h50, 12h35 et 15h30. Arrivées respectives à 9h, 11h30, 14h15 et 17h10. Le samedi, départs à 7h20, 12h35, 15h30 et 21h15.

Arrivées respectives à 9h, 14h15, 17h10 et 22h55. Le dimanche, départs à 7h20, 15h30, 18h15 et 21h15. Arrivées respectives à 9h, 17h10, 19h55 et 22h55.

▶ **Vers Turin** : le lundi, mardi, mercredi, vendredi et dimanche, départs à 7h35, 9h55, 13h10, 16h05 et 20h40. Arrivées respectives à 9h, 11h20, 14h35, 17h30 et 22h05. Le jeudi, départs à 7h35, 9h55, 13h10 et 16h05. Arrivées respectives à 9h, 11h20, 14h35 et 17h30. Le samedi, départs à 7h35, 13h10, 16h05 et 20h40. Arrivées respectives à 9h, 14h35, 17h30 et 22h05.

▶ **Vers Milan-Linate** : le lundi, mardi, jeudi, vendredi, départs à 7h15, 7h50, 9h30, 14h45 et 19h30. Arrivées respectives à 8h45, 9h25, 10h55, 16h20 et 20h55. Le mercredi, départs à 7h50, 9h35, 14h45 et 20h20. Arrivées respectives à 9h25, 11h10, 16h20 et 21h55. Le samedi, départs à 7h15, 7h50, 9h30 et 20h20. Arrivées respectives à 8h45, 9h25, 10h55 et 21h55. Le dimanche, départs à 7h15 et 15h55. Arrivées à 8h45 et 17h25.

▶ **Vers Milan-Malpensa** : 1 heure 30 de vol. Le lundi, mardi, mercredi, vendredi, samedi, départs à 9h35, 13h20, 16h et 21h. Arrivées respectives à 11h05, 14h50, 17h30 et 22h30. Le jeudi et dimanche, départs à 9h35, 16h et 21h. Arrivées à 11h05, 17h30 et 22h30.

■ **EASYJET**
✆ 0 826 10 26 11 (service clientèle) / 0 899 70 00 41 (vente et modification de réservations) – www.easyjet.com
EasyJet propose plusieurs liaisons entre Paris, Venise et Milan.

▶ **Vers Venise** : 1 heure 40 de vol. Départ de Paris-CDG le lundi, mercredi, vendredi à 14h40, arrivée à 16h20. Départs le mardi et jeudi à 7h et 14h40, arrivées respectives à

8h40 et 16h20. Départs le samedi à 7h30 et 18h50, arrivées respectives à 9h10 et 20h30.

▶ **Vers Milan-Malpensa** : 1 heure 35 de vol. Départ de Paris-CDG (horaires d'été) du lundi au vendredi et le dimanche à 13h40 et 19h20 (arrivées à 15h10 et 20h50). Le samedi à 8h30 et 13h40 (arrivées à 10h et 15h10).

▶ **Vers Milan-Linate** : départ de Paris-Orly Sud du lundi au vendredi à 11h, arrivée à 12h25. Départ le samedi à 11h30, arrivée à 12h55 et le dimanche à 11h25, arrivée à 12h50.

■ **RYANAIR**
✆ 0 892 232 375
www.ryanair.com
Pour se rendre à l'aéroport de Beauvais, un service de bus payant (13 € par trajet et par personne), au départ de Porte Maillot, est mis à la disposition des passagers titulaires d'un titre de transport.

▶ **Vers Venise-Trévise** : 1 heure 30 de vol. Départ tous les jours à 18h50.

▶ **Vers Milan-Bergamo** : de Beauvais, départs le lundi, mardi, mercredi, vendredi, samedi et dimanche à 8h30 et 22h30, arrivées respectives à 9h50 et 23h50. Départs le jeudi à 8h30 et 22h10, et arrivées respectives à 9h50 et 23h30.

Vous rendre à Roissy CDG ou à Orly en transports en commun

■ **ROISSYBUS – ORLYBUS**
✆ 0 892 68 77 14
www.ratp.fr
La RATP permet de rejoindre facilement les deux grands aéroports parisiens grâce à des navettes ou des lignes régulières.

En CLASSE TEMPO, 25 dessins animés,
85 films sur écran individuel, glace pour les enfants
pour FAIRE DU CIEL LE PLUS BEL ENDROIT DE LA TERRE.

▶ **Pour Roissy-CDG,** départs de la place de l'Opéra (à l'angle de la rue Scribe et la rue Auber) entre 5h45 et 23h toutes les 15 à 20 minutes. Comptez 8,90 € l'aller simple et entre 45 et 60 minutes de trajet. Possibilité de prendre le RER B : comptez 45 minutes au départ de Denfert-Rochereau pour rejoindre Roissy-CDG (toutes les 10 à 15 minutes). Vous pourrez rejoindre l'aérogare 1 et 2 – terminal 4 et le Roissypôle Gare – RER au départ de Paris-Gare de l'Est avec le bus 350 et au départ de Paris-Nation avec le bus 351. La fréquence des bus est de 10 à 15 minutes en semaine, 20 à 35 minutes le week-end et les jours fériés.

▶ **Pour Orly,** départs de la place Denfert-Rochereau de 5h30 à 23h toutes les 15 à 20 minutes. Comptez 6,30 € l'aller simple et 30 minutes de trajet. Possibilité également de prendre le RER C (25 minutes de trajet entre Austerlitz et Orly, départ toutes les 15 minutes) ou l'Orlyval (connexion avec Antony sur la ligne du RER B) : comptez 8 minutes de trajet entre Antony et Orly, toutes les 4 à 7 minutes. Orly-Antony : 7,40 €. Orly-Paris : 9,60 €.

Vous rendre à Roissy-CDG ou à Orly avec les cars Air France

▪ **RENSEIGNEMENTS**
✆ 0 892 350 820
www.cars-airfrance.com
Pour vous rendre aux aéroports de Roissy-Charles-de-Gaulle et d'Orly, vous pouvez utiliser les services des cars Air France. Tarif réduit pour les moins de 12 ans et les groupes de plus de quatre personnes. Cinq lignes sont à votre disposition :

▶ **Ligne 1 :** Orly-Montparnasse-Invalides : 10 € pour un aller simple et 16 € pour un aller-retour.

▶ **Ligne 1 Bis :** Orly-Montparnasse-Arc de triomphe : 10 € pour un aller simple, 16 € pour un aller-retour.

▶ **Ligne 2 :** CDG-Porte Maillot-Etoile : 14 € pour un aller simple et 22 € pour un aller-retour.

▶ **Ligne 3 :** Orly-CDG : 18 € pour un aller simple.

▶ **Ligne 4 :** CDG-Gare de Lyon-Montparnasse : 15 € pour un aller simple et 24 € pour un aller-retour.

Aéroports en France

▪ **PARIS**
www.aeroportsdeparis.fr

Roissy-Charles-de-Gaulle
✆ 01 48 62 12 12 Orly
✆ 01 49 75 52 52

▪ **BEAUVAIS**
www.aeroportbeauvais.com
✆ 08 92 68 20 66

▪ **BORDEAUX**
www.bordeaux.aeroport.fr
✆ 05 56 34 50 00

▪ **LILLE-LESQUIN**
www.lille.aeroport.fr
✆ 0 891 67 32 10 (0,23 € T.T.C./min.)

▪ **LYON-SAINT-EXUPÉRY**
www.lyon.aeroport.fr
✆ 0 826 800 826

▪ **MARSEILLE-PROVENCE**
www.marseille.aeroport.fr
✆ 04 42 14 14 14

▪ **MONTPELLIER-MÉDITERRANÉE**
www.montpellier.aeroport.fr
✆ 04 67 20 85 00

▪ **NANTES-ATLANTIQUE**
www.nantes.aeroport.fr
✆ 02 40 84 80 00

▪ **NICE-CÔTE-D'AZUR**
www.nice.aeroport.fr
✆ 0 820 423 333

▪ **STRASBOURG**
www.strasbourg.aeroport.fr
✆ 03 88 64 67 67

▪ **TOULOUSE-BLAGNAC**
www.toulouse.aeroport.fr
✆ 0 825 380 000

Belgique

▪ **BRUXELLES**
www.brusselsairport.be
✆ (02) 753 77 53 ou 0 900 700 00 (uniquement de Belgique)

Suisse

▪ **GENÈVE**
www.gva.ch/fr
✆ 0 900 57 15 00 (1,19 CHF/min. depuis la Suisse)

Canada

▪ **QUÉBEC – JEAN-LESAGE**
www.aeroportdequebec.com
✆ (418) 640 2600

Trenitalia: Partir en Italie c'est encore plus facile.

Liaisons directes quotidiennes Artesia
Paris-Turin/Milan.
Liaisons Grande Vitesse en train *Frecciarossa*
Milan - Turin en 60 minutes
Milan - Bologne en 1h05 minutes
Milan - Rome non-stop en 2h59 minutes.
Confort optimal pour votre voyage!

@fotolia

*Coût de l'appel 0.09€ ttc/min depuis une poste fixe,
d'autres tarifs selon votre opérateur de mobile.

*Sous réserve de modifications apportées après l'édition
du présent document.*

Informations & Réservations en France:
tel. 0 825 800 329*
www.ferroviedellostato.it

TRENITALIA
GRUPPO FERROVIE DELLO STATO

■ **MONTRÉAL-TRUDEAU**
www.admtl.com
℃ (1 800) 465 1213

Les sites comparateurs

Ces sites vous aideront à trouver des billets d'avion au meilleur prix. Certains d'entre eux comparent les prix des compagnies régulières et low-cost. Vous trouverez des vols secs (transport aérien vendu seul, sans autres prestations) au meilleur prix.

■ **www.easyvols.fr**

■ **www.jetcost.com**

■ **http://voyages.kelkoo.fr**

■ **www.sprice.com**

■ **www.voyagermoinscher.com**

Pour connaître le degré de sécurité de la compagnie aérienne que vous envisagez d'emprunter, rendez-vous sur le site Internet www.securvol.fr ou sur celui de la Direction générale de l'aviation civile : www.dgac.fr

En bus

■ **EUROLINES**
Gare routière internationale de Paris
28, avenue du Général-de-Gaulle
BP 313 – 93541 Bagnolet Cedex
℃ 0 892 89 90 91
www.eurolines.fr
M° Gallieni. Eurolines propose plusieurs liaisons pour l'Italie du Nord : Bologne, Venise, Vérone, Milan, Parme, Turin ou encore Aoste. Parmi celles-ci, par exemple, pour un trajet de Paris-Gallieni à Milan, comptez environ 14 heures de voyage et un minimum de 94 € l'aller-retour pour les plus de 26 ans.

En train

■ **ARTESIA / S.N.C.F.**
www.artesia.eu – www.voyages-sncf.com
Artesia, filiale de la S.N.C.F. et des Chemins de fer italiens, assure les liaisons en train de nuit et T.G.V. de jour entre Paris et l'Italie. De nuit : des trains de nuit partent tous les soirs au départ de Paris (gare de Bercy) à destination de Rome et Naples (via Turin ou Milan). A partir de 35 € l'aller simple, avec les tarifs Prem's en couchettes 6 places, et de 60 € l'aller simple en couchettes 4 places avec le tarif Mini C. Des voitures-lits (cabines doubles ou

triples) sont également proposées. Des correspondances sont ensuite possibles depuis Rome vers l'Italie du Sud. De jour : au départ de Paris (gare de Lyon) et de Chambéry : 3 allers-retours quotidiens en T.G.V. pour Turin et Milan. A partir de 25 € (soumis à condition) l'aller simple, avec les tarifs Prem's en T.G.V. 2e classe en vente uniquement sur www.voyages-sncf.com – D'autres tarifs (« Loisir », « week-end »…) sont également disponibles en 1re ou en 2e classe. Mais en tarif normal, il faudra prévoir pour l'aller seulement 110 € pour Rome, 150 € pour Naples. Informations et réservations : gares, boutiques S.N.C.F., agences de voyages agréées, par téléphone au ℃ 3635 (0,34 €/min.) et sur www.voyages-sncf.com
En Italie, c'est la compagnie ferroviaire Trenitalia qui gère les réseaux de chemins de fer.

■ **TRENITALIA**
℃ 0 825 800 329 – www.trenitalia.com

■ **INTERRAIL**
www.interrail.net
Réservation et achat des billets dans plus de 350 gares ferroviaires françaises. Le ticket InterRail permet de voyager dans 30 pays de l'Europe, ainsi que la Turquie et le Maroc.
InterRail divise l'Europe en 8 zones ; chaque zone comprend un certain nombre de pays. Le ticket est offert sous différentes formes : le Pass InterRail pour 1 ou 2 zones et le Global Pass pour toutes les zones. Les tickets sont valables 16 jours, 22 jours ou un mois entier. Vous voyagez uniquement en 2e classe. Il y a des réductions pour certains passages en ferry.

En voiture

Par le sud, vous pouvez descendre en Provence (autoroute du Sud) et longer ensuite la côte méditerranéenne en France (Marseille, Nice), puis en Italie (Gênes, Livourne). Vous pouvez aussi préférer la traversée des Alpes par le tunnel à péage (du Mont-Blanc ou de Fréjus) et poursuivre votre route vers Turin. A titre indicatif, pour le trajet Paris-Turin, comptez environ 8 heures et 800 km. Il vous en coûtera 78,20 € de frais de péage et 85 € de frais d'essence. Pour rejoindre Venise, comptez 11 heures de trajet, 120 € de frais d'essence et 80 € de frais de péage. Pour calculer précisément votre itinéraire, consultez les sites www.viamichelin.fr ou www.mappy.fr

Séjourner

SE LOGER

Hôtels

L'hôtellerie italienne est d'une variété et d'une richesse peu commune. Outre les palaces et châteaux aménagés, comme en France, on trouve des lieux magnifiques, anciennes chartreuses, abbayes, arrangés avec ce goût inimitable qui caractérise le pays. Dans l'hôtellerie traditionnelle, le niveau est souvent bon, parfois pittoresque, et presque jamais sordide, même à bas prix. Les tarifs dans le Nord sont un peu plus élevés, à qualité égale, que dans le Sud. Il y a bien quelques cas isolés, comme Venise, où il est difficile de se loger correctement à petit prix, ou Milan, qui est sans doute la ville la plus chère du pays et où passent tous les businessmen indifférents aux tarifs. Cependant, les services des catégories ne correspondent pas exactement à ceux qui sont offerts en France. Voici d'après les offices du tourisme à quoi « devraient » correspondre les étoiles des hôtels :

▶ **1-étoile :** offre seulement les services de base (réception 12h/24), les draps et le linge de toilette sont changés une fois par semaine, et la chambre est refaite seulement une fois par semaine et évidemment pour chaque nouveau client. Souvent, les chambres ne disposent pas de toilettes.

▶ **2-étoiles :** le petit déjeuner est servi dans des salles communes, un bar est disponible 12h/24. Le linge est changé au moins deux fois par semaine tandis que le linge de toilette tous les deux jours. Il y a une toilette en commun. On ne peut pas utiliser le téléphone de la chambre pour les appels directs.

▶ **3-étoiles :** réception ouverte 16h/24, coffres pour ranger votre argent ou objets de valeur, les draps sont changés tous les deux jours et le linge de toilette tous les jours. Les chambres sont toutes pourvues de salle de bains et vous avez même la possibilité d'envoyer un fax.

▶ **4-étoiles :** réception dans toutes les langues ouverte 16h/24, concierge la nuit. 50 % des chambres ont un coffre-fort. Service de restaurant et de petit déjeuner dans la chambre, les draps sont changés une fois par jour, les chambres sont nettoyées une fois par jour et vérifiées dans l'après-midi, sèche-cheveux et différents accessoires de toilette. Service de laverie en 24 heures. Toutes les chambres sont pourvues de climatisation. Salles de restaurant, bars, etc., sont souvent disponibles.

▶ **5-étoiles :** réception et bar ouverts 24h/24, ascenseur pour l'équipe de l'hôtel séparé de l'ascenseur des clients, coffre-fort dans chaque chambre. Service de laverie en 12 heures. Différents types de chambres dont un certain nombre de suites, salles de conférences…

■ CENTRE DE RÉSERVATION DES HÔTELS EN ITALIE

✆ 800 015 722 (d'Italie seulement)
✆ (0039) 02 29 404 616 (de l'étranger)
www.hotelme.it
En consultant ce site, vous pouvez réserver votre chambre d'hôtel sur toute l'Italie.

■ NI–HOTELS CONSORZIO TURISTICO NOTTURNO ITALIANO HOTELS

✆ (0578) 31 118
Fax : (0578) 31 595
www.ni-hotels.com
info@ni-hotels.com
Un groupe hôtelier qui s'est donné pour principe l'exclusivité, la proximité, l'authenticité et l'accessibilité. Il propose une sélection de structures réceptives dans toute l'Italie dont deux en Sicile pour l'instant, à Taormine et Scopello. Accessibles à beaucoup de budgets, elles ont toutes la particularité d'être à taille humaine, proches des hauts lieux touristiques, mais surtout de s'intégrer parfaitement dans la culture environnante. Une invitation au voyage découverte en soi avec un maximum de confort. La garantie de pouvoir baigner dans cette singularité italienne sans les inconvénients classiques du tourisme de masse.

■ HOSTELSCLUB.COM

www.hostelsclub.com/
Hostelsclub.com est une société jeune et dynamique qui permet à des milliers de voyageurs de réserver facilement, rapidement et en toute sécurité dans le monde entier.

Le portail vous permet de trouver un hébergement n'importe où : Europe, Amérique du Nord, Amérique du Sud, Asie, Océanie et Afrique. Hostelsclub.com vous propose les meilleurs établissements !

Bed & Breakfast

Une formule pas très répandue en Italie. Toutefois, vous pouvez vous procurer une liste des « autochtones accueillants » à l'office du tourisme de la ville.

Pensioni

Très répandues en Italie. Il s'agit d'hôtels familiaux qui ne répondent pas aux standards de catégorie mais qui ne sont pas à négliger pour leur ambiance chaleureuse et agréable. Cependant, le manque de contrôle de la part des offices du tourisme rend les prix très peu sûrs.

Camping

Le camping peut être également une formule appréciable, surtout pour les petits budgets. Malgré tout, les tarifs des campings italiens ont tendance à être plus élevés qu'en France. Les prix vont en général de 15 € jusqu'à 30 € pour deux personnes et une tente. Tout dépend des services offerts (piscine, bar, restaurant) et de la place occupée. Demandez toujours si le prix comprend la douche chaude et s'il existe des tarifs pour les enfants de moins de 12 ans. Le camping sauvage n'est pas toléré et fortement déconseillé à cause des vols. Vous pouvez vous procurer la liste complète des campings à l'office du tourisme de la ville. Et vous pouvez également essayer les campings que nous avons signalés pour chaque ville.

Auberges de jeunesse

En France, procurez-vous la carte internationale des auberges de jeunesse auprès de :

▪ **FEDERATION DES AUBERGES DE JEUNESSE**
27, rue Pajol - 75018 Paris
✆ 01 44 89 87 27 – www.fuaj.org

▪ **CASA DELLO STUDENTE**
Il s'agit des cités universitaires. Elles existent dans la plupart des grandes villes italiennes, mais les places sont chères et souvent déjà réservées par les étudiants autochtones.

▪ **INFO ASSOCIATION ITALIANA ALBERGHI PER LA GIOVENTU'**
✆ (00 39) 06 4871 152
www.ostellionline.org – aig@uni.net

Couvents

Ils fonctionnent un peu comme les auberges de jeunesse, mais ils ne proposent pas de chambres doubles. De plus, vous serez obligé de respecter des horaires très stricts, donc pas de soirées déchaînées en boîte de nuit. Les prix sont très intéressants et le cadre « paradisiaque ».

Chambres d'hôtes et agriturismo

L'agriturismo (tourisme vert) est très répandu en Italie et notamment dans les zones rurales. Les prix, même s'ils sont beaucoup plus intéressants que ceux des hôtels, sont plus chers qu'en France. A titre d'exemple, vous pourrez séjourner dans une splendide demeure de campagne pour 25 à 30 € par jour en demi-pension. Dans les offices du tourisme locaux et dans les librairies spécialisées en Italie, vous pourrez vous procurer des guides vous indiquant les meilleures adresses.

Location et échange d'appartements

Idéal si vous décidez de séjourner en Italie pour une longue période. Cependant, dans les grandes villes, le manque de logements rend ce service assez compliqué.

▪ **ITALIE LOC'APPART**
75, rue de la Fontaine-au-Roi 75011 Paris
✆ 01 45 27 56 41 – Fax : 01 42 88 38 89
www.destinationslocappart.com
Accueil téléphonique assuré du lundi au vendredi de 10h30 à 19h. Réception sur rendez-vous. Italie Loc'Appart propose de la location d'appartements et de maisons pour un minimum de trois nuits à partir du jour d'arrivée de votre choix. L'accueil téléphonique est assuré par des responsables de destinations à Paris ayant une bonne connaissance des villes et des hébergements proposés puis, sur place, par des correspondantes bilingues franco-italiennes qui interviennent en cas de problème.

Location de maisons

Un simple coup de fil pour louer votre maison, villa, appartement ou château. Vous y trouverez tous les prix pour la durée que vous souhaitez.

▪ **INTERHOME**
15, avenue Jean-Aicard 75011 Paris
✆ 01 53 36 60 00 – Fax : 01 48 06 88 43
www.interhome.fr
Il vous suffit de choisir le logement qui vous

convient sur la brochure ou le site Internet, et Interhome s'occupe de réserver le lieu de votre choix à vos dates.

De particulier à particulier

■ MÉDIAVACANCES

www.mediavacances.com
Médiavacances propose des locations de vacances de particulier à particulier en France et partout dans le monde, précisément en Italie du Nord. Des offres de dernière minute sont disponibles sur le site Internet où vous pourrez également choisir votre location selon le type de vacances (montagne, mer, campagne, station thermale, ville) et d'hébergement recherché (studio, appartement, villa, bungalow, mobile home…). Au total, ce sont 12 000 offres d'hébergement répertoriées.

■ SE DÉPLACER

Autocar

Les autocars constituent en Italie une alternative intéressante au train, puisqu'ils desservent davantage de lieux, sont plus ponctuels et plus nombreux. Vous pouvez vous renseigner sur les lignes et les horaires auprès des offices du tourisme. Enfin, bien que l'essence soit chère, cela reste un moyen de locomotion abordable. Le chauffeur d'un autobus s'appelle un autista et il est, bien sûr, généralement défendu de lui parler.

Auto-stop

N'a jamais été au goût du jour en Italie, même si vous trouverez quelque gentil automobiliste qui se chargera de vous conduire à la ville la plus proche. Dans certains coins, il est possible de voir des locaux pratiquer le stop, mais il s'agit en général de trajets très courts. Cependant, partir en stop de France pour aller en Italie, c'est possible avec…

■ ALLOSTOP

℡ 01 53 20 42 42 – www.allostop.com
Chaque voyage entraîne une cotisation de base (environ 11 € pour un voyage de plus de 500 km) et une participation aux frais de route.

■ AGENCES DE COVOITURAGE AU NIVEAU EUROPÉEN

www.compartir.com
www.covoiturage.com
www.123envoiture.com

Avion

Les lignes intérieures sont nombreuses et assez coûteuses, et les compagnies joignent les principaux aéroports du pays. Parmi les compagnies, on peut citer Alitalia et la Lufthansa.

Deux-roues

Les villes italiennes ne sont pas vraiment adaptées à l'automobile ; c'est donc en toute logique que la pratique du vélo s'y développe. Pour ce qui est des longs trajets, on regrettera qu'il ne soit pas possible d'expédier son vélo par le train. Le vélomoteur et, surtout, le scooter restent néanmoins très majoritaires en ville, et on voit peu de cyclistes de randonnée sur les routes italiennes.

▶ **Casque.** Rendu obligatoire par la loi, le port du casque est de moins en moins respecté à mesure que l'on s'approche du sud.

Scooters, vélomoteurs

On rencontre assez peu de motos : elles appartiennent généralement à ceux qui font de la route. Les citadins n'en ont pas besoin, le vélomoteur suffisant amplement aux déplacements. De plus, la conduite en liberté, sans souci de performance, s'accommode mieux du vélomoteur ou du scooter, même si l'on peut croiser – moins qu'en France – quelques fêlés tentant dérapages et « une roue ».On trouve de nombreux points de location dans les grandes villes. Parmi les vedettes élégantes du scooter italien, nous vous recommandons trois modèles aussi distingués que performants : l'Aprilia Leonardo, une sorte de must qui se vend en France aux alentours de 3 100 € ; les Piaggio, c'est-à-dire Vespa, Sfera et Hexagon, le modèle le plus puissant de la gamme. Chez Malaguti (marque de haute réputation dont les vélomoteurs « à vitesses » enchantaient les jeunes Français dans les années 1960), le Firefox est à la fois racé et rapide, mais hélas difficile à trouver en France.

Ferry

Accès aux îles, Sardaigne, Sicile ou même Corse, à partir de Gênes ou de Livourne.

■ RENSEIGNEMENTS

Compagnie italienne de tourisme
45, rue de Paradis - 75010 Paris
℡ 01 55 77 27 00

Taxis

Circuler en taxi en Italie suppose un budget important. A distance égale, les courses y sont plus coûteuses qu'en France. Mais c'est un moyen rapide d'atteindre un point précis de la ville. Si vous cherchez votre hôtel, sans plan ni indications, le taxi reste le meilleur moyen d'arriver à destination. La course est facturée au kilomètre et non au temps passé, soit 4 € pour les 3 premiers kilomètres, puis 0,77 € pour les kilomètres suivants. Ne prenez que les taxis officiels de la ville.

Train

Le réseau est dense et les horaires… parfois imprévisibles ! Les retards, s'ils sont fréquents, restent cependant dans une proportion acceptable pour le touriste, inférieure à 15 %. Reste qu'en Italie du Nord, le train est souvent le meilleur moyen de passer d'une ville à l'autre à moindre coût, notamment depuis les villes de Vénétie à destination de Venise, ou encore entre les cités d'Emilie-Romagne ou de Lombardie, souvent peu distantes en kilométrage. Les gares étant principalement situées en bordure du centre historique, le train permet de visiter, en douceur, des sites différents. De plus, la vitesse moyenne est faible (autour de 50 km/h), ce qui permet au moins d'admirer le paysage (on est en vacances !). Quant aux tarifs, ceux des chemins de fer italiens (FS : Ferrovie dello Stato) sont les moins élevés d'Europe. Bon à savoir : ils sont dégressifs. Les chemins de fer italiens proposent des formules intéressantes sur tout le réseau intérieur pour ceux qui ne comptent ou ne peuvent pas acheter la carte InterRail, l'Eurail Pass ou un billet BIJ.

▶ **Renseignements en France** auprès de la Compagnie italienne de tourisme. 45, rue du Paradis - 75010 Paris ✆ 01 55 77 27 00.

▶ **Consignes.** Vous attendez le train et vous voulez faire un tour en ville : les gares, même dans les villes d'une certaine importance, sont rarement équipées de consignes automatiques. En revanche, il y a souvent une pièce, fermée et contrôlée, où vous pourrez laisser vos bagages. On vous donne un reçu que vous devez composter (pour avoir l'heure de dépôt) et que vous devrez remettre pour récupérer les bagages. Cependant, comme la durée de ce gardiennage n'est généralement pas fractionnable par heure, mais uniquement par 24 heures ou par demi-journée, la petite balade en ville d'une heure ou deux peut s'avérer assez coûteuse : de l'ordre de 2,60 € par tranche de 12 heures et par bagage.

Venice Simplon-Orient-Express

Ce train légendaire a été mis en service le 4 octobre 1883 grâce à l'industriel belge Nagelmackers, un passionné de train. Les années 1920 et 1930 furent les années de gloire de l'Orient-Express. Ensuite, les crises, la Seconde Guerre mondiale et, bien sûr, le développement de l'aviation commerciale ont fini par mettre la Société des wagons-lits à genoux. Mais le seul nom de « l'Orient-Express » a continué de susciter le rêve, avec cette réputation de mystères et d'intrigues que la littérature et le cinéma ont si souvent évoquée. James B. Sherwood, autre passionné de chemin de fer, achète en 1977 deux des voitures du train lors d'une vente aux enchères Sotheby's à Monte-Carlo. Les années suivantes et 16 millions de dollars permirent de localiser, acheter et restaurer quelque 35 voitures-lits, voitures Pullman et voitures-restaurants anciennes. Les voitures ont chacune leur histoire et de longues années de service passées à traverser les frontières de l'Europe. Paris-Venise (et/ou retour) en Orient-Express est bien plus qu'un moyen de transport. Casser sa tirelire une fois et intégrer ce voyage à ses vacances, c'est un plaisir qu'on ne regrette pas ! Imaginez…

Il est 10h25 à Venise, les voitures bleu et or vous attendent en gare de Santa Lucia. Les bagages sont pris en charge par un steward qui sera à votre service durant toute la durée du voyage. Chaque voiture a conservé sa décoration d'époque avec bois précieux et verre selon la mode des années folles. 11h, le train s'ébranle avec un vrai bruit de train qui n'a rien à voir avec le T.G.V. La moyenne horaire est de 72 km/h avec des pointes à… 135 ! Pas d'air conditionné, mais des fenêtres à guillotine et un petit ventilateur d'époque. L'heure du déjeuner approche, et avec lui la petite transhumance des voyageurs qui gravite vers l'une des trois voitures-restaurants, chacune décorée dans un style particulier. Service attentif et confort sont de mise. L'excellent repas est préparé par le chef français Christian Bodiguel, au service de l'Orient-Express depuis 23 ans. L'après-midi aura pour cadre les Dolomites et les Alpes autrichiennes avec, à chaque virage, un décor de carte postale. Vers 16h, le thé accompagné de petits gâteaux faits dans le train est servi. En fin de journée, vous vous préparez pour le dîner (on mange souvent dans le train…!). La tenue de soirée est de rigueur. Après l'apéro dans la voiture piano-bar, on passe à table pour un dîner préparé entièrement à bord et à base de produits frais. Le niveau est, dit-on, celui d'un restaurant 2-étoiles, mais avec l'impossibilité de les confirmer officiellement vu que le train n'a pas d'adresse physique. L'éclairage légèrement tamisé crée l'ambiance et les nappes damassées, les verres en cristal et l'argenterie française invitent à un moment gastronomique garanti. Ensuite, peut-être un dernier verre dans le bar avant de vous retirer pour la nuit dans votre cabine convertie en entre-temps en chambre confortable par les soins du steward. L'eau chaude et le chauffage sont activés par une chaudière au charbon d'origine. Tout est luxe et accessoires, jusqu'aux pantoufles et au peignoir bleus marqués du sceau de la compagnie. Et le lendemain, si vous n'avez pas omis de demander l'heure de réveil pour descendre à Paris (le train continue vers Calais), il sera temps de reprendre pied dans la réalité en descendant à la gare de l'Est...

▌ **www.orient-express.com**

Voiture

Les Italiens ne sont pas des fous du volant, dangereux et agressifs ! En fait, la conduite en Italie repose sur la liberté individuelle, considérée comme fondamentale (d'où également la résistance au port du casque et de la ceinture de sécurité, jugés incommodes), l'adresse et le bon sens. La règle fondamentale pour circuler en Italie est : éviter les autres et ne pas gêner la circulation. Finalement, malgré une apparente anarchie dans les comportements routiers, il y a plutôt moins d'embouteillages à Milan qu'à Paris, et l'accès au cœur des grandes villes se fait sans trop de problèmes. Alors, adaptez-vous et ne vous laissez pas intimider ou irriter par les coups de Klaxon multiples.

▌ **Autoroutes.** Les autoroutes italiennes sont nombreuses, mais souvent moins « confortables » qu'en France. Leurs rampes d'accès sont courtes, et les aires de repos sont pour l'essentiel un morceau de la bande d'arrêt d'urgence situé, pour plus de fraîcheur, sous un pont et donc sans la moindre rampe d'accès pour se lancer. Il s'ensuit que vous devrez klaxonner très fort en entrant sur une autoroute et qu'ensuite vous devrez absolument tenir votre gauche pour éviter les arrivées intempestives à votre droite. Des bolides risquent parfois d'apparaître dans votre rétroviseur tous feux allumés. Gardez votre sang-froid et votre gauche : ils finiront par vous

doubler à droite, si bien que ce sont eux qui prendront le risque de rencontrer une automobile entrant sur l'autoroute, et pas vous. Les péages sont assez chers. Pour le règlement, les cartes de crédit ne sont pas acceptées : il faut payer en liquide ou par Viacard, une sorte de porte-monnaie électronique. Les stations-service sont fréquentes sur les autoroutes et ne ferment pratiquement pas. Sur le reste du réseau, elles sont plus rares, et les pompistes qui peuvent vous servir comme au bon vieux temps se reposent entre 12h30 et 15h30. Les jours fériés, elles sont fermées, mais certaines pompes sont automatiques (avec billets). Attention ! La carte de crédit n'est pas acceptée partout.

▌ **Essence.** Le litre de super sans plomb coûte environ 1,35 € : on retrouve à peu près fidèlement les prix français.

▌ **Klaxon.** L'usage du Klaxon n'est pas systématique ou intempestif comme dans certains pays, et, surtout, il n'a pas forcément le caractère agressif que lui prête l'automobiliste français. Inutile donc de bondir de votre voiture à chaque fois, c'est juste un gentil rappel à l'ordre, une façon de se signaler.

▌ **Accidents.** Si vous êtes accidenté avec votre propre véhicule, vous devez sans doute avoir une assistance par l'intermédiaire de votre compagnie d'assurances (faites-vous bien préciser ce point par votre assureur et, si ce n'est pas le cas, prenez un contrat supplémentaire auprès d'un spécialiste : Europ Assistance, Mondial Assistance, etc.). Contactez-le dès que possible : ces gens connaissent leur boulot, noueront les contacts et mettront tout en œuvre pour vous tirer de là. Il faut dans ce cas simplement s'armer de patience. Si le pépin est vraiment grave, avec des blessés, on apprécie alors beaucoup que les démarches soient facilitées. Si vous êtes près d'une borne téléphonique, le numéro d'urgence est le ✆ 116. Si vous êtes en voiture de location, là encore, il doit y avoir un contrat écrit qui précise la situation. Si vous êtes responsable, vous aurez sans doute une franchise à acquitter. N'oubliez pas, si vous avez le montant de la franchise en tête, que, dans la plupart des cas, à moins que le tarif qui vous a été donné soit précisé « taxes incluses », il vous faut rajouter la T.V.A. italienne à 19 %. Enfin, il n'est pas du tout évident que le loueur mette à nouveau à votre disposition un autre véhicule. Là encore, il vaut mieux s'en assurer avant le départ.

Si l'accident ne se limite pas à un simple constat mais entraîne l'intervention des gendarmes, ne vous désolez pas trop de votre voyage contrarié si, par chance, personne n'est blessé. Contrairement à ce que prétendent quelques malveillants, l'efficacité de l'administration italienne, en tout point du territoire, vaut bien celle des villes et des campagnes françaises. Nous avons poussé l'expérience – quel sens du sacrifice pour l'information du lecteur ! – jusqu'à un beau plantage en rase campagne. Les carabinieri sont venus de la ville voisine, à une quinzaine de kilomètres, en moins d'une demi-heure, et la dépanneuse quelques minutes après. Un quart d'heure plus tard, nous étions ramenés en ville et, malgré l'heure du déjeuner, notre déposition a été enregistrée, les formalités accomplies (tiens, on ne nous a pas fait souffler dans le ballon) et nous pouvions reprendre notre route à peine deux heures après l'accident. Conseil sans doute superflu parce que vous auriez le même bon réflexe en n'importe quel point du globe, en France comme en Italie : n'abandonnez pas votre véhicule accidenté avec les bagages à l'intérieur pour aller chercher une assistance un peu plus loin, si vous vous plantez tout seul. Par chance, le réseau des téléphones mobiles est beaucoup plus serré qu'en France, et il suffit généralement d'arrêter un automobiliste et de lui demander de téléphoner à une dépanneuse ou de prévenir les carabinieri : il y a de fortes chances qu'il puisse le faire de sa voiture et avec vous.

▶ **Panne et dépannage.** En cas de problème grave sur la route, composez le ℰ 116 (service gratuit 24h/24 de dépannage pour les voitures immatriculées à l'étranger). Sur autoroute, vous avez, comme en France, les bornes d'urgence. La carte verte internationale d'assurance voiture (ou un certificat équivalent d'assurance internationale) est valable en Italie et doit être présentée en cas d'accident ou de contrôle de police.

▶ **Police.** Toujours discrète, la présence policière, avec un sens du laisser-vivre que certains apparentent un peu rapidement à du laxisme. D'autres peuvent trouver plaisant de pouvoir faire des centaines de kilomètres sans voir de voitures embusquées traquant le contribuable en infraction.

▶ **Routes de montagne.** La remarque vaut surtout pour les villages et, à vrai dire, pas seulement pour la montagne : la route passe rarement à travers les villages, et les services de l'équipement italien ont dû depuis longtemps se pencher sur la question, car les déviations qui préservent la tranquillité et le charme de ces villages ne datent pas d'hier. Au voyageur d'avoir l'envie et la curiosité de faire le détour.

▶ **Sécurité routière.** N'oubliez pas de porter votre casque si vous êtes en scooter. L'Italie compte un nombre impressionnant de deux-roues, les automobilistes ont donc l'habitude de côtoyer les « scootéristes ».

▶ **Signalisation.** Elle est relativement bien faite et assez fiable. Comme dans de nombreuses villes françaises, elle comporte parfois également quelques failles, la plus horripilante étant de vous bombarder à chaque carrefour de panneaux « centro » (le logo utilisé pour désigner le centre-ville est toujours le même : deux cercles noirs, épais et concentriques, entourant un point noir) que vous suivez en toute confiance pour vous retrouver à quelque endroit un peu glauque où, tout à coup, plus rien n'est indiqué. On pourrait au moins se fendre d'une dernière pancarte : « Maintenant, débrouille-toi ! » Les panneaux de signalisation sont verts pour les autoroutes (autostrades) et bleus pour les routes. A noter aussi que les indications kilométriques sont parfois assez farfelues : sans changer de route, la distance vers votre point d'arrivée pourra s'allonger subrepticement de quelques kilomètres…

▶ **Ville.** La circulation dans les grandes villes italiennes ne pose pas plus de problèmes qu'en France, car dans les grandes villes, il n'y a pas vraiment plus d'embouteillages qu'à Paris (plutôt moins), et les citadins, en voiture comme en deux-roues, sont assez habiles pour que les accrochages soient rares.

▶ **Stationnement.** Comme partout, peu de places gratuites en pleine ville. De plus, dans les grandes villes du Nord, les conditions de parking sont très strictes (renseignez-vous auprès des offices du tourisme sur l'existence de cartes spéciales de parking). Le parking est souvent la meilleure solution pour la sécurité de vos bagages : c'est rarement, comme en France, un endroit souterrain noir et dangereux où tout peut arriver, mais un enclos extérieur administré par un gardien (beaucoup de petits boulots fonctionnent ainsi). Il vous donne un ticket (plutôt modérateur, à 1 € l'heure en moyenne) et vous avez l'assurance que votre voiture est surveillée pendant votre absence.

▷ **Vitesse.** Elle est limitée à 130 km/h sur autoroute, à 90 km/h sur route et à 50 km/h en ville.

Location de voitures

Méfiez-vous des prix annoncés : il faut souvent ajouter les taxes et l'assurance collision. Au final, les prix ne sont donc pas plus intéressants qu'en France. N'oubliez pas, en plein été, que la climatisation peut être un luxe appréciable. Les sociétés suivantes sont toutes représentées dans les principales villes d'Italie du Nord ainsi qu'aux aéroports. Vous n'aurez pas de mal à trouver un prestataire tant leur implantation est importante.

▣ ALAMO / RENT A CAR / NATIONAL CITER

✆ 0 825 16 22 10 - www.alamo.fr
✆ 0 891 700 200 - www.rentacar.fr
✆ 0 825 16 12 12 - www.citer.fr
Depuis près de 30 ans, Alamo Rent a Car est l,un des acteurs les plus importants de la location de véhicules. Actuellement, Alamo possède plus de 180 000 véhicules au service de 15 millions de voyageurs chaque année, répartis dans 1 248 agences implantées dans 43 pays. Des tarifs spécifiques sont proposés, comme Alamo Gold, le forfait de location de voiture tout compris incluant les assurances, les taxes, les frais d'aéroport, le plein d'essence et les conducteurs supplémentaires. Rent a Car et National Citer font partie du même groupe qu'Alamo.

▣ AUTO ESCAPE

✆ 0 800 920 940 ou 04 90 09 28 28
www.autoescape.com
En ville, à la gare ou dès votre descente d'avion. Cette compagnie qui réserve de gros volumes auprès des grandes compagnies de location de voitures vous fait bénéficier de ses tarifs négociés. Grande flexibilité. Pas de frais de dossier, pas de frais d'annulation, même à la dernière minute. Des informations et des conseils précieux, en particulier sur les assurances.

▣ AUTO EUROPE

✆ 0 800 940 557
www.autoeurope.fr
Réservez en toute simplicité sur plus de 4 000 stations dans le monde entier. Auto Europe négocie toute l'année des tarifs privilégiés auprès des loueurs internationaux et locaux afin de proposer à ses clients des prix compétitifs. Les conditions Auto Europe : le kilomé-

trage illimité, les assurances et taxes incluses dans de tout petits prix et des surclassements gratuits pour certaines destinations.

▣ AVIS

✆ 0 820 05 05 05 - www.avis.fr
Avis a installé ses équipes dans plus de 5 000 agences réparties dans 163 pays. De la simple réservation d'une journée à plus d'une semaine, Avis s'engage sur plusieurs critères, sans doute les plus importants. Proposition d'assurance, large choix de véhicules de l'économique au prestige avec un système de réservation rapide et efficace.

▣ BUDGET FRANCE

✆ 0 825 00 35 64 - Fax : 01 70 99 35 95
www.budget.fr
Budget France est le troisième loueur mondial, avec 3 200 points de vente dans 120 pays. Le site www.budget.fr propose également des promotions temporaires. Si vous êtes jeune conducteur et que vous avez moins de 25 ans, vous devrez obligatoirement payer une surcharge.

▣ ELOCATIONDEVOITURES

✆ 0 800 942 768
www.elocationdevoitures.fr
Vous avez la possibilité de louer votre voiture moyennant une caution et de ne rien payer de plus jusqu'à quatre semaines avant la prise en charge. Il n'y a pas de frais d'annulation, ni de frais de carte de crédit, ni de frais de modification.

▣ EUROPCAR FRANCE

✆ 0 825 358 358 - Fax : 01 30 44 12 79
www.europcar.fr
Chez Europcar, vous aurez un large choix de tarifs et de véhicules : économiques, utilitaires, camping-cars, prestige, et même rétro. Vous pouvez réserver votre voiture via le site Internet et voir les catégories disponibles à l'aéroport - il faut se baser sur une catégorie B, les A étant souvent indisponibles.

▣ HERTZ

✆ 0 810 347 347 - www.hertz.com
Vous pouvez obtenir différentes réductions si vous possédez la carte Hertz ou celle d'un partenaire Hertz. Le prix de la location comprend un kilométrage illimité, des assurances en option, ainsi que des frais si vous êtes jeune conducteur. Toutes les gammes de voitures sont représentées.

▣ HOLIDAY AUTOS FRANCE

✆ 0 892 39 02 02 - www.holidayautos.fr

Avec plus de 4 500 stations dans 87 pays, Holiday Autos vous offre une large gamme de véhicules allant de la petite voiture économique au grand break. Holiday Autos dispose également de voitures plus ludiques telles que les 4X4 et les décapotables.

■ **SIXT SAS**
✆ 0 820 00 74 98
www.sixt.fr
Fournisseur de mobilité n° 1 en Europe, Sixt est présent dans plus de 3 500 agences réparties dans 50 pays. Cette agence de location vous propose une gamme variée de véhicules (utilitaires, cabriolets, 4X4, limousines...) aux meilleurs prix.

Comparateurs

■ **BSP AUTO**
✆ 01 43 46 20 74 – Fax : 01 43 46 20 71
wwww.bsp-auto.com. 7/7.
La plus importante sélection de grands loueurs dans les gares, aéroports et centres-villes. Les prix proposés sont les plus compétitifs du marché. Les tarifs comprennent toujours le kilométrage illimité et les assurances. Les bonus BSP : réservés dès maintenant et payez seulement 5 jours avant la prise de votre véhicule, pas de frais de dossier ni d'annulation, la moins chère des options 0 franchise.

■ **VOITUREDELOCATION.FR**
✆ 0 800 73 33 33 / +33 1 73 79 33 33 (depuis l'étranger)
www.voituredelocation.fr
Ce site vous permet de comparer les prix des différentes sociétés de location et ensuite de réserver la voiture qui correspond à vos attentes, en fonction des dates, modèles, assurances et prises en charge proposés. Les conseillers vous aiguillent aussi pour vous trouver l'assurance qui convient le mieux à votre location.

■ RESTER

Étudier

Pour étudier ou poursuivre vos études supérieures, il vous faut prendre contact avec le service des relations internationales de votre université. Préparez-vous alors à des démarches longues. Mais le résultat d'un semestre ou d'une année à l'étranger vous fera oublier ces désagréments tant c'est une expérience personnelle et universitaire enrichissante. C'est aussi un atout précieux à mentionner sur votre CV. L'Italie possède des centres universitaires très importants, les échanges Erasmus y sont très répandus. Pour tenter l'aventure, renseignez-vous auprès de votre université ou contactez directement l'université de la ville qui vous intéresse.

■ **SERVICE DE L'ÉDUCATION NATIONALE DE L'AMBASSADE D'ITALIE**
✆ 01 49 54 03 00
Fax : 01 45 49 35 81
Peut être contacté pour obtenir des renseignements sur les cours pour étrangers organisés par les universités italiennes et pour vous indiquer les démarches à entreprendre pour l'obtention d'un diplôme en Italie. Quand vous aurez trouvé votre école, vous devrez demander un permesso di soggiorno (carte de séjour) et souscrire une assurance avec la société Ina-Assitalia qui vous garantira l'assistance en cas de problèmes de santé. Vous devrez ensuite obtenir les documents suivants : reçu de paiement d'une somme d'adhésion au service national italien (ASL) ; un certificat d'admission à votre institut d'études en Italie ; votre carte de séjour ; un certificat de résidence.

■ **ÉCOLE EUROPÉENNE DE VARESE**
Via Montello, 118
Varese
✆ (0039) 0332 806 111
Fax : (0039) 0332 806 202
www.eursc.org
Cette école est ouverte aux enfants de fonctionnaires et, dans la limite des places disponibles, aux enfants ressortissants des pays de l'Union européenne admis sur présentation des documents nécessaires à l'inscription.

■ **LYCÉE FRANÇAIS DE MILAN STENDHAL**
Via Laveno, 12
20148 Milan
✆ (0039) 0248 79 61
Fax : (0039) 0248 700 566
Lycée français de Milan Stendhal, fondé et

géré par la chambre française de commerce et d'industrie en Italie et en convention avec l'Etat français. Les épreuves du baccalauréat sont organisées à Milan.

Le financement

L'aide financière aux étudiants de l'enseignement supérieur en Europe, Eurydice, a publié un fascicule dans lequel sont présentés et comparés les systèmes et politiques d'aide aux étudiants dans les différents pays de l'Union européenne. Ce livre peut être commandé au prix de 25 € à l'Office des publications officielles des communautés européennes, L2985 Luxembourg

▶ **www.eurydice.org**

▦ PROGRAMMES DU CONSEIL DE L'EUROPE

www.egide.asso.fr/bfe
Rubrique sur le programme BFE (boursiers français à l'étranger). Obtenir une bourse d'études supérieures à l'étranger.

Sur Internet

▦ www.cidj.asso.fr

La rubrique « Partir en Europe » sur le serveur du C.I.D.J. fournit des informations pratiques aux étudiants qui ont pour projet d'aller étudier à l'étranger.

▦ www.france.diplomatie.fr

Les informations mises à disposition dans l'espace culturel du serveur du ministère des Affaires étrangères sont également précieuses.

▦ www.education.gouv.fr

Base de données sur l'enseignement supérieur en Europe. Sur le serveur du ministère de l'Education nationale, une rubrique « International » regroupe les informations essentielles sur la dimension européenne et internationale de l'éducation.

▦ www.europa.eu.int

La coopération éducative en Europe et les programmes en cours.

Séjours linguistiques

Attrayante par sa culture, ses coutumes, sa population, son mode de vie ou sa langue, l'Italie vous offrira un choix de séjours linguistiques ou pour des jeunes filles au pair ou en famille d'accueil.

▦ GOELANGUES

26, rue Vignon
75009 Paris

✆ 01 43 12 55 99
Fax : 01 43 12 50 81
www.goelangues.org
Goélangues travaille avec des écoles de langues en Italie. Goélangues se charge de vous trouver le logement et de vous inscrire aux cours d'italien.

Trouver un stage

▦ CAPCAMPUS

www.capcampus.com
Capcampus est le premier portail étudiant sur le Net en France et possède une rubrique spécialement dédiée aux stages, dans laquelle vous trouverez aussi des offres pour l'étranger. Mais le site propose également toutes les infos pratiques pour bien préparer son départ et son séjour à l'étranger.

▦ WEP FRANCE

81, rue de la République,
69002 Lyon
✆ 04 72 40 40 04
www.wep-france.org
Wep propose plus de 50 projets éducatifs originaux dans plus de 30 pays, de 1 semaine à 18 mois. Année scolaire à l'étranger, programmes combinés (1 semestre scolaire + 1 projet humanitaire ou 1 chantier nature ou 1 vacances-travail), projets humanitaires mais également stages en entreprise en Europe, Australie, Nouvelle-Zélande, Canada et Etats-Unis, et Jobs & Travel (visa vacances-travail) en Australie et Nouvelle-Zélande : voici un petit aperçu des nombreuses possibilités disponibles.

▦ 1001STAGES.COM

12 rue Saint-Gilles
75003 Paris
✆ 01 44 78 04 88
www.1001stages.com
Ce site vous permet de trouver un stage en Europe et à l'étranger aussi bien pour perfectionner une langue, faire de l'humanitaire ou tout simplement partir en voyage autrement en apprenant par exemple à faire des pâtes à Naples. Plusieurs thématiques vous sont proposées : loisirs créatifs, musique et chant, culture et sciences, cuisine et vins ou bien encore sports, mode et beauté, enfants et ados… Les activités de week-end ou de séjour peuvent être associés à un hébergement. 1001stages.com propose des stages en Belgique, en Suisse, en Italie, en Grande-Bretagne, en Espagne, au Québec et aux Etats-Unis.

Travailler

Comme tous les ressortissants de l'Union européenne, les Français bénéficient de la liberté d'installation et de travail en Italie. Pour exercer une activité salariée en Italie, le livret de travail est obligatoire. On peut l'obtenir auprès de la mairie du lieu de résidence.

Formalités

Pour prolonger votre permis de séjour, adressez-vous à la Questura (préfecture) la plus proche de votre lieu de résidence.

Institutions

Dans les grandes villes, vous trouverez l'Ufficio di Collocamento, l'équivalent de l'A.N.P.E. française, pas très efficace, mais utile pour avoir les premiers renseignements. Vous trouverez d'autres informations sur le marché du travail italien en vous rendant dans les chambres de commerce ou dans les mairies. Les personnes de forte volonté et/ou ayant des projets intéressants peuvent obtenir des renseignements sur toute l'économie italienne, sur les entreprises italiennes et, plus particulièrement, sur la situation de la ville qui vous intéresse en contactant :

◾ CHAMBRE DE COMMERCE ITALIENNE EN FRANCE
134, rue du Faubourg-Saint-Honoré
75008 Paris
☎ 01 53 93 73 73
www.france-italie.net

◾ LA CHAMBRE FRANÇAISE DE COMMERCE ET D'INDUSTRIE EN ITALIE
Via Cusani, 5
20121 Milano
☎ (0039) 02 725371
Fax : (0039) 02 865593
www.chambre.it/indexfr.html
La chambre de commerce française à Milan a mis en place, avec l'aide du consulat général, un service de recherche et de sélection de personnel. Les candidats à la recherche d'un emploi doivent s'inscrire et déposer leur C.V. en ligne sur la base de données Job Chambre. L'équipe du service Job Chambre se tient à votre disposition pour vous donner des renseignements complémentaires.

◾ EURES (RICERCHE ECONOMICHE E SOCIALI)
Via Col Di Nava, 3
00141 Roma
☎ (0039) 06 87 195 835
Des informations sur les conditions de vie,

de travail à l'étranger, sur les contrats de travail et les possibilités d'emploi peuvent également être obtenues auprès de cet organisme d'Etat.

◾ VOLONTARIAT INTERNATIONAL
www.civiweb.com
Si vous avez entre 18 et 28 ans et êtes ressortissant de l'Espace économique européen, vous pouvez partir en volontariat international en entreprise (VIE) ou en administration (VIA). Il s'agit d'un contrat de 6 à 24 mois rémunéré et placé sous la tutelle de l'ambassade de France. Tous les métiers sont concernés et vous bénéficiez d'un statut public protecteur. Offres sur le site www.civiweb.com

◾ LA MAISON DES FRANÇAIS A L'ETRANGER
244, boulevard Saint-Germain,
75003 Paris
☎ 01 43 17 60 79
www.mfe.org
La Maison des Français de l'étranger (MFE) est un service du ministère des Affaires étrangères qui a pour mission d'informer tous les Français envisageant de partir vivre ou travailler à l'étranger et propose le « Livret du Français à l'étranger » et 80 dossiers qui présentent le pays dans sa généralité et abordent tous les thèmes importants de l'expatriation (protection sociale, emploi, fiscalité, enseignement, etc.). Egalement consultables : des guides, revues et listes d'entreprises et, dans l'espace multimédia, tous les sites Internet ayant trait à la mobilité internationale.

◾ RECRUTEMENT INTERNATIONAL
www.recrutement-international.com
Site spécialisé dans les offres d'emploi à l'étranger, le recrutement international, les carrières internationales, les jobs et stages à l'international.

◾ ASSOCIATION TELI
2, chemin de Golemme,
74600 Seynod
☎ 04 50 52 26 58
www.teli.asso.fr
Le Club TELI est une association loi 1901 sans but lucratif d'aide à la mobilité internationale créée il y a 16 ans. Elle compte plus de 4 100 adhérents en France et dans 35 pays. Si vous souhaitez vous rendre à l'étranger, quel que soit votre projet, vous découvrirez avec le Club TELI des infos et des offres de stages, de jobs d'été et de travail pour francophones.

Index

Val d'Orcia en Toscane

■ M ■

La Cène dite d'Emmaüs, œuvre de Santi di Tito au sein de la basilique Santa Croce de Florence

ORGANISER SON SÉJOUR

■ T ■

▪ U ▪

▪ V-Z ▪

BULLETIN D'ABONNEMENT

A retourner à :
Petit Futé mag – service abonnements
18-24, quai de la Marne - 75164 Paris Cedex 19

+ Le Hors Série été 2009

☐ **Oui,** je souhaite profiter de l'offre spéciale abonnement hors série pour 1 an pour 25€ au lieu de ~~29,90€~~ : je recevrai 6 n°s Petit Futé mag et le hors série 2009 Le patrimoine français de l'Unesco (parution juillet 2009).

☐ **J'offre** un abonnement hors série d' 1 an au prix de 25€ au lieu de ~~29,90€~~ : 6 numéros + le hors série Le Patrimoine français de l'Unesco (parution juillet 2009).

☐ Je joins mon règlement par chèque bancaire ou postal à l'ordre de Petit Futé mag

☐ Je préfère régler par carte bancaire :

CB n° ☐☐☐☐ ☐☐☐☐ ☐☐☐☐ ☐☐☐☐

Expire fin : ☐☐ / ☐☐

Clé : (3 derniers chiffres figurant au dos de la carte) ☐☐☐

Date et Signature

Mes coordonnées :
☐ Mme ☐ Mlle ☐ M.

Nom .... Prénom................................

Adresse ....

Code Postal ....Ville ....

Tél. ....

Email ....

J'offre cet abonnement à :
☐ Mme ☐ Mlle ☐ M.

Nom .... Prénom................................

Adresse ....

Code Postal ....Ville ....

Tél. ....

Email ....